C000075603

1 MONTH OF
FREE
READING

at

www.ForgottenBooks.com

By purchasing this book you are eligible for one month membership to ForgottenBooks.com, giving you unlimited access to our entire collection of over 1,000,000 titles via our web site and mobile apps.

To claim your free month visit:

www.forgottenbooks.com/free1307115

* Offer is valid for 45 days from date of purchase. Terms and conditions apply.

ISBN 978-0-428-78481-2
PIBN 11307115

This book is a reproduction of an important historical work. Forgotten Books uses state-of-the-art technology to digitally reconstruct the work, preserving the original format whilst repairing imperfections present in the aged copy. In rare cases, an imperfection in the original, such as a blemish or missing page, may be replicated in our edition. We do, however, repair the vast majority of imperfections successfully; any imperfections that remain are intentionally left to preserve the state of such historical works.

Forgotten Books is a registered trademark of FB &c Ltd.
Copyright © 2018 FB &c Ltd.
FB &c Ltd, Dalton House, 60 Windsor Avenue, London, SW19 2RR.
Company number 08720141. Registered in England and Wales.

For support please visit www.forgottenbooks.com

Berliner
Conversations-Blatt
für
Poesie, Literatur und Kritik.

Redigirt
von
Dr. Fr. Förster und W. Häring (Willibald Alexis.)

Erster Jahrgang. 1827.

Berlin.
Im Verlage der Schlesinger'schen Buch- und Musikhandlung.
(Unter den Linden Nr. 34.)

Berliner

Conversations-Blatt

für

Poesie, Literatur und Kritik.

Redigirt

von

Dr. Fr. Förster und W. Häring (Willibald Alexis).

Erster Jahrgang.

Erstes Heft. Januar 1827.

Berlin.

Im Verlage der Schlesinger'schen Buch- und Musikhandlung.

(Unter den Linden Nr. 34.)

Inhalts-Verzeichniß.

Januar 1827.

Ankündigung.

Auch im Jahre 1827 wird fortgesetzt die:

Berliner

Allgemeine musikalische Zeitung,

redigirt von

A. B. Marx.

Vierter Jahrgang. — Preis des Jahrganges 5 Thl. 10 Sgr.

Es ist uns sehr erfreulich zu sehen, wie diese für das Beste der Kunst gegründete Zeitung immer mehr Anerkennung findet; der Redacteur hatte immer die Kunst vor Augen, und sie zu fördern, und die falschen Richtungen anzudeuten, war sein stetes Bestreben. Wir enthalten uns jeden weiteren Lobes, und verweisen das Publikum sowohl auf die Zeitung selbst, als auf die verschiedenen Literatur-Zeitungen, welche ausführlicher über die Tendenz sowohl als das Geleistete in diesem Blatte sprechen.

Schlesinger'sche Buch- u. Musikhandlung in Berlin, unt. d. Linden No. 34.

So eben ist in der unterzeichneten Buchhandlung erschienen:

Uebersicht

der

Befestigungskunst.

Als Leitfaden

zur

Ausarbeitung von Heften, und zur Ersparung aller Dictate in Vorträgen.

Nach der

Befestigungskunst für alle Waffen

bearbeitet von

Louis Blesson.

Erstes Heft. Feld-Befestigung. Preis 12½ Sgr.

Schlesinger'sche Buch- und Musikhandlung in Berlin, Unter den Linden No. 34.

In der unterzeichneten Buchhandlung ist so eben erschienen:

Die Denkmale

germanischer und römischer Zeit

in den

Rheinisch-Westfälischen Provinzen,

untersucht und dargestellt von

Dr. Wilhelm Dorow,

2ter Band, in 4to, mit 31 Steintafeln und 1 Grundrisse in Kupfer in Folio.

Auch unter dem besonderen Titel als für sich bestehendes Ganze:

Römische Alterthümer

in und um

Neuwied am Rhein,

mit Grundrissen, Aufrissen und Durchschnitten des daselbst ausgegrabenen Kastells, und Darstellung der darin gefundenen Gegenstände. — Preis 12 Rthlr.

Ein hohes Ministerium der Geistlichen, Unterrichts- und Medicinal-Angelegenheiten, hat schon unter dem 2. Mai sämmtliche Universitäts-Bibliothekare, so wie sämmtliche Consistorien und Provinzial-Schul-Collegien auf obiges Werk aufmerksam gemacht und ihnen anheim gegeben, auf selbiges für die betreffenden Bibliotheken zu subscribiren.

Schlesinger'sche Buch- und Musik-Handlung in Berlin.

(RECAP) 0902 .165 1827, v.1 65714

Gedruckt bei L. Quien in Berlin.

Berliner Conversations-Blatt

für

Poesie, Literatur und Kritik.

Montag, — Nro. 1. — den 1ten Januar 1827.

Vorwort.

Eine neue Zeitschrift wird, und wenn sie noch so bescheiden aufträt, so leicht dem Vorwurfe nicht entgehn, daß sie die Anmaßung, oder vielleicht auch nur die Einbildung habe: etwas ganz Neues und Außerordentliches leisten zu wollen. Auch von dem Berliner Conversations-Blatte wird man in diesem Sinne sprechen und die beste Vorrede würde es nicht gegen so üble Nachrede schützen können. Da scheint es am besten, sich in dieses Vorurtheil zu finden und es so zu rechtfertigen, daß es zuletzt zum Urtheil wird. Ist somit einem neuen Blatte der Anspruch, den es etwa auf Bescheidenheit machen könnte, gleich von vorn herein abgesprochen, so ist dies allerdings eine schlimme Stellung, indessen immer nicht so schlimm, daß für die Zukunft jede günstige Aussicht abgeschnitten wäre. Im Gegentheil dürfte die Anmaßung, mit der man ein neues Blatt aufzutreten zwingt, für die Erziehung desselben von guten Folgen seyn; denn so viel hat die Erfahrung gelehrt, daß die Bescheidenheit, die als das Resultat abgearbeiteter Anmaßung erscheint, immer eine angenehmere Eigenschaft war, als die Anmaßung, die das Resultat verhätschelter Bescheidenheit ist. — Da wir also verurtheilt sind „Neues und Außerordentliches" zu leisten, so wird man zunächst von uns auch vernehmen wollen, worin denn eigentlich dieses Neue und Außerordentliche bestehe. — Schon in der Ankündigung ist von „Wunsch und Verlangen" und von dem „oft gefühlten Bedürfniß" nach herkömmlicher Weise gesprochen worden, und das gute Publikum hat dabei gewiß nicht ohne Verwunderung, oder Bestürzung gedacht: „schon wieder ein Bedürfniß und ein Verlangen, das man uns in die Schuh schiebt, damit man uns hernach zeigen kann, wo uns der Schuh drückt." — Von einem Bedürfniß des Publikums sollte eigentlich bei unserm Blatte nicht die Rede seyn, wenigstens wollen wir es nicht Wort haben, daß es daraus hervorgehe und darauf basirt sei. Soll und muß aber ein Bedürfniß zur Sprache gebracht werden, so hätte man es eher auf dem, der Lesewelt entgegengesetzten Pole, auf dem der Schreibewelt zu suchen. Für Berlin fehlte es bis jetzt an einem Blatte, für welches sich unsere Herren von der Feder gemeinschaftlich interessirt, welches sie zum gemeinschaftlichen Sammelpunkte gewählt hätten und so geschieht es, daß die Berliner Conversation, wie über politische Angelegenheiten, so auch über Kunst und Kritik jenseit der Grenze geführt wird. Die Einen singen ihr Morgenlied in dem Dresdner Abendblatte, die Andern halten ihre Mittagruhe in dem Braunschweiger Mitternachtblatte, die Dritten tragen ihren Abendsegen nach dem Stuttgarter Morgenblatte und so zerstreuen sich die Kräfte, die hier concentrirt etwas Ganzes zu Stande bringen könnten, nach allen Regionen, um zerstückt wieder nach der Heimath zurückzukehren. — Unser Blatt geht aber nicht blos aus einem hier und da geäußerten Wunsche einiger Einzelnen hervor, sondern hat seinen Rückhalt an bestehenden literärischen Vereinen, und wenn unsre Congregation auch harmloser ist, als die Pariser, so theilt sie doch mit ihr den Wunsch, ein Organ zu besitzen, um von einem gemeinschaftlichen Standpunkte aus, einen gemeinschaftlichen Zweck zu verfolgen. Dieser Zweck ist kein anderer, als: dem, was von Seiten des Staats für Wissenschaft und Kunst geschieht, die verdiente Würdigung, den Leistungen der Künstler gerechte Anerkennung und den wissenschaftlichen und künstlerischen Erscheinungen und Bestrebungen überhaupt ihr Urtheil, nicht als ein ihnen angedichtetes und angethanes, sondern als das, von ihneu selbst schon mitgebrachte, Urtheil zukommen zu lassen. Nur wenn sie dies leistet, hat die Kritik *das Recht, sich eine angewandte Philosophie* neunen zu dürfeu.

Der Redaction des Berliner Conversations-Blattes, zumal der des *kritischen* Theils, muß es zunächst darum zu thun seyn, daß vor allen die Kritik selbst ihren Ruf wieder bessere. In unsern Tagen ist es leider! keine sonderliche Empfehlung, ein Kritiker, oder wohl gar ein Recensent zu seyn, worunter man sich ein Subject vorstellt, welches sich überall zu Gaste bittet, ganz leidlichen Appetit zeigt, sich's vortrefflich schmecken läßt und hinterdrein auf Straßen und Märkten über die Tafel und den Keller des Wirths die schmählichsten Reden führt. Es ist bekannt, welche Aufforderung Goethe (Gedichte Bd. II, S. 142.) zur Ausrottung solcher Gesellen gethan hat. Sehen wir aber den Dichter selbst in solchem Eifer gegen die Kritik, so muß allerdings ein großer Bruch zwischen der Kuust und der Kritik geschehen seyn, und unsere nächste Aufgabe wäre demnach: das rechte Verhältniß beider und somit auch ihr gegenseitiges gutes Vernehmen wieder herzustellen.

Man kann sagen, daß gegenwärtig dem Kunstwerke die Kritik eben so unentbehrlich ist, als dieser das Kunstwerk. Erinnern wir zuerst an die bildenden Künste, so gab es allerdings eine Zeit, wo die Schöpfungen derselben der Kritik, d. h. der Anfrage: was ihr wesentlicher Inhalt sei und wie dieser mit ihrer Form übereinstimme, enthoben waren. Es war dies die Zeit, wo die Kunst *in dem Dienste* der Religion stand und zugleich den hohen Beruf erfüllte, das tiefe Geheimniß des Göttlichen nach ihrer Weise zu offenbaren. An den Griechischen Gott hat die jubelnde Menge, die an den Panathenäen ihn bekränzte, nicht die Fragen gerichtet, die ein Berliner Publikum an die schöne Gruppe: „Amor und Psyche" von Wichmann richtet, wenn es die Ausstellung besucht und Raphael durfte sich nicht mit den Anstalten zum Katholischwerden abquälen, um die heilige Jungfrau mahlen zu können.

Der Griechische Gott, wie das christliche Heiligenbild, hatten ihre Gewißheit und ihre Bewährung, der eine in der freudeberauschten, nach außen gerichteten Menge; das andere in der frommen, dem Innern zugewendeten, in sich versenkten Gemeinde. — Der Bildhauer, der uns den Apoll oder wen sonst aus dem olympischen Götterkreise darstellt, verlangt nicht von uns, daß wir mit heidnischem Jubel uns davor ergötzen sollen, er will seine Arbeit als ein Kunstwerk betrachtet wissen. Denselben Anspruch macht auch in unsern Tagen der christliche Maler, der, in Erinnerung, daß wunderthätige und von der gläubigen Menge der Wallfahrer am höchsten gehaltene Bilder, gewöhnlich die schlechtesten Gemälde sind, sich darin nicht befriedigt findet, daß seine heilige Familie nur die frommen Seelen erbaue; die Andacht die er verlangt, ist mehr die des denkenden, als des glaubenden Beschauers. Thun wir hier zugleich einen Blick in das Gemüth des Künstlers, so finden wir, daß es in demselben ebenfalls ganz anders aussieht, als in dem der Künstler jener alten, großen Kunstperioden und was diesen Unterschied ausmacht ist auch nichts anderes, als was die Beschauer der heutigen Welt von denen der alten unterscheidet. Die alte Welt sahen wir nur in einem religiösen Verhältniß zum Kunstwerke, die neue in einem betrachtenden, urtheilenden. Dasselbe gilt von dem Künstler selbst. Der Griechische Künstler schuf „des Gottes voll" den Gott den er darstellte und in der christlichen Zeit war die Arbeit des Künstlers seine Andacht und sein Gottesdienst; obwohl in dem Verhalten des heidnischen Künstlers zu seinem Gott und des christlichen Künstlers zu dem seinen, der wesentliche Unterschied statt findet, daß der heidnische seinen Gott in dem schönen Marmorgebilde wirklich gegenwärtig glaubte, während der christliche Künstler nur in dem versöhnten und gläubigen Herzen die Gewißheit seines Gottes hatte. — Jene fromme Zeit der Kunst ist vorüber, und wenn auch einzelne Künstler sie noch in Demuth und Andacht üben, so steht doch im allgemeinen der Geist der Kunst auf einer anderen Stufe und das Kunstwerk macht nicht mehr den Anspruch, die höchste und würdigste Weise der Darstellung des Göttlichen zu seyn, welches sich nicht im Bilde und Bildwerke, sondern im Geiste und in der Wahrheit offenbart. Wenn also der Künstler selbst nicht mehr in unmittelbarer Begeisterung schafft, sondern seine Schöpfungen durch allerlei Gedankeu, die er sich vorher macht, vermittelt sind, mit einem Worte, wenn er selbst Kritiker — und zwar nicht immer der sicherste — ist, so darf er, selbst wenn er die schöne Aufgabe erhält, zum Schmuck einer Kirche zu arbeiten, nicht blos fromme, schweigende Seelen, sondern vielmehr laute Gäste erwarten, die, das Werk mag ihnen gefallen oder nicht, Rechenschaft darüber zu geben, oder zu empfangen wünschen.

Wie wir unter den Künstlern noch die Möglichkeit von Ausnahmen zuließen, so mag es auch unter dem Publikum noch einzelne Gemüther geben, die in dem Kunstwerke eine Befriedigung ihrer religiösen Sehnsucht und Erbauung finden; allgemeiner Ton ist es nicht mehr. Die wesentliche Anforderung der Beschauer ist nicht, daß sie ihren Glauben, sondern ihr Urtheil vor dem Bilde befriedigt wissen wollen. — Ueberall also trifft der Künstler, er mag sich nach innen an sich selbst, oder nach außen an die Menge wenden, auf Urtheil und Kritik und so käm' es nur darauf an, sich zu überzeugen, daß die Kunst, wie sie sonst in dem Glauben, jetzt in der Kritik ihre würdigste und angemessenste Bewährung findet und es dürfte sich dann ergeben, daß der Standpunkt, den die Kunst jetzt einnimmt, mit gutem Grunde gegen den früheren: ein höherer genannt werden kann. — Schon daß von der Kunst gesagt werden muß, daß sie früher im Dienste stand, bezeichnet ein untergeordnetes Verhältniß. Sie ist frei geworden, indem sie sich auf sich selbst gestellt hat; allein wie es mit solcher Freiheit bedenklich aussieht, wo man dem Freigelassenen von Grund und Boden, von Haus und Hof treibt, wo er früher dienend lebte und ihn in seinem freien Zustande auf nichts, als die freie Luft anweist, so könnte es auch mit der emancipirten Kunst übel bestellt seyn, wenn sie nicht wüßte, wo ihre Heimath wäre. Wo sie diese findet, wurde schon dadurch näher bezeichnet, daß wir sie mit der Bewährung, die sie für ihre Werke zu suchen hat, auf die Kritik anwiesen. Diese Kritik aber, die wir meinen, ist nicht ein äußerliches Herumgehen und Herumtappen an dem Kunstwerke, nicht ein Anatomiren, Seciren und Skelettiren, wo man die einzelnen Theile Stück für Stück in der Hand hat, aber die Seele und das geistige Band fehlt; unsere Kritik ist auf das Wesen, auf den Inhalt gestellt und hat mit der Kunst dieselbe Heimath, den Gedanken. Dieser ist es, der, um zunächst von der Malerei zu sprechen, schon längst diese Kunst aus ihrem früheren Dienste befreit hat, indem er sie aus der engen Grenze der Darstellung, auf welche sie angewiesen war, entließ und ihr das Gebiet des Wahren und Schönen eröffnete. Wie dies Gericht im Reiche des Geistes vollzogen ward, so hat es sich auch in der äußeren Erscheinung genugsam angekündigt. Daß die Bilder der höchsten Meister von den düstern Altären, wo die gläubige Menge vor ihnen auf den Knieen lag, in die heitern Räume der Museen gewandert sind, wo sich der Künstler daran bildet, der Kunstkenner sie deutet, der Kunstfreund sich daran erfreut, ist nur in Folge jenes, von dem Gedanken gehaltenen Gerichtes, geschehen und daß den Künstlern die schönen Verhältnisse der Antike und das frische Leben der lebendigen Natur zu ewigen Vorbildern frei gegeben worden sind, verdanken sie ebenfalls der Macht des Gedankens. Uebelberathen ist der Künstler, der sich fremd, oder wohl gar vornehm dem Gedanken gegenüberstellen wollte, während er nicht nur darauf angewiesen ist, daß sich sein Werk vor demselben rechtfertige, sondern auch die würdigste Anerkennung nur vor diesem Tribunal finden kann. — Nur diese Anerkennung ist es, welche den echten Künstler befriedigt. Es ist ihm nicht genug, daß er sieht, wie seine Schöpfungen erfreuen, denn er weiß, von welchen Zufälligkeiten die Freude oft ausgeht und wie sie, sobald sie sich nicht über das, worüber sie sich freut, Rechenschaft zu geben weiß, nur trübe Ahnung und dunkles Gefühl bleibt, woran der Künstler sich nicht festhalten kann. Ist er freilich selbst noch in diesem nebelhaften Zustande befangen, dann wird er sich an allerlei solchen gemüthlichen und gefühlvollen Salbadereien erbauen und erquicken, ist er eitel, so wird ihm der Beifall der hohlen Hände und der vollen Börse den schönsten Lohn geben können, wo er dann freilich von uns nichts zu erwarten hätte. —

Was von dem Verhältniß der Kritik in unserm Sinne zu den bildenden Künsten gesagt wurde, gilt eben so von dem zur Musik, Poesie und Schauspielkunst, die, weil sie ihr Element nicht in einem sinnlich-festen Stoffe, sondern in der Empfindung und Vorstellung haben, schon dadurch dem Gedanken näher gerückt sind. —

Zwar scheint die Musik, die mit ihren seelenhaften Tönen verschwindet, indem sie uns berührt, und uns nicht auf so befestigte Weise, wie der Marmor und das Bild gegenübertritt, zugleich auch dem richtenden Urtheile sich zu entziehen, allein der Gedanke hat die Macht die abgeschiedenen Seelen wieder zu rufen und die flüchtigsten Geister zu bannen.

Da jedoch von unserm Blatte die eigentliche gelehrte Beurtheilung ausgeschlossen ist, so haben wir es nicht mit dem wissenschaftlichen Theile der Musik, mit Partituren und Contrapunkt zu thun, sondern mit ihren Werken als Kunstschöpfungen und Kunstleistungen, und zwar, in so fern sie der geistig-sinnlichen Empfindung, von der hier allein die Rede seyn kann, angehören. Nicht darum handelt es sich, daß die Musik uns nur in einem unbestimmten Taumel der Empfindung umhertreibe, sondern auf den Inhalt dieser Empfindungen und ob er von wahrhafter Art ist, kömmt es an. Dies auszusprechen, ist ebenfalls, was den poetischen oder schöpferischen Theil der Musik betrifft, die Aufgabe unserer Kritik, und der Componist, wird, wie jeder andere wahrhafte Künstler, seine höchste Befriedigung darin finden, daß seine musikalische Schöpfung zum Worte komme, d. h. daß der Geist derselben verstanden und ausgesprochen werde. Nicht ganz so stellt sich die Sache bei den ausübenden Musikern, die zugleich eine mechanisch erwordene Fertigkeit anerkannt wissen wollen, oder, wie es in dem Gesange der Fall ist, Anspruch darauf zu machen haben, selbst fremde Schöpfungen als ihre eignen zu reproduziren. Da diese Leistungen unter die Kathegorie des Theaters gehören, wird weiter unten von ihnen die Rede seyn. —

Wenn wir durch diese, immer nur vorläufigen, Erörterungen die Bildner, Maler und Musiker günstiger gegen die Kritik gestimmt haben, so hoffen wir daß die Dichter ebenfalls der Kritik nicht mit gleicher Ungunst, wie bisher begegnen sollen; entgehen können sie ihr doch nicht. Auch ist wohl die Poesie am geneigtesten, sich mit einer gedankenmäßigen Kritik zu befreunden, denn diese steht ja zu ihrer Kunst in nächster Beziehung. Der Bildhauer hat an dem Stein, der Maler, an den Farben, der Musiker an den Tönen sein Element; der Dichter ist dieser Welt der sinnlichen Anschauung entnommen und der Stoff, in dem er arbeitet, ist geistige Anschauung, Vorstellung, selbst in das Reich des Begriffes streift er hinüber, von wo die Kritik ihm befreundet entgegen tritt.

Würden sich aber die Dichter sehr spröde gegen die Kritik stellen, so müßte man sie daran erinnern, daß die Kritik ihnen doch nicht so fern liegen kann, da sie ja sämmtlich — wir sprechen von der neuen Deutschen Literatur — zur Fahne der Kritik schwuren, ja die eigentlichen Wortführer und Sprecher in dem kritischen Parlament wurden und sich in allen Literaturzeitungen als Recensenten umhergetummelt haben. — Nennt man den Namen Lessing, so denkt man fast mehr an das, was er als Kritiker, als an das, was er als Dichter geleistet hat, obwohl seine Verdienste in beider Hinsicht gleich groß sind. — Wieland war vielleicht mit gleicher Neigung Kritiker, wie Dichter, obwohl wir seine Dichtungen höher stellen müssen, als seine Kritiken. Durch die letzteren fand er frühzeitig einen Gegner an Goethe, der mit seinem allumfassenden Genie in das Gebiet der Natur, der Kunst und der Wissenschaft trat, und sich von der ihn umgebenden äußeren Welt der Erscheinungen und von der noch größeren Welt des Gedankens, die er in sich trug, Rechenschaft zu geben suchte. Er hat der Kritik einen reichen Tribut entrichtet und noch jetzt führt er den Vorsitz unter den Kunstrichtern. — Schiller erhob sich über den kritischen Standpunkt zu dem philosophischen, indem er nicht sowohl die Schöpfungen des Geistes, sondern den Geist selbst, nicht das Kunstwerk, sondern das Schöne an und für sich zum Gegenstande seiner Untersuchung machte, und die Jenaische Literaturzeitung kann sich rühmen, ihn unter den Recensenten ihrer Blüthenzeit aufzuführen. Nach ihm beginnt die Periode, in welcher die Dichter die Kunstkritik als ihr Monopol ansahen und die beiden Schlegel, die hier vor andern zu nennen sind, wurden sogar der Dichtkunst untreu, um sich ausschließlich der Kritik zu widmen. Tiek suchte beides zu vereinigen, indem er kritische Lustspiele schrieb, die durch ihren wahrhaft Shakspearschen Humor und treffenden Witz von bleibendem Interesse sind und alles übertreffen, was dieser letzte Liebling der deutschen Muse später in der Kritik und Poesie geleistet hat. Am reinsten und klarsten aber gestaltete sich das Bewußtseyn, daß der Dichter es nicht zu scheuen habe, sich selbst Rede zu stehen in Jean Paul, der, wozu es alle die genannten nicht gebracht haben, eine „Vorschule der Aesthetik“ schrieb.

Diese Anführung genüge, um darauf aufmerksam zu machen, welchen gemeinschaftlichen Weg die Kritik mit der Poesie gegangen ist. In neuester Zeit, kann man wohl sagen, sind sie sich untreu geworden, und wie es jetzt steht, ist die Kritik, die, so lange sie nur auf dem Gefühl des Schönen und Schicklichen und auf dem guten Geschmack ruhte, den Dichtern und Frauen angehörte, als die Wissenschaft von dem Schönen der Philosophie anheim gefallen; die Poesie als solche stellt nicht mehr, wie ehedem kritische, Kaperbriefe aus. —

(Der Schluß folgt.)

(Redigirt von Dr. Fr. Förster und W. Häring (Willibald Alexis.)

Von diesem Journal erscheinen wöchentlich 5 Blätter (und zwar Dienstags 2 und Sonnabends 3) außerdem literarisch-musikalisch-artistische Anzeiger. Der Preis des ganzen Jahrgangs ist 9 Thaler, halbjährlich 5 Thaler. Alle Buchhandlungen des In- und Auslandes, das Königl. Preuß. Post-Zeitungs-Comptoir in Berlin, und die Königl. Sächsische Zeitungs-Expedition in Leipzig nehmen Bestellungen darauf an.

Im Verlage der Schlesinger'schen Buch- und Musikhandlung, in Berlin.

Berliner Conversations-Blatt

für

Poesie, Literatur und Kritik,

Dienstag, — Nro. 2. — den 2ten Januar 1827.

Vorwort.

(Schluß.)

Nun hätten wir nur noch mit einer Kunst und ihrer Genossenschaft die Friedenspräliminarien abzuschließen, mit der Schauspielkunst und dem Schauspielkünstler, und auch zu diesem haben wir das Zutrauen, daß er nicht der Gunst oder Ungunst der Menge über sich die höchste Entscheidung zugestehe, sondern der Kritik, die ebenfalls ihre Bewährung nicht darin findet, daß sie mit der wandelbaren Menge übereinstimme. Das Publikum gleicht dem Quecksilber, das in die enge Röhre, hier die Logen und Sperrsitze, gedrängt, im Allgemeinen wohl die Temperatur, kalt — warm — stürmisch u. s. w. anzeigt, aber der denkende Astronom kann danach den Lauf der Gestirne, und was sonst am Himmel Ewiges geschieht, nicht bestimmen.

In zweifacher Hinsicht ist, was die Beurtheilung seiner Leistungen betrifft, der Schauspieler übler daran, als jeder andere Künstler; er ist abhängiger von dem Urtheil der Menge und ist mit seinem Kunstwerk zugleich so identisch, so in eins gesetzt, daß, wenn von dem letzteren gesprochen wird, immer seine Persönlichkeit nothwendig mit berührt wird. Der Bildhauer tritt von seinem Marmor, der Maler von seiner Leinwand zurück, der Componist schickt seine Opern, der Poet seine Dichtungen in die Welt und nennt sie, wenn er sich recht familiär mit ihnen machen will, höchstens seine Kinder; oft versagt er ihnen sogar den Vaternamen, und während die Kritik ihnen den Kopf wäscht, sitzt er dabei im Trocknen. So wohl wird's dem Schauspieler nicht; was er leistet, ist er selbst, er selbst ist das Kunstwerk, das er uns zur Beurtheilung überlassen muß und zwar nicht blos von seinem Gemüth, seinem Gefühl, seinem Sinn und Verstand, ist die Rede, solche Aeußerlichkeiten gäb' mancher gern preis; aber es wird seine Sprache, seine Stimme, seine Bewegung, sein Körper, sogar von der Seite der Natur, wo alle Kunst nicht nachzuhelfen vermag, zum Gegenstande der kritischen Untersuchung gemacht, und dies ist allerdings Ursache genug, empfindlich zu sein. Dazu kömmt nun, daß der Schauspieler mehr als jeder andere Künstler auf den Augenblick und auf die nächste Umgebung angewiesen ist; wenn er nicht in der Gegenwart Anerkennung findet, kann er nicht an den Richterstuhl einer unpartheiischen Nachwelt appelliren, er kann ihr nichts von seinen Werken hinterlassen, die für ihn ein Zeugniß ablegen könnten. Wohin der Schauspieler, selbst der bessere, blickt, sieht er nichts für sich als traurige Abhängigkeit; der Direktor theilt ihm Rollen zu, die ihm nicht zusagen, der Dichter muthet ihm zu verrückt zu sein, wenn er noch ganz gut bei Verstande ist und das Publikum will etwas für's Geld haben. An wen anders also, als an die Kritik kann er sich wenden, um seine Kunst und seine Ehre vertreten zu sehen? Sie ist von allen den Mächten unabhängig, denen der Schauspieler unterthan ist, weder der Direktor an der Kasse, noch der Dichter in dem Olymp haben ihr zu gebieten, ja selbst ein verehrungswürdiges Publikum wird von dem Kritiker nicht gefürchtet und nicht geschont, denn da er selbst mit dazu gehört, kann es ihm keiner wehren, für sich, d. h. in den öffentlichen Blättern, seine Stimme abzugeben und er schafft dem Schauspieler die süße Genugthuung, daß das Publikum, vor dem er, und wenn ihm noch so großes Unrecht geschieht, nicht den Mund verziehen darf, doch auch einmal seinen Theil abbekömmt.

Was die Kritik der Literatur betrifft, so werden wir uns nur auf Beurtheilung und Anzeigen solcher Werke und Schriften beschränken, welche von allgemeinerem Interesse sind; wobei wir uns nicht blos an die Deutsche Literatur und den Leipziger Meßkatalog halten wollen, sondern über die Englische und Französische Literatur vollständige, über die Erscheinungen der andern Europäischen und Außer-Europäischen Literatur genügende Mittheilungen zu geben versprechen. — In einer „Chronik von Berlin," soll über die wichtigsten Ereignisse in der literarischen und künstlerischen Welt Bericht erstattet werden.

F. F.

* * *

Das freiere Gebiet der Originalschöpfungen, dessen Verwaltung bei Theilung der Redactionsgeschäfte dem Unterzeichneten zugefallen, ist schwieriger zu bevorworten als der kritische Theil, insofern man in dem Vorwort einen geistigen Index des zu Leistenden erwartet. Wer wird leisten? und: Was wird geleistet werden? Mit Posaunenklang pflegt man in langem Feierzuge die Namen der Heroen aufzuführen, und dann heißt es: Was von Männern eines solchen Rufes zu erwarten steht, bedarf keiner Auseinandersetzung.

Wir können nicht die Namen Herder, Goethe, Schiller, Jean Paul, Tieck aufführen, als koste es uns nur einen Wink, fünf Blätter mit ihren Beiträgen zu füllen. Und wäre es auch — selbst Homer schlummert zuweilen nach dem Sprüchwort — mit Jugendexercitien, Billetten zwischen Traum und Wachen dictirt, Fetzen seiner abgetragenen Kleider macht der reiche Mann den Beschenkten noch nicht wieder reich.

Ich kann überhaupt nichts versprechen. Es giebt keine schlimmere Richterin als die getäuschte Erwartung. Indessen wiederhole ich hier die Versicherung des Verlegers, daß er nur mit Willen und Erwartung: auch den unterhaltenden Theil des Blattes einer gediegenern Literatur zu öffnen, die neue Zeitschrift unternommen habe. Der Wille ist bei mir derselbe. Ohne ähnliche Hoffnung hätte ich die Redaction nicht übernommen. Abzumessen jedoch in voraus, wie weit die Mittel ausreichen, und schöpferische Kraft und Bereitwilligkeit sich mit ihnen begegnen werden, fehlt die Prophetengabe.

Wie auch grauer Nebel über das Deutsche Theater ausgegossen liegt; nur von Kolophoniumblitzen dann und wann erhellt, daß man Thiere und Menschen darauf umherspringen sehe, wie auch die, den Nepotismus begünstigende Apathie der höhern Leitung, heut des Publikums Opiumrausch, morgen seine darauf folgende Schläfrigkeit und endlich das der Kunst den letzten Stoß versetzende Bureauwesen mit seinen Committéen und Controllen sich vereinen, den dramatischen Dichter statt aufzumuntern zu entmuthigen, — die von den Brettern in Deutschland verstoßene Kunst und Dichtung findet anderwärts ein Asyl.

Die Poesie kann ohne das Theater bestehen, wie lange noch das Theater ohne die Poesie, wird sich zum Schrecken der Kassenvorsteher in wenig Jahren aller Orten darthun, ohne daß die ästhetische Kritik das deficit zu ziehen brauchte. Nur der Schauspieler ist zu bedauern, nicht der Dichter. Ihm sind im epischen Gebiete reiche Aussichten eröffnet.

Die da klagen an den Wasserbächen Babylons über den Untergang des Deutschen Theaters, dürfen nicht übersehen, daß auf den Feldern der erzählenden Dichtung die Morgenröthe den Nebel besiegt hat. Roman und Novelle haben überall edlere Richtungen gewonnen. Scott hat gezeigt wie die Geschichte im Einzelleben zu reproduciren, ohne daß sie ihr großartiges Interesse verliere, Washington Irwing, wie man den Beobachtungen über Sitten und Charactere auch ohne den Romanfaden künstlich zu spinnen, hohe Anziehungskraft geben könne. Jean Paul, der Yoriks Humor — zwar wortreicher, aber deshalb nicht minder gehaltreich — eine tiefere Basis im Gemüthe angewiesen und ihm eine höhere Richtung gezeigt, Göthe, der unerreichte Anmuth über seine Darstellungen hingehaucht, haben nicht fruchtlos gewirkt. Tieck hätte in seinen Novellen eine neue Bahn gebrochen, alle aus dem geistigen Leben der Zeit an's Licht geförderte Ideen in Kreisen des wirklichen Lebens dichterisch verkörpernd, wenn nicht Cervantes, in durchsichtiger Klarheit eines tiefen Verstandes und einer reinen Phantasie, schon vor ihm den ähnlichen Weg betreten hätte. Alle diese Meister haben geweckt. Geschichte, Sitten der Völker, Kunst, das weite Reich der Gefühle und des Geistes, wie beide sich im Leben entwickeln und begegnen, im Hintergrunde, — haben sich talentreiche Erzähler gezeigt und zeigen sich noch im Augenblicke; wir verweisen nur auf die Bruchstücke aus Bertholds Tagebuche, voller Keime zu einem echt Deutschen Romane, sowie auf Steffens phantasiereiche

Novellen, als die neuesten Blüthen. Aufmerksamkeit und Anerkennung spornen hier zu Weiterem.

Eine seit längerer Zeit fortgesetzte kritische Thätigkeit hat mich viel rüstige, bisher im Verborgenen gebliebene, Kräfte kennen gelehrt. Meine Anstrengung soll dahin gehen, wo diese Kräfte noch lebendig sind, wo eigenthümliche Productionsgabe noch Selbstständiges im weitesten Gebiete der Poesie zu leisten verspricht, und wo neues Leben sich regt, Mitarbeiter zu gewinnen. So möchte ein neues Journal mit Repräsentanten in den verschiedenen Richtungen des Deutschen Romans auch als Unterhaltungsblatt Bedeutung erringen.

Daß neben dem Ernst der Scherz, neben dem Tiefen das Leichte und Flüchtige Platz finden müsse, wird von der Natur des Unterhaltungsblattes bedingt. Aphoristische Aufsätze, neben den Notizen aus und über Geschichte und Völkerkunde, meist dem literarischen Leben und der Geschichte desselben gewidmet, mögen die Würze zwischen den auf beliebte Weise ausgesponnenen Novellenfäden abgeben.

Der Lyrik kann nur ein bedingter Zutritt gestattet sein.

Es wird auf keine Probeblätter verwiesen, denn ein Journal ist nicht in voraus gemacht, um hie und da ein Eckchen zur Probe auszuschneiden, es soll sich entwickeln und die Sorgfalt der Redaction soll dabei dahin gehen, ihm, was in ihren Kräften steht, den Character der Gediegenheit und Frische zu erringen und zu bewahren.

W. A.

Französische Literatur.

Wie sich allmählig die Gegenwart befestigt und ihr altes Recht der Gewohnheit wieder in Anspruch nimmt, entsteht in Frankreich mehr und mehr das Bedürfniß, den zerrissenen Faden der Geschichte an die ältere Zeit aufs Neue anzuspinnen, und bewundernswürdig ist es, wie schnell die Französische Literatur in Ansehung ihres Umfanges und Gehalts im Wachsen begriffen ist. Dabei bemerkt der, welcher längere Zeit mit dem älteren schriftstellerischen Charakter der Franzosen vertraut, das Jetzt mit dem Sonst vergleicht, verwundert, daß die steife Regelmäßigkeit einer viel freieren Bewegung gewichen und daß der Geist der Romantik, der ja eigentlich in Frankreich seine ersten Blätter entfaltet, auch jetzt wieder mit seinem belebenden Hauch die winterlich kahlen Zweige der fast abgestorbenen Französischen Poesie belebt. Woher diese Erscheinung? Das hier aus einander zu setzen, würde zu weit führen. Allein eine Hindeutung dürfen wir uns doch wohl erlauben. Der von den Fesseln einer drückenden Convenienz freigewordene Geist schweifte ins Unendliche hinaus, ehe es ihm gelang, sich selbst wieder zu fassen. Als er wieder Körper gewonnen, blieb die Erinnerung des Unendlichen, die Mutter der Romantik. Sie trieb den Geist, sich wieder zu erinnern seiner Vergangenheit, sie trieb ihn zur Geschichte. Allein in den letzten Zeiten war das Gewebe zu verwirrt, viele der Fäden lagen noch unausgesponnen da, andre hatte die Leidenschaft absichtlich verwickelt; die älteste Geschichte war nicht glänzend genug. Wohin sollte sich die Blume des französischen Geistes anders wenden, als nach dem Mittelalter, sie, die wie ein Heliotrop immer nach der Sonne des Ruhms gewandt, nur aus dieser Wärme, Leben und Wachsthum zu ziehen weiß? In einer Einleitung zu einem Theil aus der Geschichte des Mittelalters läßt sich dann recht gut Manches sagen, was hier so hingeht, in einer eignen Darstellung der ältesten Zeit aber schwerlich ungerügt entschlüpfen würde, wie etwa Folgendes: „Die Franken, unter kriegerischen Nationen durch Tapferkeit ausgezeichnet, wurden durch die Reize des Climas in Gallien gefesselt, wohin sie dunkle Traditionen gerufen hatten woraus sie lernten, daß jenseits des Rheins die Gräber ihrer Vorfahren wären.“ Also Eroberer durften die, welche dem Lande „den süßen Namen Frankreich gaben,“ nicht sein; sie nahmen nur ihr altes Eigenthum in Besitz. Nachher entstand, zuerst durch des großen Klodwigs Einrichtungen der Keim der Ritterschaft, dieses wahren Lorbeerhains, woraus Frankreich sich — und in der That mit Recht — immer neue Ehrenkronen zu pflücken wußte. Aber langer Winter hatte auch auf diesem gelastet: die Blätter waren abgefallen und verachtet liegen geblieben oder höchstens zu Suppen (Ritterromanen) gebraucht, bis in neueren Zeiten durch mehrere Schriften Herstellung des alten Ruhms versucht ward, und zwar auf gründlichere Weise wie früher. Eine Menge von Quellen und wahrhaft kritische Bearbeitungen daraus wurden nun ans Licht gefördert. Allein auch hier zeigt sich ein großer Unterschied, wenn wir ähnliche Bestrebungen in Deutschland damit vergleichen. Die Französische Literatur hatte von jeher mit jenen Seepflanzen Aehnlichkeit, die sich ganz unter dem Wasser ausbilden und nur zur Zeit ihrer Blüthe sich an die Oberfläche desselben erheben; dagegen die Deutsche sich nie anders als mit einer gewaltigen Fülle von Aesten, Zweigen und Blättern, aber freilich meist um so kräftiger entfaltet. Diese kommt mir vor wie ein schwerer Wagen der mit lautem Gerassel, aber reich bepackt einherfährt, oder wie ein Dampfschiff, das seine

Maschienen unter lautem Geklapper und Gebrause sicher zum Ziel hintreiben. Quellensammlung, kritische Untersuchungen, Vorbereitungen, einzelne Forschungen gehen hier fast ohne Ende einem jeden größeren Unternehmen vorher. Nicht so in Frankreich. Hier will, wer die Quellen entdeckt, sie auch benuzzen, um in einem angenehmen Kleide seinen Schätzen und damit seinem Namen den Eintritt in die gute Gesellschaft zu öffnen. Erst die dadurch erregte Begierde würde eine Quellensammlung veranlassen. Um so mehr dürfen wir uns freuen, wenn ein Werk unternommen wird, welches von den vielen noch ungedruckten Quellen (besonders Specialchro niken) dem Publikum etwas mittheilt, wie neuerlich ein solches von J. A. Büchon erschienen ist und zum Theil noch erscheint.

Die Sammlung von alten lateinischen Chroniken von Guizot und die andre noch weit bändereichere von Petitot schienen nämiich in der Französischen Geschichte eine bedeutende Lücke zu lassen. Die erste hört mit dem 13. Jahrhundert auf: die zweite, welche nur eigentlich sogenannte Memoiren enthält, läßt eine lange Zeit hinter sich, in die sie durch kein einziges Denkmal Licht verbreitet. So kommen wir ohne Ruhepunkt von Ville-Hardouin auf Joinville, von diesem auf Düguesclin u. s. w. bis zu den Zeiten Ludwigs XII und Franz I., von wo an die Folge der Memoirenschreiber ununterbrochen fortgeht. Diese Lücken ließen sich nur durch Chroniken ausfüllen, die mehr oder minder bedeutend, doch nie ganz fehlen und auch selbst über die Zeiträume, wo es an voller Klarheit mangelt, einiges Licht verbreiten. Daher ist die Unternehmung deß Hrn. Büchon, der sein Augenmerk gerade hierauf gerichtet, sehr dankenswerth. Es sind von diesem Werke bis jetzt drei Folgen erschienen: die erste enthält die von dem Herausgeber wieder aufgefundene und aus dem Griechischen übersetzte Chronik von Morea von Ducange; die zweite Folge enthält 15 Bände von Froissart; die 3. einen Band von Sieur Chastellain und zehn von Monstrelet, Saint-Remy und Mathieu de Coucy *).

(Schluß folgt.)

*) Der Band kostet 6 Franken und die verschiedenen Folgen sind auch einzeln zu haben.

Berliner Chronik.

Alexander von Humboldt. Wir glauben unsere Chronik auf keine würdigere Weise eröffnen zu können, als mit der erfreulichen Nachricht, daß Hr. Al. v. Humboldt, auf eine an ihn ergangene ehrenvolle Einladung Sr. Majestät des Königs, Paris mit Berlin vertauschen wird. Wenn gleich solche Talente, die der Welt angehören, nicht auf die enge Grenze einer Provinz, oder eines Reichs einzuschränken sind, so konnten wir doch nur mit Bedauern sehn, wie oft sich Frankreich, und zumal Paris, den Ruhm der großen Männer, auf die wir ein näheres Anrecht hatten, aneignete, und zwar nicht ohne die etwas pikante Bemerkung, daß es einem ausgezeichneten Genie überhäupt nicht möglich sei, außerhalb der Salons der Faubourg St. Germain seine Heimath zu finden. Wenn wir in dieser Beziehung auch noch zurückstehn, so fängt doch Berlin an, für Wissenschaft und Kunst einen Centralpunkt zu bilden, so daß uns hier der Zusammenhang mit der Welt eben so wenig verloren geht, wie in London oder Paris. Unsere Naturhistorischen Sammlungen dehnen sich so aus, daß die früher ihnen bestimmten Räume nicht mehr ausreichen. Aus allen Welttheilen gehen fortwährend reiche Zusendungen von den Mineralogen, den Botanikern und Zoologen ein, die von der Regierung unterstützt, jene fernen Gegenden durchwandern. In Hinsicht der Masse werden wir den Museen von London und Paris nicht viel nachstehn; in einzelnen Abtheilungen der Mineralogie sind wir durch die von Hrn. v. Humboldt uns zu Theil gewordenen Vulkanischen Suiten der Cordilleren noch reicher als jene. Der Reichthum der Masse entscheidet indeß in der Wissenschaft nicht, in ihr ist, wie in dem politischen Leben, der Geist allein das Bewegende. Das Studium des Hrn. v. Humboldt war von seinem ersten Auftreten an, nicht der Natur als einem äußerlich zusammen gehäuften Conglomerat, sondern der sinnigen Deutung ihres innern Wesens zugewendet und erst mit ihm ist in Deutschland der Sinn für Naturphilosophie aufgegangen. Man hört gewöhnlich von Hrn. v. Humboldt rühmen, mit welchem Muthe und welcher Anstrengung er den Cimborazo erstiegen und wie er dort oben ohne Schwindel sich gehalten; wir rühmen ihn noch mehr, daß er mit Schelling und Hegel die Höhen der Naturphilosophie bestiegen hat, ohne daß ihm, wie so manchem andern empirischen Naturforscher der geistige Athem versetzt wurde. Dies sind die Höhen, von welchen aus Hr. v. Humboldt die Welt betrachtet, und ob er für diese Art der Betrachtungsweise mehr Theilnahme in Berlin, oder Paris findet, darüber dürfte er wohl nicht im Zweifel sein. —

(Redigirt von Dr. Fr. Förster und W. Häring (W. Alexis.)

Von diesem Journal erscheinen wöchentlich 5 Blätter (und zwar Dienstag 2 und Sonnabend 3) außerdem literarisch-musikalisch-artistische Anzeiger. Der Preis des ganzen Jahrgangs ist 9 Thaler, halbjährlich 5 Thaler. Alle Buchhandlungen des In- und Auslandes, das Königl. Preuß. Post-Zeitungs-Comptoir in Berlin, und die Königl. Sächsische Zeitungs-Expedition in Leipzig nehmen Bestellung darauf an.

Im Verlage der Schlesinger'schen Buch- und Musikhandlung, in Berlin.

Berliner Conversations-Blatt
für
Poesie, Literatur und Kritik.

Donnerstag, — Nro. 3. — den 4ten Januar 1827.

Aus Jean Pauls Zimmer in Baireuth.

1.

An * * *   Baireuth im October 1826.

Wenn die Blumen von einem theuren Grabe, ein Zweig von der Stelle einer schönen Begegnung, ein Steinchen von Julias Grab in Verona, uns theure Reliquien sind, die, wenn auch an und für sich ohne Werth, ihre Bedeutung in der großen, oder lieben Erinnerung haben, die sie uns zurückrufen, so mag auch diesen Zeilen an Sie die heilige Stelle, wo sie geschrieben wurden, einigen Werth verleihen. Eine Rührung von geistiger Art faßte mich, als ich diese Schwelle betrat. Hier an diesem Fenster saß er und schaute über die nahen Gärten und das grüne Thal zu den fernen Bergen und ließ seine Gedanken mit den vorüberziehenden Wolken den Himmel und die Welt durchwandern. — Diese Bücher an der Wand stehn noch, wie er sie stellte; das Schreibzeug von Silber, das Gleim ihm schenkte, alles erinnert mich an seine Gegenwart. Ich bin aber nicht der fromme Pilger, der blind an die Wunder des Heiligen glaubt, ohne seine Wunderkraft zu kennen und meint: der Seegen wird über ihn kommen, wenn er nur in der Wallfahrtkapelle seine Kerze aufgesteckt hat, ich kenne meinen Schutzpatron und weiß von seinen Thaten Zeugniß zu geben. Erst in den vergangenen Sommertagen hatte ich wieder einmal die unsichtbare Loge, Hesperus und Titan gelesen und so wurde ich von den Lieblingsgestalten des Dichters in seine stille Zelle begleitet, die mir oft schon in dem bewegten Leben ein schattiges Laubdach gewölbt hatten, wo ich, rings von Stürmen umgeben, eine heimliche Stätte fand. — Bei unserm Frei-Corps hatten wir Freiwillige im Jahre 1813 eine ansehnliche Feldbibliothek beisammen und bei der Musterung fand sich's oft, daß wir statt der sogenannten dreitägigen eisernen Commisbrot-Ration, Göthe, Schiller, Homer und Fichte in den Tornistern hatten. Meine eiserne Ration war Hesperus, und ich gedenke mancher schönen Stunde, die ich ihm danke. Zwar hat er mir nicht den wichtigen Dienst erwiesen, den Fichte's seliges Leben einem Kameraden erwies, dem es eine Kugel aufhielt, die ihm die Brust zerschmettert haben würde, aber immer war mir dieser Hesperus ein eben so treuer, freundlicher Begleiter, als jemals der andere am Himmel, der uns wohl freundlich zublickt, aber uns immer fern bleibt und nur leuchtet nie erwärmt.

Wir sahen so viel Unmenschliches rings um uns her vorgehn, daß es sehr erquicklich war, einen geistigen Trost und die Erinnerung an zarte, menschliche Verhältnisse so nah zu haben. Mein Freund A.....nn wird sich, wenn Sie ihm meinen Brief mittheilen, an eine schöne, obwohl betrübte Stunde erinnern, in welcher er mir unter der Eiche; unter der wir den geliebten Theodor Körner, den Sänger von Leier und Schwert, bestattet, die Erzählung Jean Pauls „von dem Tode eines Engels" vorlas. Nie verlöscht der Eindruck, den jene bekannte Stelle auf unsre wunden Seelen machen mußte; sie ist mir so gegenwärtig geblieben, daß ich sie nie vergessen werde. „Da die Schlachtfelder voll Blut und Thränen standen und da der Engel der letzten Stunde zitternde Seelen aus ihnen zog, zerfloß sein mildes Auge und er sagte: Ach! ich will einmal sterben wie ein Mensch, damit ich seinen letzten Schmerz erforsche und ihn stille, wenn ich sein Leben auflöse." — Gerührt und liebend sank der Engel auf ein Schlachtfeld nieder, wo nur ein einziger, schöner, feuriger Jüngling noch zuckte, und die zerschmetterte Brust noch regte: um den Helden war nichts mehr als seine Braut, ihre heißen Zähren konnt' er nicht mehr fühlen und ihr Jammer zog unkenntlich als ein fernes Schlachtgeschrei um ihn. O da bedeckte ihn der Engel schnell und ruhte in der Gestalt der Geliebten bei ihm und sog mit einem heißen Kusse, die wunde Seele aus der zerspaltenen Brust — und er gab sie seinem Bruder und der Bruder küßte sie droben zum zweiten Mal und dann lächelte sie schon" — Lesen Sie die Erzählung selbst noch einmal nach, um zu fühlen, welche tiefe Wehmuth in solcher Stunde und an solchem Orte uns ergreifen mußte. Der Mond stand hoch am Himmel, und schien durch die vorübereilenden Wolken zu schreiten, wie ein kühner Schwimmer sich durch die empörten Wellen schlägt, in den Zweigen des Eichbaums rauschte der Sturm und griff mit rauhen Händen in das knorrige Geäste. Die Begleitung dieser Aeolsharfe schien einen herberen Text zu verlangen, als jene zarte Erzählung Jean Pauls war und einer von den herzugetretenen Freunden erinnerte an Verse aus Ossian, die uns hier mit gleicher Macht trafen, wie jene Erzählung des Deutschen Dichters. Ein sonderbarer Zufall hat gewollt, daß ich hier in dem Zimmer Jean Pauls, die Stelle aus Ossian aufgeschlagen fand, die Sie aus Goethes Werther kennen.

Ryno. „Alpin! trefflicher Sänger, warum allein auf dem schweigenden Hügel? warum jammerst du wie ein Windstoß im Walde, wie eine Welle am fernen Gestade?"

Alpin. „Meine Thränen, Ryno, sind für den Todten, meine Stimme für die Bewohner des Grabes. Schlank bist du auf dem Hügel, schön unter den Söhnen der Heide! Aber du wirst fallen, wie Morar und auf deinem Grabe der Trauernde sitzen. Du warst schnell, o Morar, wie ein Reh auf dem Hügel, schrecklich wie die Nachtfeuer am Himmel. Dein Grimm war ein Sturm, dein Schwert in der Schlacht wie Wetterleuchten über der Heide, deine Stimme gleich dem Waldstrome nach dem Regen, gleich dem Donner auf fernen Hügeln. Manche fielen von deinem Arm, die Flamme deines Grimmes verzehrte sie. Aber wenn du wiederkehrtest vom Kriege, wie friedlich war dein Gesang! Dein Angesicht war gleich der Sonne nach dem Gewitter, gleich dem Monde in der schweigenden Nacht, ruhig deine Brust, wie der See, wenn sich des Windes Brausen gelegt hat. Eng ist nun deine Wohnung, finster deine Stätte! mit drei Schritten meß ich dein Grab, o du, der du ehe so groß warst! Vier Steine mit moosigen Häuptern sind dein einziges Gedächtniß, ein entblätterter Baum, langes Gras, das im Winde wispelt, deutet dem Auge des Jägers das Grab des mächtigen Morars.

Wer auf seinem Stabe ist das? Wer ist es, dessen Haupt weiß ist vor Alter, dessen Augen roth sind von Thränen? Es ist dein Vater, o Morar! der Vater keines Sohnes außer dir! Er hörte von deinem Ruf in der Schlacht; er hörte von zerstobenen Feinden, er hörte Morars Ruhm! Ach! nichts von seiner Wunde! Weine, Vater Morars! weine, aber dein Sohn hört dich nicht. Tief ist der Schlaf der Todten, niedrig ihr Kissen von Staub. Nimmer achtet er auf die Stimme, nie erwacht er auf den Ruf. O wann wird es Morgen im Grabe? zu bieten dem Schlummer: Erwache! — Lebe wohl, du Edelster der Menschen, du Erobrer im Felde! Aber nimmer wird dich das Feld sehn! nimmer der düstre Wald leuchten vom Glanze deines Stahls. Du hinterließest keinen Sohn, aber der Gesang soll deinen Namen erhalten, künftige Zeiten sollen von dir hören, hören von dem gefallenen Morar!"

Vergegenwärtigen wir uns in dem heutigen Stillleben jene Tage und jene Begebenheiten, und treten wir von dem, was damals unser ganzes Gefühl und unsre ganze Besinnung in Anspruch nahm, zurück, um es in derjenigen Ferne zu betrachten, die nothwendig ist, um die Umrisse und Schattirungen deutlich zu sehen, dann kömmt es uns allerdings vor, als hätten wir damals in einem Andrange und einer Bewegung großer Weltbegebenheiten gelebt. Gewiß gehörte eine allgemeine Umwälzung der Dinge dazu, daß an demselben Wachtfeuer, an welchem die Kalmükken, noch eben so roh wie zu Attilas Zeit, sich um ein Stück Pferdefleisch schlugen, deutsche Freiwillige als ihre Cameraden über eine Stelle im Hesperus sich weinend an die Brust sanken! —

Ein so überschwengliches und überwallendes Gefühl, wie bei der weichen Jugend, werden die Dichtungen Jean Pauls nicht bei dem zum Stahl gehärteten Alter finden, das seinem Schmerz und seiner Freude mehr als Thränen, das ihm Gedanken und das Wort zu geben weiß. Die Jugend ist weich, wie das glühende und sprühende Eisen das bei allem Lärm, den es macht, sich dem Hammer fügen muß; allein die Form ist nicht genug, es fehlt noch die innere Spannkraft. Die erhält es im Kühlfaß, in welches es sprudelnd und zischend untertaucht, um es gedrungener und gehärtet wieder zu verlassen. Das Alter braucht sich wirklich dieses Vergleichs nicht zu schämen; das Leben ist das Kühlfaß und die Wissenschaft das alles umfassende, Himmel und Erde in steter Wechselwirkung erhaltende, neutrale Element, in welches das weiche, glühende Herz getaucht werden muß, um den Kampf mit der Welt als guter Damaszener bestehen zu können; glühen und sprühen thut es nicht mehr, aber im Innern bewahrt es den Funken, um Feuer zu geben, wo es noth thut. —

Jean Paul hat oft darüber bittre Klage geführt, daß er nicht verstanden werde. Hatte er Recht, so lag wohl zum Theil die Schuld mit daran, daß es vornehmlich die Jugend war, die sich seiner Schriften mit Lebhaftigkeit bemächtigte; allein entweder versenkten sie sich mit ihren Gefühlen so tief in den Dichter, daß sie nur aus dem Traume ihrer eignen Empfindungen sprachen, oder der Witz und Humor des Dichters ging mit ihnen durch und berauschte sie bis zum Irrereden; mit beiden Weisen der Auffassung konnte Jean Paul nicht gedient sein, er verlangte mit Klarheit und Heiterkeit verstanden zu werden. — Welche würdigere Gemeinschaft können wir auch mit solchen großen Geistern pflegen, wie können wir uns ihnen näher wissen, als wenn wir uns bemühen, sie verstehen zu lernen. Es tritt dann ganz das Verhältniß der Liebe ein; allein auf einer höheren Stufe. Wie in der Liebe das Herz, indem es dem geliebten Gegenstande sich ergiebt, sich selbst wiedergewinnt in dem anderen Herzen; eben so hat der Geist, der sich in dem anderen Geiste, und wenn es der Weltgeist selbst wäre, wiederfindet, dieselbe Befriedigung, wie dort im Gefühl, hier im bewußten Wissen. und auch bei dieser Aufopferung unsers geistigen Selbst können wir mit Julia sagen: „Je mehr ich gebe, desto mehr empfang ich." —

Französische Literatur.

(Fortsetzung.)

Die Geschichte von Konstantinopel unter den (sogenannten lateinischen) Kaisern von Ducange und vorzüglich die Griechische Chronik über die Herrschaft der Franzosen in Morea erregen in Frankreich ein um so größeres Interesse, weil sie die Aufmerksamkeit auf diese fast vergessene und doch immer sehr glänzende Erscheinung, da das Schwerdt Französischer Ritter, wo jetzt der Türkische Säbel waltet, eine, wenn auch nur kurze, Herrschaft übte, und auf den muthigen Widerstand hinlenken, welchen dieselbe in eben den Bergen erfuhr, aus welchen seitdem der Ruf Hellenischer Freiheit hervorgegangen. Der Ruhm des vierzehnten Jahrhunderts ist Froissart, Geschichtschreiber und Dichter zugleich, mit jener lebhaften Einbildungskraft begabt, die bei dem Anschauen großer Begebenheiten unaufhörlich geschäftig ist; er mahlt daher, wie er gesehen hat, das heißt voll Leben und Kraft; kurz er ist würdig, für den Vater der Französischen Geschichte gehalten zu werden, wie er auch Lieblingsschriftsteller von Walter Scott und Chateaubriand geworden. Man muß es daher Herrn B. Dank wissen, daß er nun nicht mehr ausschließlich den Gelehrten, sondern aller Welt zugänglich ist.

Monstrelet ist Froissarts Fortsetzer und erzählte die Hälfte des 15. Jahrhunderts. Dieser Chronist hat ein eignes Schicksal gehabt: Er ist 1453 gestorben und man hat ihn mehr als 60 Jahre über seinen Tod hinausschreiben lassen. Zu seinem Ruhm hat ihn der Herausgeber von der schlechten Compilation, welche unwissende Abschreiber im 16. Jahrhundert hinzugefügt, befreit, und durch sorgfältige Untersuchungen haben die großen Chroniken von Saint-Denys, M. de Coucy, Jacques-du Clerc und andre das wiederbekommen, was ihnen von jenem zukam. Man wird sich also künftig nicht mehr darüber täuschen können und jedem wird sein Werk bleiben und das darüber gefällte Urtheil auf ihn selbst fallen.

Freilich ist es ein sehr unangenehmes Gefühl, sich plötzlich aus dem reichen Zaubergarten Froissarts, wenn man Monstrelet übergeht, in eine dürre Wüste versetzt zu sehen: allein auch dieser hat sein Verdienst durch die äußerst sorgfältige und genaue Erzählung dessen, was er gehört, und da er immer offne Ohren hatte und vierzig Jahre hindurch alles treulich aufschrieb ist dieß nicht wenig: auch hat er viele Aktenstücke von großer Wichtigkeit sich zu verschaffen gewußt. Aber dagegen ist er bei Allem, was er ohne Anstrengung des eignen Geistes, wie er es eben erfahren, so auch niedergeschrieben, nicht ein einziges Mal warm geworden, obgleich er den interessantesten Theil der Geschichte Karls VI. und des VII umfaßt.

St. Remy, Wappenkönig des goldnen Bließes, erzählt dasselbe wie Monstrelet, nur weniger ausführlich, indessen doch mit manchen bemerkenswerthen Einzelnheiten. Nichtso Mathieu de Coucy, der im Gefolge des Herzogs von Burgund war. Dieser führt den Faden seiner Geschichte von da, wo Monstrelet aufhört, bis zum Tode Karls VII. fort. Seine

Erzählung beginnt beim Waffenstillstand von 1444, dem ersten Ruhepunkt für Frankreich nach so vielen Leiden. In demselben Jahr wird die berühmte Schlacht von St. Jacques erzählt gegen die Schweizer oder, wie es im Original heißt: „iceux communes, nommés Suisses, gens de grand' défense, outrageux et téméraires pour abandonner leurs vies, comme oncques (jamais) il n'en fut vu ni trouvé." Coucy nähert sich Froissart in seiner Art der Darstellung, indem er die Begebenheiten gern durch Ausführung aller Umstände hebt. Dabei scheint ihn aber mehr der damals am Burgundischen Hofe herrschende abentheuerliche Rittergeist, als sonderliches Talent der Schilderung oder der lebhaften Erzählung zu leiten. Indessen zeigt derselbe bei aller Vorliebe für äußern Glanz doch sehr viel richtigen Verstand. Er beschreibt mit offenbarer Vorliebe bis in die kleinsten Umstände den glänzenden Einzug Karls des VII. in Rouen und besonders die einem Triumphe vergleichbare Reise des Herzogs Philipp (von Burgund) nach Deutschland; ein Zeitungsschreiber unsrer Tage könnte es nicht besser machen. Er langweilt freilich dann und wann; allein das ist ihm viel eher zu verzeihen. Uebrigens verrathen seine Worte oft einen hellen Blick und seine Urtheile machen nicht selten seiner gesunden Vernunft Ehre. Ungeachtet seiner großen Vorliebe für's Burgundische Haus ist er doch gerecht gegen Karl VII. und weiß die Wirkungen, welche die Reformen dieses großen Fürsten in Hinsicht auf's Kriegswesen hervorbrachten, mit sehr feiner Beurtheilungskraft zu würdigen. Nur dadurch wurde es jenem, wie er richtig erkennt, so leicht den Engländern die Normandie und Guyeme abzunehmen.

Die Chronik der Jungfrau auf der Bibliothek von Orleans, wird gewiß eins der anziehendsten Stücke dieser Sammlung sein.

Berliner Chronik.

Dr. Franz Horn's Vorträge über Shakspeare.

In keiner andern Deutschen Stadt, ja vielleicht in London selbst nicht, zählt der große Brittische Dichter, so eifrige Verehrer, so viele, die es sich angelegen sein lassen, in seinen Geist einzudringen und sich an seinen Schöpfungen zu erfreuen, als in Berlin. Wie groß in dieser Hinsicht auch das Verdienst sein mag, das sich die Bühne erworben hat, so kann es dennoch immer nur ein beschränktes genannt werden, da sie uns, nur einige Trauerspiele und von den historischen Stücken nicht einmal Richard III., kennen gelehrt hat. Weit größeres Verdienst müssen wir daher dem unermüdeten Erläuterer des uns so nah verwandten Dichters zuschreiben, der, wie schon früher, so auch in diesem Winter einen glänzenden Zirkel von gebildeten Frauen, Männern und jungen Leuten um sich versammelt hat, vor denen er Vorträge über sämmtliche Stücke Shakspeares hält. Wenn schon die Schriften, welche die Deutsche Literatur Frz. Horn zur Erläuterung Shakspeares verdankt, jeden denkenden Leser fesseln, so üben seine mündlichen Vorträge eine noch viel größere Gewalt aus, da vielleicht kein anderer öffentlicher Lehrer, die Gabe der Wohlredenheit in solchem Grade besitzt. Hr. Dr. Horn spricht gewöhnlich $1\frac{1}{2}$ Stunde, ohne irgend ein Concept vor sich zu haben, in so schöngefügten Perioden und mit solcher Klarheit und Sicherheit, daß man hier in der That sagen kann: „er spricht wie ein Buch." — In der zweiten Hälfte dieses Winters wird Hr. Dr. Horn über Deutsche Culturgeschichte seit dem westphälischen Frieden Vorträge halten, die gewiß nicht von minderem Gehalte sein dürften. —

9.

---

v. Holtei's dramatische Vorlesungen.

Mit dem Monat November hat Herr v. Holtei den diesjährigen Cursus seiner dramatischen Vorlesungen geschlossen, um eine seit länger projectirte Reise nach Paris zu unternehmen; die literarische Ausbeute derselben hoffen wir den Lesern dieser Blätter dereinst mitzutheilen. Ludwig Roberts „Phantasus und Cassius" und die Ankündigung eines Schlußworts über das Deutsche Theater hatte ein glänzendes und zahlreiches Publicum im Jagorschen Saale am letzten Abende versammelt. Unsere Sitte erlaubt es noch nicht in dergleichen Versammlungen die Anreden und Wünsche des Vortragenden anders als stumm zu beantworten. Weder aufgemuntert durch ein: Hört, hört! noch durch Zischen oder andere kenntliche Anzeichen von dem Unwillen der Zuhörer unterrichtet, müssen unsere Redner, wollen sie die Stimmung, die ihre Worte hervorbringen, erfahren, sich auf das Gesichtsstudium legen, wenn nicht etwa das traurige Rücken mit den Stühlen, Gähnen und frühes Hinauslaufen sie von einer wenig tröstlichen Ungeduld in Kenntniß setzt. Trügt die Physiognomik unserer Berichterstatter nicht, so trennte sich nach dem herzlichen Abschiedsworte des Vorlesers das Publicum von ihm mit allen Anzeichen der Zufriedenheit und Theilnahme. Ueber die Bedeutung und Wichtigkeit Vorlesungen der Art in unserer Zeit und die Stimmen, welche sich dafür und dagegen geäußert, soll gelegentlich gesprochen werden. Hier nur soviel, daß die Aufnahme, welche diese Vorlesungen in drei Städten gefunden, Zeugniß ablegt von dem Bedürfniß danach. — Das Schlußwort, das, halb launig, halb ernst, sehr ernste Wahrheiten über den Verfall des Deutschen Theaters aussprach, handelte von den Sünden des Publikums, der Schauspieler und der Kritiker. So anmuthig der Vortrag mit populären Wendungen gewürzt war, so launig die witzigen Anspielungen, z. B. über das Unwesen der Uebersetzer aus dem Französischen, ausfielen und die Aufmerksamkeit fesselten, wäre doch des beabsichtigten Totaleindrucks wegen, eine ernstere Haltung als durchgehend zu wünschen gewesen; auch war dem Schlußworte ein zu hastiger Vortrag schädlich.

10.

(Redigirt von Dr. Fr. Förster und W. Häring (W. Alexis.)

Von diesem Journal erscheinen wöchentlich 5 Blätter (und zwar Dienstags 2 und Sonnabends 3) außerdem literarisch-musikalisch-artistische Anzeiger. Der Preis des ganzen Jahrgangs ist 9 Thaler, halbjährlich 5 Thaler. Alle Buchhandlungen des In- und Auslandes, das Königl. Preuß. Post-Zeitungs-Comptoir in Berlin, und die Königl. Sächsische Zeitungs-Expedition in Leipzig nehmen Bestellungen darauf an.

Berliner Conversations-Blatt

für

Poesie, Literatur und Kritik.

Freitag, — Nro. 4. — den 5ten Januar 1827.

Aus Jean Paul's Zimmer.

II.

An ** - Baireuth im Octob. 1826.

Von meiner Reise haben Sie die Berichte bis Hof erhalten. Von hier an wechseln Berg und Thal auf eine sehr malerische, aber nichts desto weniger unbequeme Weise. Das Leben ist schon oft mit Landstraßen und Extrapostreisen verglichen worden und so lag uns diesmal die Bemerkung nahe, daß, je interessanter wir das Leben eines Mannes finden, desto holprigter muß er es gefunden haben, denn auch im Leben sind die pittoresken Situationen zugleich die unebensten. Auf Heer- und Landstraßen hat man durch gradlinigte, ebne Chausseen die Möglichkeit gethan, um die interessanten Stellen auszurotten; im Leben hat die Convention und die Macht der Verhältnisse ebenfalls nach besten Kräften für guten Chausseebau der Alltäglichkeit gesorgt.

Den besten topographischen Wegweiser hatten wir diesmal an Jean Paul selbst, der seine Vorrede zur zweiten Auflage des Quintus Fixlein „auf einer Fußreise von Hof nach Baireuth, einen Katzensprung über drei Poststationen," schrieb. Wie es für uns vom größten Interesse ist, die Personen zu denen wir schon längst in einem geistigen Verhältniß standen, persönlich kennen zu lernen, so hat es nicht minderen Reiz, in eine Gegend zu treten, die wir nicht etwa bloß durch eine trockne Reisebeschreibung, sondern durch einen Roman, eine Romanze, oder eine größere geschichtliche Begebenheit kennen lernten. Gegen eine Gegend, in der sich nichts begeben hat, an die sich keine interessanten Erinnerungen knüpfen, werden wir, und wenn sie noch so schön ist, bald gleichgültig, während „die Stelle, die ein guter Mensch betrat" das Plätzchen, wo wir den ersten Liebesgruß empfingen, oder das Schlachtfeld, wo Gustav Adolf fiel, uns mit ihren stilleren, oder größeren Erinnerungen immer auf's Neue an sich fesseln. —

Von dem Hofer Schlagbaume an bis zum alten Denksteine am Fuße des Bindlocher Berges war der Dichter unser Führer und Begleiter. Wir waren bei der ersten Anhöhe aus dem Wagen gestiegen, um auf einem näheren Fußwege die freie Aussicht früher zu erreichen. Die Morgenröthe hatte ihren Schleier schon sinken lassen, der wie ein zerfließender Nebel an den dunklen Fichtenwäldern hing. — Diese Stelle und ein solcher Morgen mußten es sein, wo der Dichter den Anfang seiner Vorrede niederschrieb: „Jetzt ging hinter mir die Sonne auf. — Wie werden vor dieser Erleuchtung des ewigen, sich selber aus und ineinander schiebenden Theaters voll Orchester und Gallerieen die Vorreden und das Krebsleuchten der Recensenten und die phosphoreszirenden Thiere, die Autoren, so blaß und so matt und so gelb! Ich hab' es oft versucht vor der jährlichen Gemälde-Ausstellung der langen unabsehigen Bildergallerie der Natur an Buchdruckerstöcke, Correcturbogen, Schmutzblätter und an Spatia — zu denken, aber es ging nicht an, ausgenommen Mittags, hingegen Abends und Morgens nie. Denn gerade am Morgen und Abende und noch mehr in der Jugend und im Alter richtet der Mensch sein erdiges Haupt voll Traum- und Sternbilder gegen den stillen Himmel auf und schaut ihn lange an und sehnt sich bewegt; hingegen in der schwülen Mitte des Lebens und des Tages bückt er die Stirn voll Schweißtropfen gegen die Erde und gegen ihre Trüffeln und Knollengewächse. So richtet sich der Regenbogen nur in Morgen und Abend, nie im Süden auf." — Und dann gleich neben diesen, das Wesen der Natur und des Menschenlebens tief berührenden Gedanken, jener humoristische Vergleich des Poeten mit einem gebratenen Kapaun, da er sich auch nicht anders präsentiren könne, als unter dem einen Flügel den Magen, unter dem andern die Leber! Solche Geständnisse mußte Jean Paul im Jahre 1796 niederschreiben; unsere heutigen Dichter brauchen nicht mehr mit diesen hungrigen und durstigen Doppel-Chapeaubas zu erscheinen; W. Scott, stattet mit einem Roman eine Tochter aus! Nun klage noch einer über Geringschätzung der Musen. —

Vor Münchberg sah ich den Rabenstein wohl, allein ich vermißte darauf den Kunstrath Fraischdörfer aus Haarhaar, den Jean Paul darauf botanisiren und sich Kräuter zu einer Kräutermütze suchen sah, um sein Hirn zu stärken. Der Kunstrath war ja Mitarbeiter an der allgemeinen deutschen bibliothekarischen Recensir-Factorei, und Jean Paul sagt von ihm: er habe seinen nahrhaften Kopf in manches ausgehungerte Journalisticum als Bouillon-Kugel eingesenkt, wie man einen Kürbis in einen Teich als Karpfenfutter einsetzt. Das ewige Thema Jean Pauls in seinen Vorreden sind die Recensenten, denen er nicht genug Uebles nachzusagen wußte. Einerseits hatte er allerdings Veranlassung hierzu, allein zu bedenken war immer, daß das kritische Zeitalter nicht gleichzeitig mit dem künstlerischen eintrit, daß vielmehr erst an dem Kunstwerke die Kritik sich ausbildet. In dem Unmuthe über die Recensenten nennt J. Paul „den Tempel des deutschen Ruhmes eine schöne Nachahmung des athenischen Tempels der Minerva, worin ein großer Altar für die Vergessenheit stand." — Die Werke des Dichters werden immer und ewig fortleben; von den Recensionen darüber dürften so leicht keine zweiten Auflagen zu erwarten stehen.

Zu meiner Verwunderung erfuhr ich, daß wirklich kein einziger Ortsname in der reisebeschreibenden Vorrede erdichtet war; selbst Gefrees, das ich für einen eben so fabelhaften Ort, wie Flachsenfingen und Kuhschnappel hielt, sah ich jetzt vor mir liegen. Nun, dacht ich, so kannst du es schon wagen und nach Herrn Lochmüller fragen, bei dem ja, wie mein poetischer Topograph versichert, so gute Einkehr sein soll. Ich that es und erhielt sogleich den erwünschtesten Bescheid, daß ich nirgend bessere Forellen finden würde, als bei Herrn Lochmüller. Wir fuhren vor und als nun der alte, behende Wirth mit lang nach hinten gekämmtem, greisen Haar, mit einer Kleidung und einem Gesicht, die beide mehr dem Bauernstande, als dem Bürgerstande angehörten, an den Schlag trat und uns freundlich willkommen hieß, mußt' ich ihn umarmen, und ließ mir's nochmals von ihm wiederholen, daß er wirklich Herr Lochmüller sei. Aha, sagte er, Sie kennen mich gewiß aus den Romanschriften des seeligen Hrn. Jean Pauls, der ist niemals von Hof nach Baireuth, oder von Baireuth nach Hof gefahren, oder gegangen, daß er nicht bei mir eingesprochen hätte. Aber ich hab' ihn immer mit den schönsten Forellen aufgewartet und da bin ich denn auch zu Ehren gekommen und bin von dem Hrn. Legationsrath dafür gedruckt worden. — Nun wurden wir auch wirklich wie gute Bekanute aufgenommen und noch in keinem Wirthshause hab' ich auf meinen vielen Reisen jemals einen Wirth gefunden, der so sehr das Talent besaß, den Gästen vergessen zu machen, daß sie Fremde sind. Die ausgesuchtesten Forellen wurden aufgetragen und ich mußte beinah vermuthen, daß der gastfreie Wirth mich ebenfalls für Einen hielt, der ihn einmal könnte drucken lassen; von ihm wurd' ich wenigstens nicht gedrückt. —

Das „grüne Tempe von Bernek," ein Felsenthal, so schön wie der Plauensche Grund, der von Dresden nach Tharant führt, empfing uns am Nachmittag mit der rauschenden Musik des Gebirgswaldes und Gebirgswassers und aus den Trümmern der alten Burg schaute die Vergangenheit mit hohlen Augen auf uns herab. In Bernek hatte ich zwar keine „gute, liebe bekannte Paulline, des seel. Kaufherrn Oehrmanns nachgelassene Tochter" einzuholen, mit der Jean Paul in seiner Vorrede die Brautfahrt nach dem „gelobten Lande der sauften Baireuther-Ebne macht, allein meine Fahrt war auch eine Brautfahrt, und Jean Pauls Haus das Hochzeithaus und sein eignes liebes Kind die Braut. Kein Dichter macht den Bräuten das Herz so schwer als Jean Paul, und auch an Paullinen, die in süßen Träumen ihrem schönsten Lebensglück entgegen zu fahren wähnt, hält er keine tröstliche Rede über ihre Zukunft: „dieses ganze weite Sprachgewölbe des Ewigen, diese blaue Rotonda des Universums verschrumpft zu deinem Wirthschaftsgebäude, zur Speck-, und Holzkammer und zum Spinnhaus und an glücklichen Tagen zur Visitenstube; die Sonne wird für dich ein herunterhängender Ballonofen und Stubenheizer der Welt und der Mond eine Schusters Nachtkugel. Du hältst in der großen Lesegesellschaft aller Zeitschriften den jährlichen Haus- und Wirthschafts-Kalender mit und kannst kaum vor Neugier die politische Zeitung erwarten, um in der Beilage den Thorzettel unbekannter Herrn nachzulesen". — Davon ließ ich der Braut, die mir in Gedanken gegenüber saß, natürlich nichts hören, und hätte sie es, sagte ich zu mir, wie ich freilich vermuthen muß, vielleicht früher und öfter gehört, als ich, so wird der Bräutigam schon dafür gesorgt haben, daß sie überzeugt ist, es wird mit dem: „und du sollst das Kraut auf dem Felde essen" nicht so genau genommen.

So sprach ich mir Trost zu über alle Bedenklichkeiten und fuhr getrosten Muthes den steilen Bindlocher Berg hinab in „das gelobte Land der sanften Baireuther Ebne." — „Die Welt ruhte — auf dem Gebirg sproßte der Mond wie eine geschlossene Liliengloke heraus" als wir in die Stadt einfuhren, wo ein herzlicher und freundlicher, obwohl an Thränen reicher Empfang uns erwartete. —

N. S.

Eigentlich ist es nur Frauenzimmern erlaubt Postscripte zu machen (obwohl sie in der That immer vorschreiben); Ausnahmweise sei es mir heut auch einmal gestattet.

Der Bräutigam ist von seiner Kunstreise nach Italien nach nicht zurück, und wird erst übermorgen eintreffen. Während die Frauen mit Anstalten zur Hochzeit beschäftiget sind, ist mir aufgegeben worden, theils für den Polterabend zu sorgen, theils mich von dem Nachlaß des Dichters zu unterrichten. — Welche Perlen ruhen hier noch auf dem Meeresgrunde! —

Correspondenz.

Le Luc, 20. November 1826. *).

Unsere Stadt erfreute sich dieser Tage eines großen Kunstgenusses. Keine Sonne, die in Paris geglänzt, welche nicht ihre Strahlen, vermöge des großen Vibrationsprozesses, auch auf Le Luc würfe. Dank der schönen Centralisation, gegen welche unsere Aristocraten mit so großem Unrecht das Wort führen. Auf die kleinste Stadt träuft der Segen, dessen Paris voll ist, doch am Ende herab, und Le Luc ist kein solcher Flecken, daß wir nur den letzten Sonnenstrahl oder den letzten Regentropfen auffingen. Diesmal kam uns der Segen unmittelbarer zu, und jeder Patriot von Le Luc fühlte die Brust gehoben, als vorgestern folgender Zettel am Hotel de Ville uns in das Concert der Signora *** rief:

„Es ist eine in den Pariser Salons jetzt ausgemachte Sache, daß Demoiselle Sontag aus Berlin berufen ward, um bei einem ministeriellen Schwanken die Parthei des Präsidenten vom Ministerconseil aufrecht zu erhalten. Minder bekannt ist es, wie es den Jesuiten gelang dieselbe für sich zu gewinnen. Aber, gehalten von dem Montrouge, das Idol der Herren vom Journal des débats, und von der Etoile in den Himmel versetzt, erlebte die Sängerin, vermöge ihrer Aehnlichkeit mit der Wittwe des General Foy, nachdem sich die Liberalen hiervon überzeugt, jene in Frankreichs Geschichte ewig denkwürdige Coalition derselben mit den Herren der äußersten Rechten zu ihren Gunsten und zur Verwirrung aller Plane und Factionen. Wie auch die kleine Deutsche, die Maske mädchenhafter Unbefangenheit vorzuhalten wußte, entging doch den Kennern ihre politische Bedeutung nicht, wenn sie mitten aus den über Nichts geführten Gesprächen hinaus horchte und auf jedes ernste Wort lauschte. Und eben so wenig konnte sie Herrn von Villele täuschen, der, statt einer Verbündeten, in ihr das Centrum seiner Gegner rechts und links entdeckte. Man weiß in den Pariser Salons, daß Herr von Villele dagegen nicht unthätig war, und der feinere Kenner der Politik übersieht nicht, daß Herr Canning nicht umsonst in Paris zu einer Zeit eingetroffen, wo die Vermittelung der Kabinette von St. Petersburg und Wien in Berlin dem Präsidenten unseres Ministerconseils von besonderer Wichtigkeit sein mußte; Europa aber weiß seitdem von dem Empfang der Sängerin bei ihrer Rückkehr, und wenn sich das dunkle Gerücht bestätigt, daß sie doch nicht nach Paris kommt, so wird Frankreich darin aufs Neue den überall thätigen Scharfblick seines Ministers erkennen, der deshalb übrigens nicht unthätig für Frankreich geblieben, indem er die Signora ***, eine geborne Französin, für das Theater Feideau gewonnen und engagirt hätte, so der Auswelt zeigend, daß Paris doch die Haupt- und Weltstadt des Landes aller Talente und Künste bleibt und alle Fremde den errungenen Beifall nur der Artigkeit der Pariser zu danken haben, wenn nicht theils die Neigung theils die anderweitigen Verhältnisse der Signora *** es ihr wünschenswerth machten in der Kapelle Seiner Majestät des

*) Ein kleiner Flecken in der Provence zwischen Toulon und Frejus von ungefähr 3000 Einwohnern. Der Brief kann beweisen mit welchem Eifer die Redaction um Correspondenten von allen Orten bemüht gewesen ist.

Königs von Sardinien ihre Talente zuvor bewundern zu lassen, ehe sie in Paris den Parisern zeigt, daß man, um in Erstaunen zu setzen, nicht an der Spree dort nicht wachsende Lorbeeren braucht errungen zu haben. Die Signora, nachdem sie sich kaum mit Gewalt aus den Armen ihrer Freunde in dem Cirkel des Herrn von Villele losgerissen, will auf dringende Bitten hiesiger Kunstfreunde sich entschließen uns den Zauber ihrer Stimme während sie auf dem Wege nach Turin ist heut Abend im Saale des Stadthauses hören zu lassen. Unterstützt von den provencalischen Kunstfreunden hiesiger Stadt wird sie u. s. w. vortragen, und das Entreebillet ist bei ihr selbst, oder Abends an der Kasse für zwei Franken zu lösen."

Der Saal war nicht ganz gefüllt, was immer in der niedrigen Lage unserer Stadt, wo die Gebirgswässer, namentlich zu jetziger Jahreszeit jeden Augenblick steigen können, nicht aber in der geringen Kunstliebe seinen Grund findet. Wir hätten einen eben so reinen als hohen Genuß gehabt, hätte nicht neben Ref. ein Berliner Advocat — zufällig den Abend hier anwesend — gestanden, der unaufhörlich kritische Bemerkungen machte. Es hingen doch die zwei Stadtlampen im Saal, hinlänglich genug die ganze Versammlung aus dem Schatten zu setzen. Er meinte aber, daß sie nicht hell genug. Dann, weil die eine Lampe etwas blakte, was jeder von uns bei dem höhern Genuß übersah, roch er fortwährend und machte so lange Lärm, bis man sie wegnahm und zwei Talglichter auf den Kamin stellte, was ihm auch wieder nicht recht war, weil das eine etwas niedriger als das andere und dieses etwas eingeknickt war.

Auch unsere Stadtvirtuosen fanden keine Gnade. Es ist wahr der Clarinettist hat eine etwas schwache Lunge und den Takt kann er bei seinem Metier wohl nicht besonders lernen, aber was macht dies? Die beiden Klaviere, auf welchen hiernach die beiden Herren ** und ** sich aus Gefälligkeit hören ließen, sind freilich lange nicht gestimmt, er aber nannte sie: stille Klaviere. Als nun der Gerichtsdiener die Thüre aufriß und Signora herein trat und wir alle, von den Sitzen aufstehend, sie klatschend empfingen, lächelte er wieder und flüsterte mir zu: es wäre eine kleine, eingeschrumpfte häßliche Person. Wir hatten lange nichts Aehnliches in Le Luc gehört, das versichere ich nicht allein, und damit genug. Ihnen aber einen Beweis zu geben, wie die Kritik uns um jeden Genuß bringen kann, summire ich hier des Advocaten Urtheil und sein Sie der Richter, denn Sie wissen welche Bedeutung die Signora in Paris hat, und ich füge kein Wort mehr hinzu.

Es wäre eine der arrogantesten kleinen Personen, die er je gesehen; während sie von vorn und hinten etwas zu viel habe, habe sie nicht genug da wo es noth thäte, in der Stimme. Die Manier, wie sie an's Klavier trete, sei Frechheit, die gewählten Gesangstücke zeigten vom schlechtesten Geschmack, und ihre Nasenstimme sei gellend schleifend und das Ohr beleidigend obgleich immer noch ihrer Vortragsmanier vorzuziehen.

Sapienti sat! Zum Glück für Le Luc reiste der Advocat schon am andern Morgen ab.

Avertissement.

Eine namhafte deutsche Bühne verliert mit nächsten Ostern ihren Uebersetzer und Bearbeiter aus dem Französischen. Die fernere Beschaffung der gedachten Uebersetzungen soll demnächst vom 1ten April 1826 ab dem Mindestfordernden in Entrepriese gegeben werden. Es wird hier mehr auf prompte Lieferung, als auf dauerhafte Arbeit gesehn. Einaktige Lustspiele müssen in zwölf bis vier und zwanzig, Vaudevilles in höchstens acht und vierzig Stunden fertig sein; wogegen die Direktion garantirt, daß jede Uebersetzung sofort ohne alle Prüfung und Censur angenommen und mit Beseitigung aller andern zur Aufführung bestimmten Stücke längstens binnen acht Tagen in Scene gesetzt wird. Will der Uebernehmer seinen Bearbeitungen demnächst auch auf andern Bühnen ein Privilegium verschaffen, so wird die Direction ihm hierin eher behülflich, als hinderlich sein; es versteht sich jedoch, daß für den Fall des Zuschlags, das Honorar verhältnißmäßig herabgesetzt wird. Subjecte, welche hierauf reflectiren, belieben ihre Anträge bis zum ersten April einzureichen. Zu näherem Nachweise ist die Redaction dieser Blätter alsdann erbötig.

(Redigirt von Dr. Fr. Förster und W. Häring (W. Alexis.)

Von diesem Journal erscheinen wöchentlich 5 Blätter (und zwar Dienstag 2 und Sonnabend 3) außerdem literarisch-musikalisch-artistische Anzeiger. Der Preis des ganzen Jahrgangs ist 9 Thaler, halbjährlich 5 Thaler. Alle Buchhandlungen des In- und Auslandes, das Königl. Preuß. Post-Zeitungs-Comptoir in Berlin, und die Königl. Sächsische Zeitungs-Expedition in Leipzig nehmen Bestellung darauf an.

Im Verlage der Schlesinger'schen Buch- und Musikhandlung, in Berlin.

Berliner Conversations-Blatt

für

Poesie, Literatur und Kritik,

Sonnabend, — Nro. 5. — den 6ten Januar 1827.

Auch ich war dort.

1.

Paris.

Sie sind glücklich Freund!

Warum? Das wußte ich selbst da noch nicht, als ich mich aus Ottos entzückter Umarmung losgerissen; denn nun riß er mich durch das Gedränge der Packträger, Commis, Burschen, erstaunten Reisenden. Wagen, Thiere und Menschen machten doch endlich Platz, nur ein Engländer nicht, und als ich Zeit gewann meine Beule zu fühlen, versüßte der Gedanke an unsern Wolff den Schmerz. Gewiß, dachte ich, diese zweibeinige Laternenpfahl-Physiognomie hat er an der Seine studirt, als er nach der Spree seinen einen von den beiden Britten verpflanzte.

Welch ein vollständiges Bild von Paris empfängt der Fremde, wenn er aus der Diligence springt, im Hofe einer messagorie royale! Kopf an Kopf; bunter Wirrwar. Der Franzose, sagte Yorik, gleicht der abgeriebenen Münze, das Gepräge ist verwischt, alles glatt geschliffen und gleich. Hier wäre doch noch Eigenthümliches zu suchen. Stelle einen Hogarth — vorausgeschickt, daß er einen Platz findet — hin, und die Physiognomieen der Ankommenden und der Empfangenden liefern ein neues Blatt zu seinen Carikaturen mit der Unterschrift: „Wie wirst du betrogen werden?" und „Wie wirst du betrügen?" — Vier Wagen, jeder ein Repräsentant der vereinigten drei Königreiche, rasseln in Zeit einer Viertelstunde in den dunkeln Hof. Achtzehn Personen mindestens winden sich aus dem Schlangendarm jeder Diligence; da studire man die Völker! Vom neugierigen Juden bis zum phlegmatischen Engländer, vom Lockenkopf der Schönen aus der Provinz, die hier ihr Glück sucht, bis zum kalmückischen Großen. Kaufmann und wissenschaftlicher Reisender, überall ein Ausdruck, nur in tausend Schattirungen — die Erwartung! Wie sieht die Hauptstadt der Welt aus? Wie wirst du empfangen werden? O, es ist ein eigenes Gefühl, wenn man zum ersten Mal durch die Barrieren rollt und Pariser Straßenpflaster unter sich fühlt: Gleichen wir nicht alle jenem Potentaten, der London seinetwegen erleuchtet glaubte? Die Enttäuschung kommt nur zu bald.

Und doch, Eitelkeit, wer dich fest halten will, Paris, wo zwar keine Goldmacher existiren, aber das Gold alles macht, auch hier magst du deine Nahrung erkaufen. Machte man doch Volksjubel: Vive la Republique! A la lanterne! Vive l'Empereur und Vivent les Bourbons! alles für dasselbe Geld. Warum sollte ein Unbekannter sich nicht auch Ruf, Empfang, Freunde, Bewunderung kaufen können? Geschickte Mäkler fehlen an der Seine nicht. Und drängen sie sich nicht von selbst den achtzehn Einwohnern des langen Postdarms entgegen?

Hier schiebt ein Commissionair den andern fort; kaum, daß der Fremde durch Beide sich Platz macht zum empfohlenen Freunde, der ihn erwartet. Man braucht kein Geld zu bieten und kann doch die Taschen füllen mit — Recommandationskarten. Hier berührt eine Schöne verstohlen unsere Hand, während auf der andern ein Arzt, „der die strengste Verschwiegenheit gelobt," seine Adresse für wichtige Fälle uns zusteckt. Fiaker wollen uns nach dem besten Hotel fahren, doch Lastträger fassen schon mit geübter Hand den Koffer, weil den Effekten das Tragen weit zuträglicher sei. Glücklich, daß ein Douanier noch zeitig uns zu Hülfe springt, freilich nur um mit aller Höflichkeit zu visitiren, ob sich keine unversteuerten Lebensmittel durch die Barrieren geschlichen haben? An der Gränze und vor jeder Stadt visitirt, gränzt es an ein Wunder, daß noch etwas für die nicht polizeilichen Visitatoren in Paris übrig bleibt.

Das ist der erste Eindruck, den Paris gewährt. So empfing er mich, als ich vor vierzehn Tagen hier aus dem engen Gefängniß heraussprang um ebenso heut wieder in die Orleansche Diligence einzusteigen. Noch dröhnte der Taumel in mir, noch fühlte ich das selige Gefühl als ich unzerrissen damals das Hôtel erreichte, und der heutige Auftritt war nicht geeignet mich aus dem Taumel vor der Abfahrt zu wecken, hätte es nicht der Stoß des Engländers gethan.

Was ist denn nun mein Glück? rief ich ärgerlich, als mich Otto aus dem Gedränge heraus, unter einen dunkeln Schuppen bugsirt hatte.

Ein Abentheuer, wie Sie es in vierzehn Tagen umsonst gesucht haben.

Und nun zu spät gefunden, sagte ich verdrießlich, mich in den großen Mantel gegen die Regenschauer einknöpfend. Lassen Sie uns hier Abschied nehmen, setzte ich hinzu, dort giebt man schon das Zeichen.

Aber Otto konnte seine Freude nicht mäßigen. Eine Spanierin! Eine Spanierin! das interessanteste Gesicht, das ich je in Paris gesehen. —

Ich wünsche viel Glück....

Ihnen, Ihnen, rief er, es sitzt neben Ihnen im Coupé. Interessante Züge, sie seufzte, Augen voll Schmerz und Gluth. Glückseligster Freund, eine Nacht an ihrer Seite, und das strict nach dem Postreglement, eine ganze regn'gte dunkle Nacht! Die Viertelstunde, daß ich auf Sie wartete, hätte ich drei Sonette schreiben und einen Roman entwerfen können. Sie ist aus vornehmer Familie, Tochter eines liberalen Granden, der für die Cortes gedient, ihr Bruder fiel in Griechenland, ihr Geliebter endete wie Riego. Liebesgluth und doch eine große Seele, ganz Spanierin, die eine Guerilla führen könnte. Hilf Gott unserm Deutschen Phlegma, das sind ja Elemente, die einen Kieselstein vor Liebe wahnsinnig machten.

Und woher erfuhren Sie das alles so schnell?

Eine Viertelstunde Beobachtung und ein Kenner wie ich ...

Ich zweifle nicht... rief ich schnell, als ein Strahl der Laterne die schöne Fremde beleuchtete, zu der mich der Conducteur eben nöthigte. Ottos letzter Händedruck lautete wie eine Assignation von höherem Werthe, wie sie je ein Kaufmann acceptirt. Ich lüftete die Reisemütze etwas beschämt, sie verbeugte sich leicht und anständig. Es war eine Spanierin. Der eleganteste Fuß, die zarteste Gestalt konnte nur den Töchtern des Südens angehören.

Zwei Deutsche „Lebewohl" hallten durch das babylonische Sprachgewirr des Messagerie Hofes, wo besonders die Godhams und Englischen Seufzer die Luft für mich verpesteten, mich den nun einmal das Unglück in Frankreich nur mit Engländern und Engländerinnen zusammen-bringen will.

Glückliche Reise! tönte es noch von der befreundeten Stimme hinter mir, als die lange, schwere Diligence in die engen Straßen rasselte. Pariser Postillione müssen gute Lungen haben; den unsern mußte ich bewundern, da die Töne gare! bile, boule, è donc! nicht aus seinem Munde kamen, so lange wir das Pflaster unter uns fühlten.

Von dem pont neuf warf ich die letzten Scheideblicke auf die grandiosen Quais, die in hellster Beleuchtung sich weithin zogen. Aus dem Odeon summten mir die Töne des Crociato ins Ohr, doch selbst Meyer Beers pikirter Blick hatte meine Lust nach dem Süden nicht länger fesseln können. Die Heiserkeit der Sängerinnen konnte ich freilich nicht vorschützen, wohl aber anklagen, und er gab sich zufrieden. Ich kann es ja in Italien nachholen. Noch ein Adieu dem Jardin des plantes und allen Stellen, die man mir gezeigt, wo unsere Sontag gewandelt ist, und nach 7 Uhr lag die ungeheure Stadt hinter uns.

Mir war freier zu Muthe, ich fühlte mich mir und der Natur wiedergegeben. Obgleich im sehr engen Coupé (dem vordersten Abschnitt der Diligence) eingeschlossen, drückte mich doch nicht mehr die ungeheure Steinmasse und ich gestand mir, so reiche Unterhaltung Paris dem Fremden gewährte, und so bequem es dem Ausländer den Genuß mache, so wenig könne es mich zum dauernden Aufenthalt locken. Die leichte Art des Lebens wird von den angesiedelten Ausländern gerühmt; freilich wer über den Canal herkommt, tritt aus Französischen Taxushecken hier in einen Englischen Park der Behaglichkeit, eine Eigenschaft, die in England, nur Englisch (comfortable) vorhanden, für keinen Fremden übersetzt wird, allein der Deutsche will nicht immer leichtes Leben, und es steht dahin, ob nicht die Formen hie und da in Berlin weit comfortabler für die Geselligkeit sind, als in dem gerühmten Paris. Welche goldne Freiheit z. B. bei uns in der Tracht, während der Pariser zum furchtbarsten Regelzwange in der Kleiderordnung aus dem Cynismus der Revolution zurückkehrte. Manschetten, Puder, Tressen! Glaubt man doch kaum bei den großen Soiréés in einer großen Stadt zu sein!

Bekanntlich werden die Liebesabentheuer mit Spanierinnen durch ihre Duennen erschwert, und wirklich fehlte auch hier dieser Spanische Auswuchs nicht. Noch dazu hatte die Duenna zur Rechten meiner Schönen ein sehr mütterliches Gesicht; indessen besaß sie zwei vortreffliche Eigenschaften, sie sprach gar nicht und schlief sehr viel.

Mit Spanierinnen, die kein Deutsch verstehen, kann man in zwei Sprachen sich unterhalten. Die eine ist die Spanische Zeichen- und Gefühlssprache, welche mit ihren andern Europäischen Schwestern vieles gemein haben soll, die andere la lengua Castellana in articulirten Lauten. Der Wagen rollte durch die Dunkelheit der Französischen Felder und ein unaufhörlicher Regen rieselte und tickte auf den Lederboden. Da es unmöglich war Bemerkungen über Frankreich anzustellen beschloß ich während dessen Spanien zu observiren.

Die Zeichensprache erfordert nicht allemal Licht; gleich der Musik weiß sie im Dunkeln so gut als bei Tageshelle sich verständlich zu machen. Nur daß sie, gleich der letztern, immer nur zum Gefühle redet. Sie zerfällt in die Sprache der Hände und Füße, mit den Füßen darf aber, der eigenen Grammatik zufolge, nur die Dame anfangen, so blieb mir, um die Conversation zu beginnen, nur das Spiel der Hände. Da Ines oder Menzia (einen der beiden Namen mußte sie nothwendig führen) indessen beide nach der Mutter zu, auf einem Pompadour, zusammengeschlungen hielt, war mir auch hier die Entree verwehrt.

Noch einen Ausweg gab es, um doch in der Gefühlssprache zu bleiben; mit dem Munde ohne Laute, Sylben und Worte zu reden, dazu fehlte mir aber noch der Muth. Nur Gelegenheit macht Diebe, und jene sollte mir erst später kommen.

Nein! ... rief ich nach gepflogenem Kriegsrathe. Eine unehrliche Ueberrumpelung, wo der Feind so vieles Vertrauen beweist. Durchaus anständig in Sitz und Haltung, berichteten meine Vorposten. Gesprochen hatte Ines noch nicht, aber auch unarticulirte Laute können von feiner Ausbildung zeugen. Ihr Athemholen kam bisweilen wie Seufzen heraus.

Jetzt denkt sie an Riego's schmachvollen Tod — jetzt an die schändliche Ermordung des kühnen Empecinado — sie sieht die Heldengeister des Cid und seiner Schaaren vor Valencia die Rosse tummeln; auch diesen edelsten ihrer Landsleute traf Groll und Mißgunst seines Königs, er starb verbannt für seine Thaten, die Spanien frei gemacht. — Edle Ritter reiten im Kampfe mit den Moren längs der Guadiana. — Oder denkt sie an Mina, der freudlose Tage der Verbannung unter Albions Nebeln verlebt, von keinem Sonnenstrahl seines schönen Vaterlandes erfreut?

Es mußte doch geredet werden. Ich sammelte meinen Sprachschatz. Mit den Regeln aus der Grammatik war ich sehr bald fertig, nur die Worte fehlten noch. Ging es mir doch, wie einigen Dramatikern die ihren Begriff mathematisch construirt haben, ehe sie die Personen aufgefunden, welche diesen Begriff in einer großen Staatsaction, genannt Tragödie, demonstriren sollen! Auch diese lösten sich allmälig. Nun fehlte nur die Anrede! Vuestra merced ging nicht füglich. Sennora klang mir zu feierlich für meine Nachbarin im nächtlichen Postwagen. Und doch ... nur der Inhalt...

Auch dieser kam. In einer schön stilisirten, langen Periode im reinsten Castilianisch, nach dem, was die Madrider Academie in ihren letzten Sitzungen dazu gestempelt, wandte ich mich an die junge Dame, indem ich ihr meine Freude ausdrückte, an der Seite einer schönen Andalusierin (dazu machte ich sie) zu sitzen, statt daß mich bisher das Unglück getroffen nur mit Engländern Ellenbogen an Ellenbogen zu stoßen. Einige Verwünschungen gegen dieses Geschlecht, welches jetzt die Französischen Diligencen nicht freilasse, vielleicht etwas zu stark, weil mir keine milderen Ausdrücke als baxa canalla u. s. w. einfielen, beschlossen den zierlichen und complimentvollen Periodenbau.

Sie verstände meine Sprache nicht... lispelten, in ebenfalls nicht verständlichem Französisch, ihre Lippen.

Adieu, schönes Sevilla! Andalusiens reizende Mädchen können nie wie meine Nachbarin seufzen. Lord Byron ward citirt; ich schlug mich vor die Stirn, und Ottos Credit Hinsichts der Menschenkenntniß war um ein Bedeutendes gesunken.

Aber der kleine Fuß, südliche Augen, südliches

Colorit. — Eigentliche Italiener können nie so schwermüthig sein, ihr Schmerz um das Vaterland drückt sich anders aus. Vielleicht eine Corsicanerin, eine Enkelin Paolis... Ich warf mich in die Brust und fühlte in meine Tasche, ob das Italienische Lexicon noch feststecke? So, wie Antäus durch Berührung der mütterlichen Erde, durch die des Wörterbuchs gestärkt, sprach ich im reinsten Toskanisch:

Es lastet ein wahrer Fluch auf allen Reisenden in Frankreich, daß man überall auf Engländer stößt. Stumm und verdrossen tödten sie die lebendige Conversation auf den Diligencen. Sie machen den Damen niemals Platz, und selbst die einzige Eigenschaft, die man sonst an Englischen Reisenden lobte, die Freigebigkeit geht ihnen jetzt ab.

Sie schüttelte mit dem Kopf, und es kam wie unter Lächeln heraus: Monsieur, j'aeh ne vous comprangs pah.

Nicht Spanierin, nicht Italiänerin, eine Griechin wird es doch nicht sein. Erstens, obgleich ihr Vaterland unglücklich ist, pflegen Griechinnen (vielleicht eine Botzaris ausgenommen) nicht schwermüthig auszusehen, die Türkische Education arbeitete nicht darauf hin; zweitens reisende Griechinnen sah ich noch auf keinem Register in Französischem Postbüreaus. Mein Gott, sie muß doch aber ein Mensch sein.

Vielleicht eine Provencalin, wegen des schlechten Französisch!

Mademoiselle, wird noch wie sonst die Vaucluse von neugierigen Engländern belästigt?

Ich verwünschte meine Gedankenarmuth an der reizenden Seite, die mich in drei fremden Sprachen kein anderes Thema anschlagen ließ, als meinen Aerger gegen die Engländer, welcher, beiläufig gesagt, wohl motivirt war, indem mich seit Mainz dieses Volk auf Schritt und Tritt begleitet, ohne daß ich mehr Unterhaltung von ihnen profitirt, als die Redensarten, welche in Madame de Genlis Itineraire jedermann, also nicht allein den Engländern, freistehen.

Ich kenne den Ort nicht.

Das war zu arg. Eine Provencalin, und wenn sie ihn auch nicht gekannt, hätte Petrarcas Thal nicht verleugnet. Aber „sie kenne ihn nicht!“ Sie schien pikirt, denn sie hielt das weiße Schnupftuch vor den Mund und lehnte sich hinten, wie zum Schlafen über.

Mit dem Abentheuer sah es wirklich schlimm aus. Ich hatte den Muth verloren und war auch pikirt.

Es sei so schlechtes Wetter, daß man nichts besseres in solcher monotonen Nacht thun könne als schlafen, sagte ich, mich in den Winkel werfend.

Ah que oui! seufzte die Andalusierin.

Was man in Berlin nennt „ich drusselte;“ die Castilianische Sprache hat dafür keinen Ausdruck, deshalb entschlief meine schöne Nachbarin förmlich und ordentlich. Der Wagen schaukelte. Wer auf den Ruderbänken unserer Schnellposten den Mittelsitz hat, pflegt dabei den vom Schlafe schwer gewordenen Kopf bald rechts bald links auf die Schultern der Nebenmänner fallen zu lassen. Dieselbe Sitte fand ich in Frankreich wieder.

Ich ließ es mir gern gefallen, als der Lockenkopf sich fester und fester auf meine Schulter senkte. Ihre Brust schlug an der meinen, ihr Athem berührte mich. Die Last war gar nicht schwer. Daß sie fester ruhe, machte ich unvermerkt meinem rechten Arm hinter ihrem Rücken Bahn und die Nacht war jetzt recht anmuthig, wäre nicht ein fataler Französischer Kalkstein zum Stein des Anstoßes geworden.

Pardonnez Monsieur! fuhr sie auf (gewiß erröthend, wenn ich es hätte sehen können).

Ich vergab von Herzen: Es dauerte nicht lange, so knüpfte der launige Mohngott das vorige Spiel wieder an. Sie ruhte sanft und fest mir angeschmiegt, der Wagen ging über viele Steine weg, und kein einziger ward einer des Anstoßes, so heftig auch die Räder dagegen prallten. Ihr Athem wurde immer tiefer, Anzeichen völliger Gesundheit. Ines schien Leid und Schmerz vergessen zu haben.

Auch mir wurde wohler und wohler zu Muthe, alle böse und trübe Gedanken entflohen, ich machte Plane für Ines Glück — gar nicht egoistisch — ihr Geliebter mußte nicht erschossen seyn. Ich entdeckte ihn auf einer Galeere. Mein Vorwort bei unserm Gesandten machte ihn frei, ich führte ihn in Ines Arme. Sie warf sich entzückt an meine Brust, und der eifersüchtige Spanier wandte sich, eine Thräne im Auge, von uns ab, den seligen Moment mir nicht zu kürzen. Die schönen Ufer des Ebro — Orangenhaine — Düfte —

Es war alles sehr schön — als der Wagen plötzlich auf dem fürchterlichsten Steinpflaster polterte. Ich flog aus meinem Sitz und erwachte; Ines erwachte und Ines Mutter erwachte — ich mit Schmerzen, denn mit der Beule vom Engländer war ich gegen Ines Chignon gestoßen — das nüchterne verdrossene Tagesgrau blickte in das Coupé, außerdem noch jemand, und ich sah — Himmel was sah ich...

(Redigirt von Dr. Fr. Förster und W. Häring (W. Alexis.)

Von diesem Journal erscheinen wöchentlich 5 Blätter (und zwar Dienstags 2 und Sonnabends 3) außerdem literarisch-musikalisch-artistische Anzeiger. Der Preis des ganzen Jahrgangs ist 9 Thaler, halbjährlich 5 Thaler. Alle Buchhandlungen des In- und Auslandes, das Königl. Preuß. Post-Zeitungs-Comptoir in Berlin, und die Königl. Sächsische Zeitungs-Expedition in Leipzig nehmen Bestellungen darauf an.

Im Verlage der Schlesinger'schen Buch- und Musikhandlung, in Berlin.

Berliner Conversations-Blatt

für

Poesie, Literatur und Kritik.

Montag, — Nro. 6. — den 8ten Januar 1827.

Aus Jean Paul's Zimmer.

III.

An * * * Baireuth im Octob. 1826.

Aus einem ungedruckten Gedankenbuche Jean Pauls.

Aesthetische Untersuchungen, angefangen im Jahre 1794.*).

„Beobachtung, Kenntniß des Wirklichen, ist die Erdscholle, in welche der Dichter den Lebensgeist bläset. Alles Bemerkte ist unorganische Masse. Blos der Dichtergeist ist das Vinculum vitae, der Archäus, der Salz, Erde und Kohlen zu einer organischen, warmen Masse (belebten Gestalt) aufrichtet.

* * *

Es ist mißlich, wie Goethe im Meister eine leidenschaftliche Person (Aurelie) zu malen, an der er selber keinen Antheil nimmt — Zwiespalt der Darstellung und Absicht; so Roquairol.

* * *

So gut man fühlen kann, ein Charakter sei getroffen, ohne ein Original angeben zu können, so kann man ihn auch machen ohne Original.

* * *

Das Phantastische, was die Schlegel für den Roman verlangen, ist nur freie Form. aber damit ist kein Stoff, keine Naturschilderung u. s. w. gegeben. Ein Geistes-Armer kann nur ein arm Spiel treiben, es ist die Freiheit eines Bettlers.

* * *

Technisches und romantisches Kunstgefühl — jenes kann man von den Griechen lernen, dieses haben nur Gottesgeborne.

* * *

Zwei Darstellungen, eine wo der Dichter sich über sie erhebt, Fixlein, eine wo sie ihn hebt, Titan, kann man denn nicht malen was man ist?

* * *

Von Walt trug ich alle einzelnen Züge Jahre lang in mir herum — endlich heute, 19. Dez. 1802, im Hofkonzert fand ich den Fokus.

* * *

Was ist daran gelegen, wie Euch große Menschen erscheinen, und wie sie verstanden werden? Ihr Leben ist außer euerem Leben, ihr Wesen unfaßlich, ausgenommen für wenige. Was hilft das Schildern?

* * *

Es giebt einsame Autoren, es giebt gesellige. Jene haben nur Bücher, diese auch Autoren, und diese erscheinen als die stärkeren, jene als die originelleren.

* * *

Ein Dichter kann sich nicht oft genug vorhalten wie wichtig und weitreichend sein Beruf und seine Kraft ist. Mit seinen Fehlern ist es so: Wie die Philosophie Irrthümer predigt und alte widerlegt, so gehen sie kraftlos vorüber; die Zeit nimmt den Irrthum und den Stachel. Aber der Dichtung nimmt keine Zeit die Gewalt. Wie die Musik bleibt sie im Herzen. Der 1000jährige Dichter, hebt die Brust des letzten wie des ersten Lesers.

*) Den Freunden und Verehrern Jean Pauls kann der Unterzeichnete die erfreuliche Zusicherung machen, daß in dem ersten Jahrgange des Berl. Conversationsblattes monatlich wenigstens eine Mittheilung, (Gedanken, Briefe, Aufsätze u. s. w.) aus dem noch ungedruckten Nachlasse Jean Pauls gegeben werden soll.

F. F.

In alles mengt sich das Herz, die Moralität, und es ist sehr schwer, das Gemüth von Urtheilen zu sondern. Die Bücher sind Handlungen der Gelehrten und entweder befriedigte oder besiegte Leidenschaften.

* * *

Karakteristik der Schreibereien nach Ländern oder Städten — Leipzig — Hamburg — Berlin — Weimar. — Insofern sich in großen Städten oder Ländern Menschen gewißer Gattung zusammen ziehen. Mit Ländern hat es mehr Bestand als mit Städten, weil dort Nazional-Geist dazutritt. In Niedersachsen, Englische Derbheit und Sittlichkeit, in Kursachsen, Französische Leerheit und Geschmack. — Dann das Rechte, (Polarität Indifferenz.) Jedes Volk hat seinen eigenen Karakter, aber keines will es zugestehen — weil es eben seine Polarität, für Universalität hält — also kann man dies behaupten ohne Beleidigung und mit Ausnahme der Ausnahmen. Der Norden hat Hamann, Herder, Kant.

* * *

Jede neue Vortreflichkeit erhebt zuletzt das Zeitalter zu einer Kritik, die über ihr steht, und jeder Genius gebiert seinen feindlichen Obergenius (Klopstock.).

* * *

Es giebt schwerlich eine schlechte Zeile, die nicht ein großer Autor durch die Stellung, zu einer guten machen könnte.

* * *

Herder war der Vorgänger und also Widersacher der Zeit.

* * *

Welchen häslichen Eindruck die neueren moralischen Libertins machen, wenn man gerade Plato lieset.

* * *

In Thümmels Lust-Gebäuden seiner Bücher herrschet viel Küche, in meinen viel Keller."

* * *

N. S.

Wie die Schatzgräber nur schweigend den Schatz heben und erst dann sprechen dürfen, wenn das glänzende Gold zu Tage gefördert ist, so hab ich mich ebenfalls gescheut, diese sinnigen Gedanken des Dichters Ihnen mit irgend einer Einleitung zu übergeben. Nur dies Erfreuliche füge ich noch hinzu, daß an diese Perlen- und Diamanten-Schnur noch mancher köstliche Stein angereiht werden soll. Von dem, was sich zu öffentlicher Mittheilung eignet, ist mir mit zuvorkommender Güte und Gefälligkeit viel Schönes und Kostbares überlassen worden. — Das Festspiel zur Hochzeit rückt vor, im nächsten Briefe mehr davon. —

Berliner Chronik.

Leistungen des Königl. Theaters in Berlin im Jahre 1826.

Nur zu oft hört man über das wöchentliche Repertoir und noch öfter über den Comödienzettel des Tages Klage führen und zwar nicht blos von den Abonnenten, welche Cabale und Liebe, oder von den Recensenten welche Armuth und Edelsinn in das Theater führen, sondern von solchen, denen es wirklicher Ernst um die Bühne ist. Selten haben es die Herren Intendanten und Régisseurs den Leuten zu Dank gemacht; die Einen sind traurig, weil es zu viel Lustspiele giebt, und die Andern lachen über die vielen Trauerspiele. Die Patrioten klagen über die Französische Galanterie-Waare, die Männer der „alten guten Zeit" verlangen anstatt der Spanischen Grandezza, bürgerlich deutsche Hausmannskost und die Empfindsamen finden, daß ihnen die Rührung in Menschenhaß und Reue durch den standhaften Prinzen verdorben wird. — Und nun vollends die Musikfreunde, die sind noch weniger unter einen Hut zu bringen; sie haben — nach der Jägersprache — ein zu verschiedenes Gehör. Während die Einen über den Verfall der Musik seufzen, stöhnen die Andern darüber, daß fast gar nichts von Rossini gegeben wird; die Einen wollen aus den Gluckschen und Spontinischen Opern die Ballets streichen und die Andern schlagen vor, den Trauerspielen durch eingelegte Tänze etwas aufzuhelfen. So werden die wunderlichsten Anforderungen an die Direktion gemacht, und es würde schwer halten, allen zu genügen; im Grunde wär dies auch das Schlimmste, was einer Bühne begegnen könnte.

Brächte sie es wirklich dahin, ein ganzes Publikum zufrieden zu stellen, dann käm' Niemand mehr in das Theater; denn ist Einer nur erst mit der Welt zufrieden, dann bekümmert er sich nicht mehr um sie. — Um aber eine Uebersicht im Ganzen zu haben, was eine Bühne, wie die unsre leistet, muß man das Repertoir eines ganzen Jahres vor sich haben. Dieser Arbeit wollen wir uns unterziehen und lassen hier Monat für Monat des vergangenen Jahres mit flüchtig eingestreuten Bemerkungen vorübergehn. Am Schluß der Rechnung soll ein kritisches Facit gezogen werden. —

Januar. In Bezug auf die Vorstellungen der Königlichen Bühne zu Anfang des Jahres 1826 muß vorausbemerkt werden, daß Herr Wolff, zur Schonung und Wiederherstellung seiner Gesundheit, Urlaub erhalten hatte die Bäder von Nizza zu besuchen, wohin ihn seine Gattin begleitete; eine Entbehrung, die

die Bühne und das Publikum lebhaft empfanden. Hr. Wolff ist in den bedeutendsten Trauer- und Schauspielen und seit längerer Zeit auch in einigen Lustspielen beschäftigt; mithin mußte die Abwesenheit eines so vorzüglichen Talentes so manches werthvolle und beliebte Drama vom Repertoir entfernen; denn wenn auch viele seiner Rollen von andern unserer Schauspieler besetzt werden konnten, so war doch ihre anderweitige Beschäftigung und das Einüben der neuen Rolle immer ein Hinderniß, wozu noch kömmt, daß ein Künstler wie Wolff nicht mit Unrecht eine zum Vorurtheil gewordene Vorliebe für sich hat, so daß diejenigen Stücke, in denen er gern gesehn wird, selbst wenn ihm ein tüchtiger Stellvertreter gegeben wäre, doch nicht so wie sonst vom Publikum besucht werden. Man hat dies bei Donna Diana, Hamlet und andern Stücken erfahren. — Auch Hr. Lemm wurde schon damals, wenn er auch zuweilen noch auftrat, durch seine Kränklichkeit gehindert, das Trauerspiel mit gewohnter Theilnahme zu unterstützen. Ein anderes Hinderniß für diese Gattung-Vorstellungen führen die bald nach Anfang des Jahres beginnenden sogenannten Carnevalsfreuden herbei. Während desselben sind die großen Opern, die wöchentlich zweimal an den Montagen und Freitagen gegeben werden müssen, die Proben und Vorbereitungen dazu, ferner der feststehende Redoutentag, die Subscriptionsbälle u. s. w. Veranlassung, daß weder die Direktion Zeit noch das Publikum Neigung für das ernstere und größere Drama hat; zumal da den Schellen des Carnevals schon durch die vorherrschende Opera seria ein Dämpfer aufgesetzt wird. — Die Carnevals-Opern wurden auf eine würdige Weise mit Glucks Armide den 9. Jan. eröffnet, dann folgte den 13. Fernand Cortez von Spontini, den 16. Euryanthe v. M. v. Weber, (welche für neu gelten konnte, da die erste Vorstellung derselben erst zu Ende December 1825 statt gefunden) d. 20. Glucks Alceste, d. 23. Spontini's Olympia. Man wird hierbei keinesweges die Diskretion des Hrn. General-Musikdirektors verkennen, der uns neben seinen Schöpfungen auch das Vorzüglichste gab, was zwei mitlebende Deutsche Künstler und der unsterbliche Gluck geschaffen. Am wenigsten wird man aber wohl Hrn. Spontini eine Buhlerei mit der Pariser großen Oper vorwerfen können und daß er sich etwa den Herrn Cherubini, Pär oder gar Rossini habe wollen auf Kosten des Berliner Publikums gefällig zeigen. — Neue Stücke kamen im Laufe dieses Monats nur zwei auf die Bühne. Am 3. Januar: „die Bekehrten, Lustspiel in 5 Akten von Raupach" und „der schönste Tag des Lebens, Singspiel nach dem Französischen bearbeitet von C. Blum." Das Lustspiel von Raupach behandelt eine alte bekannte Fabel auf eine höchst geistreiche Weise, wurde meistens gut gespielt und — ein Glück, das selten einem Theaterstück wiederfährt — fand bei der ersten Vorstellung keine brillante Aufnahme, dafür aber bei jeder folgenden immer mehr Anerkennung, so daß dies Lustspiel eine wahre Bereicherung des Repertoirs geworden ist. — Das zweite neue Stück, der schönste Tag des Lebens, ist ein ganz gewöhnliches, schales, aus der neusten Pariser Fabrik, das mit dem Tage kömmt und vorübergeht. — Der dramatischen Hindernisse ohngeachtet sind dennoch in diesem Monate fünf Trauerspiele und ernstere Dramen gegeben worden: 1. Hamlet, den statt Wolff Hr. Krüger gab. 2. Alanghu ein im Herbst 1825 auf der Bühne erschienenes historisches Schauspiel von Raupach, das nach der Absicht des Dichters auf äußerliche Opernwirkung gerichtet war und durch den lyrischen Schwung in der Darstellung der Alanghu durch Madam Stich der Musik wohl entbehren konnte, aber nicht der opernhaften Ausstattung an Auf- Aus- und Anzügen, mit denen es diesmal sehr knapp herging. — 3. Das Leben ein Traum nach Caldron; 4. Schillers Jungfrau von Orlean: 5. Maria Stuart. Auch Cardillac und Preciosa können hier mitgerechnet werden. Mozarts Don Juan, der sich nie verdrängen läßt, wußte sich auch mitten unter den großen Carnevals-Opern zu behaupten. — Daß man unter den Vorstellungen dieses Monats auch noch „das Stündchen vor dem Potsdammer Thore," wär es auch nur als Lückenbüsser eingeschoben worden, gab, war weder ein Zeichen des Reichthumes der Bühne, noch des Geschmacks des Publikums. Unschuldiger war, wenn überhaupt die Ballets es nicht übel nehmen, wenn man sie so nennt, die Erscheinung „des Schweizer Milchmädchens," einer mit Recht beliebten pantomimischen Aufgabe. —

(Forts. folgt.)

Berliner Concerte.

Von Anfang Novembers an haben wir fast in jeder Woche zwei große Concerte gehabt, und allem Ansehn nach scheint es bis zu Frühlings Anfang uns an dieser Art der Unterhaltung nicht fehlen zu sollen; denn bis jetzt sind nur unsre leichten Truppen ins Feld gerückt, und von auswärtigen Virtuosen war niemand als Herr Moscheles hier. Fremde gerühmte Sängerinnen besuchen uns seit einigen Jahren gar nicht mehr, und so hat Berlin, welches doch eine Catalani zweimal, eine Borgondio und andere Italienerinnen öfter sah, den Genuß entbehrt eine Fodor und eine Pasta zu bewundern. Was unsern Concerten schadet, ist, daß sie, mit geringen Ausnahmen, sämmtlich die Aufschrift führen könnten: „Zur Unterstützung der Abgebrannten." Da unsere Theater keine Benefiz-Vorstellungen bewilligen, sind die Sänger und Sängerinnen auf die Concerte angewiesen, wodurch sie freilich sehr zu kurz kommen. Das Theater-Publikum ist ein weit größeres, als das Concert-Publikum; in den Theatern giebt es ein vier und acht Groschen-Publikum, in dem Conzertsaale nur ein Thaler-Publikum, und das macht sich aller Orten immer seltner. Bei einer Benefiz-Vorstellung im Theater kann die Direktion etwas zu Gunsten der Begünstigten thun; im Concertsaal sind sie ganz allein auf sich angewiesen und haben so viel Schwierigkeiten zu beseitigen, daß ihnen oft darüber die Lust vergeht, von diesem Benefiz, das vielmehr für sie eine Malefiz wird, Gebrauch zu machen. Hat zumal die Sängerin aufgehört zu den Lieblingen des Publikums zu gehören, darf sie nicht mehr auf Fensterparaden rechnen, wollen die jungen Herrn nicht mehr bei dem „Philippchen“ anbeissen, dann steht es mit der Concertgeberin schlimm, obwohl sie bei einer Benefiz-Vorstellung im Theater durch ein neues Stück oder durch eine sonst erfreuliche Zugabe ein volles Haus haben würde. Kommt nun aber auch wirklich das Concert zu Stande und gelingt es den Saal zu füllen, so glaube man nur ja nicht, daß der Sinn für Musik, die Leidenschaft für die Kunst hierbei das Beste thut; man bringe immer die Artigkeit und das Mitleid mit in Anschlag, sie sind es die vornehmlich in Anspruch genommen werden. Und daß diese Geister regieren, wird man bald in dem Saale gewahr. Wem fiele nicht, wenn er in den reich geschmückten Hallen, die noch reicher geschmückten Damen und Herren erblickt, jene naive Aeußerung einer witzigen Berliner alten Dame ein, die ganz unbefangen sagte: „Et is sehre scheene in det Concert, wenn man die sappermensche Musik nich weere.“ Dies ist mehr oder weniger das Zugeständniß aller; sie drücken sich nur weniger aufrichtig aus. „Das müssen Sie mir gestehn, ein Concert hat immer seine Longeurs.“ „Ohne Ennui geht es nicht ab.“ — „Von 7 bis 10 Uhr immer Musik mit anzuhören, das ist nicht zu verlangen“ u. dergl. mehr; dies sind noch die bescheidensten Aeußerungen, die man zu hören bekomme. Es liegt dies in der Natur der Sache. — Ein Concert wird nur dadurch wirklich voll, daß es heißt: es wird voll werden. Können es die Concertgeber nicht dahin bringen, daß mehrere Tage schon vor dem Concerte das Gerücht geht: es sind keine Billette mehr zu haben, so bleibt das Haus leer. Sobald aber verlautet, daß keine Billette mehr zu haben sind, dann läuft und schickt alle Welt und holt sich Billette; — ein Artikel, der ja bei den Concertgebern nie ausgeht. — Für diesen Andrang der Menge wird nun auch das Concert bestens eingerichtet, zwölf Nummern ist das wenigste; so kann sich doch ein jeder berechnen, daß er etwas für's Geld bekömmt, denn zwei gute Groschen für eine große Arie, oder gar für ein Duett ist doch ein sehr Billiges. — Würde sonst nicht für ächte Musik gesorgt, — in den gewöhnlichen Concerten geschieht es am wenigsten und auf diese soll man nicht verweisen, wenn man die artige Schmeichelei der Mad. Catalani, daß Berlin die erste musikalische Stadt der Welt sei, geltend machen will. Dann verweise man auf unsre große Königliche Oper, auf die Opera buffa in der Königstadt, auf Zelter's Singakademie und auf Mösers Quartette.

9.

Ueber die Kunstausstellung in München,

München, den 4. November 1826.

Gestern, mein hochverehrter, insonders schätzenswerther Freund, erhielt ich Ihren lieben Brief mit der Anzeige Ihres neuen Journals und der Aufforderung um milde Beiträge für dasselbe. Abgesehen nun davon, mein Verehrter, daß es wirklich Noth thut, daß endlich noch ein Journal in Deutschland herauskomme, da die Zahl derselben noch kaum die der Leser erreicht, bin ich vornehmlich erstaunt, daß Sie mir das Zutrauen schenken, einem Journal für Poesie, Literatur und Kritik irgend etwas von Belang andieten zu können, da Sie doch hinlänglich wissen sollten, daß ich weder Poet, noch Literatus, noch gar, — wovor mich Gott behüte! — Criticus bin. Und glauben Sie mir nicht auf's Wort, so lesen Sie, nur weiter und Sie werden Sich überzeugen.

Da Sie nun aber einmal etwas wissen, und den Leuten an der Spree etwas erzählen wollen, was an der Isar passirt, so hören Sie denn.

(Forts. folgt.)

Zur Nachricht für den Leser.

Wenn wir es vermieden haben, die Correspondenzen und andere kürzere Mittheilungen mit der sonst üblichen kleinen Perlschrift drucken zu lassen, so geschah dies zu Gunsten der Augen der Leser und zum Vortheil der Mitarbeiter; „non multa sed multum“ ist in dieser Hinsicht unser Wahlspruch. — Wegen Mangel an Raum mußten vor der Hand folgende von den geehrten Mitarbeitern eingesendete Aufsätze zurückgelegt werden: Engl. Literat. Skizze von Washington Irwing. — Sarah Wilkison; „Verschwörung der Lords Ruthveys.“ — „Schakspeare's Richard III. und die Engl. Chroniken.“ Schakspeare's Gedanken über die Musik.“ Kritiken. Tieks dramaturgische Blätter; — Steffens Novellen; Solgers nachgelassene Schriften. Die Hohenstauffen von Nienstädt. — Correspondenzen. Das Pariser Theater u. s. w. Zu bemerken ist noch, daß, da diese 6 ersten Blätter schon in der letzten Hälfte des Decembers 1826 gedruckt wurden, die Berliner Chronik noch nichts vom Jahr 1827 liefern konnte. —

D. R.

(Redigirt von Dr. Fr. Förster und W. Häring (W. Alexis.)

Von diesem Journal erscheinen wöchentlich 5 Blätter (und zwar Dienstag 2 und Sonnabend 3) außerdem literarisch-musikalisch-artistische Anzeiger. Der Preis des ganzen Jahrgangs ist 9 Thaler, halbjährlich 5 Thaler. Alle Buchhandlungen des In- und Auslandes, das Königl. Preuß. Post-Zeitungs-Comptoir in Berlin, und die Königl. Sächsische Zeitungs-Expedition in Leipzig nehmen Bestellung darauf an.

Im Verlage der Schlesinger'schen Buch- und Musikhandlung, in Berlin.

Berliner Conversations-Blatt für Poesie, Literatur und Kritik.

Dienstag, — Nro. 7. — den 9. Januar 1827.

Der zufriedene Mann

von

Washington Irwing.

Der geistreiche Amerikaner, dem wir die feinsten Sitten und Charakterschilderungen der neuern Zeit verdanken, hat, nachdem er uns in den Abentheuern seines Reisenden in Neapel verließ, sich nicht wieder blicken lassen. Vergeblich hofften wir die Früchte seiner Beobachtungen in Deutschland zu erhalten; vielleicht war sein Aufenthalt hier — in Dresden — zu kurz, vielleicht auch nicht von der Art, daß er sich getraute, ein Deutsches Sittengemälde zu entwerfen, ohne seinen Europäischen Ruf als treuer und scharfsinniger Beobachter zu gefährden. Auf seine Muße in Paris und Frankreich blickt jetzt erwartungsvoll das elegantere Publicum. Noch verlautet nichts von einem größeren Werke, wir freuen uns indessen folgende, ganz das Gepräge der Meisterhand an sich tragende uns eben zugekommene Skizze, vermuthlich seine jüngste Arbeit, schnell mittheilen zu können.

Im Garten der Tuilerieen befindet sich ein sonniges Plätzchen unterhalb der Mauer einer nach Süden zu liegenden Terrasse. Längs der Mauer stehen mehrere Bänke mit einer freien Aussicht auf alle Gänge und Plätze des Gartens. Dieser trauliche Winkel bietet im letzten Theile des Herbstes und bei schönen Wintertagen einen wahren Erholungsort dar, indem hier zu der Zeit noch der Hauch des abgeschiedenen Sommers zu wehen scheint. An jedem ruhigen, heitern Morgen wimmelt er ordentlich von Ammen, Kindermädchen und ihren kleinen Spielcameraden. Auch finden sich hier mehrere alte Herren und Damen ein, um mit lobenswerther Wirthschaftlichkeit in kleinen Vergnügungen und kleinen Ausgaben — worin die Franzosen es weit bringen — sich des warmen Sonnenscheins zu erfreuen und Feuerung zu ersparen. Hier sieht man nicht selten manchen Cavalier von der alten Schule, wenn die Sonnenstrahlen allmälig sein Blut erwärmt haben, gleich der erstarrten Motte, die am Feuer aufthaut, seine Schwingen heben; unter die antiken Damen wirft er einen Abgang alter Galanterie und liebäugelt hie und da mit den netten Ammen, daß man es beinahe für eine Art Libertinismus halten könnte.

Unter den gewöhnlichen Besuchern dieses Fleckchens hatte ich oft einen alten Edelmann bemerkt, dessen Anzug durchaus antirevolutionair war. Er trug einen dreieckigen Hut, nach dem *ancien regime* — sein Haar war über jedes Ohr in *ailes de pigeon* frisirt, ein Stil, der ganz nach der Sorbonne roch, — und hinten hinaus *une queue*, deren Loyalität gar nicht zu bezweifeln war. Seine etwas abgetragene Kleidung schmeckte nach herabgekommenen Adel — und ich bemerkte, daß er seine Prisen aus einer altmodisch eleganten goldenen Dose nahm.

Uebrigens war er der populärste Mann auf der ganzen Promenade. Er wußte ein Compliment für jede alte Dame, er küßte jedes Kind und streichelte jedem Schoßhund den Kopf — denn Kinder und kleine Hunde gehören zu den wichtigsten Gesellschaftsgliedern in Frankreich. Doch muß ich bemerken, daß er selten ein Kind küßte, ohne zugleich der Amme in die Backen zu kneipen, — denn ein Franzose aus der alten Schule vergißt nie seine Pflichten gegen das schöne Geschlecht.

Ich hatte ein Wohlgefallen an dem alten Herrn gefunden. Es blieb ein beständiger Ausdruck des Wohlwollens auf seinem Gesichte, den ich fast an allen diesen Reliquien aus Frankreichs feinen Zeiten wahrgenommen habe. Der beständige Austausch dieser kleinen Artigkeiten, welche unbemerkbar das Leben versüßen, haben eine glückliche Wirkung auf die Gesichtszüge und breiten einen sanften Abendglanz über die Runzeln des Alters aus. Wo die Neigung im voraus gewonnen ist, bildet sich bald eine Art schweigender Vertraulichkeit, wenn man sich häufig auf denselben Spatziergängen antrifft. Ein oder zweimal bot ich ihm einen Platz auf einer Bank an, darauf zogen wir die Hüte vor einander, so oft wir einander begegneten; zuletzt kamen wir so weit zusammen, eine Prise Taback aus seiner Dose zu nehmen, was eben so viel bedeutet als im Osten das Salzessen; von dem Augenblicke an war unsere Bekanntschaft gemacht. Jetzt war ich sein beständiger Gesellschafter auf den Morgenpromenaden und hatte viel Vergnügen an seinen launigen Bemerkungen über Menschen und Sitten. Eines Morgens, als wir durch eine Allee der Tuilerieen mit dem Herbstwinde zugleich einherschlenderten, der die gelben Blätter vor unsern Füßen forttrieb, öffnete sich bei meinem Gesellschafter eine besonders reiche Ader der Mittheilung und ich erfuhr von ihm mehrere Momente aus seinem Lebenslaufe.

Er war einst wohlhabend gewesen, hatte ein schönes Gut auf dem Lande und ein anständiges Hotel in Paris besessen — aber die Revolution, die so manchen Reichen arm gemacht, hatte ihn um Alles gebracht. Sein eigener Verwalter hatte ihn während einer der blutigsten Perioden heimlich angegeben und eine Anzahl Bluthunde des Convents waren schon ausgesandt, um ihn zu arretiren. Er bekam indessen noch zeitig genug eine heimliche Weisung, um zu entwischen. Ohne Geld und Freunde landete er in England, hielt sich jedoch für besonders glücklich, daß er den Kopf noch auf den Schultern trug, — indem mehrere seiner Nachbarn guillotinirt wurden, zur Strafe dafür, daß sie reich waren.

Bei seiner Ankunft in London hatte er nur einen Louisd'or in der Tasche und keine Aussicht einen zweiten zu gewinnen. Er hielt ein einsames Mittagsmahl von Beafsteak und wurde fast von dem Portwein vergiftet, den er nach seiner Farbe für Claret gehalten. Das finstere Ansehn der Garküche und der kleine mahagonifarbige Verschlag, wo er sein Essen verzehrte, stach sehr traurig ab gegen die lustigen Pariser Salons. Alles sah düster und herzbrechend aus. Armuth starrte ihn an — er zählte die Paar Schillinge, die er zurückbekommen, — er wußte nicht, was aus ihm werden solle, und — ging ins Theater! Im Parterre postirt, hörte er aufmerksam auf eine Tragödie, von der er kein Wort verstand und die aus Mord und Todschlag und ewigem Scenenwechsel zusammengesetzt schien. Seine Geister sanken, das fühlte er jetzt selbst, als er, den Blick über das Orchester werfend, zu seinem Erstaunen einen alten Freund und Nachbar emsig beschäftigt sah sich Musik aus einem ungeheueren Violoncell herauszupressen.

Sobald der Vorhang fiel, tippte er seinem Freunde auf die Schulter, sie küßten sich auf beide Backen, und der Musikus nahm ihn nach Hause und theilte sein Quartier mit dem Landsmann. Er hatte früher die Musik zur Erholung getrieben, auf des Freundes Rath gebrauchte er sie jetzt als Mittel zur Unterhaltung. Er verschaffte sich eine Violine, bot seine Dienste dem Orchester an, ward angenommen, und betrachtete sich wiederum als einen der glücklichsten Menschen von der Welt. So lebte er hier lange Jahre, während der furchtbare Napoleon höher und höher stieg. Er fand verschiedene Emigranten, die, gleich ihm, von ihren Talenten lebten. Sie gesellten sich zusammen, sprachen von Frankreich und den alten Zeiten, und versuchten mitten in London ein Schattenbild des Pariser Lebens einzuführen. Sie speisten bei einem wohlfeilen und kläglichen Französischen Restaurateur in der Nähe von Leicester-square, wo sie eine Carikatur der Französischen Küche fanden. Ihre Promenaden hielten sie im St. James-Park, und versuchten sich einzubilden, es seien die Tuilerieen, kurz sie wußten jedes Englische Ding sich anzueignen, bis auf den Englischen Sontag. In der That scheint der alte Edelmann nichts gegen die Engländer vorzubringen zu haben, er nennt sie *des braves gens* und ist so viel mit ihnen umgegangen, daß er nach Verlauf von zwanzig Jahren ihre Sprache so gut sprechen kann, um fast verstanden zu werden.

Napoleons Sturz bildete eine andere Epoche in seinem Leben. Er hielt sich für einen glücklichen Menschen, als er ohne einen Heller aus Frankreich entkam, und er hielt sich für sehr glücklich, als er ohne Heller dahin zurückkehren konnte. Freilich fand er sein Pariser Hotel während der Zeit durch so viele Hände gegangen, daß es nicht mehr zu vindiciren war; aber die Regierung hatte damals einen gnädigen Blick auf ihn geworfen und nun lebte er mit einer Pension von einigen hundert Franken bei großer Sparsamkeit völlig unabhängig, und, soweit ich urtheilen konnte, glücklich. Da sein prachtvolles Hotel jetzt zu einem *hôtel garni* umgeschaffen war, miethete er sich eine kleine Stube im Dachgeschoß. Er hätte nur, meinte er, seine Schlafstube zwei Treppen höher verlegt, sonst wäre er noch immer in seinem eigenen Hause. Seine Wände waren mit den Bildnissen mehrerer Schönheiten aus jener Zeit geschmückt, mit denen er auf gutem Fuß gestanden zu haben vorgab. Unter ihnen befand sich auch eine beliebte Operntänzerin, welche beim Ausbruch der Revolution die Bewunderung von ganz Paris gewesen. Einst war sie die *protegée* meines Freundes und gehörte zu den wenigen Geliebten aus seiner Jugend, welche die Zeit und ihren Wechsel überlebt hatten. Ihre Bekanntschaft wurde erneuert, und sie besuchte ihn dann und wann; aber die holde Psyche, einst die Schönheit des Tages, und das Idol des Parterres, war jetzt ein runzlichtes, kleines, altes Weib mit krummem Rücken und krummer Nase.

Der alte Edelmann fehlte selten bei einem Levée, er war äußerst eifrig in seiner Loyalität und wenn er von der Königlichen Familie sprach, geschah es mit einem Ausbruch von Enthusiasmus; denn er sah sie noch immer für seine Gefährten in der Verbannung an. Ueber seine Armuth pflegte er zu scherzen und hatte in der That den launigsten Weg gefunden, sich für jeden Verlust und jede Kränkung zu trösten. Wenn er sein Schloß auf dem Lande verloren, so standen dafür ein halbes Dutzend Königliche Palläste mit allem Zubehör ihm zu Gebot. Zu seiner Sommererholung hatte er Versailles und Saint Cloud und die schattigen Alleen der Tuilerieen nebst dem Palais Luxemburg zu seinem Stadtvergnügen. So waren alle seine Promenaden und Vergnügungsorte großartig und kosteten ihn doch nichts.

Wenn ich durch diese schönen Gärten gehe, sagte er, brauche ich mich nur für den Eigenthümer zu halten, und sie sind mein. Alle diese fröhlichen Haufen sind mein Besuch, und ich fordere den Großherrn auf, er soll mir einen größeren Flor von Schönheiten hinstellen. Ja, was noch besser ist, mich kostet ihr Unterhalt gar nichts. Mein Hof ist durchaus *sans souci*, wo jeder thut was ihm gefällt und Niemand den Eigenthümer belästigt. Ganz Paris ist mein Theater und das aufgeführte Schauspiel nimmt gar kein Ende. In jeder Straße ist für mich eine Tafel gedeckt und tausend Aufwärter fliegen auf meinen Wink. Haben meine Diener mir aufgewartet, so bezahle ich sie, entlasse sie und damit ist es aus. Ich habe keine Besorgniß, daß sie mich plündern, oder mir sonst schaden, sobald ich sie aus den Augen verloren. Ueberhaupt, sagte der alte Edelmann, mit einem Lächeln von unendlich guter Laune, wenn ich an die verschiedenen Unfälle meines Lebens denke, und wie ich noch davon gekommen bin; wenn ich mich alles dessen erinnere, was ich ausgestanden und mit dem vergleiche, dessen ich mich jetzt erfreue — so kann ich nicht umhin, ich halte mich für ganz besonders vom Glücke begünstigt.

Das ist die kurze Geschichte dieses practischen Philosophen und sie ist das Bild so mancher durch die Revolution ruinirten Franzosen. Scheint es doch als hätten die Franzosen eine weit größere Fähigkeit als irgend Jemand sich in die Unfälle des Lebens zu finden und Honig aus den bittern Dingen dieser Welt zu saugen. Der erste Stoß des Unglücks kann sie ganz überwältigen; aber ist er einmal vorüber, trägt die natürliche Schwimmkraft ihrer Gefühle sie leicht wieder zur Oberfläche hinauf. Man schreibe dies immer dem Leichtsinn ihres Characters zu, aber es entspricht doch immer der Absicht uns mit dem Unglück zu versöhnen — und wenn es auch keine wahre Philosophie ist, ist es doch etwas fast eben so wirkungsreiches. Seit ich die Geschichte meines kleinen Franzosen hörte, habe ich sie als einen Schatz aufbewahrt und ich danke es meinen Sternen, endlich habe ich, woran ich so lange gezweifelt, daß es auf Erden existire, einen zufriedenen Mann gefunden.

Baue Niemand auf menschliche Glückseeligkeit. Seit ich obiges schrieb, ist das Entschädigungsgesetz für die Emigranten durchgegangen und mein Freund hat einen bedeutenden Theil seiner Glücksgüter wieder erhalten. Ich war damals nicht in Paris, jedoch beeilte ich mich bei meiner Rückkehr ihm Glück zu wünschen. Ich fand ihn prächtig eingerichtet im ersten Stockwerk seines Hotels. Von einem Livreibedienten ward ich durch prächtige Säle in ein reich verziertes Kabinet geführt, wo ich meinen kleinen Franzosen auf einem Sopha ausruhend fand. Zwar empfing er mich mit der gewohnten Herzlichkeit, aber ich sah, wie Frohsinn und Gemüthlichkeit von ihm geflohen waren. Sein Auge war voll Sorge und Angst. Ich versicherte ihn meiner innigen Theilnahme an seinem Glücke.

„Glück!“ rief er. „Pah! Man hat mir ein fürstliches Vermögen geraubt, und sie gaben mir ein Almosen als Entschädiguug!“

Guter Gott! ich fand meinen eben noch armen und zufriedenen Freund als einen der reichsten und doch bedauernswerthesten Männer in Paris wieder. Statt sich der reichen Entschädigung zu erfreuen, berechnete er täglich, was man ihm noch vorenthält. Er wandert nicht mehr in seeligem Nichtsthun durch Paris — dagegen liegt er ewig mit Klagen in den Vorzimmern der Minister. Seine Loyalität ist mit seiner Fröhlichkeit verschwunden. Er verzieht den Mund, wenn die Bourbons erwähnt werden, und zuckte sogar mit den Schultern, wenn er den König loben hörte. Kurz er gehört zu den vielen Philosophen, mit denen es durch das Entschädigungsgesetz vorbei ist; denn ich zweifle, ob sogar ein neuer Glückswechsel, durch den er wieder verarmte, ihn auch wieder zum glücklichen Manne machte.

Berliner Chronik.

Leistungen des Königl. Theaters in Berlin im Jahre 1826.

Februar. In der ersten Hälfte des Februar herrschten, wie im Januar die Carnevals-Lustbarkeiten mit ihren Ergötzungen und Hemmungen fort. Die letzte Carnevals-Oper, Weber's Euryanthe, fand ein wenig zahlreiches Publikum. Es scheint, daß die, während dieser Periode fest stehenden, so genannten bewußten hohen Opern-Preise keine Lockung mehr sind, die musikalischen Carneval-Knallbonbons theurer zu bezahlen, als man sie früher schon haben konnte und gehabt hat. Bemerkenswerth ist es, daß das verfängliche Operchen: die Nachtwandlerin, den Stellvertreter für eine große Oper am 6. Februar abgeben mußte. — Unter den Neuigkeiten dieses Monats geschieht einer faden Kleinigkeit: den blonden Locken von Töpfer, schon durch die Erwähnung ihres flüchtigen Daseins zu viel Ehre. Es ist ein Uebel mehr, wenn solche lahme Geschichtchen noch versifizirt werden; solches Wasser würzt kein Reim und der Vers versteckt die Leere nicht, sondern reckt sie nur weiter aus. — Eine andere neue Kleinigkeit: Erste Liebe, oder Erinnerungen aus der Kindheit, war aus der französischen Fabrik des Scribax Scribe, bearbeitet von einem der Uebersetzer, die heißhungrig einander diese Eintagsfliegen wegschnappen; stellt nichts weniger, als das neue Erwachen der ersten Liebe, oder doch nicht auf ergötzliche Weise dasjenige dar, was den Franzosen einmal dafür gilt und sie auch so nennen (*les premiers d'amour*). Mit der halben Gunst des Publikums und der vollen der Direktion, die es immer bei guter Gelegenheit einzuschieben weiß, ist es auf dem Repertoir geblieben. — Aber auch eine neue echt poetische Gabe hat dieser Monat gebracht: Calderon's geheime Rache für geheimen Schimpf, bearbeitet von Herrn Sommerbrodt hier. Man hat an dieser Bearbeitung zweierlei getadelt: einmal, daß Hr. S. nicht die kleinen Trochäen des Originals beibehalten und denn zweitens: daß er den leidenschaftlichen, auf die höchste Spitze gestellten Ehrenpunkt des verletzten, racheglühenden Spaniers noch überboten, oder ihm, richtiger zu sagen, durch die Worte, die er am Schlusse des Stücks dem König in den Mund gelegt, Gerechtigkeit habe widerfahren lassen. — Aber was diesen letzten Punkt betrifft, so ist nicht abzusehn, wie der Spanische König anders denken soll, als der Spanische Edelmann; das Wort des Königs ist nur eine Wiederholung seines Wortes und die poetische Gerechtigkeit ist keinesweges verletzt, auch nicht verletzend. — Eben so ist der Bearbeiter auch über den ersten Punkt des Tadels zu rechtfertigen. Freilich, wenn hier die Rede sein müßte von einer, dem Original völlig identischen Uebersetzung, was allerdings der höchste Grad pedantischer Uebersetzungskunst ist, so ist Beibehaltung des ursprünglichen Sylbenmaaßes unerläßlich. Aber auch dann gilt immer, was Goethe so treffend sagt: der Uebersetzer, der sich treu an das Original anschließt, giebt mehr oder weniger die Originalität seiner Nation auf und so entsteht ein drittes; woran der Geschmack der Menge sich erst heranbilden muß. Wenn nun aber von einem ausländischen, zumal Spanischen Product in Bezug auf dessen Tüchtigkeit für ein Deutsches Theater und für ein Deutsches Publikum die Rede ist, so muß ein Bearbeiter Dank und Achtung verdienen, wenn er das, im Deutschen Idiom so schwierige Sylbenmaaß der kleinen Trochäen in schöne, wohlklingende Jamben, die der dramatischen Rede, auch in dem leidenschaftlichsten Momente angemessen sind, zu verwandeln wußte. Die mimische Darstellung hat uns am besten über diesen Punkt belehrt, besonders der Vortrag der Madame Stich, die sich so mit der Spanierin im Geist und Rede zu indentifiziren wußte, daß gewiß Niemand die kleinen Trochäen vermißt hat, wenn sie sprach; genug, es war Wohlklang in ihrem Vortrag und Spanischer Geist in ihrer Darstellung. — Einen Gastspieler, Herrn Haak, der uns im Februar besuchte, dürfen wir nicht unerwähnt lassen. Es mußte von ihm gerühmt werden, daß er, wenn auch nicht mit der Kraft unsers Krügers, und noch weniger mit dem „aus der Seele dringenden, urkräftigem Behagen“ unsers Wolff begabt, auch körperlich nicht allzusehr ausgerüstet, dennoch in Hamlet und Marquis Posa nicht ohne Beifall auftrat. —

(Forts. folgt.)

(Redigirt von Dr. Fr. Förster und W. Häring (W. Alexis.)

Im Verlage der Schlesingerschen Buch- und Musikhandlung, in Berlin.

Berliner
Conversations-Blatt
für
Poesie, Literatur und Kritik.

Donnerstag, — Nro. 8. — den 11. Januar 1827.

Zwei Berliner Legenden von F. F.

I.
Die Runde des großen Kurfürsten in der Neujahrsnacht 1822.

Auf der langen Brücke bei dem Schloß
Da hält der große Kurfürst hoch zu Roß,
Und Alle, die vorübergehn,
Die sehn ihn an und bleiben stehn.
So mancher Bürger, brav und gut,
Zieht noch mit Ehrfurcht seinen Hut,
Der Landwehrmann zu ihm dann spricht:
So was haben sie in Paris doch nicht;
Sie stellten dorten gleich vor allen
Ihren Kurfürsten auf, uns zu Gefallen, *)
Mein Hauswirth führte mich auch dahin, —
Ich lobte mir unsern hier in Berlin.
Wenn Handwerks-Bursche vorüber wandern,
Spricht wohl der Eine zu dem Andern:
Landsmann, ich sah dir zu Prag auf der Bruck
Den wunderlichen Heil'gen, den Nepomuck,
Aber der Kurfürst hier, da wett' ich drauf,
Der nimmt es mit allen Heiligen auf. —
Und nicht nur der gemeine Mann,
Auch der Künstler hat seine Freude daran.
Schon mancher kehrte von Rom zurück,
Und nennt es noch immer ein Meisterstück.
Und eine geheime Sage geht,
Daß der Kurfürst nicht immer hier hält und steht,
Zu Neujahr in der Geisterstunde
Reitet er durch die ganze Stadt die Runde,
Und was wir bis dahin zu Stand gebracht,
Schaut er sich an um Mitternacht.
Und als die Sing-Uhr Zwölfe sang,
Belauscht ich diesmal seinen Gang,
Und wollt Ihr schweigsam es bewahren,
Erzähl' ich Euch, was ich erfahren.
Er trabte zuerst mit seinem Roß
Vorüber dem hohen Königsschloß,
Und gegen Friedrich's Gemächer gewandt,
Grüßt er dreimal mit seiner Hand.
Dann ritt er weiter durch Hof und Haus
Zum Lustgarten durch das Portal hinaus.
Der alte Dessauer mit dem Commando-Stab
Nimmt stattlich den kleinen Dreieck ab;
Der Kurfürst grüßt ganz höflich vom weiten
Und spricht für sich im Weiterreiten:
Der lange Zopf, die breiten Taschen,
Der kleine Hut, die großen Gamaschen,
's ist eine wunderliche Tracht.
Da haben sie mich doch besser bedacht:
In freien Locken fliegt das Haar,
Ich frug nicht, ob es so Mode war,
Der Feldherrn-Mantel, den ich trage,
Der gilt für heut und alle Tage. —
Jetzt wird der Fürst den Dom gewahr,
Neu aufgeschmückt in diesem Jahr
Mit goldnem Kreuz, nach des Königs Gebot;
Da spricht er dreimal: „das walt' Gott."
Hier ward die Urstätt mir verliehn,
Hier ruh ich aus von des Lebens Mühn,

*) Gleich nach dem Einzuge der Verbündeten 1814 wurde auf dem Pont neuf die Reiterstatue Heinrich's IV. aufgestellt.

Sie mögen wol noch mein gedenken,
Da sie das Haus so reich beschenken.
Am Altar der Tröster, der heilige Geist,
Der Gemeinde Licht und Trost verheißt,
Daneben stehen von reinem Metall
Die heiligen Apostel allzumal;
Ihr Engel aber an der Thür
Bewahrt den Ein- und Ausgang mir.
Und seitwärts nach dem Zeughaus hin
Lenkt er sein Roß mit heiterm Sinn.
An der Hunde-Brücke hält er still
Und spricht: was das werden will?
Die Pfeiler heben sich leicht und frei,
Da ist der Schinkel gewiß dabei,
Und reißt der wo das Alte nieder,
Dann gibt es keine Hunde-Brücke wieder. —
Das Zeughaus freut den alten Herrn,
Er sieht es immer wieder gern,
Und, wie Er's rückwärts noch beschaut,
Da scheut sein Pferd und wiehert laut;
Zwei hohe Gestalten von Marmorstein
Stehen vor ihm in hellem Mondenschein.
Der Kurfürst frägt sie mit ernstem Wort:
Wer da? Was haltet ihr hier am Ort?
Der Erste spricht zu ihm gewandt:
„General von Scharnhorst bin ich genannt,
Und weil ich brav in Rath und Feld
Hat mich mein König hierher gestellt."
Der Kurfürst spricht: du stehst auf gutem Posten,
Hab' Acht, daß die Klingen uns nicht rosten.
Der Zweite meldet sich nun auch,
Wie es bei den Soldaten Ordnung und Brauch:
„v. Bülow, General der Infanterie,
Rief mich mein König, ich fehlte nie,
Und unter Kanonen-Donner und Blitz
Ward ich der Graf von Dennewitz."
Nun kenn' ich Euch, bei meiner Treu,
Euer Nam' und Ruhm sind mir nicht neu;
Doch Eines ist mir nicht bekannt:
Wo lebt der Meister? wie ist er genannt?
Der Euch mit Mantel und mit Waffen
Aus hartem Stein so weich geschaffen.
Seid Ihr vielleicht aus Welschland kommen?
Hat man in Paris Euch das Maaß genommen?
Ist Griechenland frei von den Türkenbanden?
Ist alt Athen wieder auferstanden?
Und der Erste zu dem Kurfürsten spricht:
Durchlauchtigster Herr! so ist es nicht.
Der Meister gehöret hier zu Haus,
Im Lagerhaus geht er ein und aus,
Mit schwarzem Barett und weißem Rock,
Ihr findet ihn immer am Marmorblock.
Könige und Kaiser kehren bei ihm ein,
Er muß immer in guter Gesellschaft sein.
Der Marschall Vorwärts riesengroß,
Steht bei ihm mit ehrenwerthem Troß,
Daneben viel Frauenbilder zart,
Und holde Kinder schön von Art.
Den Dichter auch von siebenzig Jahr,
Der mit uns in der Champagne war,
Hat er in Marmor aufgestellt,
Als spräch er: mir gehört die Welt.
Der Meister aber ist Rauch geheißen,
Doch glüht ihm das Feuer im Aug' und im Eisen;
Der Stein, den er berührt nur eben,
Formt sich gestaltend gleich zum Leben. —
Der Kurfürst darauf zu beiden spricht:
Ihr Herren, ich dank euch für euren Bericht,
Ich muß mein Roß nun heimwärts leiten,
Kann heute nicht um die Linden reiten.
Gehabt Euch wohl auf Eurer Wacht,
Ihr Herren, ich wünsch' Euch gute Nacht.
Und heimwärts lenkt er nun sein Roß
Nach der langen Brücke bei dem Schloß.
Er nickt gefällig, Er schaut sich um,
Als ging' ihm so etwas im Kopfe herum.
Ich wollt ihn danach nicht weiter fragen,
Doch hört' ich ihn dieses für sich sagen:
„Seh ich den Rauch, ich sag's ihm morgen,
„Er muß uns einen alten Fritz besorgen." *)

Zwei noch ungedruckte Briefe Jean Pauls. **)

I.

Jean Paul an Wieland in Weimar.

Leipzig, den 26. März 1786.

Lieber Merkur!

Selten wird Einer an Dich sehr gut geschrieben haben, der nicht vorher die *Comes natalis* vor sich hingelegt; aus denen schöpft man den ganzen Brief an Dich, der aus lauter Anspielungen auf deine mythologische Biographie gewebt sein mag. Da man sich gewöhnlich der Gunst dessen, mit dem man umgeht, dadurch bemächtigt, daß man seine Sitten

---

*) Die zweite Legende: der große Kurfürst in der Neujahrsnacht 1827 folgt in dem nächsten Stück.

**) Der Unterzeichnete nimmt hier Gelegenheit nochmals zu bemerken, daß dem Berliner Conversationsblatte monatliche Zusendungen aus dem noch ungedruckten Nachlasse Jean Pauls zugesichert worden sind. — F. F.

nachahmt: so haben die größten Autoren geglaubt, Dich durch eine ähnliche Nachahmung bestechen zu können nnd hofften sich die Liebe des Gottes der Beredsamkeit zu erschmeicheln, wenn sie offenbar beredt an ihn schreiben. Ich hoffe das: denn Du warst wohl fähig, in Deiner Jugend vor vielen 100 Jahren und zum zweitenmale in Deinem Alter vor einigen Jahren der Venus den kostbaren Gürtel zu stehlen, allein, es scheint, daß ich nicht im Stande bin, zu stehlen. In der That, es ist äußerst schlimm, daß Du aufgehört, der Postbote aller Götter zu sein und nur von Apollo und den Musen noch Bestellungen annimmst: sonst zwäng ich Dich sicher, diese in die Welt zu tragen. Da man indessen sehr gut, aus einer Allegorie in die andere kommen kann: so sage ich noch, daß ich es dem, der die Seelen sowohl in die Hölle als in diese Welt zu führen vermocht, überlasse, wohin er diese senden will, ob mit der nächsten Post zu mir oder zum Publikum. Ungemein selten kommt ein Unglück allein: wenn Du z. B. jetzt Dich mit der Bekanntmachung dieser Aufsätze belädst, wird Dir nicht sofort ihr Verfasser die Aufnahme einer Satyre über Damen, die ihre Tugend besiegen lassen wollen, ohne Bedenken zumuthen? Ich wollte darauf wetten. Ich habe noch eine Bitte an Dich: denn ich bin sehr arm; aber diese ist klein. — . . Es wäre sonderbar, wenn ich mich nennen wollte. *)

II.
Jean Paul an Heinrich Voß in Heidelberg.

Baireut, den 12. May 1817.

Endlich hab ich die Freude, Sie um zwanzig bis dreißig Dinge zu bitten, welche indeß alle auf die Stube hinauslaufen, in der ich Ihnen dafür danken will. Ich brauche nehmlich — etwa von der Pfingstwoche an bis zum längsten Tage — ein Stübchen zur Miethe, (nicht einmal ein Kämmerchen dazu) — ferner ein Bette — ein schlechtes Kanapee, weil ich nur auf einem lese und schreibe — jemand zum Kaffee- und Bettmachen und Getränkeholen — gar keine Möbeln, außer den allerunentbehrlichsten. — Nur liege das Zimmerchen nicht dem Sonnenbrande gegenüber, sondern lieber der Abendsonne oder dem Museum, oder der Wirthtafel, wo ich esse; und wenn möglich, ohne besondern Lärm in der Morgenschlafstunde, die für mich mehr Gold im Munde hat, als eine Wachstunde. Auch außer der Stadt kann mein herrnhutisches Seitenhöhlchen, oder meine Brutzelle liegen. Ein Mittelpunkt braucht ja nicht groß zu sein, wenn nur der Umkreis es ist; dieser bildet jenen, nicht jener diesen. Durchaus muß ich alles miethen und bezahlen dürfen . . . . als Gast hätt' ich nur halbe Freude und halbe Freiheit.

Nach meinem geschwinden Wetterpropheten bekommen wir wenigstens $1\frac{1}{2}$ zu trockne Monate. Vielleicht feire ich schon die heiligen Pfingstausgießungen bei Ihnen.

Ihren Gegenwolf hat mir der Buchhändler noch nicht geschickt.

Uebrigens will ich Büchern mehr ent- als zufliehen; sie wol, aber nicht Menschen, Berge und Ströme kann man sich verschreiben. Langes Bleiben erspart langes Schreiben. Daher schnapp' ich hier ab, ohne viel noch zu reden von Heidelberger Handschriften, und von neuen Ueberchristen und Landständen und von Allem. Ich grüße herzlich alle schon Gegrüßte; künftig grüß ich auch die Gesehenen noch dazu.

Ihr

Jean Paul Fr. Richter.

Berliner Chronik.
Die Leistungen des Königl. Theaters im Jahr 1826.

März. Die Vorstellungen dieses Monats begannen mit einer neuen Gattung, die zwar nicht eigentlich mimisch ist, die aber wohl in den Bereich dessen gehört, was auf der Bühne an uns vorübergeführt werden darf; wir sprechen von den sogenannten lebenden Bildern. Diese Vorstellungen, die in kleineren geselligen Kreisen schon großes Vergnügen gewähren, selbst wenn man in Rücksicht auf das Personale, die Garderobe und Beleuchtung sich ziemlich nothdürftig zu behelfen gezwungen ist, mußten hier um so größeren Beifall finden, als man den Reichthum an Mitteln aller Art, den ein Theater- und Ballet-Personale eines großen Theaters darbietet, die Anordnung eines Schinkel, die Dekorations- und Beleuchtungskunst eines Gropius dazu verwenden konnte. Einwendungen mancher Art wurden gegen diese Darstellungen gemacht; die Schauspieler behaupteten, daß sie in ihren großen Momenten den Namen „lebende Bilder" für sich in Anspruch zu nehmen hätten, während die, von untergeordneten Statisten mit hübschen Larven vorgestellten Scenen, vielmehr „leblose Bilder" heißen

*) J. Paul war damals 23 Jahr alt und studierte in Leipzig.

müßten, da diese nur das Scheinleben von Wachsfiguren hätten. Auch müssen wir gestehn, daß Devrient als Lear, Wolff als standhafter Prinz, die Milder als Iphigenia, die Stich als Julia uns lebende Bilder gegeden haden, gegen die so fixirte Momente, wie wir sie in den sogenannten lebenden Bildern sahen, leblos erschienen. — Die Aesthetiker ferner behaupteten, daß diese lebenden Bilder von der Kunst ausgeschlossen seien, und zwar sei das „Lebendige" gerade dasjenige, was störend eintrete. Sie nannten es den Vorzug und die Würde der Kunst, daß sie jedes practische Interesse, was von der Natur und Lebendigkeit in Anspruch genommen wird, entfernt und nur ein theoretisches Verhalten zu dem Kunstwerke zulasse; nicht einen sinnlichen, nur einen geistigen Genuß vergönne die Kunst. Bei diesen lebenden Bildern aber mische sich zugleich ein sinnliches Interesse mit ein und überbiete, zumal bei dem frivolen Faltenwurfe herkulanischer Tänzerinnen, das geistige Interesse bei weitem: und freilich wurde gerade bei solchen Bildern da Capo gerufen. Außerdem wurden aber auch Bilder von ernsterem Charakter vorgestellt und auch diese fanden eine willkommne Aufnahme.

In diesem Monat erschien auf unserer Bühne zum ersten Mal Alexander und Darius, Trauerspiel in 5 Akten von Uechteritz. Für die äußere Ausstattung des Stücks war durch prachtvolle Dekorationen und für die geistige Ausstattung durch zweckmäßige Besetzung der Rollen gesorgt. Das Trauerspiel des Herrn von Uechteritz hat eine große Celebrität erhalten und vielfache Verfechter und Anfechter gefunden; schon dies beweißt genug, daß es auf eine ernste Beachtung Anspruch machen durfte und diese ist demselben in so vollem Maaße zu Theil geworden, daß die Berliner Schnellpost gewiß noch einige Beiwagen mit den Resten der eingegangenen Manuscripte zu laden haden mag. Bei aller Anerkennung nicht nur des poetischen Talentes, sondern auch der gediegenen Richtung des Hrn. v. U. müssen wir jedoch bemerken, daß wir bei ihm, eben so wie bei allen anderen neusten dramatischen Dichtern, welche nach Schiller und Goethe Epoche gemacht haden, zweierlei vermissen, wodurch jene beiden so Großes geleistet haden: das tragische Pathos und den lyrischen Anklang. Dies weiter auszuführen behalten wir uns vor; allein so viel sei nur erwähnt, daß gegen die Leidenschaft eines Wallenstein und Tasso, einer Johanna und eines Clärchen, alle Gestalten in Trauerspielen späterer Dichter, wie farb- und blutlose Schatten erscheinen. Das zweite aber was wir bei diesen neueren Dramen vermissen, ist der lyrische Anklang. Die innerste Seele der romantischen und insbesondere der deutschen Poesie ist das Lied und während wir von Goethe, Schiller und auch von Tiek Lieder besitzen, wie sie zu keiner Zeit und in keinem Volke gesungen wurden, so sind von Müllner, Grillparzer, Houwald, Raupach und Uechteritz niemals Lieder bekannt geworden, die nur entfernt sich neben ein Lied von Mignon, oder dem Harfenspieler stellen können und doch würden diese genannten Herren, wenn man sie auf ihr Gewissen befragte, zugeben, daß jene zarte Stimme, die uns: Kennst du das Land, wo die Citronen blühn? singt, in weitere Jahrhunderte hineindringen wird, als alles Lamento und Geschrei ihrer, auf noch so hohem Cothurn daherschreitenden, Helden. — Was übrigens das Berufen auf die leidenschaftliche Theilnahme der Berliner Kritiker an das in Rede stehende Trauerspiel betrifft, so muß dabei noch bemerkt werden, daß sie nicht sowohl gegen das Gedicht und den Dichter, als gegen die von Dresden ausgegangene dramaturgische Lobpreisung gerichtet war. Außerdem aber war es insonderheit der welt-historische Stoff, der Veranlassung zu ernsteren Betrachtungen gab. Nach drei oder viermaliger Aufführung ist das Stück im vorigen Jahre liegen geblieben, was seinen Grund in der fortdauernden Krankheit des Herrn Lemm (Nabarzanes) hat. — (Forts. folgt.)

Ueber die Kunstausstellung in München.

(Fortsetzung.) München, den 4. November 1826.

Ich hatte gestern das Glück, oder Unglück bei einer sehr scharmanten Dame eine Tasse Thee und andre Unterhaltung hinunter schlucken zu müssen. (Da ich kein frisirtes Haupt bin, so muß ich schon um Entschuldigung bitten, daß ich Ihnen gerade dieß als eine interessante Neuigkeit melde; aber lesen Sie nur weiter, es kommt schon mehr dergleichen.) — Der Zirkel war ausgesucht, d. h. so, daß ich für meine Person nichts besseres darin finden konnte, als einen honnetten Rückzug aus demselben, und daß ich's Ihnen gestehe, blos um die lange Weile mir zu kürzen und den Aerger zu verbeißen, daß ich in nichts mitreden konnte. Man sprach aber — Sie wissen, daß gegenwärtig hier Kunstausstellung ist? — nur von dieser, und ich unkritischer, unpoetischer Illiteratus verstand außer einigen Exclamationen, wie „göttlich! himmlisch!" u. s. w. gar nichts, faßte aber sogleich den Entschluß, um allem künftigen Uebel vorzubeugen, heute mit dem frühesten dahin zu gehn, wo das Wasser zu so zahl- und namenlosen Theegesellschaften geschöpft wird — auf die Kunstausstellung. Denken Sie Sich aber mein Erstaunen, als ich nicht jenes, sondern das Wasser fand, womit man Stuben fegt, ja noch mehr: eine ganz Wasch- und Scheuer-Gesellschaft dazu, die mich ohne weitere Complimente wieder die Treppe hinuntercomplimentirte mit der Bedeutung: heute sei Sonntag und keine Ausstellung. — Das war hart, und doch, wenn ich ehrlich sein soll, mir wie gerufen: so hatt' ich doch mein Gewissen beschwichtigt, und am Sehen lag mir ohnehin, da ich, wie gesagt, nichts davon verstehe, blutwenig. Bis Montag brauchte ich ja in keine Gesellschaft mehr zu gehen. (Forts. folgt.)

(Redigirt von Dr. Fr. Förster und W. Häring (W. Alexis.)

Im Verlage der Schlesingerschen Buch- und Musikhandlung, in Berlin unter den Linden Nr. 34.

Berliner Conversations-Blatt

für

Poesie, Literatur und Kritik.

Freitag, — Nro. 9. — den 12. Januar 1827.

II.

Die Runde des großen Kurfürsten in der Neujahrsnacht 1827.

Eine Berliner Legende von F. F.

Der Kurfürst reitet nicht jedes Jahr,
Nur wenn besond'rer Anlaß war,
Da dacht ich: heut darfst du's nicht verpassen,
Und ihn etwa vorüberlassen.
Auch ging ich nicht vergebens aus;
Denn kaum stand ich vor meinem Haus
In der breiten Straße, dem Schloßplatz nah,
Da war der Kurfürst auch schon da.
Er schaute freundlicher als zuvor,
Zu des großen Friedrichs Gemächern empor.
Da wohnt mir, sprach er, ein theures Paar;
Sie grüß ich zuerst zum neuen Jahr,
Elisabeth die holdeste der Frauen,
Zuweilen mag sie wohl nach mir schauen;
Denn wie die Memnonssäule klingt,
Wenn die Morgensonne zu ihr dringt,
So bebt, von ihrer Augen Strahl
Berührt, das härteste Metall.
Gegrüßt auch sei mir des Königs Sohn,
Ein Herr geboren zu dem Thron,
In Kriegeszeit ein tapfrer Degen
Und selbst im Frieden noch verwegen.
Erst neulich, bei dem großen Brand,
Er war der Erste bei der Hand.
Sie laufen alle davon und fliehn,
Mir fing die ehrne Wange schon an zu glühn,
Der Kronprinz hielt aus, trug Wasser herbei,
Ich sah ihn noch früher als die Polizei.
Auch ist im Kupferstich zu sehn,
Wie die Prinzen mitten im Feuer stehn
Und Hülfe schnell und Rettung schaffen,
Wo die anderen Leute stehn und gaffen. —
So sprach er und nahm seinen Weg
Zum Lustgarten auf bekanntem Steg.
Der alte Dessauer nach gewohnter Art
Auch heut die Reverenz nicht spaart;
Der Kurfürst seiner nicht vergißt
Und ihn gar huldreich wieder grüßt.
Darauf lenkt er mit frommem Sinn
Sein Roß zum hohen Dome hin.
Er faltet die Hände zum Gebet
Und spricht: Gott walt, daß es besteht,
Unser evangelisches Christenthum,
Des Herzens Trost, der Kirche Ruhm.
Behüt uns, Herr Gott, vor Papisten,
Die wieder im lieben Deutschland nisten;
Doch sind wir sicher hier zu Land,
Hier wacht der König mit Herz und Hand,
Läßt selbst an die verirrten Seelen
Es nicht an ernster Mahnung fehlen.
So war ich auch zu meiner Zeit,
Fürwahr, da galt's noch härtren Streit!
Gustav Adolph, der für die freie Lehr
Bei Lützen fiel zu Christi Ehr',
Den hab' ich, als ich noch Knabe war,
Gesehen auf der Todtenbahr.
Da hab' ich im Herzen mir's gelobt:
Wie auch die Hölle dräut und tobt,
Wie's auch die Pfaffen heimlich treiben,

Dem Evangelium treu zu bleiben.
Ich scheute nicht Frankreichs Uebermacht,
Und als dort Ludwig unbedacht
Die Glaubensfreiheit unterdrückte,
Sofort ich einen Trostbrief schickte.
In Schaaren sind sie zu uns kommen
Und haben Wohnung hier genommen;
Da ich viel Gnaden ihnen verlieh,
Ward's bald eine ganze Colonie,
Soldaten, Bürger und Handwerksleute,
Bauern und Gärtner und bis heute
Mag das wohl noch so fortbestehn,
Da die Leute noch immer zu Bouché gehn,
Wo sie, wenn die Sterne vor Kälte blitzen,
Unter Hyazinthen und Tulpen im Treibhaus sitzen.
Auch gab ich Oesterreich zum Trutz
Vertriebnen Glaubensbrüdern Schutz,
Und so die Bedrängten aus allen Landen
Bei mir Zuflucht und Obdach fanden.
Drum sei auch heute mein Gebet:
Gott walt! daß es so fortbesteht!
Jetzt wollt' der Kurfürst weiter reiten,
Da stutzt er: Was soll mir das bedeuten?
Mir ist die Gegend wohl bekannt,
Doch wo sonst Sumpf und Wasser stand,
Erhebt sich zu des Himmels Blau
Ein riesenhafter, stolzer Bau.
Schon kann ich achtzehn Säulen zählen,
Der Stufengang wird auch nicht fehlen,
Gar herrlich ist es anzuschauen,
So was kann doch nur der Schinkel bauen!
Und wenn ich es auch sonst nicht wüßte,
So viel erkenn' ich durch's Gerüste:
Es wird das neue Museum sein;
Da kömmt von meinem Nachlaß viel hinein.
Ich war ein Freund von Schildereien,
Ließ mich die Dukaten nicht gereuen,
Von Rembrandt bracht ich das schönste Stück
Aus Holland mit nach Berlin zurück;
Von Teniers lustige Bauernlümmel,
Von Wouwermann manchen braven Schimmel,
Das heiß ich Pferde! Das war eine Zeit!
Nun, Pferde-Krüger bringt's wohl auch noch so weit.
Eins aber, ihr Herren, bitt ich mir aus,
Komm ich wieder, so reit ich durch das Haus.
Ich zähl' euch allen die Minuten,
Der Hofrath Hirt wird sich schon sputen. —
Und so verließ er diesen Ort,
Ritt weiter durch den Lustgarten fort.
Er war schon mitten auf der Brücke,
Da hielt er still und schaute zurücke:
Meiner Treu, bald wurd' ich's nicht gewahr,
Daß ich schon auf der neuen Schloßbrücke war.
Ein Marktplatz wär's beinah zu nennen,
Eine Stechbahn auch zum Ringelrennen;
Der Schinkel ist doch ein ganzer Mann,
Was der nicht aus einer Hundebrücke machen kann!
Das Geländer, so sauber gegossen von Eisen,
Könnt' allein ein Meisterstück schon heißen;
Die granitnen Pfeiler sind polirt,
Wie's nur die Aegypter ausgeführt,
Und werden zumal die Puppen drauf stehn,
Wird man's erst recht mit Freuden sehn.
Als der Kurfürst nun über die Brücke kam,
Er seinen Weg zum Zeughaus nahm.
Da ließ er die Zügel etwas los,
Klopft auf den Hals das treue Roß
Und sprach: mein Roß, nimm dich in Acht
Und tritt mir hier doch ja recht sacht,
Schlag nicht die Funken aus dem Stein,
Wirf das Eisen nicht in das zweite Stock hinein,
Wie es einst dem Herzog Carl geschehn,
Davon man das Zeichen am Fenster kann sehn.
Mein Königlicher Herr liegt krank,
Doch geht's schon besser, Gott sei Dank!
Herr Wiebel schreibt täglich guten Bericht,
An liebender Pflege fehlt es auch nicht.
Die fürstliche Gattin mit zartem Besorgen
Sitzt bei ihm am Abend und am Morgen,
Und Hohe und Niedre dürfen nahn
Und fragen nach dem Befinden an;
Und thäten wir nicht schon zwölf Uhr zählen,
Mein Nahme sollt' in dem Buch nicht fehlen.
So denk ich am meisten ihn zu ehren,
Wenn wir ihn nicht in der Ruhe stören;
Und haben gute Gebete Kraft,
Gewiß auch meines ihm Lindrung schafft.
Wird nur der Sommer erst wieder kehren,
Soll Teplitz heilsam sich bewähren;
Dort sehn sie den König oft und gern,
Nennen ihn Alle: ihren lieben Herrn.
Das schreibt sich noch von Anno 13 her,
Wo wär Teplitz, wenn er nicht gewesen wär!"
Am Zeughaus ritt er dicht vorbei,
Doch diesmal ward das Roß nicht scheu
Vor den beiden weißen Marmorgestalten,
Die dort auf dem Ehrenposten halten.
„Seid ihr nur immer noch ihrer zwei?
Ist denn mein Kleist noch nicht dabei?
Als der König den Tag bei Kulm gewann,

Den Vandamme ritterlich niederrann
Und Oesterreich vom Feind gerettet,
Wo mancher Brave sich unter den Rasen bettet,
Ließ Kleist auf den Nollendorfer Höhn
Das Preußische Siegesbanner wehn.
Gebt mir Bescheid, ihr Herrn, darüber." —
„„Schaun Ew. Durchlaucht nur grad gegenüber,
Sprach Bülow, da können Sie zu ihrer Freude sehn
Die Antwort auf ehrnen Füßen stehn.""
Der Kurfürst schaute sich rückwärts um,
Da war er erst ein Weilchen stumm;
Dann aber rief er mit einem Mal:
„Seht an, da steht der Feldmarschall!"
Und gleich dem Roß in beide Seiten
Setzt er die Sporen drauf los zu reiten.
„Den muß ich, sprach er, in's Auge sehn;
Ich denk, er wird mir Rede stehn.
Und eh er noch dicht vor ihm stand,
Rief er hinauf zu ihm gewandt:
„Der Kurfürst reitet heut die Runde,
Wer seid ihr? davon gebt mir Kunde."
Der Feldmarschall, wie sich's gebührt,
Gleich mit dem Säbel salutirt.
„Ich war, sprach er, nur ein Soldat,
„Das ist mein Ruhm und meine That."
„„Bist du ein Soldat in allen Ehren,
So laß mich deinen Katechismus hören.
Zum ersten: wer schrieb dir das Patent?""
„Der, den die Welt den großen Friedrich nennt;
Und in dem Krieg der sieben Jahr
Dient ich zuerst als ein Husar."
„„Zum zweiten, wie nahmst du das Schwert zur Hand?""
„Mit Gott für König und Vaterland!
Wie hoch sich auch der Feind gestellt,
So hat ihn dieser Spruch gefällt."
„„Zum dritten: Bei wem hast du studirt,
Wie man das Heer zur Feldschlacht führt?""
„Der Krieg war meine hohe Schul,
Saß mehr auf dem Sattel, als auf dem Stuhl,
Frug nichts nach Vauban und Montecuculi,
Vorwärts! so hieß meine Taktik und Strategie.
So wurd' ich in der Welt bekannt,
Da haben sie mich den Marschall Vorwärts genannt."
„„Marschall Vorwärts, das hört sich herzhaft an;
Mein Derflinger, war just auch so ein Mann.
Aber von so theuren Kriegeshelden
Weiß die Geschichte viel zu melden,
So gebt Herr Marschall mir Bescheid,
Was ihr vollbracht zu Eurer Zeit?""

„In dicken Büchern steht's zu lesen,
Was ich war und beinahe wär gewesen,
Doch kürzer steht es hier zu schaun
In Erz gegossen und gehau'n.
Ein Meister hat mich aufgestellt,
In seiner Art wie wir ein Held,
Führt so wie wir nur Stahl und Eisen,
Könnt auch ein Marschall Vorwärts heißen.
Der wußte kürzer sich zu fassen,
Hat mich gleich im Ganzen sehen lassen.
Und wollt ihr aus meinen besten Jahren
Daneben weiter noch erfahren,
Was Anno 13, 14 und 15 geschehn,
Er läßt's an Euch vorübergehn.
Wollt ihr gefällig euch seitwärts neigen,
Werd ich euch's mit dem Säbel zeigen.
Hier seht ihr, wie mit frohem Sinn
Die freiwilligen Jäger aus Breslau ziehn,
Die Mutter segnet ihren Sohn,
Die Reiter ziehn mit Jubel davon.
Hier ist das Rathhaus der alten Stadt,
Und hier liest ein Knabe ein Extrablatt;
Bürger und Bauern nehmen das Schwert zur Hand,
Alles Volk ruft: mit Gott für König und Vaterland! —
Im zweiten Feld, da ordnet sich's schon mehr,
Zur Schlacht vorüber zieht das Heer,
Mit Trommelspiel, Trompetenklang,
Mit Hurrahruf und Feldgesang
Und daneben auf der grünen Au,
Da steht mein treuer Gneisenau,
Von hohem Sinn und edler Gestalt,
Der niemals fehlte, wo es galt,
Der alles sich zuvor bedacht,
Was ich am heißen Tag vollbracht.
D'rum, als sie mir den Doktorhut
Zu Oxford gaben, sprach ich: ganz gut,
Doch laßt mich, ihr Herrn, nicht so allein,
Der Gneisenau muß mein Apotheker sein;
Er hat geschickt und unverdrossen
Die Pillen gedreht, die ich verschossen.
Hier nun auf diesem dritten Feld
Schloß mancher die Augen schon als Held;
An den Rebenhügeln könnt ihr es sehn,
Daß wir auf Champagner Grunde stehn.
Der Herr Wirth ist eben nicht gefällig,
Frau Wirthin nicht allzusehr gesellig,
Hier schenkt uns die Gustel von Blasewitz ein,
Müssen selbst unser Koch und Kellner sein. —
Doch endlich, da ist es uns gelungen,
Wir haben den Bonaparte bezwungen,

Ich klopfte dreimal herzhaft an,
Da ward Paris uns aufgethan
Und hier auf diesem vierten Feld
Ist unser Einzug vorgestellt.
Hier seht ihr, wie zu meiner Seiten
Viel theure Kampfgenossen reiten:
Die Prinzen Wilhelm und August,
Graf York, seines Ruhmes sich bewußt,
Der Gneisenau, der Bülow und der Kleist,
Sie waren meine Kameraden zumeist,
Und hinterher mit Posaunenschall
Folgt mir der ganze Kriegesschwall.
Und nicht umsonst ziehn wir herein,
Es galt Victoria zu befrein,
Die sie vom Brandenburger Thor
Uns mit Gewalt entführt zuvor.
Hier seht ihr das schöne Viergespann,
Die Landwehrmänner greifen herzhaft an,
Sie singen lustig Juchhe! Juchhe!
Von der alten Garde flucht Einer *Sacre nom du Dieu*!
Das ist so in Summa, was ich gethan,
Denn hier geht es wieder von vorue an.
Das andre, das sind Allegorien,
Damit will ich Euer Durchlaucht nicht bemühn."
„„Ich dank euch, mein Herr Feldmarschall,
Für euern Bericht viel tausendmal;""
Der Marschall wieder salutirt,
Der Kurfürst grüßt, sein Schlachtroß wiehrt:
Er reitet zurück dieselbe Bahn,
Doch an dem Palais da hält er an,
Wo unter großen Spiegelscheiben
Die schönsten Frühlingsblumen treiben.
„Prinz Karl, sprach er, der hält hier Haus,
Nach Thüringen zog er zur Brautfahrt aus,
Und kehrte froh zu uns zurück
Mit seiner Liebe mit seinem Glück!
Drauf wünscht' er dem Könige nochmals gute Ruh
Und ritt nach der langen Brücke zu.
„Hätt' ich, sprach er, noch etwas Zeit,
Besucht ich die Königstadt wohl heut:
Sie haben dort ein neues Theater erbaut
Das hätt ich gern mir angeschaut."
Da wiehrte das Roß zum zweiten Mal;
Da sprach der Kurfürst: „ein andermal;
Heut kann es leider nicht geschehn,
Ich hätte die Sontag gern gesehn;
Am Ende müßt ich mit meinem Rappen
Bei später Nacht im Finstern tappen,
Ich muß mich nach meinem Quartier umschaun,
Der Gasbeleuchtung ist nicht zu traun."
Jetzt wiehrte zum dritten Mal das Roß,
Er stand auf der Brücke bei dem Schloß.
Ein Uhr schlug es vom Glockenhaus,
Da ging die Gasbeleuchtung aus.

Berliner Chronik.

Die Leistungen des Königl. Theaters im Jahre 1826. (März)

Ein neues Singspiel, der Maurer, nach dem Französischen des Scribe, Musik von Aubert, wurde mit dem entschiedensten Beifall aufgenommen und hat sich denselben auch fortwährend erhalten. Könnte das Glück eines Stücks auf dem Theater durch Unwahrscheinlichkeit der Handlung und mittelmäßige Behandlung des Ganzen zweifelhaft werden, so hätte dies Singspiel unmöglich eine solche Gunst gewinnen können; aber der Beifall eines gemischten Publikums vor der Bühne wird durch ganz andere Dinge gewonnen. Gerade die Unwahrscheinlichkeiten, sofern sie nur dem Schauspieler Gelegenheit geben, sein Talent zu zeigen, wozu bei dem Singspiel noch der Reiz der Musik und des Gesanges kömmt, fördern und erhöhen die Wirkung. Das genannte Stück gehört auch zu denen, wovon Goethe sagt: daß sie durch humoristische Kühnheiten, durch die, von gutmüthigen Schalken zu edlen Zwecken mit persönlicher Kühnheit ausgeführten, halbehrbaren Streiche und durch die daraus sich ergebenden Situationen für das Theater von der größten Wirkung sind. Einem solchen Stück, von gefälliger Musik begleitet, von dem kräftigen Tenor eines Bader und der melodischen Anmuth einer Seidler unterstützt, dabei rasch und sicher ausgeführt, kann das Theaterglück nicht fehlen.

Uebrigens brachte der März des Schönen, das sich immer in Werth und Beifall behauptet, nicht wenig. Romeo und Julie ist seit länger, als sechs Jahren, so lange Mad. Stich die Julie giebt, ein Kleinod unserer Bühne, das Kenner und Liebhaber nicht müde werden zu sehn und sich daran zu erfreuen. So oft dies Trauerspiel gegeben wird, findet es, und noch dazu in dem großen Opernhause, ein zahlreiches und empfängliches Publikum; so auch die andern Shakspeareschen Meisterwerke: Hamlet, König Lear, Heinrich IV., die wir ebenfalls im Laufe dieses Monats sahn. Auch die Schillerschen Stücke: Don Carlos, die Jungfrau von Orleans, die Räuber und Kabale und Liebe fanden fortwährend ein ziemlich volles Haus. Das letztere ist ein Sonntagsstück geworden; dann ist der zweite Rang und nochmehr der dritte gut gefüllt. Es thut dem gemeinen Manne wohl, zu sehn, wie es mit dem Herrn Präsidenten, der hier als Repräsentant der vornehmen Welt gilt und deshalb ein Bösewicht sein muß, zuletzt schlecht abläuft.

(Redigirt von Dr. Fr. Förster und W. Häring (W. Alexis.)

Von diesem Journal erscheinen wöchentlich 5 Blätter (und zwar Montags, Dienstags, Donnerstags, Freitags und Sonnabends) außerdem literarisch-musikalisch-artistische Anzeiger. Der Preis des ganzen Jahrgangs ist 9 Thaler, halbjährlich 5 Thaler. Alle Buchhandlungen des In- und Auslandes, das Königl. Preuß. Post-Zeitungs-Comptoir in Berlin, und die Königl. Sächsische Zeitungs-Expedition in Leipzig nehmen Bestellungen darauf an.

Im Verlage der Schlesingerschen Buch- und Musikhandlung, in Berlin unter den Linden Nr. 34.

Berliner

Conversations-Blatt

für

Poesie, Literatur und Kritik.

Sonnabend, — Nro. 10. — den 13. Januar 1827.

Adelgis.

Tragödie von Alexander Manzoni.

Der Name Manzoni's ist bis jetzt in Deutschland bekannter, als seine Werke. Auf jenen die öffentliche Aufmerksamkeit zu leiten, genügte die Empfehlung Goethe's, die wir wiederholt in der Zeitschrift Kunst und Alterthum lasen. Aber dem Fluge des Rufs, welchen ein so bedeutsames Wort erweckte, konnten die Bücher selbst, bei der Bedachtsamkeit der deutschen Bücherfreunde und den nur sehr mangelhaften Verhältnissen des Deutschen Buchhandels zu dem Italienischen, nicht folgen. So ist denn die erste Tragödie Manzoni's, der Graf von Carmagnola, noch Wenigen im Originale bekannt. Eine Deutsche Uebersetzung des Werks, von welcher durch die öffentlichen Blätter Mittheilung geschehen, scheint zu dessen Verbreitung wenig beigetragen zu haben.

Den Genuß einer zweiten Tragödie des Dichters, *Adelchi*, würde der Unterzeichnete wahrscheinlich noch lange entbehrt haben, wenn er nicht das Buch als ein ihm, und gewiß auch seinen Kindern und Kindeskindern höchst theures Andenken von Goethe erhalten hätte. Die großen Schönheiten, welche dies Werk enthält, konnten selbst den nicht kalt lassen, den eine mehrjährige ausschließliche Beschäftigung mit Dante's wunderbarer Schöpfung gegen manchen andern Reiz abgestumpft hatte. Die Freude daran wuchs bei wiederholter Betrachtung und mußte um so sicherer zu dem Versuche einer Uebersetzung vermögen, als der Unterz. in dem Geschenke selbst eine Aufforderung dazu erkennen zu dürfen glaubte.

Der Held des Trauerspiels ist der edle Sohn des Longobarden-Königs Desiderius, Adelgis auch Adalgis genannt, welchen wir schuldlos — zu schuldlos vielleicht für das tragische Interesse — mit seinem Reiche untergehn sehn. Der Dialog bewegt sich meistens in langen Wechselreden, recitativartig, und zeigt eben dann die größten Schönheiten, wenn er den wenigsten Anspruch darauf macht, von der Bühne, besonders von der jetzigen, herab, gesprochen zu werden. Die im einfachen, großartigen Gange sich fortbewegende Handlung ist an zwei Stellen vom Chor unterbrochen, in welchem der Dichter sich betrachtend über die Handlung stellt. Wie er sich in dessen Gebrauche von den griechischen Tragikern und von Schiller unterscheidet, wird das nachstehende Gedicht darthun.

Desiderius ist geschlagen, sein Heer und seine Macht sind rettungslos vernichtet. Da betrachtet der Dichter alle Klassen der alten Bewohner des Landes, der von den Longobarden unterjochten Lateiner, wie sie, als nun ihre Ueberwinder überwunden, in die Festungen fliehn, der alten Zeit gedenken, da sie selbst ein Volk waren, und Hoffnung schöpfen, daß mit der Macht der Unterjocher das Joch gebrochen sey. Aber die Franken sind nicht gekommen, um diejenigen zu befreien, welche die Freiheit verloren, weil sie selbst sie nicht zu schützen vermochten. Die Longobardischen Großen, Verräther an Desiderius, werden sich mit den Fränkischen in die Beute theilen, und das Joch beider wird auf dem Lande lasten. Ob der edle Lombard hierbei noch an eine andere Zeit, als an die Karls des Großen gedacht, darüber möge jeder

Leser sich mit sich selbst verständigen. Wir wollen das Gedicht nicht erläutern, sondern übersetzen.

* * *

In moosiger Burg, in sinkender Halle,
Im Wald, bei der Schmiede gellendem Schalle,
Bei Furchen, vom Schweiße des Knechtes benetzt,
Erwachet das Volk, das zerstreute, mit Grauen,
Und horcht, und erhebet das Haupt, um zu schauen,
Vom neuen, wachsenden Tosen entsetzt.
Und in dem zweifelnden, zagenden Volke,
Erglänzt, wie der Sonne Strahl aus der Wolke,
Die Kraft der Väter aus Blicken voll Leid,
Drein mischt sich verworren in trüber Umnachtung,
Zu schneidendem Mißlaut erlittne Verachtung,
Mit traurigem Hochmuth entschwundener Zeit.
Begierig sich sammelnd, sich zaghaft zerstreuend,
Umirrend auf krummen Wegen, sich scheuend,
Bald wünschend, bald fürchtend gehts fürder und weilt,
Und forschet und späht, wie verworren, mit Zagen,
Die Rotte der grausen Gebieter, geschlagen,
Nie rastend, vor blitzenden Schwertern enteilt.
Sieht flüchtigem Wild gleich, keuchend, erschrocken,
Gesträubt vor Entsetzen die gelblichen Locken,
Zum bekannten Verstecke die Treiber entflohn;
Und sieht: nicht herrschend und drohend und hassend,
Betrachtet, so stolz einst, nun zitternd, erblassend,
Dort sorgend die Mutter den sorgenden Sohn.
Und auf die Flüchtigen stürzen, gleich Hunden,
Aufstöbernd und hetzend, der Koppel entbunden,
Mit gierigem Schwerte die Krieger daher; —
Da freut sich das Volk, doch erstaunend, betroffen.
Voreilt dem Ereigniß bewegliches Hoffen,
Schon träumt es, die Fessel drücke nicht mehr.
O hört! die das Land sich als Tapfre gewannen,
Die den Ausweg schließen neuern Tyrannen,
Sie kamen von fern und auf schwierigeren Pfad,
Verschoben die Freuden des festlichen Mahles,
Enteilten der Ruhe des heimischen Saales,
Dem Kriegsruf folgend zu blutiger That.
Sie ließen die Frau'n im verödeten Zimmer,
Oft Lebewohl sagend, mit bangem Gewimmer,
Das Bitten und Warnung beim Scheiden verschlang,
Beluden die Stirn mit des Helmes Beschwerde
Und schwangen sich auf die bräunlichen Pferde,
Hinsprengend die Brücke, die dröhnend erklang.
Von Lande zu Land ging's wild im Gedränge,
Da sangen sie jubelnde Kriegesgesänge,
Und dachten: wie ist doch die Heimath so weit!
Im felsigen Thal, in des Waldes Geflechte,
Durchwachten in Waffen sie eisige Nächte,
Und dachten der liebeflüsternden Maid.
Der Herberg dunkle Gefahren, die Wege
Durch pfadlos verworrene Dornengehege,
Ertrugen sie, Hunger und strenges Gebot;
Sie hörten den Pfeil, den befiederten pfeifen,
Und fühlten am Helme den tödtlichen streifen,
Und sahn in gesenkter Lanze den Tod.
Und was sich zum Lohne die Starken versprechen,
Betrogne, das wär', euch die Ketten zu brechen?
Zu wenden das Schicksal des fremden Geschlechts?
O kehret zurück zu den stolzen Ruinen,
Zur rußigen Werkstatt, dem Herrscher zu dienen,
Zur Furche, benetzt mit dem Schweiße des Knechts!
Mit dem Siegenden wird der Geschlagene schalten,
Mit den neuen Gebietern verbleiben die alten,
Ihr bleibt mit dem Joche beider beschwert.
Sie theilen die Sclaven, die Heerden, die Gauen,
Sie ruhen zusammen auf blutigen Auen
Des Volks, das des eigenen Nahmens entbehrt.

Streckfuß.

Auch ich war dort.

2.

Orleans.

Mein Gott, sie war ja ganz gelb! War das der Teint der Südländerin, das frische Braun, durch den Hauch aus Andalusiens Bergen gemildert und erfrischt? O Otto, wie hatte sie gefernt im Laternenlichte, o wie tief sank dein Credit! Wo blieb die interessante Schärfe der Züge, wo das südliche Muskelspiel? Unzuverlässige Fleischzüge. Was hilft der kleine Fuß, wenn die ganze Gestalt klein ist? Und eine Spanierin kann nie so mager sein. Etwas blieb, — ihr Auge. Aber es war trübe vom Schlaf und sie reckte sich mit den Armen . . . Die Hand war nicht eben rein gewaschen . . .

Der Nochjemand war der Douanier von Orleans. Es war von Lebensmitteln nichts bei uns zu finden. Der Conducteur öffnete.

Die Mutter war schon ausgestiegen, als ein Schwarm von Frauen mit tiefen und drei bis vier Männer mit den aller kleinsten Hüten und in weißen Kragen-Überröcken auf das Coupé zu stürzten. Ein Umarmen, ein Quiken, Exclamationen.

Ich wollte Ines behülflich sein hinunterzusteigen, als die Mutter ihr die Arme entgegen streckte.

Come down, my dear child! Your cousins, your cousins!

I shrunk back, heißt zu Deutsch: ich schrak

zurück, und ließ Ines von Mutter und Vater unterstützt hinausklettern. Mich hatte nämlich kein Panisches sondern ein Englisches Schrecken erfaßt.

Da saß ich, sah und hörte. Unten gurgelte es von Nasen- und Gaumenlauten. *How do you do? — Ah my pretty Bessy! — How she looks beautifull! — My handsome girl! — Oh my good aunt! — Now you will rest by us etc. etc.* Ich zog meinen Kragen über das Gesicht und sprang erst von der andern Seite zum Coupé hinaus, als der Conducteur schon hereinstieg.

Aus dem Hinterkasten haspelte sich eben der letzte verdrossene Schläfer los. Seine erste That in Orleans war, er gähnte, die zweite, er steckte die beiden Hände in beide Hosentaschen und, dreibeinig sich auf dem Markt von Orleans hinpflanzend, gähnte er noch einmal. Es schien als wolle der große Mund die alte Stadt verschlingen. Leibhaftig unser Pius Alexander Wolff als Lord Danby, und derselbe Engländer, dem ich die fatale Beule verdankte. Mit einem grimmigen Blick, daß er es merken mußte, ging ich an ihm vorüber, aber er that nichts, als daß er zum drittenmale gähnte.

Mich schleppte man in das Hotel *de la Roule d'or.* Sonst bot Orleans wenig Gold für den Reisenden.

Jeanne D'Arc steht auf dem Markte; aber so stand sie schon vor elf Jahren. Der Anblick einer Jungfrau, einer holden — und auch, wenn es sich fügt und schickt, einer kriegerischen — ist sehr wohlthätig, aber ich liebe nicht — steinerne Jungfraun. Immer und ewig die Jungfrau! Es giebt Männer aus Orleans, die auch den Namen *d'un certain* Schiller, zu mehrerem Preise ihres Artikels, dem Fremden zu nennen wissen; ich konnte mich nicht enthalten, auch an Shakspeare zu denken. Die Mauern stehen noch alt und ehrwürdig, mit manchem Stein, der 1428 dem Englischen Geschütz trotzte; da sah ich denn den Dauphin mit dem Französischen Adel im Hemde herüber springen, was ich aber natürlich meinem Französischen Begleiter verschwieg. Eine solche Scene möchte die Sittlichkeit beleidigen. Vor elf Jahren war die Jungfrau mit weißen Bändern behangen und Kränzen geschmückt; beides fehlte jetzt, auch verriethen die Hökerweiber rundum wenig Achtung vor ihrer halb canonisirten Stadt-Patronin.

Damals fing man am Portale des großen Domes zu arbeiten an; an ein Paar Engeln, die das Lilienwappen halten sollten. Engel und Lilien waren heut noch nicht fertig. Doch arbeitete man frisch drauf los. Drinnen lasen die Domherren eine große Messe; es war auch hier Vieles nicht fertig, Gesang, Orgelspiel, innere Andacht. — Ein einziges Instrument — es klang wie unsere Nachtwächterhörner — begleitete so der Chorherrn Herz- und kunstlosen Gesang, daß ich vor diesem Gottesdienst schauderte. Kaum zwanzig Andächtige in der Kirche vertheilt. Nur die luftigen Thürme, von zierlich schlanken Säulen und Gallerieen gebildet, lassen einen erhebenden Anblick zurück.

Dreimal setzte ich an, und dreimal kehrte ich um, nämlich von der schönen steinernen Brücke, welche über die breite Loire in das Land führt, von dem es heißt:

Auch jenseits der Loire liegt noch ein Frankreich,
Wir gehen in ein glücklicheres Land.
Da lacht ein milder nie bewölkter Himmel
Und leichtre Lüfte wehn, und sanftre Sitten
Empfangen uns, da wohnen die Gesänge
Und schöner blüht das Leben und die Liebe.

Jenseits stand 1815 nach Abschluß des Waffenstillstandes das Französische Heer; wie oft winkte mir die Schildwacht damals zurück, wenn mich ein Kitzel trieb hinüber in das von Schiller so gepriesne Land zu schleichen. Es zuckte mir durch die Glieder, als werde und müsse hier oder dort eine Bärenmütze hervorspringen, das Bajonet mir entgegen haltend.

Nichts von alle dem, seelige Frucht des Friedens! Ich stand jenseits der Loire. Ob der Boden unter mir ein glücklicheres Land sei, ich konnte es nicht fühlen. Aber grade während ich von drüben in denselben Spiegel der Loire blicke, ziehen Wolken heran aus Abend, und die Dämmerung mahnte, ehe ich von den sanften Sitten empfangen worden, die heimathlichen Gesänge gehört und den Blüthenbaum des Lebens- und der Liebe gefunden, nach diesseits und in das *Hotel de la Roule d'or* zurück.

(Forts. folgt.)

Kunst-Kritik.

Abbildungen der vorzüglichsten Werke Chr. Rauch's, Bildhauer Sr. Maj. des Königs von Preußen, mit einem erläuternden Texte, von Dr. G. F. Waagen.

Berlin, in Commission bei Gerstecker.

Einer gefälligen Mittheilung verdanken wir die Ansicht der Probeblätter des ersten und zweiten Heftes dieses so eben angekündigten Werkes, welches sich gewiß einer allgemeinen Theilnahme und einer günstigen Aufnahme erfreuen wird. Wir dürfen es wohl nicht für etwas Zufälliges ansehen, daß diejenige Zeit unserer Geschichte, die in politischer Hinsicht immer zu der ruhmvollsten Periode gehören wird, zugleich auch die Künstler geboren hat, die auf die würdigste Weise der Nachwelt das Andenken eines großen, kunstsinnigen Königs, seiner Heerführer und Staatsmänner, so wie überhaupt ein Zeugniß der Bildung des Volkes in dieser Zeit durch ihre Werke überliefern werden. So wenig wir es als zufällig anzusehn haben, daß in der Zeit eines großen, mit Ruhm durchgeführten, Kampfes ein Hardenberg und ein Blücher auftraten, sondern solche Erscheinungen, als nothwendig aus dem Geiste des Vaterlandes und aus dem allgemeinen Glauben an dasselbe hervorgegangen betrachten müssen, eben so nothwendig gehören in eine solche Zeit Künstler wie unser Baumeister Schinkel und unser Bildhauer Rauch, wenn wir wirklich Anspruch darauf machen wollen, eine neue Geschichte im ernsten, großen Sinne des Wortes zu haben. So viel wird uns wenigstens ein jeder zugestehn, daß, wie die Kunst vornehmlich das Leben schmückt und ziert, eben so die Künstler, wenn auch nicht die Geschichte selbst, doch ein wesentlicher Schmuck derselben sind und immer nach einer Seite hin als Repräsentanten des Geistes ihrer Zeit gelten. — Was die Werke unsers Baumeisters betrifft, so werden wir ein andermal Gelegenheit nehmen über die von ihm herausgegebenen Hefte seiner Bauwerke dem Publikum etwas mitzutheilen; diesmal gilt es nur dem Bildhauer und dessen Arbeiten. Die Malerei hat zu diesem Künstler-Paare noch nicht ihren Repräsentanten gestellt; denn wenn auch ausgezeichnete Maler zu nennen wären, so fehlte ihnen doch zeither die Gelegenheit, auf gleiche Weise, wie der Bildhauer und Baumeister, sich in ihrer Kunst im Großen, oder zur Verherrlichung der vaterländischen Geschichte zu bewähren. Zu ihrer wahrhaften Ehre, d. h. zur Ausführung großer Compositionen kann die Malerei gegenwärtig nur im Fresko kommen; diese Aufgabe hat bis jetzt unsern Künstlern noch gefehlt, indessen eröffnet sich ihnen bei dem Bau des neuen Museums eine günstige Aussicht und dann werden sie schon sorgen, daß wir nicht hinter München zurückbleiben. Da vornehmlich Berlin das Pantheon ist, in welchem die Statuen unserer Helden und überhaupt Nationaldenkmäler aufgestellt werden, so ist es allerdings nur ein beschränkter Kreis, dem sie, wenn gleich Eigenthum des gesammten Vaterlandes, zunächst angehören. Um sie nun zu einem Gemeingut aller zu machen und selbst dem Auslande zu zeigen, wie hier ein König seine Helden ehrt und welche Künstler er dazu in seinem Reiche findet, gab es kein besseres Mittel, als durch treue Kupferstiche eine Sammlung dieser Denkmäler zu veranstalten. Als Abbildungen der Nationaldenkmäler machen diese Blätter den Anspruch, in den Händen aller derjenigen zu sein, die sich selbst geehrt fühlen, indem sie auf diese Weise den Ruhm der Nation kennen lernen, der sie selbst angehören. Aber nicht allein der Patriotismus soll in Anspruch genommen werden, um das Publikum für gegenwärtiges Werk zu interessiren; dasselbe hat auch wegen seines Kunstwerthes Anspruch auf die Theilnahme aller Künstler und Kunstfreunde und Herr Professor Rauch wird gewiß wünschen, gerade von dieser Seite gesucht und anerkannt zu werden. Denn gegen den Künstler, der, wie es freilich oft geschehen ist, einzig und allein an den Patriotismus appelliren wollte, um seinen Productionen Aufnahme zu verschaffen, dürften wir immer etwas mistrauisch sein; dem Vaterlandsgefühl kann leicht Genüge geschehn und man weiß mit welchem patriotischen Stolze ein Gastwirth in der Dorfschenke uns „seinen alten Fritzen" an der Stubenthür, oder „seinen alten Blücher" auf dem Tabacks-Paquete zeigt; Gemälde, die freilich für den Kunstkenner, von keinem großen Interesse sein würden. Unser Künstler befriedigt uns nach beiden Seiten hin; seine Werke machen sich zuvörderst als wahrhafte Kunstwerke geltend, zugleich aber knüpfen sich an die mehresten derselben große Erinnerungen aus der vaterländischen Geschichte an. Die beiden ersten vor uns liegenden Hefte enthalten Denkmale des Grafen Bülow von Dennewitz und des Generals von Scharnhorst, welche in Marmor ausgeführt vor der Hauptwache, dem Palais des Königs gegenüber, stehen und wir erhalten in diesen Blättern zwei Hauptansichten von jeder der beiden Statuen und Abbildungen sämmtlicher Reliefs der Piedestale. Da sich vom Herrn Professor Rauch nicht allein in Preußen, sondern auch in andern deutschen Ländern, ja selbst in Rom, Paris und Petersburg Arbeiten befinden und er noch eben damit beschäftigt ist, München, Cassel und Frankfurth mit Denkmälern von seinem Meißel zu schmücken, so dürfen wir erwarten, daß sich die Theilnahme an diesem Werke nicht allein auf die Grenzen des nächsten Vaterlandes beschränken wird. — Was die Arbeiten der Kupferstecher betrifft, denen Herr Prof. Rauch das Werk anvertraut hat, so wünschten wir wohl, daß sie übereinstimmender wären. Freilich führt ein jeder Meister seine eigne Nadel, und selbst die, von unbekannter Hand unter der Aufsicht des Professor Buchhorn gearbeiteten Blätter sind der Zeichnung nach vortrefflich, allein der Grabstichel bleibt hinter dem des Herrn F. Berger sichtbar zurück und so wünschten wir wohl, daß wir in den nächsten Heften einige Blätter wenigstens fänden, wo anstatt des *„Buchhorn direxit"* sein *„ipse fecit"* darunter und darinnen zu lesen wäre. Die Hefte von Canova's und noch mehr die Blätter von Thorwaldsen's Arbeiten könnten hier als Muster dienen. —

F. F.

(Redigirt von Dr. Fr. Förster und W. Häring (W. Alexis.)

Von diesem Journal erscheinen wöchentlich 5 Blätter (und zwar Montags, Dienstags, Donnerstags, Freitags und Sonnabends) außerdem literarisch-musikalisch-artistische Anzeiger. Der Preis des ganzen Jahrgangs ist 9 Thaler, halbjährlich 5 Thaler. Alle Buchhandlungen des In- und Auslandes, das Königl. Preuß. Post-Zeitungs-Comptoir in Berlin, und die Königl. Sächsische Zeitungs-Expedition in Leipzig nehmen Bestellungen darauf an.

Im Verlage der Schlesingerschen Buch- und Musikhandlung, in Berlin unter den Linden Nr. 34.

Berliner
Conversations-Blatt
für
Poesie, Literatur und Kritik.

Montag, — Nro. 11. — den 15. Januar 1827.

Auch ich war dort.

3.

Blois.

Diesmal saß ich im Wagen.

Monsieur sind kein Engländer, und fahren doch auf der Straße nach Tours? fragte ein zierlicher Franzose.

Ich stotterte etwas von den schönen Loire-Ufern.

Er lächelte, bei solchem Wetter pflege ein Reisender, von Paris nach Italien nicht über Blois und Tours zu fahren.

Ich knöpfte unter dem Mantel meinen Rock zu. Was brauchte er zu wissen, daß ich schon vor eilf Jahren, und nicht als friedlicher Reisender, diese Gegenden besucht hatte. Aber er wußte es doch, denn er hatte beim Einsteigen das Band im Knopfloch bemerkt.

Monsieur sind nicht zum erstenmale in Orleanois. Sehr viel Ehre für die guten Leute an der Loire, wenn es Ihnen damals so gefallen, die alten Orte wieder aufzusuchen. Ich war auch einst zum Besuch bei Ihnen — denn den Berliner verräth die Sprache — im Jahre 1806 fand ich Berlin sehr schön. Man hatte sehr viel Egards für uns, ich stand beim Bureau und machte viel Bekanntschaften. —

Ich war bei den blauen Husaren, fiel ich etwas hitzig ein, und griff an die Seite; es that mir wirklich leid in dem Augenblicke, daß ich keinen Cavalleriesäbel führte, ihn auf dem Boden klirren zu lassen.

Die Nationen sind seitdem alle Brüder geworden.

Ich sah mich um, ob kein Engländer im Wagen säße; zum erstenmal in Frankreich war dies nicht der Fall.

Ja Cultur und Reiselust verbindet Alle.

Die Art zu reisen, sagte der Franzose, von damals und jetzt ist sehr verschieden, und lächelnd setzte er hinzu: wenn unsere Landsleute zu Ihnen kommen möchte manchem eine unbezahlte Rechnung vorgehalten werden.

Unbezahlte Rechnung! . . . Das Wort fiel mir auf die Seele, mein Herz pochte und ich barg das Gesicht im Mantelkragen, als säße die Engländerin vor mir.

Und das Pochen wurde immer deutlicher, je mehr die Thürme von Blois heraustraten. Ich kannte alles wieder, nur die Straßen so eng, nur die Häuser so klein, die hohe Burg lag nicht so hoch, und was der achtzehnjährige als prächtig angestaunt, kam dem neun und zwanzigjährigen gewöhnlich vor.

Das ist das *Hotel de la boule d'or*, rief ich im Vorüberfahren.

Gewesen, entgegnete lächelnd der Franzose. Vor drei Jahren schuf es unser reicher Mitbürger zum Gemeindehause um. Haben Monsieur dort vielleicht alte Rechnungen zu berichtigen?

Ich kann leicht verdrießlich werden. War doch der Vorsatz von Berlin aus genährt, in demselben Zimmer als freiwilliger Gast zu wohnen, wo ich einst, wenn gleich ein Freiwilliger, als sehr unfreiwillig aufgenommener Gast zwei Monate zugebracht hatte!

Der artige Franzose merkte meinen Verdruß. Er lud mich in seinen neu eingerichteten Gasthof, mit dem Versprechen, was etwa von meiner alten Rechnung in der *boule d'or* stehen geblieben, auf die neue zu übertragen, denn der verstorbene Wirth wäre sein Schwager gewesen.

Ich zweifelte gar nicht ... aber was mich bewog in das wohl bekannte neue Wirthshaus einzutreten, war, daß es vor Elf Jahren das wohl bekannte alte Gouvernementshaus gewesen. Ich suchte mir das Zimmer aus, vor dessen Schwelle ich manche Nacht als Ordonanz auf platter Diele, nur drei Servietten unter dem Kopfe, *l'auberge pleine* gespielt hatte. Heute brauchte ich das nicht, aber ich konnte nicht schlafen, ob ich gleich wieder die Nacht gefahren war.

Es trieb mich hinaus. Ich richtete immer meine Schritte nach einem Winkel — wie in Orleans nach der Brücke — und kehrte doch immer wieder zurück. Die Kopfschmerzen ließen mich nicht ruhen.

An der Wirthstafel konnte man nicht begreifen, weshalb ich nach Blois gekommen sei; ich begriff es eben so wenig, und doch ging ich nach Tische aus, um Blois zu besehen.

Der verwünschte Engländer! Da stand er vor mir auf der Straße — breitbeinig, die Hände in den Hosentaschen; doch was brauche ich den Gähnenden erst zu beschreiben? Welcher Teufel hatte ihn nach Blois geführt, wenn er nicht im Coupé der Diligence verborgen saß. Sein Anblick rief mir die furchtbare Langeweile zurück, die mich zwei Monate lang in der alten Stadt gepeinigt hatte. Nur die frische Jünglingskraft und die Wehmuth des Heimwehs hielten mich damals aufrecht. Essen, Trinken, Exerciren drei Monate lang, und der Geist blieb todt, oder — zum Glück — er war noch nicht erweckt.

Instinctartig fand ich den Weg zum alten Schlosse. Hier war alles unverändert. Selbst in den grauen Durchgängen war die wohlbekannte Winkelschrift: *Il est defendu ect.*, die ich mechanisch so oft gelesen, daß ich die Stellung der einzelnen Buchstaben nachmalen konnte, noch nicht erloschen. Mit einem male tritt das Bild unseres beleibten Freundes Karl Schall aus der Portierthüre; ich sah den Siegertschen Dominicaner behaglich auf dem Kanape sitzen und aus *Carmontels proverbs* die Erzählung vom Maler Raphael ergötzlich vortragen, der an die weiße Wand die Bannformel: *Il est defendu etc.* hinsetzen soll, und doch zugleich dasjenige daruntersetzt, was eben nicht daruntergesetzt werden soll.

Il est defendu ... scholl es mir plötzlich nach, es war wirklich der Portier, aber nicht Karl Schall aus Breslau, der mir bemerklich machte, wie die Schildwacht mit der Kolbe mir den Weg vertreten werde.

L'entrée est defendu ... auch dies noch; ich hatte vergessen, daß es nicht mehr meine muntern blauen Husaren waren, welche im Schloßhofe exercirten. Grenadiere vom 37sten Infanterie-Regiment spatzierten mit übereinander geschlagenen Armen auf dem verlassenen weiten Hofe. Gras und Nesseln wucherten darauf. Das war doch ganz anders im Kriege!

Noch sehe ich den Morgen nach einem festlichen Tage, wo die Volontairs des Regiments mit den Officieren zugleich an der Tafel Gesundheiten ausgebracht hatten auf die ferne Heimath. Scherz und Lust hatten den Krieg vergessen lassen. Aber Subordinationsfehler waren in derselben Nacht vorgefallen, der Commandant wüthete und die Schwadron zitterte, als sie im Schloßhof aufmarschirt stand, wen Verdacht und Strafe treffen werde? Mein Rittmeister schritt so grimmig auf und ab, als lese er sich die Opfer aus.

Plötzlich blieb er vor mir stehen und rief: „Volontair Sternanis vor!"

Der arme Junge! hörte ich hinter mir einen graubärtigen Husaren flüstern; theilnehmende Blicke zur Rechten und Linken, ein leises Gemurmel.

Ich nahm mich zusammen, und marschirte stramm vor die Fronte, bis er halt! commandirte. So grimmig hatte mich Loen noch nie angeblickt. Als sollte der Blick allein mich bestrafen, ließ er die Augen mehrere Secunden auf meinem nicht ganz tactfesten Anzug haften, daß mir das Blut ins Gesicht stieg. Nun beugte er sich herüber:

Guten Morgen Philippchen! flüsterte mir's ins Ohr und im selben Augenblicke gebot er zurücktretend: „Volontair Sternanis kehrt!"

Ich habe es meinen Kameraden nie verrathen, welche Subordinationsfehler mir den herben Verweis zugezogen; aber als ich nach drei Tagen von einem Commando heimkehrte, löste ich mein Philippchen, indem ich dem Rittmeister einen Brief von seiner schönen Braut brachte. Er fiel mir um den Hals.

Das Gesetz, welches den Eintritt in das Schloß von Blois verwehrt, ist nicht so streng, als daß es keine Hinterthür für wißbegierige Reisende aufgelassen hätte. Der Portier wies mich selbst darauf mit einer gedehnten Frage und gehöhlter Hand. Vier Flügel umschließen den Hofraum von vier verschiedenen Erbauern; aber weder der alte Graf von Blois, noch Ludwig XII., noch Franz I., noch Gaston, Herzog von Orleans hat seinen Bauten ewige Dauer geben können. Das alte Schloß, durch so manche historische Erinnerungen geheiligt, versinkt in Trümmer.

Die Revolution hat alle Königszeichen des alten Fürstensitzes zerstört, noch ärger wüthete sie auf die historische Erinnerung meines graubärtigen Führers. Ich war nie in den Gräuelgeschichten, die Heinrich IV. leuchtender Regierung voraufgingen, bewandert, das aber wußte ich, nie konnten sie einen so verworrenen Knäuel gebildet haben, daß der Enkel der Vater seine Urgroßmutter würde.

Katharine von Medici mußte sich hier an einem Seil aus der gefänglichen Haft ihres königlichen Sohnes herablassen. Der Thurm war steil, die Begebenheit romantisch und durch Rubens Pinsel berühmt genug, hätte mir nicht meine Erinnerung gesagt, daß es Marie von Medici war, welche hier in den unnatürlichen Kriegen zwischen Mutter und Sohn von Ludwig XIII. gefangen gehalten wurde. Doch häufte man lieber auf den Namen der grausamen Katharina, deren fluchwürdiges Gedächtniß an jedem Steine zu haften schien, auch die interessanteren Begebenheiten, welche eine nicht minder schlechte Königin ihres Stammes mit Frankreichs Unglücksgeschichte verknüpft. Rubens großes Bild, sonst im Luxembourg, hatte mich oft im Pariser Museum gefesselt.

Hier ward der Herzog von Guise ermordet... Weiter, weiter!

(Forts. folgt.)

Berliner Chronik.

Versammlung des Kunstvereins.

Am 28. Decbr. fand die Verloosung folgender von dem Verein der Kunstfreunde in dem Preußischen Staate angekauften Bilder statt: Eine Jagdscene von Fr. Krüger; Rahel und Jacob von Dräger; die Kartenspieler von Grosclaude, der Sündenfall von Steinbrück; eine schlafende alte Frau von Pistorius; die Erziehung Jupiters auf Creta von Hopfgarten; König Lear und Cordelia von Hildebrandt; das Schloß Schwarzburg von Ahlborn; das Innere einer Klosterkirche auf dem Oybin von Brücke; ein Viehstück von Blechen; der Hafen von Swinemünde von Schirmer; das Spitalthor in Straßburg von Hintze. Der mit der Auswahl der zur Verloosung gebrachten Kunstwerke beauftragte Künstler-Ausschuß hatte, wie man aus diesem Verzeichniß sieht, für Mannigfaltigkeit genugsam gesorgt; historische Bilder, Genre-Stücke, Landschaften fand man beisammen und eben so hatten die Künstler alle Ursach mit dem Verkauf zufrieden zu sein. Die Jagdscene von Krüger war mit 400 Thlr. einige Landschaften mit 30 bis 40 Friedrichsd'or sehr anständig bezahlt worden und so zeigte es sich aufs Neue, daß die Künstler nur etwas tüchtiges leisten dürfen, um von Seiten des Vereins unterstützt zu werden. Einige Bemerkungen drangen sich uns aber dennoch bei der diesmaligen Versammlung auf, die zu Gunsten der Künstler und des Vereins vielleicht nicht unbeachtet bleiben dürften. Zuerst muß es auffallen, daß wir nur Arbeiten von Malern zur Verloosung gebracht sahen und eben so auch nur von einer Preisaufgabe für die Maler Bericht erstatten hörten. In §. §. 1. und 2 des Statuts ist ausdrücklich bestimmt, daß der Verein für alle bildende Künste, namentlich für die Bildnerei in Marmor und Erz, für die Malerei, die Baukunst, das Kupferstechen, das Steinschneiden und Prägen von Denkmünzen sorgen will. Der Verein besteht bereits über zwei Jahre und wir haben noch nicht gehört, daß außer den Malern auch den andern Künstlern irgend eine Art der Aufmunterung und Unterstützung durch den Verein zu Theil geworden sei. Vielleicht sind es aber gerade die Maler, die am wenigsten einer Unterstützung, oder doch gewiß nicht mehr, als die Bildhauer, und Kupferstecher bedürfen. Ein junger Maler hat vielfache Gelegenheit sich durch Potraitmalen, durch Arbeiten im Genre, durch Unterricht u. s. w. so viel zu verdienen, um sorgenfrei sich größeren Studien zu widmen; alle diese Gelegenheiten sind dem Bildhauer und Kupferstecher abgeschnitten und so sehn wir auch, wie selten junge Künstler, selbst bei entschiedenem Talente, diesen beiden Künsten treu bleiben. Wollte man nur solche Künstler unterstützen, die etwas liefern können, was sich zur Verloosung eignete, so würde gerade der vornehmste Zweck des Vereins, die jungen Künstler zu unterstützen, nicht erfüllt. Allerdings müssen die von dem Verein angekauften Kunstwerke diesen Namen verdienen und es muß dieser Ankauf für die größte Auszeichnung gelten; allein dann hätte man bei der diesjährigen Verloosung mit größerer Strenge auswählen sollen. Wir sahen zwei oder drei Bildchen von unbedeutender Mittelmäßigkeit vom Kunstverein angekauft und freuten uns nur, daß diese Gewinne nicht nach Paris oder Rom kamen. —

Die Leistungen des Königl. Theaters im Jahre 1826. (April)

In diesem Monat sahn wir drei neue Kleinigkeiten aus dem Französischen: „Lord Davenant,“ Schauspiel in vier Abtheilungen nach dem auf dem Theater *Theatre français* zu Paris aufgeführten Drama gleiches Namens für die Deutsche Bühne bearbeitet von Carl Blum. „Die Erbin“ Lustspiel in einem Aufzug nach *l'Hèretière* von Scribe und Delavigne, von dem verstorbenen Schauspieler Stich übersetzt, und „Der Todte in Verlegenheit, Lustspiel in 3 Abtheilungen nach dem Französischen *„le mort dans l'embarras“* frei übertragen von F. A. v. Kurländer. — Die Deutsche Muse, wenigstens die der lebenden Dichter, wurde hinter die Coulissen geschoben und ihr nicht einmal der unschuldige Posten einer Figurantin zu Theil. Das erstere der drei erwähnten überrheinischen Producte ist die englisirte Stella und dadurch ist das Stück zur Genüge bezeichnet. Was in der Zeit, als Goethe seine Stella dichtete, aus dem Uebermaaß der höchsten Empfindsamkeit floß, aber immer aus tiefem, reinem Gemüth kam, ist hier Modegeschwätz und Flittertand geworden, mindestens eine Halbcomödie, die an allen Gebrechen affectirter Gefühle, Schwulst und Uebertriebenheit leidet. Ungleich besser ist das zweite Stück, es hat wirklich eine Intrigue und einen Zusammenhang, wie man sie in den neuen Französischen Tagesproducten nicht findet. Gut gespielt machte es eine angenehme Wirkung, so daß man sich mit Recht verwundern muß, warum es sich nicht auf dem Repertoir gehalten hat und von Zeit zu Zeit wieder gegeben wird.

Mehrere Gastspieler hatten sich in diesem Monat bei uns eingefunden. Für das Trauerspiel und die Heldenrollen Hr. **Barlow** aus Petersburg, für das Lustspiel und die Posse Hr. **Lebrün**, aus Hamburg, für das ernste Drama Madam **Brede** aus Stuttgart, für die Oper Hr. **Haizinger** aus Carlsruh. Hr. Barlow ist ein Bühnenheld mit einer Athleten-Gestalt und Stentor-Stimme, wie ihn das hiesige Theater seit Flek's Tode, nicht gesehn hat. Das wär doch noch ein Götz von Berlichingen, dem man zutrauen könnte, daß er Ernst daraus macht, wenn er den Bürgern von Heilbronn zuruft: wer kein Ungarischer Ochs ist, der komme dieser meiner eisernen Rechten nicht zu nah. Großen Beifall gewann Hr. Barlow als Wallenstein und Carl Moor und es würde eine nur zu fühlbare Lücke unsers Personals durch die Gewinnung eines solchen Talentes und einer solchen Gestalt ausgefüllt werden, denn mit unsern Helden massiver Gattung sind wir übel bestellt, ja, wir müssen gerade zu gestehn, daß dieser Artikel uns gänzlich ausgegangen ist. — Hr. **Lebrün** gab schon 1811 und 1814 Gastrollen bei uns und gewann in den muntern humoristischen Rollen des Lustspiels, zumal wenn sie nicht den Reiz der frischen Jugend verlangten, entschiedenen Beifall, der ihm auch diesmal sowohl im Lustspiel, wie in der Posse, wo seine nicht übertriebene Carrikatur zu rühmen war, zu Theil ward. — Madam **Brede** war uns ebenfalls schon aus ihren Gastrollen vom Jahr 1815 bekannt, wo sie in den jugendlichen Rollen des Trauerspiels und des sogenannten rührenden Dramas gefiel. Eine Schauspielerin in den Jahren der Mad. Brede ist übel daran; sie ist in dem Alter, wo die Frauen sich noch nicht entschließen können, von der Jugend und der Leidenschaft Abschied zu nehmen und doch können die Vierziger mit allen Erfahrungen und aller gereiften Ausbildung den reinen Reiz der Zwanziger nicht ersetzen. Für die Männer ist in dieser Hinsicht weit mehr gesorgt; die können noch als alte Graubärte, — Lear, Polonius, Coke u. s. w. ihr Glück auf der Bühne machen; für die Matronen giebt es nur sehr sparsame Lorbern und auch diese nur auf dem Theater, wo die Schauspielerin jung war und wo sie sich theure Erinnerungen zu erhalten wußte. — Am meisten fesselte das Publikum Hr. **Haizinger**, mit seiner vollen, reinen und geläufigen Tenorstimme, deren Zauber sein untergeordnetes Spiel vergessen machte. — Uebrigens erhielten sich die „lebenden Bilder“ diesen Monat hindurch auf der Bühne; man wechselte mit neuen Bildern ab, so lange an der Casse Nachfrage nach Billetten war, wodurch man freilich das Publikum damit übersättigte. —

(Redigirt von Dr. Fr. Förster und W. Häring (W. Alexis.)

Von diesem Journal erscheinen wöchentlich 5 Blätter (und zwar Montags, Dienstags, Donnerstags, Freitags und Sonnabends) außerdem literarisch-musikalisch-artistische Anzeiger. Der Preis des ganzen Jahrgangs ist 9 Thaler, halbjährlich 5 Thaler. Alle Buchhandlungen des In- und Auslandes, das Königl. Preuß. Post-Zeitungs-Comptoir in Berlin, und die Königl. Sächsische Zeitungs-Expedition in Leipzig nehmen Bestellungen darauf an.

Im Verlage der Schlesingerschen Buch- und Musikhandlung, in Berlin unter den Linden Nr. 34.

Berliner
Conversations-Blatt
für
Poesie, Literatur und Kritik.

Dienstag, — Nro. 12. — den 16. Januar 1827.

Auch ich war dort.

4.
Marion.

Wir bestiegen einen Thurm, die *Oisette*, der, achtzig Fuß tief, mit schneidenden Instrumenten inwendig bemauert, die von oben hinab gestürzten Schlachtopfer blutiger Grausamkeit aufnahm. Mich schauderte, auch mochte ich nicht den Fuß in die dunkelsten Gefängnisse, die ich je erblickte, setzen, ich hatte deren genug in Paris gesehen.

Und doch dünkten mich jene Mordhöhlen des Terrorismus, jene Blutpressen der Pöbelherrschaft nicht so furchtbar, als diese dunkeln Kerker geheimer Grausamkeit und Willkühr. Man war doch gewiß, nicht lange zu schmachten; die Geduld fehlte auf Seiten der Henker. Bald herausgezogen, konnte man auf dem letzten hohen Tribunal im Angesicht des Himmels und vor dem Throne des Ewigen appelliren gegen die Akte schreiender Ungerechtigkeit. Das Gefühl war berauscht, mit Enthusiasmus legten die Unglücklichen den Kopf auf die Guillotine; die ganze Welt blutete mit ihnen. Welches bessere Recht auf das Leben hatte der Einzelne als die besten: und ein großartiger Trost konnte auch Gemüther erheben, denen der der Religion in der letzten Stunde abging. Welcher Trost linderte dagegen die geheimen Martern der Opfer kleinlicher Intriguen unter einer entsetzlichen Feudalherrschaft?

In diesem Zimmer arbeitete Heinrich IV. . . . Mir ward wieder wohl zu Muthe, ich warf mich in einen wurmstichigen Holzstuhl und blickte durch die kleinen Fenster hinaus auf die Stadt und hinüber über die Loire. Der Portier erklärte mir die einzelnen Orte.

Aber Monsieur sehen nicht hin. Das dort ist nur ein kleiner schmutziger Winkel der Stadt, wo Fremde nichts Merkwürdiges finden.

Und doch konnte ich das Auge von dem unansehnlichen Winkel nicht abwenden.

Auch die zögernden Schritte trugen mich dorthin. Ecke um Ecke wohl bekannte Wege. Noch einmal hielt ich zaudernd vor einem Patissierladen, und die linke Brusttasche hob sich stärker und stärker, als ich die Thür aufdrückte.

Der Wirth, ein wohlbeleibter Mann, über die besten Jahre hinaus, repräsentirte, frisirt und in weiß seidenen Strümpfen, den echten Franzosen von ehemals. Auf keine Frage blieb er Antwort schuldig.

Monsieur waren schon einmal in Blois? sagte er, vom Antworten zum Fragen übergehend. Aus Reisebeschreibungen kann man, auch bei Monsieurs *esprit* — er machte eine leichte Verbeugung — das nicht lernen.

Ich verbeugte mich wieder. Es waren doch elf Jahre her. Ich kannte den Wirth nicht.

War nicht damals ein gewisser Marcolini Besitzer des Ladens?

Damals, ach Monsieur, das sind nun elf Jahre her, daß der Schelm nach Italien zurückkehrte. Ich erstand dann bei der gerichtlichen Versteigerung Haus und Laden.

Und die Frau —

Bon Dieu, die ließ er zurück mit allen Schulden. Die Frau ist dann mit einem von den Alliirten, ich glaube nach Rußland gezogen, aber die Schulden sind im Lande geblieben. Er war ein schlechter Wirth.

Und — und — die schönen Pasteten. — Er fiel ein.

Werden noch eben so gut gebacken, wenn Monsieur probiren wollen.

Er rief hinein.

Es war ja auch wohl, knüpfte ich wieder an, bei Marcolinis ein Mädchen, die sie vorzüglich zu backen verstand. —

Der Wirth lächelte. —

Sie bediente auch die Gäste und es war des Morgens großer Zudrang. Irre ich nicht, so hieß sie — Marion.

Marion! Marion! rief der Wirth.

Himmel, die kleine Marion dient noch immer im Hause?

Ei, ich habe sie geheirathet, als ich das Geschäft übernahm, denn sie verstand was dazu gehört vollkommen, und es hat mir keinen gewöhnlichen Segen ins Haus gebracht.

Sie trat mit ihrem Segen herein. Eine wohlbeleidte untersetzte Hausfrau. Ein volles Gesicht, runde, runde Arme, gebräunt von der Küche; Hüften, Schenkel, Füße, alles hatte in gleicher Proportion angesetzt. Eine Schaar Kinder, ich schätzte sie auf sieben bis acht, blickte zur Küchenthür, neugierig auf den fremden Herrn, herein.

Monsieur, das ist Madame! Monsieur hat die Gefälligkeit sich Ihrer aus Marcolinis Zeiten zu erinnern.

Sie verneigte sich, Monsieur sei sehr gütig.

Ich verneigte mich auch, tief als stände ich vor einer Prinzessin. Es waren wohl die elf Jahre, die mich so bestürzt machten. Weiß ich doch kaum, wie ich plötzlich vor dem Spiegel stand und die Halsbinde herauf zog; ich war sehr ärgerlich, denn ich bemerkte eine Thräne in meinem Auge, die ich hastig abwischte und dann das Glas Liqueur prüfend, als wär es Johannisberger Eifer, herunter nippte.

Madame seufzte: Das sind nun elf Jahre her!

Ja wohl elf Jahre erwiderte ich. Ich hätte ein Buch mit Betrachtungen füllen mögen, was elf Jahre anders machen können. Mich hatte der Spiegel wieder beruhigt, wenn ich ja in Unruhe war. 11 zu 17 Jahren macht nur 28; aber die schöne Marion, die hübsche Pastetenbäckerin war vor 11 Jahren 24 Jahr alt, und dann die Ehe, die Wirthschaft und das Pastetenbacken!

Dazumal, sagte der Mann, standen die fremden Truppen hier . . .

Ich benahm mich während des Gesprächs gewiß sehr hölzern. Die Thränen waren mir näher als die Worte.

Das seien böse Zeiten gewesen, murmelte ich.

Pardonnez Monsieur, es gab sehr gentile Leute darunter, sagte er.

Marion wischte den Staub ab, ich zog die Kinder an meinen Stuhl; es waren liebliche Gesichter. Die Pariser haben eigentlich keine Kinder, wie es beim gebildeten Französischen Volke keine Kindheit giebt. Ihre Knaben und Mädchen werden von den frühsten Jahren an eingezwängt in die Modekleider des geselligen Lebens, es sind Puppen, mit denen man spielt und über deren frühe Gewandheit und Lebensklugheit die Eltern sich freuen; wie bald ist man der lästigen Erziehung bei früher Abrichtung enthoben! Das Mädchen kokettirt im fünften Jahre, der Knabe seufzt und drückt zärtlich die Hände schon im sechsten. Glückliche Eltern! Was hat gegen den Vortheil so früher Entwickelung, der eine Verlust des harmlosen Kinderspiels zu bedeuten. Dafür wird dann das ganze Leben ein Spiel.

Das waren keine Pariser Kinder. Marion hatte ihnen eine gute Erziehung gegeben, denn sie waren gar nicht erzogen, aber gut geartet. Die blonden Locken hingen um den nackten Hals, die Kleinen hatten mich bald lieb gewonnen.

Sind Alle Ihre Kinder? fragte ich gedankenlos den Mann und erschrak.

Oui Monsieur! sagte er, mit einer verbindlichen Verbeugung gegen Madam, welche ihr Gesicht gegen eine Fensterscheibe gedrückt hielt.

Der Abend kam heran, ich suchte meine Börse. Zum Glück fand ich viele blanke Frankenstücke, ich theilte sie unter die Kleinen, die unter lautem Jubel umhersprangen und Mutter und Vater die Geschenke zeigten.

Nur Marion, die älteste von zehn Jahren, erhielt keines; ich hielt das hübsche Kind noch immer im Arm und streichelte mit der Hand die schön gebräunten Locken des Mädchens.

Ganz die Züge der Mutter, die Augen, die Grübchen, das Lächeln Marions, ich nannte sie meine kleine Pastetenbäckerin und küßte sie auf Stirn und Mund. Als es doch geschieden sein mußte — denn die Fenster wurden immer röther — und Marions Gesicht auch, warum sah sie auch unverwandt in die untergehende Sonne? — drückte ich der Kleinen einen Napoleon in die Hand.

Weil sie der Mutter so ähnlich sähe, sagte ich zum Vater.

Ich küßte die Kinder alle nach der Reihe; verdammte Empfindung, wenn man ihrer nicht Herr werden kann! — auch die kleine Marion, und sie schrie: der Herr weint ja!

Der Mund des Vaters floß von Dank über, ich drückte die Hand der Mutter, viel hätte nicht gefehlt, so hätte ich sie an den Mund geführt. Sie sprach nichts, aber mich dünkte, es standen Thränen in ihren Augen, wie das wohl kommt, wenn man lange in die untergehende Sonne blickt.

Es mußte drinnen fürchterlich heiß gewesen sein, denn draußen war es mir, als schöpfe ich erst wieder Luft. Der Mann ließ nicht von mir, bis er mich die ganze Straße begleitet.

Ich hätte einen großen Seegen in sein Haus gebracht, sagte er Abschied nehmend, indem er unter tausendfachem Händedruck in mich drang, wenn ich wieder Blois passire, ihn nicht zu vergessen.

Ich werde Blois nie vergessen. Aber ob ich nicht tiefer hätte in den Beutel greifen sollen? Nein, beruhigte ich mich, eben des Mannes wegen nicht.

Ueber die Kunstausstellung in München.

Montag, den 6. Nov.

Nun heute ist mir's gelungen, heut hab' ich zu erzählen. Wüßt ich nur wo anfangen? Am Ende denk' ich: am Anfang, ich meine an der Thüre.

Ich merke recht, daß ich den Sommer über auf dem Lande lebe, ich versichere Sie, ich kenne München kaum noch. Sonst ging alles seinen ruhigen Schritt und man bekümmerte sich um Maler nicht eher, als bis man sie brauchte, etwa vor der Hochzeit oder nach dem Tode. Aber, mein Gott! jetzt. Durchdrängen habe ich mich müssen durch ein kunstliebendes Publikum; an der Theaterkasse kanns nicht toller hergehen. — Ohne Komödienzettel geh ich nie ins Theater, ich muß wissen, wer spielt; so war auch hier mir der Katalog das Wichtigste, obschon ich bemerkte, daß ich hierin von den Andern mich auszeichnete, die ohne Frachtbrief die Straße zogen. Aufgefallen ist mir, daß man kein Entree zahlt, so honnett ist man nicht überall, und doch könnte auf leichte Weise ein feines Sümmchen zusammengebracht werden.

Nun muß ich Ihnen nur gestehen, wie ichs mir ausgedacht, um zu einem Urtheil zu gelangen, an welchem mir um so mehr lag, je geringer mein Interesse für Kunst eigentlich ist. Ich stelle mich vor die Bilder, dacht ich, und hinter die Leute, die sie betrachten. Hoffentlich sind die eben so gescheut, wie Du, und vielleicht noch gescheuter, dacht ich wieder; so erfährst Du auf bequemem Wege, was Dir gefällt, und Sie, Verehrtester, erfahrens auch, und wenn's gut geht, zuletzt auch die Theegesellschaften, die nun doch einmal an diesem ganzen Unglück Schuld sind.

Wie ich nun in den ersten Saal eintrete, fällt mir zweierlei gleich sehr auf; nämlich mehrere Reihen gemalte nackte Körper, und mehrere junge Leute davor, die ich an ihrem Aeußern für Maler erkannte. Auf meine Frage der Verwunderung, was diese Bilder bedeuten sollten, gab mir der Eine zur Antwort, es seien Acte. Ich verstand aber Nackte und fuhr schon etwas unwillig auf, als wir uns doch verständigten und ich erfuhr, es seien Arbeiten von Zöglingen der Akademie. Aber mich dünkt, sagte ich, wenn sie weiter nichts vorstellen, diese Bilder, als Grenadiere ohne Montour, so sollte man sie in ein Nebenzimmer stecken für Wißbegierige. — „Und uns verschonen mit dergleichen Missethaten junger angehender Rafaele, fiel ein Unbekannter ein. Ja wenn doch in einem einzigen nur ein Streben nach Wahrheit in Zeichnung und Farbe wär — aber nichts als jene akademische Sudelei, wo darauf hingearbeitet wird, eine gewisse Pinselfertigkeit in der Darstellung angenommener und heilig gesprochener Formen zu gewinnen. Wird's denn nie anders, Ihr Herren? Aber die jungen Maler traten dem Eifrer verlegen aus dem Wege, doch mit einer Miene, die mir aussah, als wollten sie nur aus Bescheidenheit oder Furcht nicht mit schimpfen. Sehen Sie, fuhr er zu mir gewendet fort, es geht noch weiter. Sehen Sie diesen weiblichen Kopf; polizeilich — nach Art der alten Griechen — sollte man das Aufstellen solches Unraths verbieten: das Häßliche ist so häßlich als die Sünde." Und es ist wahr, ich erblickte das Abbild eines jungen Mädchens, das schlimmer war, als die schlimmsten Schimpfwörter über sie je hätten sein können, und ich war schon auf dem besten Wege, mit meinem Bilderstürmer wieder umzukehren, hätte mich nicht das Zauberwort: „Berlin" gefesselt. „So eine Ausstellung bekommen wir in Berlin doch nicht zu Stande!" sagte ein Mann von gutem Aussehn zu seiner Frau von besserm. — Für Berlin hab ich nun einmal eine Leidenschaft, und also auch für Berlinerinnen, gesetzt auch, sie wären halb so schön nur, wie die, denen ich jetzt folgte; denn dieß, Verehrter, that ich ohne Weiteres wohl wissend, daß ein feiner Verstand nicht nur dort zu Hause ist, sondern auch mit den Auswandernden auf Reisen geht. Auch kann ich Ihnen im Voraus sagen, wenn Sie mir versprechen, dennoch meine gesammelten Recensionen zu lesen, daß mir Ihre Landsmännin von allen Bildern am besten gefiel, ja besser, als Alle,

Aber, — Sie werden es freilich kaum glauben, Verehrtester — mein Paar blieb vor — einem Pferdestalle stehen; ich meine vor einem gemalten von

Adam.

„Das ist von aber nach unserm Pferde-Krüger,“ sagte der Geheimerath; (denn das war er wenigstens); aber in dem Augenblick klopfte ihm Jemand vertraulich auch die Schulter, und nach freundlicher Begrüßung sagte er: „Sehen Sie noch einmal hin, lieber! Nicht nur der Katalog wird Sie des Irrthums zeihen. „Hat derselbe nicht auch, frug der Geheimerath, vor einigen Jahren ein Bildchen nach Berlin geschickt, — Pferde ziehen einen Fuhrmannswagen über eine Anhöhe — ? Kann sein, sagte Jener, der etwas von einem Dichter im Gesicht hatte. „Aber dieß“ fuhr der Berliner fort, „ist bedeutend besser, wie schön sind die Pferde gezeichnet, wie verstanden alles in seinen Einzelnheiten; die Farbe des Schimmels wie lebendig, und eine Ausführung — fast zu glatt, dächt ich.“ „Ja wohl! an Wirklichkeit, oder was dran grenzt, lassen's die Herren nicht fehlen,“ sagte der Dichter. (Ich will ihn nur schlechtweg so nennen, vielleicht ist er auch nur quiescirter Regierungs-Präsident.) Dasselbe, oder fast dasselbe Lob traf manche Landschaften und ländliche Szenen, deren eine sehr große Anzahl da waren, die mich aber darum weniger interessirten, weil ich das Alles zu Haus hab, und noch dazu lebendig. Aber der Geheimerath fand großes Vergnügen daran und sagte zu seiner Frau: „Siehst Du meine Liebe, wie schön das ist, daß das Gebirge und seine Bewohner uns auf dem halben Weg entgegenkommen, da die Jahreszeit uns abhält, zu ihnen zu gehen. Hier ein Blick ins Isarthal, dort auf's Bairische Gebirg, da nach Italien und Sicilien. Man kanns nicht besser verlangen.

Vor Bildern vom Hrn. Obristlieutenant von

Heydegger

blieben die Herren länger stehen. „Ich bewundre nur,“ sagte der Berliner, „die Reichhaltigkeit Ihrer Ausstellung an so ausgezeichneten Genre-Stücken, die bei uns sehr dünn gesät sind. Von Herr v. Heydegger gleich 1, 2, 3 — ja wahrhaftig 10. Und welch Leben ist in all seinen Sachen! als ob er einen Spiegel vor die Natur gehalten hätte und es eben nur hingestellt, wie es ist. Hier dieser Pferdestall, ja dieser Schimmel ist wirklich der Natur abgestohlen; dabei der schlafende Postillon; man hört ihn schnarchen; auch die Beleuchtung im Helldunkel ganz meisterhaft. Aber der Schimmel ist das *non plus*. Das Gute hat der *Genre*, daß er in diesen Einzelheiten auch das Aeußerste erreichen kann. Und sieh da, Hr. v. Heydegger hat sich über die Pyrenäen gewagt, und führt uns ja ganz prächtig in den len letzten Spanischen Krieg zurück. Hier diese Guerillas unter den alten Triumphbogen Trajans (in Merida) in der Flucht vor den Französischen Kuirassiren; gut aufgefaßt die spanische Natur; man sieht's, daß er dort war; hier der Mönch, der den hungrigen Freiheitskämpfern — sehen sie nicht wie Räuber aus — sein Heiligthum aufschließen muß, um, wie es scheint ihre ketzerischen Anforderungen nach einem Abendmal in beiderlei Gestalt, wo nicht gar in dreierlei zu befriedigen: denn schwerlich werden sie sich bei Wein und Brot das Fleisch blos hinzudenken. — (Forts. folgt.)

Berliner Chronik.

Josua, Oratorium von Händel.

Concert der Madam Milder am 10. Jan.

Madame **Milder** gehört zu den auserwählten glücklichen Sängerinnen, denen die Muse das Geschenk der seelenvollen Stimme länger in jugendlicher Frische erhält, als es meistens der Fall ist und hiervon gab sie uns neuerdings wieder in der von ihr veranstalteten Aufführung des Händelschen Josua einen erfreulichen Beweis. Die Wahl dieses Oratoriums war allerdings glücklicher, als früher einmal die der Gazza ladra, allein eine solche Aufführung verlangt andere Mittel und Wege, als einer Dame, und wenn sie auch Armidens Zauberstab führt, zu Gebote stehn. Dem Orchester ist keine Zeit zu den nöthigen Proben gegönnt, die Chöre waren viel zu schwach besetzt und anstatt, daß alles mit der größten Freiheit und Sicherheit gesungen werden muß, schienen die Dirigenten nur froh, daß sie mit genauer Noth durchkamen; nur unser **Zelter** ist der Steuermann, der ein solches schwankendes Schiff sicher in den Hafen bringt. — Die Trompeten, bei deren Schall die Mauern Jerichos einstürzen, verfehlten ihre Wirkung nicht, denn sie gaben so unreine Töne von sich, daß es nothwendig einen Stein erbarmen mußte. Bei unserer fortgeschrittenen Cultur der Instrumentirung könnte man wohl anstatt dieser Trompeten, obligate Vierundzwanzigpfünder anbringen; dann wär man sicher, daß nicht nur die Mauern einfielen, sondern daß es auch keine unreinen Töne gäbe. —

(Redigirt von Dr. Fr. Förster und W. Häring (W. Alexis.)

Von diesem Journal erscheinen wöchentlich 5 Blätter (und zwar Montags, Dienstags, Donnerstags, Freitags und Sonnabends) außerdem literarisch-musikalisch-artistische Anzeiger. Der Preis des ganzen Jahrgangs ist 9 Thaler, halbjährlich 5 Thaler. Alle Buchhandlungen des In- und Auslandes, das Königl. Preuß. Post-Zeitungs-Comptoir in Berlin, und die Königl. Sächsische Zeitungs-Expedition in Leipzig nehmen Bestellungen darauf an.

Im Verlage der Schlesingerschen Buch- und Musikhandlung, in Berlin unter den Linden Nr. 34.

Berliner
Conversations-Blatt
für
Poesie, Literatur und Kritik.

Donnerstag, — Nro. 13. — den 18. Januar 1827.

Mittheilungen aus Paris.
Die Pariser Theater. Tasso, Trauerspiel von Düval (nach Goethe).

Seitdem Paris aufgehört hat, sich von der Convents-Tribüne der großen Nation herab und in den Bülletins der großen Armee die erste Stadt der Welt nennen zu hören, hat es sich mit diesem Ruhme in die Modeladen und hinter die Coulissen zurückgezogen, und in der That merkt man auch nur in dem Palais royal und in den Theatern, daß Paris seinen alten Ruhm noch nicht aufgegeben hat: eine Weltstadt zu sein. Um aber den Einfluß und die Herrschaft zu erfahren, welche in dieser Hinsicht Paris ausübt, braucht man nicht nach Paris zu reisen; eben so wie es keinen Flitterladen in Europa und den andern Welttheilen giebt, in welchem man nicht die französische Folie findet, so giebt es auch kein Theater — wenigstens kein Deutsches, für welches Paris nicht den reichlichsten Stoff liefert. Die Deutschen Dichter — und ich glaube Sie selbst in Ihrem Conversationsblatte — haben vielfache Klage über die Bühnendirectionen in Deutschland geführt, daß sie mit Vorliebe sich von Paris aus versorgen lassen; allein mir scheinen in mancher Hinsicht die Directionen darüber nicht zu hart angesehn werden zu müssen. Eine Bühne hat ein nach Modewaare begieriges Publikum satt zu machen, und wo ist schönere Gelegenheit diesem Appetit mit geringeren Kosten zu genügen, als von Paris aus. Hier hat man die Auswahl, und die Stücke, die schon durch das Fegefeuer des Pariser Parterre gegangen sind, werden immer die Deutschen Theater-Gallerien vom ersten bis zum dritten Himmel für sich geöffnet finden. Auch sind die Deutschen Dichter nicht ohne Schuld; sie werden mit den Parisern nie gleichen Schritt halten können, wenn es darauf ankömmt, ihnen den Rang auf der Bühne abzulaufen. In Paris setzen sich zwei auch drei solche Fabrikanten zusammen; der Einfall, den der Eine hat, wird gemeinschaftlich zu einem Plane verarbeitet und eben so gemeinschaftlich ausgeführt. Die Franzosen sind alle so über einen Leisten geschlagen, daß zehn an demselben Stück arbeiten können und man schwört darauf, daß es nur von einem Meister sei. In Deutschland will jeder etwas Apartes für sich haben, will originell sein und von einer solchen Theilung der Arbeit können wir uns gar keine Vorstellung machen. Die Pariser Dichter ferner sind froh, wenn ihr Stück 14 Tage oder einen Monat lang das Publikum amüsirt, sie werden gut bezahlt, aus den Provinzen gehn auch noch einige Franken ein und eh' diese durchgebracht sind, ist schon ein neues Stück fertig. In ganz anderen Verhältnissen stehn die Deutschen Dichter; sie werden schlecht bezahlt und wollen durchaus immer gleich für die Unsterblichkeit arbeiten. Daher kömmt es nun, daß wir, bei den vielen Theatern, die wir in Deutschland haben, dennoch, was die Lieferung neuer Erzeugnisse betrifft, weit hinter Paris zurückbleiben. Im vergangenen Jahre wurde in Paris an neuen Stücken gegeben: 9 Trauerspiele, 32 Lustspiele, 98 Vaudevilles, 5 Schauspiele, 20 Melodramen, 2 große Opern, 14 komische Opern, 3 Italiänische Opern und 4 Ballets. In dem einen Monat November wurden 20, sage zwanzig neue Stücke, (11 Vaudevilles, 3 komische Opern, 3 Lustspiele, 2 Melodramen, 1 Trauerspiel) aufgeführt; freilich kein Wunder in einer Stadt, in welcher täglich in 11 Theatern gespielt wird*). Den Bericht über die 98 neuen Vaudevilles erlassen Sie mir wohl; ich will Ihnen und dem Berliner Publikum die Freude nicht verderben, diese schönen Sachen in Natura zu sehn; dagegen sollen Sie von einigen ernsteren Dramen hören, die hier Beifall gefunden haben, da sie aus der neueren romantischen Schule, der die alte, sogenannte classische, das Emporkommen wehren möchte herrühren. Eine sonderbare Erscheinung ist, daß die Romantiker ihrer politischen Richtung nach, zu den Liberalen gehören, obwohl in dem Romantischen solche Elemente, wie Christenthum, Feudalwesen, absolutes Königthum, liegen, die sich mit jener Richtung nicht vertragen, während die Classiker auf der Seite der Ultras und der Congregation stehn, obwohl in dem Classischen die Götter Griechenlands und der Aristoteles regierende Mächte sind. — Wenn die Franzosen sich oft genug rühmen, wie wir armen Deutschen gar nicht ohne sie leben können, so gewährt es uns doch eine angenehme Genugthuung, hier an Ort und Stelle zu sehn, wie Gluck und Mozart, Hummel und Weber sich Platz gemacht haben und wie eine ganze neue Richtung ihrer Poesie, die ich so eben als die romantische bezeichnet habe, von Deutschland aus zu ihnen gekommen ist. — Nachdem sich die Französischen Dichter mehrfach an den Trauerspielen Schillers versucht haben, wagen sie sich jetzt auch an die dramatischen Dichtungen Goethes, um sie für ihre Bühne zu bearbeiten. In dem *Théâtre français* wurde am 27. Dezemb. zum erstenmale: „Tasso, historisches Drama in 5 Akten in Prosa von Hrn. Alexander Duval" gegeben. Bekanntlich hat schon Mad. Stael über Goethes Tasso das Urtheil ausgesprochen, daß derselbe zwar ein sehr regelmäßiges Stück sey, jedoch keinesweges zu den amüsanten gehöre. Diese Bemerkung hat sich Hr. Düval zu Gemüthe geführt und für das Amüsement des Publikams bestens Sorge getragen. Auch in Deutschen Theatern hört man dieselbe Klage führen, daß Goethes Tasso nicht amüsant genug sey und selbst bei guter Besetzung des Stücks findet kein großer Zudrang zur Kasse statt. Die Deutschen Theater-Directionen finden nun die beste Gelegenheit für ihr Publikum und ihre Kasse zu sorgen, wenn sie mit gewohnter Vorliebe für Pariser Fabrikate den Düvalschen Tasso baldigst in Scene setzen ließen; bis dahin genüge folgende Skizze.

„Eleonora von Este, Schwester des Herzogs Alfons von Ferrara, schenkt den Gesängen Tassos die lebhafteste Bewunderung und diese Theilnahme für die Dichtung trägt sie bald auf den Dichter über. Tasso verehrt sie längst im Stillen, weiß aber noch nicht, daß seine Liebe erwiedert wird. Die ihm unbekannte Neigung der schönen Fürstin erweckt die Eifersucht eines Hofmanns, des Fürsten Belmonte, welcher im Begriff ist um die Hand Eleonorens zu werben. Der eifersüchtige Belmonte findet seinen Nebenbuhler zu den Füßen Eleonorens, welche zum Lohn für die schönen Verse, die der Dichter ihr vorlas, ihre Hand seinen glühenden Küssen überließ. Diese Gunst ist in den Augen Belmontes ein Verbrechen und er wird von diesem Augenblick an, Tassos geschworener Feind. Eleonore, welche ihrem Bruder mit Aufrichtigkeit alles erzählt hat, was bei jenem Auftritt vorgefallen, vereitelt die Entwürfe Belmontes, der, um seinen Rival zu verderben, den Gouverneur des Pallastes, einen rohen Mann, der Niemanden achtet, als wer Soldat ist, beleidigenden Verdacht über das Benehmen der Prinzessin einzuflößen weiß. Um einen Anlaß zu neuen Händeln mit Tasso zu haben, sucht Belmonte ihn in Eleonorens Zimmer auf, wo er ihn durch vielfache Beleidigungen so lange reizt, bis er den Degen gegen ihn zieht. Der Gouverneur des Pallastes, von dem Lärm herbeigezogen, fordert dem Dichter den Degen ab. Tasso giebt ihm denselben, da es die Prinzessin befiehlt; allein sie kann ihn nicht gegen das Gesetz in Schutz nehmen, welches denjenigen mit Verhaft bestraft, der in dem Pallast den Degen zieht. Im 4ten Akte finden wir Tasso im Gefängniß, wo er einen Besuch der Prinzessin Eleonore und der Gräfin Maria annimmt. Jetzt wird die Scene pathetisch; die Prinzessin verbirgt ihre Liebe nicht mehr und schwört auf ewig ihr Schicksal an das seine zu knüpfen.

Allein ihre Hand ist bereits dem Herzog von Mantua versprochen, dem sie Alfons, ohne seine Schwester darum zu befragen, zugesagt hat. Den Auftrag sie von dem zu unterrichten, was ihr bevorsteht, hat er dem, von allen Seiten bedrängten, Tasso gegeben. Eleonore schwört auf's Neue mit dem von ihr gewählten Geliebten aus Ferara zu entfliehen; da erscheint der Gouverneur und die Prinzessin hat kaum Zeit in ein anstoßendes Zimmer zu treten.

*) Académie royale de Musique faßt 1937 Pers. Théâtre français 1522, Opera comique 1720, Théâtre royal italien 1282, Odeon 1628, Théâtre de Madame 1040, Vaudeville 1257, Variétés 1245, Gaieté 1254, Ambigu 1230, Porte St. Martin 1803.

Belmonte will die Zimmer durchsuchen, Tasso vertheidigt die Thüre mit einem Dolch, bis der Herzog von Ferrara selbst erscheint und nicht wenig darüber erstaunt ist, seine fürstliche Schwester in dem Gefängniß bei dem Hofpoeten zu finden. Alfons stellt sich jedoch, als ob er mit dem Benehmen seiner Schwester zufrieden sey, um sie nicht bösen Verläumdungen auszusetzen. Im 5. Akte finden wir Alfons von der Liebe Eleonorens unterrichtet. Er zwingt sie, dem unglücklichen Dichter einen Brief zu schreiben, in welchem sie ihm befiehlt, Ferrara zu verlassen. Kaum hat Tasso diesen Brief gelesen, so fällt er in Wahnsinn und erkennt selbst die Geliebte nicht mehr. Einen angemessenen Schluß erhält das Stück durch die Ankunft der Abgeordneten des Pabstes Clemens des VIII, welche dem Dichter für sein befreites Jerusalem den geweihten Lorbeerkranz bringen. Noch ein lichter Moment kehrt in seinen Geist zurück, allein er stirbt und auf seinen sterbenden Lippen hört man zuletzt noch den ihm theueren Namen: „Eleonore." Die Rolle des Tasso hatte Hr. Düval früher für Talma bestimmt: statt seiner ist sie nun einem jungen Künstler, Hrn. Firmin zugetheilt worden, der nicht ohne Beifall spielte, und so sehr auch Demoiselle Mars Gelegenheit fand, ihr schönes Talent in der Rolle der Eleonore zu zeigen, so gewann er doch an diesem Abend den Preis. — Die Pariser Kritiker ertheilen ihrem Landsmann einstimmig das Lob, daß er etwas weit Vorzüglicheres, als der Deutsche Dichter geleistet und beweisen aufs Neue ihre Unkunde in der Deutschen Literatur und die Armuth und Beschränktheit ihrer Aesthetik. Eine Vergleichung beider Dichtungen durchzuführen, würde hier zu weit führen; aber schon aus der mitgetheilten Skizze werden unbefangene Leser sich überzeugt haben, wie es mit dem Parisiren des Deutschen Dramas steht. Nicht nur der zarte Duft weiblicher Zurückhaltung, sondern auch der vornehme Anstand, den wir von einer Fürstin, zumal in einem so delikaten Verhältniß verlangen und in Goethes Tasso finden, ist vom Hrn. Düval verwischt und verletzt worden, und anstatt daß Tasso an seinem eignen Herzen und dessen Willkühr scheitert und aus diesem Schiffbruch sich — was das eigentlich Tragische des Stücks ist — an dem ihm widerwärtigen Antonio, zuletzt wie an einem Felsen festhalten muß, werden hier ganz abgedroschene Motive von Eifersucht und Bosheit als tragische Mächte herbeigezogen; dadurch, daß Düval den Dichter im Wahnsinn sterben läßt, kann der Schluß wohl rührender, als bei Goethe, aber nicht tragischer werden. — Als Probe der Französischen Critik über ein classisches Kunstwerk, wie Goethes Tasso, will ich folgendes, bei Gelegenheit des Düvalschen Tasso öffentlich ausgesprochene, Urtheil, und zwar, damit ihm nichts an seiner Eigenthümlichkeit verlohren gehe, in der Ursprache mittheilen. *„La pièce de Goethe est froide, sans intérêt: c'est une suite de conversations spirituelles dans lesquelles les sentimens les plus romanesques sont développés, analysés avec art, mais dont la monotonie nous paraîtrait insupportable. C'est du marivaudage en larmes. On y remarque cependant des caractères fort bien tracés, si l'on en excepte celui du Tasse dont Goethe a fait une espèce de maniaque. La scène dans laquelle le Tasse provoque en duel un courtisan, jaloux de sa faveur auprès du prince, est fort belle, bien qu'un peu trop longue; la déclaration d'amour est également remarquable par la chaleur des sentimens et l'expression poétique. Mais, nous le répétons, le héros du drame, le Tasse, est entièrement défiguré; ce n'est plus ce poète inspiré, dont l'imagination avait créé les figures héroïques de Tancrède, de Renaud, aussi connu par son courage que par la beauté de son génie; c'est un esprit chagrin, malade, ne voyant partout que des ennemis, incapable de se conduire, le jouet d'un courtisan qui lui fait perdre à la fois la faveur de son maître et l'intérêt que lui portait Eléonore, et auquel il finit par demander sa protection et son amitié. Le Tasse ne s'abaisse ainsi, il est vrai, que dans un moment de délire; mais c'est par ce trait que Goethe a terminé son drame, et nous avouons qu'il nous a été impossible de comprendre sa pensée, et encore moins d'y voir un dénouement."*

Sie sehen, daß wir in Paris auch unsre Pustkuchen haben!

Berliner Chronik.

Die Leistungen des Königl. Theaters im Jahre 1826. (Mai)

Am dritten Tage des Mai erschien die in Berlin hinlänglich bekannte Dem. Sutorius die jüngere, bisher bei dem Königstädter Theater, als neuengagirtes Mitglied des Königlichen in der Rolle des munteren, jungen Mädchens in den Amerikanern von Vogel. Man fand auch hier die Theateranlagen, die man in dem Theater der Königstadt geschätzt hatte, aber auch nur die Anfängerin, die gerade zu dieser Art Rollen nicht entschiedenen Beruf hat. Ihre zweite Gastrolle in dem Körnerschen Schauspiel Tony als Tony bewährte dagegen, was manche auch schon geahndet hatten, daß sie für das Rührende und wenigstens für die tragischen Rollen, die in dem bürgerlichen Trauerspiel die jungen tragischen Liebhaberinnen heißen, entschiedenes Talent besitzt. Sie offenbarte Gefühl und schon eine für ihr Alter bewundernswerthe Theaterfestigkeit. Es ist zu bedauern, daß Dem. Sutorius in diesem Fach so wenig beschäftigt worden ist, ja überhaupt fast gar keine Gelegenheit gehabt hat, ihr Talent zu entwickeln, da es doch innerhalb der acht Monate, seit sie der Königlichen Bühne angehört, in so manchen Stücken Rollen gab, die für sie wohl geeignet waren und mit besonderer Gunst anderen Schauspielerinnen zugetheilt wurden. Ihre dritte Rolle war ein junges ländlich erzogenes Mädchen mit Reizbarkeit für sentimentale Liebe in einem neuen Stück, die Treibhausblumen von Adelbert vom Thale. Das Stück selbst verräth einen geübten Theaterschriftsteller, der aber mit dieser Gattung zu spät kömmt, um für sie die gegenwärtig ganz anders gerichtete Neigung des Publikums zu gewinnen; dazu hätte er mehr Geist und Kraft daransetzen müssen.

Eine bedeutende Neuigkeit dieses Monats waren Shakspeares lustige Weiber von Windsor, die nach dem Original unsers Wissens zum ersten Mal auf die deutsche Bühne gebracht worden sind. Denn obgleich die Fabel des Stücks schon zur Zeit der Döbbelinschen Bühne in der Bearbeitung des Hrn. Brömel unter dem Namen Gideon von Tromberg (der *quasi* Falstaff) gegeben worden und dann später auf dem Nationaltheater 1799 eine Oper Falstaff zur Aufführung kam, welche den Inhalt der lustigen Weiber in so fern darstellte, als er die Streiche, die dem Falstaff gespielt werden, betraf, so waren beide doch sehr zerstückte, halbe und namentlich der Gideon eine sehr matte, modernisirte Bearbeitung. Genug, die lustigen Weiber zu Windsor wurden diesmal gegen jene Bearbeitung nur mit geringen Verkürzungen und Abänderungen, ganz dem Original treu, dargestellt. Selbst mit voller Anerkennung, daß ein heutiges, mehr oder weniger in der Sitte verfeinertes, Publikum nicht an allen noch so reichen Witzen Shakspeares Geschmack finden kann, läßt sich doch annehmen, daß wenn alle Rollen in dem Geist und mit der Fertigkeit gegeben worden wären, als Hr. Beschort den *Dr.* Cajus gab, das Stück schon in den Somervorstellungen den ungetheilteren Beifall dauernd erworben haben würde, den es bei einer Herbstvorstellung neuerdings eingeärndtet hat. Doch muß man der Genialität Devrients in Auffassung des Falstaff im Ganzen, so wie Hr. Weiß als Ehrenmutz und Hr. Rüthling als Schmächtig die vollkommenste Gerechtigkeit wiederfahren lassen. — Der treffliche Tenorsänger Hr. Haizinger beendigte in diesem Monat seine Gastspiele und der durch ganz Deutschland berühmte Sänger Hr. Wild begann mit dem Othello die seinen. Gleich in diesem ersten Auftreten bewies er seine ungemeine Macht des Gesanges und seine Kraft als Schauspieler. Er riß zum ungestümsten Beifall hin. —

Petrarka's Grab.

(Aus einem Briefe aus Florenz.)

„Sie können sich denken, daß wir es nicht versäumten, das Haus und das Grab des durch seine Liebe, seine Lieder, seine Verdienste um die Wiederherstellung der Wissenschaften und seine Begeisterung für die Freiheit berühmten Dichters zu besuchen. Da wir auf dem Wege von Venedig nach Florenz in Monselico schliefen, standen wir vor Tages Anbruch auf und gingen nach Arqua, ½ Stunden weit. Das Dörfchen ist rings von niedern Hügeln umgeben, allein man hat von da eine Aussicht auf eine fruchtbare Strecke Landes. Das Haus des Dichters steht noch und wird von einem Bauer bewohnt, den wir aus dem Bett jagen mußten, weil er den alten Wahlspruch des Hauses: *aurora musis amica* sich nach der deutschen Studentensprache: „früh schläft der Bursch am besten" auslegen mochte. Man zeigte uns drei oder vier Zimmer; aus einem hat man eine herrliche Aussicht. Das Bücherbrett und der Stuhl, auf welchem er starb, sind unter Drathgitter eingeschlossen, um sie vor den Messern der Reisenden, die sich sonst gern ein Stückchen, wie von Luthers Tisch in Wittenberg, zu Zahnstochern mitnahmen, zu schützen. In einem der Zimmer befindet sich ein Bildniß Petrarka's in Wasserfarben, angeblich von ihm selbst gemalt; es ist sicher sehr alt und hat viel Aehnlichkeit mit den Portraits, welche für authentisch gelten. Die Wände von zwei Zimmern sind ganz mit rohen Freskobildern bedeckt, angeblich die eigne Arbeit des Dichters, wo er und seine geliebte Laura vorgestellt sind. Ein Mal sieht man ihn, wie er von fern die Bewegungen derselben beobachtet; ein anders Mal sieht man ihn an den Boden geworfen, wie er ihren Tod beweint und dergleichen Vorstellungen mehr. Von dem Hause des Dichters wanderten wir zu seinem Grabe. Es ist das am ersten in die Augen fallende auf dem kleinen Dorfkirchhofe. Lord Byron hat es vortrefflich in einer einzigen Strophe beschrieben: „Es ist ein Grab in Arqua, im Freien erbaut; hier ruhen eingeschlossen in dem Sarkophag die Gebeine von Laura's Liebhaber. Hierher wallfahrt so mancher, der mit seinen schöngesungnen Klagen, den Pilgrimmen seines Genius, vertraut ist. — Er stand auf, um eine Sprache zu schaffen und sein Vaterland von dem dumpfen Joche barbarischer Feinde zurückzufordern. Indem er den Baum, der seiner Geliebten Namen trägt, mit seinen melodiereichen Thränen netzte, schuf er sich selbst seinen Ruhm." Der edle Lord bemerkt in einer Note, daß das Grab in Zukunft von vier Lorbeerbäumen beschattet werden solle. Wenn er sie eigenhändig pflanzte, so konnte es von keiner würdigeren Hand geschehn; allein ich bedauerte, daß schon zwei von den Bäumen verschwunden waren, der dritte geht unter den gefühllosen Einschnitten gefühvoller Reisenden zu Grunde. Der vierte aber beschattet den Sarkophag und die Büste Petrarkas." —

Berliner

Conversations-Blatt

für

Poesie, Literatur und Kritik.

Freitag, — Nro. 14. — den 19. Januar 1827.

Auch ich war dort.

5.

Amboise.

Bis hierher war ich gefahren. Die Kopfschmerzen duldeten mich nicht mehr im Wagen. Die Regenwolken hatten sich verzogen, es läßt sich trefflich spazieren auch in Frankreich, zumal an den Ufern der Loire, wo die Kalkfelsen sich erheben, welches hinter Amboise der Fall ist.

Wodurch aber ist Amboise merkwürdig? Schon bin ich hinaus und der Name steht dick unterstrichen im Tagebuch.

Es ist nicht das Schloß, von Carl VII. erbaut, nicht die Brücke, halb steinern, halb hölzern, die über die Loire führt; in den Reisebeschreibungen steht es auch nicht. Bis hierher kamen die Preußen im Jahre 1815; bis an den äußersten Punct unserer Vorposten war ich häufig gesprengt, in jugendlichem Uebermuth mich weit darüber weg wünschend, um mein „muthiges Roß" zu tränken in den Wellen der Rhone und Garonne. Ich war äußerst unzufrieden, daß man den Tyrannen zum zweitenmale entkommen lassen, statt durch sein Blut das Blut der hingeopferten Millionen zu sühnen. Mit wie vielen jugendlichen Patrioten theilte ich damals jenen ergrimmten Wunsch. Malten es sich doch so viele als Glück aus, wenn Napoleon einem Kosackenpulk in die Hände fiele, Männer, die, frei von diplomatischen Rücksichten, den Fluch, den er über Europa gebracht, dem Eroberer entgelten ließen.

Die gespannte Pistole in der Hand, und von solchen Gedanken gespornt, bemerkte ich erst, wie ich über die meinem Posten angewiesene Gränze hinaus gesprengt war, als ich einen Französischen Cavalleristen dicht vor mir halten sah.

Durch den Schreck beim plötzlichen Anblick war mein Rausch keinesweges verraucht. Ich wünschte, es wäre Napoleon; und so etwas mochte ich auch denken, als ich die Pistole aufzog und dem graubärtigen Krieger entgegen hielt.

Er solle weichen, oder ich schösse ihn auf der Stelle nieder, rief ich mit so heftiger Stimme, daß der Veteran unter der Bravour den sich verbergenden Schreck gewahr werden mußte.

Ich vergesse es nicht, wie er mich sehr ruhig anblickte, ja wie er in die Mündung meiner Pistole hinein sah, ohne mit den Augen zu zucken oder den Arm zu heben, an dem sein Säbel hing.

Camerad, Ihr seid zu weit vorgegangen, sagte er in dem ruhigsten Tone von der Welt.

Ich ward mein Versehen in demselben Augenblick inne, und erröthete. Einem Jüngling ist gemeinlich nichts peinlicher als der Gedanke an einen Fehltritt, der Muth, Geschicklichkeit oder Kenntniß in Zweifel stellen könnte, und es ist nicht selten, daß er einen zweiten ärgern begeht, um nur jenen ersten zu verbergen.

Ob er glaube, daß es mir an Muth gebreche, ihm, den Säbel in der Hand, das Gegentheil zu beweisen? fragte ich.

Er lächelte: Am Muth zweifele er nie, wobei er, trotz seiner militairischen Stellung, leicht Französisch den Leib herüberneigte.

So gilt es! rief ich, den Hahn der Pistole in Ruhe setzend, um sie mit dem Säbel zu vertauschen.

Der Chasseur blieb so gelassen wie zuvor. Es mochte ein Mann hoch in den Funfzigen sein, aber der Wechsel des Climas, Hitze, Frost und die Beschwerden des Krieges gaben ihm ein älteres Ansehn; ein dunkles Braun nur hier und dort mit Gelb und Grau schattirt, überzog leberartig das ausdrucksvolle Gesicht, indessen die Haare, wo sie aus der hohen Bärenmütze hervorblicken, in eisigem Grau noch mehr vom Einfluß der Witterung zeugten. Eine ungeheure Narbe ging unter Nase und Augen quer über das Gesicht. Der ganze Mann war ein Bild der Furchtlosigkeit, und das ward ich zu meiner zweiten Beschämung inne, als ich, mein Pferd zurückreissend, den Säbel anfhub.

Junger Camerad, sagte er, Ihr seid noch nicht lange im Dienst.

Das reizte mich aufs neue, und ich beging eine sehr bewußte Unwahrheit, als ich ihm vorwarf, er habe keinen Muth.

Auch das konnte den Veteran nicht reizen. Er deutet nur auf seine Narbe: Das ist der Hieb eines Mamluckensäbels. Der Mamluck liegt unter Aegyptischem Sande, und es war nicht der Einzige, mit dem ich mich damals versucht. Wozu jetzt spielen? Der Krieg ist aus, und wir stehen Beide auf Posten, den keiner verlassen soll.

Jedes seiner Worte traf gewichtiger, als es der Säbel in seiner nervigen Faust gethan hätte. Ich glühte vor Scham, ich fühlte, daß meine siebzehnjährige Kraft beim ersten Anlauf der seinigen erlegen wäre, und doch brannte ich vor Lust, meinen zierlichen Solinger gegen den Graubart zu schwingen und die Antwort zu sparen.

Es sollte anders kommen.

Umgeschaut, Camerad! rief er, jetzt wirklich seinen Säbel aufhebend, da von der Höhe kommen Eure Offiziere — rechtsum durch den Hohlweg, dann links auf Euren Posten beim Birkenbaum, schnell, sonst sehn sie Euch.

Ich konnte nichts thun, als pfeilschnell der Weisung folgen. Kaum daß ich stand, wo ich stehen sollte, kamen die die Runde machenden Officiere heran und bald ward ich abgelöst, um nicht wieder nach Amboise zu kommen.

Das Zusammentreffen lastete jahrelang auf mir wie ein nicht erfülltes Versprechen, wie eine Ehrensache, zu der ich mich nicht gestellt. Der graue Krieger trat Nachts wie mahnend an mein Bette, und ich hätte viel darum gegeben, ihn durch Zauberkraft körperlich vor mich zu citiren, um die Sache auszumachen.

Erst lange Zeit nachher benahm mir ein ergrauter Krieger unseres Heeres meinen Wahn, als habe ich die Ehre meiner jungen Landsleute auf's Spiel gesetzt.

Der Muth, junger Freund, sagte er, wird selten wie ein Mann geboren, er muß wachsen wie alles, nachdem ihn die Hebamme einer guten Erziehung zur Welt gefördert hat. So ein Taumel und Rausch, der die Burschen blind ins Feuer treibt, macht ihn nicht aus, da giebt es hundert Motive, die alle nicht aushalten: die Brandweinflasche, Gräuel vom Feinde frisch begangen, daß das Herz sich umdreht, Aussicht auf Beute, vielleicht die Furcht selbst. Wer mag das alles herausfinden? Ich habe viele junge Leute commandirt, die bravsten Burschen, die nachher alle was rechts geworden sind, aber sobald die ersten Schüsse losgingen, alle blinzten sie mit den Augen, und duckten unter mit den Köpfen, und das dauert lange bei aller Pflicht, bei aller Bravheit. Furchtlosigkeit und Ruhe muß erlernt werden, und dazu ist eine lange Schule nöthig, denn meine besten Soldaten wurden es erst mit den Vierzigern.

Ich kam auf dieselbe Stelle. Die Erinnerung wurde zur Mahlerin. Was hatte sich seitdem geändert? Die Erde war dieselbe; hier bog sich der Hohlweg um den Felsenvorsprung, die Höhe, selbst der Birkenbaum stand noch — aber wie hatte der Strom der Meinungen sein altes Bett verlassen! Wie Viele hatten um den eine Thräne vergossen, den sie einst wie ich dem Tode opfern wollten, und Hamlets Wort: „Eben die, die ihm Gesichter geschnitten, so lange mein Vater lebte, geben jetzt 20 bis 30, ja 50 Ducaten für sein Portrait in Miniatur," war prophetisch für Frankreich gesprochen.

(Forts. folgt.)

Die Leistungen des Königl. Theaters im Jahre 1826. (Juni).

Da uns der Januar 1827 bisher Muße gönnte, mit Ruhe auf das vergangene Jahr zurückzublicken und weder auf der Königlichen noch Königstädtschen Bühne sich Neues und Außerordentliches auf einander drängt, so werden es die Leser nicht übel aufnehmen, daß wir länger, als wir es anfangs Willens waren, bei dem Rückblick auf die jüngste Vergangenheit verweilen. Wir thun dies mit dem besten Vorbedacht, weil wir durch diese Uebersicht eine Grundlage für fernere Beurtheilungen desjenigen gewinnen, was das gegenwärtige Jahr bringt, und zugleich unsre Leser mit den Mitteln und Absichten der Direktion, mit den Kräften der Schauspieler und dem Sinn, und Geschmack des Publikums bekannt machen können. Wir waren schon drauf und dran, die folgenden Monate sämmtlich an einem Gerichtstage abzufertigen; da fanden wir in unserm Register den Namen der Madame **Neumann**, und dies allein bestimmte uns noch etwas zu verweilen, damit man jenen scherzhaften Reim:

„Jannar, Februar, Merz!
„Du bist mein liebes Herz! —
„Juny, Juli, August:
„Mir ist nichts mehr bewußt." —

nicht etwa auch auf unsere kritischen Monatsberichte anwenden möge, wie sie anderwärts ihre Anwendung gefunden haben. Keinesweges aber sollen diese Reime als Motto das Wiedererscheinen der Mad. Neumann ankündigen, die im Monat Juny, wenn auch nicht gerufen, doch wie gerufen zu uns kam, um uns zum vierten Mal durch ihre heitre Gegenwart zu erfreuen. Unaufgefordert von der Direction kam Mad. Neumann von Leipzig nach Berlin, um, wie die eigne Ankündigung des Herrn Haizinger besagte, sein Concert durch ihren Gesang und ihre Declamation zu unterstützen. Mad. Neumann schien piquirt darüber, daß man sie nicht eingeladen hatte; sie erklärte fest entschlossen zu sein, die Bühne diesmal nicht zu betreten. Hätte man damals schon gewußt, was wir jetzt wissen, daß Madam Neumann Herrn Haizinger die Hand reichen werde, so hätten wir uns freilich ihre Reise nach Berlin anders auslegen müssen, als es damals geschah. Kurz und gut Mad. Neumann reiste nicht gleich den andern Tag wieder fort, sondern blieb drei Wochen und drüber bei uns und versuchte in der Tragödie und im Lustspiel, in der Oper und im Singspiel ihr Glück auf unsrer Bühne. Sie brachte uns diesmal nichts Erhebliches, denn „**die kleine Molly**" die sie nach eigner Wahl sich ausgebeten, war nicht geeignet, die nach der Sonntägigen Belle Allianz dünne gewordnen Reihen der alten Garde wieder zu füllen. Daß Mad. Neumann ein reiches Talent und hinreichende Mittel es auszuüben besitzt, darüber ist niemals ein Zweifel laut geworden; fragt man aber, welchen Gebrauch sie von ihrem Talente macht, so ist hierauf nicht so entschieden günstig zu antworten. Schon bei ihrem ersten Hiersein im Jahre 1821 entging es dem unbefangnen Auge nicht, daß ihre Liebenswürdigkeit auf der Bühne einen kleinen Anflug von affectirtem Wesen hatte; aber was vergiebt man nicht einer schönen, jungen Frau, die in der Gesellschaft noch mehr hinriß, als auf der Bühne. Wäre sie damals in eine gute Schule gekommen und wäre nicht die so genannte gute Gesellschaft, worin ihr mehr noch, als auf der Bühne Weihrauch gestreut wurde, die Schule geworden, worin sie wähnte, ihre Ausbildung zu finden und zu fördern, so hätte sie eine der trefflichsten Künstlerinnen der Deutschen Bühne werden müssen. Hüte sich doch ja eine junge Schauspielerin, die Schmeicheleien, die ihr beim Diner und Souper gesagt werden, mehr auf Rechnung ihrer Kunst, als ihrer Jugend zu stellen und das anzunehmen, was über Tisch gefällt und entzückt; in der That die Theegesellschaften und Mittagsfeten verderben uns die Künstlerinnen weit mehr, als sie das noch so blind eingenommene Publikum verzieht. —

Es war ein gewagtes Unternehmen, hier wo Mad. Stich als Donna Diana uns die Spanierin und in ihr zugleich den allgemeinen Charakter der Weiblichkeit kennen und in ihrer Darstellung bewundern gelehrt hatte, in dieser Rolle aufzutreten; es dürfte so leicht keine andre Künstlerin diese Rolle uns zu Dank spielen. Und was gab uns Mad. Neumann statt der stolzen Spanierin? nicht viel mehr als eine, mit aller conventionellen Manier spröde thuende Kokette der *bonne société*. Daß sie dennoch gefiel, war kein Wunder, denn so etwas gefällt allen, die gern den Schein haben mögen, daß sie auch zur *bonne société* gehören. — Ihre Preciosa war in der That eine Preziöse und das stille, geheimnißvolle Käthchen von Heilbronn eine ihres Wollens und Thuns sehr bewußte und auf Effect hinarbeitende Schauspielerin; das einfache, herzliche Gefühl wurde zur heftigsten Sentimentalität. Aber wenn alles dies mit so schönen Mitteln, mit so reicher geübter Darstellungskunst und einer so reizenden Persönlichkeit geltend gemacht wird, ist es keinesweges zu verwundern, daß die Schauspielerin in- und außerhalb des Theaters ihr Publikum findet. Sind für Wahrheit und echte Kunst ist bei diesen beiden Sorten von Publikum nicht jedermanns Sache und so verbilden Schauspieler und Publikum sich gegenseitig. Nicht unerwähnt darf bleiben, daß auch im Laufe dieses Monats der Geist Shakspeares in Romeo und Julia, im Kaufmann von Venedig und Hamlet über die Bühne ging, was schon genug ist, um einige immer wieder neben ihm aufduckende Pygmäen in ihren Staub zurück zu weisen. Schiller's Maria

Stuart mit anderweiter Besetzung der Elisabeth von Mad. Schrök und der bekannten, trefflichen Darstellung der Maria durch Mad. Stich gewann sich neue Anerkennung. — Ein Versuch mit der Erneuerung des Ifflandschen Stücks: „der Spieler" wollte nicht glücken.

Der Tartüfe von Moliere, der wieder auf die Bühne gebracht worden ist, kann hier den Effect nicht machen, den er in Frankreich macht, wo er fortwährend als Partheistück eben so sehr vergöttert, als verschmäht wird. Auf solche Erscheinungen muß der Deutsche hinsehn, wenn er in Versuchung kommen könnte, das stolze Achselzucken der überrheinischen Nachbarn anders als mit einem gutmüthigen Lächeln zu beantworten. In Frankreich macht der Tartüfe Glück auf dem Theater, weil er dort auch bei Hofe und im Staats-Leben sein Glück macht und es ist wirklich eine sehr kümmerliche Genugthuung diesen Schalk im Theater auszupfeifen, während er in der Deputirtenkammer Gesetze diktirt. Wir haben hier zu Lande nie zu fürchten, daß der Tartüfe jemals *en vogue* kommen wird. —

Besonders reich war der Juny an musikalischen Genüssen. Es war gleichsam ein Carneval im Sommer. Spontinis Alcidor wurde dreimal, sein Cortez zweimal, Nurmahal nur einmal und die Vestalin ebenfalls nur einmal gegeben. Glucks Iphigenia in Tauris und Spohrs Jessenda schlossen sich an; Hr. Wild entzückte durch seinen Gesang und sein Spiel. In Beziehung auf das letztere gab er viel darauf, sich in Talmas Schule ausgebildet zu haben. Für den Helden der Oper wollen wir diese Schule gelten lassen, für den des Deutschen oder Englischen Trauerspiels möchte nicht viel Gewinn dabei zu holen gewesen sein, obwohl wir keinen Anstand nehmen, Talma als den ersten und einzigen tragischen Helden der Französischen Bühne anzuerkennen. Komisch kam es uns vor, daß Hr. Wild einige Bewegungen und Manieren Talmas copirte, als wolle er ihn travestiren; weder mit dem Schütteln der erhobenen Hand noch mit dem auffallend einwärts vorgestreckten Fuße, konnte der übrigens nicht zum Helden ausgestattete Hr. Wild imponiren; aber wir gewannen ihn doch lieb wie keinen.

An neuen Gaben war dieser Monat sehr arm. Der armen Molly ist schon oben gedacht worden; eine zweite Neuigkeit: „Liebe hilft zum Rechte" Lustspiel von Vogel, erschien nur einmal und nachher nicht wieder, denn obgleich die besten Talente unserer Bühne dabei thätig waren, so wollte dieser neue Wirrwar der alten abgedroschenen Intrigue doch Niemand gefallen, ja man konnte nicht einmal daraus klug werden. Das war zu arg: fade und doch unklar! —

Berliner Chronik.

Mittwoch d. 17. Jan. Im Schauspielhause zum ersten Mal: Die Tochter der Luft, mythische Tragödie von E. Raupach. (Nach der Idee des P. Calderon.)

Wir vermuthen, daß auf dem Zettel sich ein Druckfehler eingeschlichen und daß es eigentlich umgekehrt heißen sollte: Die Tochter der Luft, mythische Tragödie von P. Calderon, nach der Idee des Hrn. E. Raupach; denn Hr. Raupach hat von Calderon nichts als den Titel des Stücks genommen und die „Idee," die hier wohl nur in dem Sinne „Einfall" (wie man sagt, ich habe die Idee Krebse zu essen u. s. w.) genommen ist, gehört ganz Hrn. Raupach an. Denn wer hier Idee in dem tiefern Sinne nehmen wollte und den Gedanken, die Poesie Calderons wiederzufinden hofft, der wird auf grausame Weise über seinen Irthum belehrt werden. Hr. Raupach ist mit dieser herrlichen Dichtung des großen Spaniers so umgegangen, als habe er ihn nur benutzen wollen, um einen Operntext daraus zu machen, wobei immer die erste Forderung ist, daß ja kein Fünkchen von Poesie drin bleibe; die Musik und die Sänger sollen dies ersetzen. Diese standen nun zwar Hrn. R. nicht zu Gebote, allein er durfte sich auf eine Schauspielerin, wie Madam Stich verlassen und nur sie allein ist es, die durch ihr treffliches Spiel uns einiger Maaßen wieder mit dem Bearbeiter versöhnt. Während Hr. Rp. mit einer unbegreiflichen Enthaltsamkeit jede Erinnerung an Calderon, jede Stelle, die uns werth ist, gestrichen und der Psyche des Dichters den zarten, farbigen Schimmer von den glänzenden Flügeln gewaltsam abstreifte, hat Mad. Stich in ihrer Darstellung jene Semiramis Calderons wieder aufleben lassen. — Auch die andern beiden Hauptrollen: Ninus von Hrn. Krüger und Menon von Hrn. Rebenstein wurden brav gespielt. Mad. Stich wurde von dem, im Trauerspiel sonst eben nicht sehr händerührigem Publikum, (die Rührung des Herzens läßt es nicht zur Rührung der Hände kommen) fast in jeder Scene applaudirt und am Schluß herausgerufen. Wie bescheiden erschien sie, die wir so eben noch als die unerbittliche, übermüthige stolze Herrscherin gefürchtet hatte. Sie sprach von dem „Beifall des Publikums," als von ihrem höchsten Lohn und von „der Gunst desselben" als ihrem höchsten Ziel. Es war gewiß für manchen wohlthuend, die gestrenge Frau mit einem Mal so sanft und herablassend zu finden. In einem zweiten Artikel gedenken wir ausführlicher zu sein.

(Redigirt von Dr. Fr. Förster und W. Häring (W. Alexis.)

Von diesem Journal erscheinen wöchentlich 5 Blätter (und zwar Montags, Dienstags, Donnerstags, Freitags und Sonnabends) außerdem literarisch-musikalisch-artistische Anzeiger. Der Preis des ganzen Jahrgangs ist 9 Thaler, halbjährlich 5 Thaler. Alle Buchhandlungen des In- und Auslandes, das Königl. Preuß. Post-Zeitungs-Comptoir in Berlin, und die Königl. Sächsische Zeitungs-Expedition in Leipzig nehmen Bestellungen darauf an.

Im Verlage der Schlesingerschen Buch- und Musikhandlung, in Berlin unter den Linden Nr. 34.

Berliner
Conversations-Blatt
für
Poesie, Literatur und Kritik.

Sonnabend, — Nro. 15. — den 20. Januar 1827.

Auch ich war dort.
6.
Amboise.

Die Loire gleitete ruhig mir zur Linken, wie sie vor tausend Jahren floß; kein röthlicher Schein des Bürgerblutes, das sie vor dreißig Jahren getrunken, spielte in ihren Wellen. Die Fata Morgana in mir rief aus fernem Westen die Brücke von Nantes her, ich sah die Noyaden, sah die Kähne mit Unglücklichen, die, in die Mitte des Stroms getrieben, hier auf ein gegebnes Zeichen zerbarsten, damit die am Ufer Stehenden das Schauspiel vollständig hätten, und das Bild des Heros, der dieses über lachende Fluren verbreitete Feuer löschte; der diese Schlachtbänke zerbrach, der die brudermörderische Hand der Tausende aufhielt, wurde immer größer und größer. Gefesselt sah ich ihn über den Ocean fahren, sah ihn verschmachten auf einem Felseneiland, sah sein Grabmal, den einfachen Stein, nur von den Thränen der Treue beuchzt, und aller Groll, so lange gehegt, so wohl begründet, schien entschwunden vor der Größe und dem Unglück.

Das Mittelalter hatte hier die Revolution überdauert, wenn auch nicht im Gedächtniß der Einwohner. Zwischen den Kreidefelsen ragten, wie nur an den Rebenhügeln des Rheins, Ruinen hervor. Hier über den Fluß winkend, dort fern in die Bergschluchten zurücktretend. Ein hoher Thurm fesselte besonders den Blick; je näher ich kam, um so kühner sprang er aus dem Felsen hinauf in die blaue Luft. Niemand wußte Auskunft zu geben. Die Sage ist todt. Auch dies Denkmal der Vorzeit nickte dem Abgrund entgegen. Ein Jahrhundert und auch dieser Riese liegt in Trümmern, von Moos und Nesseln überwachsen; sein Sturz wird zum letzten male die stumpfsinnigen Nachbarn an sein Dasein erinnern.

Immer mehr schlossen sich die Hügel, aus deren Tiefen, von deren Höhen reizende Villen herabblickten, und starre Kalkfelsen traten wie senkrechte Mauerwände an das Ufer. In meinen Gedanken verloren ging ich eine Weile in dieser todten Natur; es begegnete mir Niemand, und die Phantasie, sonst geschäftig Leben zu schaffen, führte das Bild der Leblosigkeit weiter aus. Die schroffen Kreideufer der Ostseeinseln leuchten mir aus dem Meere hervor, ich schaukelte in meinem Fischerkahn entlang den majestätischen Gestaden und verlor mich in meinem Lieblingsbilde. Erstarrte Riesen der Vorzeit, wie die steinernen Rolandssäulen mit Moos überwachsen, daß man die menschliche Gestalt vergißt, so verwittert; von Sturm und Regen abgespült und weiß gewaschen. Keiner der jetzigen Zeit kennt sie, versteht sie. —

Ich kam mir plötzlich so einsam vor, hunderte von Meilen entfernt von der Heimath, ohne befreundetes Wesen um mich, ohne ein Ziel, wo einen Freund finden. Hätte es damals in meiner Macht gestanden, mit einem Druck oder Schlag von den Ufern der Loire an die der Spree mich zu versetzen, ich hätte den dümmsten Streich begangen, der die Früchte einer lang ersehnten, eine lange besprochene Reise vereitelt hätte.

Da erweckte mich aus meinem objectlosen Brüten — auch eine Ruine einer vergangenen großen Zeit, auch so lautlos wie der Thurm, auch so ruhig so starr hinblickend, mit ebenso mächtiger Sprache zum Gefühle redend, eben so weckend den Gedanken, eben solche weite Räume dem stummen Brüten öffnend — aber es war noch etwas Leben von dieser Welt in der Ruine.

Ueber die Kunstausstellung in München.

(Fortsetzung)

„Aber mich dünkt" sagte der Geh. Rath, von Bild zu Bild gehend, „diese Spanischen Sachen hat Hr. v. Heydegger weniger sorgfältig behandelt, fast zu kurz abgefertigt?" „Ja," sagte der Dichter, er hat in der Zeit mit den Türken angesponnen und also über Hals über Kopf mit den Spaniern Friede, wenigstens Waffenstillstand geschlossen; er widmet seine Kriegdienste den bedrängten Griechen." — „Nun, möge er uns von dorther nicht nur sich, sondern auch reiche Türkenbeute, wärs auch nur auf der Leinwand, mitbringen," sagte der Geh. Rath. „Aber hier sind *Genre*-Stücke andrer Art; ist das nicht italienischer Himmel?" „Ja! und ein Schaf-Hüter drunter mit seiner Tochter, sagte der Dichter." „Von Michael Neher.

Recht idyllisch." „Aber nicht idealisch," fiel jener ein. „Nun das, denk ich," sagte der Berliner, „können wir auch von solchen Sachen nicht erwarten, ohne so glücklich zu sein, wie wir vor zwei Jahren in Berlin, wo uns eine Küche „aus der Idee" aufgestellt wurde. Aber im Ernst: der Künstler will uns einen Blick ins Leben und die Natur thun lassen. Giebt er uns also, wie es Hr. Neher in diesem Bilde gethan, in Zeichnung, Farbe, Tracht, Beschäftigung ein treues Bild, so müssen wir ihn sehr loben und seine Kunst bewundern. Trifft seine Wahl vollends einen so heitern Gegenstand, wie hier die kleine Tochter mit ihrem alten Vater, oder zugleich ferne Gegenden und Menschen, so sind wir ihnen doppelt dankbar; dem Einen belebt es die Phantasie, dem Andern, der sich schon in jenen Kreisen bewegte die Erinnerung."

— Bei diesen Worten, Verehrtester, fühlte ich innerlich ein Wohlbehagen mich durchdringen, denn so viel sah ich schon, daß ich mit meinen Berichten an Sie nichts anders bezwecken wollte, als ein ähnliches *Genre*-Stück der hiesigen Ausstellung liefern. Aber hören Sie, was der Dichter sprach:

„Sie sind meines Erachtens hinlänglich mit der Poesie vertraut. Denken Sie sich, daß Einer in die Schenke, auf den Markt, in die Fischerhütte und wo wir sonst hin gehen, die Reden der Leute, die er da fände, wie sie sind mit aller Gemeinheit der Sitte und Sprache, mit allen anhängenden Lumpen und Schmutzflecken auftischen und uns Interesse daran zumuthen wollte: was würden wir denn sagen, und wenn sein Konterfei noch so treu und volltönig wär? Schweig still, würden wir sagen. Mehr, als uns lieb ist, hören wir das aller Orten." Aber Shakspeare — sagte der Geh. Rath — „Shakspeare, richtig, der löst uns den Knoten. Kein Winkel der Natur muß dem Künstler verborgen bleiben, aber er soll uns nicht seine Studien als Kunstwerke, die Mittel statt der Zwecke auftischen, wie etwa auch hier Herr

Kraus

mit seiner Prügelei auf dem Bockkeller, wovor uns Gott behüte, zumal, da über der ganzen seriosen Scene kein Humor, kein Funke von Humor schwebt. Unterordnen muß sich das Untergeordnete, und Dienen als Glied einem Ganzen historischer Darstellung. Da ist es hergekommen, dahin muß es zurück. Die spätern Niederländer konnten aus ihren großen Vorgängern nur noch die Episoden lesen, nahmen Hintergründe, und Nebenfiguren und staffirten sie als eigne Bilder aus. Das ist aber Verdorbenheit der Kunst, Grundverdorbenheit, und nicht besser, als wenn man Schneidermamsells und Consorten auf die Bühne bringt — es sei denn an ihrem Orte, wie sie im Leben auch stehen. Da sehen Sie hier von Herrn Neher, recht brav gemacht, eine Collection italienischer Waschweiber; ja was soll man vor so einem Bilde noch anders denken, als danken dem Himmel, daß wenigstens die Sprache dieser Natürlichkeit versagt ist."

„Sie gehen offenbar zu weit," sagte der Geheimerath, „und nehmen uns mit dieser Ansicht manches Vergnügen vor den Augen weg: was sollten wir mit den Blumen- und Thiermalern anfangen, mit dem Stillleben, wo es doch nur auf hübsche Zusammenstellung und treue Nachahmung ankommt. Und sehen Sie hier weiter diesen kleinen Abbate, ist er nicht allerliebst, voller Leben und Interesse, man verfolgt den Jungen gleich durch sein ganzes Leben, — recht eigentlich ein Idyll." — dabei, verehrter Freund, muß ich Ihnen erzählen, daß wir vor einem Bild des Herrn

Weller

aus Mannheim standen, das uns vorstellt, wie eine

Mutter ihr Söhnchen, das in der Schule den Preis erhalten, zur Großmama führt, die es mit ausgestreckten Armen empfängt. Sie sitzt vor der Thür auf einem Schemel, eine Katze benutzt ihren Schooß zu gleichem Zweck und sieht Einen mit einer Art Klapperschlangenblick an; und was selbst mich ansprach, der kleine Bursch von etwa 8 Jahren — die ganze Scene spielt in Italien — gekleidet in Schwarz, wie ein Alter im Frack, kurzen Hosen, seidnen Strümpfen, den dreieckten Hut auf seinem kleinen aber dicken Kopf, in dem sich schon der ganze zukünftige geistliche Stand in voller Gemüthlichkeit aussprach. So glückselig sah er sich nach den Leuten um, die ihn betrachteten und hielt uns seine Preismedaille zur Schau hin. Im Hintergrunde sahen wir noch einen Kupuziner stehen, der einen andern Knaben die Vorzüge unsers kleinen Helden auseinander und als Vorbild zu setzen schien. —

„Sie gaben mir," sagte indeß der Dichter zum Geh. Rath, „selbst den Schlüssel zu meiner Ansicht. Ein Idyll. Ich stimme ganz mit Ihnen überein. Hier belebt ein Gedanke die ganze Scene, man sieht, **warum** die Leute neben einander sitzen, der Zufall ist nicht des Künstlers Meister, eine Klippe, woran, unsern Peter Heß ausgenommen, fast alle unsre Genremaler leiden. Eine Composition soll nicht um ihrer bloßen Form da sein; es wird ewig nichts sein, als ein lebendiger Mensch, ohne Leben, d. h. Seele. Sobald der Künstler uns einen Abriß des Lebens, eine Scene, sei sie häuslich, ländlich, kirchlich, freundlich oder feindlich, geben will, so soll er dafür sorgen, daß man das Abgerissene nicht bemerke, hinter dem Rahmen muß das Leben weitergehen und vorscheinen, und was da ist, muß durch den Gedanken, d. h. durch einen Gedanken zum Ganzen zusammengefaßt sein. Lassen Sie Einen mit aller Genauigkeit und allen Umständen der Wirklichkeit etwa die Hochzeit eines Dorfschulmeisters mit einer Bauerntochter beschreiben — er kann uns momentan reizen, zumal wenn die Liese schön ist, aber was der Auffassung des Lebens seinen künstlerischen Werth giebt, das lehrt uns Jean Paul mit seinem Schulmeister Wuz und andern, und Andere. Darum gefällt mir die ganze Richtung unsrer Genremaler nicht. Ich anerkenne ihr Gutes und ihre Fertigkeiten, im Ganzen aber gelten Goethes Worte von ihnen: Sie haben die Theile in ihrer Hand, fehlt leider aber das geistige Band! Herr Weller scheint durchaus mir auf richtigem Wege zu sein; auch hier bei seiner Kartenschlägerin, wo er aber unbeschadet der Wahrheit die junge besorgnißvolle Dame dem Modejournale etwas hätte entrücken können — (Sie war ganz modern gekleidet —) aber in seinem dritten Bilde hier — er zeigte auf einen Pilger, der sich eins einschenken läßt vor einer Wirthhausthür — streift er schon wieder an den leeren Genre, an das bloße Nachmachen des zufällig Vorhandnen."

Berliner Chronik.

Die Leistungen des Königl. Theaters im Jahre 1826. (Juli)

Aus dem Monat Juli ist zuförderst der Erscheinung der **Französischen Warschauer Gesellschaft** zu gedenken. Ihre Vorstellungen wurden wenig besucht, fast immer spielten sie vor einem leeren Hause, aber die kleine Zahl ihrer Besucher machte einen großen Lärm von der Vortrefflichkeit dieser Leistungen. — Wir gehören allerdings zu denen, die dem Französischen Lustspiel und den Französischen Comödianten, eben weil sie nichts weiter sind und nichts weiter sein wollen, als Comödianten, den Vorrang vor den unsern in jeder Hinsicht zugestehn, auch halten wir, die wir Jahrhunderte hindurch, unserer Nationalität unbeschadet, eine Französische Colonie unter uns sahn, das Erscheinen einer Französischen Truppe durchaus für eben so unverfänglich in Beziehung auf den Patriotismus unserer Bürger, als die Duldung der Juden in Beziehung auf die Kirche. Vielmehr könnte ein Französisches Theater in Berlin auf die hiesigen Deutschen Bühnen nur vortheilhaft wirken, da man dann die Pariser Stücke lieber in dem Original, als in der durch mittelmäßige Uebersetzungen und Bearbeitungen oft verzeichneten Copie wird sehn wollen, wodurch die Deutschen Theater gezwungen werden, für Originaldichtungen zu sorgen. — Bei allen diesen, dem Französischen Theater günstigen Dispositionen von unserer Seite, können wir dennoch einige Bemerkungen, die mehr feindselig klingen, nicht zurückhalten. Man hörte diese Warschauer Truppe unsern Schauspielern empfehlen, damit sie von ihnen Kunst, und unserm Publikum, damit es guten Geschmack bei ihnen lerne. Aber alles Rühmliche, was sich mit Grund sagen ließ, war, daß sie ihre Rollen mit geübter Fertigkeit, Sicherheit und der, allen gebildeten Franzosen eigenthümlichen Lebhaftigkeit und Gewandtheit spielten. Unbedenklich muß man auch an ihnen das rasche Ineinandergreifen rühmen und in so fern sich daraus dasjenige ergiebt, was man *Ensemble* nennt, kann man auch dieses ihnen nicht absprechen. Aber in einem solchen beschränkten Sinne ist doch ein *Ensemble* nicht das Höchste, und der Zweck der mimischen Darstellung nicht darin zu setzen, daß mit äußerer ineinandergreifender Fertigkeit ein Stück gespielt werde. Ein solches *Ensemble* ist durch fleißige Uebung auch der dürftigsten Mittel, ja selbst dem, nur einer äußeren Beweglichkeit fähigem, der innern Kunsttiefe fast ganz ermangelndem Subjecte zu erreichen möglich. Und wehe! der Deutschen Bühne, wenn sie kein anders Ziel, als die Erlangung eines solchen *Ensemble* vor Augen hätte, und wohl ihr! wenn ihr kein strengerer Vorwurf, als der Mangel eines solchen *Ensemble* gemacht werden könnte. Denn das muß doch ein jeder einräumen, daß die großen an Personen und Karakteren reichen Shakspeareschen, Schillerschen und Goetheschen Dramen an die Darsteller ganz andere Anforderungen machen und für die Aufführung eine ganz andere Aufgabe sind, als die aus fünf bis sechs Personen (unter denen meistens nur zwei oder drei eine Bedeutung haben) zusammengesetzten Französischen Stücke. Freilich ist ein gutes *Ensemble*, nicht ein nur äußerlich zusammengewürfeltes, auch bei unsern großen Dramen eine wünschenswerthe Sache; aber daß ein solches nicht durch bloße Uebung und überhaupt nicht so wohlfeil, als das uns nur zu oft angerühmte Französische zu erlangen ist, wird nur dieser Bemerkung und keines weiteren Beweises bedürfen. Hiermit sei abgethan, was unsere Chronik über die Französische Gesellschaft zu sagen hat und nun nichts mehr davon.

Als Gast sahn wir im Juli Hrn. Marr vom Hannöverschen Theater bei uns. Als König Philipp in Don Carlos war das richtige Erfassen des Ganzen und meistens auch eine gelungene Ausführung, als Franz Moor in den Räubern beides im besten Einklange zu rühmen. Auch im Lustspiel zeigte er eine echt komische Ader mit diskreter und gemäßigter Carrikatur. Er ist ein Schauspieler, auf den jede Bühne, der es um tüchtige Subjecte zu thun ist, ihr Augenmerk richten darf. Ein zweiter Gastspieler war Hr. Maurer, früher Mitglied der hiesigen Bühne, gegenwärtig in Stuttgart, wo er Eslair ersetzen soll!

Interessant wurde der Juli durch die Wiederkehr des lang entbehrten Wolffschen Ehepaars. Sie traten beide zum ersten Mal auf in Herrmann und Dorothea in der Rolle der beiden Alten, die sie mit so treuer Kunst- und Natur-Wahrheit geben; sie wurden von dem überfüllten Hause mit lautem Jubel empfangen, der hier zugleich der Ausdruck der Freude war, den ersten Liebling der Bühne in so frischem Wohlsein wieder begrüßen zu können. Daß Herrn Wolff's Gesundheit wieder hergestellt war, hatte er noch mehr Gelegenheit in dem bald darauf von ihm dargestellten Isidor in Isidor und Olga zu bewähren, in welchem Stücke Mad. Stich zum letzten Mal vor ihrer Kunstreise auftrat und dem Publikum durch eine höchstgelungene Darstellung eine schöne Erinnerung zurückließ.

Nur Ein neues Stück brachte der Juli: das Majorat, nach einer bekannten Hoffmannschen Erzählung von Hrn. Vogel bearbeitet. Es ist dies ein verzerrtes, gräulhaftes Product, das selbst durch die großartige Darstellung Devrients, besonders im Gesichts- und Gebehrden-Ausdruck, keinen Beifall für sich zu gewinnen vermochte. Der Eindruck war zu widermärtig. — Ein ehemals gern gesehenes und gehörtes Singspiel, Raul von Crequi, das lange geruht hatte, wurde wieder vorgenommen und gefiel durch die leichte, liebliche Musik. —

Der südliche Riese.
(Ein Räthsel.)

Ich ward geboren einst auf grünen Matten,
In einem lieblichen, gepriesnen Land,
In zarten Myrthen und Orangen-Schatten,
An eines Stromes blumenreichem Strand.
Aus sieben Pfühlen ist des Lagers Bette
Und sieben Führer bildeten den Sinn.
Still flossen auf der abgeschiednen Stätte
Die Jahre meiner Kindheit mir dahin.
Als freier Jüngling sucht' ich die Gefahren,
Ich blickte kühn aus meinem Thal hervor,
Durch hunderte von kriegbewegten Jahren
Wuchs ich zum größten Riesen bald empor.
Aus Lorbeer, der die Heldenstirn umkränzte
Erblühete ein Kleeblatt, was ich zog,
Zwei Blätter welkten doch das Dritte glänzte
Als Diadem, und meine Macht war hoch.
Denn Krieg und Frieden konnt' allein ich geben.
Entfernte Völker waren unterthan,
Es blickte zu mir auf die Welt mit Beben,
Es küßte meinen Fuß der Ocean.
Doch in dem Greis von mehr als tausend Jahren
Schwand endlich auch des Lebens frische Kraft
War nicht mehr kühn und männlich in Gefahren,
War schwach durch innern Kampf und Leidenschaft.
Doch kämpfend sank ich endlich nur darnieder,
Mein Schwert zerbrach an einem Eichenspeer.
Der starke Nord zerstückte meine Glieder,
Und ich als schwacher Süd erstand nicht mehr.
Geehrter Leser, Du wirst mich erkennen,
Siehst Du den Schatten, sei entfernt vom Spott!
Mit Ehrfurcht bin ich vorwärts stets zu nennen,
Und rückwärts bin ich selbst ein Gott.

Roma. — Amor. Fr. O.

(Redigirt von Dr. Fr. Förster und W. Häring (W. Alexis.)

Von diesem Journal erscheinen wöchentlich 5 Blätter (und zwar Montags, Dienstags, Donnerstags, Freitags und Sonnabends) außerdem literarisch-musikalisch-artistische Anzeiger. Der Preis des ganzen Jahrgangs ist 9 Thaler, halbjährlich 5 Thaler. Alle Buchhandlungen des In- und Auslandes, das Königl. Preuß. Post-Zeitungs-Comptoir in Berlin, und die Königl. Sächsische Zeitungs-Expedition in Leipzig nehmen Bestellungen darauf an.

Im Verlage der Schlesingerschen Buch- und Musikhandlung, in Berlin unter den Linden Nr. 34.

Berliner Conversations-Blatt für Poesie, Literatur und Kritik.

Montag, — Nro. 16. — den 22. Januar 1827.

Goethes Urtheil über Calderons Tochter der Luft.

Bevor wir noch einmal auf dies, leider! in sehr verkümmerter Gestalt auf die Bühne gebrachte Stück zurückkommen, wollen wir zuvörderst als Einleitung zu unserem zweitem Berichte ein Urtheil unsers Dichters mittheilen; nicht als wollten wir auf alle diese Worte des Meisters schwören, wohl aber, um gleich den Gesichtspunkt festzustellen, von welchem Calderons Bühnenspiele und insbesondere das in Rede stehende zu betrachten sind.

Die Tochter der Luft.

De nugis hominum seria veritas
Uno volvitur assere.

Und gewiß, wenn irgend ein Verlauf menschlicher Thorheiten hohen Stoffs über Theaterbretter hervorgeführt werden sollte, so möchte genanntes Drama wohl den Preis davon tragen.

Zwar lassen wir uns oft von den Vorzügen eines Kunstwerks dergestalt hinreißen, daß wir das letzte Vortreffliche, was uns entgegen tritt, für das allerbeste halten und erklären; doch kann dies niemals zum Schaden gereichen: denn wir betrachten ein solches Erzeugniß liebevoll um desto näher und suchen seine Verdienste zu entwickeln, damit unser Urtheil gerechtfertigt werde. Deshalb nehme ich auch keinen Anstand zu bekennen, daß ich in der Tochter der Luft mehr als jemals Calderons großes Talent bewundert, seinen hohen Geist und klaren Verstand verehrt habe. Hierbei darf man denn nicht verkennen, daß der Gegenstand vorzüglicher ist, als ein anderer seiner Stücke, indem die Fabel sich ganz rein menschlich erweist, und ihr nicht mehr Dämonisches zugetheilt ist, als nöthig war, damit das Außerordentliche, Ueberschwengliche des Menschlichen sich desto leichter entfalte und bewege. Anfang und Ende nur sind wunderbar, alles Uebrige läuft seinen natürlichen Weg fort.

Was nun von diesem Stücke zu sagen wäre, gilt von allen unseres Dichters. Eigentliche Naturanschauung verleiht es keinesweges; er ist vielmehr durchaus theatralisch, ja bretterhaft; was wir Illusion heißen, besonders eine solche, die Rührung erregt, davon treffen wir keine Spur; der Plan liegt klar vor dem Verstand, die Scenen folgen nothwendig, mit einer Art von Balletschritt, welche kunstgemäß wohlthut und auf die Technik unserer neuesten komischen Oper hindeutet; die innern Hauptmotive sind immer dieselben: Widerstreit der Pflichten, Leidenschaften, Bedingnisse, aus dem Gegensatz der Charaktere, aus den jedesmaligen Verhältnissen abgeleitet.

Die Haupthandlung geht ihren großen poetischen Gang, die Zwischen-Scenen, welche menuetartig in zierlichen Figuren sich bewegen, sind rhethorisch, dialectisch, sophistisch. Alle Elemente der Menschheit werden erschöpft, und so fehlt auch zuletzt der Narr nicht, dessen hausbackener Verstand, wenn irgend eine Täuschung auf Antheil und Neigung Anspruch machen sollte, sie alsobald, wo nicht gar schon im Voraus, zu zerstören droht.

Nun gesteht man bei einigem Nachdenken, daß

menschliche Zustände, Gefühle, Ereignisse in ursprünglicher Natürlichkeit sich nicht in dieser Art auf's Theater bringen lassen, sie müssen schon verarbeitet, zubereitet, sublimirt seyn; und so finden wir sie auch hier; der Dichter steht an der Schwelle der Ueberkultur, er giebt eine Quintessenz der Menschheit.

Shakspeare reicht uns im Gegentheil die volle reife Traube vom Stock; wir mögen sie nun beliebig Beere für Beere genießen, sie auspressen, keltern, als Most, als gegohrnen Wein kosten oder schlürfen, auf jede Weise sind wir erquickt. Bei Calderon dagegen ist dem Zuschauer, dessen Wahl und Wollen nichts überlassen; wir empfangen abgezogenen, höchst ratificirten Weingeist, mit manchen Specereyen geschärft, mit Süßigkeiten gemildert; wir müssen den Trank einnehmen, wie es ist, als schmackhaftes köstliches Reizmittel, oder ihn abweisen.

Warum wir aber die Tochter der Luft so gar hoch stellen dürfen, ist schon angedeutet: sie wird begünstigt durch den vorzüglichen Gegenstand. Denn leider! sieht man in mehreren Stücken Calderons den hoch- und freisinnigen Mann genöthigt, düsteren Wahn zu fröhnen und dem Unverstand eine Kunst-Vernunft zu verleihen, weßhalb wir denn mit dem Dichter selbst in widerwärtigen Zwiespalt gerathen, da der Stoff beleidigt, indeß die Behandlung entzückt; wie dies der Fall mit der Andacht zum Kreuze, der Aurora von Copacavannah gar wohl sein möchte.

Bei dieser Gelegenheit bekennen wir öffentlich, was wir schon oft im Stillen ausgesprochen: Es sei für den größten Lebensvortheil, welchen Shakspeare genoß, zu achten, daß er als Protestant geboren und erzogen worden. Ueberall erscheint er als Mensch, mit Menschlichem vollkommen vertraut, Wahn und Aberglauben sieht er unter sich und spielt nur damit, außerirdische Wesen nöthigt er, seinem Unternehmen zu dienen; tragische Gespenster, possenhafte Kobolde beruft er zu seinem Zwecke, in welchem sich zuletzt alles reinigt, ohne daß der Dichter jemals die Verlegenheit fühlte, das Absurde vergöttern zu müssen, der allertraurigste Fall, in welchem der seiner Vernunft sich bewußte Mensch gerathen kann.

Wir kehren zur Tochter der Luft zurück und fügen noch hinzu: Wenn wir uns nun in einem so abgelegenen Zustand, ohne das Locale zu kennen, ohne die Sprache zu verstehn, unmittelbar versetzen, in eine fremde Literatur, ohne vorläufige historische Untersuchungen bequem hineinblicken, uns den Geschmack einer gewissen Zeit, Sinn und Geist eines Volks, an einem Beispiel vergegenwärtigen können, wem sind wir dafür Dank schuldig? Doch, wohl dem Uebersetzen, der lebenslänglich sein Talent, fleißig bemüht, für uns verwendet hat. Diesen herzlichen Dank wollen wir Herrn *Dr.* Gries diesmal schuldig darbringen; er verleiht uns eine Gabe, deren Werth überschwenglich ist, eine Gabe, bei der man sich aller Vergleichung gern enthält, weil sie uns durch Klarheit alsobald anzieht, durch Anmuth gewinnt und durch vollkommene Uebereinstimmung aller Theile uns überzeugt, daß es nicht anders hätte sein können noch sollen.

Ueber die Kunstausstellung in München.

„Aber, mein Gott! sagte darauf der Geh. Rath, was fangen Sie denn auf diese Weise mit den Landschaftsmalern an?" „Am liebsten," sagte er, „würde ich sie zum Tempel hinausjagen, wenn auch nicht zu weit weg, damit Sie mich nicht für einen partiellen Bilderstürmer ansehen: sie taugen eben doch, um die Natur in die Stube zu führen und mancher Mann hat Freude dran. Aber mir sind immer überall Menschen lieber, als Bäume und Felsen; die sollen nur der Grund sein, der jene hervorhebt, wie die Wolken das Fußgestell für den Himmel mit seinen Heiligen ist. Könnte es nicht eben so gut Einem einfallen, uns statt einer Land- eine Wolkenschaft zu geben?" „Ich bin ganz und gar Ihrer Meinung, Lieber, sagte der Geh. Rath; aber die Natur mit der ihr eignen Schönheit war und wird doch ewig reizend für den Menschen und für künstlerische Darstellung bleiben. Wer geht nicht hin und wieder gern ein Mal spazieren, wer macht nicht gern eine Reise in schöne Gegenden? und wenn uns der Künstler nun im Geiste dahin versetzt, wo wir in der Wirklichkeit gern wären, sagen Sie selbst, ist das so ganz ohne? Wie führt uns hier Hr. v. Dorner in einen Mühlengrund, dort Hr. v. Wagenbauer auf Gebirgshöhen! Haben Sie denn keine Freude daran?" „Ins Einzelne geh ich nicht gern ein, sagte der Dichter darauf, hier zumal, wo es Leute von Ruf gilt, sonst würd' ich sagen: dem ersten fehle es an Saft im Mittel- an Saft und Kraft im Vorgrunde, das zweite aber sei ein besseres Abbild der Fertigkeit des Künstlers als der Natur. Aber ganz abgesehen davon — belebt denn ein Interesse diese Landschaften? Am Ende hat doch jedwedes Ding sein eigenthümliches Leben und wenigstens das will ich, wie vom Portraitmaler, nicht das Gesicht allein, sondern auch das Leben dessen, dem's angehört. Sie kennen Friedrich: ist er auch oft zuweit gegangen, und hat er auch Glaube, Liebe und Hoffnung in die Luft geschrieben und an die Berge gemalt, ich meine, hat er auch zuweilen der Natur eine Sprache in den Mund gelegt, die sie nicht spricht, so hat er doch einmal mit Geisterarmen drein gegriffen und den Geist erfaßt, der die Natur um uns her belebt. Alles Wechselnde in der großen Ruhe um uns spricht eine Sprache vernehmlich für den, der Ohren hat zu hören; ja jene Ruhe selbst, sei sie friedlich erheiternd, erhaben ergreifend, ist weder stumm noch todt. Aber sehen Sie hier rings um, das fehlt Alles; die Herren haben's genommen, wie's gekommen und wie sie's gekonnt; vielleicht diese beiden kleinen Tafeln von Heinzmann ausgenommen: der scheint mir wirklich die Augen aufgethan zu haben. Der Morgenduft auf der Alpe, schöne Einsamkeit, freundliche Ferne; Geschmack in der Wahl und Wahrheit der Darstellung. Wer einmal Vergangenheit und Zukunft, das eigentliche Feld der Dichtung aufgiebt, wer die Gegenwart ergreifen will, der muß bedenken, daß sie ein schillerndes Gewand trägt, dem die Zukunft das Licht, die Vergangenheit den Schatten giebt; aber die Mitteltinten für sich sind trüb. Im Wandelbaren das Dauernde soll er ergreifen, doch so, daß ihr das Gepräge des Wandelbaren nicht genommen wird." —

Mir schien das Alles ziemlich einleuchtend, nur sah ich, daß auf diese Weise von den 580 Nummern wenige bleiben würden zum wahren Ergötzen.

Mein Geheimerath war indeß wieder zu seiner Frau getreten, die die ganze Zeit über vor einer Kirche gestanden, so andächtig, als wär sie drin. Es war die Kathedrale von Rheims, gemalt von

D. Quaglio.

„Himmlisch! sagte die Dame zu ihrem Herrn, himmlisch!" „Wir haben noch kürzlich, fuhr der Geh. Rath fort, den Dom in Regensburg gesehen, und es ist mir lieb, darin die Probe dieses Bildes zu haben. Allerdings gleicht der Eindruck, den jenes Gebäude in der Wirklichkeit auf uns gemacht, dem des Gemäldes, hier in vielem, es tritt uns deutlich das Erhabne dieses großen Bauwerkes vor die Sinne." —

Beide Herren waren über die Vortrefflichkeit dieses Bildes einverstanden, rühmten Färbung, leichte Behandlung, das Fesselnde, was für Jedermann drin läge und ich war schon seelenfroh; endlich vor einem Bilde angekommen zu sein, das mir gefallen durfte. Aber mein Herr Dichter konnt' es doch nicht lassen und sagte: „Könnte doch ganz anders genommen werden! Es ist dieß doch nur eine Art Spiegelbild, *Genre*, wie gesagt. Der Geist des Künstlers schwebte nicht über und in der Erhabenheit der alten Baukunst; kurz, Herr Quaglio, hat diese Hymne nicht vorgetragen, wie es Schinkel gethan haben würde. In die Form ist er wohl eingedrungen, nicht in den Geist, gesehen hat er, aber nicht empfunden. Wie hatt' er uns auch die Erbärmlichkeit des Lebens in diesen modernen Männerchen und der Reihe weißer Mädchen gegen dieß Riesenwerk stellen können! Mit Abend- oder Morgendämmerung, oder mit sonst einer passenden Begleitung möcht' ich solch Loblied des Herrn am liebsten haben."

Da hier eine Pause eintrat, während welcher die Augen noch auf den benachbarten Wänden herumliefen, aber keine andre Nachricht mitbrachten, als Dante's Worte aus des Dichters Munde: *non ragionam di lor; ma guarda et passa*, worüber ich wirklich erschrak, weil es Werke von Professoren, von genannten Männern galt — so war ich des Dinges wirklich müde und ging schon der Thüre zu, als ich noch einmal meinen Berliner vernahm:

„Ein netter Lucas v. Leyden in Copia! — und doch nicht! von

J. B. Kirner,

der gewiß achtbare und wohlhäbige Statthalter von Schopfheim aus Hebels Allemannischen Gedichten. Brav! recht brav! recht im Sinne des Dichters. Aber wart! welche Scene ist denn das? Aha! des Friedel seine Buben beim Uhli, wie sie á Würstli wollen. Sie schrecken recht zurück, wie der Alte aus seinem Armstuhl sie anläßt, mit: Dunderschieß! was hender, was wender! Nur mein' ich, könnte der Uhli gefährlicher aussehen, daß man ihm die neun Moß und's Schöpli auch anmerkte. Aber die Anordnung des Ganzen, die Bauernstube, Tisch und Bänke gefällt mir sehr; auch macht sich's gut, wie die Beleuchtung von der Lampe ausgeht, die dem Alten neben dem Weinkrug steht. Ich möchte aber wissen, ob Hr. Kirner absichtlich oder zufällig seinem Bildchen den Ton eines alten Gemäldes gegeben? Kennen Sie ihn?" „O ja! sagte der Dichter, es ist ein Zögling der Akademie, und verspricht auch übrigens viel!" „So lassen Sie ihn viel halten." Dieß waren die Worte des Geh. Raths, die ich noch im Herausgehen vernahm, worauf ich an Augen und Ohren müde, das Weite suchte. Nun aber bitte ich Sie, mich ja nicht zu fragen, welches Bild mir am besten gefallen und warum ich nirgend in Feuer gerathen. Morgen hoffe ich mehr zu sehn und mehr zu erzählen. —

Berliner Chronik.

Die Leistungen des Königl. Theaters im Jahre 1826. (August).

Aus dem Monat August müssen wir zuvörderst der Feier des Geburtstages Sr. Majestät des Königs erwähnen. Im Opernhause wurde diesmal keine neue Oper zu diesem Feste gegeben, sondern Spontinis Vestalin, auf deren Alter die irdische Flamme wohl erlöschen kann, aber nicht die himmlische Flamme der Kunst, die der Componist ihr anzündete. — In Charlottenburg wurde zum 3ten August ein neues Stück von Friedrich Kind, „Das Nachtlager in Granada" gegeben und nachher auf der Bühne des Königlichen Schauspielhauses in Berlin wiederholt. So trefflich das Stück versifizirt ist und in einzelnen Momenten Effect machte, so konnte es doch wegen Mangel an dramatischem Interesse sich nicht auf dem Repertoir halten. — Ein zweites neues Geschenk war die Oper „*La Dame blanche*," Musik von Boyldieu, die hier, wie man sagt, aus Respect vor der weißen Frau, die in unsern Schlössern ihr Theater aufgeschlagen hat, die Dame von Avenel genannt wurde. Beiläufig gesagt, so haben beide Damen nichts miteinander gemein; denn während die Berlinerin eine Matrone ist, so ist die von Avenel eine junge, angenehme zum Geschlecht der Undinen gehörige Fee. Einzelne Parthien der Musik machten eine höchst gefällige Wirkung, aber das Ganze, obgleich die Fabel recht interessant und auch zweckmäßig behandelt ist, machte nicht den erwarteten Effect. Die Ursache davon wurde uns demnächst durch die Aufführung dieses Singspiels auf der Königstädtischen Bühne nur zu begreiflich. Es hatte diesmal Dem. Sontag den Sieg davon getragen und zwar nicht blos durch die Leichtigkeit und den Reiz des Gesanges, sondern durch ihr anmuthiges, lebendiges Spiel und durch Gewandtheit, Fleiß und Deutlichkeit in dem recitirenden Vortrag.

In diesem Monat sahn wir die berühmte tragische Schauspielerin, Mad. Schröder von Wien wieder bei uns. Trotz des großen Rufes, der auch diesmal vor ihr herzog, fand sie bei ihrem ersten Auftreten als Sappho das Haus leer. Schon die Wahl der meisten Rollen, in welchen Mad. Schröder auftrat, machte nicht nur die Kunstfreunde, sondern sogar das hiesige Publikum scheu gegen ihre Leistungen und gegen die Richtung, die sie seit ihrem letzten Hiersein im Jahre 1820 genommen. Dreimal trat sie in Grillparzers Medea auf, die wir durch sie kennen lernten; andere Hauptrollen waren Maria Czarewna in Raupachs Fürsten Chavansky, als Mutter in Houwalds Fluch und Segen. Nichts ist verletzender, als wenn die Grazien nicht nur ausgeblieben, sondern an ihrer Stelle die Furien eingezogen sind und als eingefleischte Teufel sich in der wildesten Verzerrung zeigen. In Darstellung des Schrecklichen, in der Aeußerung der ungeheuersten Kraft thut es unsers Wissens keine andere Schauspielerin der Mad. Schröder gleich, aber wenn dies auf Kosten der Weiblichkeit und Schönheit — auch die Furien wurden von den Griechen schön gebildet — und mit Gefahr einem Anfluge von Gemeinheit nicht ganz zu entgehen geschieht, dann können wir nur noch mit Bedauern sehn, auf welchen Abwegen sich ein großes Talent verirren kann. Auch in Lady Macbeth war es nur auf das Gräßliche abgesehn, und so konnten eine Maria Stuart und Fürstin Isabella nicht auf zarte Behandlung Anspruch machen. Wenn wir von anderen Künstlerinnen erlebten, wie sie durch das Publikum und die so genannte gute Gesellschaft verdorben worden sind, so müssen wir von Mad. Schröder sagen, daß sie durch die Dichter auf Abwege geführt wurde. Nur Eine Bemerkung erlauben wir uns noch. Allgemein lobt man die Virtuosität der Mad. Schröder, allein eben diese ihre Virtuosität in sichrer, fester Behandlung ihres außerordentlichen physischen Vermögens, ist es die ihr nur eine beschränkte Stelle in der höheren Tragödie anweist und die vieljährige, gleichmäßige Kunstausübung innerhalb dieses geschlossenen Kreises, muß nothwendig der Künstlerin eine schroffe Abgeschlossenheit geben. Aehnliches bemerkt man an den ersten Französischen tragischen Schauspielern und Schauspielerinnen, die sich gleichfalls nur in einem engen Kreise bestimmter Rollen und Fächer bewegen, in welchen sie freilich eine gerühmte Virtuosität erlangen, was aber doch immer noch sehr fern von wahrhafter Ausbildung und Genialität sein kann. —

Eine Gastsängerin, Mad. Marschner, die uns in diesem Monat besuchte, hat einen kleinen behenden Körper, aber neben einer Milder, Seidler und Sontag konnte sie kein Glück machen.

(Redigirt von Dr. Fr. Förster und W. Häring (W. Alexis.)

Von diesem Journal erscheinen wöchentlich 5 Blätter (und zwar Montags, Dienstags, Donnerstags, Freitags und Sonnabends) außerdem literarisch-musikalisch-artistische Anzeiger. Der Preis des ganzen Jahrgangs ist 9 Thaler, halbjährlich 5 Thaler. Alle Buchhandlungen des In- und Auslandes, das Königl. Preuß. Post-Zeitungs-Comptoir in Berlin, und die Königl. Sächsische Zeitungs-Expedition in Leipzig nehmen Bestellungen darauf an.

Im Verlage der Schlesingerschen Buch- und Musikhandlung, in Berlin unter den Linden Nr. 34.

Berliner

Conversations-Blatt

für

Poesie, Literatur und Kritik.

Dienstag, — Nro. 17. — den 23. Januar 1827.

Auch ich war dort.

7.

Der stumme Bettler.

Der Franzose, dem wir so oft die wahre Poesie abgesprochen, jene, die in einer tiefern Gemüthswelt, in einer ahnungsvollen Anschauung der Natur und ihrer Wunder Nahrung sucht, hat neuerdings diese Poesie gefunden. Es sind nicht die verpfuschten Versuche, sogenannte Deutsche Romantik nach Frankreich zu verpflanzen — die neuen Kunstgärtner haben nur die bizarren Ausschmückungen unserer Gärten copirt — es ist nicht Alphons von Lamartine, — nur einzelne Ahnungsschauer überkamen diesen, er hörte nur das ferne Rollen des Donners, das fruchtreiche Gewitter gehört nicht für Frankreichs leichten Boden — Horace Vernet ist der erste Dichter, der einen Boden gefunden, wo die Poesie tiefere Wurzeln schlägt.

In der großen Zeit, die für Frankreich vorübergegangen, hat ein furchtbares Gewitter seine Schauer entladen auf den Boden, wo sonst nur Leichtfertigkeit wurzelte, es hat ihn geschwängert für eine Saat, die tiefere Wurzeln schlägt. Wo die Kronen der höchsten Bäume in den Stürmen knickten, sollte da nicht auch das leichteste Gemüth ergriffen werden? Die Revolution ging vorüber ohne daß Dichter und Geschichtschreiber erstanden, der Blutdampf betäubte noch zu sehr, die Gährung war zu furchtbar, alte und neue Stoffe entwickelten noch zu vieles Gift. Da entstieg aus dem höllischen Gebräu der gigantische Heros; mit gewaltigem Arme verscheuchte er die Dunst- und Nebelgespenster — es wurde klar, licht — aber die Stoffe, die Wärme und Leben entwikkeln, waren verbraucht, alles blieb kalt, es mußte ein Götze geschaffen werden, wo der lebendige Gott fehlte. Ruhm und Ehre waren es, an deren neu errichteten Altären der Franzose opferte. Auch der Heros sank, aber zu groß, zu sichtbar Allen hatte er dagestanden, als daß sein Gedächtniß nicht sein Dasein überstrahlen sollte. Die Zeit reinigt und adelt; noch mehr das Unglück. Steigt sein Bild selbst für die, welche unter seiner fürchterlichen Geißel bluteten, immer verklärter aus den Wolken trüber Erinnerung, um wie viel glänzender leuchtet es denen, die unter ihm siegten, und in ihm die Glorie des Vaterlandes verehrten!

Ein heiliger Schmerz macht die Franzosen zu Dichtern. Solcher Dichter, die keine Verse schreiben, und doch die erhebendsten Elegieen dichten, gehen zu tausenden durch das Land. Sie klopfen nicht an die Thüren, sie sprechen nicht, sie blicken nur ernst vor sich nieder, aber wer sie sieht, versteht sie. Horace Vernet hat ihre Klagen niedergeschrieben. Sehen wir seine alten Krieger, von Narben und Lumpen bedeckt am Wege sitzen, — sie strecken keine Hand aus, sie blicken nur feierlich vor sich hin, ihr Auge dringt durch die Erde bis in die Gräber ihrer gefallenen Siegsgefährten, die Adler der Legionen, die Fahnen der Völker liegen da unvermodert vor ihrem Blicke — wir lesen ohne Unterschrift, was der Veteran denkt, wir verstehen den Maler, der (wie selten bei dem Franzosen!) zum Dichter wurde.

So saß er auf einem Steine vor mir, sein Auge

folgte dem Flusse, das Gesicht war ruhig, als habe er eben die Ueberzeugung gewonnen, daß die Welle, die dem Ocean zuströmt, nie wieder zurückkehrt. Aus dem zerrissenen Mantel blickte die sorgsamer erhaltene Uniform, das Ehrenzeichen seines Kaisers schmückte die Brust, er war ein Bettler und doch ein König.

Ich rief alles in mir auf, mein Herz zu stählen: Wie viel deiner Landsleute sind unter seinem Arm gefallen! Wie mag er gewüthet haben gegen die Wehrlosen! Des Bauern Brod warf er seinem Pferde vor, die beste Kost, die je der arme Wirth an Feiertagen sich bereitete, schleuderte er zum Fenster hinaus, er schlug die Scheiben ein, er trieb die Hungrigen hinaus in die Kälte. Aus Uebermuth stampfte er den kleinen Blumengarten ein, trieb sein Pferd in die volle Scheune, die schreiende Dirne riß er fort aus den Armen der Aeltern und zündete den Speicher über des Bauern Kopf an. Gewiß, er gehörte zu den Frechsten, denn alle waren gleich freche Barbaren. Die Adlernase, der große Mund, die dichten Braunen, die tiefen Furchen alter Leidenschaften sprechen deutlich: er machte keine Ausnahme!

Vergebens. Ein Gefühl, das ich nicht Mitleid nennen mochte, weil es von zu großen Erinnerungen geheiligt war, herrschte vor. Die Leidenschaften hatten ausgewüthet bei ihm, warum nicht auch bei mir? Die Wunden im Vaterlande, die seine Brüder schlugen, sind geheilt, eine bessere Zeit ist für uns gekommen. Für diesen greisen Krieger nicht. Ihm glänzte kein Morgenroth mehr, sein Arm war schwach, seine Stimme heiser; kaum vor Verfolgung geschützt, mit dem äußersten Mangel kämpfend, hatte er aus der ganzen Zeit nichts gerettet, als die Erinnerung. Der Morgenwind in seinen weißen Locken schien mir die Melodie anzustimmen: *Soldat, te souviens tu?*

Ich wischte eine Thräne aus dem Auge, als der Hund des Veteran anschlug. Er mochte denken, weil ich, von fern stehen bleibend, so lange auf seinen Herrn geblickt, ich hege einen Anschlag gegen dessen Sicherheit.

Der Greis sah auf. Ich ging vorüber. Ich grüßte, er grüßte wieder.

Es war ein Bettler, aber er streckte die Hand nicht aus, er öffnete nicht die Lippen, er lüftete die Mütze unter seinem *Salut Monsieur*! wie vor einem Gleichen und sein Blick war so, daß ich mich schämte in die Tasche zu greifen.

Und doch schämte ich mich nach drei Schritten, daß ich mich geschämt hatte.

Noch zu rechter Zeit. Der Weg war nicht zu fehlen, aber ich kehrte um und fragte, ob ich auch den richtigen nach Tours eingeschlagen?

Er hob sich auf, und beschrieb mir mit Französischer Artigkeit, wie ich der Nase lang grade zugehn müsse. Ich hörte mit eben solcher Aufmerksamkeit zu, und dankte. Er versicherte, es bedürfe keines Dankes. Und damit wäre das Gespräch wieder aus gewesen und ich hätte meinen Franken in der Tasche für den ersten Bettler behalten, der dreister war.

Hätte doch der Mann etwas zu handeln gehabt! Ich dachte an „Schwamm und Feuersteine" vor dem Brandenburger Thore, aber er hatte nichts als seine Narben. Feuersteine lagen ringsum zum beliebigen Gebrauch.

Bei uns werden die Veteranen der Armee, sagte ich, beschäftigt, Steine zu den Waffen zu suchen, für die ihr Arm zu schwach geworden.

Er lächelte mich an mit prüfendem Blick, als wolle er lesen, ob ich zu den Aushorchern gehöre?

In diesen Kalkgebirgen, fuhr ich fort, giebt es viele Dendriten; Ihr solltet sie auffammeln und den Freunden der Naturgeschichte zum Kauf anbieten. Seht hier dicht bei Euch, liegt ein kostbarer Muschelabdruck, wenn Ihr ihn nicht für Jemand Besseres aufbewahrt, so bin ich der Käufer —

Er verstand mich, doch ein plötzliches Roth fuhr über sein gelbgraues Gesicht.

Nein Monsieur! rief er heftig, besann sich aber sogleich wieder. Das Sonst und Jetzt durchzuckte ihn, indem er mit gedämpfter Stimme fortfuhr. — Sie verzeihen, mein Herr, wenn ich mich niedersetze, mein rechter Fuß wird schwach. Es haben Viele aus unserer Zeit den Handelsstand mit den Waffen vertauscht — sah ich doch selbst zwei Obersten, die mit Ehren grau geworden, hinter einem Ladentisch Chocolade schenken — allein Viele können den Gedanken nicht aushalten. Wen noch die alten Wunden brennen, wer in Aegypten mit gedurstet hat und noch den Blick weidet an den Tagen der ersten Glorie, den schaudert beim Anblick von Gewicht und Elle.

Er rührte unwillkührlich an die große Narbe, die unter Aug' und Nase das Gesicht spaltete. Er kam mir so bekannt vor. Wär' er es auch nicht — woran sollte ich ihn, er mich wieder erkennen? — ich machte ihn in dem Augenblicke zu dem Chasseur von Amboise, und ein wohlthätiges Gefühl durchzuckte mich. Ich drückte ihm die Hand und setzte mich neben ihm nieder.

Viele können das, fuhr er fort, die für die Besten galten. Warum nicht? Tapfer ist jeder Franzose, und auf den großen Schlachtfeldern, wo Alle für Einen standen, galt keine Auswahl. Mit dem Glücke stürmten sie uns haufenweis zu, da ward nicht mehr geprüft, die alte Schule war geschlossen und neben dem Braven focht der Schurke. Wer mochte ihnen in's Herz sehen, ob um Beute, Ruhm, oder den Feldherrn? Die Alten wurden auch wohl vergessen über dem Gesindel, das lauter redete. So lange das Glück uns günstig war, ging es — nachher nicht mehr. — Aber, mein Herr, wer mit ihm über den Gotthard stieg, mit ihm wadete in Africa's Sande, aus seinem Blicke Stärkung saugend, wenn Durst und Hitze niederwarfen, wer mit ihm blutete in den ersten großen Schlachten für den Ruhm des Vaterlandes, in jenen schönen Tagen, als ganz Europa auf den jungen Helden blickte, als jeder Franzos glaubte, es ströme ein frisches Blut in seinen Adern — wer da lebte, mitlebte und mitsiegte — der kann's nicht. . .

Die Augen des Siebzigers strahlten Jugendfeuer aus.

Auf dem Gotthard mit ihm, bei Marengo, am Nil, bei St. Acre, und . . .

Was ich weiter sagen wollte, las er in meinen Blicken.

Und drauf bin ich stolz! erwiederte der Veteran, den Mantel aufknöpfend, seine verschlossene Montur zu zeigen. Ehemals freilich schmerzte es mich oft, es kostete manche schlaflose Nacht, manchesmal rannte ich in Sturm und Wetter dem Glück zu fluchen. Ich war guter Eltern Kind und wie das ganze Frankreich setzte ich auch mein Alles dran, um Alles zu gewinnen. Er kannte mich wohl, er hatte aus meiner Flasche getrunken, mir oft zugelacht, und doch, schwächliche Cameraden kamen zu hohen Ehren, sie hatten nicht mehr gethan, nicht reinere Liebe für ihn, als ich, aber — das Glück läßt sich nicht zwingen, und heute freue ich mich, daß ich nie mehr geworden, als Soldat, denn nun kann ich um so freier meine Stimme erheben, wenn es gilt den größten Mann preisen, der je Frankreichs Söhne zum Siege führte. Es wirft mir Niemand vor, er hatte mich dafür bezahlt.

Nun floß sein beredter Mund zum Lobe der Feldherrntalente des Kaisers, seiner Liebe und Vorsorge für die Soldaten, des Glückes, das Frankreich unter ihm genossen; Verwünschungen folgten auf die Undankbarkeit, auf das höfische Gesindel, auf die Beamten, denen es nur um einen Herrn zu thun war, vor dem sie kriechen konnten. Ich hörte Hamlet vor der Mutter, die beiden Bildnisse von dem Sonst und Jetzt in der Hand, die fürchterlichen Strafworte ausstoßen: Frankreich war die Mutter:

„*Look here upon this picture, and on this;*
The counterfeit presentment of two brothers
See, what a grace was seated on this brow.
Hyperion's curl's, the front of Jove himself;
An eye like Mars, to threaten and command;
A station like the herold Mercury,
New-lighted on a heaven-kissing hill:
A combination and a form, indeed,
Where every god did seem to set his seal,
To give the world assurauce of a man:
This WAS your husband —
Look you now, what follows:
Here IS your husband; like a mildew'd ear,
Blasting his wholesome brother. Have you eyes?
Could you on this fair mountain leave to feed
And batten on this moor? Ha! have you eyes!“

Der *was* und *is* — sie waren beide von einem parteiischen Maler gezeichnet. So schön und rein war auch Hamlets Vater nicht, und doch redet Hamlet wahr, denn dem Sohne muß der Vater so erscheinen, und was den neuen König — von Dänemark betrifft, mein Gott, so beweist uns ja Tiek, daß weit mehr an ihm ist, als wir Alle glaubten.

Der „jetzige Däne“ bedurfte nicht mehr der Dienste solcher Veteranen, die auf nichts pochen konnten, als Narben und Treue gegen den vorigen Herrn. Wer Marschall gewesen, auf Gold und Silber von ausgeschriebenen Contributionen ruhte und über weite Landstrecken gebot, hatte ein Recht auf die neue Huld. Wer kümmerte sich aber nach Alexanders Tode um den alten Macedonier, der, so arm wie er ausgegangen, nur an Narben und Jahren reicher, nach der Heimath hinkte? Das Morgenland mit seinen goldnen Schätzen war für alle ein schöner Traum gewesen.

Hier hatte er sich noch einmal die Täuschung bitterer zu machen, wiederholt. — Mein Veteran war jauchzend dem bei Frejus landenden Feldherrn entgegen geeilt, er hatte ihn auf dem Triumphzuge bis Paris begleitet, um, als die hundert Tage vorbei waren, zum zweiten Male zu erwachen. Wie wenig freundlicher Worte hätte es den Bourbons gekostet, die alten Legionen zu gewinnen; sie hatten nicht gelernt vergessen. Ich war selbst, kurz ehe ich Frankreich verließ, Zeuge, wie ein junger Prinz, den seitdem die Nemesis im Gewande des scheußlichsten Meuchelmords blutig ereilt, vor der Fronte dieser Veteranen sie schalt, wie es kein ergrauter Marschall des Kaisers gewagt hätte. Der junge Mann tummelte vor Männern sein Roß, die an der Berezina nicht geschaudert, als wäre er der Sieger von Marengo. Wie Mauern standen die graubärtigen Helden, und hie und da stahl sich eine Thräne vor, indessen die Zähne knirschten.

Aber ihre Zeit war vorüber; ihre Sonne war unter. Nun schleichen sie in der Dämmrung umher, hie und da an den gastlichen Heerd geladen, bis sie den Rand ihres Grabes finden. Ob ihnen darüber hinaus ein Morgenroth glänzt? Wenn all ihr Licht nur hinter ihnen liegt, um so lauter spricht uns das Mitleiden für die Hülflosen an.

Wie habt Ihr Euch, Vater, in diese öde Gegend verloren? Findet Ihr keine Hütte zum Ausruhn?

Drüben, wies er, kochen die guten Winzer, bei denen ich wohne, mir das Mittagessen.

Drüben, rief ich, in dem starren Kalkfelsen?

Aber wie erstaunte ich, ein lustiger Rauch wirbelte aus einem dieser Kalkfelsen in die heitere Luft. Noch eine, drei, vier, die ganze Felsenwand hinunter Rauchsäulen. Künstliche Schornsteine, die oben weit aus den Felsen herausragten. Als ich vorhin das Bild der Einsamkeit ausmalte, hatte ich übersehn, daß in die meisten dieser Felsen Wohnungen eingehauen sind. Aus den kleinen Fenstern blickte hier ein artiges Frauengesicht, dort ein ehrwürdiger Alter. Auch die Vegetation deutete gar nicht auf Einsamkeit . . . Weinreben und Feigenbäume erheben sich bis an die Dächer und in den bunten Gärtchen zwischen den Kalkhäusern und den in ihren Schluchten versteckten Bretterhütten blühten Tuberosen und Caprifolium so frisch auch der Herbstmorgen war und hochstämmige Monatrosen schossen aus dem Grün in die Höhe.

Es sind gute Leute, fuhr er fort und der kleine Pierre rudert mich alle Morgen bei heiterem Wetter herüber und holt mich wieder ab. Es ward nicht allen so gut, die, wie ich, alles verloren haben — Freunde, Verwandte. —

Ich fragte ihn, ob das Bild auf dem Napoleon, den ich aus der Tasche zog, dem großen Todten gleiche?

Er küßte es und sagte, vollkommen, nur das Auge von damals könne keiner, der nicht mit ihm gelebt, wiedergeben.

So bat ich ihn, das Bild als Andenken an ihn — an mich und diese Stunde zu behalten. Schnell drückte ich ihm die Hand und wollte fort. Er aber rief mich zurück. Schon glaubte ich aus seiner Bewegung, ich hätte ihn aufs neue beleidigt, denn über und über roth, riß er etwas aus der Busentasche.

Monsieur! rief er. Die Stunde wird mir unvergeßlich bleiben, auch ohne dieses Zeichen der Erinnerung. Es thut einem alten Krieger wohl, auch aus dem Munde der Fremden, denen er nur wehe gethan, für ihn Bewunderung zu hören. Lassen Sie uns tauschen, Monsieur. Ermattet und erschöpft lag er einmal unter einem Palmbaum, die Mittagshitze brannte furchtbar. Ein Aegyptisch Weib brachte ihm eine Hand voll Datteln. Da sah er mich, auf dem Karabiner gelehnt, stehen, daß mir der Schweiß von der Stirn lief, und die Zunge lechzend zum Munde heraushing. Er rief mir zu und schenkte mir zwei. Die Eine habe ich durch Glück und Unglück, über Meer und Berge bis nach Moskau getragen, und als ich alles verkaufte, behielt ich die Dattel aus seiner Hand. Doch — ich bin siebzig Jahr — wer weiß, in welche Hände sie fällt? Nehmen Sie, Monsieur, es ist ein Heiligthum, ich brauche es Ihnen nicht anzuempfehlen.

Wir schüttelten die Hände, weiter war da nichts zu reden, nichts zu thun. Es war ein Abschied für die Ewigkeit, und ich zog mit der gehüteten Dattel meines Weges.

Dreißig Schritt davon blickte ich mich bei einer Uferwindung zum letzten Male um. Er stand und schwenkte die Mütze. *Vive l'empereur!* hallte es mir dreimal nach, und, ich glaube, der Alte hätte sich glücklich geschätzt, wären Gensd'armes in dem Augenblick aus den Felswänden vorgetreten, daß er ein Märtyrer geworden seines Muthes.

Nun kam es mir nicht mehr einsam vor.

Berliner Chronik.

Königliche Oper vom Sonntag den 21. Januar: Dido von Klein.

Wir sind dem Herrn General-Musik-Direktor Spontini vielen Dank schuldig, daß er diese Oper eines mit großartigem Talente begabten jüngeren Meisters, die seit dem October 1823 ruhte, wieder ins Leben gerufen hat. In verjüngter, ja wir müssen sagen in jugendlicher Schönheit erschien Mad. Milder in dieser Rolle; ihr Spiel hatte so grandiös-classische Momente, daß wir solche Stellungen in Marmor und Erz befestigt wünschten, um sie neben der Pallas von Velletri und der Niobe von Florenz aufzustellen und ihr Gesang konnte um so mehr alle Kraft entwickeln, da Dido für sie von einem Künstler componirt wurde, der ihre Stimme verstand. Mad. Schulz und Hr. Bader verdienen eine ehrenvoller Erwähnung.

Das Publikum war sehr gewählt — nur der erste Rang fast ganz — leer! Dem ersten Akte würde eine Abkürzung gut thun. —

(Redigirt von Dr. Fr. Förster und W. Häring (W. Alexis.)

Im Verlage der Schlesingerschen Buch- und Musikhandlung, in Berlin unter den Linden Nr. 34.

Berliner Conversations-Blatt

für

Poesie, Literatur und Kritik.

Donnerstag, — Nro. 18. — den 25. Januar 1827.

Auch ich war dort.

8.

Tours.

Ist eine alte Stadt an der Loire, die Brücke darüber hat vierzehn Bogen und gewährt einen imposanter Anblick, der Telegraph ist auf dem Stadthause, die alte Kathedrale . . . .

Himmel! das steht ja in jeder Geographie.

Weiter weiß ich auch nichts von Tours, denn auf der Brücke, und im Caffee, im Hause und auf der Straße, wenn ich in der dunkeln Cathedrale die bunten Fenster oder im hellen Theater die Actricen ansah, ich stieß auf Engländer. Hier zog ich den Hut vor dem Crucifix beim Leichenzuge — und die Wittwe dankte dem Fremden und Protestanten für die Artigkeit — hinterdrein sah ich dem feisten Schlächter zu, wie er lachend dem Schweine die Borsten auf offener Straße absengte (woraus beiläufig die Schlußfolge, daß man sie in Frankreich nicht zu nutzen weiß) aber was half es mir, denn neben mir zogen eben so wie ich, drei Engländer vor der Leiche den Hut, und die Wittwe dankte ihnen eben so gut als mir und der Schlächter sengte die Borsten so gut vor den Engländern als vor mir, und lachte vor ihnen und mir — das halte ein anderer aus.

Darum ging ich auf mein Zimmer, und lernte dort viel bequemer in meinem Itineraire die Merkwürdigkeiten kennen — ein vortreffliches Buch, denn da stand wenigstens noch gar nichts von Engländern, die jetzt wie Heuschrecken Tours und Touraine bedecken. Alle um zu sparen! — Das ist ein Geschnatter von *How do you do?* Und das Fenster darf man nicht öffnen, will man nicht die weißen Jagd-Spencer über den schwarzen Fracks, die Stiefletten, die Jockeimützen, die tiefen und kleinen Hüte sehen, alles im bunten Gewimmel. Die armen Tourainischen Hasen und Rebhühner, denn die ganze Jagd ist Englisch! Man will auch Englische Füchse dahin verschreiben . . .

Dies nicht mehr zu erleben, setzte ich mich noch in der Nacht in eine *voiture a pompe*, in die weite Welt steuernd, das heißt, nach irgend einem Ort, wo ich auf eine der Diligencen stoße, welche in grader Richtung von Paris nach Lyon führen. Ich nämlich war in eine ganz schiefe gerathen.

Tours hat doch auch sein gutes. Ausser dem berühmten Gregor von Tours, der aber nicht mehr lebt, verdanke ich der Stadt die Befreiung von meinem Reisegefährten. Denn als ich am Morgen in der Messagerie nach meinen Sachen sah, — beiläufig gesagt in der prachtvollsten Wagenremise, denn es war eine Gothische Kirche — hing ein langes Bein über meinem Koffer, dem ein zweites folgte, alsdann ein Kopf und ein langer Körper, und das Ganze war ein Engländer und zwar der Engländer mit der Laternenpfahlphysiognomie. Er hatte in Tours seine Tour beendet.

Dido, das Publikum u. s. w.

Wir kennen die Leute von gutem Ton!
Nicht nur um jede Haupt- und Staats-Action,
Nicht nur um Gaslaternen, Lotteriegewinnste,

Sie kümmern sich auch um die schönen Künste.
So fand ich den muntersten *Cercle* beisammen,
Die feinsten Herren, die schönsten Damen.
Ich kam spät aus der Oper eben,
Wo man die Dido von Klein gegeben.
Hatt' mich von Herzen daran erfreut,
Dachte so für mich: Der macht es brav und gescheut,
Läßt die andern auf ihre Weise klimpern,
Will aber die Kunst nicht mit verstümpern,
Läßt sich in keine Manieren ein,
Sein Kunstwerk soll kein Kunststück sein;
Hat mit Fleiß das Recitativ gesetzt,
Die Stimmen nicht mit Laufereien abgehetzt;
Läßt das Gefühl aus vollem Herzen schalten,
Weiß mit großen Mitteln hauszuhalten;
Giebt nicht so was Apartes für schöne Geister,
Hält sich zur Schule bewährter Meister,
Bringt keine leichte Modewaare,
Arbeitet für länger als zwei, drei Jahre;
Kurzum, die Oper hat guten Styl,
Das war es, warum sie mir gefiel.
Und weiter mußt' ich mir gestehn:
Nie sah ich die Milder so groß, so schön,
Wenn sie bekennt: ich liebe dich,
Galt's mir auch nicht, wie traf es mich!
Und wenn sie vor Schmerz das Haupt verhüllt,
Welch klassisch edles Marmorbild! — —
Von dem, was ich so bei mir gedacht,
Hat ich eins und das andere angebracht,
Hatte ganz bescheiden und still gethan,
Da kam ich nicht zum besten an.
Der Eine sprach: ich bin davon geblieben,
Dido ist nicht für die Sontag geschrieben,
Der andre: vor Langweil hält man's nicht aus;
In Mailand ist jede Loge ein Kaffeehaus,
Und wen das Recitativ verdrießt,
Trinkt Thee, oder spielt eine Partie Whist.
Ein dritter sprach: mit dem geht halb die Kunst zurück,
Der bringt uns wieder zu Händel und Gluck.
So schalten sie auf den Componisten,
Als ob sie's alle besser wüßten;
Die andern, die hiervon nichts verstanden,
Hielten sich meist an den General-Intendanten;
Meinten: er müsse bei den Dekorationen
Einer neuen Oper nicht knapsen und schonen,
Müsse mehr Mannschaft lassen aufmarschiren,
Die Cavallerie nicht zu Fuße exerciren.
Auch klagten sie: es gäb' im ganzen Gedichte,
Nichts Reelles aus der Naturgeschichte,
Und mit den Mohren thät er auch so klamm,
Als gäb' es keine Jungens auf dem Mühlendamm.
So schwatzten sie fort, ich ward ganz stumm:
Ich dachte: da haben wir das liebe Publikum,
Und die Recensenten mit dazu,
Ich lies sie sitzen in guter Ruh,
Mit solchen Herrn ist nicht zu spaßen,
Drum zog ich weiter meiner Straßen.
Vorüber kam ich am hellen Haus,
Bekannte Stimmen riefen heraus,
Sie riefen heraus, sie riefen herein,
Da fand ich ein gutes Gewächs vom Rhein,
Wir freuten uns der schönen Spenden,
Die der Rheingau und die Musen senden,
Es klangen die Gläser, wir stimmten ein:
Hoch lebe unser Bernhard Klein!

F. F.

Ueber die Kunstausstellung in München.

Mittwoch, den 8ten November.

Ich könnte Ihnen nun freilich erzählen; warum ich nicht Wort gehalten und gestern geschrieben; allein es führte mich zu weit und ich berichte blos, daß ich zufällig(?) mit den lieben Berlinern in Großhesselohe zusammengetroffen, daß wir uns sehr angenehm, selbst über die Kunstausstellung und den Dichter unterhalten und uns für heut auf die Ausstellung beschieden haben. Meine Schuld war's nicht, daß sie nicht da waren.

Ich trat wieder in den Saal ein, den ich gestern durchwandert, theils, weil die Thür offen stand, theils weil mich der Geh. Rath auf ein Bild von

Robert

aufmerksam gemacht, welches ich ganz u. gar übersehen. Ich fand schon viel Leute davor: Eine Mutter sitzt im Freien auf einem Stein, und hält einen kranken (?) Knaben von etwa 10 Jahren im Schooß, der den Kopf an ihre Brust lehnt. Das Stück spielt in Italien. —

„Robert schlägt doch alle die Andern zu Boden, sagte ein junger Mann (wahrscheinlich ein Maler) zu seinem Nachbar von etwas älterem Aussehn. Wenn wir einmal den Genre gelten lassen, so hat keiner die Gluth der Farbe, keiner so den Charakter des Südens in Landschaft und Menschen erfaßt. Dabei der Ausdruck von Frömmigkeit im großen, aufgeschlossenen Auge der Mutter. Und wie ist's gemacht! Da ist keine Sorge und kein Suchen mehr; rein stehen die Farben da und mit sicherer Hand aufgetragen: es ist doch gemalt! Ueberdieß geht eine Harmonie durchs Ganze, die man nur selten und vorübergehend in der Natur antrifft, und die doch anzeigt, daß Robert mehr, als bloßer Genre-Maler ist. Auch die Gewänder sind nicht von jener gemeinen Zufälligkeit, wie sie die Natur giebt, sondern bei aller Natur auch gewählt und schön."

„Sahen Sie schon mehr von ihm?" fragte der Andre. „Nein," war die Antwort. „Schade! sagte der Andre drauf. Er hat schöne Sachen geliefert, vorzüglich haben seine Räuberscenen viel Aufsehn erregt. Er hat damit den Ton angegeben, der noch in tausendfachem Echo in Rom wiederklingt, wo Alle Künstlerattelliers, vorzüglich die der Franzosen eben so voll Räuber stecken, wie ehedem die Abruzzen oder die Straße nach Neapel; so daß die armen Teufel trotz ihrer Bekehrung ihrem Schicksal nicht entgehen können — aufgehängt zu werden. Das Beste in der Art mag wohl jetzt Schnetz geben; wenigstens verlor Robert sehr neben diesem in Paris, wo ich viel und größre Arbeiten beider Künstler nebeneinander sah. — „Was mag er mit diesem Bilde hier bezeichnen wollen?" frug Jener. „Vielleicht, sagte der Gereiste, ist er mit der Zeit und den Räubern fortgegangen und hat hier eine seiner schönen Banditenbräute als Bußfertige in ihrer Mitleid erweckenden Bekehrung dargestellt; wenigstens spricht der arme Bube dieß an. — Uebrigens stimme ich mit Ihnen überein, finde auch die Zeichnung recht tüchtig, aber mit der Fleischfärbung scheint mirs doch zu hinken. Wahrheit kann ich diesem matten Glanz nicht zusprechen, der höchstens auf geschwollenen Gesichtern und geglätteten Wachsbüsten vorkommt. Er geht in Landschaft und Gewändern tiefer als im menschlichen Colorit. Indeß, Sie haben Recht, es ist das Beste von der ganzen Ausstellung!"

So sah ich mich denn unverhofft am Ziel und wundre mich nun über zweierlei, einmal, daß ich nicht viel begeisterter war, und zweitens, daß ich weiter ging. —

Eben, als ich im Begriff war, ins Nebenzimmer zu wandern, vertraten mir zwei geputzte Damen den Weg, nicht nur, daß sie vor mir hinein, sondern auch wieder herausguckten, mit den Worten: „da ist ja gar nichts drin!" Sie meinten, nichts Gemaltes. — Da ich aber Menschen innen und andre, wie die beiden Maler eingehn sah, gesellte ich mich zu ihnen. Da gab's denn nichts als Zeichnungen und Cartons. Ueber allen oben schwebten in Kränzen, gleichsam selber ein Kranz, allerliebste Kinderchen, alle freundlich und dickbackig, gezeichnet vom Herrn Prof.

Robert v. Langer.

Ich wandte mich gleich an den Einen der beiden Künstler mit der Frage: Nicht wahr? die sind schön? „Ja, schön schraffirt," sagte er, und hätt' ich nur was verstanden, hätt' ich vielleicht ihn verstanden. Mir aber lag an der Bedeutung und Bestimmung jener Sachen und recht zur Zeit mischte sich ein Fremder in unser Gespräch, und erzählte, daß jene Amoretten bereits in einem Sommer-Wohnhaus *al fresco* ausgeführt seien und also die Bestimmung hätten, zur Erheitrung des Zimmers und der Menschen darin beizutragen. So, sagte er, nimmt man Musik, leichte, am besten moderne, in die Abendunterhaltungen, man spricht dabei fort, die Pausen und die Sinne sind angenehm ausgefüllt und man läuft nebenher nie Gefahr, daß Einen große Gedanken mit sich fortreißen. Wie jene springenden Töne, hüpfen diese Kinder ohne Ziel und Zweck in die Welt hinein und verlangen darin keine andre Stellung, als — Stellungen. Dasselbe ist der Fall mit dieser kleinen Zeichnung hier vom seel. Vater des Herrn Professor

Dir. v. Langer

es ist Orpheus mit den Argonauten. Wollte man da die Anforderungen machen, daß uns die Bedeutung jener Fahrt dramatisch oder symbolisch vorgeführt werden sollte, so würde man die Absicht des Seligen ganz verkennen. Hier gilt es schöne, ja gewaltige Attitüden; vielleicht auch den Ausdruck von Leidenschaft, erregt durch Orpheus Lied" — „Ja ein Lied zum Stein-Erweichen, und zum Stein-Weichen," fiel unberufen der junge Künstler wieder ein, „ein Eis- und Eisen-Berg wär vor diesem Zug zurückgewichen, wie ich," und damit zog er ab. Mein vernünftiger Freund aber sah ihm ernsthaft über die Schulter nach und sagte: „Jugendübermuth! Was kann da herauskommen? Im obern Saale, Lieber, treffen wir uns vielleicht wieder vor einem kleinen Bildchen des seligen Langer, das soll Ihnen gefallen." Da mir aber der Mann ganz aussah wie ein Zeitungsschreiber oder Recensent, und wie ein vernünftiger, der gewiß Alles genau kannte, bat ich ihn sehr zu bleiben, was er auch gern that; obschon er mich und so mir auch Sie, verehrter Freund, auf seine bereits gedruckte Recension verwies, worin ich die beste Nachweisung finden würde.

Berliner Chronik.

Die Leistungen des Königl. Theaters im Jahre 1826. (Sept. Octb.)

Im Monat September sahen wir zwei neue Lustspiele: „die Verwechslungen" nach dem Französischen des Picard von Lebrun bearbeitet und die beiden Nachtwächter von Raupach. Das letztere nahm der Verfasser selbst nach der ersten Vorstellung zurück, weil die Idee, die er bei der Ausarbeitung gehabt, eine gewisse Gattung des Niedrig-Komischen, wie es sich im gemeinen Leben findet, auf der Bühne vorzuführen ihm verunglückte. Einem Witz kann kein größeres Unglück begegnen, als wenn er nicht verstanden wird; dies war das Schicksal dieses Lustspiels. Ob der Dichter, oder das Publikum mehr Schuld hatte, ob jener zu klug, dieses zu — blöde war, konnte nicht ermittelt werden, da das Stück nicht wieder gegeben worden ist. — Das zuerst genannte Lustspiel: „die Verwechslungen" ist dasselbe, welches Schiller unter dem Titel „der Onkel als Neffe" bearbeitet hat. Es ist kaum zu begreifen, wie Hr. Lebrün und die Direktion das Dasein der Schillerschen Uebersetzung haben ignoriren können. Die alte, bekannte Intrigue belustigte ein Paarmaal, dann verschwand das Stück wieder. —

Wie in dem Winter der Carneval, im Frühling der Wollmarkt, so übt in dem September das jährliche Herbstmanoeuver einen günstigen Einfluß auf das Theater aus. Eine beträchtliche Anzahl Truppen ist dann um und in Berlin versammelt, aus allen Garnisonen des Reichs können die Offiziere Urlaub erhalten und die Intendanz sorgt dann dafür, daß den willkommnen Gästen das Beste, was wir an großen Opern und Ballets, an Trauer- und Lustspielen vermögen, gegeben wird. Da jene Herbstübungen außerdem noch viele Fremde nach Berlin ziehn, so sind die Theater immer gefüllt.

October.

Im Monat Oktober feierte die Königliche Bühne den Geburtstag des Kronprinzen K. H. in dem Schauspielhause auf die würdigste Weise durch eine höchstgelungene Darstellung der Iphigenia von Goethe, die ein volles Haus und eine begeisterte Aufnahme fand. Nicht nur um des Publikums Willen, und um dies nicht ganz unter Hunden, Affen und Teufelsspuk zu Grunde gehn zu lassen, sondern mehr noch, um der Schauspieler Willen sollten die Bühnen-Direktionen dafür Sorge tragen, daß jährlich an gewählten Festtagen classische Stücke, die sonst wenig besucht werden, gegeben würden, damit sich bei dem Theater die Tradition einer guten Schule, wie wir sie so glücklich sind durch Wolff's zu besitzen, weiter vererbe. Denn frägt man jetzt eine junge Schauspielerin, oder einen jungen Schauspieler, bei wem er seine Schule durchzumachen gedenke? so wird er uns schwerlich genügende Antwort geben können. — Im Opernhause ward an jenem Festtage die Oper Palmira von Salieri neueinstudirt gegeben, die jedoch kein geneigtes Gehör fand.

Madam Stich kehrte von ihrer Kunstreise zurück; es war die Wiederkehr der Melpomene. Sie wurde bei ihrem ersten Wiederauftreten als Maria Stuart mit dem lebhaftesten Ausdruck der Freude begrüßt.

Otto von Wittelsbach, dieses vor mehr als vierzig Jahren fast Epoche machende Ritterstück erschien neueinstudirt auf der Bühne; es machte keine Wirkung (?) denn Hr. Rebenstein ist viel zu gutmüthig zu einem solchen Bramarbas. — Neueinstudirt erschien ferner das alte Lustspiel „Kamäleon"; der Erfolg war nicht glänzend.

Der Erscheinung der Pantomime „Der goldne Schlüssel" muß freilich pflichtmäßig Erwähnung geschehn, aber stolz ist wohl die Bühne nicht auf diese Bereicherung geworden.

Außerdem kamen abermals zwei kleine Stücke aus der bekannten Französischen Fabrik auf die Bühne: „Herr von Ich" und „Die Mäntel oder der Schneider von Lissabon." Es ist von beiden nichts Schlimmeres und nichts Besseres, als von all den andern, die von dorther kommen, zu sagen.

Anecdote.

Der Reisende W. Johnstone hat sich bekanntlich lange unter den Nordamerikanischen Wilden aufgehalten. Diese halten sehr viel auf Träume und namentlich würde es von sehr wenig Lebensart zeugen, wenn Jemand träumt, ein Geschenk von dem Andern erhalten zu haben und dieser es ihm nun nicht sogleich giebt. So träumte der Indische Häuptling einst, daß William Johnstone ihm irgend ein glänzendes Spielwerk geschenkt; dieser bat ihn mit aller Höflichkeit, es anzunehmen. Allein bald darauf träumte auch er seinerseits, daß jener ihm einen großen Landstrich abgetreten. Der Indianer schenkte ihm das Land, erklärte aber zugleich, daß er in seinem ganzen Leben nicht wieder mit William J. träumen würde.

(Redigirt von Dr. Fr. Förster und W. Häring (W. Alexis.)

Von diesem Journal erscheinen wöchentlich 5 Blätter (und zwar Montags, Dienstags, Donnerstags, Freitags und Sonnabends) außerdem literarisch-musikalisch-artistische Anzeiger. Der Preis des ganzen Jahrgangs ist 9 Thaler, halbjährlich 5 Thaler. Alle Buchhandlungen des In- und Auslandes, das Königl. Preuß. Post-Zeitungs-Comptoir in Berlin, und die Königl. Sächsische Zeitungs-Expedition in Leipzig nehmen Bestellungen darauf an.

Im Verlage der Schlesingerschen Buch- und Musikhandlung, in Berlin unter den Linden Nr. 34.

Berliner Conversations-Blatt

für

Poesie, Literatur und Kritik.

Freitag, — Nro. 19. — den 26. Januar 1827.

Denk ich bei mir selbst.

Eine ernsthaft-scherzhafte, tragi-komische Geschichte von (denk ich bei mir selbst:) Wem?

Aus diesem höchst eigenthümlichen Romane, von dem nächstens eine erste Uebersetzung nach der 10ten Londner Ausgabe (hier in der Vossischen Buchh.) erscheinen wird, theilen wir einige sehr charakteristische Fragmente mit. Sie sind aus dem Leben des auf ächt englische Weise bei allen Begegnissen vom Knabenalter an, bei sich selbst Denkenden genommen und sollen dazu dienen, die Art zu zeichnen, wie er allmählich durch mannigfache Erfahrungen zur Kenntniß des Weltlaufs gelangt sei. Diese Richtung des Buchs läßt schon von selbst vermuthen, daß sich manche interessante Schilderungen des englischen Leben darin finden, und dieß ist auch wirklich der Fall, indem nicht nur das häusliche, sondern auch das öffentliche Leben der Engländer darin von mancherlei, zum Theil überraschenden Seiten, mit der feinsten Laune und jenem trocknen Sarkasmus, der diesem Volke so eigen, gezeichnet ist. Der Verfasser ist, trotz dem, daß in kurzer Zeit von seinem Buche zehn Auflagen nöthig wurden, unbekannt geblieben und zwar noch unbekannter als der große Unbekannte selbst. Das erste Fragment nehmen wir aus der Jugendgeschichte des kleinen Denk ich bei mir selbst; später soll auch aus seinen Betrachtungen bei reiferen Jahren etwas nachfolgen.

„Ich habe, so beginnt der Erzähler, mein Dasein sehr rechtlichen, würdigen und achtbaren Eltern zu verdanken: wenigstens denk ich so. Gewiß standen sie in keiner dieser Eigenschaften ihren Nachbaren im Geringsten nach. Sie waren mit irdischen Gütern reichlich gesegnet, behaupteten einen angesehenen Rang im Leben, und ihre Pünktlichkeit in Befriedigung jeder rechtmäßigen Schuldforderung sowol, als in regelmäßiger Bezahlung der für sie arbeitenden Handwerker war untadelhaft. Sie standen, wie es schien, in allgemeiner Achtung, da sie nicht versäumten, nach der Sitte der Welt Alles mitzumachen, wie auch Complimente und Höflichkeitsbezeigungen, als da sind: Visiten, Gastereien u. dgl. anzunehmen und zu erwiedern. Personen aus mancherlei Ständen und mit mancherlei Titeln pflegten sich gelegentlich im Hause einzufinden: die Einen zu Wagen, die Andern zu Pferde, noch Andre zu Fuß; Einige auf förmliche, steife und ceremonielle Weise, Andre auf dem Fuße der Vertraulichkeit und Gleichheit; Einige auf besondre Einladung, Andre ganz unerwartet.

Da ich in früheren Jahren keiner sehr guten Gesundheit genoß, war ich viel zu Hause und leistete gemeiniglich meiner guten Mutter Gesellschaft, so daß ich bei den meisten der eben erwähnten Zusammenkünfte und Bewillkommnungen zugegen, in die vorläufigen Verabredungen zu auserwählten und erlesenen Lustpartien eingeweiht, und gewöhnlich Zeuge der Aufnahme war, welche die verschiedenen aus allen Orten und Enden der Nachbarschaft eingehenden Einladungen erhielten: — von Lord und Lady N. N., Sir Timotheus und Lady Y.; — Mr. und Mrs. so und so rc., welche in und außer der Reihe, willkommen oder unwillkommen, als Freunde oder Feinde im Laufe des Jahrs in der Halle aufgenommen oder dahin entboten wurden.

Denn eine Halle, müßt Ihr wissen, war es, die wir bewohnten! — Das heißt: Unser Haus wurde so benannt; — nicht da ich geboren ward, auch noch lange nachher nicht, und eigentlich nie recht im Ernst, sondern in der That eher mit einem Spitznamen. Es verhielt sich nämlich damit folgendermaßen: Meine Schwester hatte eine Correspondentinn in einer nahe bei London befindlichen Pensionsanstalt; welche, um ihre Würde unter ihren Mitschülerinnen zu behaupten, es durchaus für nöthig hielt, ihren Briefen hochtönende Adressen zu geben. Die Eltern der einen Freundinn versetzte sie daher in eine Art von Lustschloß, die einer andern auf einen Edelhof; diese bewohnte eine Villa, jene einen Park; Einige quartirte sie auf Rosenhügel, Primelhöhen, Mons-plaisans; andre in Belles-vues, Sans-pareils ein, oder wies ihnen wenigstens Landsitze und Stellen an. Kurz, Alle konnten sich irgend eines Titels, einer Auszeichnung rühmen, welche unsrer alten Behausung gänzlich zu mangeln schienen. Ob Sitz eines Herzogs oder Aufenthalt eines Käsehökers, kam bei mir nicht in Betracht: zu eigner Rechtfertigung achtete sie für dienlich, ihre Correspondentinn in den Augen ihrer Mitschülerinn dadurch in einem glänzenderen Lichte erscheinen zu lassen, daß sie unsrer alten Behausung auch einen Titel der Art ertheilte. Da ihr nun Halle so ungewöhnlich vorkam, als irgend ein andrer Ehrennahme, beschloß sie, inskünftige nicht mehr, wie ehemals, schlechtweg nach „Brummelsdorf." sondern lieber nach der Brummelsdorf-Halle zu addressiren, was auch, wie nicht zu läugnen steht, bei weitem vornehmer klang. Und zur Ehre unsers alten Hauses sei es gesagt, es gebührte ihm weit eher ein solcher Titel, als der Hälfte aller der Sitze, Höfe, Parks, Berge, Hügel und Anhöhen im ganzen Königreich; denn es war ein regelmäßiges, in edlem, wenn auch alterthümlichen Style aufgeführtes Gebäude, in einem sehr ehrenwerthen und ehrwürdigen Park gelegen, von wo aus eine stattliche Allee von alten Ulmen sich beinah eine Viertelmeile weit erstreckte, mit einer schönen Terrasse auf der Vorderseite und einer herrlichen Aussicht aus den Fenstern des Gesellschaftszimmers. Daher wollte es mich oft bedünken, als sei es eine Herabsetzung unsers ehrwürdigen Wohnsitzes, auf solche Weise aufgeflittert und herausgestutzt zu werden. Aber unsre Freundinn konnte, wie es scheint, nun einmal nicht anders: Bloß in „Brummelsdorf" wohnen, das klang in den verfeinerten Ohren ihrer Gespielinnen so gemein, daß sie in große Gefahr gerieth, einer solchen Correspondentinn wegen gering geschätzt, ja verachtet zu werden. — — —.*)

Nun wohl! in diesem Wohnhause, dieser Halle gingen, wie oben erwähnt, gar vielerlei Leute aus und ein. Die Nachbarschaft war ziemlich groß und die Nachbarn liebten was man Geselligkeit nennt, so daß uns regelmäßige und unvermuthete, geladene und ungeladene Gäste selten allein ließen.

Ich weiß nicht, unter welchem besondern Planeten ich geboren bin; nie habe ich mir von irgend einem Sterndeuter die Nativität stellen lassen, und da ich nicht unter dem Merkur geboren bin, war ich auch nicht klug genug, es selbst zu thun; aber wenn es irgend einen solchen giebt, welcher besondern Einfluß auf Nachdenken, ernste Betrachtung und Selbstgespräch übt, so ist dieser Zweifel der meinige; denn da ich in meinem Knaben- und ersten Jünglingsalter mehr zum Schweigen als zur Schwatzhaftigkeit geneigt und überdieß kränklich war, bestand der Antheil, welchen ich an den meisten jener Gesellschaften nahm, von denen ich rede, gewöhnlich darin, ganz ruhig zu sitzen und über die Unterhaltung und das Benehmen derer, die mich umgaben, Betrachtungen und Bemerkungen bei mir selbst zu machen. Und allmählich nahm ich die Gewohnheit an, nicht allein bei mir selbst zu denken, sondern auch zu sprechen. Wenn irgend etwas zu irgend einer Zeit gethan oder geäußert wurde, welches nicht zu äußernde Bemerkungen eingab, verfiel ich in jenen besonderen Zustand von Selbstgespräch und innrer Betrachtung, welchen ich nicht gut anders erklären oder beschreiben kann, als durch die gemeine und abgenutzte, aber bedeutungsvolle Redensart: „Denk — ich — bei — mir — selbst."

Es kann sich Niemand eine Vorstellung davon machen, wie so fortwährend ich mich gedrungen fühlte, zu diesen innern Betrachtungen meine Zuflucht zu nehmen: kaum wurde irgend ein Wort ausgesprochen, welches meinem Geiste nicht irgend etwas Wunderliches und Seltsames vorführte. Oft zitterte ich vor Furcht, daß ich auf irgend eine Veranlassung oder aus Unbedachtsamkeit laut äußern möchte, was in meinen Gedanken vorging. Wäre dieß geschehen, ich glaube, es würde dadurch jedesmal plötzlich eine

*) Diese drei Gedankenstriche bedeuten jedesmal eine Auslassung.

Gruppe veranlaßt worden sein, welche nur der Pinsel eines Hogarth darzustellen vermocht hätte; denn die Wahrheit zu gestehen, herrschte in unsrer, wenn auch sehr geselligen Nachbarschaft, wie so ziemlich in den meisten anderen, so viel Gunst und Abgunst, Argwohn und Eifersucht, Mißgunst und Sucht, sich es einander zuvorzuthun, und ein solcher Widerspruch von Gefühlen und Meinungen, daß dieselben augenblicklich Alles in Aufruhr gebracht haben würden, hätten nicht alle Parteien dem Verhüten einer Entdeckung der Wahrheit die äußerste und unermüdlichste Sorgfalt geschenkt.

Meine arme Mutter hatte in ihrem Herzen keinen Funken von Bösartigkeit: keinen Stolz, keine Lieblosigkeit, sondern war gewiß so wohlerzogen und bereitwillig, Nachsicht gegen Andre zu haben, wie die Meisten; aber sie wußte so gut wie irgend Jemand, das Langweilige vom Unterhaltenden zu unterscheiden, und Beides wirkte auch auf sie nicht minder. Ueberhaupt genommen, glaube ich, hielt sie Ersteres in den Angelegenheiten, wie in den Beschäftigungen und dem Treiben der Welt für vorherrschend: zwar eröffnete sie mir ihre Meinung über diesen Gegenstand nie so ganz, um mich in den Stand zu setzen, über die eigentliche Natur ihrer Gefühle zu urtheilen; aber Vieles konnte ich aus ihrem Betragen und Wesen bei vorkommender Gelegenheit abnehmen.

Die erste Neigung, dem stillen Sinnen und den Betrachtungen, welche ich beschreibe, nachzuhängen, entstand durch die seltsamen Umstände, von welchen mir der Verkehr mit den Nachbarn — nämlich das Visiten-Geben und Annehmen — begleitet schien.

Eines Tages, da ich ganz allein bei ihr saß, während sie beschäftigt war, an meine vom Hause abwesende Schwester zu schreiben, gewahrte ich am Ende der Allee eine Schaar von Fußgängern, welche, mit ihren besten Siebensachen zu einer Morgenvisite angethan, langsam auf die Brummelsdorf-Halle zuschritten. Denk ich bei mir selbst: Da kommt angenehme Gesellschaft zu meiner lieben Mama! Wie gütig von unsern Nachbaren, so bei ihr einzusprechen und sie nicht die Zeit für sich allein vergrübeln zu lassen, als ob sie lebendig begraben wäre! — — — „Da kommen eine ganze Menge Leute, Mama!“ rief ich aus, indem ich dachte, ihr damit eine innige Herzensfreude zu machen. — „Leute kommen?“ sagte sie, „ich hoffe nicht!“ — „Ja, da sind sie wirklich schon,“ sagte ich; „ein, zwei, drei, vier Damen, ein kleiner Junge und zwei Möpse.“ — „Gott steh mir bei,“ sagte meine Mutter, „wie ärgerlich! Es ist gewiß Mrs. Fidget mit ihren Töchtern und dem kleinen unruhigen Jungen! — — — Endlich langten sie an; der Bediente läßt sie herein: — nur zu gewiß waren es Mrs. Fidget und ihre Töchter, der unruhige Junge und alle sammt und sonders! Mrs. Fidget rannte auf meine Mutter zu, wie in der Absicht, sie zu küssen; so erfreut schien sie, dieselbe zu sehen. Meine Mutter (Gott verzeih es der redlichen Seele!) stand von ihrem Sitze auf und bewillkommnte sie aufs höflichste. „Das ist ja in der That sehr gütig, Mrs. Fidget, und ich schätze es als eine besondre Gunst! Nimmermehr hätte ich mir vorgestellt, daß Sie einen so weiten Weg zu Fuß unternommen hätten: ich bin wirklich sehr erfreut, Sie zu sehen!“ —

Denk ich bei mir selbst: Sie wünscht euch Alle zum Kukuk!!! — — —

Die ganze Zeit hindurch recognoscirten die beiden Möpse Zimmer und Geräthe, sprangen beständig mit ihren schmutzigen Pfoten auf das Sopha, und versuchten zu wiederholten Malen, indem sie mit ihren Mopsnasen unsre Füße und Knie beschnüffelten, zu erspüren, wer meine Mutter und ich denn eigentlich sein möchten. Dabei stimmten sie bei der geringsten Bewegung und bei jedem fremden Geräusch, welches sich von der Straße her oder in der Halle vernehmen ließ, bellend und knurrend ein harmonisches Duett an. Während Mrs. Fidget nicht unterließ, scheinbar dann und wann mit ihnen zu schelten, und meine Mutter eben so angelegentlich sie in Schutz nahm: überraschte ich sie oft, wie ich dachte, auf einem sehnsuchtsvollen Blicke, welchen sie zu dem Brief an meine Schwester hinüber warf, der unvollendet auf dem Tisch lag, — einmal sogar auch da, als höchst merkwürdige, eigens für sie zu ihrer Ergötzung veranstaltete Attitüden der kleinen Hunde ihre besondre Aufmerksamkeit in Anspruch nehmen sollten.

Aber diese hündischen Kunstleistungen waren nichts im Vergleich mit derjenigen, von welcher wir nachher bedroht wurden; denn meiner Mutter große Lobeserhebungen des kleinen vier Jahr alten Herrchens bewogen seine Schwestern, ihrer Mutter vorzuschlagen, uns allen hören zu lassen, wie gut er schon „debütirte,“ das will sagen: er sollte uns mit einer Probe seines frühreifen Gedächtnisses und seiner rednerischen Talente unterhalten, indem er „eine Deklamation deklamirte.“

Dringende Sollicitationen ergingen daher an den kleinen Prinzen, die gewünschte Probe seiner Rednertalente abzulegen; — — — ein Stück nach dem andern wurde vorgeschlagen, bis man zuletzt allgemein darüber einig wurde, daß er sich in König Lears Anrede an den Sturm in seinem vollsten Glanze zeige. Man blieb daher bei diesem als seinem Meisterstück in der Redekunst stehen.

Einige Vorbereitungen schienen aber bei diesem Debüt unerläßlich. Es war vernünftigerweise nicht vorauszusetzen, daß der junge Redner seine Worte an einen Sturm richten könne ohne einige Andeutungen wenigstens von einem wirklichen Sturm. Es wurde demnach beschlossen, daß er nicht eher mit der Rede anfangen sollte, als bis sich ein dumpfes von der anwesenden Gesellschaft ausgehendes Getöse vernehmen ließe. Wir Alle wurden daher aufgefordert, unser Scherflein zu dem Quasidonner beizutragen. Wie von uns allen gedonnert wurde, verlange ich nicht zu schildern; genug, daß vermittelst des Lermens, bei dem wir Jeder für sich und Alle für Einen unser Möglichstes thaten, zur gehörigen Zeit der Sturm höchst feierlich tobte, als der junge Redner, vorwärts schreitend, seine Augen und die rechte Hand emporgerichtet und den rechten Fuß vorgestreckt, *secundum artem,* folgendermaßen anhub:

Bwuaust Winde aus stwuotzenden Wangen

„Braust" und „strotzenden" Schatz, sagte seine Schwester. „Was in aller Welt kannst Du mit bwuausenden Winden und twuotzenden Wangen wohl meinen?"

„Ja, was soll das heißen?" sagte Mrs. Fidget; „aber," fügte sie zu meiner Mutter gewandt hinzu, „ich muß wohl seine Entschuldigung übernehmen: Sie müssen nämlich wissen, daß er mit aller Mühe noch nicht hat dazu gebracht werden können, das R auszusprechen; meistens spricht er W statt R." — Denk ich bei mir selbst: Machen doch Manche gar ein X für ein U. „Darum wählen wir Stücke für ihn," fuhr Mrs. Fidget fort, „in denen viele R's vorkommen, um diesen Fehler zu überwinden." — „Noch einmal, mein Söhnchen!" sagte sie dann zu ihm gewandt, „und vergiß mir ja die R's nicht." Hierauf begann er auf's Neue:

Bwuaust Winde aus twoutzenden Wangen!
Bwuaust

Ihr Katawuakten und Stummen Winde (denk ich
bei mir selbst: Sturmwinde) wuast.

„Himmel," rief Mrs. Fidget, „wenn Du so sprechen willst, laß es lieber ganz! Ich zweifle wirklich, daß Jemand versteht, was Du mit Katawuakten, wuast und stummen Winden sagen willst. Der kleine Mann fuhr dennoch allen R'n zum Trotz also fort:

Bis ihr der Thürme Spitzen überschwemmt;
Ertwuänkt die Wetterhähn'! Du schwefeldampfender
Gedankenschneller Wetterstwuahl, Verkünder
Des Donnerkeils, des eichenspaltenden,
Verseng mein gwueises Haupt! Wuoll Donner
wild
Du Allerschüttwuer, schlage platt der Welt
Erhabne Wuundung und zerbwuich die Form
Der irdischen Natur mit einemmal. — —
Wuaßle den Bauch dir voll! spwuüh Feu'r, spei
Wuegen!

„Kind, Kind, Kind!" sagte Mrs. Fidget, „so geht das nimmermehr: Wuaßle den Bauch dir voll, spwuüh Feu'r, spei Wägen! Wer hat je so was gehört? Gib das lieber auf und versuche den Barden." Da aber der Barde anfing;

„Wuache twueffe dich, wuuhmloser König,"
so erinnerte uns dies gar zu sehr an: „Wuaßle den Bauch dir voll," als daß man hätte damit fortfahren können. — — —

Dieß Mißgeschick setzte der ruhmvollen Laufbahn des jungen Redners ein Ziel, und Mrs. Fidget rüstete sich endlich, da sie gehörig ausgeruht hatte, zum Aufbruch. — — —

Durch solche und ähnliche sich immer wiederholende Auftritte nahm ich die Gewohnheit an, bei mir selbst zu sprechen und zu denken, von welcher ich rede. Oft habe ich, seit ich erwachsen bin, den Wunsch gehabt derselben Herr zu werden; aber fortwährend spukt sie in mir wie ein Gespenst. Gegen jedes zehnte Wort, welches ich laut äußere, werden zwanzig oder vielleicht vierzig in mich hineingebrummt. Das Uebelste dabei ist, daß so sehr ich auch von Kindheit auf zur Liebe gegen meine Mitgeschöpfe geneigt war, meine innerlichen Bemerkungen mir wider Willen fast beständig etwas Schlimmes oder Lächerliches in Hinsicht derselben einflüsterten. Ich habe so durchdachte Falschheiten, so grobe Widersprüche, so unverschämte Heuchelei, so niedrige Verstellung entdeckt, daß mir oft die Haare dabei zu Berge standen, wenn ich fühlte, daß mich ein Denk-ich-bei-mir-selbst überlief.

(Redigirt von Dr. Fr. Förster und W. Häring (W. Alexis.)

Von diesem Journal erscheinen wöchentlich 5 Blätter (und zwar Montags, Dienstags, Donnerstags, Freitags und Sonnabends) außerdem literarisch-musikalisch-artistische Anzeiger. Der Preis des ganzen Jahrgangs ist 9 Thaler, halbjährlich 5 Thaler. Alle Buchhandlungen des In- und Auslandes, das Königl. Preuß. Post-Zeitungs-Comptoir in Berlin, und die Königl. Sächsische Zeitungs-Expedition in Leipzig nehmen Bestellungen darauf an.

Im Verlage der Schlesingerschen Buch- und Musikhandlung, in Berlin unter den Linden Nr. 34.

Berliner Conversations-Blatt

für

Poesie, Literatur und Kritik.

Sonnabend, — Nro. 20. — den 27. Januar 1827.

Berliner Chronik.

Im Königl. Schauspielhause Montag den 22sten zum zweiten Mal: **Die Tochter der Luft, mythische Tragödie von Raupach nach der Idee P. Calderons.**

Auch bei der zweiten Aufführung gewann Mad. Stich den Preis und da wir seitdem erfahren, daß die Künstlerin selbst es war, die den geehrten Hrn. Bearbeiter auf die Calderonsche Semiramis als eine Rolle, die ihr angemessen sein würde, aufmerksam gemacht hat, so sind wir nur noch mehr davon überzeugt worden, daß sie den Geist, den sie ihrer Rolle einzuhauchen wußte, aus der unmittelbaren Quelle schöpfte. Mit der Bearbeitung des Hrn. Rpch. uns zu befreunden, ist uns bei der besten Disposition hierzu und bei der Achtung, die wir sonst vor einem so ausgezeichneten und bewährten Theaterdichter haben, nicht möglich gewesen. Wäre die Tochter der Luft das erste Calderonsche Stück, was hier auf die Bühne gebracht worden, so könnte Hr. Rpch. sich damit entschuldigen, daß man solchen Spanischen Weingeist, wie Goethe diese Dichtung nennt, dem hiesigen Publikum verwässern müsse, wenn es Geschmack daran finden solle. Allein hier haben wir im Gegentheil mit dem standhaften Prinzen in einer sehr diskreten und schonenden Behandlung den Anfang gemacht; das Leben ein Traum und Donna Diana folgten nach, zwar schon mehr bearbeitet, aber doch noch immer so, daß Calderons Name dabei als der vorwaltende genannt werden durfte. So „bretterhaft" für die Bühne eingerichtet, wie Hr. v. Goethe meint, finden wir allerdings die Tochter der Luft nicht und so machte das Stück freilich ganz andere Ansprüche an den Bearbeiter, als jene früheren. Calderon hat seine Tragödie in zwei Hälften, jede zu drei Akten getheilt; zwischen beiden liegt ein Zeitraum von 20 Jahren, in welchen die Katastrophe des Ninus verlegt ist. Dieser Zwischenraum mußte ausgefüllt werden und dies thut Hr. Rp. dadurch, daß er eine Vergiftungsscene einschaltet. Auch die Verwechslung der Semiramis mit ihrem Sohne Ninyas im 2ten Theile Calderons mußte, zumal da beide Theile zusammengedrängt wurden, beseitigt werden und so soll der Raupachschen Bearbeitung gern zugestanden werden, daß sie „bretterhafter" eingerichtet ist, als uns das Calderonsche Stück vorliegt, aber damit ist keinesweges das gutgemacht, was an der Dichtung, und der Poesie verkümmert worden ist. Damit, daß Hr. Rp., anstatt daß bei Calderon Semiramis sich auf Diana und Venus beruft und den berühmten Seher Tiresias, bevor ihn Pallas mit Blindheit strafte, *) zum Wächter hat, orientalische Gottheiten, deren Namen hier noch niemals gehört wurden, einführt und die Stelle des Griechischen Sehers dem Belsazar, einem Priester der Astaroth überträgt, gewinnt die Fabel durchaus nicht an Klarheit. Der größte Fehlgriff aber scheint immer der zu sein, daß, während Calderon seiner Semiramis „Geist" verleiht und uns mit ihrem hoch-

*) Magno Tiresias adspexit Pallada vates,
Fortia dum posita Gorgone membra lavat.
Propertius.

fahrenden Gemüthe dadurch einigermaßen versöhnt, daß sie über ihre Umgebungen vornehmlich durch ihren hellen Verstand hervorragt, Hr. Rp. sie sich blos damit aufblasen läßt, daß sie die Tochter der Luft sei und sie nur nach der Seite hin auffaßt, wo sie durch Muth und Kühnheit sich über den König und den Feldherrn stellt, die freilich bei Calderon nicht solche schwache Pinsel sind, wie wir sie hier finden. Zu solchen wagehalsigen Unternehmungen, wie Rps. Tochter der Luft sie vollbringt, ist die des Calderon viel zu klug; er muthet ihr nicht zu, auf eine Felsenspitze, wohin keine Gemse klettern kann, zu steigen, aber noch weniger würde er den König und Menon, während solchem Vorgange theilnahmlos fortschicken und sich im Zelte um den Besitz der Braut streiten lassen, die sie eben in Lebensgefahr wissen, ohne sich weiter nach ihr umzusehn. — Im Calderon freut sich Semiramis der Schöpfung Babylons, welches sie hervorgerufen hat; die Raupachsche Semiramis ist ewig malcontent und die höchste Weise in welcher sie sich ihres Schicksals bewußt wird, ist bei ihm nicht waches Bewußtsein, sondern ein Traum, der sie mit unbestimmter Ahndung nach Indien treibt. Eben so unwürdig der Calderonschen Semiramis ist die Scene in welcher die Rpsche Tochter der Luft einem ihrer Feldherrn, Tiridat, der nach Ninus Tode sich um sie bewirbt, zur Prüfung seiner Liebe ein Schnupftuch in den ziemlich ruhig ströhmenden Euphrat mit der Aufforderung wirft, es ihr zu apportiren. Konnte er zufällig schwimmen, so wär es ihm ein Leichtes gewesen, konnte er es nicht, so ist es keine vernünftige Zumuthung, die eine Dame ihrem Ritter machen soll, wenn sie sich dem nicht aussetzen will, daß ihr der Handschuh in das Gesicht geworfen werden darf. Dadurch, daß der Heldin des Stücks die Ausstattung eines überfliegenden Geistes genommen ist, verliert sie an Interesse und dies kann ihr auch Hr. Rp. dadurch nicht wieder verschaffen, daß er ihr die Schuld der Giftmischerin, die die Geschichte und Calderon ihr aufbürden, gutmüthiger Weise abnimmt und den Ninus an seinem eignen Frevel, der aber hier nur eine unbegreifliche Thorheit ist, zu Grunde gehn läßt. Als ob nicht gerade an diese That das Verhängniß der Semiramis geknüpft wär; von dieser Zeit an werden ihr die Sterne untreu und sie wird zum ersten Mal sich ihrer Schuld bewußt. — Das Hr. Rp. eine höchstschwierige Aufgabe zu lösen hatte, wird jeder ihm zugestehn, der das Calderonsche Stück kennt und nach der theatralischen Seite, nach der der Schauspieler und des Publikums, hat Hr. Rp. auch hierbei sein bühnenkundiges Talent bewährt. Wir versuchen eine Skizze seiner Bearbeitung zu geben, die jedoch keinesweges nach der Eintheilung der Scenen für ganz genau gelten soll, da uns kein Manuscript vorliegt. —

Akt 1. Scene 1. Jagdmusik. Semiramis ruft aus der Felsenhöhle um Befreiung. Belsazar (Tiresias) will davon nichts wissen. Menon tritt auf und erfährt von dem Priester, welches gefährliche Ungeheuer er verschlossen hält. (Bei Calderon erzählt Semiramis selbst ihre Herkunft; einer Gewaltthat verdankt sie ihr Dasein, deswegen wird sie die Gewaltthätige; dies ist von dem Bearbeiter ganz beseitiget.) Menon öffnet den Kerker mit Gewalt, Belsazar stürzt sich ins Wasser, Semiramis tritt aus der Höhle (großer Moment der Madam Stich) sie folgt Menon.

2. Scene. Alilat ersucht ihren Bruder Ninus, ihre Hand seinem Sieggekrönten Feldherrn Menon zu geben; wird genehmigt.

3. Scene. Menon will Semiramis die Freuden des Landlebens gönnen, während er nach Hofe und in den Krieg gehen will. Sie verlangt durchaus ihm in die Schlacht zu folgen. Sie bittet um einige Erläuterungen, was das besagen wolle: heirathen.

2. Akt. Schlacht. (Diese Scene wurde bei der zweiten Vorstellung weggelassen; das Gefecht nahm sich zu dürftig aus.) Der König dankt Semiramis seine Rettung. Menon erstaunt, seine Braut hier zu finden. Er verliert dadurch die Gelegenheit, dem Könige jene wundervolle Schilderung von seiner Geliebten zu machen, eine Schilderung, die zu dem Berühmtesten und Schönsten gehört, was Calderon jemals dichtete. Daß der geehrte Hr. Bearbeiter von dieser Schilderung nichts aufgenommen als die beiden letzten Zeilen, muß allerdings sehr befremden. Sie schickt den König und den Feldherrn fort, um die feindliche Stadt allein zu erobern; dies gelingt ihr dadurch, daß sie einen unersteiglichen Felsen ersteigt, wohin ihr 40 Mann folgen. Ihr Tod scheint gewiß; indessen streiten sich der König und Menon in dem Zelte um den Besitz der Schönen. (Es ist dies die einzige Scene, wo der Bearbeiter zuweilen Calderon wörtlich, und nicht blos der Idee nach, benutzt.) Semiramis kehrt glücklich zurück, empfängt den Lorbeerkranz von der Hand des Königs, verlangt, daß die gefangnen Könige sie im Triumphe nach Ninive tragen sollen. Der König beschließt Menon zu verderben. Erst soll er sterben; auf Alilats Bitte schenkt er ihm das Leben; aber ewiger Kerker ist sein Loos; auf Semiramis Bitte erhält er die Freiheit, allein er

wird geblendet. Alilat nimmt sich seiner als Führerin an, indem sie sich für einen Bauerknaben ausgiebt. Dies ist ein, Hrn. Raupach eigenthümlicher, glücklicher Gedanke. Triumphzug der Semiramis, Ninus reicht ihr die Krone und das Volk ruft sie zur Königin aus. Der geblendete Menon flucht beiden und geht ab.

3. Akt. Menon und Alilat im Felsenthal führen ein idyllisches Leben. Der Krieg führt Semiramis und Ninus in jene Gegend. Der König ist ärgerlich, daß Semiramis so gute Dispositionen zur Schlacht gemacht hat, er befiehlt den Rückzug, allein sie schlägt den Feind auf ihre und mit ihrer eignen Faust. — Ninus hierüber aufgebracht, befiehlt dem Tiridat, der Königin Gift zu mischen. Zwei ganz gleiche Schaalen werden gefüllt, der Königin werden sie zuerst präsentirt, sie ergreift zufällig die nicht vergiftete, der König ist so gefällig, die andre auszutrinken, ohne daß es ihm jemand heißt und stirbt nun an seinem eignen Gifte. Warum war er auch so unvorsichtig!

4. Akt. Semiramis träumt von einem Bräutigam, der ihr am Indus beschieden sei. Tiridat versucht sein Glück bei der Königin zu machen; sie verlangt von ihm: er solle den kleinen Ninyas, (der hier als Stiefsohn zu gelten scheint) ermorden; er ist dazu bereit. Allein Semiramis verlangt noch einen andern Beweis seiner Liebe; er soll nach ihrem Schnupftuch in den Euphrat springen. Tiridat bedankt sich. Er entflieht zu Ninyas. Dieser Knabe, den Calderon ziemlich herzhaft zeichnet, ist in der Bearbeitung nicht sehr begünstigt, sondern vorherrschend schläfrig gehalten. Semiramis überfällt die Verschwornen, Brand des Lagers, Schlacht; der kleine Ninyas bemerket, daß „alle seine Schuhe voll Blut sind.“ Er entflieht zu Menon.

5. Akt. Semiramis pflanzt ihr Feldzeichen am Indus auf; ihr gegenüber ein alter Indischer König das seine. Sie will nicht weichen, es kömmt zur Schlacht. Der blinde Menon den Ninyas aufgefunden, kömmt herzu und durch seine Anordnung wird die Schlacht gewonnen. Semiramis stirbt wie Carl XII. stehend an einen Felsen gelehnt, Ninyas wird zum König ausgerufen. Fr. F.

Dienstag am 23sten zum ersten Mal: Der Nachbar, Lustspiel in 1 Aufzug nach dem Französischen des Desaugiers (*Le voisin*) vom Freiherrn von Lichtenstein. Eine Neuigkeit, die lautlos vorüberging; zu den Dutzendneuigkeiten gehörend, welche, ohne der Kasse im geringsten aufzuhelfen, den Raum zu bessern Darstellungen beengen, und zu Niemandes Vortheil, als zur Bequemlichkeit der Verwaltenden in Scene gesetzt werden. Möchten alle diese zwecklosen, kraftzersplitternden Neuigkeiten so spurlos zu Ende gehn! Wenn ein Dutzend aufgelaufen ist, summiren wir vielleicht auch diesen Nachbar zu seinen Geistesverwandten. 10.

Concerte.

Mittwoch den 24. Großes Deklamatorium des Herrn Saphir. — Warum großes? Es war doch gewiß Hrn. Saphir ein Kleines, durch ein Recensenten: *Quos* und *Quas ego!* einige dienstbare Geister zur „gefälligen Mitwirkung“ heraufzubeschwören. Die gesprochnen Gedichte waren witzig und durch ihre Abwechslung unterhaltend. Der Saal war gefüllt und es war eine Art Gallerie-Publikum versammelt, das mehr lacht als applaudirt. So war wenigstens Eines ausnehmend schön an diesem Abende — die Einnahme; man sagt daher, daß dies das Erstemal gewesen, daß Hr. Saphir einnehmend gefunden worden sei, ohne doch zu laboriren. *x. pr. u.*

Donnerstag den 25. Concert des Hrn. Ferdinand Ries. Von dem Clavierspieler, der öffentlich auftreten will, verlangen wir mehr, als von jedem andern Virtuosen, daß er, da sein Instrument den vorzüglichsten Werth dadurch hat, daß es das umfassendste ist, Componist sei. Jetzt, wo Kinder von 9 Jahren und drunter die Sachen von Hummel und Kalkbrenner mit Fertigkeit spielen, hat Fertigkeit allein keinen Werth mehr. Schon seit längerer Zeit hat Hr. Ferd. Ries sich großen Ruf durch seine Compositionen erworben; er hat ihn auch in diesem Concerte durch eine große Symphonie und durch das, was er auf dem Flügel vortrug, bewährt. — Hr. Jäger sang: „dies Bildniß ist“ — bezaubernd schön. Dem. Sontag trug eine Arie der Donna Elvira mit Kraft und Gefühl vor.

Die Leistungen des Königl. Theaters im Jahre 1826. (Novbr.)

Ein neues Trauerspiel, Rafaele von Raupach, nach einer neugriechischen Sage, brachte dieser Monat. Es ist dieses Trauerspiel, eben so wie die andern Arbeiten des Herrn Raupach, weit mehr mit Rücksicht auf das Publikum und auf die Schauspieler, als mit Rücksicht auf Idee und Poesie geschrieben. Daher haben solche Tragödien keinen selbstständigen

Werth und fesseln uns nur so lange, als wir die Grazie und Anmuth einer Stich, die edle Haltung und Liebenswürdigkeit eines Wolff und die Gräßlichkeit eines Devrient dabei haben. Man hat es Müllnern zum Vorwurf gemacht, daß er Helden mit großer Aufspreizung auf die Bühne bringe, die schon im ersten Akte reif zur Criminaluntersuchung und zum Hochgericht wären; allein eine solche Absichtlichkeit, durch Greuelscenen zu imponiren, wie es Hr. Raupach in der Rafaele thut, kann man ihm nirgend nachweisen. Nicht die Affen und Pferde, nicht die Ballets und großen Opern, nicht die Galeerensclaven und die sieben Mädchen in Uniform sind es, welche der guten Aufnahme klassischer Stücke Eintrag thun, sondern solche, aller wahrhaften Poesie ermangelnde Tragödien deutscher Dichter sind es, die das Publikum, wenn auch nicht verderben, doch irre machen. —

Eine zweite Neuigkeit des Novembers war das Lustspiel, genannt: Laune des Zufalls, von Lebrün, was aber nichts anders ist, als der alte Jüngersche Strich durch die Rechnung. Weder die Veränderungen, die Hr. Lebrun mit diesem Stück vorgenommen, noch die mimische Darstellung waren geeignet, dem Unbedeutenden Bedeutung zu verschaffen und so fand schon die zweite Vorstellung ein leeres Haus. — Die dritte Neuigkeit war die Pantomime: die Sternenfee, von der dasselbe gilt, was von dem goldnen Schlüssel gesagt wurde. Es muß doch zuweilen auch für die lieben Kleinen gesorgt werden, welche Papa und Mama quälen, und gern auch einmal mit in die Comödie genommen werden wollen; und im Grunde freuen sich Papa und Mama wohl selbst, einen guten Vorwand zu haben, um auch anständiger Weise mit dabei sein zu können. Nur eifre man nicht gleich, als ob der gute Geschmack die Kunst und die Künstler über solchen Possenspielen zu Grunde gehen müßten; es „muß auch solche Käuze geben!"

December.

Der December brachte nur ein neues Stück, das Lustspiel aus dem Englischen: Stadt und Land. Das Stück hat Werth von Seiten der Characterzeichnung der Personen und der Darstellung der Sitten, die in angemessener Eigenthümlichkeit gehalten sind. Allein das Stück ist zu gedehnt und die Vorstellung war nichts weniger als rasch. — Mit Neid hatte man gesehen, wie das schon wankende Theater der Königstadt, von dem berühmten Brasilischen Affen, Herrn Jocko-Levin gehalten wurde, der durch seine halsbrechenden Sprünge der jenseitigen Theaterkasse auf die Beine geholfen. Wirklich gelang es dadurch, daß man alle andere Personen ebenfalls zu stummen und springenden Personen, mithin auch zu Affen machte, der Sache einen neuen Reiz zu geben, Jocko ward nun ein Ballet des großen Opernhauses und der Andrang zur Kasse erneute sich. — Man sagt, die Königstadt habe vor, sich dadurch zu rächen, daß sie nächstens die Zauberflöte mit Brummstimmen, ohne Text aufführen wolle, was ihr erlaubt sein müßte, wenn die Königl. Bühne Schauspiele, die ihr gehören, in Ballette verwandeln darf.

Das Beste, was der December brachte, ist, daß er unsern Theaterfreunden die Bekanntschaft eines talentvollen Schauspielers, Herrn Rott aus Wien verschaffte, der als Wallenstein, Otto von Wittelsbach, Faust, König Philipp sich uns so empfohlen hat, daß wir uns freuen würden, ihn für uns gewonnen zu sehn; wenn er nur das Dickerwerden abschwören wollte. —

12.

Miszelle.

Antipathieen. Heinrich der III. von Frankreich war ein besondrer Hundeliebhaber, konnte es aber in einem Zimmer, wo eine Katze war, nicht aushalten; — der Herzog von Espenon wurde ohnmächtig, wie er einen Hasen erblickte. Der Marschall von Olbert konnte kein wildes Schwein oder Ferkel ertragen. Wladislaus, König von Polen wurde durch den Anblick von Aepfeln außer Fassung gebracht. Erasmus konnte nicht einmal einen Fisch riechen, ohne in die heftigste Bewegung zu gerathen. Scaliger erbebte bei dem Anblick der Brunnenkresse. Tycho der Brahe stürzte bewußtlos nieder, wenn ihm ein Fuchs oder ein Hase begegnete. Baco ward bei Mondfinsternissen ohnmächtig, und Boyle bekam Krämpfe, wenn er Wasser durch einen Hahn abzapfen hörte. Jacob I. von England konnte den Anblick eines gezogenen Schwertes nicht ertragen. La Motte de Vayer konnte keine Musik hören, dagegen war ihm das Rollen des Donners angenehm. Ein Engländer im 17ten Jahrhundert wollte fast den Geist aufgeben, so oft er das 53ste Kapitel des Jesaias lesen hörte und ein Spanier in derselben Zeit fiel in einen Zustand von Bewußtlosigkeit, so oft er das Wort *lana* (Wolle) aussprechen hörte, obgleich er selbst ein Kleid von diesem Stoffe trug.

(Redigirt von Dr. Fr. Förster und W. Häring (W. Alexis.)

Von diesem Journal erscheinen wöchentlich 5 Blätter (und zwar Montags, Dienstags, Donnerstags, Freitags und Sonnabends; außerdem literarisch-musikalisch-artistische Anzeiger. Der Preis des ganzen Jahrgangs ist 9 Thaler, halbjährlich 5 Thaler. Alle Buchhandlungen des In- und Auslandes, das Königl. Preuß. Post-Zeitungs-Comptoir in Berlin, und die Königl. Sächsische Zeitungs-Expedition in Leipzig nehmen Bestellungen darauf an.

Im Verlage der Schlesingerschen Buch- und Musikhandlung, in Berlin unter den Linden Nr. 34.

Berliner
Conversations-Blatt
für
Poesie, Literatur und Kritik.

Montag, — Nro. 21. — den 29. Januar 1827.

An Mozarts Geburtstags-Feier den 27sten Jan. gesprochen von Madam Stich im Jagorschen Saale.

Wen sich die Himmlischen mit Göttersegen
Zu ihrem treusten Liebling auserſehn,
Dem ziehen sie am ersten Tag entgegen
Und mögen gern an seiner Wiege stehn,
Sie folgen ihm auf seines Lebens Wegen
Und führen ihn zu ihren heitern Höh'n;
Beglückt! wen die Unsterblichen so lieben,
Daß keines Gottes Gunst ihm ausgeblieben.

Du Mozart, hast dies schöne Glück erfahren,
Kaum da die Muse Dich als Kind geküßt,
Da nahen auch die andern Götterschaaren,
Nicht einer blieb zurück, der Dich nicht grüßt.
Dich lehrt Apoll Geheimes offenbaren,
Merkur verlieh erfindungsreiche List,
Den Grazien magst Du Huld und Anmuth danken,
Minerva gab die Tiefe der Gedanken.

Du hast uns nicht mit unbestimmtem Sehnen,
Mit trüber Ahnung nur die Brust erfüllt,
Du wußtest uns zum Edlen zu gewöhnen,
Ein kühner Held und doch so fromm und mild.
So lebtest Du im Ganzen und im Schönen,
Da ward ein jedes Werk ein Götterbild,
In Tönen schufst Du wirkliche Gestalten,
Die ewig sich der Jugend Reiz erhalten.

Zur Lust für Jung und Alt an frohen Tagen
Wird man der Zauberflöte Scherz erneun;
Des Titus Feuer und Constanzens Klagen,
Auch Figaro wird stets willkommen sein;
So lange Menschenherzen fühlend schlagen
Wird Don Juan sie rühren und erfreun,
Und Engel werden mit der Tuba Klängen
Aus Deinem Requiem die Gräber sprengen.

Da wir nun aber heut beim Gläserklange
Hier Deines Lebens Feiertag begehn,
Sei Du voran begrüßt mit Festgesange
Und sei uns nah von Deines Himmels Höhn.
Heut war uns nicht um guten Vorrath bange,
Du hast uns mit dem Trefflichsten versehn,
Und die Dir sonst mit Ruhm und Liebe dienen,
Du riefst, da sind sie alle gern erschienen:

Donna Elvira mit dem Ton der Seelen,
Im Sternenkranz die Königin der Nacht,
Die zarte Gräfin wird uns heut nicht fehlen
Und Donna Anna mit der Stimme Pracht;
Wir dürfen auf Belmont, Octavio zählen,
Sarastro hat gewiß sich aufgemacht;
Auch Don Juan, der nirgend seines Gleichen,
Sie alle wollen Dir den Lorbeer reichen!

Wie auf dem Hochgebirg im rauhen Bette
Mit frischem Jünglingsmuth der Quell erwacht, —
Er stürzt herab, und durch die Felsenkette
Hat er mit kühnem Schritt sich Bahn gemacht,
Zum Strome schwillt er an und Dörfer, Städte
Zieht er heran zu seiner Ufer Pracht,
Zum ew'gen Ozeane geht sein Streben,
Der tritt zurück, ihm willig Raum zu geben; —

So bist auch Du auf Alpenhöh'n geboren,
Mit kühnem Muthe brachst Du Dir die Bahn,
Aus Salzburgs himmelhohen Felsenthoren
Tratst Du hervor, das Kind schon staunt man an,
Zum Liebling hat Dich bald die Welt erkoren,
Was Dir gelang, Du hast es selbst gethan,
Und ob ringsum des Tonmeers Fluthen schwellen,
Es tritt zurück vor Deines Stromes Wellen.

Seht Ihr sein Haupt bekränzt mit grünen Zweigen,
Gewunden sind sie auf Italiens Au'n.
Und wie sich Frankreich, England zu Dir neigen,
Zu Dir, wie nach dem schönsten Sterne schaun,
So nennt mit Stolze Deutschland Dich sein eigen,
Wir werden ewig uns an Dir erbaun,
Heil Mozart Dir, der uns den Sieg geschenket,
Und Heil dem Vaterland! das Dein gedenket!

F. F.

Deutsche Merkwürdigkeiten.

Daß viele Deutsche Dichter in ungeheizten Stuben haben sitzen und hungern müssen, ist bekannt genug, und die großartig-satten Philister haben oft genug darüber gescherzt, ja sie zogen aus diesen Scherzen noch den Vortheil, sich neuen Appetit zu verschaffen. Uebrigens sind nicht bloß Dichter z. B. Günther (von dem Goethe kurz und erbaulich sagt: „er war ein Dichter, wenn es je einen gab") vor Hunger gestorben, sondern auch Philosophen und Mathematiker der höhern Gattung, deren Nutzbarkeit für das gewöhnliche Leben sich wenigstens nicht augenblicklich mit Händen fassen ließ, z. B. Keppler. Anderer zu geschweigen.

Soll man nun die Mehrheit der Deutschen, die das zuließ, für boshaft halten? Bei Leibe nicht. Einige glaubten vielleicht, daß man die Poeten und Philosophen aufziehn müsse, wie die Falken, d. h. durch Hunger und durch Wachen, noch andere waren vielleicht, ohne es sich selbst recht bewußt zu sein, der Meinung, ein Philosoph oder Poet habe, wie man ehedem von dem Kolibri behauptete, gar keinen Magen, und nähre sich gleich einer Cicade bloß von Himmelsthau; ja er bedürfe, wie der Paradiesvogel, dem die Fabel die Füße abspricht, gar keines Bodens, sondern lebe nur im Element der Luft. Mit solchen Gesellen brauche man deshalb das Brodt und den Braten nicht zu theilen.

Indessen ist das Darben und Hungernlassen noch bei weitem nicht das Schlimmste, und bei aller Liebe für jene Unglücklichen müssen wir doch fragen: „hattet ihr nicht selbst wenigstens größtentheils Schuld an eurem Misgeschick? und wäre es nicht eure Pflicht gewesen, doch auch wenigstens mit einem Theil eurer Kraft besser für den Erwerb zu sorgen?" Jenes Schlimmere, was ich meine, ist die Art, wie man bei uns große Genies bei ihrem ersten Auftreten und oft noch ein Jahrzehnt nach diesem Auftreten behandelt. Es wird den meisten Leuten unheimlich bei ihnen und man fährt sie gewaltig an, wie sie sich unterstehen können, genialisch zu sein. Als unsere Poeten auf einem elenden Hackebrett spielten und Klopstock auftrat, wechselnd mit der erhabenen Tuba und der sanften Flöte, hat man ihm etwa damals ein ehrendes Willkommen geboten? Sechs bis acht gute Männer und Frauen allerdings, aber achtzig bis hundert jammerten, schalten oder fluchten, mitunter sogar auf der Kanzel, gegen ihn. — Wie ging es Goethe bei seinem ersten Auftreten mit Berlichingen und Werther? wer möchte jetzt glauben, daß jene großartige Auffassung der Geschichte und des Menschenlebens, jene reine Verkündigung der Natur in ihrer umfassendsten Bedeutung, jenes unnachahmliche Pathos (manches in Rousseaus Heloise erscheint, dagegen wie das Flackern einer großen Oellampe gegen ein Gewitter, dem später der Regenbogen und endlich der reine Strahl des Mondes folgt) jene herrliche Kraft und jener süßeste Wohllaut des Styls bei den Kritikern so wenig Eingang finden konnten, daß sie sich mit dem wildesten Lärm dagegen setzten? Zum Glück fragten die besseren Deutschen nach diesem Geschrei nicht viel, sondern lasen wenigstens Werther im Stillen. — Wie ging es Schillern bei seinen Räubern, Fiesko u. s. w. man schrie ihm Dinge zu, die ich nicht wiederholen mag. Wollt ihr die Widerlichkeiten genau kennen lernen, so begebt euch in die Polterkammern unsrer Literatur, blättert nach, und ihr werdet euern eignen Augen nicht trauen.

Aber selbst bei dem rohesten Gegenkampf ist wenigstens Leben, und die Opposition erweckt wieder Opponenten der Opponenten. Doch an diesem Leben hat es nicht selten in Hinsicht der herrlichsten Werke gefehlt. Wie nahm man im Jahre 1786 und 90 Iphigenien und Tasso auf? Hätte man nicht erwarten sollen, einem solchen Dichter müßte sogleich die Ehre der Ovation und des Triumphs von dem gesammten Publikum decretirt worden sein? Keinesweges. Man nahm jene Werke, wenn ich so sagen darf, fast gar nicht auf, man ließ sich gar nicht darauf ein und hörte selbst die einzelnen Lobredner

(z. B. Jacobi, Huber) kaum an, und der einzige Umstand, daß die Deutschen fast zwanzig Jahre an einer einzigen Auflage von Iphigenia und Tasso genug hatten, spricht deutlich. In späteren Zeiten gewann man wieder etwas mehr Rede, und das unschätzbare eben so sinnige als liebliche durchaus **Deutsche** Gedicht, Herrmann und Dorothea erlebte wenigstens Eine große und bedeutende Recension. Dagegen aber setzten sich wenigstens vierzig andere, welche frisch und munter darauf los erklärten, Voßens Louise sei doch bei weitem hübscher zu lesen.

Wie ging es unserm geliebten Jean Paul? Vom Jahre 1783 an, wo er mit seinen „grönländischen Prozessen" auftrat, bis 1793 und 1795, wo die Literaturzeitung die ersten wohlwollenden Worte über ihn aussprach, waren seine Schriften so gut wie gar nicht da. Es las und empfahl sie niemand, denn es fehlte an einem Swift und Yorik, die sie ergriffen hätten. Es ging so weit, daß, als 1798 der endlich berühmt gewordene Verfasser einiges aus der „Auswahl aus des Teufels Papieren" für seine Palingenesien benutzen wollte, kaum noch ein Exemplar in Deutschland aufzutreiben war, weil der Teufel (wie Richter selbst erzählt) seine eigenen Papiere geholt hatte.

Soll ich endlich an das schlagendste aller Beispiele von **Vergeßlichkeit** erinnern, so will ich Friedrichs von Logau gedenken. Dieser blühende, verständig vielseitige und ohne allen Zweifel **reichste aller** epigramatischen Dichter lag vom Jahre 1654, wo seine sämmtlichen Sinngedichte erschienen, bis 1758 völlig ungelesen im Staube. Da ergriff ihn Lessing, fuhr mit Flammenworten auf seine lieben Landsleute los, erklärte geradezu, daß keine Zeit und kein Volk einen Epigrammen-Dichter habe, wie diesen alten Logau, und gab dann nebst Rammler eine Auswahl aus den Gedichten des trefflichen Alten. Hundert und vier Jahre im Staube liegen und doch frisch bleiben ist wahrlich aller Ehren werth.

Ich habe so eben das Wort: „vergeßlich" gebraucht, und an dasselbe knüpft sich das naheliegende „zerstreut." Es trifft sich wohl, daß jemand auf einem Spaziergange in Gedanken versinkt, den trefflichsten Mann, der ihm begegnet, nicht erkennt und nicht grüßt, späterhin fällt es ihm ein und er besinnt sich. Dann thut es ihm gewiß herzlich leid und er freut sich nur, daß doch morgen auch ein Tag ist, an welchem sich das Versehen wieder gut machen läßt. Wie aber, wenn ihm dann am andern Tag statt des lebendigen Mannes, dessen **Sarg** begegnet? Würde ihm nicht das gestrige kleine Versehen doppelt betrüben? Wir kennen alle eine höchst schätzbare, mit den trefflichsten Eigenschaften versehne, und in mancher Hinsicht auch sehr liebenswürdige alte, unsterbliche Dame, genannt **Germania**, die aber leider den trüben Fehler hat, manche ihrer eigenen Kinder, und oft sehr würdige und bedeutende, nicht sonderlich zu lieben. Sie wartet, wie es scheint, bloß auf deren Tod, aber gewiß aus gutem Herzen oder aus Zerstreutheit und Vergeßlichkeit, denn sind sie nur erst begraben, so geht es ihr auf, wie gut und lieb diese Kinder waren, und es kommt ihr dann auf einige herzliche Thränen und gut gewundene Blumenkränze nicht an.

Im Leben der einzelnen Menschen tritt nicht selten ein ähnlicher Fall ein, was mir unter andern einmal bei Shakespears Romeo vor die Augen trat. — Da die Väter Montague und Capulet sich doch am Ende versöhnen, so entsteht die billige Frage, warum sie es nicht gleich im Anfange thun. Ich weiß keine andere Antwort, als die seltsame: weil sie sich noch viel zu glücklich befinden. Sind nur aber erst so liebenswürdige und bedeutsame Personen als Julie und Romeo, Mercutio und Paris **todt**, dann ist man unglücklich genug und es steht nichts mehr im Wege, um auch vernünftig zu sein.

Ist aber das nicht alles zu bitter? Mit nichten, denn stets sollen und wollen wir dennoch unsere liebe alte Mutter Germania herzlich ehren und lieben, nicht aber sie verhätscheln. *Vive l'Allemagne, quand même!* Es lebe Deutschland! es mag auch kosten was da will! — Nur wer Deutschland recht **liebt**, hat ein Recht, Einzelnes darin und daran zu tadeln, und alles aufzubieten, daß es (und **er** selbst) immer besser werde.

Franz Horn.

Ueber die Kunstausstellung in München.
(Fortsetzung.)

Zuerst führte er mich vor eine kleine Bleistift-Zeichnung, die sich als die Copie nach einem Gemälde des Perugino, eine Grablegung vorstellend, auswies. „Sehen Sie, sagte mein Recensent, wer eine mit größter Treue und größtem Fleiße gefertigte Zeichnung sehen will, sehe auf diese Arbeit eines jungen Kupferstecher

Nicol. Hoff,

aus Frankfurt. Da läßt sich was erwarten. Noch kürzlich hab' ich das Original auf der Akademie in

Florenz gesehen, und ich versichre Ihnen, daß der Charakter des Meisters, wie der einzelnen Figuren so treu aufgefaßt ist, wie es kaum dem Longhi bei seinem Sposalizio gelungen. Wie rein und klar stehen die Köpfe da mit ihrem milden Leiden-Ausdruck, selbst der Mangel an Lebhaftigkeit und Verschiedenheit der Charaktere, der diesem Meister eigen ist, tritt hier wohlthuend auf. Die Ausführung dieser Zeichnung aber ist wirklich fast rührend; wie viele tausend Striche stehen hier nebeneinander, daß keiner mehr zu sehen, das Ganze nur gehaucht ist; wie hat ers dem Farblosen abgezwungen, daß es die Farbe offenbare! Ich freue mich sehr, daß der wackre Künstler vorhat, dieses Blatt auf die Platte und so unter die Leute zu bringen." — Da dieß Unternehmen durch Subscription gefördert wird, so überlieferte ich dem Hrn. Recensenten sogleich meinen Namen, und mache auch Sie, verehrter Freund, und Ihre Kunsthändler vorläufig darauf aufmerksam.

Mein guter vernünftiger Recensent führte mich auf die andre Seite zu einem großen Carton vom Hrn. Prof.

A. Zimmermann,

die Verkaufung Joseph's vorstellend. Ehe noch mein Cicerone anfing, hörte ich eine Dame, die offenbar — sie hatte Rabenhaar und Rabenaugen — eine Italienerin war, kurzweg drüber sagen: *„ben disegnata, ma manca ingegno."* — „Kurz und gut, sagte mein Recensent. Ich kann Ihnen nicht mehr sagen. Sehen Sie hier lauter schöne Studien: Dieser Arm, dieses Gewand; — aber das Ganze ist nicht geboren, sondern gemacht. Ich weiß nicht, ob Sie in Frankfurt waren und den herrlichen Carton Oberbecks (dasselbe *Sujet*) beim Hrn. Passawant gesehen. Obschon diese Arbeit hier hinter jener bleiben muß, so haben sie wirklich das gemein, daß die vorgestellten Personen so wenig Interesse an ihrer eignen Handlung nehmen. — Da sehen Sie hier — er führte mich zu einer andern Zeichnung — die Arbeit eines jungen Mannes

Bernhard Neher

aus Biberach: Joseph giebt sich seinen Brüdern zu erkennen. Es ist nicht sonderlich sorgfältig gezeichnet, aber Leben ist drin und mancher gute Gedanke. Sehen Sie da den Alten im Hintergrund (freilich unmöglich ein Bruder Josephs), wie er mit beiden Händen den kahl werdenden Scheitel faßt; man muß seinen Reuschmerz mit empfinden. So äußert Jeder auf verschiedene Weise, was bei dieser Ueberraschung in ihm vorgeht, dabei ist das Ganze mit Verstand geordnet und spricht sich leicht aus. — Darin aber gab er mir vollkommen Recht, daß der Benjamin zu märchenhaft und schwanenhälsig sei. „Aber Glück müssen wir dem jungen Mann zu dieser seiner ersten Arbeit wünschen, sagte er; er wird ein andermal auch mehr noch in die Natur des Ganzen eingehen, (wie er wohl das Gepräge eines Hirtenvolks diesen Brüdern zu geben, nicht hätte übersehen sollen) und wo möglich sich einen Gegenstand wählen, der nicht schon hundertfältig componirt ist, bei dem es nicht zu vermeiden, daß er abgenutzte Motive von Neuem nutzt. Lernten doch darin die Maler ihren Vortheil kennen! Warum sind denn die Musiker so gescheut, und componiren keinen neuen Don Juan, oder dergleichen? Aber ist Ihnen gefällig, mit in die obern Säle zu gehen? — Ich folgte.

Der Sturm von Missolunghi.

Unter diesem Titel ist ein „Trauerspiel in drei Aufzügen, von einem Freunde der heldenmüthigen Griechen" (Hersfeld, 1826. Im Industrie-Comptoir.) in Prosa erschienen, und ist dem Könige von Baiern „dem Hochherzigen, dem erhabenen Beschützer bedrängter Unschuld und Gerechtigkeit," gewidmet. Der Wille, der Heldenmuth der Griechen, mit dem sie Missolunghi vertheidigt und sich, da sie es länger zu vertheidigen nicht im Stande waren, aufgeopfert haben, würdig zu feiern, ist nicht zu verkennen, allein — man muß diesen Willen für die That nehmen. Denn wenn auch der Verf. Talent zu dergleichen Dichtungen im Allgemeinen besäße; es bleibt eine gar schwierige Sache, eine das Gefühl und die Begeisterung in dem Grade, wie der Fall von Missolunghi und der Kampf der Griechen überhaupt, aufregende Begebenheit dramatisch zu behandeln.
Es finden sich wohl hie und da einzelne gute Gedanken, aber das Einzelne ist durchaus nicht zu einem Ganzen verarbeitet, und nicht selten ist die Darstellung des Gegenstandes ganz unwürdig. Darum mag man sich um der Sache willen den Willen selbst statt der That gefallen lassen! —

Gelegentlich sei hier gesagt, daß gegen Ende 1826 in Paris von dem bekannten Auguste Fabre eine an Details reiche *Histoire du siège de Missolonghi* erschienen ist.

K.

(Redigirt von Dr. Fr. Förster und W. Häring (W. Alexis.)

Von diesem Journal erscheinen wöchentlich 5 Blätter (und zwar Montags, Dienstags, Donnerstags, Freitags und Sonnabends) außerdem literarisch-musikalisch-artistische Anzeiger. Der Preis des ganzen Jahrgangs ist 9 Thaler, halbjährlich 5 Thaler. Alle Buchhandlungen des In- und Auslandes, das Königl. Preuß. Post-Zeitungs-Comptoir in Berlin, und die Königl. Sächsische Zeitungs-Expedition in Leipzig nehmen Bestellungen darauf an.

Im Verlage der Schlesingerschen Buch- und Musikhandlung, in Berlin unter den Linden Nr. 34.

Berliner Conversations-Blatt für Poesie, Literatur und Kritik.

Dienstag, — Nro. 22. — den 30. Januar 1827.

Fragment eines Gespräches über ein vielbesprochnes Gemälde.

A. — und da Sie ohne Zweifel unsres trefflichen Robert Bild: die Räuberbraut gesehn haben, so — B. Verzeihen Sie: die Räuberbraut — daß ich nicht wüßte. A. Nicht? — Unbegreiflich für einen Kunstfreund, wie Sie! Und doch, — jetzt geht es mir deutlich auf: als jenes Gemälde sich auf der akademischen Ausstellung befand, sah ich Sie ja davorstehn, lange, und in unverkennbar begeisterter Erhebung. Solche Momente dürften doch wohl nimmer in Vergessenheit gerathen, und am allerwenigsten — lassen Sie mich's frei heraussagen, bezeichne es nun für daswal Vorwurf oder Lob, oder Allesbeides zugleich, — am allerwenigsten bei Ihnen! B. Ich danke Ihnen für die Theilnahme an meinem Wesen und Sein oder Nichtsein. Ich danke recht herzlich dafür! Dergleichen ist allemal erquickend für einen lebendigen Geist, liege auch ein Tadel darin. Aber helfen Sie mir doch auf die Spur. Was denn mag mich so sehr an jener mir abhanden gekommnen Räuberbraut begeistert haben. A. Sie scherzen. Oder Sie spotten wohl gar. Ihnen aufzählen soll ich, was Sie an einem Kunstwerke, oder vielmehr durch die Vermittlung und Anschauung desselben mit Begeistrung durchglüht hat? B. Freilich, das geht nicht. Und ich gestehe es Ihnen: ich fühle mich auf seltsame Weise beschämt, — beschämter, als wohl in dieser Art noch nie. Gönnen Sie mir einen Augenblick Zeit, die verdämmerten Gebilde aus meinem Innern hervorzurufen. Leben und weben — da Sie mich auch Einmal erfaßt hatten — leben und weben müssen Sie darin noch immerfort, und sei es auch unter sieben- oder neunfacher Nebelhülle. Darauf kenne ich mich. Eine Räuberbraut? Also etwa eine Amalie, deren ehedem edelfrohsinniger, Heldengluth im Busen spürender Karl Moor durch ein ungeheures Schicksal in die Welt hinausgeschleudert wäre und nun, in die Heimath wieder zurückgeschleudert, plötzlich vor ihr stände, als ein grausenerweckender Räuberfürst? — A. Nein, nein! Von dergleichen ist hier gar nicht die Rede. B. Nun, oder — eine edle Jungfrau, die sich etwa in einen Räuber, in einen als Solchen ihr noch unbekannten, verliebt hätte — aber wie sollte das im Gemälde angedeutet sein, und zwar in einem Gemälde, worin sie selbst die Hauptfigur, wohl gar die Einzige bildete? A. Der Räuber ist mit dabei. B. So wäre dennoch der Moment für die bildliche Darstellung schwer zu finden, und möchte auf alle Weise in das Trostlose und Herzzerreissende fallen, und somit in das absolut Unschöne, also auch Unkünstlerische. Dann hätte es mich aber doch allerhöchstens nur zu erschrecken, nun und nimmer zu begeistern vermocht. A. Ohne Zweifel. Keinesweges indeß leidet das Gemälde, worauf ich hindeute, an irgend einer wilden Verzerrung. B. Also: Braut! — Ein zartes, aus den Traumbildern des jungfräulichen Lebens für den Traum der Liebe aufgeblühtes Wesen! Und nun gleich von einem Räuber zu träumen, — es ist dennoch erschrecklich. A. Ich muß schon wieder Nein sprechen. Zart, jungfräulich, — das sind die Worte nicht für die ihren schlafenden Geliebten bewachende Räuberbraut. B. Ihren schlafenden Geliebten bewacht sie! Ja, nun kenne ich sie, die Vielgeprüfte, die schmerzvoll Duldende, die mit Falkenblick das weite, öde Feld Durchspähende, ob etwa Gefahr dem schlummernden Genossen drohe, oder vorüberziehende Beute ihn aufbeschwöre zu seinem fürchterlichen Beruf. Wüst, wie die fortgestreckte Ebne um sie her, ist das Leben für sie geworden, und fern hinter ihr liegen die fröhlichen Auen und blühenden Inseln, wo man noch Blumen in Kränze wand und erlabende Früchte von Schattenbäumen pflückte, oder Beeren aus dem duftigen Anger las! Ferne hinter ihr die zarten Träume schuldloser Jugend! — Ob sie deren gekannt habe? O gewiß! — In diesem Falkenauge haben auch oft schon die Thränen des verwundeten, schwer geängsteten Rehes geperlt. Ja, sie mögen noch oft darin perlen in wehmüthiger Erinnerung an ein verlornes Paradies, meist aber unsichtbar vor aller Welt, wenn die Wimpern sich hinziehen über den müde gewachten Blick, und sie schläft, wie jetzt ihr verwilderter, schauervoll den innern Jammer mit äußerm Schmuck — mit dem einzigen Blüthengewinn seines gräßlichen Lebens — überkleidender Freund! — A. Sagen Sie: Verlobter, und Sie haben das Bild geschildert. B. Mit Nichten. Denn alsdann hätte ich das Bild zerstört. Treue, auch noch im verbrecherischen Elende Treue, geprüft durch ein entsetzliches Leben und als die einzige Tugend, wo alle andern entflohen, — denn räuberischer Wagemuth ist keine Tapferkeit, — als die einzige Tugend zurückgeblieben und als der einzige noch gerettete Anspruch an den Himmel, — das ist der erhabne, unendlich schmerzvolle und dennoch unendlich tröstliche Grundgedanke dieses Bildes. A. Meinen Sie, der Künstler hätte sich eben das dabei gedacht? B. Ich weiß nicht, und es kommt auch gerade so nicht darauf an. Künstler, wie dieser, gehorchen ihrer Muse, ohne viel zu grübeln, was sie damit gemeint haben möge, und deshalb sind die Künstler, und eben Solche sind ausschließlich Künstler nur. Wer nichts Neues aus seinem eigenen Gebilde mehr, wenn's fertig ist, herauszulesen vermag, hat keine Muse. Aber so viel ist gewiß, wer unter das schöne Bild schriebe, und sei es auch mit goldenen Buchstaben: Braut und Bräutigam, — der hätte das schöne Bild unrettbar verdorben. A. Was das auch für Einfälle sind! Braut und Bräutigam! Kein Mensch in der Welt würd' eine solche Inschrift wählen. Die Räuberbraut! Das klingt ganz anders. B. Nicht viel. Im Wesentlichen kommt es auf Dasselbe hinaus, und Sie sprachen selbst vorhin von einem Verlobten. Und überhaupt: wo es eine Braut giebt, giebt's einen Bräutigam. Aber vor unsern Augen Bräutigam? dieser wilde fürchterliche Mensch, aus dessem Auge, wenn er erwachte, uns schreckliche Gluth des sündigen Elends entgegenflammen würde, nur das eine Edle noch mitverkündend, was mir alsbald aus dem ganzen Bilde emporgestiegen ist: Treue im Verbrechen. A. Also wär' er ihr Gatte? B. Gewiß! Denn die Kirche hat doch wohl in irgend einer bessern Stunde den Bund des unglücklichen Paares geheiligt, und somit jene Treue geadelt und geweihet. A. Sie also Theilhaberin all seiner Verbrechen? B. Hält sich die Adlerin rein von dem Raubblute, welches der Adler versprützte? — Zudem: ein so entschlossner Raubmensch, wie dieser, würde seinen Schlaf keinem weichlich unerfahrnen Wesen zur Bewachung anvertrauen. Sie ist geübt für diesen ernsthaft schauerlichen Dienst, vergleichbar den leichten Truppen, welche die Ruhe eines kampfermüdeten, zum erneueten Kampf sich ausruhenden Heergeschwaders behüten. Unnöthiger Lärmruf soll den erquickenden Schlaf nicht verscheuchen, aber auch nicht ein Augenblick soll verloren gehn, wo lockender Sieg oder dräuende Gefahr die vollwache Kraft des Rüstigen in Anspruch nehmen. Schon in eben diesem Augenblick erspäht sie irgend einen Gegenstand in der Ferne, den sie vielleicht dem Freunde melden wird, vielleicht auch nicht. Ihre Hand schwebt über ihm, — ob weckend, ob beruhigend, ist noch unentschieden, aber Furchtbares wird es gelten, wenn sie ihn erweckt. A. Und was zöge so viele Blicke und Herzen so unwiderstehlich an zwei solche Verbrecher? B. Eben jener Himmelsfunke, der das sündige Paar an den Himmel knüpft. A. Wie aber wollen Sie das Bild benennen, wenn es nicht mehr die Räuberbraut heissen soll? B. Weiß ich's? Aber muß denn jedes Bild seinen ausgesprochnen Namen haben? In den alten, großen Zeiten der Kunst nahm man dergleichen Bezeichnungen, wo sie, etwa der Unterscheidung und des kürzern Ausdruckes wegen, nöthig schienen, meist von sogenannten Zufälligkeiten her; z. B. die Madonna della Sedia, oder die sixtinische Madonna, und dergleichen sonst. Doch hütete man sich sehr, durch eine verfängliche Benennung den Sinn der ganzen Komposition anzugreifen, und den Beschauer im Voraus irre zu leiten. Warum hier nicht etwa: das Räuberpaar? — Oder: der Räuber und sein Weib? Oder allenfalls: Räubertreu? Nur gestalte man diese älternde Frau, diese längst im Sturm abgeblühete, einem fürchterlichen Leben ihre hohe Seele opfernde Unglückliche nicht zur Braut. — A. Wenn ich's drucken liesse, was Sie da gesprochen haben, — wie manchen Gegner würden Sie sich erwecken! — B. Hätten die Gegner Recht, so würden Sie mich belehren. Sonst würd' es hoffentlich umgekehrt ergehn. Wenigstens bei Solchen, die aus reiner Freude an der Kunst über die Kunst denken und reden und schreiben. Bei voran anderweitigen Mitsprechern aber stände weder etwas zu gewinnen, noch zu verlieren, und es wäre somit bei solch einer auftauchenden Gegnerschaft auch nichts gewagt. A. Darf ich's also wirklich drucken lassen? B. Meinthalben.

La Motte Fouqué.

Berliner Chronik.

Das Königstädter Theater im Jahre 1826.

Eine factische Uebersicht dessen, was von dem Königstädtschen Theater während des verflossenen Jahres geleistet worden, hieße nur, einige Spalten mit den Namen der eben so schnell einstudirten als wieder vom Repertoir verschwundenen Stücke anfüllen. Man hat in allen Richtungen versucht und an allen Stellen geschürft, aber über das Suchen und Schürfen an allen Orten ist man zu keiner ergiebigen Ader gedrungen, und statt zu finden, ist noch etwas verloren gegangen — der Muth und die Fassung. Als man schon früh und weit vor der Zeit, sich überzeugt hielt, daß mit dem Lustspiel der Zweck nicht erreicht werde, wandte man mit scheinbarem Erfolg die ganze Kraft auf das aus dem Französischen übergebürgerte Vaudeville. Auch hierin zu vorschnell den letzten Trumpf ausspielend, glaubte man in einem Augenblicke schon alles verloren, wo kaum die gewonnenen Kräfte Zeit gewannen sich zu entwickeln und wollte das junge Unternehmen durch eine neue Oper unterstützen. Daß die Oper bei allem Glück und Glanz, statt das Theater zu stützen, es bis auf die Wurzel untergraben, darüber ist jetzt bei den Unterrichteten kein Zweifel mehr; wogegen es freilich zweifelhaft bleibt, was verdienstlicher war die Aufrechthaltung einer von Anfang an nicht mit klaren Ideen basirten Bühne, also eines Dinges, was von Anfang an nichts war, und von dem eigentlich Niemand wußte, was es werden sollte; (Kunst förderndes oder Geld bringendes Institut?) oder der Gewinn eines wirklichen Etwas, nämlich des Fräuleins Henriette Sontag für Berlin? Aber als die Oper wie ein ungeheurer Schwamm alle Säfte anzog und aussog, und man im trocknen Sommer die Vegetation da vermißte, wo sonst die kleinern Pilze üppig aufschossen, rief man Ballet, Seiltanz, Wasser, Feuer und endlich die Bestien in die Schranken, und diese müssen noch jetzt mit der Oper im Duett singen.

Während man sagen kann, daß fast kein Schritt gethan worden, der, vom ursprünglichen Standpunkt aus betrachtet, nicht ein verkehrter gewesen, gewährte doch selten ein Unternehmen ein ähnliches Schauspiel: „wie die Launen des Glückes dem unbeständigen Verlangen und Beginnen unermüdet folgten.“ Bis zum Abschluß dieses Jahres hat die Königstädtische Bühne ihre Triumphe als Schoßkind des Glückes zu feiern gehabt, denn ihre Komiker wurden die populärsten, ihre jungen schönen Actricen waren das Idol der Menge, so lange sie dort standen, ihre Statistinnen und Choristinnen bezauberten, ihre Sängerin wurde eine Königin von Europa, unbeliebte Sänger wandelten sich um zu Lieblingen des Volks und ihre Thiere errangen olympische Lorbeerkränze.

Einen nicht geringen Theil dieses Glückes verdankt die Bühne ihrer freien Stellung, die sie unabhängig von Rücksichten, von Büreaus und Controllen erhielt; aber eben diese Freiheit in der Form der republicanischen Verwaltung ist der Grundwurm, der nach wahrscheinlicher Berechnung, schon so tief an dem Gebäude genagt hat, daß der Umsturz droht. Nicht daß Männer, die von der Sache nichts verstanden, sich zur obersten Leitung vereinten, sondern in ihren Vereinen lag das Uebel. Jeder Einzelne, der nichts davon verstanden, hätte als Autocrat besseres geleistet, als sieben unterrichtete Directoren mit gleicher Macht. Jeder dünkte sich zu viel oder zu wenig, je nachdem es Versprechen oder Erfüllen galt. Bei Berathungen siegte, wie überall in ähnlichen Fällen, nur das Nüchterne (weil es keine Opposition findet) und das Glänzende (weil es allen in die Augen leuchtet) nicht das Reelle. Dazu kam später der Wechsel in der Direction, dann völlige Anarchie; es fehlte jede Autorität, jedes Individuum, an das der Unterhandelnde sich halten konnte, ein Zustand der Zerfallenheit, über den viele Schriften, von Partheisucht dictirt, dem Publicum zum Schaden des Credits die Augen öffneten. Endlich hat man den als Uebersetzer auf den Deutschen Theatern bekannten Componisten Carl Blum zum technischen Director ernannt und es steht jedenfalls zu erwarten, daß die Leitung des Einzelnen dem Ganzen förderlich sein wird.

Damit ist aber dem Zustande gänzlicher Zerrüttung noch nicht abgeholfen, das schöne auf morastigem Grunde errichtete Haus ist damit nicht auf trocknen Boden versetzt, oder, in einem schon oben gebrauchten

Gleichnisse zu bleiben, in dem Bergwerk, wo man im sogenannten Raubbau, die Pfeiler selbst, die das Ganze tragen sollen, um schnell zu Gewinn zu kommen, umgeschlagen hat, kann man diese Pfeiler nicht wieder von Holz und Leinwand aufrichten. Es fragt sich beim Ergreifen der Maßregeln zum Fortbestehen des Theaters: Ob man nur darauf ausgeht die Existenz zu fristen und für den Augenblick möglichst viel Geld einzunehmen, oder ob man das Theater für die Dauer begründen will, daß es die Hülfsmittel zum Fortbestehen in sich selbst finde. Die Frage reducirt sich auf zwei Verwaltungsarten, die wohl unterschieden im Auge zu behalten sind, die kaufmännische und die ökonomische. Sie lautet dann so:

„„Soll das Theater als eine Speculation betrachtet werden, in möglichst kurzer Zeit möglichst viel Geld einzunehmen?““ oder

„„Soll das Theater nach wirthschaftlichen Grundsätzen wie ein Landgut oder Bergwerk eingerichtet werden, daß es auf die Dauer hinaus eine gewisse Ausbeute liefert, groß genug, um sich selbst zu erhalten?““

Die bisherige, und namentlich die erste Verwaltung, war durchaus als eine kaufmännische zu betrachten. Die Directoren handelten als geschickte Kaufleute, sie wußten den Moment zu benutzen und überließen die Zukunft ihren Nachfolgern. Aber die Modesten haben ihren Zauber verloren, Uniformen wurden Kleider nach einem bestimmten Schnitt, das rothe und das blaue Feuer hat ausgeglänzt und geblitzt und der Affe ausgetanzt. Was ist noch neu, was lockt noch, was ergreift noch? Etwa die Wölfin?

Es scheint unglaublich, aber es ist Thatsache, daß selbst die verständigsten der mitwirkenden Kaufleute keinen Begriff von einer ökonomischen Verwaltung gewinnen können, ein Begriff, den selbst gewöhnlichen Theaterpächtern, wenn sie es nur auf einige Zeit hinaus sind, die Anschauung der Sache selbst giebt. Je länger ein solches in den Tag hinein leben gedauert hat, um so schwieriger wird es, zu einer ökonomischen Verwaltung einlenken. Diese geht darauf aus: durch keine Mittel von außen her, durch keine außerordentlichen Effecte ein Unternehmen zu unterhalten, sondern aus den vorhandenen Mitteln das Dauernde heraus zu bilden. In der Art ist bis jetzt nichts geschehen, man handelte *en gros*, man wollte Alles wagen, um Alles zu gewinnen. Der momentane Erfolg rechtfertigte die Speculation, aber nirgends in der Welt ist etwas Großes aus willkührlichen Combinationen entstanden. Eben diese Zusammensetzungen verhinderten das Wachsen und das Gedeihen. Will man noch versuchen den festgetretenen Boden wirthschaftlich zu bestellen, statt einen künstlichen Sommer durch Ausstellung fremder, theuer verschriebener Gewächse zu machen, muß man zu ungeheurer Selbstüberwindung und Geduld sich entschließen, man darf keine leeren Bänke, keine leeren Häuser scheuen, man muß sparen, wo man das Sparen bisher nicht gewohnt war, und vor allem es aufgeben, immer nur durch Neues und Pikantes reizen zu wollen. Hieran werden alle Bemühungen scheitern. Man wird den ewigen Gemeinplatz wiederholen: „Conversationsstücke lassen das Haus leer; ist das Haus leer, ist auch die Kasse leer, und bei leerer Kasse kann kein Theater bestehen.“ Der Masse ward nie die Einsicht in die Zukunft. Möge der Eine in möglichster Unabhängigkeit von der Menge bleiben, wo am Ende die Einsicht nicht ausbleiben kann.

Das „Weihnachtsgeschenk ꝛc. des Herrn Bethmann an das Königsstädtische Theater“ geht seiner factischen Darstellung nach, ungefähr von derselben Ansicht aus, nur daß die Anklage zu animos persönlich wird. Nicht der Eigennutz, sondern die Lust zu regieren und zu glänzen, waren die in's Verderben führenden Motive. Wer hätte nie diese Lust empfunden! Trägt der Syndicus des Theaters die größere Last bei der Verschuldung der ersten Direction (was noch zu erweisen ist) wird er reichlich seine Strafe in den Qualen gefunden haben, welche den Director eines in Anarchie gerathenen Theaters treffen, und wäre es auch nur die ewige Folter zwischen Anspannung und Ermattung, auf welche ein solches Theaterwesen ohne regelmäßige Entwickelung begründet ist. Von dem freien Fortbestehen des Königsstädtischen Theaters hängt die lebendige Fortdauer des Königlichen ab. Deshalb muß jeder Freund der Kunst wünschen, auch wenn ihm für diese die Existenz oder Nichtexistenz des zweiten Theaters ganz gleichgültig dünkt, daß es nie dahin kommen möge, daß beide unter einem Director, einem Bureau und einer Controlle vereinigt würden. *) *a.*

*) In Beziehung auf die Leistungen des Königstädtschen Theaters beschränken wir uns darauf, nur einen summarischen Bericht zu erstatten. Neues und Aufgewärmtes gab es in diesem Jahre 70 Stück an der Zahl; voran glänzten die Opern: der Türke in Italien, Sargines, die weiße Dame. Im Lustspiel griff man nach Kotzebuescher verlegner Waare, darunter war Don Ranudo und der Rehbock; sonst verdient von dieser Gattung nur Cervantes Portrait erwähnt zu werden. Hr. Bethmann nimmt den Ruhm für sich in Anspruch, das Königstädter Theater durch Jocko und dadurch, daß er Ein Uhr hat schlagen lassen, gerettet zu haben; in der That ein bedenklicher Ruhm, den man mit einem Pavian theilen muß. — Noch bedenklicher ist's mit Ein Uhr; denn das ist ja die mitternächtliche Stunde, wo es in Berlin finster wird. Man möchte Hrn. B. fragen, ob diese Stunde ihm oder ihn geschlagen habe? Freilich wär er, man mag ihn mit mir oder mich construiren, ein geschlagener Mann. d. R.

(Redigirt von Dr. Fr. Förster und W Häring (W. Alexis.)

Im Verlage der Schlesingerschen Buch- und Musikhandlung, in Berlin unter den Linden Nr. 34.

Berliner
Conversations-Blatt
für
Poesie, Literatur und Kritik.

Donnerstag, — Nro. 23. — den 1. Februar 1827.

Der Dichter und der Trinker.
(Als Weihe zu einem Epos: Bachus.)
1.

Ein Dichter, der schon manches Lied gesungen,
Durchzog die Welt mit seiner Kunst allein,
Und kehrte einst auf seinen Wanderungen
Bei seinem alten Freund, dem Trinker, ein.
Die Herzen, von der süßen Lust durchdrungen,
Die Bande alter Freundschaft zu erneu'n,
Sich beide gegenseitig hoch erfreuten
Des Wiedersehens nach so langen Zeiten.
Da ward erzählt, gefragt nach hundert Dingen:
Freund, weißt du noch, als dies und das geschah?
Und, statt die Antwort darauf vorzubringen,
Sind immer wieder neue Fragen da.
Doch endlich müde vom Gedankenspringen
Auf tausend Dinge, welche fern und nah,
Bezähmten sie des Herzens laute Freuden,
Und dies Gespräch entspann sich zwischen Beiden:

Der Dichter.

Sag' mir, o Freund, wie kannst du doch vor allen
Dein ganzes Leben so dem Trinken weih'n?
Am Rebensaft nur hast du Wohlgefallen,
Der Götze, dem du dienest, ist der Wein!
Dein Tempel sind des Kellers dumpfe Hallen,
Nur matt erhellt von einer Lampe Schein!
Ein ew'ges Einerlei g'nügt deinem Willen:
Die Flaschen leeren und den Magen füllen!
Schau' mich! auf des Parnassus Sonnenhöhen
Schwing' ich mich aufwärts zu der Sternenbahn:
Wenn kühne Phantasieen mich umwehen,
Wenn der Begeistrung Zauber mich umfah'n,
Pfleg' ich mit Göttern Hand in Hand zu gehen,
Und wag' es, dem Olympos mich zu nah'n.
Die Palme reicht Apollo mir zum Lohne;
Unsterblichkeit ist meines Ruhmes Krone.
Bald schwillt der Busen mir von Liebesgluten,
Bald braus't in kühnem Dithyramben-Schwung
Die Leier, wie des Meers bewegte Fluthen,
Mit orgiastischer Begeisterung;
Bald sing' ich Helden, die im Kampfe bluten,
Bald zu der Götterwelt Verherrlichung
In Tragödie'n, wie in des Fatum's Mächten
Die menschlichen Geschicke sich verflechten.
So krönt ein steter Wechsel mir das Leben;
Mir immer neu gestaltet sich die Welt,
Indessen dich, der nur dem Wein ergeben,
Dein dumpfer Keller stets gefesselt hält.
Wie kannst du doch an solchen Dingen kleben?
Das Einz'ge, was auf Erden dir gefällt,
Ist: Fässer ordnen und die Flaschen zählen,
Bald diese trinken, bald die and're wählen.

Der Trinker.

Wie kannst du doch in solchem Irrthum stehen,
Da mir mein Keller ein Museum scheint.
Dort findest du Komödien, Epopeen,
Tragödien, die dich rühren werden, Freund!
Der Poesie erhabenste Trophäen
Sind dort in engem Kreise schön vereint:
Satiren, Lieder, Oden, Triolette,
Idyllen, Epigramme und Sonette.
Auch Elegieen, hehre Schlachtgesänge,
Urkunden aus der edlen Ritterwelt,

Romanzen, kühne Dithyrambenklänge
Sind dort zu meiner Wahl, wie mir's gefällt.

Der Dichter.

Fürwahr, o Freund, mit schönem Wortgepränge,
Daß man dich fast für einen Dichter hält,
Beschreibst du deines Kellers süße Freuden,
Daß man versucht wär', dich darum zu neiden!
Doch unverständlich sind mir deine Worte,
Wenn du sie anders als im Scherze sprachst.
Wenn aber wirklich jene Kellerpforte
Verschlösse solche Schätze, wie du sagst,
Wenn's wahr ist, daß an jenem dumpfen Orte
Du dich an Poesie'n ergötzen magst,
So wär' ich doch begierig zu erproben,
Ob wohl dein Kunstgeschmack auch sey zu loben.

Der Trinker.

Bald wirst du, Freund, dich meinem Urtheil einen!
Den Keller aufgeschlossen! schnell, Johann!
Trag' auch den Tisch hinab mit weißem Leinen,
Und ordne mir die Stühle nah daran;
Die Gläser spüle, daß sie klar erscheinen,
Kristallen gleich, und steck' die Lampen an,
Und dann vergiß mir nicht vor allen Dingen,
Den Korkenzieher mit hinab zu bringen!

Er sprach's; und führte d'rauf mit schnellem Schritte
Den Freund, der seinem Herzen so vertraut,
Bei'm Lampenschein die steingehau'nen Tritte
Hinab, wo er sein Heiligthum erbaut;
Und Staunen faßte in des Kellers Mitte
Den Gast, da er die Ordnung um sich schaut.
Der Boden ist belegt mit blanken Steinen,
Die glänzend bei der Lampe Strahl erscheinen;

Und um ihn her auf reinlichen Gestellen,
Vom Boden bis zur Decke angebracht,
Zahllose Flaschen sich vom Glanz erhellen,
Der von der Lampe schimmert durch die Nacht.
Gerüche, wie aus Frühlingsblüthen quellen,
Umduften ihn mit zauberischer Macht,
Und was er um sich schaut nach allen Seiten
Muß ihm die Sorgsamkeit des Herren deuten.

Der Tisch war unterdeß hinabgetragen,
Und auch die Stühle standen schon daran,
Und leise trippelnd und mit ein'gem Zagen
Trug jetzt der dienstbeflissene Johann
Den Henkelkorb, in dem die Gläser lagen,
Und wandte alle Müh' und Vorsicht an,
Daß keins derselben ihm zerbrechen möge,
Damit er nicht des Herren Zorn errege.

Dann nahm er aus der korbgeflochtnen Schale
Die Gläser, sehr verschieden an Gestalt:
Da waren Römer, Becher und Pokale,
Aus deren Wölbung süßes Tönen schallt,
Auch Tummler, Glockengläser, hohe schmale,
Von mannigfalt'ger Größe und Gehalt,
Auch buntgeschliff'ne, die aus England kamen,
Und Böhm'sche Gläser von verschiednen Namen.

Der Trinker.

Nun setz' dich, Freund, denn alles ist bereitet!
Nimm dir den Stuhl mir gegenüber dort!
Jetzt will ich, was der Rebensaft bedeutet,
Dir deutlich zeigen so durch That als Wort!
Und ehe noch dein Fuß von hinnen schreitet,
Wirst du mir zugestehn, daß dieser Ort
Ein Tempel alles Schönen dir erscheine,
In welchem sich der Musen Gunst vereine!

Der Wein, mit dem ich jetzt die Gläser fülle,
Von gelblich blasser Farbe, bis zum Rand,
Ist Deutschen Ursprungs, denn in reicher Fülle
Gebiert ihn uns der *Mosel* grüner Strand.
Mir scheint er zu vergleichen der *Idylle*,
Die mehr das Herz berührt als den Verstand:
Er macht die Sinne mild und frohes Wesen,
Als ob man Geßners Schriften hat gelesen.

Er schmeckt vortrefflich, und behagt dem Munde
Als wie den Hirten Milch und Honig fließt,
Erweckt die Lust zu einer Schäferstunde,
So wie man in Idyllen sie genießt;
Den Kopf beschwert er nicht, doch jede Wunde
Des kranken Herzens wird durch ihn versüßt.
Nun prüf' ihn selbst, damit dein Sinn ergründe,
Ob Wahrheit sich in meinen Worten finde!

Der Dichter.

Fürwahr, o Freund, ich muß es nur bekennen,
Bei diesem Saft' erst seh' ich's deutlich ein,
Wie, lobend für die Mosel zu entbrennen,
Ausonius so begeistert konnte sein.
Dein Gleichniß muß ich wahrlich passend nennen:
Idyllenartig find' ich diesen Wein;
Unschuldig, wie der Hirtin Seele lebet,
Scheint mir der Geist, der diesem Wein entschwebet.

Der Trinker.

Nun wohl! der Wein, mit dem ich bis zum Rande
Die Gläser jetzt erfülle, wächst allein
Bei *Würzburg* an dem rebenreichen Strande,
Wo gelbe Fluthen wälzt der deutsche Main.
Er ist ein Stolz dem ganzen Frankenlande,
Und man benennet ihn den *Leistenwein*.
Ich finde, daß als Wein er das vereinet,
Was mir die *Ode* in der Dichtung scheinet!

Der Geist, der diesem Feuersaft entsprießet,
Ist stark und kräftig wie sein Vaterland,
Wie klares Gold er in den Becher fließet,
Gereifet durch der Sonne Strahlenbrand.
Das Feuer, das er durch die Adern gießet,
Erwärmet und belebet den Verstand;
Doch Keiner wohl vermöcht' ihn zu besiegen,
Denn seiner Kraft muß Jeder unterliegen!

Der Dichter.

O süßer Duft, der diesem Wein entquillet!
O dreimal hochgeprief'nes Frankenland,
Wo sich im Rebenlaub der Hügel hüllet,
Wo milde Lüfte fächeln an dem Strand,
Wo solcher Feuersaft die Becher füllet,
Gereifet durch der Sonne Strahlenbrand,
Der ernst und feurig, wie die Ode schreitet,
Begeisterndes Entzücken rings verbreitet!

Der Trinker.

Daß dir der Irrthum schon beginnt zu weichen,
Nehm' ich, o Freund, mit hohen Freuden wahr! —
Sieh', dieser Wein erwächst in jenen Reichen,
Wo seine Schwingen regt der Doppelaar,
In Ungarn, wo zwei Ströme sich erreichen
Und sich umarmen als ein Zwillingspaar,
Wo Theis und Bodrog ihre Fluthen mengen,
Und dann vereint hinab zur Donau drängen.
Er ist von dunkler Farb', und wird benennet
Vom nächsten Orte der Tokaier-Wein,
Und wer nur einmal seinen Werth erkennet,
Muß stets entzückt von diesem Weine seyn.
Das Feuer, das in diesem Safte brennet,
Gebar ein ewig heitrer Sonnenschein!
Ich hab' ihn zum Sonett mir auserkohren,
Das so wie ihn des Südens Glut geboren.
Süß von Geschmack, als wie der Kuß der Liebe,
Und lieblich duftend wie der Myrthenbaum,
Erwecken seine Gluten heiße Triebe,
Und wiegen uns in süßen Liebestraum.
Wer unentzückt bei diesem Safte bliebe,
Wär' wol dem Menschen zu vergleichen kaum!
Gefühle läßt er unsrer Brust enttauchen,
Gleich den Sonetten, welche Liebe hauchen!

Der Dichter.

Ja, lieber Freund, ich muß es nur gestehen,
Du hast die Ueberzeugung mir verschafft,
Daß die Kamönen im Vereine stehen
Mit des Lyäus hoher Götterkraft.
Das ist ein Wein, wie ich ihn nie gesehen! —
O süßer balsamreicher Lebenssaft!
Sonst trank ich immer nur des Durstes wegen,
So ungefähr wie es die Thiere pflegen;
Jetzt aber steht es klar vor meinen Blicken,
Daß Bacchus uns erschuf die Poesie:
Petrarca schöpfte sicher sein Entzücken
Aus dieses Saftes zaubrischer Magie;
Um glänzend seiner Laura Bild zu schmücken
Sog er aus ihm die Glut der Phantasie.
Wie er das Ohr ergötzt durch seine Leier,
So lieblich ist dem Gaumen der Tokaier.

Berliner Chronik.

Die dritte Vorstellung der Tochter der Luft, am Donnerstag den 25., fand ebenfalls ein volles Haus, aber die Aufnahme, die schon bei dem zweiten Mal kühl war, war es noch mehr bei der dritten und dennoch waren es nicht Zuschauer, die zum zweiten, oder dritten Mal, sondern zum ersten Mal gegenwärtig waren. — Man hat öfter gefragt: warum in dem Königstädter Theater bei den unbedeutendsten Leistungen tüchtig, sogar im ersten Range, applaudirt wird, während in dem Königlichen die größten und trefflichsten Momente der Künstler und Künstlerinnen oft unbeachtet bleiben? Die Lösung dieses Räthsels liegt vornehmlich darin, daß das Klatschen von den Gallerien auszugehn pflegt, überhaupt das Leichtfaßliche und Verständliche mehr aufregt und unmittelbarer ergreift, als das, worüber man erst nachzudenken hat. Deshalb wird es der tragischen Schauspielerin selten gelingen, einen so lauten Beifall zu gewinnen, wie er der Sängerin auf leichterem Wege zu Theil wird.

Berichtigung. In der Beurtheilung der Tochter der Luft in No. 20 dieses Blattes ist durch Auslassung einer Zeile, in welcher die Spanischen Dramen genannt wurden, die wir auf unsrer Bühne sahen, der Misverstand entstanden, als ob Donna Diana von Moreto zu den Calderonschen Stücken gezählt werde. Genannt waren noch: der Arzt seiner Ehre; das öffentliche Geheimniß und geheimer Schimpf für geheime Rache, welche ebenfalls bereits auf unserer Bühne gegeben wurden.

Sonnabend den 27. Geburtstagsfeier Mozart's im Jagor'schen Saale. — Schon oft genug ist uns der Vorwurf gemacht worden, daß wir in der Anordnung öffentlicher Feste weit ungeschickter sind, als die Franzosen und Engländer und hierzu gab die am letzten Sonnabend veranstaltete

Geburtstagsfeier Mozart's ein neues glänzendes Beispiel. Diesmal war jedoch dem verdienstvollen Anordner des Festes nicht alle Schuld beizumessen; dem besten Feldherrn verunglücken oft die schönsten Dispositionen. Wie kann er allein vor dem Riß stehen, wenn weder die leichten, noch die schweren Truppen eintreffen und sogar dem Heer die Oriflamme fehlt, um die es sich sammeln kann?

Das Concert ward mit einer Symphonie von Mozart eröffnet, dann sprach Mad. Stich das in unserm Montagsblatte bereits mitgetheilte Gedicht mit dem Wohllaut und der Kraft der Rede, der ihr vor allen andern verliehen ist. Die Herren Jäger, Spitzeder, Wächter und Blume sangen Arien aus der Zauberflöte, Figaro, Belmonte und Constanze, Don Juan, und ihr Talent erhielt hier, wo sie die schöne Gelegenheit hatten, als freie Künstler, als Theilnehmer der Gesellschaft und aus Gefälligkeit aufzutreten, die freudigste und freundlichste Anerkennung. Von allen Sängerinnen der großen Oper und der Königstadt hatte allein Dem. Sontag sich mit zuvorkommender Gefälligkeit bereit erklärt, in diesem, dem Andenken Mozarts gewidmeten, Concerte zu singen. Leider traf statt ihrer ein Billet an Herrn Möser ein, aus welchem uns vergönnt ist folgendes mitzutheilen:

.. — „Der Arzt hat mich, weil ich nicht ohne Fieber bin, zum Betthüten condemnirt und der Direktion auch bereits angekündigt, daß ich mehrere Tage außer Stande sei zu singen. — Sie können leicht erachten, wie unangenehm es mir ist, bei der Feier des von mir so unendlich verehrten unsterblichen Genius mein Scherflein nicht beitragen zu können; allein ich muß der eisernen Nothwendigkeit mich fügen. Wie leid thut es mir, Ihnen, der für die Veranstaltung der Feier des großen Musageten so sehr den Dank seiner Verehrer verdient, durch mein Außenbleiben eine Störung verursachen zu müssen." —

Diese Störung, die wir mehr eine Entbehrung nennen möchten, war bei dem Feste sehr fühlbar. Der ganze Ton der Gesellschaft schien verstimmt zu sein.

Den ersten Toast über Tafel brachte Herr Direktor Möser: „Mozart, dem uns immer gegenwärtigen!" aus. — Mit wahrer patriotischer Begeisterung wurde Sr. Majestät dem Könige, dem erlauchten Beschützer der Künste ein dreifaches Lebehoch! gerufen. — Die Ueberzeugung, daß Niemand daran zweifelte, daß die verehrte Sängerin, die uns fehlte, es gewiß herzlich bedauerte, uns nicht mit ihrer Gegenwart erfreuen zu können, sprach sich am unverholensten darin aus, daß unter lautem und allgemeinen Zuruf „der abwesenden Theilnehmerin" ein donnerndes Lebehoch gebracht wurde. Das Fest schloß mit einem Ball und mit dem Wunsche, daß es das nächste Mal besser gelingen möge. — 8.

Chaeronea.

Chateaubriand sagt in seinem *Itinéraire de Paris à Jerusalem* gleich im Anfange, da wo er von Koron (im südwestlichen Peloponnes) spricht, daß der bekannte Geschichtschreiber des Maltheserordens Vertot einen Mißgriff begehe, indem er Koron mit Chaeronea verwechsele. Das hat seine Richtigkeit. Aber er fügt hinzu: „das Chaeronea, das die Vaterstadt Plutarchs ist, ist wieder jenes Chaeronea nicht, wo Philipp von Macedonien Griechenland in Ketten schlug." Ist das wahr und sind jene beiden Oerter, Chaeronea von einander verschieden, wo liegen sie dann? Von der Vaterstadt des Plutarch behaupten die Geographen und Biographen, daß es in Boeotien liege, und Funke in seinem „Wörterbuch der alten Erdbeschreibung" bemerkt dabei, daß es derselbe Ort sey, wo Philipp Griechenlands Freiheit vernichtet habe. Gewiß liegt hierbei, wie bei dem Mißgriffe Vertots, eine Verwechselung mit dem auch in Boeotien und nicht weit von Chaeronea gelegenen Orte Koronea zum Grunde, wo (394 v. Chr. Gebt.) der Spartaner Agesilaus die Athenienser und die mit ihnen vereinigten Bundesgenossen schlug. Wenn aber auch Chateaubriand jenen Irrthum beging, indem er ein doppeltes Chaeronea behauptete, warum hat denn sein deutscher Uebersetzer, Hr. K. v. Kronfels (Freiburg in Breisgau bei Wagner. 1827.), diesen Irrthum nicht berichtiget? Man rühmt ja sonst an uns Deutschen eine ängstliche Genauigkeit! K.

Dem namen- und spurlosen Uebersender der „süßen Kritik" seines „stummen Bettlers" stattet seinen verbindlichen Dank der Verfasser des Aufsatzes ab. W. A.

(Redigirt von Dr. Fr. Förster und W. Häring (W. Alexis.)

Von diesem Journal erscheinen wöchentlich 5 Blätter (und zwar Montags, Dienstags, Donnerstags, Freitags und Sonnabends) außerdem literarisch-musikalisch-artistische Anzeiger. Der Preis des ganzen Jahrgangs ist 9 Thaler, halbjährlich 5 Thaler. Alle Buchhandlungen des In- und Auslandes, das Königl. Preuß. Post-Zeitungs-Comptoir in Berlin, und die Königl. Sächsische Zeitungs-Expedition in Leipzig nehmen Bestellungen darauf an

Im Verlage der Schlesingerschen Buch- und Musikhandlung, in Berlin unter den Linden Nr. 34.

Berliner Conversations-Blatt
für
Poesie, Literatur und Kritik.

Freitag, — Nro. 24. — den 2. Februar 1827.

Der Dichter und der Trinker.

2.

Der Trinker.

Du lernst, fürwahr, mit eifrigem Bestreben.
Fährst du so fort in deiner Lernbegier,
So wirst du bald zum Meister dich erheben.
Doch jetzt zu dieser neuen Flasche hier! —
Sieh', dieser dunkelgelbe Saft der Reben
Er wächst am Ufer des Guadalquivir,
Der, wie ein klarer Silberstrom zu schauen,
Bewässert Andalusiens goldne Auen.
Die Britten sind es, die ihn Sekt benennen,
Den Xereswein nennt ihn sein Vaterland.
Man kann ihn an der stillen Glut erkennen,
Die ihm der Sonne Strahlen eingebrannt.
Wenn seines Geistes Kräfte uns durchbrennen,
So macht er ernst, doch feurig, den Verstand,
So ernst und feurig, wie die Nationen,
Die in Hispanien und Britannien wohnen.
Dies ist der Wein, den Calderon getrunken,
Durch den sein hoher Geist zum Himmel flog,
Aus welchem Shakspeare seines Witzes Funken,
Die Flammengluten der Begeistrung sog,
Wenn, tief in kühne Phantasie'n versunken,
Sein Genius in's Land der Dichtung zog.
Dies ist der Wein, der mir vor allen Weinen,
Zumeist sich scheint der Tragödie zu einen.

Der Dichter.

Dein Gleichniß find' ich wahrlich sehr begründet:
Des Weines Vorgeschmack hat Bitterkeit;
Doch so wie jegliche Verwicklung schwindet,
Wenn sich das Spiel zur Katastrophe reiht,
Wie alles harmonirend sich verkündet,
Was kaum noch ruhte in Verworrenheit:
So fühl' ich auch die Bitterkeit entfliehen,
Die sich am Gaumen löst in Harmonien.

Der Trinker.

Der Wein, den ich dir jetzt zu kosten gebe,
Ist von entschied'ner Eigenthümlichkeit:
Er ist das feuervollste Kind der Rebe,
Das Dionysos unsrer Lust geweiht,
Und würdig, daß die jugendliche Hebe
Ihn der Olympier hohem Kreise beut.
In Fesseln muß man schmiegen seine Gluten,
Damit er nicht versprütze seine Fluthen.
Du siehst, er ist mit zähem Harz verklebet,
Ein Draht von Eisen gibt dem Pfropfen Halt;
Sobald ich diesen lüfte, so erhebet
Er seine Glut mit brausender Gewalt,
Und schleudert rasch, von eigner Kraft belebet,
Die Schranke von sich, daß die Decke schallt;
Als wie gekocht von innerlichen Gluten
Entsprüht er schäumend seine weißen Fluthen.
Er wächst in jenem leicht bewegten Lande,
Wo jeder Funken gleich zur Flamme glüht,
Doch wo, wie bei der Leidenschaften Brande,
So schnell auch die Begeistrung wieder flieht, —
In Frankreich, an der Marne grünem Strande,
Die durch die Ebnen der Champagne zieht,
Und wird in jedem Land, wo man ihn kennet,
Von Allen der Champagner-Wein benennet.
Man trinkt ihn nicht aus wölbenden Pokalen,
Auch nicht aus Bechern mit geschliff'nem Saum,

Aus Gläsern nur, wie diese hohen schmalen,
Damit er, eingepreßt in engen Raum,
Nach oben nur entwickle seine Strahlen,
Und thürme mit Gebrause seinen Schaum.
Schnell, wenn er braus't, eh' sich die Strahlen klären,
Muß man das Glas in Einem Zuge leeren.
Nun merke dir, was ich dir jetzt verkünde:
(Und nimm dir das Champagner-Glas zur Hand!)
Sobald ich nun den Draht vom Pfropfen winde,
Springt dieser mit Gebrause an die Wand — —
Schon hebt er sich! — jetzt steigt er! — nur geschwinde! —
Hoch sprüht der Schaum bis an des Glases Rand — —
Nun frisch getrunken und in raschen Zügen,
Damit die Lebensgeister nicht verfliegen! — —

Der Dichter.

Ha! das ist dithyrambisches Entzücken!
O Glutenquell! O geistbelebter Schaum!
Mich faßt dabei ein inn'res Hochbeglücken;
Dem Geiste wird zu eng des Körpers Raum!
Mit Blumen möcht' ich meine Locken schmücken,
Mit Epheu kränzen meines Kleides Saum,
Den Thyrsus möcht' ich in den Händen schwingen,
Und Lobgesänge dem Lyäus bringen!
Ich fühle das Entzücken der Mänaden,
Mir schwillt im Busen zügelloser Muth:
Bald möcht' ich schwärmend auf des Berges Pfaden
Im Mondlicht kühlen mein erhitztes Blut,
Bald opfernd in dem Kreise der Thyaden
In Dithyramben strömen meine Glut!
Evoe Bacchus! möcht' ich jubelnd singen,
Daß Berge, Hain und Flur davon erklingen!

Der Trinker.

Wie der Begeistrung Flammen dich umziehen
Hat dieser Wein auch meine Brust belebt!
Wie als das Kind der kühnsten Phantasieen
Die Dithyrambe zu den Sternen strebt,
So muß auch jede ird'sche Fessel fliehen,
Wenn dieser Quell von Gluten uns durchwebt,
Daß wir in kühn begeisterten Gedanken
Uns weit erheben über alle Schranken!
Doch um dem Ungestüme im Entzücken,
Der Dithyrambe regellosem Gang
Die aufgeregten Geister zu entrücken,
Und zu beschwicht'gen durch der Formen Zwang,
Erwartet uns noch höheres Beglücken
Bei dieser Becher feierlichem Klang,
Denn diesem Wein, den ich dir jetzt kredenze,
Gebühren des Lyäus goldne Kränze.
Er ist ein Deutscher; und wie die Teutonen
An hohem Sinn und männlich festem Muth
Vor Allen, die den Erdball rings bewohnen,
Sich stets erhoben aus der Völker Fluth;
So, vor den Weinen aller Nationen,
Gebührt auch dieser Traube goldnem Blut
Die Krone, als des Bacchus schönster Gabe,
Die er den Sterblichen erschuf zur Labe.
Sie wächst in jenen segensreichen Gauen,
Wo an den Rheines blüthenreichem Strand
Bekränzte Hügel aus den Fluthen thauen,
Bespület von der Wogen Silberrand,
Von deren Gipfel stolz hernieder schauen
Der Vorzeit Reste, wie aus fernem Land,
In Schleier der Vergangenheit sich hüllend,
Mit Thatendrang des Menschen Brust erfüllend.
Dort wächst sie, wo auf grünen Bergeshöhen,
Rückstrahlend aus des Stromes Silberfluth,
Des Dionysos goldne Throne stehen,
Hell glänzend in der Abendsonne Glut;
Dort, wo in ewig milder Lüfte Wehen
Der Rebengott in goldner Wiege ruht,
Wo, von der Farben buntem Schmelz umwebet,
Der Sankt-Johannisberg sich stolz erhebet!
Wenn ich den Pfropfen dieser Flasche lüfte,
So quillt ein Wohlgeruch aus diesem Wein,
Als wie des Lenzes süße Blüthendüfte
Von tausend Blumenkelchen im Verein,
Wenn sie umgaukelt sind durch laue Lüfte,
Umflossen von des Abends Purpurschein,
Und lieblich aus verschlung'nen Blüthenhainen
Die süßen Klänge Philomelens weinen.
Den Inbegriff von allen Wohlgeschmäcken,
Die eines Menschen Zunge je empfand,
Was die Natur, so weit sich Länder strecken,
An köstlichen Gerüchen nur erfand,
Wirst du in diesem goldnen Saft entdecken,
Wenn nur die Lippe rührt des Bechers Rand.
Wie alles Schöne sich im Epos einet,
So allumfassend dieser Wein erscheinet.
Unsterblich, möcht' ich sagen, daß er scheine,
Denn ihn berühret nicht der Zeiten Spur;
Verschalend altern alle jene Weine,
Gereift auf Galliens und Hispaniens Flur;
Doch dieser Rebensaft vom Deutschen Rheine,
Bewährend die germanische Natur,
Wird edler sich und feuriger dir zeigen,
Je höher seines Alters Jahre steigen.
Darum gebührt auch diesem Wein die Krone,
Der hoch begeistert, doch mit milder Glut.
Er regt die Phantasieen auf, doch ohne
Mit Ungestüm zu hitzen unser Blut,

Und wirket auf des Menschen Brust, als wohne
Gedankenvoll ein Geist in seiner Fluth,
So daß Verstand und der Gefühle Regen
Zu gleichen Theilen mächtig uns bewegen.

Der Dichter.

O Deutscher Wein! aus Deinen goldnen Fluthen
Strömt mir Begeistrung in die rege Brust!
Ich fühl' es ahnungsvoll, was deine Gluten
Im Busen zu erwecken mir gewußt:
Die Kräfte, die verborgen in mir ruhten,
Hast du erregt zu neuer Lebenslust,
Die mächtig, das hinaus zu strömen, drängen,
Was mich erfüllt, in kräftigen Gesängen!
Verstummt, ihr Haine und ihr Wiesenbäche!
Verstumm', o süßer Nachtigallen-Chor!
Verstummt ihr Wogen auf des Stromes Fläche!
Kein Murmeln rausche mehr aus euch hervor!
Ihr Blüthen, redet nicht! kein Lüftchen spreche!
Leiht meinen Tönen ein geneigtes Ohr!
Und horcht dem Lied, zu welchem mir die Kräfte
Verleihen mögen diese Deutschen Säfte!
Denn von dem Gott soll meine Leier künden,
Der sie entschöpft dem Borne der Natur,
Der da, wo lieblich sich die Ströme winden,
Mit Rebenhügeln kleidet ihre Spur,
Der, wenn des Sonnenwagens Gluten schwinden,
Bei Fackelstrahl auf blumenreicher Flur,
Das Haupt mit grünem Rebenkranz umwunden,
Den Reigen führt in mitternächt'gen Stunden.
Ja dir, o Bacchus! tönet meine Leier!
Dir, Bromius, dem ew'ge Jugend blüht!
Dir, schöngelockter Gott, bei dessen Feier
Mir im Pokal der gold'ne Nektar sprüht!
Durchströme mich mit deinem heil'gen Feuer,
Das in dem Safte deiner Trauben glüht!
Laß' voller mir der Lyra Saiten klingen,
Und deiner würdig meine Lippen singen!
Und du, Apoll! dem die Gesänge fließen,
Der auch den Reigen der Kamönen führt,
Laß' Delphisches Entzücken sich ergießen,
Daß man der Gottheit hohe Wirkung spürt!
O wollet mir das Heiligthum erschließen,
Wo man der Dichtung Götterfunken schürt;
Laßt mir die heiße Glut im jungen Busen
Zur Flamme sich entzünden, hehre Musen! x.

Ueber die Kunstausstellung in München.

Das erste, dem man nicht ausweichen konnte, war ein großes Bild von

Riedel

aus Baireut: die Apostel heilen einen Lahmen. Viele Leute standen vor dem Bild und schienen sehr erbaut. „Nein, der Johannes, sagte eine junge Dame, sehen Sie nur Papa, nicht wahr reizend, fast weiblich schön." „Und die prächtigen Farben!" sagte ihre Mutter. Ja es macht einen ganz besondern Effect," sagte der Bruder. „Tüchtig gemacht," sagte der Vater; „ja der Riedel kann schon was. Das ist gemalt? nicht wahr, Herr von **," und hiemit wandte er sich an meinen Begleiter. „Ei ja wohl, erwiederte dieser. Es hat viel Gutes. Herr Riedel versteht mit Farbe und Pinsel umzugehn. Der Kopf des Lahmen hat viel Natur, zumal er nach der Natur ist; da diese Hand ist recht gelungen, viel Natur." „Ja wohl, Natur! Natur in Allem, sagte Jener, man merkt's gleich, daß er nichts ohne Natur gemacht hat." „Wenigstens nicht ohne Modell," erwiederte mein Recensent und jene gingen vorüber. Auf meine Bemerkung, daß mir sein Urtheilspruch so lau vorgekommen, antwortete er: Ich werde den Leuten ihren Spaß nicht verderben, haben sie Freude dran — in Gottes Namen; zum Spielen sind taube Nüsse ohnehin so gut, wie volle. Aber um Hr. Riedel ist's Schade, daß er mit seinem schönen Talent nicht mehr anfängt. Freilich weiß ich nicht, wie weit der Genius ihn tragen würde — diese Richtung ist denn doch wenigstens zum Theil seine freie Wahl, — aber diesem Bilde sieht man großes technisches Talent und erworbne Fertigkeit an. Doch wie dürftig ist die Composition, welche Armuth an Gedanken bei solchem Figurenreichthume und solchem Gegenstande. — Vor Allen diese Apostel, es ist eine jammerhafte Symbolik, ein Dutzend angenommener Stellungen, zur Bezeichnung der Handlung und der Charaktere. Daraus wird gewählt, was in den Raum paßt, ohne Gefühl und Kritik. Johannes muß die Hand auf die Brust legen, Petrus den Finger gen Himmel strecken, ein Dritter nachdenklich in den Bart greifen. Aus lauter Außendingen ist die Composition componirt. Nirgend sucht er zu erheben, nur zu gefallen, und das erreicht er vor der Hand noch beim Publicum. Mir aber ist vor solchen Bildern zu Muthe wie im Concerte, wenn so eine moderne lnische Musik höchst exact aufgeführt wird.

Berliner Chronik.

Ländlich sittlich im Berliner Theater.

Wir sollen im Theater keine Ueberröcke mehr tragen, keine bunten Halsbinden, wenn es kalt ist keine Mäntel, wir sollen nicht mehr sitzen im ersten Rang Logen, wir sollen — vielleicht nur mit Schuhen und Strümpfen den Jocko sehn! Eine gewandte Feder hat diesen frommen Wunsch in No. 9. der Vossischen Zeitung ausgesprochen. Wenn alle frommen Wünsche für das Theater in Erfüllung gingen! Auch Ref. hat schon sehr viele ausgesprochen und hegt noch weit mehr in der Brust verschlossen, aber bis zu Ueberröcken und Pantalons ist, wo so vieles dazwischen zu wünschen, seine Frömmigkeit noch nicht gedrungen.

Wir können dem geehrten Wünschenden in No. 9 nicht die Kenntniß der echten Tendenz unseres Deutschen Theaters absprechen. Der Gedanke an die heiligen Hallen der Kunst ist längst aufgegeben, die Theater selbst streben dahin, angenehme Unterhaltungsorte zu werden, und was ist dabei Uebles, wenn jemand die schönen bunten Häuser, mit der glänzenden Erleuchtung, den Alabaster- und Marmordecken, den goldnen Säulen, den Basreliefen, vollends zu Salons für die elegante Welt umschaffen will? Wie es jetzt steht, verloren wäre nicht viel dabei.

Aber warum? weil es in Frankreich, weil es in England so ist. Frankreich, d. h. Paris, das aus dem Cynismus der Revolution zum *ancien régime* in der Kleidertracht restaurirte Paris, bedarf eben bei der großen Freiheit der Meinungen und der Thaten eines Bindungsmittels, eines Zwanges. Wie umgekehrt der totale Zwang sich irgendwo in Ungebundenheit Luft macht, so legt die völlige Ungebundenheit sich willkührlich einen conventionellen Zwang auf. — Die Pariser Kleiderordnung, die übrigens durchaus nicht für das Theater gilt, ist nicht das beste, was Paris dem Fremden aufweist, ihre Gebote arten ins Lächerliche aus. Mußte doch ein Freund, der auf einer größern Reise Paris im Juni passirte, seinen schwarzen Frack, den er mit sich führte, gegen einen blauen vertauschen, weil die gute Gesellschaft im Sommer die schwarzen Röcke nicht verträgt!

Noch fürchterlicher gestaltet sich dieser Zwang in London. Der freie Engländer hat sein geselliges Leben in so drückende Formeln eingezwängt, daß 100000 Britten in Frankreich, Italien und Deutschland die im Vaterland verlorne Freiheit wiedersuchen. Ihr Theater ist längst kein Theater mehr, die Kunst ist ausgestorben und hier besucht man die Komödie um Spektakelstücke anzugaffen, den Matrosen auf der Gallerie singen zu hören oder zwei Gentlemen im ersten Rang-Loge sich boxen zu sehn (ein neulich vorgefallnes Factum) dort (die Oper), um in seinem Putz gesehen zu werden, nicht um zu sehen, zu hören und zu genießen.

So weit ist das Deutsche Theater noch nicht gesunken. Kunstkenner, Kunstfreunde, Künstler machen noch einen guten Theil des Publicums aus, ja den größern. Diese gilt es festhalten und das geschieht nicht, wenn man den Theaterbesuch an conventionellere Formen knüpfen will. Je größer die Anforderungen der Eleganz wurden, je mehr trat die Kunst zurück. Shakspeare, Göthe, Schiller finden den ersten Rang Logen fast immer leer. Wenn Iphigenia den Arm ausstreckt „nach Freunden u. Geschwistern," findet sie sie nie im ersten Range; will man nun den Wenigen hier den Besuch noch erschweren? Die freie Kunst schwingt sich über die willkührlichen Conventionen des Lebens hinaus; oder will man vielleicht, daß ein Schadow, Wach, Rauch u. s. w. in Escarpins an der Staffelei und dem Modell sitzen, weil doch Besuch kommen kann? Jene sclavischen Regeln aus Paris und London (in letzterem Orte arten sie in kleinstädtische Pedanterie aus) passen weder für Deutsche Kunst, noch für das Deutsche Theater. In Deutschland, wo das öffentliche Leben fehlt, ist das Theater der einzige Ort, wo es sich der Idee nach äußern mag. Freilich schließen sich auch hier schon ganze Classen vom Publicum aus, wie z. B. der erste Rang aus falscher Vornehmheit nicht klatscht, was von den Schauspielern schmerzlich genug empfunden wird; aber man wolle um des Himmels willen nicht das Uebel noch ärger machen.

Wo herrscht innigere Liebe des Volkes zu seinem Fürsten, in Paris und London, wo Alles sich erhebt, wenn der König eintritt, oder bei uns, wo es die ruhige Freude des geliebtesten Königs ganz stören würde, wenn sein Eintritt in das Theater das Zeichen zum allgemeinen Aufbruch würde? Auch hier lassen sich die Verhältnisse von London und Paris nicht auf Berlin anwenden. In London ist das Erscheinen des Königs im Theater eine Begebenheit, wie die Eröffnung des Parlaments, oder sonst eine Feierlichkeit, die der Monarch durch seine Gegenwart beehrt. Acht Tage vorher verkündigen es die Zeitungen, man bereitet den Empfang vor, es ist durchaus ein politischer Akt, und das Schauspiel ist reine Nebensache, weshalb auch die Zuschauer nicht gekommen sind. — Bei uns theilt der Hof mit dem Publicum den einen Zweck, Kunst-Genuß und Vergnügen, Erholung wird verlangt für die ernsteren Sorgen und der geliebteste Monarch weiß, daß, wenn die Zuschauer sitzen bleiben, ihre nicht laute Freude darum nicht minder lauter ist.

So viel zur Rettung der Ueberröcke, Mäntel, bequemer Halsbinden u. s. w. Mit Vergnügen sahen wir, daß es in beiden Theatern, trotz des erschienenen Aufsatzes, beim Alten geblieben. Damit wollen wir keinesweges den Cynismus vertheidigt haben und eben so wenig das oft auffällige und lange dauernde Stehen, Anlehnen oder gar Sitzen auf den Logenbrustwehren, daß das Publicum für das entbehrte Gesicht sich mit dem Rücken oder ein Paar herabhangenden Rockschößen begnügen muß. *a.*

(Redigirt von Dr. Fr. Förster und W. Häring (W. Alexis.)

Von diesem Journal erscheinen wöchentlich 5 Blätter (und zwar Montags, Dienstags, Donnerstags, Freitags und Sonnabends) außerdem literarisch-musikalisch-artistische Anzeiger. Der Preis des ganzen Jahrgangs ist 9 Thaler, halbjährlich 5 Thaler. Alle Buchhandlungen des In- und Auslandes, das Königl. Preuß. Post-Zeitungs-Comptoir in Berlin, und die Königl. Sächsische Zeitungs-Expedition in Leipzig nehmen Bestellungen darauf an.

Im Verlage der Schlesingerschen Buch- und Musikhandlung, in Berlin unter den Linden Nr. 34.

Berliner Conversations-Blatt für Poesie, Literatur und Kritik.

Sonnabend, — Nro. 25. — den 3. Februar 1827.

Der Aufruhr in den Cevennen, von Ludwig Tieck.

Eigentlich war wohl die Geschichte von der Babylonischen Sprachverwirrung nur ein Symbolum unserer ästhetischen Schulen und der Deutschen Kritik, etwa analogisch dem nun erwiesenen Satze, daß der Einfall der Mauern von Jericho durch das Blasen der jüdischen Trompeten ebenfalls nichts war, als eine Kritik der neusten Opernmusik. Wie denn überhaupt der alte Vers: „die Weltgeschichte ist das Weltgericht,“ wenn man genau nachsieht, seine ganz umgekehrte Bedeutung findet. Alle die vor uns haben für uns gelebt, und sie sind die Commentatoren, oder die Recension unserer heutigen Ergebnisse und Bestrebungen, und wir, indem wir essen, trinken, schlafen und sonst leben, recensiren dadurch in unbewußter Kritik die Nachwelt.

Leider ist unsere Kritik, wenn auch sonst oft ohne Bewußtsein, doch ihrer selbst gar nicht unbewußt, vielmehr besteht der ganze *justus titulus*, oder das Doctordiplom, oder das Gewerbsteuerpatent unserer Recensenten in nicht viel mehr, als daß jeder seines kritischen Berufes sich selbst bewußt ist. Aber indem jeder um die Anerkennung seiner einzig wahren, durch sich selbst erprüften Essenz, gleich den Englischen Quacksalbern mit ihren rothen, grünen, gelben, lateinischen, griechischen, syrischen Etiketten, buhlt, erwachsen unter dem lauten Ueberschreien die neuen Sprachen, und mit den neuen Sprachen die Sprachverwirrung.

Diese Babylonierin, gedruckt, geschrieben und in der mündlichen Rede, hat ganz besonders Tiecks Cevennen in ihren Wirbelwind aufgenommen. Aus Ost und West, aus Nord und Süd, oben vom Himmel, d. h. aus den Dunstwolken der Atmosphäre und tief unten aus der Erde, etwa durch Maulwurfslöcher, sind die Stimmen, lichtscheu und lichtvoll, kalt und feurig, polemisch und oberflächlich, gehässig und bewunderungsvoll, vornehm und roh, in allen Abstufungen über ein Werk erschallt, daß erst zur Hälfte ans Tageslicht getreten ist. Das sollte doch schon Wunder nehmen, wie ein poetisches Werk, das nicht Musik ist, nicht von der Oper, nicht vom Theater redet, sondern Bilder erstaunlich trüber Tage, fanatischer Religionsverfolgungen, kurz das aller ernsteste und heiligste uns vor die Seele führt, solches Aufsehn heut erregen konnte, wenn uns nicht Einige erklären möchten, das sei nur, weil schon so viel im voraus von dem Werke gesprochen worden.

Andere meinen, es sei ein so riesenhafter Bau, der wie eine Aegyptische Pyramide über die belletristische Tagesliteratur hinaus rage, daß dieser Umstand allein aller Augen darauf gerichtet, während er den Zorn der Kleinen, die selbst auf ihren Zehen nicht bis hinanreichen, erregt habe. Noch andere sind einer ganz entgegengesetzten Meinung von jener oben ausgesprochenen. Eben der Stoff, der Kampf zwischen Fanatismus und Schwärmerei, glauben sie, wäre das Fesselnde, dies sei ein Panier, aufgesteckt, um einen Religionskrieg zu entflammen, und Kunst, Aesthetik und Unterhaltung hätten mit der Novelle oder dem Romane nichts zu schaffen. Seltsam nur, daß grade diese Religionseiferer die aller widersprechendsten Absichten dem Dichter unterlegen.

Während die große Mehrzahl das so lange verheißene und schon vorläufig so vielfach besprochene Werk des Dichters, an dem er, wie man weiß, die besten Kräfte langer Jahre verwendet hat, als etwas auch unter Tiecks Dichtungen in eigenthümlicher Größe dastehendes bewundert, als eine Schöpfung, die über die Tageseinflüsse und Zuflüsterungen erhaben, in festerem Boden aus einer besseren Zeit Wurzel geschlagen, möchten andere ihm ganz den Character der Originalität absprechen. Jemand meinte, „selbst der große Tieck habe es nicht verschmäht dem Großen Unbekannten nachzuahmen, selbst Tieck wolle nun auch *à la* W. Scott Romane schreiben." Die öffentliche Meinung hat einen solchen Ausspruch schon so nach Verdienst gewürdigt, daß es keiner weitern Abfertigung bedarf; wenn aber Andere diese Cevennen mit Scotts Puritanern (*old Mortality*) zusammenstellen möchten, so ist zwar das Motiv zur Vergleichung weit richtiger, soll es aber Urtheil sein, so kommt dies heraus, als wolle man ein hübsches Dosenbild von der Mutter Gottes mit Raphaels Madonna vergleichen. Die „Puritaner" sind ein gutes, sogar in den meisten Parthieen ein treffliches Gemälde, eben wie ein gescheuter, der Geschichte kundiger Dichter erlebte Partheiungen mit Umsicht und billigem Sinne auffassen würde; wo aber die psychologische Tiefe, wo die reine helle Umsicht, die das allgemein Menschliche und Wahre zur umfassenden Dichtung durcharbeitet? Wo jener höhere Standpunkt, der die psychologischen Wahrnehmungen von der Scholle absondert und in ein höheres Gebiet versetzt, wo endlich Inhalt und Form so verschmolzen und so von einer läuternden Stimme durchdrungen, daß ein reines Kunstwerk daraus wäre zu Tage gefördert worden?

Die gar nichts vom Kunstwerk wissen wollen, sondern nur Ansichten und Absichten aufsuchen, gerathen in eine noch buntere Sprachverwirrung. Hier wirft man dem Dichter vor, er habe es gegen den Protestantismus, dort gegen den Katholicismus abgesehen. Man erzählt sich, daß, nachdem Jahre lang schon von Befreundeten und Nichtbefreundeten Nachrichten über dieses Werk in Deutschland verbreitet worden, ein Mann, der als einer der eifrigsten Promachoi des neuen Katholicismus gilt, einst der Freund und rüstige Kampfgenoß Tiecks in jenem übermüthigen Jugendkampfe gegen eine zu Grabe gehende Nüchternheit, den Dichter in Dresden besucht und gewarnt habe, ob er es auch an der Zeit halte mit solchem Werke ans Licht zu treten, jetzt wo der alte Unglaube von neuem sein Haupt erhebe. — Von der andern Seite will man in dem alten Beauvais, vor allem in Edmund Watelet, dem katholischen Priester, die wahre Apotheose des Katholicismus erkennen. Siege doch die Ansicht dieses so würdig gehaltenen Greises geistig über alle von Andern vorgetragenen Meinungen. Dann sind echt protestantische Gemüther empört über die Wunder der Hellseherei. Da sich alles bestätige, so sei doch offenbar dem fatalen Wunderglauben das Wort geredet. Die Anhänger jenes einen besorgten Mannes haben aber mit derselben Sicherheit gefunden, daß das ganze Werk eigentlich eine antikatholische Tendenz habe, und so wäre mit einem male der von den Dresdenern gefürchtete und vom seeligen alten Voß denuncirte Kryptokatholicismus des Dichters zur Fiction geworden. Denn, behauptet man, es wäre ja ganz augenscheinlich, wie er die Hugonotten, und die Helden dieser Camisards, als den Cavalier, Roland u. s. w. in günstigem, ihre Verfolger, die katholischen Priester, Soldaten und Generale dagegen im allergehässigsten Lichte darstelle; die Hugonotten siegten immer, moralisch und physisch, ihre Propheten redeten immer die Wahrheit, es wäre durchaus darauf abgesehen, daß wir uns für sie, und nur für sie interessirten. Was nun den katholischen Priester und die andern liebenswürdig gezeichneten Katholiken anbetreffe, so seien das eigentlich gar keine Katholiken mehr, da Beauvais so gut als Edmund Watelet zugeständen, „man könne auch anderwärts als im Schooße der Römischen Kirche seelig werden" und ihr ganzer Katholicismus in nicht eben mehr bestände, als daß sie die Formen ihrer Kirche für die besten, und das Gemüth am meisten ansprechend erklärten.

Bei aller Verehrung für den Dichter können wir nicht leugnen, daß wir oft gewünscht, er wäre etwas nachgiebiger gegen das Verlangen der Menge, etwas milder gegen die Schwachen, was weder der Kraft seiner Dichtungen noch dem Scharfsinn seiner Urtheile Eintrag thuend, nur beiden einen größeren Wirkungskreis angewiesen hätte. Hört Tieck diese sich bunt widersprechende Urtheile, verdenken wir es ihm dagegen nicht, wenn er innerlich lächelnd keinen Finger rührt die Sprachverwirrung zu lösen. Wer da will in eine Dichtung etwas hineinlesen, wo fände er nicht den verlangten Sinn! Und für die Wenigen, welche über Subjectivität und Partheiansicht sich hinausgeschwungen haben auf den Standpunct einer objectiven, dichterisch freien Anschauung, bedarf es keiner Erklärung. Unter den gemäßigten Katholiken scheint die Theilnahme für diese Dichtung am lebendigsten. Weit entfernt über ein Werk, das seine Kritik in sich trägt, und wo man es nicht verstehen will, durch keine kritische Hand eines Fremden heller wird, eine Recension zu schreiben, zumal jetzt, wo wir erst die Hälfte kennen, begnügen wir uns aus dem Privatbriefe eines jungen Katholiken, der kein Schriftsteller ist und von allem schriftstellerischen Verkehr sehr fern lebt, folgende Stelle herzusetzen. Als eine Stimme, die an keine Oeffentlichkeit gedacht hatte, mag sie, wo es die Meinungen kennen zu lernen gilt, nicht ohne Interesse sein. —

„— er war so gut mir Tiecks Cevennenaufruhr mitzutheilen. Gewiß das beste, was Tieck lange, ja vielleicht, was er je geschrieben — je nachdem die Lösung des angefangenen Knotens ausfallen wird. — Ueberbieten kann er schwerlich die Plastik des Eingangs, den Adel des Vaters Beauvais, Edmunds zwischen Gegensätzen hin- und hergeworfene Schwärmerei, endlich die Hoheit der Lebensansicht des katholischen Pfarrers. Es sind sonnenhelle Gipfel echter, uranfänglicher Poesie. Aber in der Versöhnung aller Gegensätze und vielleicht in noch einem Alles schlichtenden, poetischen Hauptcharacter wird doch dieses Epos erst seinen wahren Abschluß finden. Unermeßlich ist das Feld historischer Anschauungen, wenn lebenswarme Dichtung sie durchdringt, es ist unendlich, wo eine hohe Idee wie hier mild es erleuchtet und erklärt. Das ist es, was uns fesselt und nie und nirgend seiner Wirkung verfehlt. Aber, — wie dieses Mosisstabes habhaft werden? Am Ende ist es doch Niemand klar zu machen, der ihn nicht selbst erlangt, oder wenigstens erlangen könnte, und das ist die Noth aller Theorie und Aesthetik, die nicht selten wie ein armer Gichtbrüchiger nichts weiter zu sagen weiß, als ihr ewig Leid. Die Novelle ist hier (am Rheine) noch zu wenig bekannt und erfährt die abweichendsten Beurtheilungen. Oft traue ich kaum meinen Ohren. Es fehle an Lichtpunkten, meint der eine; es seien zu viele da, der andere. Dem ist sie zu ernst, dem zu viel Komik darin. Hochgelehrte fragen, wozu überhaupt so große Anstalten für so dürftigen Inhalt? Wo Tieck so etwas widerfährt können Sie sich ja auch trösten, wenn die Recensenten Sie in Ihrem Liborius so durchaus nicht verstehen wollen, welcher Collaborator, beiläufig gesagt, für die Hölle viel zu gut — denn es sind Meisterstellen darin, — für den ungetrübten Himmel der Poesie aber um so viel zu erdig und plump ist, daß Sie hoffentlich nie mehr solchen Spuk schreiben werden. Es giebt ganze Menschenklassen, die in ihrem Lesen nicht Erweiterung ihres Daseins suchen, sondern Verengung, deren größte Lust es ist, wenn sie einem Meisterwerk irgend eine Schlappe anhängen, einen verlornen Zipfel rupfen können. Nun sind wir doch besser als der Poet, denkt Hinz und Kunz, denn wir haben ihn beurtheilt. * * nennt das, glaube ich, über dem Werke stehen. Gott verzeih es ihm! Einen nicht unberühmten Menschen und Schriftmann, den Frankfurter Brentano, einen Ultra-ultra Katholiken, der vor Jahren eine Zeitlang in Dülmen lebte, um die Geschichte einer verzückten Nonne aufzuzeichnen, hörte ich einmal sagen, es sei ihm in jener Abgeschiedenheit unendlich wohl gewesen, weil er doch endlich einen Ort gefunden, wo man nicht immer von Schiller und Göthe gesprochen. Was meinen Sie, wenn ich mir das köstliche Dictum aneigne und nur die Namen vertausche. Mir ist unendlich wohl, wenn ich hier fern von Ihren Kritikern ganz unter meinen Dichtern lebe; die Kritik kommt dann doch von selbst.“ —

Nur so viel noch zum Schluß der Anzeige, nicht der Recension: daß unter den vielen einzelnen Rügen, mit denen man an dem großen Gebäude rütteln will, einige, an sich betrachtet, nicht unbegründet sein möchten. So scheint der alten Frau mit ihrem Kauderwelsch zu viel Raum in einer Erzählung mit diesem großartigen Interesse gegönnt. Man findet gegen die Mitte die Kriegspartheien zu zerstückelt und breit, Bewunderer meinen, es seien doch in diesem ersten Theile schon alle geistigen Interessen aufgebraucht, ja im Character des katholischen Priesters finde sich schon die harmonische Lösung aller Zwiespalt, so daß man nicht wisse, was für den zweiten Theil übrig bleibe; darauf kann nur die zweite Hälfte antworten. Wem die Reden des katholischen Priesters so sehr langweilig dünken, dem kann nichts auf der Welt, also auch keine Kritik, helfen. Wer endlich einen Aerger nimmt an der Prophetengabe der Camisards und den vielen Wundern des Hellsehens, und wer die höhere Erklärung dieser sogenannten Wunder aus dem Munde des Priesters nicht verstehen will, den verweisen wir auf die documentirte Geschichte nicht allein der Camisards, sondern aller schwärmerischen Secten. — Ein ausgezeichneter Staatsbeamter und Schriftsteller, welcher in Amtspflicht den Versammlungen der pietistischen Sectirer in Pommern beigewohnt hat, versichert uns, es schiene, als habe Tieck aus den Protocollen geschöpft, die er nie zu Gesicht bekommen und die meist später als seine Novelle niedergeschrieben wurden. Vielleicht wird uns einst eine Kritik dieses Theils der Dichtung von demselben.

Von der ernsten Seite betrachtet, möchte es nach Aufstellung so verschiedenartiger Ansichten über die religiöse Tendenz des Werkes den Anschein gewinnen, als sei diese vielleicht gegen alle positive Religion gerichtet. Wer wagte dies zu behaupten? Der Hauch wahrer Religiosität weht durch die Dichtung; das macht sie ja sogar vielen zuwider. Nicht die Vernunft-, nicht die Naturreligion, die geoffenbarte, deren ewiges Symbol das Geheimniß bleiben muß, wird hier mit begeisterten Psalmen gefeiert. Aber dennoch ist der Krieg erklärt — dem Wahne, dem Fanatismus, auf welcher Seite er sich blicken läßt, der blutigen Intoleranz. Kann man in edlerm Kampfe die Standarte ergreifen, oder in einem dringendern, da es gerade die bessern sind, welche so leicht in einseitiger Richtung sich diesem betäubenden Wahne hingeben, der überall zum Diabolischen hinführend alle Rechte untergräbt, und die geheiligtesten Institutionen umstößt, ob nun das Losungswort politisch oder religiös gewesen, ob es hieß: Glaubensfreiheit oder Alleinseligmachender Glaube! Freiheit- und Gleichheit, allgemeine Menschenrechte, oder Loyalität und Absolutismus!

W. A.

Ueber die Kunstausstellung in München.

Indem hörten wir eine alte Dame hinter uns und sahen, daß ein junger katholischer Geistlicher sie führte. — „Wo sind fromme Bilder, sprach oder rief sie, ich will nur fromme Bilder sehen; und ihr Begleiter führte sie zu einem großen Madonnenbild, Maria mit dem Kinde auf dem Schooße. „Von wem ist dies?" frug sie. Vom Herrn Professor

v. Langer

war die Antwort. „Ach! sehr schön, sagte sie, scharmant, ein recht frommes Bild; ein gar liebes Gesichtel, die Mutter Gottes; und auch das Christkindel." — Mein Recensent entriß mich dieser Unterhaltung, und führte mich weiter, an Faust und Gretchen von

Reichmann

vorüber, „die der Teufel nur beide holen mag, sagte er; kein Bildermann dürfte mir mit solchem Zeug die Jahrmärkte beziehen!" Wir blieben vor einem kleinen Bildchen von

Glink

stehen. „Sehen Sie, sagte er, was ich meine mit dem Unterschied zwischen Natur- und Modellstudium. Dieß soll eine heilige Jungfrau in ihrer Jugend vorstellen. Streichen Sie das „heilige" und das Bild ist ganz hübsch. Eine Jungfrau, in ihrem Gärtchen wandelnd, vertieft in ein Buch; ringsum ruhige Heiterkeit; es muß ansprechen; dazu ist das Bildchen hübsch gezeichnet, gut und harmonisch gefärbt; aber diese Art Natur stößt Einen zurück. Wohl soll der Künstler die Natur studiren, er muß sie kennen, aber um sie zu beherrschen. Das ists eben, was unsre Genremaler meist nicht können und unsre Historienmaler treten in ihre Fußtapfen; da bekommen wir denn so eine respectable Kellnerin als Maria oder Barbara, wie's trifft. Daran leidet unser Glink gar sehr, und hätte er nur länger in Italien ausgehalten, vielleicht wär das Höhere ihm aufgegangen, wie es schon vor Jahren bei ihm keimte. Wer am Modelle klebt, kann sich vor Gemeinheit nicht schützen. Frei soll der Geist sich seine Ideale erschaffen; Schöpfen soll er aus der unerschöpflichen Quelle der Natur, aber — ihren Gesetzen unterthan, soll er ihre Willkühr beherrschen. — So ist mir dieß kleine Bildchen die heilige Familie von

Frau v. Freiberg,

selbst bei geringerer Wahrheit des Colorits bei weiten lieber: es ist aus der Seele hervorgegangen und spricht milde Geisterworte zu uns, denen wir gern Ohr und Auge leihen.

Weiter traten wir nun vor ein großes Bild von

Emil Jacobs

aus Gotha: die Erweckung des Lazarus. Es standen eben zwei Franzosen davor und ich hörte nur die Worte: *„C'est fait; c'est large!"* — *„Tout comme chez nous,* sagte der Andre, *quel effet! voila quelle pose! quelle expression!"* Damit gingen sie weiter. — „Diesem Bilde, sagte mein Rec., werden Sie seine Geburtsstadt nicht ansehen: Der junge Künstler hat es uns aus Rom geschickt, und damit dargethan, wie gering er seine großen Landsleute dort schätze, und wie er an dem größeren Alterthum vorüber gegangen. Es thut Einem weh, das Heilige profanirt zu sehen: von Christo an bis zum Lazarus und den Umstehenden sind es — Komödianten. Was hilft Einem alle Farbe, alle Fertigkeit, alle Größe der bemalten Leinwand!

Unterzeichneter findet sich veranlaßt zu erklären, daß er bei dem freundlichsten Einverständniß beider Redactoren eben so wenig an der Redaction des kritischen Theils dieser Blätter als an der Abfassung von Anzeigen über Berliner Ereignisse, insofern sie nicht mit seinen Chiffern unterzeichnet sind, seit den ersten Nummern schriftstellerischen Theil hat. Dies für Freunde, welche glauben können, es rühre ein Artikel über eine declamatorische Abendunterhandlung des Herrn Saphir hier oder anderwärts von ihm her.

W. A.

(Redigirt von Dr. Fr. Förster und W. Häring (W. Alexis.)

Im Verlage der Schlesingerschen Buch- und Musikhandlung, in Berlin unter den Linden Nr. 34.

Berliner Conversations-Blatt

für

Poesie, Literatur und Kritik.

Montag, — Nro. 26. — den 5. Februar 1827.

Der Herzog von York.

Biographische Skizze von Sir Walter Scott *)

Auf den Tod Seiner Königlichen Hoheit des Herzogs von York können wir mit Recht jenes Wort der heiligen Schrift anwenden: „An diesem Tage ist ein Fürst und großer Mann in Israel gefallen.“ Von der frühesten Zeit des Mannesalters an, hat er eine hochwichtige Rolle im öffentlichen Leben gespielt. In den früheren Kriegen der Französischen Revolution führte er die Brittischen Truppen auf dem Continent an, und obgleich wir für sein Andenken nicht diejenige Art von Bewunderung in Anspruch nehmen wollen, die der Vereinigung seltener und hoher Gaben gebührt, welche man in der neuesten Zeit von einem militairischen Genie des ersten Ranges fordert, so ist doch nie bestritten worden, daß der Fürst im Felde militairische Einsicht und Geschicklichkeit und besonders einen ihm angebornen unerschütterlichen Muth entwickelte. Auch bezeugte ihm die ganze Armee seine ausgezeichneten Bemühungen, das Elend der Einzelnen zu lindern, während eines unglücklichen Feldzuges, worin er den bis an seinen Tod ihm gebliebenen Beinahmen des Soldatenfreundes erwarb. Doch sind es nicht diese frühen Dienste, die uns bewegen, die Rechte des seligen Herzogs an die ewige Dankbarkeit seines Vaterlandes in Anspruch zu nehmen, so weit unsre schwache Stimme es vermag, sondern seine großen Verdienste als Reformator und Erneuerer der Brittischen Armee, die er aus einem Zustand, der sie beinah der allgemeinen Verachtung blosstellte, zu einem solchen Gipfel der Vortrefflichkeit erhob, daß wir sie jetzt unbedenklich den besten Truppen Europas gleichstellen, wenn nicht überordnen können. Der Herzog von York besaß den festen Blick, der ihn die Ursachen entdecken und genau ergründen ließ, die besonders seit dem Amerikanischen Kriege (obgleich der Keim dazu sich schon früher gebildet hatte) den Charakter der Brittischen Armee so weit zerstört hatten, als es bei den ursprünglich guten Grundstoffen ihrer Organisation nur möglich war. Der Muth, der bei dem Anblick eines solchen Augiasstalls nicht verzweifelte, muß wohl ein ungewöhnlicher gewesen sein. Zunächst war unser System der Käuflichkeit der Stellen — an sich ein Uebel von dem militairischen Standpunkt betrachtet, und doch zur Freiheit des Landes unerläßlich — so weit ausgedehnt worden, daß jedem Misbrauch Thür und Thor geöffnet worden. Es wurde nach keiner Wissenschaft, keinem Dienst, keiner Vorbereitung und Erfahrung gefragt: der Knabe, der in der letzten Woche aus der Schule entlassen worden, konnte in dem Laufe des Monats Offizier im Dienst sein, wenn seine Freunde geneigt waren, Geld und Einfluß für ihn zu verschwenden. Andern wieder konnte man zwar nicht den Vor-

*) Wir haben eine Uebersetzung dieser biographischen Skizze veranstaltet in der Meinung, daß sie für die Leser unseres Blattes, als Probe des historischen Stils eines Verfassers, den wir nächstens als Geschichtschreiber Napoleons sollen auftreten sehen, interessant sein dürfte. Abgesehen von diesem persönlichen Interesse liefert sie merkwürdige Notizen über den früheren Zustand des Englischen Militairwesens, und seine gegenwärtige Regeneration.

D. R.

wurf machen, daß sie nicht lange genug gedient, nur ließ sich schwer entdecken, daß ihre Erfahrung dadurch gewonnen habe. Es war nichts ungewöhnliches, daß eine Stelle schon für ein Kind in der Wiege gekauft wurde, und wenn er dann aus der Schule kam, so war der glückliche Jüngling schon wenigstens ein Lieutenant von einigem Belang. Um das Verzeichniß der Misbräuche voll zu machen, ist es hinlänglich anzuführen, daß unter manchen Umständen selbst jungen Damen Anwartschaften ertheilt wurden, wenn keine Pensionen zu bekommen waren. Wir wissen selbst von einer schönen Frau, die den Sold eines — Dragonercapitains zog, und wahrscheinlich nicht viel weniger zum Dienste tauglich war, als einige, die zu jener Zeit wirklich im Dienst standen, denn es wurde, wie gesagt, keine Kenntniß irgend einer Art von den jungen Officieren gefordert. Verlangten sie dann, sich in den Elementen ihres Standes zu unterrichten, so waren ihnen nirgends Mittel und Gelegenheit dazu eröffnet. So nahmen die jungen Leute, die sich dem Dienst gewidmet hatten, leicht die Einbildung an, daß es Pedanterie sei, auch nur der gewöhnlichsten Dienstroutine mächtig zu sein. Ein geübter Sergeant flüsterte von Zeit zu Zeit seinem Capitain das Commandowort zu, welches dieser sich geschämt haben würde, von selbst zu wissen, und so wurden die Pflichten des Dienstes eher flüchtig abgefertigt als erfüllt. Natürlich mußten unter solchen Umständen die Vergnügungen der Tafel, der Karten oder des Billardtisches, Leuten, die so wenige Pflichten zu erfüllen hatten, alle Muße wegnehmen; und diese Ausschweifungen, mit allen ihren schändlichen Folgen, würden Viele schon genug bezeichnen, während Andere, an Beförderung, die nur durch Geld und Einfluß erlangt werden konnte, verzweifelnd, zu bloßen Maschinen herabsanken, ohne Muth und Lust eine Arbeit verrichtend, die sie endlich gewohnheitsmäßig gelernt hatten. — Diesem Zustand der Dinge machte der Herzog von York durch eine Folge wohl überlegter und wirksamer Anordnungen mit fester und doch gelinder Hand ein Ende. Für jeden Rang wurde eine feste Dienstzeit bestimmt, und weder Geld noch Einfluß konnte zum Avancement des Einzelnen beitragen, bis er die nöthige Zeit, in der Stelle, die er einnahm, ausgedient hatte. Kein Mann von geringerm Rang als des Herzogs von York, keine geringere Entschlossenheit als die Seinige, konnten eine dem Kriegsdienst so wichtige Veränderung hervorbringen, die aber den Reichen und Mächtigen so ungünstig war, deren Kinder und Günstlinge sonst einen schnellen und bequemen Weg zur Beförderung gefunden hatten. So wurde nun den Officieren, die bloß durch Verdienst und vieljährige Dienste zu avanciren hoffen durften, Schutz gewährt, während zugleich der junge Aufstrebende angehalten war, die Pflichten eines Subalternen zu erfüllen, ehe er zu höhern Stellen gelangte. — In anderer Hinsicht zeigte sich der Einfluß des Commandeur en Chef auf dieselbe gelinde allmählig wirksame Weise. Die mannigfaltigen Situationen, zu denen der wirkliche Dienst Anlaß giebt, die besondern Fälle, denen da der Einzelne oft ausgesetzt ist, machten, daß man am Ende die Unwissenheit als altfränkisch und unanständig betrachtete; und man fand bald, daß bloße Tapferkeit, und sei sie noch so hervorragend, nicht hinreichend sei, aus solchen Verwicklungen zu ziehen; ferner daß diejenigen, die ihre Pflicht kannten und sie erfüllten nicht bloß des Sieges gewiß sein konnten, sondern auch beim Hauptquartier ausgezeichnet wurden, und auf Beförderung rechnen durften.

Dadurch verbreitete sich allmählig der Geschmack am Studium der Mathematik und Kriegswissenschaften in der Armee, worin einige Officiere es sehr weit brachten, während eine vollkommene Bekanntschaft mit der Routine des Kriegesdienstes von jedem Officier als eine unerläßliche Eigenschaft gefordert wurde. Der Herzog führte auch eine Art von moralischer Disciplin unter den Officieren unserer Armee ein, welche die bedeutendsten Wirkungen auf ihren Charakter gehabt. Kriegsleute aus der alten Schule der Eisenfresser, Leute, die aus dem Fluchen, Trinken und Betrügen ein Gewerbe machten, durften sich nicht länger einen Titel anmaßen, den sie bloß durch renommistisches Schwören und Bramarbasiren zu behaupten wußten. Wenn ein Kaufmann, dessen Rechnung unbezahlt geblieben, für gut fand, sich an die Behörde zu wenden, so erhielt der Schuldner einen Brief von dem Hauptquartier, worin er befragt wurde, ob er gegen die Forderung Einwürfe zu machen habe, und in Ermangelung einer befriedigenden Antwort wurde er verhaftet, bis er seine Schuld bezahlt hatte. Wiederholte Fälle dieser Art konnten des Officiers Stelle in Gefahr bringen, die dann zur Bezahlung seiner Gläubiger verkauft wurde. Auch auf andere moralische Vergehungen wurde streng gesehn, und ohne darum die Officiere einer Sitteninquisition zu unterwerfen, und die Thorheiten und Vergnügungen der Jugend in zu stricte Aufsicht zu nehmen, wurde doch eine Klage der Art, die auf eine Abweichung von dem Charakter eines Gentleman und eines

Mannes von Ehre hindeutete, sogleich von dem Commandeur en Chef untersucht und dem Delinquenten ein Verweis oder eine Strafe zuertheilt, wie es der Fall zu fordern schien. Die Armee befand sich dadurch wie eine Familie unter dem Schutz eines nachsichtigen Vaters, der gern Verdienst zu fördern sucht, und die Versuchungen zur Zügellosigkeit zur rechten Zeit mit milder Strenge bestraft. — Die einzelnen Soldaten nahmen ebenfalls die Aufmerksamkeit Sr. K. H. in Anspruch. Während er die Oberaufsicht der Armee hatte, wurde eine militärische Uniform, die wohl die absurdeste in Europa genannt werden konnte, gegen eine leichte und bequeme vertauscht, die weit mehr zu den Strapazen des Dienstes paßte. — Die strengen und beschwerlichen Anordnungen über den Haarputz und ähnliche Kleinigkeitskrämereien (die schon oft die Truppen zum Aufruhr gereizt hatten) wurden abgeschafft, und strenge Reinlichkeit kam an die Stelle der schmierigen Hottentottenperrücken. Die Löhnung des Soldaten wurde vermehrt und zu gleicher Zeit darauf gesehen, daß sie so viel möglich zur Verbesserung seiner Kost und Vermehrung der ihm anständigen Bequemlichkeiten angewendet wurde. Die geringste Klage von Seiten einer Schildwache wurde so regelmäßig untersucht, als ob sie von einem höhern Officier käme. Endlich wurde auch der Gebrauch des Stocks (eine brutale Gewohnheit, die unsre Officiere von den Deutschen borgten) gänzlich verboten, und die regelmäßige körperliche Strafen, die vom Kriegsgericht anzuordnen, wurden nach und nach sehr vermindert. — Wenn wir daher in unsern Brittischen Officieren mehr Bildung, regelmäßiges Studium, genaue Bekanntschaft mit den Grundsätzen seines Gewerbes und größere Liebe zur Ausübung derselben finden; wenn wir den einzelnen Soldaten mit einem freien, durch kleinliche Quälereien und Regimentszwang nicht verkümmerten und verhetzten Gemüth seine Pflicht erfüllen sehen, gewaltthätiger Willkühr nicht unterworfen, sicher Gerechtigkeit zu finden, wenn er Unrecht leiden muß — wenn wir in allen Stufen der Armee Lust und Liebe zum Dienst und die Fähigkeit, sich mit den glänzendsten Truppen Europa's zu messen, wahrnehmen: — so danken wir diese Veränderung, diese Verschiedenheit von dem Zustande der Armee vor 30 Jahren dem Andenken Sr. K. H. des Herzogs von York.

Die Mittel zur Verbesserung der Tactik der Brittischen Armee entgingen Seiner angestrengten Sorgfalt und Aufmerksamkeit nicht. Ehemals ließ jeder commandirende Officier sein Regiment nach eigenem Gutdünken und Belieben manövriren; und wenn eine Brigade von Truppen zusammengebracht wurde, war es immer sehr zweifelhaft, ob sie irgend eine complicirte Bewegung ausführen konnten, und fast gewiß, daß sie die mannigfachen Theile des Manövers nicht nach denselben Grundsätzen machten. — Diesem Uebelstand wurde durch das von dem verstorbnen Sir David Dundas angeordnete System abgeholfen, das die Sanction und Zustimmung S. H. erhielt. Dieser einzige Plan, die verschiednen Körper, die ja auch nur Theile derselben großen Maschine sind, nach denselben Principien und Methoden manövriren zu lassen, war an sich einer der ausgezeichnetesten Dienste, die einer nationalen Armee geleistet werden konnten, und es ist bloß zu verwundern, daß ehe er ausgeführt wurde, die Brittische Armee im Stande war, auch nur irgend eine mehr zusammengesetzte Bewegung zu vollbringen. Wir können nicht unterlassen, hier die Stiftung des Herzogs von York bei Chelsea für die Waisenkinder der Soldaten anzuführen, deren Reinlichkeit und Disciplin ein Muster für ähnliche Institute ist, so wie das Königl. Militaircollegium zu Sandhurst, wo jede Art von wissenschaftlichem Unterricht den Officieren gewährt wird, von denen man hofft, daß sie sich zum Commando qualificiren. Die vortrefflichen Officiere, welche in diesem Institut gebildet sind, zeigen am besten, welchen Dank man dem Gründer schuldig ist. —

Der Charakter S. K. H. war auf eine bewundernswürdige Weise zu dieser Reformation geeignet und ihr gewachsen, so daß dieser Zweig des öffentlichen Dienstes, wovon gerade die Sicherheit Englands durchaus abhing, wie für ihn gemacht schien. Sein Urtheil war, ohne besonders zu glänzen klar und fest, und von unerschütterlichen Grundsätzen der Ehre geleitet. Kein Bitten und Dringen konnte ihn zu einer Zusage verleiten, die sich mit diesen Grundsätzen nicht vertragen hätte, keine Umstände ihn dahin bringen, ein einmal gegebnes Versprechen zu brechen oder zu umgehen. Sein menschliches und mildes Gefühl war dabei zu jeder Zeit dem Mitleid offen, und es gab wenige Beispiele, wo durch den Tod eines verdienstvollen Officiers, seine Familie verwaist worden, vielmehr nicht alles mögliche gethan wäre, ihr Schicksal erträglicher zu machen. — (Beschluß folgt.)

Ueber die Kunstausstellung in München.

Vielleicht sieht auch Hr. Jacobs noch seine Fehlgriffe ein; denn so wenig ich auch seinem zweitem Bilde, diese Madonna mit dem verkürzten Kinde hier ein Loblied schreibe, so ist doch der Wiederschein von etwas Besserm drin.

Dahin sind wir doch, daß uns äußerlicher Glanz und Effectmacherei nicht mehr besticht: „es trägt Verstand und rechter Sinn mit wenig Kunst sich selber vor". Aber Leid thut es mir, fuhr er fort, daß ich Ihnen auch gar kein Gegenstück zu all dem Getadelten auffinden und höchstens hoffend auf die nächste Ausstellung verweisen kann. Hier in dieser Kreuzesabnahme vom Herrn

Stadler

aus Tirol ist gewiß viel Gutes; auch sieht man dem Werke es an, daß es dem Künstler Ernst war; ein strenger tiefer Sinn belebt das Ganze; dennoch würde es schnell unter ähnlichen Kunstwerken verschwinden, von denen es sich nicht durch eigenthümliche Auffassung oder neue Motive unterscheiden könnte. Herr

Philipp Veit

hat das besser bedacht, als er dieß kleine Bildchen hier entworfen. Wie oft ist Christus abgebildet worden! Keiner ist aber mit diesen Gedanken Herrn Veit vorausgegangen. Christus wandelt noch auf der Erde, ein Bittender geht er von Haus zu Haus und klopfet an, aber — es wird ihm nicht aufgethan. — Der Gedanke allein schon zeigt uns, welchen Rang Hr. Ph. Veit unter den neuern Künstlern einnimmt, und wäre das Bildchen nicht gar zu dürftig ausgefallen, wäre die Ausführung nur etwas freier und kräftiger, kurz wär's gemacht, wie gedacht, kein wahrer Kunstfreund würde ihm die Siegespalme vorenthalten. — Aber nun sagte er weiter, muß ich Sie doch noch vor das Bildchen des seligen Director

v. Langer

führen, wovon ich schon früher versprochen, daß es Ihnen gefallen solle. Es ist dieß hier mit dem braunen Rembrandtschen Ton; der alte Maler an seiner Staffelei. Wir haben uns lange drüber gewundert, wie Hr. v. Langer dazu gekommen, ein Genrestück zu malen, aber folgende Geschichte, die in seiner Familie aufbewahrt wird, gibt uns den Schlüssel. Auf einer Reise in die Niederlande gerieth er mit den dortigen Malern in Streit, indem er behauptete, was sie leugneten: ein Genremaler könne nicht Historienmaler, wohl umgekehrt aber ein Historienmaler auch Genremaler sein. Der Streit blieb unentschieden, bis Hr. v. Langer nach Düsseldorf zurückgekommen und da durch die That die Wahrheit seiner Rede zu beweisen trachtete. Er malte und schickte ihnen dieß Bild und ging dadurch als Sieger aus dem Streit hervor, da sie es nicht von einem Ostade hatten unterscheiden können. Stellen nun dadurch auch sich jene Künstler nicht als competente Kunstkenner hin, so ist doch nicht zu leugnen, daß diese Arbeit des Seligen sehr verdienstvoll, ja mir das liebste von Allem ist, was ich von ihm kenne. Rührend wahr ist des Ausdruck des alten schwächlichen Mannes; die einsinkende Kniee, die unsichere Hand, alles richtige, aus dem Leben gegriffene Motive.

Beim Eintreten nun in den letzten Saal gewahrte ich vor Allen eine dichte Menschenmasse vor einem großen Bilde, das sich als eine Schlacht, und zwar, vermittelst des Katalogs, als die von *Arcis sur Aubé* von Hrn.

Peter Heß

zu erkennen gab. Mit großer Mühe drängten wir uns an die eine Ecke, und gingen nun in langsamem Avancement an der großen Scene vorüber, sahen Kämpfende, Fliehende, Todte, Verwundete, Gefangene, delibrirende Generale und brennende Dörfer, Alles in buntem Getümmel, als sähe man in die Schlacht hinein. „Herr Peter Heß uns dießmal seine reichen Gaben in einen großen Rahmen zusammengefaßt. Er ist sich durchgängig treu geblieben: in Auffassung von Situationen, von Volks- und einzelnen Charakteren; aufs Unbegreiflichste ist's ihm gelungen, die verschiedenen Nationen bis in Kleinste hinein kenntlich zu machen und so zu individualisiren, als sei Jeder, Mann für Mann, Portrait. Keiner von diesen Oestreichern paßt in eine russische Uniform; keinen Polen kann man für einen Franzosen halten. Dazu ist seine Pfantasie unerschöpflich im Auffinden von Begebnissen; hier diesen gefangenen Uhlanenoffizier kann man weit begleiten, in nächste Vergangenheit wie Zukunft; nicht umsonst sieht er so verdächtig nach dem der ihn transportirt; die verwundete Rechte erklärt uns seine Gefangenschaft. Alles spricht; nicht der keinste Gegenstand ist ohne Bedeutung, kein Winkel ohne Leben. Gewiß steht der vortreffliche Künstler darin unerreichbar da, wär auch seine Zeichnung, vornehmlich die der Pferde, die er ganz kennt, nicht so vortrefflich, als sie es ist. — Und doch warum läßt Einen das Bild kalt? Freilich die Absicht, die der Katalog andeutet, daß es nur ein Stück der Schlacht sein soll, ist erreicht. So mag es hergehen, so muß es hergehen, wird leicht Jeder sagen.

Aber ein Zweites ist, sind wir nicht berechtigt von Hrn. Peter Heß mehr zu fordern? Hat er uns nicht selbst dazu berechtigt? Wer, wie er der Elemente Meisters ist, dem darf man die Frage thun: Warum ein Fragment aus Fragmenten zusammengesetzt? eine Reihenfolge von Scenen ohne innern Zusammenhang, ohne Mittelpunkt? Freilich wer ein treues Abbild einer Schlacht geben will, dem würde kein Raum hinreichend mehr sein; aber bei alledem würde ihm zuletzt doch der Kanonendonner fehlen, und es frägt sich, ob hier nicht ein Unterschied zwischen Wirklichkeit und Wahrheit ist. — Ein Schlachtgemälde muß wie jedes Kunstwerk einen Mittelpunkt haben, der beabsichtigte Gedanke muß sich klar aussprechen, nicht der vorübergehende, sondern der entscheidende Moment muß erfaßt werden. Wessen ist der Sieg? Finden Sie es heraus aus dem Bilde? Hier freilich ziehn die Franzosen den Kürzern gegen die Baiern, aber dort rücken in dichten wohlgeordneten Schaaren die Französischen Kuirassiere und treiben die Russen vor sich her.

(Redigirt von Dr. Fr. Förster und W. Häring (W. Alexis.)

Im Verlage der Schlesinger.schen Buch- und Musikhandlung, in Berlin unter den Linden Nr. 34.

Berliner Conversations-Blatt

für

Poesie, Literatur und Kritik.

Dienstag, — Nro. 27. — den 6. Februar 1827.

Der Herzog von York.

Biographische Skizze von Sir Walter Scott (Beschluß.)

Als Staatsmann wurde der H. v. Y. von seinem frühesten Auftreten im öffentlichen Leben an durch die Meinungen Pitts geleitet. Zwei Umstände sind jedoch bemerkenswerth. Erstlich, daß der Fürst nie seine politischen Grundsätze auf seinen Charakter als Commandeur en Chef Einfluß gewinnen ließ, sondern dem Whig wie dem Tory die Beförderung gewährte, die ihr Talent, oder ihr Diensteifer verdiente. Zweitens, indem er sich der Parthei anschloß, von der angenommen wird, daß sie die Krone vertheidigen wolle, würde S. K. H. doch der Letzte gewesen sein, auch nur im Geringsten in die Rechte des Volks einzugreifen. — Die Religiosität des H. v. Y. war aufrichtig; er war besonders den Lehren und der Verfassung der anglicanischen Kirche zugethan. Hierin glich der H. v. Y. stark seinem Vater, er nährte eine sehr gewissenhafte Anhänglichkeit an die Verpflichtungen des Krönungseides, welches ihn auch verhinderte, der ferneren Milderung der Gesetze gegen die Katholiken beizutreten. Wir sprechen über das Recht oder Unrecht der Gesinnungen S. K. H. über diesen wichtigen Punkt keine Meinung aus, doch müssen wir voraussetzen, daß sie aufrichtig waren, da sie auf die Gefahr, S. K. H. einen starken und rachsüchtigen Haß zuzuziehen, ausgesprochen wurden. — Die Persönlichkeit des H. v. Y. war robust und männlich, er hatte in seiner Aussprache eher etwas von der Undeutlichkeit, die der seines verstorbenen Vaters eigenthümlich war, als die Präcision und Klarheit, die den König, seinen Bruder, unterscheidet. In der That glich S. K. H. seinem Vater vielleicht mehr als irgend einer von Georg des Dritten Nachkommen. Die Anhänglichkeit an seine Familie war bei ihm sehr stark; das Publicum kann die fromme Zärtlichkeit noch nicht vergessen haben, womit er die Pflicht, die letzten Tage seines Königlichen Vaters zu bewachen erfüllte, so verdunkelt diese auch durch körperliche Blindheit und geistige Lähmung sein mochten. Kein Vergnügen, kein Geschäft konnte seine regelmäßigen Besuche in Windsor unterbrechen, wo sein unglücklicher Vater für diese unausgesetzte Sorgfalt weder dankbar, noch selbst ihrer bewußt sein konnte. Dieselben Bande der Neigung knüpften S. K. H. an andre Mitglieder seiner Familie, und besonders an ihr jetziges Königliches Haupt. Diejenigen, welche der Krönung Ihrer Majestät beiwohnten, werden sich noch lange als des anziehendsten Theils der erhabenen Ceremonie erinnern, mit welcher Herzlichkeit der H. v. Y. den Akt der Huldigung vollzog und welche Thränen gegenseitiger Zärtlichkeit von beiden Königl. Brüdern vergossen wurden; wir dürfen daher voraussetzen, daß bei diesem traurigen Fall Se. Majestät der erste Leidtragende, nicht blos dem Namen nach sein werde. Des Königs nächster Bruder dem Blut nach, war auch seinem Herzen der Nächste, und der Unterthan, der dem Thron am nächsten stand, würde freudig sein Leben für dessen Wohl geopfert haben. Im geselligen Verkehr war der H. v. Y. gütig, höflich und herablassend, Eigenschaften, die, wie wir glauben, dem Königlichen Blut von England allgemein zu kommen und den Prinzen eines freien Landes wohl anstehen. Es kann bemerkt werden, daß, als in den Tagen jugendlichen Stolzes S. K. H. das Ehrgefühl eines jungen Edelmanns verletzt hatte, er nicht daran dachte, sich hinter seinen Rang zu verstecken, sondern männliche Genugthuung dadurch gab, daß er dem Schuß der beleidigten Parthie (der beinah tödtlich hätte werden können) sich zuerst aussetzte, obgleich er sich weigerte ihn zu erwiedern. Wir würden hier gern unser Thema schließen, allein um ein Portrait vollständig zu machen, müssen auch die Schatten, wie die Lichtseiten aufgenommen werden, und in ihren Schwächen, wie in ihren guten Eigenschaften, sind die Fürsten Eigenthum der Geschichte. Beständig mit öffentlichen Angelegenheiten und Pflichten beschäftigt, die er bis zum Ende seines Lebens mit äußerster Pünktlichkeit besorgte, war der H. v. Y. auffallend nachlässig in seinen Privatgeschäften, und die Verlegenheiten, die daraus entstanden, wurden durch eine unmäßige Neigung zu den Wetten beim Pferderennen und zum hohen Spiel vermehrt. Diese unglücklichen Verschwendungen erschöpften die Fonds, womit die Nation ihn reichlich versah, und brachten ihn in Lagen, die einem Mann von so ehrliebendem Charakter peinlich sein mußten. Die Höhe seines Ranges, die es ohne Zweifel schwerer macht, öconomische Unordnungen gewahr zu werden, und sie zur rechten Zeit ins Gleis zu bringen, kann so wie die Anhäufung seiner hohen Amtspflichten wohl als Milderung, wenn auch nicht als Rechtfertigung seiner Unbedachtsamkeit betrachtet werden. — Eine gar böse Leidenschaft anderer Art, hatte in einer Periode seines Lebens solche Folgen, die fast seinem Charakter bedeutend geschadet, das Vertrauen der Nation in seine großen Bemühungen zerstört und die schöne Erndte nationaler Dankbarkeit verkümmert hätte, für die er so unermüdlich gearbeitet. Auch hier konnte man Shakspeares Wort auf eine glänzende Weise in Erfüllung gehen sehen:

Die Götter sind gerecht, aus unsern Lastern
Bereiten sie die Geißeln uns zu strafen.

Der Herzog von York mit der Königl. Prinzessin Friederike von Preußen am 27. Sept. 1791 vermählt, lebte mit derselben auf anständigem Fuße, doch ohne eheliche Neigung; der Herzog hatte mit einer Frauensperson, Namens Clarke eine Verbindung angeknüpft, die weder vor den Gesetzen der Religion noch Moralität zu rechtfertigen ist. Unbedachtsamer Weise erlaubte er dieser Person ihre Wünsche um Beförderung zweier oder dreier Offiziere gegen ihn zu äußern, gegen deren Avancement kein anderer Einwand gemacht werden konnte, als eben, daß sie durch eine solche Frau empfohlen worden. Ohne Zweifel mag dem Herzog entgegnet worden sein, daß die Fürsprache einer solchen Frau wahrscheinlich nicht uneigennützig sei; und wirklich scheint sie einen oder zwei Männer als ihre Liebhaber begünstigt zu haben — Andere aus bloßer Gewinnsucht, zu deren Befriedigung sie durch untergeordnete Agenten thätig war, und einen oder zwei aus einem wirklichen Gefühl von Gutherzigkeit und Wohlwollen. Das Verhör dieser Frau und ihrer mannigfachen Vertrauten, vor dem Unterhause, beschäftigte diese Versammlung nahe an drei Monate, und das mit einer seltenen Sorgfalt und ängstlichen Aufmerksamkeit. Der H. v. Y. wurde von der gegen ihn vorgebrachten Motion durch ein Uebergewicht von 80 Stimmen freigesprochen; allein so stark war draußen die allgemeine Stimme gegen ihn, so sehr war die Nation überzeugt, daß alle Aussagen der Mrs. Clarke wahr seien, so wenig konnte sie dahin gebracht werden zu zweifeln, daß der H. v. Y. Mitwisser und Theilnehmer an allen Planen dieses Frauenzimmers sei, daß S. K. H., der sein öffentliches Wirken durch das Volksvorurtheil gestört sah, bei Seiner Majestät um Entlassung von seinem Amte bat, die ihm am 20. März 1809 bewilligt wurde.

So wurden, wie nach Salomon eine todte Fliege den köstlichsten Balsam verunreinigen kann, die Dienste eines ganzes Lebens, und der ehrenvollste Ruhm durch die Folgen einer Handlung verdunkelt, welche die muntre Welt nur einem verzeihlichen Leichtsinn zugeschrieben hätte. Die Strafen und Warnungen, die den Mann von hoher Geburt und Auszeichnung treffen sind immer von sehr ernster Art. Dieser Schritt war noch nicht lange geschehen, als der Nebel worin die Sache gehüllt war, sich zu zerstreuen anfing. Der öffentliche Ankläger in dem Hause der Gemeinen, Oberst Wardle, wurde eines verdächtigen Verkehrs mit der Hauptzeugin, Mrs Clarke, überführt, und es war augenscheinlich die Hoffnung des Gewinnstes, die diese Frau bewogen hatte, vor Gericht als Zeuge zu erscheinen. Bald drängte sich in den Momenten ruhigerer Untersuchung die größte Unwahrscheinlichkeit auf, daß S. K. H. je wissen konnte, unter welchen Bedingungen sie mit den Personen, deren Fürsprecherin sie war, unterhandelte. Es kann wohl angenommen werden, daß sie die Beweggründe, die sie veranlaßten, sich für solche, die seine eigenen begünstigten Nebenbuhler waren zu interessiren, verheimlichte, und was war wahrscheinlicher — daß sie ihre eigennützigen, gewinnsüchtigen Speculationen ihm offen erklärte, oder ihren Bitten anständigere Motive unterschob? Als daher der Stoff der Anklage dahin gewendet wurde, daß S. K. H. in zwei oder drei Fällen sich von einem listigen Weibe täuschen lassen, fing man an einzusehn, daß wenn einmal die Schuld eine Maitresse zu unterhalten anerkannt sei, die Neigung, sich einer solchen Person, die immer einen natürlichen Einfluß über ihren Liebhaber ausüben muß, gefällig zu bezeigen, dabei ganz folgerecht ist. Dann verglich das Publicum die langjährigen und ausgebreiteten Dienste, wodurch der Herzog sich in Führung der Armee ausgezeichnet hatte, mit der unbedeutenden Schwäche eine oder zwei an sich nicht ungeeignete Begünstigungen auf Bitten einer Frau zugestanden zu haben, die so viel Gelegenheit hatte, die Gewährung derselben abzudringen, und indem man dem Herzog die verdiente Gerechtigkeit erzeigte, wurde er im May 1811 an die Stelle zurückberufen und bewillkommnet, von der Verläumdung und Volksvorurtheil ihn vertrieben hatten. In diesem hohen Commando fuhr S. K. H. fort unsere militairischen Geschäfte zu leiten. Während der letzten Jahre des bedeutendsten Krieges, der wohl je gewagt worden, bereitete S. K. H. die glänzendsten Siege vor, womit unsere Annalen prangen, durch unausgesetzte Aufmerksamkeit auf Character und Talent der Officiere, und auf die Gesundheit und Bequemlichkeit der Soldaten. Unter einem so bewunderswürdigen System erzogen, schien unsre Armee an Wirksamkeit, Macht, und selbst an Anzahl in dem Verhältniß zuzunehmen, als die Gelegenheit bedeutender wurde, ihre Dienste in Anspruch zu nehmen.

Noch verdient es alles Lob, daß, als die so trefflich disciplinirten Krieger von Schlachtfeldern, verheerten Ländern und erstürmten Städten zurückkehrten, sie die Gewohnheiten des Privatlebens sich wieder aneigneten, als ob sie sie nie verlassen hatten, und daß von allen Verbrechen, die der Kriminalcalender (in Schottland wenigstens) darbietet, — kaum zwei oder drei Beispiele vorkommen, wo die Unruhstifter entlaufene Soldaten gewesen. Dies zeigt eine glückliche Veränderung seit der Reduction der Armee, nach dem Frieden mit Amerika i. J. 1783, wodurch das Land mit Räubern jeder Art geplagt wurde, und in dem Gefängniß zu Edinburg allein sechs oder sieben entlaufene Soldaten waren, die damals das Todesurtheil empfingen. Diese sorgfältige Oberaufsicht ist eine der unverwelklichsten Blumen, die über dem Grabe des H. v. Y. blühen werden. Sie gab England Energie im Kriege und innere Stärke im Frieden. Wenn unsere Soldaten unüberwindlich im Kriege und verdienstlich im friedlichen Verkehr befunden worden, so möge kein Britte vergessen, daß wir es der väterlichen Sorge des Mannes verdanken, dessen Andenken wir hier einen unvollkommnen Tribut darbringen.

Berliner Chronik.

Königstädter Theater. Freitag den 2. Februar. Joconde, Singspiel in drei Akten aus dem Franz. des Etienne, Musik von Isouard. — Schon in einigen Singspielen hat sich die Königstädtische Bühne als glückliche Rivalin neben das Königliche Theater gestellt, namentlich in dem Schnee und der weißen Dame. Auch Joconde, eine sonst in dem Königl. Hause sehr beliebte und besuchte Oper, ist an die Königstadt überlassen worden und wird dadurch neuen Reiz in beiden Häusern erhalten. Dem Publikum mag es zunächst darum zu thun sein, Vergleiche zu ziehn, allein im Grunde ist daran wenig gelegen, denn der Werth, den ein Künstler nur in Vergleich mit einem anderen, zumal geringerem, hat, bleibt immer ein relativer und deshalb untergeordneter; wir lassen uns darauf nicht ein.

Dadurch, daß der Dichter und Componist ihrer Oper den Namen „Joconde" gegeben haben, bezeichnen sie die Rolle desselben als die Hauptrolle. Joconde ist ein Französischer Bonvivant, der dem Grafen Robert, ebenfalls zu lustigen Streichen gut disponirt, unentbehrlich geworden ist. Beide Rollen machen eben so sehr Anforderung auf gutes Spiel, als auf guten Gesang, wie denn überhaupt die Französischen Componisten in dieser Hinsicht diskreter sind, als die neuen Italiener und Deutschen. Der Franz. Componist ist sehr besorgt, einen guten Text zu erhalten und läßt seine Musik sich nicht beständig mit coquetten Künsten vor die Dichtung und vor das Spiel vordrängen; aber gerade dadurch wirkt sie um so erfreulicher, da ein Auseinanderfallen der Musik und der Dichtung und Handlung nie statt findet. — Allein solche Opern machen dann auch den Anspruch, daß darin nicht blos gesungen, sondern auch gespielt werden muß. Die Jovialität Jocondes scheint nicht in dem Temperament des Herrn Jäger zu liegen und durch Kunst wußte er es nicht ganz zu ersetzen; auch sein Anzug, zumal der sonderbar aufgekrempte Frauentoque, wie wir ihn auf den Bildern von König Franz I. finden, war in sofern nicht glücklich gewählt, als er für den, der zu Graf Robert immer „gnädigster Herr" sagen muß, zu brillant scheint. Vom Herrn Grafen würden die Franzosen sagen: *un peu trop lourd.* — Erst als im zweiten Akt das lieblich schelmische Hannchen (Dem. Sontag) mit ihrem zierlichen Spinnrädchen (es hätte zierlicher sein können) vor uns saß, und dann der Amtmann (Hr. Spitzeder) vortrefflich ausstaffirt, mit einigen glücklichen Impromtüs sich vernehmen ließ, wurde die Theilnahme lebhaft, und blieb es auch bis zu Ende des Stücks. Was wir vorher in Beziehung auf die Ansprüche, welche die französische Oper auf das Spiel macht, gesagt haben, findet sich besonders durch Dem. Sontag gerechtfertigt, die im Gesang und Spiel gleich vortrefflich ist und zwar, ganz der Franz. Oper gemäß, das Spiel hier vorwalten läßt vor dem Gesang. Denn so schön sie auch singt, wir werden niemals, wie es bei andern, vielleicht größeren, Sängerinnen geschehen könnte, unsre Augen schließen, um uns ungestört dem melodischen Klange der Stimme zu überlassen. Dies allerliebste Rosenmädchen gehört zu den lebendigen Bildern, in welchen Dem. Sontag uns eine bleibende, schöne Erinnerung an sich zurücklassen wird. Töne lassen sich nicht in dem Andenken befestigen; so siegreich und ergreifend sie für den Augenblick sind, so sind sie doch zu flüchtiger Natur und mit allem Aufwande der lebendigsten Einbildungskraft rufen wir sie uns nicht wieder zurück. Wie war ihr Gesang? werden wir uns oft wiederholen, wenn wir sie nicht mehr hören, aber niemand wird sich diese Töne zurückrufen können. Glücklicher wird die Einbildungskraft sein, die uns ihr Bild vor die Seele führt; dies ist sie, werden wir sagen, wenn wir sie auch nicht mehr sehn. Und unter den mannigfaltigen Erscheinungen, in denen sie uns werth geworden ist, wird immer die des Rosenmädchens eine der freundlichsten bleiben. Die schwere Aufgabe, die sie in dieser Rolle mit dem größten Glück löset, ist die: uns ein zierliches, in ihrer Unschuld eben so sehr als in ihrer Klugheit sichres Landmädchen zu zeigen, welche es sich zutrauen darf, zwei der feinsten Stadtherrn tüchtig anzuführen. — Wie leicht geschieht es, daß diese Zierlichkeit zur Geziertheit, diese Unschuld zu bloßem Unschuldigthun und diese spröde Klugheit zu unangenehm schnippischem Wesen wird; alle diese Klippen weiß Dem. Sontag glücklich zu vermeiden, weshalb ihre Darstellung des Rosenmädchens zu den gelungensten gehört, die wir von ihr sahen. — Ihr Spiel kann man in jedem einzelnen Moment verfolgen und man wird finden, daß sie die Rolle mit den zartesten und feinsten Schattirungen ausführt. Wie fromm sitzt sie am Spinnrad und wiederholt sich die guten Lehren der Großmama; aber schon darin, daß sie den Ton derselben, ohne hierin zu übertreiben, nachahmt, liegt eine kleine Schalkheit, die es uns verräth, wie es Hannchen nicht so ganz ernst damit ist. Nebenbei ist zu rühmen, daß Hannchen spinnen kann und nicht, wie wir es gewöhnlich finden, das Rädchen rück- und vorwärts dreht, oder das Spinnrad wohl gar verkehrt nimmt, was immer zu störendem Gelächter Veranlassung giebt. So gut die Männer auf der Bühne anständig fechten müssen, eben so gut müssen die Frauen spinnen können und es nimmt sich wirklich gar nicht übel aus, wenn das zierliche Füßchen auf- und niedertritt und ein Paar hübsche Arme und weiße Hände können sich bei dem Fädchen und dem Rocken eben so geltend wie bei der Harfe machen. — Wie geschickt weiß die Kleine dann dem alten Hrn. Amtmann um den Bart zu gehn, wie gut ihren etwas tölpelhaften Schatz auszuschelten und wie fein die beiden vornehmen Herren hin und her zu ziehen. Wenn sie gehen will und doch immer wieder zurückkehrt, hüpft sie mit den zierlichsten Schrittchen hin und zurück; ebenfalls eine Kunst, auf die wir oft viel zu wenig Fleiß gewendet finden. — Ihr schönster Moment aber war der, wo sie sich auf das Kissen niederläßt, um den Rosenkranz aus der Hand des Grafen, (der aber nicht nöthig hat sie dabei auf die Schulter zu tippen) empfängt. Die ländliche Tracht, die hier zum Putz wird, ohne eigentlich darauf Anspruch zu machen, kleidet Dem. Sontag mehr als Kronen und Diademe. Im zweiten Akte (in dem ersten tritt sie gar nicht auf) ist sie in Rosa gekleidet mit grünem Mieder und trägt ein grünes Schäferhütchen; nicht so ländlich ist der Anzug im dritten Akte, wo das weiße Linonkleid mit breitem Rosenbesatz etwas zu sehr nach Ballstaat aussieht; das weiße Atlascorset kann dies nicht ganz ausgleichen: indeß müssen wir bedenken, daß wir in Frankreich sind und eine Rosenkönigin sehen. —

Die Art wie hier zwei nicht unbedeutende Nebenrollen: Lysander und Lucas besetzt sind, überzeugten uns, daß es doch wirklich nicht so leicht sein muß, eine Bühne mit den nöthigen Subjecten zu versehn. Dagegen wurden Mathilde von Mad. Wächter und Edile von Dem. Eunike gut gespielt und gesungen.

(Redigirt von Dr. Fr. Förster und W. Häring (W. Alexis.)

Im Verlage der Schlesingerschen Buch- und Musikhandlung, in Berlin unter den Linden Nr. 34.

Berliner
Conversations = Blatt
für
Poesie, Literatur und Kritik.

Donnerstag, — Nro. 28. — den 8. Februar 1827.

Seebilder von H. Heine.

I.

Sonnenuntergang.

Die schöne Sonne
Ist ruhig hinabgestiegen ins Meer;
Die wogenden Wasser sind schon gefärbt
Von der dunkeln Nacht;
Nur noch die Abendröthe
Ueberstreut sie mit goldnen Lichtern,
Und die rauschende Fluthgewalt
Drängt an's Ufer die weißen Wellen,
Die lustig und hastig hüpfen,
Wie wollige Lämmerheerden,
Die Abends der singende Hirtenjunge
Nach Hause treibt.

Wie schön ist die Sonne!
So sprach nach langem Schweigen der Freund,
Der mit mir am Strande wandelte,
Und scherzend halb und halb wehmüthig
Versichert' er mir: die Sonne sey
Eine schöne Frau, die den alten Meergott
Aus Convenienz geheurathet;
Des Tages über wandle sie freudig
Am hohen Himmel, purpurgeputzt
Und diamantenblitzend,
Und allgeliebt und allbewundert
Von allen Weltkreaturen,
Und alle Weltkreaturen erfreuend
Mit ihres Blickes Licht und Wärme;
Aber des Abends, trostlos gezwungen,
Kehre sie wieder zurück
In das feuchte Haus, in die öden Arme
Des greisen Gemahls.

Glaub' mir — setzte hinzu der Freund,
Und lachte und seufzte und lachte wieder —
Die führen dort unten die zärtlichste Ehe!
Entweder sie schlafen, oder sie zanken sich,
Daß hochaufbraust hier oben das Meer,
Und der Schiffer im Wellengeräusch es hört,
Wie der Alte sein Weib ausschilt:
„Runde Metze des Weltalls!
Strahlenbuhlende!
Den ganzen Tag glühst du für Andre,
Und Nachts, für mich, bist du frostig und müde!"
Nach solcher Gardinenpredigt,
Versteht sich, bricht dann aus in Thränen
Die stolze Sonne, und klagt ihr Elend,
Und klagt so jammerlang, daß der Meergott
Plötzlich verzweiflungsvoll aus dem Bett springt,
Und schnell nach der Meeresfläche heraufschwimmt,
Um Luft und Besinnung zu schöpfen.

— So sah ich ihn selbst verflossene Nacht
Bis an die Brust dem Meer enttauchen.
Er trug eine Jacke von gelbem Flanell,
Und eine lilienweiße Nachtmütz',
Und ein abgewelktes Gesicht.

Ueber die Kunstausstellung in München.

In solchem Zweifel soll uns ein Bild, das ein abgeschlossenes Ganze sein soll, nie lassen. — Aber es war vielleicht so? Gabs denn keine Entscheidung, frage ich wieder, keinen bedeutenden Moment, der jene Schlacht charakterisirte? Die erhobenen Klingen einhauender Reuterlinien lassen uns so kalt, wie das diplomatische Gesicht des Generalstabs in Vorgrunde. Bewunderungswürdiger als das Werk ist mir der Schöpfer desselben, daß die Geduld ihm nicht ausgegangen. — Aber meine Zeit ist um, ich bitte, Sich noch ferner gut zu unterhalten; und damit ging er von dannen.

Ich stand noch immer vor der Schlacht des Peter Heß, und war recht ins Gewühl vertieft, als mich Jemand durch einen freundschaftlichen Schlag auf die Schulter herausriß: es war mein lieber Berliner, der Geh. Rath. Ich erlasse Ihnen unsre Complimente und Entschuldigungen und bitte um Erlaß. Auf meine Frage, ob ihm die Ausstellung noch wie gestern gefiel, und er noch den Berlinern keine gleiche zutraute, erwiederte er, daß er doch sein Wort zurücknehmen müßte. „Von historischen Bildern ist doch gar nicht die Rede,“ sagte er, „und hier stehen wir in einem Saal voll Bildnisse, von denen die wenigsten bei uns die Censur passiren würden. Es ist denn doch eine andre Sache, wo Bildnisse von Begasse, Wach und Schadow an der Spitze stehen: da müssen die Andern doch nachstreben. Hier das eine von Hrn.

Gareis

hat Interesse für mich, weil ich höre, daß es die erste Arbeit dieses jungen Künstlers ist. Es zeigt von viel Talent und strengem Sinn; aber noch ist es grell, und trägt in Zeichnung und Farbe noch zu viel vom Namen des Künstlers. Ein andres ist wirklich wohlgefällig, diese schöne Tirolerin von Hrn.

Bodmer.

Da ist doch Leben und freilich auch ein schönes Leben aufgefaßt. Auch die Umgebung, das belaubte Fenster macht sich gut, und hebt den Kopf sehr; Arme und Hände sind meisterhaft. Nur finde ich in dem aufgeschlagenen Auge eine Sentimentalität ausgesprochen, die mir dieser gesunden Gebirgs-Natur fremd zu sein scheint. — Auch Frau

v. Freiberg

hat zwei Bildnisse aufgestellt, die, wenn sie etwas weniger trocken wären, unstreitig das Lob der besten davon trügen; vorzüglich ist das Kind mit seinem hellen Blick aus schwarzem Auge, wie es sein gutes gescheutes Gesichtchen mit dem Arme stützt, eine gar anmuthige Erscheinung. Aber von Damen lassen sich unsre Künstler in Berlin nicht ausstechen! Der Genre bleibt doch hier das Einzige, wodurch die Ausstellung sich auszeichnet. Da sind noch einige Sachen hier, z. B. diese Schmiede von Hrn.

Burkel;

vor dem können die Andern alle sich in Acht nehmen! Zumal wenn er sich vor Wouwerman mehr in Acht nimmt, fiel ihm unversehens der Dichter ins Wort, der hinter uns getreten war. Sind Sie schon wieder vor einen Pferdestall; was haben denn nur solche Alltagsscenen für Werth, zumal wenn sie in fremder Manier dargestellt sind? Apropos, haben Sie die Landschaften vom alten

Koch

schon gesehen?“ „O ja, sagte der Berliner, italienische Landschaften, ohne ital. Land.“ „Es thut mir Leid, sagte der Dichter, Ihnen Recht geben zu müssen; diese beiden Bilder sind schwach, obschon er sonst ausgezeichnet ist. Aber was ich sagen wollte, ich komme, Sie zu ** zu holen, wenns gefällig“; und so zogen sie ab.

„Haben Sie den König schon gesehen?“ hört' ich hinter mir fragen und mit dem Fragenden und Gefragten nahm ich die Richtung rechts nach dem lebensgroßen Bilde des Königs Ludwig im Krönungsornat vom Hofmaler Herr

Stieler.

Davor stand meine Gesellschaft still, die Damen überboten sich in Exclamationen: „*Superbe!* himmlisch! nein so ähnlich, und der Atlas, daß man ihn anfassen möchte.“ Indem erkenne ich die Dame vor mir als Fr. v. ** und die Gesellschaft bei ihr, als den Haupttheil der bewußten Theegesellschaft, welcher ich überhaupt diesen Kunstgenuß, Sie diesen Kunstbericht zu danken haben. „Ists nicht göttlich?“ fragte die Dame. Ich, seelenvergnügt, nun auch mitsprechen zu können, rief: „Uebernatürlich! *étonnant! horrible!*“

Der ich mit besondrer ꝛc.

Berliner Chronik.

Königl. Oper. Freitag den 2. Febr. Euryanthe von Helmine v. Chezy; Musik von C. v. Weber. Das Haus war gefüllt, trotz der Concurrenz mit der Königst. Bühne, wo an demselben Tage Joconde zum ersten Mal gegeben wurde. Die diesmalige Aufführrung gehörte nicht zu den exactesten; man vermißte einen Dirigenten wie C. M. v. Weber oder Spontini. Wir verweilen deshalb, da wir nichts Erhebliches über die Darstellung und Ausführung zu sagen wüßten, ausschließlich bei der Musik.

Wenn wir Weber's Geist mit dem seiner Kunstgenossen vergleichen, so drängt sich sogleich die Bemerkung auf, daß er sich dem leichtsinnigen Italiener, der jetzt fragmentarisch und episodisch in dem musikalischen Leben aller Hauptstädte Europa's Epoche macht, schnurstracks entgegenstellt. Denn Rossini hat in musikalischem Uebermuth die dramatische Musik von der Fessel jedes gegebnen Inhalts befreit, und sie zur Selbstherrscherin erhoben. Die Melodie giebt sich jetzt selbst ihren Inhalt; aber sie ist zunächst nur eine launenhafte Despotin, jetzt in Thränen und Verzweiflung, jetzt fröhlich, scherzend, neckend, heiter, piquant, sentimental, dann wieder erstaunt, erschreckt, entsetzt, — alles, bunt durcheinander, wie es ihr eben einfällt. Sie ist der Rubens, der mit einem Pinselstrich das lachende Kind in ein weinendes verwandelt. Und weil dieser Wechsel nur Laune ist, zeigt er sich grundlos. Die musikalischen Einfälle sind jetzt der Meister geworden, den der Componist nicht bezwingen kann, sondern der sich seiner bemeistert. — Oft zwar klirren sie noch mit der Kette ihrer früheren Dienstbarkeit, die sie noch nicht ganz abgestreift haben, öfter noch schweben sie frei wie Elfen umher; denn auf festen Füßen stehen sie nicht. Sie können nicht gehen, sondern nur hüpfen, springen und fliegen. Sie schwimmen gern auf der Oberfläche wiegend hin, bis sie plötzlich emporschnellen, und ihre fröhlichen Tänze beginnen. Dagegen hat Weber diese Geister in die vollendetste Dienstbarkeit gebracht; sie müssen seinem strengen Wort gehorchen, und ihre einzige Rache bleibt zu zeigen, daß sie nur gehorchen, daß die Absicht des Meisters nicht auch ihre eigne sei. Und dieß ist der Zwiespalt der neuen Epoche überhaupt, daß Inhalt, musikalischer Ausdruck und Componist auseinandergetreten sind, und sich nicht so eng wieder zu vereinigen vermögen, daß nicht das Vorsätzliche dieser Vereinigung mehr als sie selber zum Vorschein käme. Es ist eine gemachte Ehe, und wie zärtlich die Gatten auch thun mögen, man merkt es ihnen doch an, daß Madame auf dem linken, und Monsieur auf dem rechten Flügel wohne. Darum ist es Webern auch so vorzüglich gelungen, die Heuchelei ihre musikalische Sprache führen zu lassen und die unmusikalischen Niederträchtigkeiten, Neid, Bosheit und Wuth, in Musik zu setzen, und alle Schauer eines dissonirenden Gemüths, seinen Schmerz, seine wilde Begier, seinen Wahnsinn, seinen höllischen Jubel, ja den leibhaftigen Bösen selber, vor unser Ohr zu bringen. Wie sehr er sich aber auf diese Weise von dem absichtslosen Italiener unterscheiden mag, der musikalisch unbekümmert in den Tag hineinlebt, so kann er doch nicht alle Verwandtschaft mit ihm verläugnen; denn sie sind beide Söhne einer Zeit, und mit demselben Muttermaal geboren. Dies Muttermaal ist es, welches sie von der vergangenen Epoche unterscheidet, und als neues Gepräge zu so gangbarer Münze werden läßt. Das alte ächte Gold und Silber aber hatte seinen Werth darin, daß in Gluck die wahren ewigen Interessen des menschlichen Lebens, die Schwester-, Gatten- und Freundesliebe, ihre gediegenen Töne fanden, und daß dann sich in Deutschen und Französischen Operetten, was nur immer die Menschenbrust bewegen mag, naiv und jedem fühlbar und erkennbar aussprach, bis Mozart die tiefere Innigkeit mit jenem ersten Ernste vereinigte, und die Melodieen dieses Inhalts in sich walten ließ. Doch jetzt ist dem musikalischen Geist dieser Inhalt verloren gegangen, und das Gemüth ist nur mit seiner eignen Leere erfüllt. Das Spiel des Gefühls mit sich selbst, die Zärtlichkeit für die eignen Empfindungen, das Hegen und Pflegen jeder innersten Regung, die gottesdienstliche Verehrung der stillen Wehmuth und der süßen Sehnsucht, haben dem Ernst und der Heiligkeit der Familienliebe Platz gemacht, und die eitle Selbstbeschauung ist an die Stelle der heiteren Weltlust und der Freude an ihrem Treiben getreten. Das Herz ist vom Apollo zum Narciß geworden, der die Blumensprache seiner Gefühle studirt, in welcher die Myrthe wie Unkraut wächst, und jeden Lorbeersprößling schon im Keime erstickt. Von dieser Seite her klingt Weber zu Spohr hinüber, der diesen Narciß fast zu seinem alleinigen Inhalt gemacht hat. Weber dagegen kränkelt nur erst im Allgemeinen an einer Innerlichkeit, die sich keinem wahrhaften Inhalte anschließt, sondern alles aus sich selbst herausholen will. So ist es denn seinem musikalischen Charakter ganz gemäß, in der Geisterwelt sich seinen Stoff zu suchen, und uns in jenen Erzählungen Euryanthens von Emma's Ringe, deren Töne schon in der Ouvertüre klingen und im letzten Finale wiederkehren, an der tiefsten Innerlichkeit zu erfassen. So subjektive Töne waren bisher in der musikalischen Welt unbekannt, aber sie vermögen nur den zu entzücken, der gewohnt ist, bis zur vollendetsten Leere des inhaltlosen Gefühls zu verschweben und zu verklingen. Indem nun diese Töne der Innerlichkeit das Bewegende für die ganze Oper werden, so daß jede weitere Entwicklung, alle Kämpfe, Schmerzen und Freuden, alle Verzweiflung, alle Todesangst, aller Neid, alle Mißgunst, Heuchelei, Bosheit, Wildheit, Vorurtheil, aller Wahnsinn nur darauf berechnet ist, jene anfangs schmerzlichen Geistertöne zu beruhigen und in seelige zu verwandeln, so versteht es sich von selbst, daß nur das Gemüth als solches, das Herz rein als Herz, nicht wie es sich mit einem an und für sich geltenden Inhalt erfüllt, der Gegenstand der Darstellung werden kann. Dieß reine Herz als solches, diese nur mit sich selbst beschäftigte Innigkeit, diese Inhaltlosigkeit zeigt ihre Leerheit als Unschuld in Euryanthen. Aber eben weil sie so leer, so unschuldig ist, vermögen ihre Töne, wenn sie nur diese Unschuld ausdrücken, nicht wahrhaft zu interessiren, wie künstlich, wohlberechnet und gelungen dieser Ausdruck auch immer sein mag. Und daß er gelungen sei, müssen wir anerkennen. Wer hat wohl die Sehnsüchtigkeit eines solchen Gemüths besser in Töne sich ausklagen lassen, als Weber in der ersten Cavatine „Glöcklein im Thale"; wie verschüchtert und in sich haltungslos zeigt sich dies Herz im folgenden Duett mit Eglantinen: „Unter ist mein Stern gegangen"; wie heiter, leer und doch selbstgenug, auch etwas selbstgefällig wiegt es sich in demselben Duett auf denselben Tönen der schnell zurückkehrenden unschuldigen Ruhe; wie tändelt es im Finale des ersten Aufzugs mit seiner Unschuld, und verschwebt im Wiedersehensduett des zweiten Aktes zuletzt ganz in den Geliebten. Doch diese Unschuld ist nicht etwa ächte Naivetät, die reflexionslos sich mit jedem Inhalt verbinden könnte, und nur dadurch naiv wäre, daß sie, statt sich mit ihrem Wissen von sich von diesem Inhalt abzutrennen, unmittelbar mit ihm zusammenfiele, sondern sie besteht nur in der Inhaltlosigkeit überhaupt, in dem reinen Schweben und Weben des Gemüths in sich. Dieses Wissen von nichts als sich selbst, und zwar nicht im *Gegensatze* gegen anderes gültiges, wahrhaftes Wollen (denn sonst wäre es das Böse) so wie die gänzliche Haltungslosigkeit, wenn nun Schmerz, Angst und Qual in solches Herz einstürmen, drückt das Finale des zweiten Akts meisterhaft aus; und die stille rücksichtlose Ergebung, die Todesangst bei der Gefahr des Geliebten, die stille wehmüthige Grabesklage, das lautlose Hinscheiden würden jeden Hörer rühren und aufs Tiefste bewegen, wenn solches Gemüth im Stande wäre anderes Interesse zu erwecken, als das ganz gewöhnliche moderner sogenannter Rührung. Und haben wir an dem Schmerz dieses Herzens keinen lebhaften Antheil genommen, sind wir nicht subjektiv und inhaltslos innerlich genug gewesen, um von den Tönen dieser Angst, dieser sterbenden Klage unser ganzes Gemüth hinreißen zu lassen, so verstehen wir auch weniger den sehnsuchtsvollen Jubel dieses Herzens, als es wieder an der Brust des Geliebten schlagen soll. Ein gediegenes musikalisches Gemüth würde sich von diesen Tönen mit Unwillen wegwenden, da sie Gefühle erregen, welche es nie in sich würde beherbergen wollen. —

(Beschluß folgt.)

Blicke auf die Welt *).

(Von einem Diplomaten.)

1. Hier reist ein Gesandter in der rauhesten Jahreszeit über die Alpen. Der Wagen versinkt bis über die Räder im Schnee. Die zitternden Bedienten halten die polternde Excellenz in ihren Armen. Sein Portefeuille glitscht in eine Kluft hinunter, wo Hannibals größter Elephant einst den Hals brach. — Se. Excellenz überbringen nämlich einen wichtigen Kompliments-Auftrag — nach Norden.

2. Wie schön wäre diese Welt, wenn es in ihr nicht so theuer wäre! —

3. Die Sprachen, sagte ein junger Dichter, sind alte Närrinnen, denen man den Kopf zurecht setzen muß. —

4. Ein Künstler bildete den vom Herkules erstickten Antheus. Die Vorübergehenden hielten die Gruppe für Aeneas, der seinen Vater Anchyses rettet, und wischten sich die Augen.

5. Hier steht ein Dichter vor einer Dame, die ihn aus Zerstreutheit an eins seiner frühern Gedichte erinnert hat; der Dichter versichert, es sei ihm ganz fremd geworden, indessen besinnt er sich und sagt das ganze Gedicht, ohne Anstoß, der widerstrebenden Zuhörerin vor — nur zwanzig Strophen. —

*) Durch die gehaltvollen Blicke auf die Leipziger und Frankfurter Messe in der allgemeinen Zeitung veranlaßt.

(Redigirt von Dr. Fr. Förster und W. Häring (W. Alexis.)

Im Verlage der Schlesingerschen Buch- und Musikhandlung, in Berlin unter den Linden Nr. 34.

Berliner
Conversations = Blatt
für
Poesie, Literatur und Kritik.

Freitag, — Nro. 29. — den 9. Februar 1827.

Ein Tag in London*).

— Ich war eines Abends zu einem jungen Schotten gebeten, bei dem ich mehrere Engländer fand. Obgleich alle Kaufleute oder Fabrikherren waren, so wandte sich doch bald das Gespräch auf Philosophie; denn man scheint jetzt in England fast jeden Deutschen für einen gebornen Philosophen und Musiker zu halten. Ich sträubte mich gegen ein Gespräch dieser Art, und versuchte auf alle Fragen ausweichend zu antworten; denn wozu soll es führen über Kant und Fichte, den sie Feit aussprechen, (beide sind dem Namen nach sehr bekannt und geachtet; von Schelling und Hegel wissen nur die gereisten Engländer etwas) mit Leuten zu sprechen, die ja doch nur die unzusammenhängendsten Brocken aus den Lehren dieser Philosophen wissen. Es kann kein gehaltvoller Wortwechsel dabei herauskommen. Indeß es half nichts; ich mußte antworten und antworten, so daß es, ehe wir's uns versahen, vier Uhr Morgens geworden war, und der Tag, zum Fenster hineinsehend, nach Hause zu gehen mahnte.

So lange England England ist, das heißt, das Land des Handels und Handelns, so lange kann nie deutsche Betrachtungsweise und Anschauung in der Philosophie hier allgemeines Glück machen; der Engländer wird sich immer lieber zur zersetzenden, französischen Definitions-Philosophie wenden müssen. — Ich habe hier noch nie die Idee Eingang finden sehen, auch nicht bei wissenschaftlich gebildeten Engländern, daß man eine Wissenschaft ihrer selbst wegen treiben könne. Ihr politisch treffliches Wozu? und Warum? bringen sie auch in die Wissenschaft, ja sogar in Kunst und Religion; sie würden selbst auf die Fragen: Wozu ist Tugend? wozu ist Gott? ein practisches Darum haben. Ein Deutscher, der auf der Hochschule des Lebens studiren will, gehe nach Italien um Schönheit und Genießen, nach England um Handeln und Bündigkeit zu seinem Ernst, seiner Ausdauer und Gelehrsamkeit zu lernen. — So gehe der Engländer nach Deutschland und Italien. Frankreich gebraucht er nicht, obschon sie alle dahin laufen, als würden sie dort erst Menschen. Dem heutigen John Bull, der noch vor 20 Jahren Frankreich und alles Französische bis auf's Blut haßte, kann man keine größere Freude machen, als französisch mit ihm zu sprechen. Selbst die arbeitende Klasse lernt jetzt die Pariser Sprache, als könnte sie darohne nicht selig werden. — Auch diese Erscheinung gehört zu den manchen, welche der Beobachter jetzt in England

*) Und zwar ein Tag der letztvergangenen Wochen, aus den brieflichen Mittheilungen eines in London lebenden jungen Deutschen. Gemählde des Lebens einer Stadt wie London können bei der mannigfachen Beweglichkeit dieses Lebens, bei der Bedeutung, welche Englands Hauptstadt in der letzten Zeit als Stapelplatz und Mittelpunkt des Verkehrs der neuen und alten Welt gewonnen, nicht zu oft kommen, sobald sie aus einer echten Quelle geflossen sind. — London wie es ist, ist freilich kein harmonisches Kunst-, kein erfreulich sittliches Gemählde, aber wollte man die Schatten- und Schwiebbogenpartieen, die Smolletschen Küchenscenen und Auftritte aus dem Matrosenleben fortlassen, würde auch das Gemählde einer solchen Hafen- und Handelstadt unvollständig, ja völlig unrichtig werden. D. R.

findet, nachdem er sie vor etwa 20 — 30 Jahren auf dem Festlande kennen gelernt hatte.

Als ich von meinem Schotten nach Hause ging, sah ich, wie es in London kaum eine Nacht giebt, denn der noch wache Abend und der schon wieder geschäftige Morgen gehen eine Zeitlang nebeneinander. Die Hackneykutschen, welche geputzte Leute von Abendgesellschaften (*Evening Parties*) brachten, kreuzten sich mit schwerbelasteten Kohlenwägen und Fleischerkarren; und die unglücklichen Geschöpfe der Straße mußten den eiligen Zeitungsboten der Morgenblätter ausbiegen, indessen sich auf der Themse Schiffe schon fertig machten mit frischem Morgenwinde abzusegeln. Ich war zu aufgeregt, um mit Lust schlafen gehen, und doch zu abgespannt, um etwas arbeiten zu können, so daß ich beschloß, den Morgen zu beobachten, wie er ein Geschäft nach dem andern auf der bunten Bühne der Londner Straßen vorführt. Es ist interessant in jeder großen Stadt zu sehen, wie eine Beschäftigung die andre verdrängt, und wie der Arbeiter, schon müde, sein zweites Frühstück vor dem Palaste sitzend einnimmt, dessen Fenstervorhänge eine gähnende Zofe mit unordentlichem Kopfputze aufzieht.

Von der London-Brücke ging ich nach Cheapside, der lebhaftesten Straße der City. In ihr nur Nachtwächter, wachend und schlafend, und manche von jenen 70,000 Wesen, die ich nur mit Unrecht unglückliche Geschöpfe der Straße nannte, da die Sprache des Mitleids der Frechheit nicht zukommt. So viele Dirnen soll London zählen. Die Trunkenen, wie sie an den Häusern gelagert schnarchen, oder die Vorübergehenden taumelnd anfallen, gewähren einen empörenden Anblick.

Ueberhaupt habe ich nirgend in der Welt so viel Trunkene gesehen, als in London. Im Sommer geht es noch an, aber im Winter übersteigt es die Begriffe eines jeden, der nicht Augenzeuge war. Dann siehet man, namentlich in der City, junge, alte, männliche, weibliche, geputzte und ungeputzte Taumler in den Straßen, denen man weit aus dem Wege zu gehen hat. Wenn sich eine solche Dirne zudringlich und frech, wie sie hier auch dies wieder mehr denn irgendwo sind, uns angehängt hat, und sie endlich ihre vergebliche Mühe inne wird, so fordert sie, man solle ihr doch wenigstens ein Glas Brandy geben lassen, und ruft uns nicht selten ein Shaby Fellow nach, wenn man die Forderung nicht erfüllt. Es ist nicht immer leicht, sich einer solchen Dirne zu entledigen, da sie, gestoßen oder geschlagen, Lärm macht und gewöhnlich den Nachtwächter durch Bestechung auf ihrer Seite hat. Als ich vor diesen Kalibanen vorüber ging, reihten sich in mir folgende Verse zusammen:

> Shakspeare, steige vom Himmel, denn dort im azurenen Hause
> Seid ihr, schauend herab, hoffentlich alle gerecht,
> Wägtest ja immer gerecht im Leben schon Tugend wie Laster.
> Komm du, versetze denn schnell jenen gefülleten Kelch,
> Den du spottend auf's Kästchen gesetzt, im Kaufmann Venedig's,
> Daß es der Deutsche mit Hast wähle, der Trinker, sogleich;
> Stell' ihn nun hin auf die Truhe, die England's Sohne bestimmt ist;
> Doch erst schütte den Wein weg der darinnen vom Rhein.

Von dreien Dirnen hatte ich mich glücklich losgemacht, als ich aber die vierte heftiger von mir stieß, brach diese, zu betrunken, um Lärm zu machen, sonderbar genug in die folgenden Worte aus: *How is it possible to be such unfeeling a man, to knock a poor woman. Do you forget that your mother is a woman like me, and certainly she was giddy once for half an hour too. I wish you bloody bad lack!* *) Gewiß eine sonderbare Sentimentalität, als *streetwalker* (Straßenläufer), so heißen hier die Geschöpfe in den Straßen, mich an meine Mutter zu erinnern, und dann wieder mit dem Fluche: Ich wünsche euch blutiges, schlechtes Glück! zu schließen. Dies Blutig ist ein englisches Fluchpräfixum, und wird vom niedrigen Volke vor alles gesetzt, was sie fluchend wünschen, oder auch nur erwähnen. Gewiß kommt es von dem Blute des Heilandes her, wie ja die Flüche der meisten Völker gern frecher Weise das Heiligste erwähnen. Wie gräßlich bedienen sich die russischen, ungarischen und italiänischen Fluche der Namen Christus und Maria. F. f.

Notiz. Das in No. 23 und 24 dieser Blätter unter der Ueberschrift: „der Dichter und der Trinker," gegebene Gedicht bildet den Einleitungs-Gesang zu einem epischen Gedicht betitelt: Bachus, vom Baron von Nordeck, welches binnen kurzem im Verlage der Buchhandlung Dunker und Humblot hier erscheinen wird.

*) Als Erfindung würde dies, wenigstens so abgerissen wie es dasteht, wenig Werth haben, aber ich bemerke, daß kein einziges Wort in ihm erfunden, sondern höchstens an verschiedenen Tagen Erlebtes hier auf Einen zusammengedrängt ist.

Berliner Chronik.

Königliches Theater. Beschluß von Euryanthe.

Eher können wir uns schon Adolars Töne gefallen lassen; da er doch wenigstens die Tapferkeit und der Heldenmuth jener Unschuld ist. Daher sind seine Melodien zweierlei Art. Die eine läßt uns schon der zweite Satz der Ouvertüre hören, und sie zieht sich sowohl durch den ersten als auch durch das Finale des zweiten Acktes. „Ich bau' auf Gott und meine Euryanth" ist ihr Text. Aber sie drückt mehr aus, als dies bloße Vertrauen; sie zeigt den Liebenden kampf-gerüstet, und was sie mit allen übrigen gemeint hat, sie läßt erklingen, das Adolar um alle seine Gefühle wisse, und große Stücke darauf halte. Die ersten Töne dieser Melodie nehmlich sprechen von dem festen Vertrauen, dann folgt ein Satz, der den Muth und die Rüstigkeit zum Kampf bezeichnet; endete sie damit, so könnte sie vielleicht für den unmittelbaren Ausdruck eines über sich nicht reflectirenden Gefühls gelten. Aber indem sie sich dieses Vertrauen, diesen Muth von neuem und immer wieder vorführt, dessen Töne jetzt keinen natürlichen, sondern gemachten und erkünstelten Fortgang und Schluß haben, so erklingt darin nur Selbstspieglung und Reflexion über das eigne Herz. Dasselbe findet bei der andern Art von Melodie statt, in welcher Adolar seine Liebe und Sehnsucht ausspricht. Das erste Lied z. B. das er zu Euryanthens Preise singt, und das wie improvisirt klingen soll, hat wiederum keinen freien Fluß der Melodie. Der Componist hat über vieles erst reflektirt, jeder Ton ist beabsichtigt; so hören wir stets musikalische Reflexionen, welche, indem sie Gefühle ausdrücken, und an unsere Gefühle anklingen sollen, uns eben nichts zu hören geben, als die Regungen eines über sich selbst reflektirenden Gemüths, das auf jede seiner Empfindungen wacht, damit ihm nicht etwa der Selbstgenuß, den es bei diesen Schätzen empfindet, verloren gehe. Ein auffallenderes Beispiel ist noch Adolars Sehnsuchtgesang im zweiten Aufzuge, indem hier die Melodie oft frei und reflexionslos anhebt, doch dann wiederum fleißig, verständig und absichtsvoll durch- und fortgearbeitet ist, so daß der Gegensatz eines unmittelbaren naiven und eines beabsichtigten Ausdrucks aufs klarste hervortritt. Hören wir aber durch, daß der Componist reflectirt habe, so verwandeln sich alle diese Reflexionen in Reflexionen des Vortragenden, und statt der Gefühle, welche uns alle unmittelbar aus dem Herzen strömend erklingen sollten, hören wir nur ein vielseitiges Hin- und Her betrachten dieser Gefühle. Die Personen sind alle schon selber ihr eignes Publikum. Man hält es für eine lästige Eitelkeit, wenn Jemand sich selbst sprechen hört; von vielen Weberschen Arien kann man sagen; sie hören sich selber singen. — Nehmen wir hingegen zum Vergleich z. B. die Arie aus dem zweiten Act des Don Juan, wo dieser als Leporello verkleidet die Bauern auseinander bringen und zerstreuen will, so hat hier Don Juan selbst eine Absicht, aber in keinem Ton klingt es hindurch, daß der Componist die Absicht habe diese Absicht Don Juans auszudrücken. Sie drückt sich von selber aus, und es würde uns unnatürlich vorkommen, wenn die Bauern nicht auseinanderliefen, und Masetto nicht bliebe. Hört man aber eine Webersche Melodie so scheint es bei den meisten, als wenn der Sänger sich die ganze Zeit über mit seinem Gefühl, und der Art und Weise es auszudrücken beschäftigt hätte, und nun plötzlich das Resultat so langer Betrachtung ertönen ließe. Aber für die Darstellung von Personen, die eben nichts weiteres zu thun haben, als die Gefühle ihres inhaltlosen Herzens zu registriren, und ewig am Himmel ihrer Innerlichkeit auf und nieder zu schweben; und sich in seiner heiteren Bläue zu entzücken, oder wenn Gewitterwolken schwarz heraufziehen, zu entsetzen, ist dieses reflectirende Componiren grade an der rechten Stelle, und Mozart würde für den Text der Euryanthe gewiß unpassende Musik zu Stande gebracht haben. Dafür findet die Webersche Musik auch ihren eigentlichen Inhalt erst an der Darstellung eines Bösen, und die heuchelnde und wahnsinnige Eglantine ist ein musikaliches Meisterstück. Auch Lysiartė Hohn, sein frecher Spott gegen Adolar können nicht besser ausgedrückt werden. Denn eben in dieser Heuchelei, in diesem Spott ist der Bruch zwischen Inhalt und Ausdruck nothwendig. Mozart kann nicht spotten. So besteht z. B. in dem ersten Terzett im zweiten Acte des Don Juan, als Elvire der verschwiegenen Nacht ihre tiefen Schmerzen klagt, Don Juans ganzer Spott darin, daß er ihr dieselbe Melodie, mit der Versicherung gleichen Schmerz zu empfinden, nachsingt. In der Musik selbst, obgleich er es sollte, liegt kein Spott; wir wissen nur von sonst her, daß es Spott sein müsse, wenn Don Juan solche Melodie Elviren nachsingt; bei der Darstellung drückt sich daher dieser Spott auch nicht in den Tönen, sondern nur in dem outrirten Ton aus, in welchem Don Juan Elvirens Melodie ihr zurückgiebt und Leporellos Deklamation muß noch den ganzen sonst unverständlichen Vorgang verdeutlichen. Schon häufig ist über die Unverständlichkeit dieses Terzetts geklagt worden. — Wenn es Verdienst ist, Neid, Schadenfreude, Bosheit, Begier, Gluth und Wuth des Gefühls, auch der Musik vindicirt zu haben, so gebührt Webern dafür die Ehre. Durch seine andren Charactere mußte er nothwendig auf diese Schlechtigkeiten kommen. Denn eben dieß Schweben und Weben des Gemüths, diese reine Inhaltlosigkeit und sogenannte Unschuld, wenn sie sich in sich vertieft, in ihr Innres blickt und diese Abgeschlossenheit in sich, sich nun auch wirklich vom Wissen und Wollen, vom Wünschen und Begehren, der ganzen übrigen Welt abschließt, ja sich gegen sie kehrt, wird dadurch zum Bösen, und muß zum Bösen werden, weil sie erst durch dies Ausschließen zum eigentlichen Selbstgenuß zu kommen vermag. Und wenn Eglantine nun diese Absicht verbirgt, wenn sie anders scheint, als sie ist, und dieser Zwiespalt erscheinen soll, wenn Haß wie Liebe klingen muß, und Selbstsucht wie Aufopfrung, dann ist Weber in seinem wahren Element. Er läßt die glatte Schlänge sich heuchlerisch an Euryanthen heranzüngeln, und die Leichtgläubige mit schmeichlerischen Melodien bethören. Diese Thorheit Euryanthens sehen wir ein, denn wir hören, daß Eglantine nur heuchle, aber eben durch das Verdienst die Heuchelei uns fühlen zu lassen, verliert die flache Unschuldigkeit Euryanthens an Intresse. Wir folgen lieber Eglantinen zum Ausbruch ihrer Wuth, ihrer glühend hassenden Liebe, und der Furienkraft, mit welcher sie das Glück der Unschuld zu zertrümmern droht. Dasselbe musikalische Intresse ist es, das uns zu Lysiart zieht; denn auch er verbirgt sein Innres in dem ersten Streit mit Adolar, und dennoch sollen wir seine Wuth, seinen Haß erkennen; hier muß in der Composition alles Absicht, Reflexion und Heuchelei sein, und was sonst zu tadeln war, wird hier zum höchsten Verdienst. Zum erstenmahl hat sich in diesen Tönen die Musik allen Nüancirungen der Bosheit und Bitterkeit, des kalten Hasses und schmähligen Spottes gefügt. Daher verliert dieser Charakter an Intresse, wenn er, wie in Lysiarts Arie des zweiten Aktes, „Schweigt glühenden Sehnens wilde Triebe" zur Amphibie wird und einen Beischmack von Güte, Unschuld und Liebe bekömmt. Erst im Höllenduett mit Eglantinen schwingt er sich wieder auf, und Eglantine erreicht ihre wahre Höhe im dritten Acte im Ausdruck ihres wahnwitzigen Schmerzes und ihrer wahnwitzigen Freude. Solche Wahnwitztöne waren bisher unerhört.

Leider aber ist dieser ganze Inhalt dieser Kampf der Unschuld und Bosheit, das Uninteressante, und wie die Bosheit und Niederträchtigkeit kann jene Unschuld und leere Sehnsucht weder unser eigenes Gefühl sein, noch wird sie, uns dargestellt, in unserm innersten Herzen wiederklingen. Daher bleibt denn für diejenigen, denen solche Gefühle unbekannt und interesselos sind, nichts übrig, als an das Componirte der Composition selber zu gehen, um mit theoretischer Freude allen Intentionen des Künstlers nachzuspüren, und ein über das andere Mahl auszurufen: wie schön ist dieß und das gemacht, welch kunstvolle Bässe, welch vortrefflich berechnete kleine Quinte, welche bedeutungvolle plötzliche Modulation nach *d moll* hinüber, welche Durcharbeitung des Thema's u. s. w. Zu solchen Freuden geben besonders die Scenen mit den Chören Anlaß. Denn die Chöre sind hier die Urtheilsprecher, Betrachter, Nachempfinder, genug sie mischen sich meist nur erst, nachdem schon alles abgethan ist, in die Handlung, und weil sie nicht selbst unmittelbar mit in das Geschehene verwickelt sind, gebührt ihnen an solchen Stellen die reflectirende Musik. Außer diesen Reflexionen aber ist ihr Inhalt theils der Euryanthens, theils der Adolars; daß der Chor nicht auch boshaft wird, ist ein lobenswerther Zug, weil eben die Bosheit das ganz Einzelne ist. Am eigenthümlichsten jedoch tritt der Chor hervor, wenn er sich selbstständig entschließt, wie im zweiten Finale: „wir alle wollen mit dir gehen," obgleich dieß Töne einer etwas flachen und oberflächlichen Redlichkeit sind; seinen Glanzpunkt aber erreicht er im Jägerchor, der wieder ein deutliches Beispiel von Reflexion und Absicht giebt. Die Situation nehmlich ist diese. Euryanthens letzte sterbende Klage ist verstummet, und weil sich durch dieß stille Dulden, durch diesen Todesschmerz erfüllt, was sich nach der Geisterstimme Emma's erfüllen sollte, muß sich diese Klage in Jubel verwandeln. So ringt sich denn aus jenen verhallenden Klängen allmählig die frische freudige Lebenslust des Jägerchors langsam hervor, anfangs leise und abgebrochen wie aus weiter Ferne herüberklingend, bis sie plötzlich in vollen muthigen Tönen hervorbricht. Der Gegensatz dieser Situation ist leicht zu fassen und zu finden, doch der Componist ist nicht zufrieden gewesen, ihn in seiner anspruchslosen Natürlichkeit zu lassen, sondern hat ihn noch in den Chor selbst hineinverlegt, und diesem Chor, welcher der Natur der Sache gemäß, nur die eine Seite ausmacht, die absichtliche Bedeutung des Ganzen gegeben. Denn der Chor bleibt bei dem freudigen Lebensmuthe und der Aufforderung zur Rüstigkeit nicht stehen, sondern die Worte „laßt schmettern die Hörner im Chore" führen zu einer plötzlichen heftigen schroffen Dissonanz, welcher nach dem Schluß: „Ihr Fürsten der Waldung hervor" die weichste lieblichste Auflösung folgt. In diesen wenigen Takten wiederholt sich der Charakter der ganzen Situation mit dem Unterschiede, daß plötzlich hart und grell hingestellt ist, was sich früher sanft und allmählig entwickelte. Daß aber diese Wiederholung der Bedeutung der ganzen Scene die Absicht des Componisten sei, zeigt sich darin, daß hier zum erstenmale Musik und Text nicht zusammenkommen, ja fast einander entgegengesetzt erscheinen. Denn wie paßt wohl der Aufruf an Bär und Wolf zu der Auflösung einer vorhergehenden Dissonanz? — H. H.

(Redigirt von Dr. Fr. Förster und W. Häring (W. Alexis.)

Im Verlage der Schlesingerschen Buch- und Musikhandlung, in Berlin unter den Linden Nr. 34.

Berliner Conversations-Blatt

für

Poesie, Literatur und Kritik.

Sonnabend, — Nro. 30. — den 10. Februar 1827.

Friedrich der Große, oder die Schlacht bei Cunersdorf. Ein dramatisches Charakter-Gemälde in fünf Akten von J. Gründler. Glogau 1826.

Wenn in der neusten Zeit berühmt gewordene Deutsche Dichter sich mit besonderer Vorliebe den Stoff zu ihren Dichtungen theils in dem Nebellande ihrer eignen Phantasie, theils in der weit rückwärts liegenden Geschichte der alten Welt und des Auslandes suchten; so lag der Grund wohl vernehmlich darin, daß die Gegenwart und die Geschichte der Heimath weit mehr Anspruch auf sichre Zeichnung der bekannten, uns mehr oder weniger befreundeten Chraktere machen, und der sogenannten dichterischen Willkühr hierbei weit weniger Spielraum gegönnt ist. Was das Leichtere scheint: Bekanntes wieder zu geben, wird gerade schwerer, weil solche Gestalten, je vertrauter wir mit ihnen zu sein glauben, um so mehr verlangen, daß die Dichtung ihnen ihre Wahrheit und Wirklichkeit nicht trübe und verkümmre. — Mit gebührendem Lobe muß es daher anerkannt werden, wenn ein Dichter von glücklichem Talent wie Herr Gründler sich mit gutem Muthe der vaterländischen Geschichte zuwendet und mit dem genannten Drama vielleicht ein Cyclus von Dramen beginnt, der uns eine, dem Geschichtschreiber und dem dramatischen Dichter anheimgefallene große Zeit in lebendigen Bildern vorüber führen könnte. Da dies unseres Wissens das erste dramatische Gedicht des Verfassers aus dem thatenreichen Leben Friedrichs des Großen ist, wollen wir es als einen, wenn auch nicht nach allen Seiten hin geglückten, doch immer als einen lobenswerthen Versuch betrachten, dem wir wünschen, daß er bald durch noch gelungnere Leistungen überboten werden möge. — Denn von dem großen Könige sowohl, als von den ihn begleitenden Generalen, Gesandten und schönen Geistern erhalten wir diesmal statt der sprechenden Bildnisse und belebter und begeisteter Gestalten, nur die Anlage dazu, und ebenso wenig kann sich der Wachtmeister des Herrn Gründler neben dem in der Lessingschen Minna von Barnhelm halten. — Der Verfasser scheint selbst in naiver Unbefangenheit gefühlt zu haben, woran die Personen, die er einführt, vornehmlich Mangel leiden, obwohl er sich dagegen in einer Vorbemerkung verwahrt. „Es versteht sich, sagt er, bei dramatischen Dichtungen, zumal bei denen auf historischem Grunde, zwar von selbst, ist aber doch ausdrücklich bemerkt zu werden nicht immer ganz überflüssig: daß dasjenige, was von den handelnden Personen gesprochen wird, nicht als die Aeußerung des Verfassers anzusehn ist, sondern eben als die jener Personen und daß es selbst bei diesen nach der Zeit und den Umständen beurtheilt werden muß, in der und unter denen es von ihnen gesprochen wird." Aber solche Verwahrung, und wenn sie noch so feierlich gemacht wird, kann dem Uebelstande nicht abhelfen, wenn er einmal vorhanden ist. Angenmommen aber auch, daß wir hier wie uns der Verfasser versichert, nicht etwa ihn, sondern Friedrich den Großen, Zieten, Gleim, Lessing, Kleist und andre ihre Betrachtungen anstellen hören, so thut es der lebendigen Bewegung in dieser Dichtung Eintrag, daß die Helden und auftretenden Personen, viel zu viele Betrachtungen anstellen und zu wenig handeln. Wär' es nun schon lähmend unter den Zurüstungen zur Schlacht und während und nach derselben die eigenen und eigenthümlichsten Reflexionen dieser Männer über Gegenstände, die garnicht an Ort und Stelle sind, zu hören, so ist dies noch weit mehr der Fall, wenn wir diese Außerungen, — und diesen Fall hat der Verfasser nicht mit bevorwortet, — durchaus nicht für Aeußerungen jener Helden und Herren annehmen können ohne daß wir sie deshalb dem Verfasser, als ihm angehörig, aufbürden wollen. Auf die verfehlten Züge aller einzelnen Charaktere uns einzulassen, würde zu weit führen; als Belege zu unserer Behauptung nur einige Aeußerungen des Königs. — Zweiter Akt. Vierter Auftritt. Der König. Mitchell. Quintus. —

Quintus. — Der Ambassador Großbrittanniens
Lord Mitchell naht sich Ihnen, Sire, mit Ehrfurcht.

Mitchell. — Im Namen meines Königlichen Herrn
Erschein ich hier vor Eurer Majestät
Den großen Bund auf's neue zu besiegeln.

König. — Für Glück und Unglück?

Mitchell. — Sire, für Glück und Unglück;
Nicht anders meint's mein ritterlicher König.

König. — So seid willkommen, Mylord! seid es mir
Als Mensch und als Organ des Brittenkönigs,
Dem bald mein Antwortgruß entgegeneilt.
(Dem Gesandten die Hand bietend)
Steh dieser Bund (Belle-Allianz?) noch leuchtend vor der Nachwelt! *) — —
Wie ging die Fahrt das deutsche Meer herüber?

Mitchell. — Dem Britten ist das eine Lustschiffahrt.
Die Nordsee . . .

König. — Nun, ihr nennt's die Nordsee, doch
Ich nenns das Deutsche Meer und hoffe fest,
Daß Hamburg einst das Deutsche London wird,
Wenn ihrs erlaubt." —

In einer der folgenden Scenen, in welcher der Marquis d'Argens sich der deutschen Literatur gegen den König annimmt, sagt letzterer:

. . . — Doch will ich
Euch nur zum Dank noch ferner freundlich kund thun,
Was ich gethan, der Deutschen Geist zu forschen.
Als ich in Leipzig stand, Deutschlands Athen,
Ward ich gehetzt, bis ich mich nur entschloß
Zu meiner Seele Heil bei mir zu sehn
Der Deutschen schönsten Geist, Gottschedium.
Er kam, er kam; ein großer, knochenfester
Perückenstolzer Herr; sich neigend schob
Er gegen mich, als wär' ich eine Mauer
Und er der Mauerbrecher. Nun gings los.
Erst gab's Kritik; dann las er Oden mir.
Es war entsetzlich, doch sein Prosa-Vortrag
Ist merklich besser als der Regensburger.
Bald ward ich seiner satt und ließ ihn gehn.
Allein was half's, von seinem Schreibpult aus
Lief er nun Sturm bald lyrisch und bald episch." —

Dem Verfasser scheint es unbekannt zu sein, daß Friedrich, wenn er auch von der Unterredung mit Gottsched nicht eben sehr erbaut war, ihn dennoch mit aller Artigkeit behandelte und bei der Abreise von Leipzig ein Franz. Gedicht zurückließ, welches mit dem ehrenden Zuruf schließt:

„Du aber auf, der Sachsen Schwan,
Verfolge deine Sigesbahn,
Bezwinge du der Sprache rauhe Klänge
Durch deine lieblichen Gesänge,
Und zu den Siegespalmen, die die Deutschen hegen,
Wirst du Apollons schönsten Lorbeer legen.

Zu bemerken ist, daß in einigen Ausgaben der Werke Friedrichs des Großen dieser Brief unrichtiger Weise „an Gellert" überschrieben ist. — Auch in einem folgenden Gespräch des Königs mit dem Obristen Guischard (Quintus Icilius) hören wir mehr die Ansichten unserer Zeit vorklingen.

König. — Ihr, Oberst Guischard,
Seid nun auf Frankreich, klingts auch wunderlich,
Einmal erboßt. Ihr seid ein Protestant
Und guter Christ, obschon Ihr manchmal plündert;
Drum ist Euch Frankreich, — Ahnen habt Ihr nicht —
Trotz eures Abstamms recht „ein Aergerniß
Und eine Thorheit" wie St. Paulus sagt.

Quintus. — Auch Eurer Majestät ist Frankreich jetzt,
Ob auch im Cabinet und Kriegsfeld nur,
Bald Aergerniß, bald Thorheit; und wir sind
In dieser Richtung ganz auf einem Weg.

König. — Wir, wir; das klingt fast stolz, Herr Oberst Guischard.

Quintus. — Verzeihung, Eure Majestät! es hat
Ja meine Denkart selten solches Glück.
Doch ist mir Frankreich meiner Väter Heimath —
Denn Väter hab' auch ich — gar nicht verhaßt;
Nur muß ich lächeln, wenn sich dieses Frankreich

*) Die mit gesperrter Schrift gedruckten Zeilen hat der Verfasser ebenfalls groß drucken lassen, als wollte er damit sagen: das ist so meine Meinung!

Als Gottes auserkohrnes Volk bedünkt.
Nein nein, es gibt ein Frankreich, doch es gibt auch
Ein England, ein Italien und ein Deutschland.

König. — Jetzt spracht ihr eine kühne Wahrheit aus.

Quintus. — Wohl ist sie kühn; dennoch ist Deutschland nicht,
Noch lange nicht, was einst es wird, so bald
Das Alterthum sich ihm verklärt, so bald
Der Britten Dichtkunst tiefer in ihm wurzelt."

Daß der Verf. den Obersten Guischard, einen Franzosen, die Wiedergeburt Deutschlands durch „der Britten Dichtkunst" weißagen läßt, ist eben so unangemessen, als daß Kleist in einem Gespräch mit dem Oestreichischen Obersten Beck (S. 96) von einer deutschen „Bundeskette" spricht, die an die Stelle des alten Reichsverbandes treten soll. Ganz aus seinem Charakter läßt der Verfasser, wie es scheint, den König fallen, wenn er ihn im fünften Akte, nachdem er die Schlacht verloren, und sich gegen den Marquis d'Argens geäußert: daß es mit Preußen aus sei, und er lieber mit ihm Kohl pflanzen möchte, auf einmal in eine mystische Verzückung gerathen läßt, in welcher er sagt:

„Das wohl begreif' ich: was uns Wahnsinn dünkt,
Ist Wahnsinn drum nicht stets; oft ist's ein Anflug
Jenseit den Gartenzaun der Alltagslogik,
Geheimer Bund mit dem Naturgesetz;
So ward Amerika gefühlt von Colon,
Bevor es vor ihm aufstieg; so war Newton
Schon einverstanden mit der Welten Lauf,
Bevor dies wissenschaftlich sich ihm kund gab. —
Newton und Colon! Hört d'Argens auch ich
Bin Mann der Welt, nicht unwerth, daß auch mir
Die Zukunft sich in Gegenwart umwandelt,
Daß aus des Schicksals Halle mich ein Schauer
Aufregt zur kühnsten Dichtung? Ha, ich fühl' ihn. —
Wie klingt es um mich! süßer, feierlicher,
Als wenn Amalia sanft hingerissen
Mit Tönen dichtet: zärtlich tröstend bald
Als käm's von Mutterlippen; bald heroisch,
Als rief die Markgräfin *) — Laßt mich mein d'Argens!

(d'Argens geht ab und der König, nachdem er eine kurze Zeit in begeisterter Stellung verweilt, geht ihm nach.)

Den König zu einem solchen phantastischen Geisterseher zu machen, heißt seine innerste Eigenthümlichkeit als aufgeklärter Verstandes-Mensch im großen Styl ganz verkennen. Die geistige Richtung und philosophische Bildung des Königs finden wir völlig mißverstanden, und der Verfasser hätte beßer gethan, uns den König, was ihm mehr gelingt, nur als den entschlossenen, auch im Unglück besonnenen Feldherrn vorzuführen; denn wo er ihn philosophiren läßt, hören wir nimmermehr den Philosophen von Sanssouci. — z. B. Ackt. 5. Siebenter Auftritt. König. Quintus.

König. — Nun Quintus, wie? Ihr seid wohl gar ein Mundkoch?
Welch feines Schüsselchen, was ihr da bringt!

Quintus. — Ein Abendbrot für Eure Majestät.
Frugal und leicht, doch zart und ausgewählt.

König. — Ey das ist wahr! das war ich nicht gewärtig.
Noch Kirschen! Aprikosen, Pfirsiche;
So markicht voll, so frisch, so Farbenkräftig,
So fleckenlos; wie lieb ich diese Früchte!
Und nicht aus Sinnenreiz allein; ihr Anblick
Erregt in mir das Bild der Lebenseinfalt,
Wie einst sie war in goldner Zeit am Euphrat.
Dank dem Lukull, der in Europas Wildniß
Solch edles Reiz uns pflanzte! — doch noch mehr.
Bei diesen Früchten, die in eigner Vollkraft,
In ihrer Urgestalt uns Nahrung sind,
Dünkt michs, als böte mir der Weltgeist selbst
Was ich, sein Kind bedarf. — Quintus ihr wißt,
In Sanssouci speißt man sehr gut.

Quintns. — Ja, Sire,
Das würde selbst Lukull gestehn.

König. — Und doch
Geh' ich in meinen Gärten wo der Weinstock
Mir volle Trauben beut, wo mildes Obst
Aus tausend Bäumen mir entgegen leuchtet
Und Zweig um Zweig in Duft und bunter Fülle
Sich mir entgegendrängt zur süßen Labung:
Das gilt mir mehr, als alle Küchenwunder.
Es ist ein Erdgenuß, und dennoch fühl' ich
Bei ihm mich ganz entthiert; bin fast in Andacht;
Bin eins mit der Natur. u. s. w.

Dies sind philosophische Betrachtungen, wie sie Friedrich den Großen nie in den Sinn gekommen, oder es sind vielmehr gar keine philosophischen Betrachtungen. Es heißt den König von der Höhe seiner Bildung herabsteigen lassen, wenn man ihm der rohen Nahrung den Vorzug vor den durch menschliche Vermittlung zubereiteten geben läßt, und nicht etwa ganz unbefangen, weil ihm Kirschen besser schmek-

*) Die bereits gestorbene Schwester des Königs.

als Pastete sondern weil die ersteren ihm von dem Weltgeist — der freilich kein Koch ist — in ihrer Urgestalt gereicht wurden. Dann hätten freilich die Thiere beständig einen näheren Umgang mit dem Weltgeiste als wir. Dem Könige gilt dieser Genuß mehr „als alle Küchenwunder", er fühlt sich ganz „enthiert" (dazu bedurfte es wohl keiner Kirschen und Apricosen) geräth „fast in Andacht" und ist doch wieder „eins mit der Natur" Aber „eins mit der Natur sein" heißt gerade von der Stufe des Geistes auf die des Thier- und Pflanzenlebens herabsteigen. —

Was die andern, in das Gedicht eingeführten Personen betrifft, so gilt von der Zeichnung ihres Charakters und ihrer Denk- und Handlungsweise ziemlich dasselbe, was von der des Königs gilt. Am wenigsten gelungen scheint Lessing, der bekanntlich in dem Hauptquartier des General Tauenzien ein ziemlich lustiges Leben führte, wovon er jedoch in Kunersdorf, wohin ihn der Verfasser willkührlich commandirt, nichts merken läßt; das Feldleben Lessings wäre mehr hervorzuheben gewesen. Gelungener ist Gleim gezeichnet und in dem Geiste der patriotischen Lieder seines Grenadiers ist die Schilderung, die ihm der Verfasser (S. 65) von den Anordnungen zur Schlacht machen läßt.

Wenn Lessing darauf antwortet:

„Mein Grenadier! ich bin mit dir zufrieden;"

so können wir diesmal uns vollständig mit Lessing einverstanden erklären. —

Was die dramatische Anordnung des Gedichtes betrifft, so scheint es, daß der Verf. es nicht für die Bühne gearbeitet hat, weshalb wir es in dieser Beziehung der Kritik nicht unterwerfen wollen. —

F. F.

Berliner Chronik.

Königstädter Theater. Mittwoch am 7. Februar zum erstenmale: Der verwunschene Schneidergesell, Fastnachtschwank in 5 Akten von W. Alexis. Nach dem Herkommen bei mehreren Literaturzeitungen, welche in die Verlegenheit gesetzt sind, Werke ihrer Redactoren, die nicht gut übergangen werden können, zu recensiren, übernimmt der Unterzeichnete selbst die Anzeige jener von ihm herrührenden Neuigkeit. Es gab eine Zeit, wo der Deutsche heiter war und sich an Scherzen und Späßen erfreute, ohne zu fragen: Was bezweckt der Scherz? Die lustige Fastnachtzeit gab vor jenen alten Tagen manche Schwänke, die nicht wenig zur Lust unserer Voreltern beitrugen. Unglückliche Zeiten und die Pedanterie der Gelehrsamkeit begruben den Deutschen Hans Wurst. Kaum daß Reste von ihm auf dem Marionettentheater sich erhielten. In Wien ließ man ihn in andrer Gestalt wieder auftreten, doch nur zum Theil wollten diese harmlosen Scherze bei uns anschlagen. Manches war uns zu local, manches Nationale fremd geworden. — Wir bauen in Norddeutschland keinen Wein, die lustige Fastnachtzeit ist bei uns fast ganz unbekannt, unser Ernst und unser wissenschaftlicher oder kritischer Eifer will auch bei dem Schwanke die Tendenz wissen. Wo sind Elemente in Norddeutschland zu einem Fastnachtsschwank? Die Laune trieb mich zu einem Versuch. Freunde, denen ich Absicht oder Proben mittheilte, hielten den Versuch für sehr gewagt. Das Berliner Publicum sei nicht heiter genug; ein 5aktiges Lustspiel oder gar eine 5aktige Posse sei eine so schwierige Aufgabe, daß sie den Untergang in sich trage, 5 Akte ohne Musik könne Niemand aushalten. Doch es galt nur einen Versuch, ohne Ansprüche und mit geringer Aussicht. Unter dem darstellenden Personale fand ich letztere nicht größer, dafür aber den besten Willen. Wie es bei solchem Versuche schicklich, sollte mein Name nicht auf den Zettel kommen, es geschah nur durch ein Misverständnis. Indessen übertraf der Erfolg meine kühnsten Erwartungen. War es auch nur ein Versuch, von dessen Scheitern nicht viel abhing, regte sich doch eine Besorgnis, welche bei der immer lebendigen Darstellung und steigenden Theilnahme sich allmählig in eine Freude verwandelte, wie sie, so rein und ungetrübt, dem dramatischen Dichter selten zu Theil wird. Das ausgezeichnete Spiel sämmtlicher Darsteller kann ich nur mit dem größten Dank erwähnen, es fand seine volle Anerkennung in den Stimmen des Publicums. Verpflichtet halte ich mich aber besonders Herrn Schmelkas genial humoristische Auffassung seiner Rolle zu gedenken, da nur wenige wissen, wie er aus eigenen reichen Mitteln ergänzte und belebte, bis das vollständige Charakterbild dastand, welches uns diesen Abend ergötzte. — Schwänke dieser Art sind es, wo Dichter und Mime sich in die Hände arbeiten müssen, wenn etwas lebendig Wahres und Ansprechendes entstehen soll. Die reichste Ader der Laune that sich diesmal bei Schmelka von selbst auf und mehrere der heitersten Einfälle und Anspielungen, welche das Haus erschütterten, verdankt man nicht dem Dichter, sondern den überdichtenden Vorsteller.

Nicht minder aber darf der Dichter verkennen, daß ein äußerst aufmerksames Publicum das Gelingen des Versuches erleichterte, indem wohl selten hier ein Stück über die Bühne geht, wo der Autor sagen könnte: Es ging kein Witz- und Scherzspiel verloren. Wo der Dichter irre gegangen, wird die Kritik, wenn sie sich mit einem Fastnachtsspiel beschäftigen will, leicht auffinden, nur lege es nicht den Maaßstab von der Beurtheilung eines Kunst- oder gar classischen Werkes an dieses Erzeugniß der Laune und des Scherzes.

Mir ist es vergönnt mit dem Wunsche zu schließen, daß sich noch oft Dichter, Darsteller und ein froh gestimmtes Publicum so entgegen kommen möchten. Dann kann auch bei geringen Kräften viel geleistet werden.

W. Alexis.

(Redigirt von Dr. Fr. Förster und W. Häring (W. Alexis.)

Im Verlage der Schlesingerschen Buch- und Musikhandlung, in Berlin unter den Linden Nr. 34.

Berliner Conversations-Blatt für Poesie, Literatur und Kritik.

Montag, — Nro. 31. — den 12. Februar 1827.

Ein Tag in London.

(Fortsetzung.)

Im ganzen flucht man in England weniger als in Deutschland und Frankreich; denn in diesen Ländern entfährt auch den Gebildeten wohl einmal ein Fluch! oder Donner! — Die Engländer sind kälter, und dem Gebildeten kommt gewiß höchst selten ein Wort dieser Art über die Lippen. Der gemeine Engländer flucht auch wenig, aber fängt er dann einmal an, so hört man auch gräßliche Dinge. Als ich eines Abends einen jungen wohlgekleideten Schiffer mitten in der schmutzigen Straße im Schneewetter betrunken liegend fand, und ihn, nachdem er auf viele Fragen keine Antwort gegeben hatte, endlich zum stehen brachte, wollte er sich, schwerzüngig schimpfend, mit mir boxen. Ich drückte ihn gehörig zusammen und machte ihn auf das schlechte Wetter aufmerksam. Da stellt sich der Bursche in Boxstellung gegen den Himmel, und ruft: *D—n this bloody sky!* Bis dahin war mir die Sache widerwärtig, aber beim Anblick dieser wahnsinnigen Thorheit mußte ich doch laut lachen.

Von Deutschen, Französischen, Italienischen Flüchen und Verwünschungen — ich kann von allen reden; — an anderm Orte denk ich doch nächstens vielleicht ein Werk darüber unter folgendem Titel zu ediren: „Vollständiges und gänzlich umgearbeitetes Fluch-, Schwur-, Verwünschungs- und Anrufungs-Lexicon, bereichert mit vielen Exclamationen neuerer Romanenschreiber; worinnen für jeden vorkommenden Fall und jedes beliebige Temperament ein passender und nützlicher Fluch zu finden. Nebst einem Anhange in einer Stunde vollkommen und geläufig fluchen zu lernen, vorzüglich für junge Lieutenants und alte Bataillonscommandeurs der alten Zeit eingerichtet und zugeschnitten.“ Aber ehe ich dieses *Caput Vociferationum* schließe, will ich noch eine arabische Verwünschung anführen, die ich einst im Morgenlande hörte: Ich wünsche, daß dich die Sonne bescheine! — Ach, wenn die himmlischen Mächte in neueren Zeiten ein tausendtheil so viel auf Flüche hörten als in der Atriden- und Jokasten-Zeit, so brächte ich noch Morgen beim Parlament eine Bill ein, tausend Araber kommen zu lassen, die bei guter Bezahlung nichts thun sollten, als den ganzen Tag fluchen: daß dich die Sonne bescheine! Das könnten wir im Londoner Winter gebrauchen.

Ungefähr gegen 6 Uhr beginnen in der City die Straßenfrühstücke. Es erscheinen Frauen, die einen Tisch aufschlagen, an dem sie Kaffe und Thee, oder für beides eine stellvertretende Flüssigkeit, nebst Butter- und Brod verkaufen. Als vor einiger Zeit die Abgabe auf den Thee sehr hoch war, konnten ihn die Straßenfrühstückerer nicht bezahlen und mußten daher mit einem Gebräu von andern Blättern vorlieb nehmen, welches keine andre Aehnlichkeit mit Thee behalten hatte, als die der Farbe, und das man deßwegen im Scherz Mahagoni-Thee hieß und noch heißt; denn er hat noch nicht ganz aufgehört. Es ist sonderbar, welch ein Gewohnheitsthier der Mensch ist. Er hält sich lieber am Letzten vom Alten, wie hier an der Farbe fest, als daß er etwas Neues, Andres ergreift.

An jenen Tischen sieht man nun Leute sehr verschiedener Art; schwarze Kohlenkerls, weiße Maurer, abgetragene Röcke mit mageren Personen darin, vielleicht eine Art Commissionäre, Kinder und Erwachsene, welche in die Fabriken zur Arbeit gehen, Nicht-Schlechtgekleidete, die zu der vollzähligen und sehr bedauernswürdigen Klasse in jeder großen Stadt gehören, deren Stand und Gehalt in hartem Misverhältnisse steht u. s. f. Diese Szenen unterscheiden sich sehr von den ähnlichen im Süden z. B. denen in Marseille, Rom, Neapel durch ihre Stille; keiner redet ein Wort, statt dessen im Süden viel und laut geschwatzt wird. Gewöhnlich hat eine solche Kaffeefrau in Frankreich auch eine Zeitung, die aber in England zu theuer ist, als daß man sie an solchem Orte suchen dürfte.

Ich selbst bekam nun Lust auf Kaffe, und mußte deßwegen meinen Weg nach der Post einschlagen, weil ich sonst kein Kaffeehaus kannte, in welchem man vor halb neun Uhr Frühstück bekäme. Dies fällt gewiß vielen meiner Leser auf, aber selbst Zwölf Uhr ist in London noch so früh, daß man keinen andern als Geschäftsbesuch um diese Zeit machen kann. Zwei Uhr ist die rechte Zeit der Morgenbesuche. Viele Läden, die Putz und überhaupt Damensachen verkaufen, werden erst um halb Zehn geöffnet. Um zwei Uhr frühstückt man zum zweitenmal, um 6, 7, halb 8 Uhr wird gegessen. Bis nach Neujahr ist man auf dem Lande, sehr viele Familien kommen erst im Februar zur Stadt. Den Frühling bringt man in der Stadt zu, und im August geht's wieder aufs Land. Lasse sich aber ja niemand verleiten, über dergleichen Gebräuche und Dinge vorschnell abzuurtheilen; denn fast immer wird man bei näherer Untersuchung finden, daß das Sonderbarstscheinende bei diesem Klima, diesen Verhältnissen, diesen Einflüssen durchaus dem wahren Comfort gemäß ist. Manches findet man auch freilich, was nichts als eine geistlose Steifheit oder ein schwerfälliges Festhalten bezeichnet, was aber dennoch wieder neben so manchem guten Festgehaltenen und Alten viel vom Abschreckenden verliert.

Ehe ich nach meinem Kaffeehause kam, mußte ich durch das Postgebäude gehen. Ich sah die Tafel, auf welcher die erwarteten und angekommenen Posten bezeichnet stehen. Da liest man Portugal, Buenos-Aires, Westindien, New-York, Hamburg, Schweden ꝛc. Diese kleine Tafel ist ein wahrer Repräsentant des englischen Weltverkehrs, und der Eindruck nur mit jenem vergleichbar, wenn wir in die römische Peterskirche eintreten, und in der Mitte des mächtigen Gebäudes vielleicht zwanzig Beichtstühle mit ihren Ueberschriften in eben so viel verschiedenen Sprachen uns zum Beichten einladen. Da heißt es: *in lingua germanica, in lingua greca etc.* Freilich bleibt zwischen beiden Eindrücken der große Unterschied, daß der eine vom stolzen Zeichen vergangner Macht, der andre von bescheidnen Zeichen kräftig lebender Macht bewirkt wird.

Im Kaffeehause ließ ich mir eine Tasse des Getränkes geben, welches Voltaire ungemein stark, Leibnitz ungemein schwach liebten und unsre Frauen ungemein lang lieben. Man macht hier in England, sonderbar genug, gewöhnlich sehr schlechten, dünnen und unklaren Kaffee. Nur Engländerinnen, die gereist sind, oder es von Fremden lernten, verstehen den Kaffee wohl zu bereiten, und ich kann diesen Punkt nicht berühren, ohne den Deutschen Frauen ein großes Lob für ihre Kaffeebereitungsart zu bringen, welche sie ohne Zweifel in den unvergleichlichen Bildungsschulen, den Nachmittags-Kaffee's, lernen und von Geschlecht zu Geschlecht übertragen.

Doch vom Deutschen Kaffee zum Englischen. — Natürlich findet man in den Kaffeehäusern hier wie anderswo die bedeutendsten Zeitungen, und es ist zu bewundern, wie frühe und zugleich wie fehlerfrei diese ausgegeben werden, da sie doch die langen Verhandlungen der oft sehr späten Parlamentssitzungen des vorigen Abends ausführlich berichten. Hier wie in den Speisehäusern ist alles still, jeder liest oder lauert auf das zuerst freiwerdende Blatt. Fast keinen Ton vernimmt das Ohr als das Rauschen der Zeitungen, die der Leser umgekehrt und neu faltet. Das trat an die Stelle der lebhaften Märkte und Hallen der Alten, wo man sich fand, besprach, lernte und lehrte; denn mit diesen müssen nothwendig die Lesezimmer der neuen politisch lebendigen Völker verglichen werden. Anführen muß ich, daß eine gute Englische Zeitung ein ganz anderes Ding ist, als die Tagesblätter der anderen Länder. Sie sind zuweilen klassisch redigirt; ihre Sprache ist gewählt; die *leading articles*, so heißen die Artikel, welche die Zeitung als das Ihrige giebt, sind wohl überlegt, und niemand wird sie z. B. im *Globe and Traveller* und in dem *Morning Chronicle* ohne großes Vergnügen lesen. Eine solche Zeitung ist in der That ein integrirender Theil Englischer Literatur. Ich weiß hinsichts literarischen Werthes keine auf dem Festlande nur mit ihnen zu vergleichen als den häufig gut redigirten *Constitutionel* und zuweilen — doch nur sehr zuweilen — das *Journal des. Debats.* In der Englischen Zeitung findet der Britte außer den Handels-Anzeigen, die Verhandlungen seines Parlaments, genaue Berichte der Gerichtshöfe, politische Abhandlungen und Erzählungen des Vorgehenden, Reiseberichte, Aufsätze über Alles im In- und Auslande, was ihn im allgemeinen intressiren kann, Anzeigen der neuen Bücher und kurze Urtheile über die wichtigsten derselben, Berichte über Moden und neue Erfindungen, Gedichte, Marktpreise, Berechnung der Papiere und *dreadful accidents and offences*. Sie sind bei dem schlechten Bestande der Schulen ein Hauptbildungsmittel des Englischen Volks, seiner Politiker, Geschwornen, Richter und Magistratspersonen und machen es möglich, daß ein jeder Bewohner dieses tummelvollen Landes mit seinem raschen Leben und den sich darin entwickelnden neuen Ideen fortschreite. In England ohne Zeitung leben hieße nichts weniger als in Rom den Vatikan versäumen.

Jede bedeutende Englische Zeitung erscheint an jedem Werkeltage, man weiß in wie großem Formate, und des Sonntags hat man die *Weekly papers*, Wochenblätter, welche außer den eignen Aufsätzen dem Leser, der in der Woche nicht Zeit erübrigen konnte, die laufenden Blätter zu lesen, das Wichtigste aus diesen Zeitungen in kurzem und klarem Auszuge liefern. Unter diesen ist jetzt zweifelsohne der Atlas das bedeutendste Blatt, eine Zeitung, die mit einer seltnen Umsicht, Gründlichkeit und sehr geschickter Auswahl in gutem Englisch abgefaßt wird. Sie macht dem Herausgeber große Ehre.

Fortsetzung folgt.

Bericht über die Naturhistorischen Reisen der Herren Ehrenberg und Hemprich durch Aegypten, Dongola, Syrien, Arabien und den östlichen Abfall des Habessinischen Hochlandes in den Jahren 1820 — 1825. Gelesen in der Königlichen Akademie der Wissenschaften von Alexander von Humboldt.

Erster Artikel.

Die Akademie der Wissenschaften zu Berlin, welche durch eine verwilligte Unterstützung die nächste Veranlassung gab, daß die Doctoren der Medizin Hemprich und Ehrenberg sich 1820 der Reise des Kön. Preuß. Generals Menu von Minutoli nach Aegypten anschließen konnten, hatte allerdings auch die nächste Veranlassung, einen Bericht über die Ergebnisse dieser Reise zu verlangen. Da sich die beiden genannten Reisenden nicht auf einen einzelnen Zweig der Naturwissenschaft beschränkt haben, so fand man es angemessen für den botanischen Theil der Berichterstattung Hrn. Link, für den zoologischen Hrn. Lichtenstein, für den physiologischen Hrn. Rudolphi, für den mineralogischen Hrn. Weiß zu ernennen; mit der Abfassung des Gesammtberichtes wurde Herr Alexander von Humboldt beauftragt. Es war dies die schönste Anerkennung, welche den Reisenden zu Theil werden konnte; allein dieser Auszeichnung sich zu erfreuen war nur Hrn. Ehrenberg gegönnt, da Hr. Hemprich als ein Opfer der mühevollen vierjährigen Anstrengungen in Habessinien starb. — In einem einleitenden Vorworte spricht Hr. v. H. zuvörderst von dem Verdienste des wissenschaftlichen Naturforschers vor dem bloßen Sammler und er durfte hierin um so strengere Forderungen machen, da er dies alles selbst mit so hohem Berufe erfüllte. Er begnügt sich nicht damit, daß der Naturforscher etwa nur hier und da ein Pflänzchen ausrupfe, einen Vogel schieße, ein Steinchen ausbreche, er verlangt Nachricht von dem, was sich bezieht auf die geographische Vertheilung der Thier- und Pflanzenformen, auf den Einfluß, welchen Beschaffenheit des Bodens, Höhe des Standortes und mannigfaltige klimatische Verhältnisse auf das organische Leben ausüben. Selbst „die Sitten“ der Thiere will Hr. v. H. beobachtet wissen. Von dem Geognosten verlangt H. v. H. daß er einzelne Mineralien nicht ohne Hinsicht auf ihre Gruppirungen in Gebirgsarten, ihr relatives Vorwalten, ihren Uebergang in einander und ihre Altersfolge sammle und einsende. — Der Zweck einer Reise, wie die der HH. Ehrenberg und Hemprich war wesentlich ein naturwissenschaftlicher und da sie nicht wie Caillaud, Clapperton und andere mit so reichen Mitteln ausgerüstet waren, um auf großen gewagten Expeditionen unbekannte Länder aufzuschließen, und uns in volk- und gewerbreichen Städte, als unerwartete Zeugen der geheimen Fortschritte menschlicher Bildung einzuführen, so ist ihnen nicht die oft, sehr bedeutungslose, Berühmtheit anderer sogenannten großen Reisenden zu Theil geworden, aber desto mehr die Anerkennung aller wissenschaftlich gebildeten Naturforscher. —

Der Beginn der Reise der Herren Ehrenberg und Hemperich ist uns schon aus dem Prachtwerke der Hrn. Menu von Minutoli bekannt, an den sich beide Naturforscher angeschlossen hatten. Der Reiseplan des Hrn. von Minutoli war: Aegypten mit seinen Oasen, die Cyrenaika, Dongola, die Halbinsel des Sinai, Palestina, Syrien und einen Theil von Kleinasien zu bereisen und über Griechenland nach

Deutschland zurückzukehren. Zu Anfang des Monats August traf die Gesellschaft in Triest zusammen und wurde auf 2 Schiffe vertheilt, die im September im Hafen von Alexandrien einliefen. Eine große Caravane, welche aus 56 Kameelen und 25 bewaffneten Beduinen, die ein Araberfürst anführte, wurde auf Kosten des General Minutoli ausgerüstet. Ein großherrlicher Firman und ein besondrer Empfelungsbrief des Pascha von Egypten an Halil Bey von Derna ließen den besten Fortgang der Unternehmung hoffen. Allein bald sah sich der General Minutoli in seiner Erwartung getäuscht. Man mußte die Karavane theilen und während der General mit dem Beduinen-Fürsten und dem Dollmetschee nach Cahira zog, entschlossen sich die Naturforscher an der Grenze des Tripolitanischen Gebiets die Erlaubniß zur Ueberschreitung derselben von Halil-Bey abzuwarten. Da diese Erlaubniß nicht eintraf, zog die Karavane nach Siwa, wo unsere Naturforscher jedoch schlechten Empfang fanden; sie mußten sich sogleich zur Rückreise nach Alexandrien entschließen. Der Professor der Baukunst Liman und Wilhelm Söllner, Gehülfe der Naturforscher, erkrankten auf der Rückreise und starben in Alexandrien. — Die Herren Ehrenberg und Hemprich verfolgten von hier aus ihren eigenen Reiseplan. Zuerst wurde im Monat März ein Ausflug nach der Provinz Fajun gemacht, die leider durch ein 3 monatliches Nervenfieber des Doktor Ehrenberg, welches er unter einem Zelte am Fuße der großen Pyramide von Sakhara abwarten mußte unterbrochen wurde. Ein 2ter Gehülfe, Franz Kreysel hatte sich bei einer Wasserjagd in dem See Möris eine Erkältung zugezogen und starb an der Ruhr.

Mehmet Ali unternahm damals seinen siegreichen Feldzug am Nil aufwärts. Unsere Naturforscher folgten ihm und zogen vom Aug. 1821 bis Febr. 1823. durch Nubien nach Dongola, wo sie die Wüste bei Embujol und Conti erreichten. Während Ehrenberg in Dongola zurückblieb kehrte Hemprich mit den gesammelten Naturschätzen nach Alexandrien zurück, wo er statt des gehofften Geldes die Aufforderung zur Rückkehr fand. Er gab seinem Freunde davon Nachricht; beide waren in die traurige Nothwendigkeit versetzt ihre weiteren Reisepläne aufzugeben. Schon waren die Kameele verkauft als eine 2te Nachricht aus Berlin ihnen meldete, daß die Regierung ihnen neue beträchtliche Vorschüsse zur Fortsetzung ihrer Reise bewilligt habe. Jetzt wurde ein Ausflug nach dem Meerbusen von Suez dem Sinai-Gebirge und den Inseln längs der Küste von Akaba bis Moile gemacht. (Von May 1823 bis März 1824.) Hemprich brachte wiederum die gemachten Sammlungen nach Alexandrien zurück, während Ehrenberg 5 Monate lang in der größten Verlegenheit in Tor blieb. Durch den Banquerutt des Preuß. Consuls in Triest waren unsere Reisenden um die Hälfte, der ihnen von Berlin zugesandten Reisegelder gekommen, weshalb sie aufs neue ihren Reiseplan ändern mußten. Sie entschlossen sich jetzt den zur See nur 12 Tagereisen von Por entfernten Libanon zu besuchen, dessen mit Schnee bedeckten Rücken sie während 3 Monaten zweimal überstiegen. Zu Anfang August 1824 erreichten die Reisenden Alexandrien wieder, wo sie gegen ihre Erwartung neue Geldmittel und neue Befehle zur Fortsetzung der Reise fanden. So konnten sie den 27ten Novbr: die längst gewünschte Reise nach Habessinien antreten. Von Suez fuhren sie zur See nach Djedda wo eine Excursion gegen Mecca gemacht wurde, um die berühmte Balsampflanze aufzusuchen. Ihre Kunst als ausübende Aerzte verschaffte ihnen die Freundschaft eines türkischen Statthalters in Gumfude im wüsten Arabien; der ihnen bewaffnetes Geleit nach dem Gebürge Derban mitgab. Sie besuchten die vulkanische Felseninsel Ketumbul und eine zweite Namens Farsan. Von Gisan, einem Grenzorte zwischen dem glücklichen und wüsten Arabien zogen die Naturforscher nach Loheia, Kameran, Hauakel und Dalac; den 24ten. April 1825 wurde der Hafen Massauah erreicht. Hemprich besuchte von hier aus das Gedam-Gebirge; Ehrenberg die heißen Quellen von Eilet im Tarantagebirge.

Hier hatten sie das Ziel ihrer Reise, das Habessinische Hochland, erreicht. Die beschwerliche Bergreise kostete dem Gehülfen der Naturforscher Niemeyer aus Braunschweig und leider auch dem Doktor Hemprich selbst das Leben. Doktor Ehrenberg kehrte jetzt über Fedda, Cosseier und Cahira nach Alexandrien zurück, wo er sich am Anfang des Nov. 1825 nach Triest einschiffte. Er traf 1826 wieder in Berlin ein, wo er gegenwärtig mit der Ausarbeitung eines großen Werks: „Naturgeschichtliche Reisen in Nord-Afrika und West-Asien" beschäftigt ist.

Beschluß folgt.

(Redigirt von Dr. Fr. Förster und W. Häring (W. Alexis.)

Im Verlage der Schlesingerschen Buch- und Musikhandlung, in Berlin unter den Linden Nr. 34.

Berliner

Conversations = Blatt

für

Poesie, Literatur und Kritik.

Dienstag, — Nro. 32. — den 13. Februar 1827.

Knebel's neuestes Gedicht. Am Grabe der Frau v. Stein. Im Jahre 1827 den 6. Januar.

(Aus Weimar eingesandt.)

Schlafe sanft, du fromme Hülle
Eines Geist's, der Leben gab!
Treuer Freundschaft Segensfülle
Senkt mit Dir sich in das Grab.

Könnten Seelen sich erwecken,
Seelen, die der Deinen gleich,
Auf der Erde weiten Decken
Blühte schon ein Himmelreich.

Lebe wohl, du süße Seele!
Deiner Freundschaft holdes Bild
Schläft nicht in des Grabes Höhle,
Lebt in uns, mit Dank erfüllt.

---

*) Dieser gemüthvolle Nachruf des drei und achtzig jährigen zart, tief und frei denkenden Sängers zu Jena, bei dem Grabe einer höchst würdigen, allgemein verehrten Freundin, durch deren Verlust auch Goethe der über funfzig Jahre mit ihr in dem freundschaftlichsten Verhältnisse gestanden, tief erschüttert worden ist, wird den Lesern des „Berliner Conversationsblattes" gewiß nicht unwillkommen seyn. Knebel, dessen in Goethe's Leben mehrmals Erwähnnng geschieht, hat sich außer durch eine anerkannt gelungene Uebersetzung des Lucrez, auch durch seine eigenen mannichfaltigen Dichtungen bei den Deutschen einen ruhmvollen Namen erworben. Wer die Eigenthümlichkeit seines liebenswürdigen und edlen Geistes in ihrer ganzen Fülle kennen lernen will, den verweise ich auf das vor zwei Monaten erschienene erste Heft der Lebensblüthen. Jena, bei Aug. Schmid. 12mo. Möchte es dem ehrwürdigen Dichtergreise gefallen, diesem ersten bald ein zweites Heft folgen zu lassen! — Endlich sei es mir erlaubt, auf eine in diesen Tagen vollendete, sehr ähnliche und überaus nett verfertigte Glaspaste mit Knebels Haupt seine Freunde aufmerksam zu machen. Der academische Künstler Hr. Reinhardt (Stallstraße No. 4) hat dadurch seine Darstellungen der Köpfe der merkwürdigsten Männer aus der neuern und neuesten Zeit auf kleinen Glaspasten, erweitert und somit neben Goethe's, Herder's, Wieland's, Schiller's, Thorwaldsen's und Rauch's auch Knebel's Bildniß gestellt. A. R.

Ein Tag in London.

Fortsetzung.

Der Atlas ist immer 4 Bogen klein Folio stark und kostet einen Schilling. Als Probe will ich den Inhalt des gerade vor mir liegenden Atlas vom 24. December 1826 angeben, um seine Reichhaltigkeit zu zeigen, mit der Bemerkung, daß sich nichts Flüchtiges und Seichtes unter den anzuführenden Artikeln befindet:

The Politician, unter diesen Artikel sind die bedeutendsten Sachen aus den Aufsätzen der Wochenzeitungen, worunter 3. heut: *England „before" and „after" War. Liberty of Press.*

Foreign News worunter
France, Spain and Portugal, Italy, Persia, Britisch Colonies, South America.

Britisch News. Unterabtheilungen:
public Meetings, City Elections, Trade, in welchem Artikel auch über die bedeutensten Erscheinungen und Erfindungen in der Fabrikwelt gesprochen wird.

Ireland, ein langer Aufsatz über die Katholiken.

Scottland.
Vice-Chancellors Court.
Court of Kings Bench.
Court of Common Pleas.
Winter Assizes. } wo man die wichtigsten Prozesse und Verhandlungen findet.
London Police.
Accidents and Offences.
Parliamentary Papers, Bittschriften ꝛc. welche beim jetzigen Parlamente vor sind.
Omnium, auf deutsch Allerlei, worunter diesmal auch Folgendes: *The Annirersary of Goethe was celebrated at Weimar, on the 7th. of November. His Royal Highness the grand Duke presented on the occasion, to the Poët, the gold medal which was struck last year.*
Universities, wer Doctor geworden, Anstellungen von Geistlichen ꝛc.
The Army, Erhebungen und Ernennungen; eine Unterabtheilung ist *Military Movements.*
Saturday, worunter Neuigkeiten welche keine andre Zeitung haben konnte, und für diesen Tag, hat denn auch der Atlas seine Correspondenten.
The Money Market.
Inhalts-Anzeige des Atlas.
Atlas, nun kommt erst der *Leading Article.*
Nachrichten von der königl. Familie.
Theatricals, die Aufsätze unter dieser Aufschrift sind im Atlas gewöhnlich gut und gründlich.
Expeditions Travelling.
Literature, worunter *Review of new Books*, sehr ausführlich; *French Literature.*
Music and Musicians; der Atlas ist ein großer Bewundrer deutscher Musik.
Scientific Notices, worunter diesmal: *Tabor's Method of indicating the depth of water in ships* und Anderes mehr.
Meteorological Table.
Insolvent.
Dividends.
Bankrupts.
List of new Books.
Tide Table (Fluthtafel der Themse).
Lessons of the Day (Die Evangelien und Episteln des Tages.
Births, Mariages and Deaths,
Markets, worunter:
Price of the British fonds for the Week, Price of the foreign fonds for the Week, Cours of Exchange, Corn Exchange, Smithfield (Vieh-Markt) alle Marktpreise, wo auch Leder, Talg, Seife, Oel ꝛc. nicht vergessen sind.
Coal Market.
Theater und andere einzelne Anzeigen.

Niemand wird sich nun wundern, daß dieses Blatt von vielen Familien ihren Angehörigen in den andern Welttheilen gesandt wird, und in Deutschen Lesezimmern sollte es nicht fehlen. Wem besonders an dem literarischen Anzeiger liegt, muß sich die *Literary Gazette* halten, welche alle Sonnabend erscheint, alle erschienene Bücher anzeigt und von vielen Auszüge giebt. Sie ist nicht sonderlich redigirt, aber doch das einzige Blatt in ihrer Art.

Ich habe nun meinen Kaffee mit geröstetem Brote zu mir genommen, die Zeitung gelesen und gehe weiter. Mein Weg führt mich durch Corehill, wo schon alles von geschäftigen Leuten wimmelt. — Für einen Fremden ist es zuerst sehr auffallend, wie sich hier und in Cheapside, den beiden Hauptstraßen der City, eine wimmelnde Menge fortwährend schnell aneinander vorüberdrängt; doch ist davon schon oft gesprochen und ich will den Gegenstand übergehen, wenn ich den Kutschern und Fuhrleuten, die in diesen Straßen oft in unabsehbaren Reihen aneinander fahren und sich stopfen, mein Lob für ihre ungemeine Ruhe und Besonnenheit beim Vorfahren gebracht habe. Wie ganz anders ist es, wenn Pariser Fuhrleute oder Elb- und Oderschiffer in Berlin aneinanderfahren.

In Corehill, der Straße, wo ich mich jetzt befinde, in Cheapside und Ludgatehill sind nun schon alle Läden geöffnet und geschmückt. Hier, wie durch ganz London, wird ein großer Luxus mit den Läden, wie in keiner andern Stadt, getrieben. Einer sucht es dem Andern mit ungewöhnlich großen Spiegelscheiben *), glänzend geputzten Messingzierrathen und geschmackvollem Aufstellen der Waaren zuvorzuthun. — Jeder strebt so viel als immer möglich seine Waaren, bestehen sie nun in Zeugen, Früchten, Tabacken, Fi-

*) Man treibt es hierin immer weiter und weiter. Unter dem Quadranten in Westindien ist ein Glashändler der seine Waaren hinter einer Scheibe von wenigstens 5 Fuß Länge und 4 Fuß Höhe aufgestellt hat, welche so rein ist, daß man kein Glas wahrnehmen kann, wenn man nicht gerade einen Stand gegen die Sonne hat, der nothwendig die Täuschung aufhebt. — Ein Gesetz verbietet irgend wen, der eine Ladenscheibe zerbrochen hat, zu höhern Ersatze als, ich glaube, 5 Schilling (wenigstens ist es eine Kleinigkeit) zu verurtheilen. ein Gesetz, offenbar zu Gunsten der armen Träger, und überhaupt der Leute, welche viel auf der Straße zu thun haben, die bei dem lebhaften Gewimmel oft in eine solche Glasscheibe gedrückt werden.

schen und Austern, Zeitungen, Silber- und Goldwaaren, Colonial-Erzeugnissen, gekochtem Fleische, Eingemachtem, geräucherten Fleischen, Kräutern oder sonst worin, hinter täglich saubergeputzten Gläsern auszustellen und die Aufmerksamkeit der schnell vorüberströmenden Menge anzuziehen. Man hat es in dieser Kunst hier ungemein weit gebracht, und ein Gang durch die bedeutenden Straßen London's ist nichts als der Besuch einer Ausstellung Englischen Kunstfleißes.

Ich nahm meinen Weg nach Whitechapel, dem östlichen Ende der Stadt, und ging durch die bedeutenden Fleischerscharren nahe Corehill. Hier käme ich nun in ein sehr weitläufiges Capitel, wenn ich von der ungeheuren Consumtion von Vieh und dem Mastbetrieb in England, unstreitig einem der bedeutendsten Zweige Englischer Industrie und des Inlands-Umsatzes — der sich noch heute zum Handel mit dem Auslande, wie 17 zu 1 verhält, Pitt stellte ihn wie 20 zu 1 fest — reden wollte, aber ich verspare dies auf einen Aufsatz, den ich vielleicht über die letzte Viehschau, *Cattle shew* schreibe, wo Preise für die fettesten Rinder, Schafe, Schweine rc. die besten Hühner, Gänse rc. die schönsten Früchte rc. vertheilt werden.

White Chapel (auf Deutsch: Weiße Kapelle) ist ein Stadtviertel, welches seinen Hauptcharacter von dem nahen Hafen, den Docks und seinen Einwohnern aus der mehr niedern, arbeitenden Klasse empfängt. Die ungethüme Stadt London hat in ihren verschiedenen Theilen auch einen ganz verschiedenen Charakter, und man glaubt kaum in der derselben Stadt zu sein, wenn man von Westende, wo Alles mehr oder minder den Charakter reicher, arbeitsloser Genießer und wohlhabender Arbeiter für dieselben hat, nach dem Borough gehet, dem südlichen Theile der Stadt, wo Alles nach Fabriken und kleinem lebhaften Handel aussiehet, und von dort wieder nach der City, der man das Geschäft auf den ersten Blick ansieht, und dann Spitalfield und Whitechapel besucht, wo Armuth und Schmutz bei christlichen Webern und in stinkenden Judengassen, Hafenbeschäftigung und alles was damit verbunden, wohlhabende Seiler und viel Fleischer zu finden sind.

In White-Chapel, und noch näher der Themse zu treibt nun Jack Tar sein Wesen. Jack Tar, Hans Teer, heißt im Abstracto der Matrose, etwa wie wir im Abstracto mit Bruder Bamberger einen Handwerksburschen bezeichnen. Forts. folgt.

Ehrenbergs und Hemprichs Reisen in Nordafrika und in Westasien.

Zweiter Artikel.

Mit welchem unermüdeten Fleiße die beiden Reisenden gesammelt haben ergiebt sich aus dem Verzeichniß der nach Berlin gesandten Gegenstände, welche 114 Kisten (von 20 bis 30 Kubikfuß. füllten. Die Zahl der eingetragenen Pflanzenarten beträgt 2875, von denen in Ägypten und Dongola 1035, in Arabien und Habessinien 700 auf dem Libanon 1140 gesammelt wurden. Eine große Menge dieser Arten ist in vielen Exemplaren vorhanden, so daß sich die Gesammtzahl derselben auf 46,750 beläuft. Die Zahl der noch nicht beschriebenen Arten beträgt 600; von 699 Arten sind die Saamen gesammelt, und viele haben bereits in dem botanischen Garten in Berlin geblüht. Außerdem stellten die Reisenden viele sich auf die Physiologie der Pflanzen beziehende Untersuchungen an Ort und Stelle an, und waren auf die Verbreitung der Pflanzen, sowohl der gebauten als wilden, aufmerksam, so daß die Pflanzen-Geographie eine bedeutende Erweiterung durch sie zu erwarten hat. Die Gesammtzahl der Thiere, die sie einschickten beträgt 34,000 Individuen, worunter 135 verschiedene Arten von Säugethieren, Wer weiß, ob Noah so viele in seiner Arche hatte! Der gerühmte Cerdo der Alten, von Bruce der langhärige Fenneck genannt wurde von unsern Reisenden zuerst nach Europa gebracht. Den Unterschied des ächten Schakals von den andern Hundsarten des Orients haben sie festgestellt. Ein von ihnen mitgebrachter Apis-Schädel sammt Gehörn aus den Pyramiden von Sakhara giebt völlige Sicherheit über die Art und Form des alten heiligen Stieres. — Eine Nilpferdhaut sammt Skelett und eine Giraffenhaut erhielt Dr. Hemprich zum Geschenk von Abdim Bey, dem Statthalter von Dongola. —

Die Zahl der Vögel, die theils in abgebalgten Häuten, theils in Weingeist; theils skelettirt übersandt wurden, beträgt 4671, und diese sind begriffen unter 429 Arten. Als ausgezeichnete Einzelnheiten verdienen die ungemein schönen Exemplare des Straußes aus Cordofan, der prachtvolle Purpurstorch, der langgeschopfte Ibis, der große Aegyptische Mönchsgeier, der weißköpfige Edelfalk (wahrscheinlich das Urbild des in Verbindung mit dem Sonnengotte Ihre so oft vorgestellten Falken) und die vor zwanzig Jahren nur nach einem einzigen Exemplar aus unbekanntem Fundorte von Paykull beschriebene, dann aber nie wiedergefundene *Dromas Ardeola* genannt zu werden. Die Zahl der **Amphibien** beträgt 436 Stück; die der Arten 120. — Von **Fischen** wurden 2414 Stück gesammelt: die Zahl der Arten beträgt 429. Der fliegende Fisch des rothen Meeres ist von ihnen oft gesehn und bei Rhalim todt aber unbeschädigt am Strande gefunden worden. Bei starkem Sturm fliegt er manchmal schaarenweis auf die Schiffe. Mit Angeln und dort üblichen Netzen ist er nicht zu fangen, weil er sich nie der Küste nähert und nach keinem Köder geht. Die Arten der Anneliden und Crustaceen betragen 600, die der Insekten 2000; die Anzahl der einzelnen Insekten 20,000.

Will man sich aber von der Liebe und Begeisterung, mit der sich unsere Reisenden ihrer Wissenschaft widmeten einen Begriff machen, so muß man sie bei ihren anatomischen Untersuchungen belauschen; da sehen wir, welche Gewalt der Trieb des Wissens, diese göttliche Neugierde, über den Menschen ausübt. Zwei Berliner Doktoren sitzen unter der großen Pyramide von Sakhara; dem Glühwind der Wüste, der brennenden Sonnenhitze, den räuberischen Beduinen wird Trotz geboten; ein Paar armselige Datteln müssen Hunger und Durst zugleich stillen, und dennoch, wie gottvergnügt sitzen sie beisammen! Haben sie etwa einen goldnen Sarkophag, oder das Diadem eines der Pharaonen gefunden? Ach nein! sie fanden bei einer Schmeißfliege, die sich auf den von ihnen zerlegten, verwesten Ibis gesetzt hatte, eine besondere Bildung der Pupille; dann entdeckten sie die Bewegung der Säfte in den Flügeln einer Mantis und die Blinddärme bei einer Askaris des Hyrax Syriacus. — Solche Entdeckungen waren für sie die schönste Belohnung. Bei 102 Arten von Fischen haben sie die Lage der Eingeweide untersucht und gezeichnet;

Die Gestein- und Gebirgskunde hat eine wesentliche Bereicherung dadurch erhalten, daß die Reisenden überall, wohin ihre Wanderungen sie führten, zumal an den Katarakten des Nils, am Sinai und Libanon das anstehende Gestein nach seinem Lagerungsverhältnissen untersuchten und mehrere Skizzen zu minoralogischen Karten entwarfen. Das Königl. mineralogische Museum wurde durch sie mit 300 Stükken von Gebirgsarten bereichert.

So sehr indeß die Natur mit ihrem ausgebreiteten Reichthum die Aufmerksamkeit und Thätigkeit der Reisenden in Anspruch nahm, so haben sie sich doch dadurch nicht, wie so manche andere, ganz von dem Geistigen und Menschlichen abziehen lassen. Zunächst waren sie bemüht sich Bekanntschaft mit der Sprache des Landes zu verschaffen, was ihnen großen Vorschub leistete. Sie legten die Landestracht an, und bald übten Clima und Lebensweise so große Gewalt über sie aus, daß — wie uns Hr. Ehrenberg selbst versichert hat — er sich unter Beduinen, Arabern Kopten u. Aegyptern so heimisch, wie unter den vertrautesten Landsleuten befand. Um so eher erhielten die Reisenden Zutritt zu den Einwohnern, und fanden in den Hütten und Pallästen gastfreie Aufnahme und um so interessanter wird dieser Theil ihrer Reisebeschreibung werden. — Herr Ehrenberg gedenkt dieselbe in zwei größeren Abtheilungen unter dem gemeinsamen Titel:

„**Naturgeschichtliche Reisen in Nord Afrika und Westasien.**"

bekannt zu machen. Die erste derselben wird die eigentliche Reisebeschreibung, die andere die ausführliche Darstellung und Beschreibung der beobachteten Naturkörper enthalten.

Die Reisebeschreibung wird nach einer vorangeschickten Einleitung in folgende sechs Abschnitte zerfallen.

1) Reise nach Alexandrien gegen die Cyrenaika. 2) Reise nach Oberägypten, dem Fajum und Dongola. 3) Bemerkungen über Aegypten; 4) Reise auf das Sinaigebirge; 5) Reise nach Syrien und dem Libanon; 6) Reise nach Arabien und Habessynien.

In jedem dieser Abschnitte werden an passende Orte eingeschaltet:

a) Allgemeine Bemerkungen über das Land, seine geognostischen und physikalischen Eigenthümlichkeiten.

b) Allgemeine Bemerkungen über die Bewohner des Landes, ihren physischen und politischen Zustand, ihre Sitten, ihre Spiele, ihre Ausbildung in Beziehung auf Sprache, Künste Gewerbe, Verkehr, ꝛc.

c) Allgemeine Bemerkungen über die organischen Erzeugnisse des Landes, sowohl über die ursprünglich einheimischen freien Thiere und Pflanzen als über die Hausthiere und Culturpflanzen. Als Beilagen werden mehrere Karten, Gebirgsprofile, Reiserouten, Sprachregister, Portraits u. s. w. der Reisebeschreibung beigefügt — Die zweite Abtheilung wird in einzelnen Lieferungen Abbildungen der für die eigentlichen Naturwissenschaften interessanten Gegenstände, mit einem erläuternden Text enthalten. R.

(Redigirt von Dr. Fr. Förster und W. Häring (W. Alexis.)

Im Verlage der Schlesingerschen Buch- und Musikhandlung, in Berlin unter den Linden Nr. 34.

Berliner

Conversations-Blatt

für

Poesie, Literatur und Kritik.

Donnerstag, — Nro. 33. — den 15. Februar 1827.

Erinnerungen an Portugal

bei Gelegenheit der neuesten politischen Begebenheiten in diesem Lande *).

Indem das Auge wehmuthsvoll sich wegwendet von Osten, wo die letzten Flammen eines unglücklichen Volkes nur zuweilen noch in die Höhe lodern, um vielleicht bald ganz zu verlöschen, indem es sich wegwendet von Gräuelthaten, welche durch öftere Wiederholung das Gefühl abstumpfen und nur noch ermüden, blickt es voll Neugierde nach Westen, wo in dem fast ruhigen Europa ein neuer Krieg zu drohen scheint. Wir sehn eine junge Fürstin den Thron besteigen, durch den Einfluß eines fremden Volkes, wie es scheint, und gegen den Willen ihrer Mutter und ihres Bruders, wie es ebenfalls scheint. Wir sehen ganze Provinzen gegen Sie in Aufruhr, und fragen nach der Ursache, denn immer haben die Völker eine weibliche Regierung freundlich aufgenommen, selbst da, wo die Herrscherin unter zweifelhaften Umständen den Thron bestieg. Auch haben die Portugiesen keinen Grund, die weibliche Herrschaft zu scheuen.— Die Großmutter der Regentin war eine sanfte Königin, deren Herzensgüte nur zu groß war. Die Geschichte hat einen Zug ihrer rechtlichen und edeln Gesinnungen aufzubewahren. — Auf ihr junges Gemüth hatte die Hinrichtung des Herzogs von Armiro und des Marques und der Marquisa von Tarona aus einer ihr wohl bekannten Familie, die beschuldigt wurden, an dem Versuche eines Königsmordes Theil genommen zu haben, einen tiefen Eindruck gemacht, besonders da Sie mit vielen andern den Schuß durch den Wagen des Königs, ihres Vaters, für eine Anstiftung des allmächtigen Ministers Pombal hielt, um Gelegenheit zu haben, seinen Groll gegen den hohen Adel seines Vaterlandes, zu dem er nicht gehörte, auszulassen. Gleich nach dem Antritte ihrer Regierung verwies sie den gewaltigen Minister nach seinen Gütern und ließ die Acten des Königsmordes durch eine Commission untersuchen. Von dem Erfolge der Untersuchung hat niemand etwas erfahren; die Acten wurden beigelegt, und die Königin übte so wenig Wiedervergeltung gegen den Mann, der gegen alle, auch gegen sie, hart gewesen, daß sie ihn im ruhigen Genusse seiner Güter ließ, und seinem Sohne eine Ehrenstelle nach der andern gab. Sie hat keine von Pombals zweckmäßigen Einrichtungen gewaltsam zerstört, selbst der Geistlichkeit keine Rechte wieder gegeben, so sehr auch die Schwermuth am Ende ihres Lebens sie zur Andacht führte, und zur übertriebenen Begünstigung der Geistlichkeit hätte führen können. Sie begnügte sich in dieser Rücksicht mit einigen Verfügungen für die üppigen Nonnen zu Odivelas, und mit dem Befehle, daß keine Frau die Schaubühne

*) Am dreißigsten Stiftungsfeste der Gesellschaft der Freunde der Humanität vorgelesen. Der verehrte Verfasser dieses Aufsatzes, Hr. Geh. Medizinal-Rath und Professor, Dr. Link war mehrere Jahre in Portugal und Spanien, wie wir aus der von ihm geschriebenen Reise durch jene Länder wissen. Um so mehr Interesse wird die von ihm uns gefälligst mitgetheilte Abhandlung haben, von der wir nur bemerken, daß sie von demselben in einer Gesellschaft vorgelesen wurde, in welcher auch Frauen gegenwärtig waren. D. R.

betreten sollte, welches allerdings einen Erfolg hatte, den sie vielleicht nicht wünschte, das Schauspiel nämlich auf Oper und Posse zu beschränken. Sie hatte nur zu gut, eben bei jener Hinrichtung der Königsmörder gelobt, das Todesurtheil keines Verbrechers zu unterzeichnen, und die Folge war, daß es zu den höchst gefährlichen Unternehmungen gehörte, in der Nacht selbst durch volkreiche Straßen in Lissabon zu gehen. Als der vorige König sich zum Regenten erklärt hatte, ließ er die Verbrecher aufknüpfen und die Catalani nach Lissabon kommen.

Dieser König war gut wie fast alle Abkömmlinge des Hauses von Bragança. An der Revolution in den letzten Jahren seiner Regierung nahm das Volk geringen Antheil; sie entstand ohne bedeutende Gewaltthätigkeit, sie verschwand wie ein Meteor. Die jetzigen Cortes sind andere als die vorigen, es ist also kaum zu glauben, daß die Empörer gegen das System der vorigen Cortes kämpfen, oder zu kämpfen meinen. Aber die Sache ist klar. Die Portugiesen lieben die Engländer überhaupt nicht, die Vornehmen besonders haßten ihren Einfluß; sie mußten sich nur an England halten, um dem Joche der Spanier, die sie noch etwas mehr hassen, als die Engländer, zu entgehen. Der Portugiese ist seinem Charakter sogar dem Geiste seiner Sprache nach, ganz Franzose. Seine Sprache besteht aus spanischen Wörtern französisch ausgesprochen. Man wird sich erinnern, daß schon vor mehreren Jahren, als der vorige König noch in Brasilien war, und Portugal durch einen Verwaltungsrath regiert wurde, an dessen Spitze der Marquis von Beresford, ein Engländer, stand, eine Verschwörung besonders gegen den letztern entdeckt wurde. Ein edler Portugiese, Gomez Freire, ein tapferer Soldat, der sich im Kriege ausgezeichnet hatte, und in seiner Jugend als Volontair in Russischen Diensten beim Sturm von Ismail unter den Ersten auf den Wällen der Festung war, verlor dabei sein Leben, durch einen besonders auf der Halbinsel schimpflichen Tod. Unter den jetzigen Umständen konnte die Zeit nicht anders als günstig erscheinen, die Herrschaft der Engländer zu entfernen; eine Constitution, welche nicht von der Nation ausging, sondern auf einem Schiffe nach Portugal gesandt wurde; Spanien in der Nähe, dem jetzt eine solche Constitution nicht angenehm seyn konnte; Frankreich im Hintergrunde, welches für die Erhaltung der königlichen Gewalt in Spanien kräftig gewirkt hatte, und dann die Entfernung des englischen Einflusses in Portugal, nicht anders als angenehm seyn mußte; endlich England selbst, welches genug gezeigt hatte, daß es mit Frankreich keinen Krieg wollte, und daß es dem letzteren Reiche sogar Cadiz ließ, um sich nicht mit ihm zu schlagen. Alles wird auf Frankreich ankommen; die ganze Empörung schwindet wenn diese Stütze fehlt.

Nicht die Geistlichkeit ist die Triebfeder von dem, was in Portugal jetzt geschieht, wie viele wähnen. Nie hat sie großen Einfluß in Portugal gehabt. Durch weise Gesetze sorgte schon König Dionys im 13ten Jahrhundert dafür, daß die Geistlichkeit nicht zu große Güter ankaufen konnte, und wurde von den Zeitgenossen und den Nachkommen der Weise genannt. Im Jahr 1547 führte Johann *III.*, ein sonst ausgezeichneter Fürst, die Inquisition ein, wie es scheint aus fanatischem Eifer für die Religion, nicht aus Staatsklugheit, wie man behauptet hat, um eine Unterstützung der unumschränkten Gewalt zu haben. Die großen Könige dieser Zeit bedurften einer solchen Unterstützung nicht. Portugal stand auf dem Gipfel seiner Macht und seines Glücks; die Portugiesen waren Herren der Meere, ihre Besitzungen außer Europa von ausgedehntem Umfange; sie kämpften auf der Küste von Afrika mit mächtigen Negervölkern, auf der Küste von Malabar mit den Heeren des großen Moguls, und auf Ormus mit dem damals mächtigen Persischen Reiche.

Wunder der Tapferkeit zeigten überall, was die fünfmal fünf Schilder vermochten. Das kleine Reich bot der ganzen Türkischen Macht Trotz, vor der damals andere Reiche erbebten. Aber überall Kampf mit Mohammedanern und Heiden. In diesem beständigen Kampfe mit den Ungläubigen, in dieser Beharrlichkeit, Festungen in dem Lande großer, feindlicher Reiche zu erhalten, wo Jahrelange Belagerungen auszustehen waren, mußte sich ein ritterlicher Haß gegen die Ungläubigen bilden. In dem Könige drängten sich alle diese Empfindungen zusammen; kein Wunder, wenn er eine Einrichtung annehmlich fand, welche anderthalb Jahrhunderte früher der schlaue Ferdinand von Castilien aus ganz andern Gründen eingeführt hatte. Sie sagte indessen dem Geiste der Nation so wenig zu, daß unter der spanischen Herrschaft sogar ihre Wirksamkeit nicht groß war. Im Anfange des vorigen Jahrhunderts lähmte Johann *V.* die Inquisition dadurch, daß er einen Befehl gab, nach welchem alle Aussprüche der Inquisition vom Rathe des Pallastes, (*Concellio do Paco*) einem weltlichen Gerichte, nachgesehen wurden, auch mußte die Inquisition dem Angeschuldigten einen Vertheidiger gestatten. Pombal beschränkte sie, unter König

Joseph, im Jahre 1758, so sehr, daß sie nur die Einleitung des Verfahrens hatte, welches dann vom Rathe des Pallastes weiter geführt wurde. Nur auf vier Tage konnte die Inquisition gefangen setzen, dann mußte sie die Sache jenem Rathe anzeigen, und die nachfolgende Königin änderte dieses Gesetz nicht, aber der Rath des Pallastes bediente sich unter ihr dieses Mittels zuweilen, um verdächtige Männer zu entfernen. Die Königin fürchtete die Freimaurer. Ueberall glaubt man in katholischen Ländern, daß sie Protestantismus und Unglauben verbreiten, so wie man sie bei uns für Gesandte der katholischen Kirche hält. Es gab Logen in Lissabon, Coimbra O'Porto. Man klagte die Freimaurer bei der Inquisition an, und der Großmeister *Correa da Serre* hielt es für gerathner nach England zu flüchten. Aber der Geist der Zeiten siegte; noch hatten spätere Begebenheiten die Wuth der Parteyen nicht entflammt. Die meisten kamen mit einer leichten Gefängnißstrafe ab, und Correa erhielt sein Gehalt auch in England durch den *Duque de Lafoes*, einen Verwandten der Königin welchen er auch bis zu seinem Tode im vorigen Jahre zu Paris behalten hat. Er hatte sich so sehr an London und Paris gewöhnt, wo er, der kunstreiche, gewandte Mann, viele Freunde fand, daß er sein Vaterland nicht wieder sah.

Bei dieser Beschränkung der geistlichen Macht und der geistlichen Güter seit den frühsten Zeiten gab es keine Kirchen und Klöster von bedeutender Größe in Portugal. — Johann *I.* baute nach dem Siege bei **Aljubarota** über die Spanier, das Kloster *da Batallia*, den Triumph der gothischen Baukunst. — Man hat sich endlich durch die zwar blumigen, aber einförmigen, dürren Küstenheiden durchgearbeitet, man ist den sandigen Tannenwälder von Loiria entronnen, und man sieht plötzlich einen Zauberthurm in der Höhe schweben. Wer den Straßburger Münster, wer den Stephansthurm in Wien gesehen hat, kennt diese Gebäude, nur muß er sich hier alles zwar kleiner, jedoch viel zierlicher, ausgeführter denken. Aber diese Kirche liegt entfernt von allen großen Städten; sie konnte daher dem prachtliebenden Johann, einem Zeitgenossen der prachtliebenden Könige im Anfange des vorigen Jahrhunderts, nicht genug seyn. Er wollte eine Kirche und ein Kloster wie Escorial bei Madrid, und er baute Mafra.

In eben der Entfernung von Lissabon, wie das Escorial von Madrid, in einer verlassenen, öden Gegend, wie jenes, nur mit dem Unterschiede, daß die brennende Sonne und der Mangel das thut bei Mafra, was die eisigen Winde von Guadarama bei Escorial, liegt die ungeheure Steinmasse, ein Denkmal des schlechten Geschmackes seines Erbauers. In den leeren Räumen hallt der Fußtritt der einzelnen Mönche, wer besucht Mafra! Ein Glück für Johann *V.*, daß die noch nicht lange entdeckten Goldbergwerke von Brasilien noch jugendliche Ausbeute gaben; mit einer Flotte kamen die 16 Millionen Krusaden (fast 13 Millionen Thaler) aus Brasilien zurück, welche Mafra gekostet hatte.

Johann *V.* wollte auch einen hohen reichen Geistlichen haben wie in andern Catholischen Ländern; er stiftete das Patriarchat zu Lissabon und setzte einen Patriarchen dahin mit 85000 Thaler jährlichen Einkünften, eine große Summe für einen Geistlichen in Portugal, nicht für das Land, wo die Theurung aller Bedürfnisse nicht gering ist. Ich meine, der Bischof von Breslau hatte nach der vorigen Einrichtung mehr, als dieser Patriarch eines Landes, dem die Goldbergwerke von Brasilien gehören. Ungeachtet Johann *V.* so viel für Kirchen und Klöster that, so unterließ er doch nicht, die Inquisition ganz zu lähmen, wie oben schon gesagt wurde. Besch. folgt.

Correspondenz.

Stuttgart, im Januar 1827.

Mit Vergnügen erinnere ich mich daß unser freundliches Stuttgart hin und wieder in der Berliner Conversation als Residenz eines süddeutschen Königreiches eine Rolle spielte. Die Einen waren da gewesen, die andern hatten von St. sprechen gehört, man fragte, man erkundigte sich, man nahm Antheil an dieser Stadt, drum ist es billig daß in einem Berliner Conversationsblatt auch Berichte über Stuttgart nicht fehlen. Man erwarte von dem Berichterstatter keine glänzende Theaterberichte, Kunstannalen, keine Erzählungen schauderhafter Liebes- und Mordgeschichten, keine Planzeichnung neuer Straßen. Man lege einen kleinen Maasstab an alles Oeffentliche was man hier findet, und man wird sich nie getäuscht, wohl aber nicht unangenehm unterhalten finden. Käme einer jener großen Kritiker des großen Berlin in diese Stadt, erfüllt von den Erinnerungen an die große Oper, an das zahlreiche Ballet, an das treffliche Schauspiel, gewöhnt an den Anblick so großartiger Erscheinungen wie Mad. Stich, Unzelman, Hr. Wolf und Devrient, käme ein solcher mit jener vornehmen Miene, die einem Bewohner des großen Berlin, einem Kunstrichter so erhabener Künst-

nach und nach eigen wird, und betrachtete unsere etwas kleineren Unterhaltung-Anstalten, er würde mit bedauerndem Lächeln sagen: „mein Gott, wie könnte ich mich hier unterhalten!" doch, hat er verwöhnt durch die schönen auf Leinwand gemalten Gegenden, die man in Berlin hat, nicht allen Sinn für die Schönheiten unseres Neckarthals, jener Hügel mit Reben bepflanzt, die um die Stadt sich lagern, jener langen Alleen oder herrlicher Obstbäume verloren, so wird ihn der Anblick einer so reichen Natur erinnern, daß im Norden, auf einem armen, kahlen Sandboden, wo die dürre Tanne für einen gar majestätischen Baum gilt, die Kunst eine schönere Natur ersetzen müße, daß die Bewohner einer kleineren Stadt im Süden ihren Fleiß, ihre Aufmerksamkeit, ihre Besuche weniger der ersten als der letzten zu wenden.

So kömmt es daß die eigentliche Blüthe-Zeit des hiesigen Theaters nur vom Ende November bis zur Mitte des März dauert; vor und nach dieser Periode ist das Theatet weniger besucht, während der Sommermonate hört es gänzlich auf. Es ist schwer bei einem Theater, dessen innere Kräfte sich denn doch wie die einer jeglichen Bühne nach der Fülle der Casse, oder nach der Häufigkeit der Besuche richten müssen, jeden Zweig der darstellenden Kunst gleichmäßig zu vervollkommnen. Die Direction, sey ihr Theater groß oder klein, wird sich nach dem Geschmack des Publicums, nach dem Lieblingsfache das gerade an der Tagesordnung ist, richten müssen. Versäumt sie dieß, so wird sie durch ein eigensinniges, ich möchte sagen feindseeliges Entgegentreten die Besucher vertreiben, statt sie anzuziehen. So ist es z. B. in Darmstadt die Oper, in Weimar mehr das Schauspiel, was hauptsächlich cultivirt wird, in Stuttgart ist es seit einem Jahre das Ballet.

Unser Theater führte früher den Titel Hof- und National-Theater; den letzteren Beisatz hauptsächlich deßwegen, weil die Kosten des Residenztheaters zum größeren Theil von der Nation bestritten wurden, daher kam es daß unter der vorigen Regierung das Str. Theater an Glanz und innerem Gehalt mit den besten Deutschlands wetteiferte. Eslair, unterstützt von einem ausgesuchten und zahlreichen Theater-Personal, machte es möglich daß die größten Trauer- und Schauspiele sehr gut gegeben werden konnten. Unter der eben so milden als gerechten Regierung des jetzigen Königs, enthob man das Volk dieser Last; die natürliche Folge davon war daß Einschränkungen im Etat des Theaters eintreten mußten, Aendrungen die freilich einige der besten Mitglieder der Bühne entfernten. Man sah sich genöthigt einen oder den andern Zweig auf das Nothwendigste zu beschränken, um den, der gerade den Zuschauern der willkommenste seyn mochte, mehr zu cultiviren. — Durch diese nothwendigen Ersparnisse erschienen freilich einige Lücken, die noch jetzt fühlbar sind; namentlich vermißten wir Mad. Brede sehr ungern, eine Künstlerin die durch Mittheilung ihres tiefen Studiums an Jüngere, als ein Vorbild aus einer trefflichen Schule, jeder Bühne von großem Vortheil wäre. Sehr selten und nicht mit jenem Erfolg, der nur bey einer ausgesuchten Gesellschaft möglich wird, sehen wir jetzt größere Schauspiele eines Göthe, Schiller, Lessing oder Raupach. Sie haben Maurer in Berlin gesehen; er bekleidet hier die Stelle, die im Berliner Schauspielhause Wolf; man wird zugeben, daß der Vortheil auf Seiten der Berliner ist. Herr Maurer giebt sich zwar viele Mühe, doch erschreckt er im Heldenspiel unser Ohr durch so furchtbares Cramerisch-Ritterliches Schreien und Toben, daß wir ihn sogar, troß dem Mißverhältniß seiner Gestalt und seines unzierlichen Wesens, lieber als zahmen Elegant, als Liebhaber in einem der heutigen Mode-Lustspiele sehen. Einen vorzüglichen Komiker haben wir an Gnauth.

In der Oper besteht ein ziemliches Mißverhältniß zwischen dem Mänlichen und Weiblichen Personal. Seit Mll. Fischer, eine Sängerin die nicht ohne Verdienst war, besitzen wir keine Künstlerin, die etwa die Rolle einer Prima Donna in größeren, classischen Opern mit Erfolg übernehmen könnte. Frau v. Knoll (Hug) würde eine nicht unangenehme Donna Elvire, aber nie eine glückliche Donna Anna (in Don Juan) seyn. Frau von Pistrich, (Sie sehen unser halber Theaterzettel ist geadelt) giebt mit dem entschiedensten Glück naive, heitere Rollen, jene Soubretten die in jeder Oper durch einige freundliche Gesänge, durch intriguante Lagen nothwendig und ergötzlich sind; doch, wie ich keinem Komiker, außer dem einzigen Devrient, rathen möchte den König Lear zu spielen, so muß Frau von Pistrich sich nie an größere, tragische Rollen wagen. An Kunst, Studium, Talent und Manier bei weitem überragend ist das Männliche Personal der Oper. Forts. folgt.

„Hierbei eine Ankündigung des Herrn Ernst Fleischer in Leipzig, das Erscheinen einer neuen Ausgabe von „*Las Comedias de D. P. Calderon de la Barca*" betreffend.

(Redigirt von Dr. Fr. Förster und W. Häring (W. Alexis.)

Im Verlage der Schlesingerschen Buch- und Musikhandlung, in Berlin unter den Linden Nr. 34.

Berliner Conversations-Blatt

für

Poesie, Literatur und Kritik.

Freitag, — Nro. 34. — den 16. Februar 1827.

Der Februar.

von

Immanuel Kant. *)

Ein jeder Tag hat seine Plage;
Hat nun der Monat dreißig Tage
So ist die Rechnung klar.
Von dir kanu man dann richtig sagen,
Daß du die kleinste Last getragen
In dir, du schöner Februar.

Erinnerungen an Portugal

bei Gelegenheit der neuesten politischen Begebenheiten in diesem Lande. (Beschluß.)

Die Portugiesen waren nie fanatisch; sie sind es noch nicht. Sie kennen keinen Menschen von anderem Glauben, als sie selbst haben. — Schon früher als Spanien wurde ihr Land von den Mauren gereinigt; die portugisischen Juden hatten sich schon längst von der Strenge des Mosaischen Glaubens entfernt, als sie Johann *III.* zwang Christen zu werden, oder das Land zu verlassen. Die meisten wurden Christen, aber nach 3 Jahrhunderten unterscheidet man noch ihre Nachkommen unter dem Namen der neuen Christen. Jeden Anklang der Reformation hielt das strenge Spanien ab, er wurde nicht in Portugal gehört. Das Volk denkt gar nicht daran, daß es Christen geben könne, welche keine Messe hören; die Engländer, meinen sie, kaufen die Messe ab. Gegen wen sollten also die Portugiesen fanatisch sein, sie kennen keine Ketzer. Die hohe Geistlichkeit ist nicht reich, die niedere hat zu viele Freiheiten um lästig zu werden. Das Nonnenkloster Odivelas war der Sitz des feinen Welttons in Portugal. Es liegt auf der Ostseite von Lissabon, in einer Gegend, welche man schon in der Nähe angenehmer wählen konnte. Alfons *VI.* Pedro *II.* Johann *V.* und Joseph *I.* waren oft dort mit ihrem Hofe und gaben den fröhlichen und reizenden Nonnen Bälle und Assemblen. Der Chevalier von Chanelly, ein junger, schöner geistreicher Franzose liebte eine Nonne dieses Klosters, deren Namen die Ueberlieferung aufbewahrt hat. Zwölf Briefe der Geliebten, und eilf Antworten des Ritters erschienen ins Französische übersetzt im Jahre 1707 im Haag gedruckt unter dem Titel *Lettres d'amour d'une Religieuse portugaise.* — Es ist der Ausdruck der Liebe der damaligen Zeit, eine Schilderung der feinsten Empfindungen, wie der Naturforscher einen Schmetterlingsflügel beschreibt, ohne den kleinsten Flecken zu vergessen. Gewiß, fängt der zweite Brief an, gewiß die Dame gestern war recht häßlich, sie tanzte schlecht und der Graf da Cumha hatte sehr Unrecht, sie mir als eine hübsche Frau zu schildern. Wie konnten Sie auch so lange mit ihr sich unterhalten, ich sah es auf ihrem Gesicht sie sprach nichts Geistreiches. Wie, sagt sie im vierten Briefe, muß man sich in die Arme eines Nebenbuhlers werfen, um Ihre Liebe wieder zu erneuern? Ich gab dem

---

*) Nach einer Handschrift des Philosophen, welcher diesen Spruch in seinen letzten Lebenstagen vielfach im Munde führte. Kant starb am 12. Februar 1804 in seinem achtzigsten Jahre.

Herzoge von Almeida den Arm auf der Promenade, ich suchte den Platz neben ihm beim Abendessen. Ich sah ihn zärtlich an, wenn Sie es bemerkten, ich sagte ihm Kleinigkeiten ins Ohr, die Sie als etwas Wichtiges aufnehmen sollten. — So lebten die Nonnen zu Odivelas. Ball, Spazierzgang, Abendessen. Die Geliebte sendet dem Ritter eilf Briefe zurück, und behält die beiden letzten, welche daher auch nicht abgedruckt sind. „Sie haben die Kunst verstanden, sagt sie in ihrem letzten Briefe, Liebe zu erwecken, ohne sie selbst zu empfinden. Kehren Sie nach Portugal zurück, ich würde Sie der Rache meiner Familie übergeben." Das ist portugiesisch! Man dingt leicht einen Mörder, und wird er zufällig ergriffen, dann beklagt ihn jedermann; der Arme mußte ja mit dem Lohn Frau und Kinder ernähren.

In drei Haufen, sagen uns die Zeitungen, drangen die Empörer in Portugal ein. Eine auf der Südseite des Tagus (Tajo) in der Provinz Alemtejo. Dort ist das Land frei und offen bis an den Strom. Verflächte Hügel, eine kleine Gränzfestung, offene Städtchen, wenig Dörfer, endlich sandige Heiden. Das kleine Flüßchen, im Sommer ein Bach, der Caya trennt beide, seit Jahrhunderten feindselige, Reiche. Wer sehen will, wie wenig Einfluß der Boden auf den Menschen hat, der nehme diesen Weg. — Noch tönen die Laute der hochklingenden, selbst im Munde der Bauern zierlich gewendeten, rein und deutlich gesprochenen, nur mit zu vielen Gurgellauten vermengten spanischen Sprache in die Ohren; man ist über den Caya geschritten, und das leicht zischende Geschwätz der portugisischen Sprache erschallt. Die langen spanischen Gestalten sind verschwunden, die schönen, großen Männer und Frauen, mit ihren regelmäßigen, ovalen Gesichtern, ihren nur zu blassen Wangen, die weißen Mäntel der Vornehmern, die braunen Mützen des Landvolks, der reizende Schleier oder die Mantilla, wie die Spanier richtiger sagen, das Netz über den Haaren, oder die Redesilla. Dafür erscheinen runde Hüte, ein leichtes Tuch um den Kopf, kleine, muntere runde Gestalten unaufhörlich plaudernd und lachend und schäkernd. Von dieser Seite mit einem Heere einzudringen hat nie große Mühe gekostet. Aber vor Lissabon erscheint der Strom, auf der Ostseite der Stadt, und zwei deutsche Meilen breit, auf der Westseite nur eine Meile aber desto tiefer. Linienschiffe kommen bis an die Stadt, bewaffnete Schiffe von bedeutender Größe segeln bei der Fluth weit den Fluß hinauf. Eine Flotte, wie das Meere beherrschende Volk, und niemand wird es wagen über den Fluß zu setzen. Bei der Ebbe ist er ein reißender Strom, und die Natur verbietet jeden Versuch dieser Art.

In Lamego steht der Marquis von Chaves, der Hauptanführer der Empörer, wie die Zeitungen sagen. Es ist der zweite und wie es scheint der größte Haufe. Lamego liegt hoch auf einer Bergebne. Man steigt fast zwei Stunden, doch nicht steil zum Douro herab, der in seinem ganzen Lauf ein tiefer, schneller Gebirgsstrom ist. Die große, volkreiche Stadt O'Porto liegt am nördlichen Ufer des Flusses, Lamego oberhalb am südlichen. Es wird schwer seyn, über den Fluß unterhalb Lamego zu gehen. Der Marquis kann sich südwärts wenden nach Coimbra und von dort nach Lissabon, aber hier trifft er auf die Stellung von Bussaco, berühmt durch Wellingtons Gegenwehr, und jenseits Coimbra auf die Stellung von Torres vedras, worauf einst ganz Europa sah. Ich bin nicht Kriegsverständiger genug, um zu wissen, was der Marquis von Chaves zu Lamego will, vielleicht ist er selbst nicht Kriegsverständiger genug, um zu wissen, was er da will.

Ein dritter Heerhaufen geht im Norden gerade auf O'Porto. An der Tamega, an der Brücke von Amarante hat man ihn zurück gehalten. Die Brücke von Amarante weckt angenehme Erinnerungen. — Amarante ist eine kleine, friedliche Stadt in einer reizenden Gegend, reizend wie der Name. Vornehme Familien wohnen dort in Menge; Männer ohne Geschäfte, oder um sich von Geschäften zu erholen, bringen dort ihre Zeit zu. Die Brücke ist der Spaziergang und der Versammlungsort der guten Gesellschaft am Abend. — So hat Stockholm auch eine Brücke, welche zum Spaziergang der Bewohner dient. Ich sah den Kronprinzen von Schweden über die Brücke fahren, seine schöne Gemahlin an der Seite, mit einer Hand die Zügel der stolzen Rosse lenkend, mit der andern die Grüße der Schauenden erwiedernd; umher die Umgebungen hoch romantisch, das Schloß, der große Platz mit der Statue des Helden Gustav Adolph, felsige Gebirge umher mit Fichten bedeckt, an denen die Stadt in die Höhe steigt, ein Meeresarm zwischen Klippen sich durchwindend, unten die Brücke, und weit ins Land hinein. Eine nordische Sonne. Gerade das Gegentheil von Amarante. Freundliche Berge, zwischen denen beschattete und bewohnte Thäler sich hinziehn, bedeckt mit Eichen und Korkbäumen, Pinien, Sentanen und Cypressen von Goa; Bäche von allen Seiten dem schönen Strome zufallend, und im Hintergrunde die hohe *Serra de Marao*. Kühle

Läftchen folgen dem Flusse, und darum kommt man auf der Brücke nach Sonnenuntergange zusammen. Man plaudert, man hört Gedichtchen aus dem Stegreif, gemacht auf gegebne Worte *motes* u. *glozas*, man hört das klagende portugiesische Liedchen, Liebesklagen des Schäfers von Lima, oder den muntern, scherzhaften *brasilero*; schönes Wasser wird gereicht und mit Ueppigkeit genossen, dazu überzuckerte Fäden aus dem Innern einer Kürbisart, die man wie eine Perlenschnur in den zierlich geöffneten Mund hinabsenkt. Es wird dunkel, man sucht aus, das fröhliche Getümmel schlingt sich in Knoten zusammen. Doch wohin gerathe ich? ich misbrauche die Geduld meiner Zuhörerinnen. Portugiesinnen wären dem langweiligen Geschwätze längst entronnen.

Berliner Chronik.

Königstädtisches Theater. Am Schluß des Jahres 1826 schien das Königst. Theater aus einem langen Schlummer der Betäubung wieder erwachen zu wollen. Jocko, der zuerst durch das Unerhörte der Erscheinung die Neugierigen herbeigelockt, und durch die treffliche Mäschienerie dann auf längere Zeit gefesselt hatte, verschwand nach und nach, weil er die Häuser leer läßt, von dem Repertoir und schien besseren Darstellungen Raum machen zu wollen. In der That läßt sich wohl auch behaupten, daß er im ganzen Publikum keinen einzigen wahren Freund besaß, und daß nur seine Gegner und Verächter es waren, welche seinen Sprüngen und Kunststücken beiwohnten. Bekanntlich war die Aufführung des Hund des Aubri auf dem Weimarer Theater die Veranlassung, daß Göthe sich von aller Theilnahme an der Leitung desselben zurückzog und lange Zeit keinen Fuß mehr über die Schwelle des entweihten Musentempels setzte. — Umgekehrt machten es die Berliner Kunstfreunde, welche das Königst. Theater zuletzt nur besuchten, um die lange vergebens angefochtene, aber immer verderblicher einreißende falsche Richtung der neuen Bühnenkunst durch dieses von *plus ultra* der Verkehrtheit gleichsam *ad absurdum* geführt zu sehen und somit im Geiste den Triumph über eine Tendenz zu feiern, die auf ihre höchste Spitze getrieben sich selbst vernichten mußte. Aber die Krisis war noch nicht gekommen, der Krankheitsstoff noch im Gähren und die Heilung ferne. Sahen wir auch in den letzten Tagen des verwichenen Jahres ein so gediegenes, freilich nur durch eine doppelte Uebertragung auf die Deutsche Bühne verpflanztes Stück, wie Cervantes Porträt, das bei einer ziemlich flachen Charakteristik aber trefflichen Intrigue durch die letzte Eigenschaft den spanischen Ursprung nicht verläugnen konnte, warfen sich auch zwei der bisherigen Vorsteher der neuen Bühne in ihren Streitschriften wechselseitig vor, den Verfall des noch immer seiner eigentlichen Sphäre im ungewissen Umhertappen verfehlenden Königstädtischen Theaters durch die Stücke Jocko und Ein Uhr herbeigeführt zu haben, und erkannten sie auch dadurch vor dem Publikum die Verderblichkeit dieser Richtung laut an, so blieb doch noch immer der Wahn zu beseitigen, als ob durch solche Palliativmittel der erschöpfte Zustand der Kasse, wenn auch nicht aus dem Grunde geheilt, doch auf Monate hinaus, bemäntelt werden könne. Aber auch dieser Irrthum scheint durch die letzten Versuche in dem Genre der Thierstücke blosgedeckt und so die Krankheit ihrer Entscheidung näher gerückt zu seyn. Blicken wir nun auf die Leistungen des vergangnen Monats Januar zurück, in welche die Katastrophe des bezeichneten Bühnenfiebers gefallen ist, so finden wir nur drei neue Stücke näher zu betrachten. Carlos Romaldi, oder der Stumme in der Sierra Morena, Melodrama in drei Acten noch dem Französischen, Musik von Ferd. Fränzl, Aladin, Singspiel in einem Act, nach einem Märchen des Saragin von J. F. Castelly; Musik von Gyrowetz, und endlich jenen Wolfsbrunnen den die Direction zu einem Goldbrunnen erkoren hatte, welcher aber bald den Beweis von der Eitelkeit aller solcher Schatzgräberversuche lieferte.

Was das erste Stück betrifft, so scheint es auf den ersten Blick mit jenen andern Calculativ-Zugstücken, und namentlich den Thiercomödien, nicht in eine Klasse zu gehören, wenn es auch den Charakter des Melodramas mit ihnen gemein hat. Genauer betrachtet ist es aber von keinem besseren Schlage, ja es vereinigt mit allen Verkehrtheiten jener noch eine andere Qualität, nämlich die des Verbrecherdrama's. Ein Taubstummer, wenn er auch als Unterdrückter, unschuldig Verfolgter, unser Interesse erregt, ist doch nur ein unvollkommner, krankhafter, halber Mensch; ein Affe, welchem der Melodramenschreiber Sinn, Verstand, ja selbst einen Strahl von sittlichem Gefühl andichtet, ist; mit diesen Eigenschaften ausgerüstet, auch beinahe ein halber Mensch; wir aber wollen keinen halbe Menschen, wir wollen keine zum Menschen ausgespreizte Thiere, keine durch die Unbill des Zufalls der Stufe des Thieres näher gerückte Menschen sehen, wir wollen sie gottähnlich, des himmlischen Ursprungs würdig und eingedenk, frei und gesund, wie sie aus der Hand des Schöpfers hervorgegangen. — Von der andern Seite sind Verbrecher wie Don Juan de Barbastro, von Herrn Meyer mit aller Wahrheit aufgefaßt, deren ein unwahrer Charakter fähig ist, keine für das Drama taugliche Personen, Criminalverbrechen, wie die von ihm verübten aller poetischen Behandlung unwürdig. Man verberge sie in der Nacht der Gefängnisse, vertilge sie aus der Reihe der geschaffenen Wesen, aber bringe sie nicht auf die Bühne und gewöhne durch ihren Anblick ein Volk an das Schäusliche, das hier belehrende Erheiterung, Unterhaltung und Bildung zu finden hofft.

Hiermit ist freilich über mehrere Gattungen von Stücken, die auf allen Theatern Deutschlands und Frankreichs seit langer Zeit wie ein giftiges Unkraut wuchern, der Stab gebrochen, allein es ist ja mit Nichten unsere Absicht der Königstädtischen Bühne die Aufführung eines Stückes zum Vorwurf zu machen, das nicht schlechter ist als hundert Andere, mit welchen wir täglich die heiligen Tempel des Schönen entweihen sehen. Nur hinweisen wollen wir auf die letzten Gründe eines Urtheils, welches ja schon das Publikum selbst über das Stück ausgesprochen hat, das niemals Anziehungskraft genug besaß, das Haus und die Oeden der Casse zu füllen, nur nochmals aussprechen wollen wir den sich immer mehr und mehr bestätigenden Satz, daß nur das wahrhaft Gediegene, Schöne und Treffliche den Weg zu einem dauernden Wohlstand der Bühne bahnen kann, und also jedes Minus der Einnahme nur einem früheren oder späteren Mißgriff der Theaterdirection in der Bestellung des Repertoirs zuzuschreiben ist.

Das zweite Stück gehört als Singspiel nicht eigentlich vor unser Forum, als Gedicht ist es nicht ohne Werth und kann als eine gute Acquisition für die neue Bühne betrachtet werden. Die Erfindung erinnert an das bekannte plattdeutsche Märchen, von des Fischers Frau Isebil, die durch die Unersättlichkeit und grundlose Vermessenheit ihrer Wünsche nachdem sie Kaiser und Pabst geworden, zuletzt wieder in ihren Pispot wandern muß. Demoiselle Sontag verdankt übrigens auch dieses Stück einen großen Theil seiner anziehenden Kraft und in der That verdient sowohl ihre äußere Repräsentation des orientalischen phantastischen Charakters als ihr Gesang die lobendste Annerkennung. Bei dieser Gelegenheit versäumen wir nicht unsern Operndichter das erwähnte plattdeutsche Märchen als ein herrliches Thema zu einer Fee-Operette in Vorschlag zu bringen. Kommen wir endlich zu dem obenbesagten Krisisstücke, dem Wolfsbrunnen, so ist zuerst das Spiel der Mad. Sontag, die herrlichen Dekorationen und manches Andere Scenische zu rühmen, auch muß Herrn Meyerhofer das Zeugniß gegeben werden, daß er alles gethan habe was in den Kräften und in dem Gebiete der Kunst liegt und noch ein großes Stück mehr; ja wir wollen ihm nicht verhehlen, daß, wenn der Künstler von der Natur erkoren und geboren wird, sie ihn mit Allem ausgerüstet habe, was zu einer Wölfin gehört, wir geben ihm aber zu bedenken, ob nicht am Ende alle menschliche Kunst doch nur Stückwerk bleibe, und er es je dahin bringen werde auch nur acht Tage lang in den Wäldern umherzukriechen und sich von geraubten Lämmern zu nähren, und ob er daher nicht besser daran thue sich auf menschliche Künste zu legen, zumal da diese thierische doch zuletzt brodlose werden möchten, wenn sie sich an andern Orten keinen dauernden Beifall zu verschaffen vermögen, als in unserem wegen der Verkehrtheit seines Geschmackes so verrufenen Berlin. Zwar wollte sich diese Verkehrtheit bei der ersten Aufführung an Herrn Schmelka in der einzigen poetischen Scene geltend machen, die das Stück aufzuweisen hat, denn als dieser treffliche Humorist, der die leersten und gehaltlosesten Rollen mit Leben und Armuth zu schmücken weiß, seine Erzählung von seinem im Keller so tapfer bestandenen halsbrechenden Kampfe gegen alte eisenfeste Recken mit der an ihm gewohnten ergötzlichen Mimik kaum bis zu Ende gebracht hatte, begann das wolfslustige neugierige Publicum unruhig zu werden und hätte fast das verdammungwürdige Stück wegen des einzigen Guten was es aufzuweisen hatte ausgezischt.

Allein der endliche Erfolg, daß nemlich das Haus bei dem folgenden Darstellungen leer blieb, enthielt doch zuletzt die beste Apologie des verketzerten Geschmacks der Berliner, wie er denn auch unseren obigen Satz, daß nur das Gute auf die Dauer zu fesseln vermag, von neuem gestättigte. Im Grunde haben wir alle bisherigen Ausartungen unserer Bühnen die nur auf die Kunst und dadurch lediglich auf das Menschliche angewiesen sind nur dem Mangel eines Circus zu verdanken, auf welche die Schaulust der niederen Volksklassen und das rohe Ergötzen an Stiergefechten, Bärentänzen und Affensprüngen zu verweisen wären.

Scheint auch hiernach ein Rückfall in die kaum überstandene Krankheit nicht unmöglich, so freuen wir uns doch einstweilen des beseligenden Gefühls der Genesung und ergehen uns mit Wohlgefallen in den heiteren Spielen womit die kaum erstarrte Bühne das Fest ihrer Wiederherstellung zu feiern gedenkt.

k.

(Redigirt von Dr. Fr. Förster und W. Häring (W. Alexis.)

Im Verlage der Schlesingerschen Buch- und Musikhandlung, in Berlin unter den Linden Nr. 34.

Berliner Conversations-Blatt

für

Poesie, Literatur und Kritik.

Sonnabend, — Nro. 35. — den 17. Februar 1827.

Solger's nachgelassene Schriften und Briefwechsel, herausgegeben von Ludwig Tieck und Friedrich von Raumer. 2 Bände. Berl. 26.

Die in der Ueberschrift genannten Bände enthalten den literarischen Nachlaß eines eben so edeln als tiefen Geistes, dessen frühzeitiges Dahinscheiden alle wahren Freunde der Wissenschaft auf das schmerzlichste empfunden haben. Während eine umfassende und streng wissenschaftliche Würdigung dessen, was Solger im Allgemeinen als philosophischer Schriftsteller geleistet, und das Aufzeigen des Verhältnisses, worin die in seinem Nachlaß gefundenen philosophischen Abhandlungen zu seinen frühern Schriften stehen, außerhalb des Planes dieser Blätter liegen, so bietet die vorliegende Sammlung doch zugleich auch eine Sammlung dar, welche das Intresse des gebildeten Publikums überhaupt in Anspruch zu nehmen im hohen Grade geeignet ist. Dies ist zunächst rücksichtlich des höchst interessanten Briefwechsels der Fall, welcher den größten Theil des ersten Bandes des vorliegenden Nachlasses ausfüllt, woran sich denn auch noch verschiedene im zweiten Band enthaltene, eben so anziehende als belehrende Abhandlungen ästhetisch-kritischen Inhalts schließen. Wenn wir auch Bedenken tragen, der oft wiederholten Behauptung beizupflichten, daß man den eigentlichen Gehalt eines Schriftstellers aus dessen Briefen besser kennen lerne, als aus dessen unmittelbar für das Publicum bestimmten Schriften, so bleiben doch allerdings Briefsammlungen bedeutender Männer in mehrfacher Hinsicht immer etwas sehr Schätzbares und Wünschenswerthes und die vorliegende Sammlung ist von de Art, daß wir unbedenklich zugestehen, daß die beiden Freunde Solger's, welchen wir die Mittheilung derselben verdanken, sich dadurch ein wesentliches Verdienst erworben haben. Ausdrückliche Erwähnung verdient dabei der Umstand, daß das Bedürfniß eines individuellen geistigen Verkehrs mit einem kleinen Kreise gleichgestimmter Freunde bei dem verewigten Solger von ganz besonderer Stärke war, dergestalt, daß er der Befriedigung dieses Bedürfnisses einen ansehnlichen Theil seiner edelsten Kräfte gewidmet hat, weshalb denn eben sein Briefwechsel mit jenen Freunden von ihm stets als eine sehr wichtige Angelegenheit behandelt wurde, und somit verhältnißmäßig inhaltreicher, als bei andern, an sonstigem wissenschaftlichen Werth mit ihm auf gleicher Stufe stehenden, bedeutenden Schriftstellern der neuern Zeit ausgefallen ist. Die erste Stelle in der vorliegenden Briefsammlung, sowohl dem äußern Umfang, als dem innern Gehalt nach, nimmt die Correspondenz mit Tieck ein. Wenn nach der gewöhnlichen Vorstellung zwischen Philosophen und Dichtern, obschon beide das an und für sich seyende Ewige und Unendliche zum gemeinschaftlichen Object ihrer Thätigkeit haben, wegen der verschiedenen Weise ihren Gegenstand aufzufassen, ein mehr oder weniger feindseliges Verhältniß statt findet, so ist es erfreulich wahrzunehmen, wie hier Solger der Philosoph und Tieck der Dichter sich einander die Hand reichen und als würdige Repräsentanten der Wissenschaft und der Kunst sich in geistreich lebendigem Austausch ihrer, auf verschiedenen Lebenswegen erworbenen, Ansichten und Ueberzeugungen über die wichtigsten Interessen des Geistes mit einander verständigen. — Zu doppeltem Dank sind wir in dieser Beziehung unserm Dichter verpflichtet, da er sich nicht damit begnügt, die an ihn gerichteten Briefe seines Freundes dem Druck zu übergeben, sondern auch seine Antworten der vorliegenden Sammlung einverleibt hat. Wir erhalten durch die Mittheilung dieser Briefe nicht allein vielfältigen Aufschluß über die innere Geschichte und die eigentliche Tendenz dessen, was Tieck als Dichter und als Kritiker geleistet, sondern wir sehen uns eben dadurch zugleich in den Stand gesetzt, das Bild des geistigen Entwickelungsganges unserer Nation nach mehr als einer Seite zu vervollständigen. —

Gleichfalls von nicht geringem Interesse ist der in der vorliegenden Sammlung enthaltene Briefwechsel Solgers mit seinem Freunde Friedrich von Raumer, dem Geschichtschreiber der Hohenstaufen. Wenn in dem brieflichen Verkehr mit Tieck die Kunst und deren Verhältniß zu den mit ihr zunächst verwandten Gebieten der Religion und der Philosophie die erste Stelle einnimmt, so sehen wir in der Correspondenz mit Raumer vornehmlich die Angelegenheiten des politischen und des sittlichen Lebens überhaupt mit philosophischer Tiefe und durch gründliche historische Studien gereiften practischen Einsicht als Hauptgegenstand verhandelt, und es thut uns wohl auch von dieser Seite die erfahrungsmäßige Bestätigung zu erhalten, wie die wahre Philosophie, anstatt dem wirklichen Leben feindlich gegenüber zu stehen, demjenigen, dem es darum zu thun ist, sich denkend mit derselben auszugleichen, hülfreich und versöhnend entgegen kommt. Was insbesondere die vielfältige Verwirrung und die verkehrten Bestrebungen der gegenwärtigen Zeit in politischer und sittlicher Hinsicht anbetrifft, so enthält der Briefwechsel Solgers sowohl mit Raumer, als auch mit einigen Andern gleichgesinnten Freunden, darüber einen wahren Schatz vernünftiger und gediegner Grundsätze und Erörterungen. Die hohlen Verstandestheorien, und die fanatischen Bestrebungen der entgegengesetzten Parteyen werden streng und schonungslos als das, was sie sind bezeichnet; zugleich aber wird die göttliche Vernunft als das schlechthin Gegenwärtige und Wirksame anerkannt, und werden jene Schwachgläubigen zurecht gewiesen, denen das Wahre und Rechte nur als ein ohnmächtiger Begleiter der Vergangenheit oder der Zukunft erscheint. Wenn die öffentliche Bekanntmachung des bisher erwähnten Theiles der Solgerschen Correspondenz, welche unbedingt von Allen, denen ein Urtheil zusteht, nur mit Dank und Beifall aufgenommen werden wird, so kann noch bemerkt werden, wie es bei manchem sonst Geneigten einigen Anstoß erregt hat, daß auch verschiedene von dem verewigten Solger an seine noch lebende Gattin, zumal aus der ersten Zeit seiner Verheirathung, gerichtete Briefe mitgetheilt worden sind. Man hat gesagt, solche das Innerste des Individuums betreffende Herzensergießungen gehörten nicht vor das Publikum, und müßten als ein Heiligthum behandelt werden. Wir würden dieser Meinung unbedenklich beistimmen, wenn die in Rede stehenden Briefe wirklich nur persönlichen Inhalts oder etwa von der Art wären, daß sie ihren Verfasser in einer leidenschaftlich befangenen und somit den ruhigen Leser wenigstens zum Lächeln anregenden verliebten Stimmung zeigten. Davon kann indeß im vorliegenden Fall gar nicht die Rede seyn; vielmehr zeigen auch diese Briefe den edlen Abgeschiedenen bei aller Wärme und Innigkeit der Empfindung in der würdigsten und besonnensten Stellung und wir tragen um so weniger Bedenken in den nachfolgenden Blättern von der Solgerschen Correspondenz ein Paar von diesen Briefen mitzutheilen, als sie das Ihrige dazu beitragen werden, auch unseren Leserinnen eine angenehme Vorstellung von den Gesinnungen und dem Gehalt des Mannes zu erregen, der mit dem Ernst und der Tiefe der speculativen Wissenschaft persönliche Milde und Heiterkeit zu vereinigen wußte, wie es Wenigen gegeben ist.

L. v. H.

Correspondenz.

Stuttgart, im Januar 1827.

Häser ist ein großer, glücklicher Künstler. Sein Gesang hat etwas so würdiges und ergreifendes, sein Spiel ist so durchdacht, und doch so natürlich, daß wir gestehen müssen in Deutschland wenige Künstler gesehen zu haben, die ihm gleichen.

Hambuch und Päzold stehen ihm würdig zur Seite, die Oper leitet der verdienstvolle Sänger Krebs, der schon seit geraumer Zeit, nach einer langen, glänzenden Laufbahn, die Bretter verlassen hat. Nicht sehr zahlreich aber auserlesen ist die Königl. Hofcapelle, welche das Orchester bildet. Schunke, Stein, Pechalschek, sind bekannte Namen. Lindpaintner, Director des Orchesters ist durch mehrere kleine Opern und andere geschmackvolle Compositionen bekannt.

Einen wesentlichen, ich möchte sagen Hauptbestandtheil des hiesigen Theaters macht das Ballet aus. Es ist hier nicht der Ort über die Zweckmäßigkeit dieser Art mimischer Darstellungen zu streiten. Wir geben zu, daß der Tanz, und die Pantomime auch in ihrer höchsten Ausbildung, immer unter dem Drama, unter der Oper stehen werde, wir geben zu daß das Ballet in sittlicher Beziehung keinen sehr günstigen Einfluß übe, daß sogar der Vortheil, den es dem Geschmack bringen soll, sehr problematisch sey, wir geben dieß zu, und dennoch möchte nicht schwer seyn nachzuweisen, daß gerade für eine kleinere Stadt, wie Stuttgart das Ballet von Vortheil sey. Bey einem größeren Theater kann und wird das Ballet der Natur der Sache nach nur eine untergeordnete Rolle spielen; bei einem kleineren Theater, dessen übrige Kräfte beschränkt sind, kann es leicht mit den andern Zweigen rivalisiren, um so mehr wenn der Ballet Meister es versteht das Publicum anzuziehen. Es ist dieß in hohem Grade bei Mr. Taglioni der Fall. Geschmack, Einsicht und ein unermüdlicher Eifer vereinigen sich bei ihm, dem Publicum einen angenehmen Genuß zu verschaffen. Unser Ballet kann sich zwar an Zahl durchaus nicht mit dem Berliner oder Brüsseler, an Glanz und Zauber der Maschinerie weder mit dem der Academie *de Musique* noch mit dem Ballet im Kaiserl. Hoftheater in Wien messen, und doch möchte ich es eines der gefälligsten und angenehmsten nennen, die man in Deutschland zu sehen gewohnt ist.

Die erste Tänzerin Mlle. Taglioni leistet bey großer Jugend sehr viel. Sie ist die Seele des Ballets; ihrer Gestalt, ihrem Talent sind alle Stücke, die bis jetzt in die Scene gesetzt wurden, angepaßt. Ihre Gestalt ist schlank, flüchtig, ätherisch, ihre Züge bey angenehmer Freundlichkeit, etwas ernst, ihr ganzes Wesen gehalten, ich möchte sagen mehr der ernsten Muse, als dem Lustspiel angehörend. Daher kommt es, daß sie im großen, heroischen Ballet glücklicher ist als im kleinen, leichteren, intriguanten. Sie theilt mit Mad. Paul-Montessü in der Academie *de musique* in Paris und mit Mad Desargus Lemiere in Berlin, jene ungemeine Weichheit und Leichtigkeit der Bewegung, doch hat diese mehr Theaterroutine und in den Zügen der Mad. Paul-Montessu drückt sich zum Vergnügen der Zuschauer, eine so lebhafte Phantasie, so naive Schalckhaftigkeit aus, daß man aus diesen beweglichen Zügen das Wunder erklären kann, daß diese Künstlerin mit so hoher, ernster Grazie, ein intriguantes, sogar fröhliches, ins Gebiet des Komischen streifendes Spiel verbinden könne.

Das Seriöse ermüdet nie so sehr als im Ballet; der Tanz ist eine so heitere Kunst, daß wir bedauern müssen, daß die Natur unserer gefeierten Taglioni zu ihren bewundrungswürdigen Gaben, das Talent heiter, ergötzend zu seyn versagt hat. Ein fortdauerndes holdes Lächeln ersetzt diese Gabe nicht, und der Ballet-Meister scheint dies zu fühlen, denn er giebt uns mehr gefühlvolle als heitere, mehr erhabene als ergötzliche Stücke. Jene intriguanten, witzigen Ballets der Franzosen, jene köstlichen, bis zur Ausgelassenheit ergötzenden Figuren des italienischen Ballets finden sich nicht bei uns, und das Komische wird überall nur durch einen Grotesktänzer repräsentirt. Die Stücke sind beinahe allein von Mr. Taglioni componirt, er weiß die kleine Anzahl seiner Arbeiter geschickt zu verdecken und durch überraschende Erfindungen ihre Talente ins Licht zu setzen, doch, wie es Componisten giebt, die zunächst für ihre Prima Donna eine Oper componieren, so arrangiert er seine Stücke zu Gunsten seiner Tochter.

Das Publicum schenkte bis jetzt diesem am sorgfältigsten cultivirten Zweig des Theaters große Theilnahme. Haben wir vorhin das Ballet selbst etwas zu ernst gefunden, so gewähren die Zuschauer in Parterre und Logen einen um so komischern Anblick. Diese Art von Unterhaltung ist noch etwas Neues, weil in einem Zwischenraume von zwanzig Jahren keine größeren Ballets in St. gegeben wurden. Die Andacht, die Bewunderung, womit man schaut, ist daher außerordentlich und wie es anderwärts zum guten Ton gehört, in der Oper bei den rührendsten Stellen laut zu schwatzen, so muß man hier ganz in Anschauung versunken sein, um nicht für höchst geschmacklos zu gelten. Jedes Parterre in der gebildeten Welt hat seine *Claqueurs;* sie sind die Kapellmeister der Klatschmusik, die Flügelmänner des Händemanneuvers; sie sind ein nothwendiges Uebel, weil sonst bescheidnere Seelen nicht wagen würden, ihrem Entzücken Luft zu machen.

In andern Städten verwalten diese Stellen Leute, die „etwas gesehen haben,“ Kunstkenner, die sich gewichtig an die Spitze stellen, doch hier sind es die unbefangensten, andächtigsten Leute, die noch nirgends in der Welt auf den Brettern tanzen sahen, und daher vor Erstaunen außer sich kommen, daß man es auf Erden so weit im Tanzen bringen kann. So geschiehet es, daß man hiesigen Ortes nicht schöne Gruppen, angenehme Verschlingungen, geschmackvolle Anordnungen beklatscht, sondern jene ewig hervorgerufenen und immer wiederkehrenden Auswüchse der Kunst, wenn z. B. der *primo huomo* 4½ Fuß in die Höhe springt, oder die *Donna* mit weit aufrauschendem Röckchen, vermittelst ihres langausgestreckten rechten Beines einen Kreis um die große Zehe ihres linken Fußes beschreibt. Nichts ist natürlicher, als daß die Künstlerinnen dieser Vorliebe des Parterres Gehör geben und diese mathematische Figur so oft als möglich anbringen, und die nächste Folge dieser Nachgiebigkeit ist die, daß ein Abend im Ballet eine mit Musik begleitete Klatschpartie wird. Im Ballet „*Aglaé*“ wurde letzthin fünfunddreißigmal geklatscht. Ich sah mit Ihnen Iphigenia auf Tauris im Berliner Schauspielhause. Wolf gab Orest, Mad. Wolf Iphigenia. — Wir sahen selten etwas Herrlicheres; eine tiefe Rührung hatte sich über das Haus gelagert; man war entzückt, begeistert, man rief Iphigenia und Orest schon am Schlusse des dritten Acts und dennoch wurde den ganzen Abend nur achtmal geklatscht. Freilich beschrieb Iphigenia keine Zirkel, und Orest sprang nie, nicht einmal im Wahnsinn, 4½ Fuß hoch. Ein solches Ballet ist aber auch etwas ganz Anderes, als ein Drama von Göthe!

Soviel vom Theater; Anmerkungen, welche ein gewissenhafter Correspondent des Berliner Conv. Blattes voranschicken mußte, um auf diese Basis spätere Theaterberichte zu bauen. Nun sollten der Regel nach Kunst-Academien ꝛc. erscheinen. Doch der Kürze halber setze ich nur: *vacat*. Oeffentliche Gemälde-Gallerie: *vacat*. Einige gute Privatsammlungen finden sich hier, an ihrer Spitze steht die berühmte der Brüder Boisseré und Bertram. Man hat diese verdienstvollen Männer getadelt, bitter getadelt daß sie ihren Fleiß, ihre Forschungen, ihren bedeutenden Aufwand nur auf die altdeutsche Schule wandten, aus welcher sie unstreitig die seltensten, besten Meister besitzen. Wie unfreundlich und indiscret ein solcher Vorwurf sey, springt ins Auge, wenn man bedenkt daß diese Männer nach ihrem eigenen Geschmak, für sich sammelten, sammelten mit der leitenden Idee die Hilfsmittel, die ihnen zu Gebot standen, dazu anzuwenden aus einer, vor ihnen weniger cultivirten Schule etwas tüchtiges zu sammeln und nicht mit einer schnell zusammen gerafften Musterkarte aus allen Zonen, Schulen und Jahrhunderten zu prunken; wenn man ferner die wahrhaft großartige Uneigennützigkeit bedenkt, womit sie ihre Säle jeden Morgen Besuchen aller Art auf's freundlichste öffnen, ohne nur auf Dank, vielweniger auf irgend eine Art von Belohnung zu rechnen, während man bei so mancher fürstl. Gallerie, mit harten Thalern an die Thüre pochen muß. Jeder Besucher, sei er fremd oder einheimisch, erhält freien Eintritt und überdieß noch eine faßliche Belehrung über das Alter der Bilder, ihre Legenden, ihre Meister, ihren Zusammenhang mit andern Schulen, eine Belehrung, welche Herr *Dr.* Lauter mit eben so viel Umsicht als Artigkeit zu geben weiß.

Stuttgart ist für den Reisenden überhaupt, besonders aber für den Freund der Literatur nicht ohne Interesse durch einige Dichter und Schriftsteller, Gelehrte und Künstler, die hier einheimisch sind. Es genügt unter den ersteren Fr. v. Matthisson, Fr. Haug, L. Uhland, Weißer, G. Schwab, Fr. Bührlen, C. Grüneisen, W. Hauff, unter den Letzteren Dannecker, Wächter, den Juristen Gros und Staatsrath Kielmeier zu nennen. Ein reges literarisches Leben herrscht gegenwärtig in Stuttgart; und ich glaube kaum, daß in einer Deutschen Stadt von gleicher Größe zur Zeit so viel gedruckt wird, als in dieser. Die Cotta'sche Buchhandlung gibt außer dem Morgenblatt, Hesperus, Literaturblatt, Kunstblatt, dem politechnischen Journal, den politischen Annalen, welche allein schon viele Pressen in Bewegung setzen, zu gleicher Zeit Schillers, Göthes und Herders sämmtliche Werke heraus. Bei Metzler erscheint eine Sammlung aller Griechischen und Römischen Autoren in deutscher Sprache, bearbeitet von den ausgezeichnetsten Philologen Würtembergs, und zwar jedes Jahr 24 Bändchen. Frankh gibt die Werke Walter Scotts heraus, jedes Jahr 24 Bändchen, und eine Sammlung Französischer und Englischer Schriftsteller in eben so großen Lieferungen. Ferner erscheint hier ein fabelhaftes Werk „Unsere Zeit,“ welches in jährlichen 24 Bändchen, die Geschichte der letzten 30 Jahre für das Volk bearbeitet. Es wären dies zusammen jährlich etwa hundert Bändchen von wenigstens acht Bogen! ich bin froh nicht alles lesen zu müssen. Nicht zu läugnen ist, daß durch diese wohlfeilen und beispiellos wohlfeilen Büchlein die Literatur am Ende auf ungemein wohlfeilen Fuß gesetzt und eigentlich *vilis pretii* wird; doch läßt sich auch Manches dafür sagen und wo der Waldsaamen literarischer Cultur in solchem Unmaße ausgestreut wird, da muß doch früher oder später etwas Schönes aufgehen, wenn auch das schädliche Unkraut „Halb-Bildung“ üppiger wuchern und die schöneren Blüthen verdecken wird. ...

(Redigirt von Dr. Fr. Förster und W. Häring (W. Alexis.)

Im Verlage der Schlesingerschen Buch- und Musikhandlung, in Berlin unter den Linden Nr. 34.

Berliner Conversations-Blatt

für

Poesie, Literatur und Kritik.

Montag, — Nro. 36. — den 19. Februar 1827.

Solger an seine junge Gattin *).

1. vom 22. April.

— — Ich komme mir in diesen Tagen ganz verwaist und verlassen vor und fühle es recht lebhaft, daß eine längere Trennung mir unendlichen Schmerz kosten würde. Es ist nicht die bloße Gewohnheit eines so herrlichen freudenreichen Umgangs, welche dies Gefühl bei mir hervorbringt, sondern es kommt mir vor als würde ich in dem heiligsten und würdigsten Geschäfte gestört, nämlich immer mehr und mehr Dir mich zu nähern, und uns gegenseitig zu verständigen. Ja, mein liebstes, liebstes Jettchen, es ist kein vorübergehender Geschmack, kein zufälliges Interesse, das mich an Dich bindet. Du weißt es, daß es das innerste Bedürfniß meiner Seele ist. Oft wünschtest Du Dir Talente für Musik oder dergleichen, die würden mir gewiß Vergnügen machen, wenn Du sie besäßest, aber auch nicht ein Tausendtheilchen von dem ersetzen, warum ich Dich über alles liebe, wenn Du das nicht besäßest. Wenn ich mir recht lebhaft vorstelle, wie ich Dich gefunden habe, und was ich von Deiner reinen Seele besitze, so bin ich voll von innigster Rührung; und wenn dann manche, die mir das Gefühl absprechen, in mein Inneres sehen könnten, so würden sie eines andern belehrt werden und erfahren, daß ich es nur für die würdigen Gegenstände aufbewahre, und daß es eben deshalb um so reiner und wahrhaftiger ist. Je mehr man das Herz voll hat von innigen wahrhaft geliebten Menschen oder großen Gegenständen des Denkens, desto mehr muß man gegen die übrige Welt zwar nicht kalt werden, aber doch so ruhig, daß man nicht sehr von ihr erschüttert wird, und das ist noch dazu eine von den edelsten Wirkungen der Liebe und einer edlen und angestrengten Thätigkeit.

Von jeher hat meine Neigung für vortreffliche Menschen immer die meiste Aehnlichkeit mit der zu den Wissenschaften gehabt. Das Einfache, Wahrhafte, den eigentlichen Kern liebe ich in beiden. Du hast mir oft gesagt liebes Jettchen, daß auch in anderen Menschen ein solcher ächter Kern seyn möge, wie ich in Dir annehme. Das will ich gern zugeben, aber der Unterschied ist der, was ich in andern als das Ihrige achte und verehre, das erscheint mir in Dir als mein eigen; es ist mir ganz als wärest Du mit für mich edel und gut und rein und woher dies kommt kann ich Dir nicht sagen: denn das ist eben das Geheimniß der Liebe, das kein Mensch ergründen kann. Nur mit einer Person war ich in einem ähnlichen Verhältnisse, mit meiner unvergeßlichen Schwester. Was bei der das gemeinschaftliche Blut auf mich wirkte, das wirkt bei Dir noch auf ganz andere Weise die Liebe. Wenn etwas dieses Glück der Liebe, das ich jetzt besitze, unvollkommen machen könnte, so wäre es, daß diese Schwester nicht Theil daran nehmen kann. Auf der andern Seite habe ich wieder einen so großen Ersatz für sie.

Das was uns verbindet, meine einzige Geliebte, ist also seinem Wesen nach unveränderlich. Ich gebe gern zu, es wäre möglich, daß unser Umgang getrübt und gestört werden könnte, davor ist nichts Menschliches sicher; aber das eigentliche Wesen davon muß bleiben bis in den Tod. Dessen bin ich gewiß und nicht

*) Siehe das vorige Blatt No. 35.

blos von meiner, sondern auch von Deiner Seite: denn ich wollte lieber todt sein, als einigen Zweifel in Deine Liebe und Deine Gesinnungen setzen. Auch ist das Wesentliche nicht ein allgemeines leeres Bild, das ich mir von unserm Verhältniße in Gedanken entworfen; Du weißt, wie ich dieses Träumen hasse, und wirst immer mehr einsehen, wie sehr mit Recht. Wie sich ein ächter Charakter nicht in allgemeinen Reden offenbart, sondern in der thätigen Erfüllung von tausend großen und kleinen Pflichten: so auch die Liebe in jeder Lage und in Aeußerung des Höchsten, wie des alltäglichen Lebens. Darum mein Jettchen, kannst du gewiß seyn, daß ich mir immer keinen leeren Traum von Deinen Vorzügen vorbilde; vielmehr sind sie mir immer im Kleinen wie im Großen in der Wirklichkeit gegenwärtig. Gerade so, wie Du wirklich bist, so bist Du mir immer die Liebste und Beste.

Weißt Du wohl, daß eine zu scharfe Trennung der geistigen Vorzüge von den äußerlichen Annehmlichkeiten, Schönheit des Körpers und dergleichen, sich diesen Träumen nähert? Die zu weitgetriebene Unterscheidung davon ist nicht edler, wie Du manchmal denkest, sondern geringer als die volle, alles umfassende Liebe. Das Gute und das Schöne sind in ihrem höherem Ursprunge Eins, welches Du zwar nicht einsehen, aber fühlen kannst, da Du so viel Sinn für die Kunst hast. In der wirklichen Welt scheidet sich beides scheinbar oft von einander, und der kalte Verstand hat daher oft recht, beides sorgfältig zu trennen und das Gute zu achten, das Schöne aber als bloße Annehmlichkeit den Sinnen zu überlassen. Aber wo er das thut, ist auch nicht die Liebe. Diese ist ja eben darum so gewaltig, weil sie uns wieder zu der ursprünglichen Einigkeit zurückführt. Durch sie wird auch das Gute zugleich reizend, ohne von seiner Güte zu verlieren, und der Widerstreit in unserer Natur wird durch sie gehoben, und eben dadurch alles veredelt und geheiligt. Wie kann ich inniger mein Gefühl für die Trefflichkeit Deiner Seele äußern, als durch den Kuß, den ich auf deine süßen Lippen drücke? — —

II.

Am 30. April.

— Du hast Recht, meine süße Geliebte, durch die kleine Trennung tritt auch meine Liebe einzelner hervor, und auch diese kleine Abwechselung können wir so unter die erhöhten Freuden unserer Liebe rechnen. Es ist wahr, was Deine Mutter sagte, daß es unrecht wäre, wenn wir in den Ehestand geriethen (wie sie sich ausdrückte), ohne Briefe von einander zu haben. Wie glücklich bin ich in den anderthalb Tagen gewesen, die ich in Zossen zubrachte! Meine Freude, Dich wieder zu sehen, ward durch Deine große herzliche Freude verdoppelt. O wie herzlich und über alles andere Zeitliche beglückend ist doch dieses Verhältniß, wo die eigene Freude immer nur in der des andern lebendig und mit ihr eines und dasselbe ist! Obgleich in diesen Tagen meine Aufmerksamkeit sehr auf die Kriegsbegebenheiten gespannt ist, so bin ich doch von der heitersten Zufriedenheit erfüllt, wenn ich meine Gedanken auf Dich richte, und auf meinen nur einsamen Spaziergängen mir recht lebhaft meine Glückseligkeit vorstelle. Ich muß meine Liebe zu Dir mit meinem edelsten und wichtigsten Berufe vergleichen. So wie mein Amt mir zugleich der schönste Genuß ist, so ist das was mir die größte Freude gewährt, meine Liebe zu Dir, zugleich das Lobenswürdigste, dessen ich mir bewußt bin. So sind überall jetzt bei mir Pflicht und Neigung in Eintracht, und ich liebe Dich so, wie ich das Gute und Edle, wie ich meinen Beruf lieben soll. Wie konntest Du also jemals glauben, daß auch das höchste Interesse für allgemeine Zwecke meiner Liebe zu Dir Eintrag thun könnte! Der Ausspruch: Trachtet am ersten nach dem Reiche Gottes, so wird euch das Uebrige von selbst zufallen; findet auch bei mir Anwendung. Meine Studien haben nie ein anderes Ziel gehabt, als die Wahrheit selbst; ich bin damit nie geradezu auf ein Amt ausgegangen, und nun haben sie mir doch Ehre und ein hinreichendes Auskommen verschafft. —

Deutsche Heiterkeit und Französische Melancholie.

Herr Cas. Delavigne, der beliebte Dichter der romantisch liberalen Parthei in Paris ist von einer Reise nach Rom und Neapel zurückgekehrt und hat das Andenken an seine Seefahrt und an das schöne Italien durch sieben größere Elegien gefeiert *). Sie sind theils am Bord des Schiffes, das den Sänger trug, theils in Neapel, Puzzola, Rom und Venedig geschrieben, aber Herr Delavigne hat sich so wenig von den bösen Geistern, die ihn in Frankreich verfolgen, losmachen können, daß er auch unter dem heitern Himmel Italiens nur von Jesuiten und Preßfreiheit, General Foy und Apostolischer Junta singt. Mit wie ganz anderen Geschenken kehrte einst der

*) Sept Messeniennes nouvelles par Cas. Delavigne. Paris 1827. (In Berlin zu haben bei Schlesinger, unter den Linden No. 34).

Deutsche Dichter von Rom zurück! Die Franzosen rühmen sich gern vor uns ihres leichten Sinnes, ihrer Gabe den Augenblick festzuhalten und in der Gegenwart zu leben; wenn man aber die lamentablen Elegieen des ewig und immer malcontenten Französischen Dichters gegen Göthe's Römische und Venetianische Elegieen hält, so weiß man sogleich, wem von beiden Dichtern die Musen ein heitres und freies Gemüth gaben. Und doch wissen wir, daß Göthe zu einer Zeit (1790) in Italien war, wo die Welt von ganz anderen Interessen bewegt wurde, als diejenigen sind, um die Hr. Delavigne sich nachträglich abquält; denn die Besorgniß um Feudalwesen und Clerisei, mit der er sich herumschlägt, wurde in jenen Jahren schon entschieden und auf welcher Seite Goethe stand, finden wir unverholen genug, wenn auch nicht mit dem steifen Ernste des Französischen Liberalen heutiges Tages, ausgesprochen. — Die gelungensten Strophen fanden wir in der ersten Elegie: „die Abreise," am Bord des Schiffes, das ihn nach Italien trug. Die Fahrt ging vor Corsika und Elba vorüber; die Erinnerung an ihn lag zu nah, um nicht Stoff zu einem Gedicht zu geben. Bei aller Feier aber, mit der die jetzigen Liberalen Napoleon erheben, verkümmern sie jedoch seinen Ruhm dadurch, daß sie ihm die Bändigung der Revolution und der Republikaner gern zum größten Vorwurf machen möchten. — Als Probe der Dichtkunst, der Gesinnung und der Sprache des Herrn Delavigne mögen folgende Strophen aus der genannten Elegie dienen.

Quels sont ces monts hardis, ces roches inconnues?
Leur pied se perd sous l'onde et leur front dans les nues.
C'est la Corse! O destin! Faible enfant sur ce bord,
Sujet à sa naissance et captif à sa mort,
Il part du sein des mers, où plus tard il retombe,
Celui dont la grandeur eut, par un jeu du sort,
Une île pour berceau, pour asile et pour tombe.

Tel, du vaste Océan chaque jour nous voyons
Le globe du soleil s'élever sans rayons;
Il monte, il brille, il monte encore:
Sur le trône vacant de l'empire des cieux,
Il s'élance, et monarque, il découvre à nos yeux
Sa couronne de feu, dont l'éclat nous dévore,
Puis il descend, se décolore,
Et dans l'Océan, étonné
De le voir au déclin ce qu'il fut à l'aurore,
Rentre pâle et découronné.

Où va-t-il cet enfant qui s'ignore lui-même?
La main des vieux nochers passe sur ses cheveux
Qui porteront un diadême.
Ils lui montrent la France en riant de ses jeux.
Ses jeux seront un jour la conquête et la guerre;
Les bras de cet enfant ébranleront la terre.
O toi, rivage hospitalier,
Qui le reçois sans le connaître,
Et le rejetteras sans pouvoir l'oublier
France, France, voilà ton maître!
Loüis, voilà ton héritier.

Où va-t-il ce vainqueur que l'Italie admire?
Il va du bruit de ses exploits
Réveiller les échos de Thèbe et de Palmire.
Il revient; tout tremble à sa voix;
Républicains trompés, courbez-vous sous l'empire!
Le midi de sa gloire alors le couronna
Des rayons d'Austerlitz, de Wagram, d'Jéna.
Esclaves et tyrans, sa gloire étais la nôtre,
Et d'un de ses deux bras, qui nous donna des fers,
Appuyé sur la France, il enchaînait de l'autre
Ce qui restait de l'univers.

Non, rien n'ébranlera cette vaste puissance? . . .
L'île d'Elbe à mes yeux se montre et me répond.
C'est là qu'il languissait, l'oeil tourné vers la France.
Mais un brick fend ces mers: „Courbez-vous sur le pont!
„A genoux! le jour vient d'éclore;
„Couchez-vous sur cette arme inutile aujourd'hui!
„Cachez ce lambeau tricolore . . ."
C'est sa voix: il aborde, et la France est à lui.

Il la joue, il la perd; l'Europe est satisfaite,
Et l'aigle, qui, tombant aux pieds du léopard,
Change en grand capitaine un héros de hazard.
Illustre aussi vingt rois, dont la gloire muette
N'eût jamais retenti chez la postérité;
Et d'une part dans sa défaite,
Il fait à chacun d'eux une immortalité.

Il n'a régné qu'un jour; mais à travers l'orage
Il versait tant d'éclat sur son peuple séduit,
Que le jour qui suivit son rapide passage,
Terne et décoloré, ressemblait à la nuit. 9.

Pariser Jesuitismus. Der Oberst a. D., Herr Touquet, der um nicht wie manche seiner früheren Kriegsgefährten hinter dem Chokolaten-Tisch serviren zu müssen sich dem Buchhandel gewidmet hat, giebt in Paris eine *Bibliothèque populaire* in 32 heraus, jedes Bändchen zu 60 Centimen. Das Ganze sollte aus 8 Bänden bestehen, davon der 1ste die Geschichte Peters des Großen; der 2te die Freiheiten der Gallicanischen Kirche; der 3te ein Feudal-Wörterbuch; der 4te die Geschichte Heinrichs *IV.*; der 5te das Evangelium; der 6te die Grammatik; der 7te die Charte mit Noten; der 8te eine Botanik enthalten sollte. — Als der 5te Band unter dem Titel *„L'Evangile, partie morale et historique"* erschien, schlugen die ultramontanen Blätter Lärm, und klagten den Herausgeber an, daß er die Wunder läugne. Er wurde vor Gericht gestellt, und zu neun Monat Gefängniß und 100 Fr. Strafe verurtheilt, weil er das Evangelium verstümmelt, durch Weglassung der Wunder: Jesus nur als Mensch, nicht als Gott dargestellt (als ob seine Lehren nicht eben so sehr, als die Wunder, seine Göttlichkeit bewiesen) und überhaupt die Absicht gehabt, den Erlöser uns als einen gewöhnlichen Philosophen erscheinen zu lassen. Hr. Touquet hat, da ihm in Paris die Exemplare weggenommen wurden, sein Evangelium in Brüssel nachdrucken lassen, und denselben ein *Mémoire à consulter* für alle Französische Theologen und Rechtsgelehrte hinzufügt. — Nur mit Erstaunen können wir hier zu Lande die Verurtheilung zu so nahmhafter Strafe, wegen einer solchen Bearbeitung des Evangeliums und die dafür angegebenen Gründe vernehmen. Das Evangelium welches Hr. Touquet druckte ist dasselbe, welches Didot 1782 für den Dauphin zusammenstellte; es enthält nicht den geringsten Zusatz, sondern ganz einfach das Leben und die Lehre Christi wie es die Evangelisten erzählen. Vergebens berief sich Herr Touquet auf die Worte Christi selbst, der die Pharisäer und Schriftgelehrten, die Zeichen und Wunder von ihm verlangten, „eine böse und ehebrecherische Art nennt"; vergebens wieß er nach, daß er beabsichtigt habe, in einem zweiten Theile die „*partie miraculeuse*" des Evangeliums aus dem Werke des *Don Calmet* nachfolgen zu lassen; die Richter waren unbeugsam. In einem Lande evangelischen Glaubens, in welchem die heilige Schrift schon Jahrhunderte lang ein Gemeingut des Volks ist, könnte ein solcher verkürzter Auszug, selbst wenn er in einer bösen Absicht unternommen würde, keinen Schaden stiften. Daß der Pariser Gerichtshof die Verurtheilung für nothwendig erachtete, verräth, daß die Richter kein großes Zutrauen zu der Festigkeit des Volksglaubens in Frankreich hatten.

Q.

Berliner Chronik.

Königstädtisches Theater. Donnerstag den 15. Febr. **Die heimliche Ehe von Cimarosa.** Die neue Besetzung des Stücks, in welchem Demll. Sontag die Rolle der Caroline übernommen hat, war die nächste Veranlassung, daß das Haus überfüllt war. Sollte es denn untern den 120 Opern, welche dieser ausgezeichnete Meister schrieb nicht noch ein halb Dutzend geben, welche noch immer ihr Glück machen würden? Wie vorüber gehend erscheinen gegen solche Musik, die Arbeiten der neuen. Italiener und zum Theil auch der Deutschen, die es freilich in der Musik fast nie zur komischen Muse gebracht haben, ja kaum zur Heiterkeit. Der Charakter der Musik scheint von Haus aus ernst zu sein, zumal im Norden; die Russischen, Slavischen, Schwedischen, Deutschen, Schottischen und Englischen Volkslieder sind alle trübseelig und aus Moll. Man höre nur unsre Soldaten, Handwerksbursche, Freimaurer und Studenten singen; gewöhnlich klingt es, selbst wenn sie von Bier und Taback begeistert schreien, doch dumpf und betrübt. Vielleicht ist **Zelter** der einzige, dem es gelungen ist Lieder mit ächtem Humor für seine Liedertafel zu componiren; auch in diesem heiter geselligen Kreise hat sich weit mehr musikalischer Ernst eingeführt, als zu wünschen wäre. — Cimarosa nun ist das in der Musik, was der prüfende Weinkenner die Blume, das Bouquet nennt, und doch giebt er uns einen gefüllten Becher noch dazu. Nirgend ist Manier und Dickthun mit ganz aparten Einfällen und Schwierigkeiten bemerkbar, wie ein wahrhafter Künstler mischt er sich selbst nicht in sein Werk herein, sondern überläßt es uns zu ungestörtem Genusse. Charakteristisch an dieser Oper ist, daß es nicht Bravour-Arien sondern vorzüglich die Ensemble Stücke sind, die uns ergötzen, ohne uns zu ermüden, und es verdient anerkannt zu werden, mit welcher Sorgfalt sie eingeübt und mit welcher Sicherheit sie vorgetragen wurden. Cimarosa hat es dem Publikum nicht so bequem gemacht, wie Rossini und andere, daß man — wie es in Mailand und Neapel geschieht, — während der ganzen Aufführung in den Logen sprechen, spielen und Thee trinken kann, bis die große Arie kömmt; er nimmt die Aufmerksamkeit immer in Anspruch und man schenkt sie ihm gern.

Ganz ausgezeichneten Beifall fand eine von Dem. Sonntag eingelegte große Arie, und das Duett zu Anfang des zweiten Aktes mußten Hr. Spitzeder (vortrefflich als der alte Roms) und Hr. Wächter (in der Rolle des Grafen sehr gut) wiederholen; sie sangen es zum zweiten Mal italienisch. Dem. Eunike war als Lisette in Spiel und Gesang ganz an ihrem Platze. — Am Schluß wurden alle gerufen. —

(Redigirt von Dr. Fr. Förster und W. Häring (W. Alexis.)

Im Verlage der Schlesingerschen Buch- und Musikhandlung, in Berlin unter den Linden Nr. 34.

Berliner

Conversations-Blatt

für

Poesie, Literatur und Kritik.

Dienstag, — Nro. 37. — den 20. Februar 1827.

Wie die Burgonden mit den Hunnen stritten *)

Als der kühne Dankwart unter die Thüre trat
Und Etzels Ingesinde zurückzuweichen bat,
Da war mit Blut beronnen all sein Rüstgewand:
Eine scharfe Waffe trug er entblößt an der Hand.

Gerad zu der Stunde als Dankwart trat an die Thür,
Trug man Ortlieben im Saale für und für
Von einem Tisch zum andern den Fürsten wohlgeboren:
Durch seine schlimme Botschaft ging das Kindlein verloren.

Hellauf rief Dankwart einem Degen zu:
„Ihr sitzet allzulange, Bruder Hagen, in Ruh:
Euch und Gott vom Himmel klag' ich unsre Noth:
Ritter und Gesinde sind in der Herberge todt.“

Da rief er ihm entgegen: „Wer hat das gethan?“
„Das that der Degen Blödel mit seinem Heeresbann:
Auch hat er's schwer entgolten, das will ich euch sagen:
Ich habe mit diesen Händen ihm sein Haupt abgeschlagen.

„Der Schaden ist geringe,“ sprach Hagen dagegen,
„Wenn man solche Märe sagt von einem Degen,
Daß er von Heldeshänden gewonnen hat den Tod.
Um Den erheben minder die waidlichen Frauen Noth.

„Nun sagt mir, Bruder Dankwart, wie seid ihr so roth?
Ich glaube schier ihr leidet von Wunden große Noth:
Ist einer in dem Lande, von dem euch das geschehn?
Dem helfe der üble Teufel, es muß ihm an das Leben gehn.“

„Noch bin ich unverwundet: mein Kleid ist naß von Blut;
Das floß nur aus Wunden andrer Degen gut,
Deren ich so Manchen an diesem Tag erschlagen,
Wenn ich drum schwören sollte, ich könnt' ihre Zahl nicht sagen.“

Da sprach er: „Bruder Dankwart, so hütet uns der Thür
Und laßt uns von den Hunnen keinen Mann herfür:
So red' ich mit den Recken, wie uns zwingt die Noth;
Unser Ingesinde litt unverdient von ihnen den Tod.“

„Soll ich Kämmrer werden? sprach der kühne Mann,
„Bei so reichen Königen steht mir das Amt wohl an:
Der Stiege will ich hüten nach allen Ehren mein.“
Chriemhildens Recken konnte das nicht leider sein.

„Nun möcht ich doch wissen,“ sprach der Degen Hagen,
„Was die Hunnenhelden sich in die Ohren sagen,
Sie möchten ihn wohl entbehren, der hier die Thür bewacht,
Und der die Hofmären den Burgonden hat gebracht.

„Ich hörte schon lange von Chriemhilden sagen,
Daß sie nicht ungerochen ihr Herzleid wolle tragen;
Nun trinken wir die Sühne und zahlen des Königs Wein:
Der junge Vogt der Hunnen, der muß der Allererste sein.“

*) Das drei und dreißigste Abentheuer aus den Nibelungen, (Lachmann 1858 an) als Probe einer neuen Uebersetzung von Simrock, welche nach mehrjähriger Arbeit ihrer Beendigung nahe, in kurzem hier (Vereins-Buchhandlung erscheinen wird. Für die, welchen der Gang des großen Epos nicht gegenwärtig ist, nur so viel zum Verständniß: daß die Burgunderfürsten und ihr Heer, zu den Hunnen gelockt, beim festlichen Banket, von Etzels Gesinde überfallen werden, worauf das fürchterliche, in diesem Abentheuer beschriebene, Gemetzel in dem Speisesaal der Fürsten entsteht, welches, wie die Burgunder auch siegreich daraus hervorgehen, doch den endlichen Untergang der edlen Könige vorbereitet. Die neue Uebertragung wird hoffentlich einem langgefühlten Bedürfniß nach einer Ausgabe des herrlichen Gedichtes, wo die größere Lesewelt die Sprache ganz verstehen kann und das Ohr den Zauber des alten Rhythmus nicht einbüßt, abhelfen.

Da erschlug Ortlieben Hagen der Degen gut,
Daß ihm vom Schwerte nieder troff auf die Hand das Blut,
Und das Haupt herabsprang der Königin in den Schooß:
Da hob sich unter den Degen ein Morden grimmig und groß.

Er schlug dem Hofmeister, der des Kindes pflag,
Mit seinen beiden Händen einen starken Schwertesschlag,
Daß vor des Tisches Füße sein Haupt niederflog:
Es war ein übler Dienstlohn, den er dem Hofmeister wog.

Er sah vor Etzels Tische einen Fiedelmann:
Hagen in seinem Zorne schritt rasch zu ihm heran:
Er schlug ihm über der Geige herab die rechte Hand:
„Das habe für die Botschaft in der Burgonden Land."

„O weh meine Hände!" hub da Werbel an!
„Herr Hagen von Troneck, was hab' ich euch gethan?
Ich kam in großer Treue in eurer Herren Land:
Wie lock' ich nun die Töne, da ich verloren die Hand?"

Hagen fragte wenig, geigt' er auch nimmer mehr.
Da übt' er in dem Hause die grimme Mordlust sehr
An König Etzels Recken, deren er viel erschlug:
Da bracht' er in dem Saale der Recken zu Tode genug.

Volker sein Geselle von den Tischen sprang,
Sein Fiedelbogen kräftig an seiner Hand erklang;
Da fiedelte gewaltig Gunthers Fiedelman:
Hei! was der kühnen Hunnen er sich zu Feinden gewann!

Da sprangen von den Tischen die drei Könige hehr.
Sie hofften es zu schlichten, eh' Schadens würde mehr:
Doch strebten ihre Kräfte umsonst dawider an,
Da Volker mit Hagen so sehr zu wüthen begann.

Da sah der Vogt vom Rheine, er scheide nicht den Streit:
Da schlug der König selber manche Wunde weit
Durch die lichten Panzer den argen Feinden sein;
Er war ein schneller Degen, das ließ er offenbar sein.

Da kam auch zu dem Streite der starke Gerenot;
Der schlug dem Hunnenvolke manchen Helden todt
Mit dem scharfen Schwerte, das Rüdeger ihm gab;
Damit bracht' er Manchen von Etzels Recken in's Grab.

Der jüngste Sohn Utens auch zu dem Streite sprang,
Seine Waffe herrlich durch die Helme drang,
Die Etzels Recken trugen aus dem Hunnenland:
Da that die größten Wunder des kühnen Giselher Hand.

Wie kühn die Fürsten waren und ihr Heeresbann,
Doch sah man Giselheren den Andern all voran
Bei den starken Feinden; er war ein Degen gut:
Er streckte wider Willen Manchen nieder in das Blut.

Auch wehrten sie gewaltig Die in Etzels Lehn:
Man sah die Gäste fechtend auf und nieder gehn
Mit den lichten Schwertern durch des Königs Saal:
Da vernahm man allenthalben der tosenden Waffen Schall.

Da wollten Die da draußen zu ihren Freunden drin:
Sie funden an der Stiege gar wenigen Gewinn;
Da wollten Die da drinnen gerne vor die Thür:
Dankwart ließ keinen weder hinein noch herfür.

Da hob sich an der Pforte ein ungestümer Drang,
Und von Schwerthieben auf Helmen lauter Klang;
Da kam der kühne Dankwart in eine große Noth:
Dawider sorgte sein Bruder wie ihm die Treue gebot.

Da rief mit lauter Stimme Hagen Volkern an:
„Seht ihr dort, Geselle, vor manchem Hunnenmann
Meinen Bruder stehen unter starken Schlägen?
Freund! schützet mir den Bruder, wir verlieren sonst den Degen."

Der Spielmann gab zur Antwort: „Wohl, das soll geschehn."
Da begann er fiedelstreichend, durch den Pallast zu gehn:
Ein scharfes Schwert nicht selten an seiner Hand erklang.
Die vom Rheine sagten dafür ihm größlichen Dank.

Volker der kühne zu Dankwarten sprach:
„Ihr habt heut erlitten ein großes Ungemach;
Mich bat euer Bruder, ich soll euch helfen gehn:
Wollt ihr nun draußen bleiben, so will ich innerhalb den stehn."

Dankwart der schnelle stand außerhalb der Thür;
So wehrt' er von der Stiege wer immer trat dafür.
Da hörte man Waffen hallen den Helden an der Hand:
So that auch innerhalben Volker von Burgondenland:

Der kühne Spielmann rief ihm über die Menge zu:
„Der Saal ist wohl verschlossen, Freund Hagen seid in Ruh:
Es ist so gut verschränket König Etzels Thür
Von zweier Helden Händen, die gehn wohl tausend Riegeln für."

Als von Troneck Hagen die Thüre sah in Hut,
Da warf den Schild zurücke der grimme Degen gut:
Nun erst begann er zu rächen seiner Freunde Leid.
Seinen Zorn mußten entgelten viel Degen kühn im Streit.

Als der Vogt von Berne das Wunder recht erschaut,
Wie Hagen der starke, so manchen Helm zerhaut,
Der Fürst der Amelungen sprang da auf eine Bank;
Er sprach „hier schänket Hagen den allersauersten Trank."

Der Wirth war sehr in Sorgen, wie ihn zwang die Noth;
Was schlug man lieber Freunde vor seinen Augen todt!
Er selbst war kaum geborgen vor seiner Feinde Schaar,
Er saß in großen Nöthen: was half ihm, daß er König war?

Chriemhilde die reiche rief Dietrichen zu:
„Hilf mir von der Stelle, edler Ritter du,
Bei aller Fürsten Tugend aus Amelungenland:
Wenn mich Hagen erreichte, so hätt' ich den Tod an der Hand."

„Wie soll ich euch helfen," sprach Herr Dieterich;
„Edle Fürstentochter, ich fürchte selbst für mich:
Es sind so sehr erzürnet Die in Gunthers Bann,
Daß ich in dieser Stunde wohl Niemand befrieden kann."

„Nicht also, Degen Dietrich, edler Ritter gut,
Laß einmal heut erscheinen deinen tugendreichen Muth:
Bringe mich von hinnen, oder ich bleibe todt:
Hilf mir und dem Könige aus dieser angstvollen Noth."

„Ich will es versuchen, ob euch zu helfen ist;
Doch sah ich wahrlich nimmer in langer Tage Frist
In solchem bittern Zorne so manchen Ritter gut:
Es springt ja von den Schwerten aus Helmen hervor das Blut."

Mit Kraft begann zu rufen der Ritter auserkor'n,
Daß seine Stimme erschallte, wie ein Büffelhorn
Und daß der weite Pallast schütterte von dem Stoß
Dietrichens Stärke war über die Maßen groß.

Da hörte König Gunther rufen diesen Mann
In dem starken Sturme: zu lauschen hub er an.
Er sprach: „Dietrichens Stimme ist in mein Ohr gekommen
Ihm haben unsre Degen hier wohl Jemand benommen.

„Ich seh' ihn auf dem Tische winken mit der Hand:
Ihr Männer und Freunde von Burgondenland,
Haltet ein mit Streiten: laßt hören erst und sehn,
Was dem starken Degen durch uns für ein Schade geschehn."

Als so der König Gunther bat und auch gebot,
Da senkten sie die Schwerter in des Sturmes Noth:
Das was Gewalt bewiesen, daß Niemand da mehr schlug.
Er fragte Den von Berne um die Märe schnell genug.

Er sprach: „Viel edler Dietrich, was ist euch hier geschehn,
Von meiner Degen Einem? Ihr sollt mich willig sehn:
Zur Sühne und zur Buße bin ich euch gern bereit;
Was euch Jemand thäte, das wäre mir inniglich Leid."

Da sprach der Degen Dietrich: Mir ist nichts geschehn,
Laßt mich mit eurem Frieden aus dem Hause gehn,
Von diesem schweren Streite mit dem Gesinde mein:
Dafür will ich euch wahrlich immer gewogen sein."

„Was müßt ihr also flehen?" sprach da Wolfhart:
„Es hält der Fiedelspieler die Thür nicht so verwahrt:
Wir öffnen sie so mächtig, daß man ins Freie kann."
„Schweige," sprach Herr Dietrich, „du hast den Teufel gethan."

Da sprach König Gunther: „Den Urlaub geb' ich gleich:
Führet aus dem Hause so viel ihr wollt mit euch,
Ohne meine Feinde; die sollen hier bestehn:
Durch die ist mir viel Leides hier bei den Hunnen geschehn."

Als das der Berner hörte, mit einem Arm umschloß
Er die edle Königin, ihre Angst war groß;
Da führt' er an dem andern Etzeln aus dem Haus;
Da folgten Dietrichen viel waidliche Degen hinaus.

Da sprach der Markgraf, der edle Rüdeger:
„Soll aber aus dem Hause noch kommen Jemand mehr,
Der euch gerne dienet, wohlan, so macht mirs kund:
So walte steter Friede in guter Freunde Bund."

Zur Antwort gab ihm Giselher von Burgondenland:
„Einigkeit und Friede sei euch von uns bekannt;
Ihr haltet stete Treue und euer ganzes Lehn:
Ihr sollt ohne Sorge mit euren Freunden von hinnen gehn."

Als der Degen Rüdeger räumte Etzels Saal,
Fünfhundert oder drüber, die folgten ihm zumal.
Das ward aus großer Treue von den Herrn gethan;
Wodurch der König Gunther bald großen Schaden gewann.

Da sah ein Hunnenrecke König Etzeln gehn
Neben Dietrichen: deß wollt' er Nutzen sehn:
Dem gab der Fiedelspieler einen solchen Schlag,
Daß gleich vor Etzels Füßen sein Haupt darnieder lag.

Als der Wirth des Landes kam in dem Hofraume an,
Da wandt' er sich zurücke und sah zu Volkern hinan:
„O weh mir dieser Gäste! das ist eine grimme Noth:
Daß alle meine Freunde vor ihnen gewinnen den Tod!

„Weh dieses Hofgelages!" sprach der Fürst vom Land:
„Da drinnen ficht Einer, der wird Volker genannt,
Gleich einem wilden Eber und ist ein Fiedelmann,
Ich dank' es meinem Heile, daß ich dem Teufel entrann.

„Seine Weisen klingen übel, seine Streiche sind roth,
Wohl schlagen seine Töne mir manchen Helden todt,
Ich weiß nicht was uns also haßt der Fiedelmann,
Daß ich in meinem Leben so leidigen Gast nicht gewann.

Sie hatten, die sie wollten, entlassen aus dem Saal;
Da hob sich innerhalben ein fürchterlicher Schall:
Die Gäste rächten bitter ihr Leid und ihre Schmach;
Volker der kühne, hei! was er Helme zerbrach!

Da wandte sich zu dem Schalle Gunther der König hehr:
„Hört ihr die Töne, Hagen, die dort den Fiedeler
Mir den Hunnen fiedelt, wenn Wer zur Thüre trat?
Es ist ein rother Anstrich den er am Fiedelbogen hat.“

„Es reut mich ohne Maßen,“ sprach Hagen dagegen,
„Daß ich je mich scheiden mußte von dem Degen:
Ich war sein Geselle, er der Geselle mein,
Und kommen wir von hinnen, wir wollen's noch in Treue sein.

„Nun schaue, hehrer König, der Volker ist dir hold!
Wie fleißig er verdienet dein Silber und dein Gold:
Sein Fiedelbogen schneidet durch den harten Stahl,
Er schleudert von den Helmen die glänzenden Zierden zu Thal.

„Ich sah nie einen Fiedeler so stolz und herrlich stehn,
Als diesen Tag von Volker dem Degen ist geschehn;
Es hallen seine Weisen durch Helm und Schildesrand:
Gute Rosse soll er reiten und tragen herrlich Gewand.“

So viel der Hunnenritter auch waren in dem Saal,
Nicht Einer blieb am Leben von ihnen allzumal.
Da war der Schall beschwichtigt, als Niemand blieb zum Streit:
Die kühnen Degen legten da ihre Schwerter beiseit.

Lord Byrons Portraits.

Als Lord Byron's Ruf stieg, und man seine Persönlichkeit gern mit den Helden seiner düstern Phantasie zusammenwarf, fügte sich Niemand lieber dieser Grille, als der edle Lord selbst. Seine Züge veränderten sich merklich in den letzten Jahren und etwas Affectirtes war nicht zu verkennen. Seit dieser Zeit tragen alle Portraits, zu denen er selbst gesessen, das Gepräge seines Corsaren, Lara oder sonst eines Misanthropen.

Ein Tag in London.

Fortsetzung.

Von Jack Tar auf den weit bekanntern John Bull überzugehn, so ist dies keineswegs ein Schmähwort, wie man wohl mitunter zu glauben geneigt ist, vielmehr bedeutet John Bull den Engländer von altem Schrot und Korn, ehrlich, geradezu und plump, ähnlich wie wir oft das Wort deutsch gebrauchen, z. B. in der Redensart: Ein alter Deutscher Degenknopf. — Die Zeitungen bedienen sich des Wortes, hauptsächlich wenn sie von den Sitten des Engländers reden. Eine ganze Zeitung heißt John Bull, welche den Namen wählte, um bei ihrem Anfange vor einigen Jahren während der wichtigen Fragen über die Emanzipation der Katholiken (oder bei dem Lärm-Prozeß mit der Königin?) sich recht populär zu machen, gegen mehrere neue liberale Blätter.

Daß Bruder John Bull täglich geleckter und feiner, aber darum gewiß nicht besser wird, ist natürlich, und in welchem Grade mag aus der Bemerkung über die Sucht Französisch zu lernen ersehen werden.

Woher der Name Bull kommt hab' ich noch nie erfahren können. Wäre es vielleicht ursprünglich ein Schimpfname, Stier, Rind gewesen, vielleicht gar von den herüberziehenden Normannen, wegen der Rohheit, des Eigensinns und der Stärke den Engländern gegeben, der nachher wie der ursprünglich schimpfende Name der Geusen, und der tadelnde der Protestanten willkommen aufgenommen wurde?

So wie John Bull den Engländer insbesondere bezeichnet, so bezeichnet *Sawney Bull* einen Schotten. Man spottet ihrer in der Benennung *Loacher.* — *Paddy Bull* bezeichnet den Irländer, und ist wohl von St. Patrick, dem Schutzheiligen Irlands abgeleitet. Sie heißen gewöhnlich *Pads.*

Taffy Bull werden die Welschen benannt, von ihrem Schutzheiligen St. David. Auch sie heißen kurz *Taf.*

Janky ist der Spitzname für die Nordamerikaner. Ein Kinder- und Spottlied fängt daher an:

Janky Doodel went to tow
On a little pong etc.

Auch werden sie häufig *Jonathans* genannt.

Daß der Matrose *Jack Tar* heißt ist natürlich; denn *Jack*, so für *John*, wie Hans für Johann, wird auch wie Hans und Michel im Deutschen z. B. Hans Taps in die Grütze, ein grober Michel, gebraucht; nur gebraucht man es noch weit häufiger, und in viel verschiedenerer Bedeutung z. B. *Boot-Jak* ein Stiefelknecht, *Jak of all sides* auf allen Achseln tanzen, *Jak-an-apes* Mauläffe *Jak-boot* Courierstiefel; das Männchen der Raubvögel heißt *Jack; Jack-Pudding* Hanswurst; und so giebt es noch sehr viele. — *Jack-catch*, (Hans-Fang) heißt spottend der Henker und ist correspondirend mit dem deutschen Kippmichel, welches von seinem kippenden Karren abgeleitet ist.

(Redigirt von Dr. Fr. Förster und W. Häring (W. Alexis.)
Im Verlage der Schlesingerschen Buch- und Musikhandlung, in Berlin unter den Linden Nr. 34.

Berliner

Conversations-Blatt

für

Poesie, Literatur und Kritik.

Donnerstag, — Nro. 38. — den 22. Februar 1827.

Aus Jean Pauls Zimmer in Baireuth.

IV.

An *** Baireuth im October 1826.

In dem noch ungedruckten „Gedankenbuche" Jean Pauls, aus welchem ich Ihnen schon in einem früheren Briefe einige Perlen mittheilte, fand ich zu meiner und gewiß auch zu Ihrer großen Freude ein Urtheil Jean Pauls über Goethe, welches er bald nach Schiller's Tode (1805) niederschrieb. Wie oft hatte ich gehört, daß Jean Paul sich zuweilen auf eine gereizte Weise über Goethe geäußert und wie leid hatte mir ein solches Mißverhältniß gethan. Schon glaubte ich hier irgend ein Zeugniß von jener angeblichen Bitterkeit niedergelegt zu finden und fand statt dessen eine tiefgefühlte und tiefgedachte Anerkennung des großen Dichters. Da schien es mir, als ob, wenn irgend ein Mißverständniß vorhanden war, dies nun alles ausgeglichen sei und ich einen Zuruf des Verklärten von den Sternen herab aus dem Lande des Friedens vernähme. — Ich sende es Ihnen, wie ich es in dem Gedankenbuche finde; Jean Paul hat es überschrieben:

Anrede an Goethe.

„Wenige wissen, wie viel er gab, ohne sich zu nennen. Wie ein Gott ließ er das Weltall wirken, das er regte, und sprach nicht darin. Tausend Worte wurden gesagt — man wartete auf seine Stimme — und er selber hatte sie dictirt und sich verborgen. Er nur allein schuf nicht bloß aus Lettern, sondern aus Worten den Kern der Schule, die ihn zu oft nennt. Denn kein Dichter repräsentirt die Dichtkunst, so wenig als ein Mensch den Gott — sondern ihn selber stellt sie dar, und er dichtet fort. — Goethe! gäb' es einen Wunsch der Erde, o ich würde ihn Dir wünschen. Aber Du brauchst nichts als Dich — darum sei Du Dir gewünscht. Dein äußerliches Leben gleiche Deinem innern. Dein Schmerz gleiche dem Spiel, womit Du den Schmerz wegspieltest. — Dein Herz bleibe sein eigner Olymp; — Dein Grab würde es auch. — Du hast so viel Lob gehört, Dir kann nie ein andres Leben fehlen, als das kürzeste. — Steigst Du auf zu den Göttern, so wird jeder groß und wund, der es siehet. Das Leben ist ihm vorbei, die Ewigkeit zu nahe.

Aber warum sprech' ich denn vom Entfliehen Deines Geistes? — „Weil Herder und Schiller dahin sind!"

Die Herbsttage sind noch so schön, daß ich Baireuth nicht verlassen durfte, ohne einige Ausflüge in die Umgegend zu machen. Wie auf dem Wege von Hof nach Baireuth Jean Paul selbst mein Führer gewesen, so war er es auch hier, denn ich hatte ja Freunde in dem Gasthofe zur Sonne, in welchem der Armenadvokat Siebenkäs seinen Freund und Doppelgänger Leibgeber wiederfindet und diesen beiden folgte ich nach ihren Lieblingsplätzen in der Eremitage und Fantaisie. Zuerst bezog ich „das grünende Lustlager der Eremitage," über welches der Herbst schon sein Rothgold ausgestreut hatte. Die ebnen, reinlichen Straßen und die geradgezogenen Reihen schöner Häuser, von denen man einzelne Palläste nennen kann, hatten mich in Baireuth lebhaft an Potsdam erinnert, mit dem es noch außerdem dies gemein hat, daß es ganz das Ansehn einer Residenz, aber ohne das bewegte Leben und Treiben derselben, hat. In dem Park — denn die Eremitage ist nichts anders — wird man wiederum an die sonstige Residenz erinnert, denn überall begegnet man fürstlichen Anlagen. Da die Natur das Beste gethan, brauchte die Kunst nicht viel nachzuhelfen und was sie that, ist, wenn gleich immer prachtig, doch nicht immer geschmackvoll, wie z. B. ein Tempel mit einem Portikus von Säulen, die von lauter Kristallen, Schlacken, Fließen und für den Mineralogen interessanten Gesteinen des Fichtelgebirges gespickt sind; die Steine sind nämlich in den Kalkanwurf der Säulen eingesetzt. Schönere Säulen von *giallo* oder *rosso antico*, oder von welchem andern werthvollen Gestein sie sein mögen, sollen sich in dem Innern dieses Tempels befinden.

Ich bekam sie nicht zu sehen, hörte aber davon ein artiges Geschichtchen. Ein frommer, oder gar katholisch gewordener Fürst hatte diese Säulen einem Kloster in Frankreich zum Geschenk gemacht. Schon sollten sie ausgebrochen werden, und die Baireuther waren eben nicht sehr von dieser Schenkung erbaut, als einer der Rathsherrn eine Vorstellung an Sr. Durchlaucht in Vorschlag brachte, wodurch es gelang, die Säulen zu retten. Man machte nämlich dem Fürsten bemerklich, daß die quer über den Wagen gelegten Säulen die Stadt nicht passiren könnten, ohne daß man die Thore niederreiße. Dies leuchtete Sr. Durchlaucht ein, und die Säulen stehn noch auf ihrer alten Stelle. — Mehr aber als diese Raritäten interessirten mich die Plätze, von denen ich wußte daß Jean Paul sie dadurch als seine Lieblingsplätze bezeichnet hat, daß er sie zum Theater für die schönsten Scenen in seinen Romanen macht. — Unter einer breiten Buche, wo man hinter sich den dichten Wald zur Rechten ein Thal mit dem Mühlbach, vor sich das liebe Dörfchen St. Johannis und in der Ferne die Berge, die die Stadt umkränzen, sieht, war es, wo Leibgeber mit Siebenkäs den abentheuerlichen Todesfall nebst Auferstehung verabredeten. — Der Landschaft- und Blumenmaler, der uns Landschaften und Blumen „aus der Idee" wie sie es nennen, mahlt, wird uns nie so befriedigen, wie es der Mahler thut, der der wirklichen Blume in das Auge und der vor ihm liegenden Gegend in das Gesicht schaut. Dasselbe gilt von dem Dichter; auch er zaubert uns die Gegend und die Umgebung und die duftende Witterung des Himmels und der Erde dann am lebhaftesten vor die Seele, wenn er selbst mitten darin stand. Und wie weit bleiben dann hinter ihm selbst die ersten Landschaftsmaler zurück! Hier war es ja, „wo Firmian allein mit nassen Augen vor der hinter Bayreuth herrlich sinkenden Sonne stand, die sich über der grünen Welt in Farben auflößte. Die tiefe Goldgrube einer Abendwolke tropfte unter dem nahen Sonnenfeuer aus dem Aether auf die nächsten Hügel und das umherirrende Abendgold hing durchsichtig an den gelbgrünen Knospen und an den weißrothen Gipfeln, und ein unermeßlicher Rauch, wie von einem Altare trug spielend einen unbekannten Zauberwiederschein und flüssige, durchsichtige entfernte Farben um die Berge, und die Berge und die glückliche Erde schien die herunterfallende Sonne wiederscheinend aufzufassen." Stelle man neben diese Schilderung den schönsten Abendhimmel von Claude Lorrain, oder Friedrich, und sie würden mit allem Reichthum ihrer Phantasie und ihren Farben weit hinter der Natur und noch weiter hinter dem Dichter zurückbleiben. Sollte das Unternehmen, Jean Paul ein Denkmal zu errichten, wovon ich in Baireuth mit Theilnahme sprechen hörte, wie ich nicht zweifle, ausgeführt werden, so fände sich hier die schönste Stelle. Auf dem Heimwege kehrten wir bei der Frau Rollwenzel ein, der vieljährigen treuen Wirthin und Pflegerin Jean Pauls, die an der hohen Lindenallé, welche zur Eremitage führt, eine kleine Schenkwirthschaft hält, in einem beschränkten, aber reinlichen und wohl eingerichteten Hause. Die Frau Rollwenzel würde in einem Leben Jean Pauls, besonders wenn es ein Dichter dramatisch bearbeitete, als eine jener Nebenfiguren auftreten, die sich zumal einem Publikum gegenüber, selbst in dem untergeordneten und dienenden Verhältniß, in welches sie gestellt werden, leicht zu einer Hauptfigur machen, weil sie sich ihre Originalität erhalten, die sich um so mehr geltend machen, da sie durch die Nähe eines ausgezeichneten Mannes eine Bedeutsamkeit gewinnen, welche andere höhere und dem großen Manne näher gestellte Personen verlieren. In einem Drama, dessen Held Friedrich der Große wäre, würde uns vielleicht ein ihm unentbehrlich gewordener Kammerdiener mehr interessiren, als viele seiner Minister und Generale. So ging es mir mit der Frau Rollwenzel, einer bis zur Redseligkeit gesprächigen, eben so wie der alte Herr Lochmüller in Gefrees, mehr dem Bauer- als Bürgerstande angehörenden, gefälligen und gutmüthigen Frau von einigen sechzig Jahren, die vielleicht niemals eine einzige Zeile von Jean Paul gelesen, aber uns nie im Zweifel läßt, daß sie ihn da, wo es darauf ankommt ihn zu verstehn, gewiß verstand.

Sie führte uns auf schmalem Steige in das niedre Dachstübchen, wo der Dichter mehrere Jahre lang täglich arbeitete; hier saß er, selbst wenn das muntre Landvolk in der Schenke lustig wurde, ungestörter und fleißiger, als in einem Prachtzimmer, wo vornehme Abhängigkeit ihn gestört haben würde. Auch dies Zimmer würde mit geringem Aufwande, sobald ein Verein zur Errichtung eines Denkmals zusammentritt, dem Andenken des Dichters erhalten werden können. — Da die Wirthin bald merkte, daß ich mich nicht etwa nur mit Brittischer Reise-Neugier für alles, was Jean Pauls Aufenthalt in dieser Zelle betraf, interessirte, wurde sie gegen mich mittheilender, als sie es gewöhnlich sein mag. Sie erzählte mir mit großer Ausführlichkeit von der Lebensweise des Dichters in ihrem Hause, wie sie für ihn immer ein Mutterfäßchen vom besten Märzenbier im Keller gehabt, wie sie ihn gegen die blos Neugierigen zu verläugnen gewußt, wie sie aber ihn oft auch vermocht hätte, herunter zu steigen und „ihr zu Gefallen" mit den vornehmen Herrschaften zu sprechen, die viele hundert Meilen weit her gekommen wären, „um diese Sonne in dem Hause der alten Rollwenzel" zu sehn. „Der zieht mich nach, sagte sie mit bewegter Stimme, denn er hat meine Seele; wie kann ich denn ohne mein Herz leben? Alle Morgen und alle Abende fand er frische Blumen auf seinem Zimmer; denn ich mußte ihm immer etwas Liebes thun. Einmal hab ich ihm eine Kornähre in das Knopfloch gesteckt und habe zu ihm gesagt: Mein Herr Legationsrath, das ist ihr schönster Orden, denn Sie sind ein Naturdichter und welche Prinzessin würde nicht stolz sein, wenn sie jetzt sagen könnte: ich bin die alte Rollwenzel." — Ich hatte nie das Glück gehabt, Jean Paul persönlich kennen zu lernen; durch das, was ich hier erfuhr, trat mir seine Persönlichkeit näher vor die Seele, als ich es aus den Zeitgenossen, Conversations-Lexikon, Döring u. s. w. erfahren konnte. —

Bilder aus Constantinopel.

Da es uns, aller Bemühungen ungeachtet, noch nicht gelungen einen ganz unpartheischen Correspondenten in Constantinopel für dortige Poesie, Literatur und Kritik zu gewinnen, begnügen wir uns für's erste aus einem Werke des Herrn W. v. Lüdemann: Stambul oder Constantinopel, wie es ist, welches nächstens erscheinen wird, einige episodische Bemerkungen und Bilder mitzutheilen. Herr v. Lüdemann hat bekanntlich während eines langen Aufenthaltes in Constantinopel alles gethan, was einem christlichen und Europäischen Gelehrten möglich ist eine Revolution zu Gunsten unserer Aesthetik hervorzubringen; da aber die von Französischen Offizieren in Vorschlag gebrachte militärische practischer erfunden ward, sah er sich um die Frucht seiner Bemühungen betrogen, und die Blätter des Abendlandes sollen sich noch lange in ihrer Hoffnung getäuscht finden, Constantinopolitanische Theaterberichte mittheilen zu können. So viele interessante Bemerkungen, zur Aufklärung der neuesten Kriegesgeschichte im Orient dienend, und lebendige Schilderungen das Manuscript auch enthält, müssen wir uns doch für diesmal des Raumes wegen, auf den Auszug der Rede eines vornehmen Türken beschränken, worin er seinem Begleiter eine statistisch historische Uebersicht der Abendländischen Völkerschaften mit wissenschaftlicher Kürze ertheilt:

1. Türkische Statistik. „Diese Franken bilden viele Horden, nicht eine große Nation, wie die unsrige. Sehet, da sind z. B. die Moscoviter, eine unreine Race, welche nie den Abdest verrichtet, Schweinfleisch ißt, von Frauen regiert wird und mit vorgespannten Hunden fährt. Zwischen diesen und uns, wohnen die Nemse-Giaurs, oder Deutschen Ungläubigen, welche nicht wissen, wer ihr Sultan ist, und wem sie gehorchen; hierauf kommen die Käsekrämer, von denen wir nichts wissen, als daß sie Dukaten prägen.

Nach diesen scheint das Land der Franken in viele Inseln auszugehen, auf denen die wunderlichste Race der Franken, die Inglitz wohnen. Diese unreinen Hunde werden von einem Divan regiert, indem man sich jedes Jahr sechs Monathe lang streitet, und schimpft, um die andern sechs Monathe alles gehen zu lassen, wie es will. Dieselben Inglitz leben im beständigen Krieg mit den besten unter den Ungläubigen, den Franzis, unsern Freunden. Diese sind durch des Propheten Gnade zu einer großen Horde angewachsen. Einer ihrer Sultane oder Paschas, denn wir wissen nicht recht, wer dieser Bunoport war, ließ sich einfallen, Misr (Egypten) anzugreifen, und wollte unsre Bärte in seine Hand nehmen. Allein die Kinder des Propheten zeigten ihm ihr zweyschneidiges Schwert, und die Ungläubigen verschwanden. Nachher trieb derselbe Hund es so arg im Frankenland, und verletzte unsre Gränzen so oft, daß die Karols (Könige) der Ungläubigen sich zusammenthaten und ihn mit Krieg überzogen. Seitdem ist er verschollen, wir glauben, daß er nach der Jeni Du Duniah (neuen Welt) entflohen ist."

„Wunderbare Unreine! warum erdrosselten sie ihn denn nicht?“

„Allah wird es wissen,“ entgegnete der Khatib.

Ein Tag in London.

Fortsetzung.

Bei meinem Umherziehen und Beschauen ward ich von einem kleinen Bettelknaben angesprochen, der — doch ich kann ja die Sache gerade so hinschreiben, wie ich sie in mein Taschenbuch schrieb:

„Junge ich habe kein Geld, nun lauf' und quäle nicht weiter“
Sagt ich dem Trippelnden streng; doch er erwiederte keck:
„Herr euch fehlete Geld, ihr habt doch Gentleman's Kleider?
„Wär ich ein Herr so wie ihr keiner mich bäte umsonst.“ —
„Wärst du ein Herr so wie ich, dann müßte wohl mancher umsonst flehn.“ —
„Müßten wohl manche umsonst? Also da gäb' es denn auch
„Kleider gebürstet und fein und doch mit ledigen Taschen?
„Nein da lob' ich mir doch Lumpen mit Penzen darin.“
Weiser, so rief ich ihm nach, hat Salomon nimmer gesprochen.
Freilich in London ist's schwer Gentleman seyn ohne Geld.

Jeder Mensch in England ist dreister, bestimmter, als bei uns; eine Folge der Freiheit und humanen Begegnungsweise gegen Untergebene. Bedienten und Mägden wird unvergleichlich besser in England begegnet, und mancher unserer unbedeutenden Junker sollte von einem Lord oder Herzog die armen Diener behandeln lernen. Man hält sich freilich hier gegen dieselben in steifen Formen, was weiter nicht löblich, aber bleibt dabei auch human und immer anständig.

Jeder weiß, daß die Stagen die bisher unerhört schnelle Verbindung zwischen den Städten und Ortschaften Englands, neben den Mail's den Brief- und Passagierposten, sind. Sie gehen so schnell, weil man vorzügliche Straßen hat, oft die guten Pferde wechselt, und dies etwas schneller als in Deutschland, wo ein schläfriger Postillon eine Viertelstunde am Geschirr herumbastelt, und alles dies — weil man schnell fahren **will**. Ich sprach neulich einen englischen Straßenbauer, der von Berlin nach Breslau gefahren war, und versicherte, daß auf dieser Straße, gut wie manche in England, eben so schnell gefahren werden könnte, als von London nach Manchester, etwa so weit als von Berlin nach Breslau, d. h. in 21 Stunden, wenn man öfter Pferde wechselte.

Es gibt nun aber nicht blos Stagen zwischen den verschiedenen Städten, sondern die schnelle Verbindung der einzelnen Theile Londons selbst wird durch Stagen erhalten. So gehen täglich, von Morgens 9 Uhr, bis 10, 11 Uhr Abends, 64 Stagen, jede viermal von der Bank nach dem Westende und zurück, also geht alle 3 Minuten eine ab, die der dafür angestellte Constable nöthigt, gehörige Zeit zu halten. Man fragt daher auch:

„Wann stürzt die Stage ab?“ — Außerdem gehen noch einige Oppositions-Kutschen ab, die wohlfeiler fahren, und nicht die Taxe geben, welche die Stagen entrichten müssen, dafür aber auch nicht auf dem Kutschenstande und in der Nähe der andern halten dürfen. Jede Stage zahlt für jede englische Meile ($4\frac{3}{4}$ auf eine deutsche) die sie je in England macht, 3 Pence, also beinahe 3 Silbergroschen Preußisch, eine ungeheure Abgabe. In dem südlichen Theile der Stadt ist ein Haus, wo sich sehr viele Straßen treffen, und hier sollen täglich gegen zwölf Hundert Stagen anhalten!

Die Stage, die ich nach dem Westende bestiegen, rollte ab, und zwei meiner Nachbaren lasen ihre Zeitung auf der Kutsche, was hier sehr häufig zur Zeitersparniß geschieht. In den Vorstädten Londons bringen die Bäcker den Kunden das Brod zu Pferde und die Fleischer ihre Waaren in einem Karren; so werden auch die Zeitungen gebracht, und immer in Gallopp oder scharfem Trab.

Der Engländer, der sein Pferd nur zum Vergnügen hat, verlangt mit Recht, daß sein Pferd **schnell** sei und **ausdaure**, und was man in England ausdauern nennt, das kann man nur wissen, wenn man sich um die Wettrennen bekümmert, und das *sporting Magazine* liest. Daß man das Pferd **brauchen** kann, ist die erste Forderung in England; glücklicherweise ist ein ausgezeichnet gutes Pferd immer auch schön, nicht aber ein schönes immer gut.

(Redigirt von Dr. Fr. Förster und W. Häring (W. Alexis.)

Im Verlage der Schlesingerschen Buch- und Musikhandlung, in Berlin unter den Linden Nr. 34.

Berliner Conversations-Blatt

für

Poesie, Literatur und Kritik.

Freitag, — Nro. 39. — den 23. Februar 1827.

Dramaturgische Blätter nebst einem Anhange noch ungedruckter Aufsätze über das Deutsche Theater und Berichten über die Englische Bühne, geschrieben auf einer Reise im Jahre 1817 von Ludwig Tieck. Breslau 1826. Zwei Bde. in 12mo. Im Verlage von Joseph Max und Comp.

Erster Artikel.

Das vorliegende Buch ist mit Recht schon so sehr in Aller Hände, daß eine Anzeige davon zu den sehr verspäteten gehören würde. Anders ist es mit einem Aufsatz, der gerade entgegengesetzte Meinungen aufzuführen hat. Dieser verlangt vielmehr, daß das Buch, gegen das sie auftreten, bekannt sey und beruht auf dieser Bekanntschaft. Herr Tieck hat eine zu ausgezeichnete Stelle unter unsern Kritikern: er hat einen so wesentlichen Einfluß auf den Gang der Deutschen Kunst selbst ausgeübt, daß nicht, nachdem flüchtige Anzeigen vorangegangen sind, eine nähere Betrachtung des vorliegenden Buches an der Zeit wäre. — Der folgende Artikel wird nur den Standpunkt aufstellen, dem die Kritik unsers Verfassers angehört. Andere werden vom Einzelnen handeln.

Es giebt eine doppelte Weise der Kritik von Kunstwerken, deren eine man füglich die philosophische, die andre aber die künstlerische Weise nennen könnte. Die philosophische Kritik faßt ihren Gegenstand bei seinem Inwendigen auf, und sagt, was er sey: sie sucht somit den künstlerischen Gegenstand in Form von Gedanken wiederzugebären, und in dieser Form darzustellen. Indem sie sagt was der Gegenstand sey, kann sie es ersparen, ihm unter der subjectiven Gestalt von Lob und Tadel nahe zu kommen. Lob und Tadel ist nicht mehr das Letzte, worauf es ankommt, denn diese Categorieen würden bloß das Uebereinstimmen des Inhalts, oder das Nichtübereinstimmen mit dem critisirenden Subject andeuten, davon aber absehen, wie der Gegenstand des Kunstwerkes sich zu sich selbst verhalte. Lob und Tadel sind vielmehr, um mit andern Worten zu sprechen, aus dem critisirenden Subject in die critisirte Sache verlegt, die in ihrer Selbstentwickelung sich selbst critisirt. Die philosophische Kritik hat während dieser Selbstentwickelung das ruhige Zusehen, und die Bemerkungen des Kritikers und seine Reflexionen über die Sache sind so wenig die Hauptsache, daß sie vielmehr sehr sparsam zum Vorschein kommen müssen, etwa nur in der Absicht, um auch der Kritik die Seite der subjectiven Lebendigkeit zu geben. Die philosophische Kritik in diesem Sinne erfordert aber zweierlei: von Seiten des Kritikers heischt sie nothwendig, daß er seinen Geschmack, seine Angewöhnungen, und was ihm sonst wohl subjectiver Weise anklebt, vergessen könne, weil die Philosophie das Untertauchen dieses ganzen Apparats überhaupt zur ersten Bedingung hat; von Seiten der Sache und des Kunstgegenstandes aber heischt sie, daß er überhaupt ein solcher sey, der einen Kern, Gedanken u.s.w. enthalte, der, indem gesagt werden soll, was er sey, dieses Angeben durch irgend einen unterscheidenden Inhalt rechtfertige. Es kann nämlich nicht irgend ein Gegenstand, weil er in das Gebiet der Kunst gehört, auf philosophische Kritik Anspruch machen. Von einem leeren und inhaltslosen Kunstwerk könnte eine philosophische Kritik nichts als die bloße Assertion geben, daß es leer und inhaltslos sey, denn indem sie zu sagen hat, was der Gegenstand sey, und weiter Nichts, würde sie das Nichts des Inhalts zu was erheben, wenn sie mehr als dieses Nichts ausspräche. — Es müßte denn seyn, daß die Nichtigkeit des Inhalts selbst ein andrer Inhalt wäre, nicht mehr in Beziehung auf die Kunst, sondern nur in Beziehung auf ihr Aufhören und ihren Untergang. Während also an jedem Sophocleischen oder Shakespearschen oder Götheschen Stück seine Substanz, deren consequente Gliederung, überhaupt der Gedanke dargethan werden dürfte, kann die philosophische Kritik von Müllner's oder Houwald's Tragödien nur in Pausch und Bogen reden, indem etwa gezeigt würde, wie so es zu dieser Leerheit und Inhaltlosigkeit gekommen sey.

Wir haben aber gesagt, daß es eine zweite Weise der Kritik gebe und haben diese Weise die künstlerische genannt, obgleich sie besser ihrem Wesen nach die subjective, oder die reflectirende hieße. Es geht nämlich ein Kritiker an einen Kunstgegenstand. Er bringt seine Liebhabereien, seinen Geschmack, seine Angewöhnungen, seine Denkungsart, seine Empfindungen rc. mit, und betrachtet nun den Gegenstand unter den Brillen aller dieser Eigenthümlichkeiten. Wie geistreich kann nicht ein solcher Kritiker seyn, wenn er sonst Geist hat. Wie rein kann nicht sein Geschmack, wie ohne alles Unangenehme seine Angewöhnungen, wie herrlich seine Denkungsart, wie edel seine Empfindungen seyn! Aber wer bürgt für die Wahrheit? — Die allgemeine Brust wird er ausrufen, der Umstand, daß Alle, das heißt, daß jeder Hochgebildete wie ich, eben so gewöhnt ist, eben so schmeckt, empfindet und denkt. Es läßt sich nicht läugnen, daß auch eine solche Kritik viel Wahres, Anregendes, Bedeutendes enthalten kann, wie überhaupt ja auch in Form der Reflexion und des Raisonnements die Sache, wenn auch nicht in ihrer wahren Gestalt dargestellt, dennoch immer getroffen werden dürfte. Der Kritiker streift an seinen Gegenstand heran, berührt sich mit demselben und wenn auch diese Umarmung oft nicht lange dauert, und er alsobald wieder in sich zurückfällt, so gewährt dieser Tanz mit dem Gegenstand denen, die daran Freude finden, ein ergötzliches Schauspiel. Wie Großes, Schönes und Tiefes hat nicht Goethe in Form unmittelbarer Aussprüche gesagt. — Aber diese Aussprüche standen denn auch freilich in ihrer unmittelbaren Naivität der philosophischen Kritik näher, als der Reflexionskritik. Oft kann ein tüchtiges Individuum die Gegenstände aus sich heraussagen, ja die Reflexionskritik hat dann wieder einen großen Vortheil: sie kann sich auch an ganz leere, inhaltlose Gegenstände machen und darüber sprechen. Denn weil sie darüber spricht, so ist ihr nicht verwehrt, viel Schönes und Geistreiches an einen Gegenstand zu verschwenden, der diesen Aufwand auf keine Weise verdient. Die Kritik ist dann eben die Hauptsache, etwa wie große Schauspieler sich in einem schlechten Stücke am meisten hervorthun, weil dann ihnen die ganze Ehre zukommen muß. —

(Beschluß folgt.)

Aus Jean Pauls Zimmer in Baireuth.

V.

An *** Baireuth im October 1826.

Nun kenn' ich die Leiden eines Theater Dichters, der die Freude hat zugleich auch Theater Direktor und erster Liebhaber zu sein. Daß ich **alle Hände** voll zu thun hätte, kann ich eigentlich nicht sagen, denn, ich höre und sähe Wasch-, Back- und Nähmammsells in dem Hochzeithause, die in der Handarbeit es mir zuvorthun, da ich mit meinem Polterabendgedanken noch immer bei der Kopfarbeit stehe und die Poesie mir noch nicht bis in die Fingerspitzen gedrungen ist. Aber in einem der nächsten Briefe schicke ich Ihnen eine ganze Comödie. Um indeß meinen Brief nicht blos mit leeren Vertröstunggn zu füllen, sende ich Ihnen, obwohl wir zur Zeit noch im October leben eine, von schöner Hand mir anvertraute,

Bittschrift des Februar an die Sonne, um Vollzähligkeit seiner Regiertage.

Ew. Kaiserliche Majestät!

vergeben daß einer Höchst Ihrer Vasallen mit einer Bitte zu Ihrer allbekannten Güte kömmt, die sonst eines Jeden Wünsche nimmt, indem sie mehr gibet als diese verlangen. Aber doch bleibt mir wie den Menschen — die in ihrer Ungenügsamkeit den Bürgen ihrer Unsterblichkeit, sehen wollen, wie ich gehört — noch ein Wunsch übrig, bei aller sonstigen Armuth daran: nämlich der, der Vollzählichkeit meiner Regiertage, welche Bitte um so gerechter ist als ich der einzige unter uns zwölf Rittern der Tafelrunde bin, der durch solches Verkürzen zu kurz gekommen.

Ich kann mir nicht denken, daß Ew. Majestät unzufrieden mit mir sind, da ich immer ein treuer Lehnträger war; eben so wenig können die Menschen es seyn, ich gebe ihnen ja am Ende meines Monats lauter Feste und Freuden, und hebe sie mit diesen ein wenig über die Erde empor; denn wer nicht Engelsfittiche hat zum Aufschwingen, kann wenigstens mit ein Paar Merkurflügeln sich erheben. Ich weiß also nicht, warum die ausübende Gewalt nicht eben so lang in meiner ist, als bei den übrigen Duodezemvirn. —

Fast möchte ich glauben, daß meine beiden Vor- und Nachgänger, Januar und März, zwei meiner Regiertage an sich gerissen, da Beide einen Tag über die Durchschnittzahl dreißig, am Steuerruder der Erdachse sitzen, was zwar bei mehrern meiner Brüder der Fall ist, aber doch steht dann kein armer, beraubter Achtundzwanziger dazwischen. Rechneten freilich die Menschen noch nach Olympiaden, so wäre der Verlust kleiner, da drei Jahre Kapital mir einen Tag Zinsen bringen, aber so merkt ihn doch jeder Mensch, zumal bei ihrem Zahlenaberglauben, den auch schon einer ihrer Philosophen, Kant anführt. So geht bei ihnen z. B. die drei als heilige Zahl durch die Geschäfte, die Gott- und die Götterlehre. Die Zwölf als vervielfachte Drei ist von ihnen, wenn auch nicht wie diese heilig, doch selig gesprochen, wozu Ew. Majestät eignes Beispiel sie berechtigt, indem Sie Ihr großes Reich, aus zwölf Wahlfürsten, nämlich gewählten, zur Verwaltung übergeben. Außerdem tanzt noch der 12 Mann hohe Thierkreis seinen Fackeltanz um uns herum, die zwölf kleinen Propheten, die zwölf Könige von Juda, als Häupter ihrer Stämme, die zwölf Apostel die, da einer abfiel, durch Bekehrung eines Heiden ersetzt werden mußten, alle diese stehen als Brüdergemeinden da und verschaffen der Zwölf das Bürgerrecht bei den Menschen, so daß bei ihnen nur zwölf an einen Tisch sitzen dürfen, der Dreizehnte glauben sie, stirbt. Und daß für sie der letzte Schlag der Mitternachtstunde immer einen Kometenschweif von Geistern sich nachzieht, wissen Ew. Majestät.

Die Sechs theilt wieder, wenigstens zur Hälfte den Werth der Zwölf, was abermals Ew. Majestät veranlaßten durch die 6000jährige Bestehung Ihrer Erde, so wie durch die sechs Tage ihres Erschaffens, denen die Menschen wieder sechs des eignen Erschaffens nachbildeten. Ihre sprichwörtlichen Redensarten zeigen am besten, wie hoch die Sechs bei ihnen angeschrieben, denn die Sieben ist schon vom Uebel und dieses selber, so wie auf der andern Seite die Fünf ihr eignes Rad am Wagen ist. Sie widersprechen hier ihren Sprichwort und lassen Fünfe nicht gerade seyn. —

Aber was von der Drei, Zwölf und Sechs bei den Menschen gilt, das gilt eben so gut von der dreißig bei uns Monaten, und wie können daher jene einen Regenten achten, der nicht einmal bis dreißig zählen kann, und der, da bei den Juden keiner vor dem dreißigsten Jahre lehrfähig ist, in ewiger Minderjährigkeit d. h. Mindertägigkeit bleibt, und ihnen also regierunfähig erscheinen muß? Ich bitte Ew. Majestät das zu bedenken, gewiß Sie werden mir Vollmacht zu voller Macht verleihen. Könnten Sie nicht meine beiden Nachbarn die überzähligen Tage nehmen, und sie mir geben? Oder den April etwas früher abtreten lassen, den es bei seinem wunderlichen Charakter wohl noch Freude machte, könnte er die Leute hineinschicken durch hinausjagen?

Auch mit meinem Wappen, die Fische, allergnädigste Kaiserin, bin ich nicht ganz zufrieden, da es als ein redendes, auch zum Reden Anlaß gibt. Denn wenn ich die Leute auch im Trüben fischen lasse, und mir dabei nichts als das Trübe selber ins Netz kommt: so sagen sie doch ich mache ihnen faule Fische vor, indem ich mit lauen Lüften den Schnee schmölze, und Knospen aus den Stauden und Blumen aus der Erde, und damit ihre eignen Hoffnungen, auf den Frühling, hervorriefe, ihn aber dann wie der Taschenspieler die Blume unter der Glasplatte, so schnell wieder verschwinden lasse, als ich ihn entstehen machen, aber daran ist niemand Schuld als der hämische März, der wohl einiges Ausmärzen von Ew. Majestät verdiente, und dessen Prügelknecht ich überhaupt immer bin.

Denn während so die Erde in und die Menschen mit Hoffnung dastehn, kommt der schadenfrohe März und schüttelt allen Schnee den er hat herab und treibt damit alles wieder zurück. Wenn ich ihn dann frage warum er in meine Wirthschaft immer ein Ei, nämlich seinen Schnee legete, antwortete er mir daß ers aus Galanterie gegen die Damen thue, als deren weiße Schminkdose er sich überhaupt ansehe, da sein Schneewasser das beste Schönheitswasser für sie wäre. Und so ist es Wasser auf seine Mühle, kann er meine Plane dazu machen. Ich glaube die Satyren haben immer Reigen um meine Wiege aufgeführt, weil jetzt die Satyre ihren Veitstanz um mich hält!

Uebrigens ist der Grund den der März zu seiner Entschuldigung anführt, ohne einen, denn der Minister des alten Januar, Wassermann, sorgt genug für Schnee, das weiß ich aus der Mühe die mir sein Wegräumen macht, und der wird wohl nicht schlechter sein als des März seiner. Und dann, wäre er so aufmerksam gegen die Damen, als er sagt, so würden sich diese wohl nicht so vor ihm fürchten daß sie kaum den Muth haben, ihm ins Gesicht zu sehen und vom ersten bis zum letzten Tage seiner Regierung dicht verschleiert gehn.

Ueberhaupt hat der März zu viel Macht, denn außerdem daß er Großmeister des goldnen Blieses ist, und das Volk seinen Widder für den Leithammel der übrigen Frühlingsmonate ansieht, und den Tag und die Nacht unter seinem Schutze wider Gütergleichheit der Stunden bestimmen — die sie aber nicht halten, weshalb zweimal im Jahr großer Zank ist, den die Menschen Aequinoktialsturm nennen (sollte übrigens als Musterehe dienen, da in andern solche Stürme leicht zu Passatwinden werden) und aus dessen Dauer die Wetterpropheten ihre Schlüsse ziehen; außer allem diesen weiß er auch den Junius so zu beherrschen, daß alle Wolken die er als Nebel auf die Erde niederläßt, für diesen ein telegraphisches Zeichen sind, sie während seiner Regierung zu Gewittern zusammen zu ballen und damit zu donnern. Daß die Menschen noch den Märzstaub für Schnepfendreck der Witterung ansehen, ist bekannt.

Doch ich merke, daß ich aus einem Klagenden ein Kläger geworden, und daß ich mir dadurch erst das Misfallen zuziehen kann, das ich vielleicht noch nicht habe. Ich schließe daher mit der wiederholten Bitte um Gewährung.

Ew. Kaiserlichen Majestät
treu ergebenster
Februar.

Ein Tag in London.

Fortsetzung.

In deutschen großen Städten sieht man bei den Pferden am meisten auf das Aussehen. Könnte man doch sagen, man hielte dort die schönen Pferde ihres angenehmen Schattens wegen.

Was nun das Reiten betrifft, so sieht der englische Reiter allerdings schlechter aus, als der deutsche, ja man hält einen nachlässigen schlaffen Sitz für *gentleman*mäßig; und auf Führung, worauf in Deutschland so viel gehalten wird, geben sie gar nichts. Die Hand geht hin und her. So ist der Sitz dem Ansehen nach schlecht, die Schenkel nicht fest, der Oberleib krumm, aber jeder der eine englische Hirsch oder Fuchshetze mitgemacht hat, weiß, daß sie zu reiten verstehen. Sie bringen ihr Pferd wohin sie wollen, und haben einen Sitz, der oft ganz gewaltige Proben bestehen muß.

Im Regent-Park einem der schönsten Londons, stieg ich von der Stage und nahm meinen Weg nach der City. Vor etwa 8 Jahren waren hier noch Felder. Man hat keinen Begriff von dem Zuwachs Londons in den letzten Jahrzehnden, der nicht im mindesten sein Ziel erreicht hat, wenn er auch etwas durch die letzte Unglückszeit im Handel gestört wurde. Die Stadt hätte sich nicht in so kurzer Zeit so über alle Begriffe schnell ausdehnen und verschönern können — was man nicht anschaulicher als beim Vergleich eines alten Plans von London mit einem neuen sehen kann — wenn man nicht die leichte und sehr schnelle Bauart der Häuser angenommen hätte. Die Brandmauern der kleinen Häuser — denn eine Familie bewohnt nur immer ein Haus — ist oft nur einen halben Stein dick, und die Fußboden sind überaus dünn, so daß ich bei starkem Auftreten oft an die türkischen Häuser erinnert werde, wo man starke Fußtritte durchs ganze Haus, hören kann. Ganze Reihen von diesen Häusern, ja ganze Stadttheile wachsen wie Pilze aus der Erde. Manches Haus ist in zwei Monaten aufgeführt: 99 Jahre hat es nur zu stehen; denn auf länger wird der Grund und Boden nicht verkauft. Man baut sehr bequem und *comfortable* (auf Bequemlichkeit), aber von Außen sehr geschmacklos. Die neuen Kirchen, deren auch eine Unzahl aus der Erde wächst, sind alle geschmacklos, manche bis zum Albernen häßlich. Man freut sich, wenn man sie ansieht, daß auch sie nicht auf Jahrhunderte gebaut wurden.

Als ich so meines Weges fortzog, fand ich in einer Straße das Pflaster aufgerissen, und hatte wieder Gelegenheit die vielen Röhren, die sich unter London kreuzen, zu bewundern. London ist über der Erde eine weite Stadt, aber unter der Erde eine große. Ich kenne Roms Aquaducte und den bewundernswürdigen Haushalt des Wassers dabei; aber gegen London ist dies nichts. Unter den Straßen laufen hier die Unrathskanäle, die Trinkwasserröhren, die in jedes Haus Wasser leiten, die andern Wasserröhren, die Gasröhren und die Röhren, welche das überflüssige Wasser wieder abführen, alle von Eisen. Ist eine zerbrochen, werden sogleich (in den lebhaftesten Straßen in der Nacht) eine Menge Arbeiter angestellt, die in kurzer Zeit dem Schaden abhelfen. Eben so pflastert man die belebtesten Straßen durch eine große Menge Arbeiter des Nachts, so daß nie die tägliche Passage gestört wird.

So ist London, obschon der bevölkertste Platz Europa's, doch der reinlichste, wenn wir von einigen holländischen Marzepanstädtchen nicht reden. Es geht sich in seinen Straßen schöner, als irgendwo, denn erstens hat man durch die ganze Stadt die besten Fußsteige von Steinplatten, und im Winter sind immer viele Hände in Bewegung den Koth wegzukehren, so wie im trocknen Sommer in allen Straßen Spritzen fahren, um die Fahrwege zu wässern. — Die Spritzen empfangen ihr Wasser aus den Röhren, die auch bei Feuersgefahr geöffnet werden.

Fortsetzung folgt.

(Redigirt von Dr. Fr. Förster und W. Häring (W. Alexis.)

Im Verlage der Schlesingerschen Buch- und Musikhandlung, in Berlin unter den Linden Nr. 34.

Berliner
Conversations-Blatt
für
Poesie, Literatur und Kritik.

Sonnabend, — Nro. 40. — den 24. Februar 1827.

Tieck's dramaturgische Blätter.
Erster Artikel.
(Beschluß.)

Es läßt sich nicht läugnen, daß unser Autor zur zweiten Klasse von Kritikern, zu den Reflexionskritikern gehört, die wir von den philosophischen unterschieden haben. Er will seine reichen Erfahrungen über das Theater, seine Bemerkungen, Meinungen und Einsichten, die er während eines ganzen tüchtigen Lebens gesammelt, mittheilen, und wenn irgend Jemand ein Recht dazu hat, so ist es sicherlich der Verfasser. Seine Bekanntschaft mit dem Technischen des Theaterwesens, sein Studium mancher Dichterwerke, verbunden mit eignem dichterischen Geiste, mit leichter, anmuthiger Erzählungsweise, und mit der Gabe selbst dem Unbedeutendsten irgend einen Reiz der Form abzugewinnen, bürgen dem Leser für eine unterhaltende Lectüre, und diese Bürgschaft hat nicht nöthig weiter in Anspruch genommen zu werden: so sehr kommt der Verfasser darin seinen Verpflichtungen nach. Hätten wir also bloß von dem angenehmen Eindruck zú sprechen, den das Buch nach der Seite hin macht, so wäre diese Kritik mit dem eben abgelegten Zugeständniß so gut wie beendigt. Aber der Verfasser, wie subjectiv und reflectirend er auch sey, wie sehr er auch Alles in Form von nebeneinanderstehenden Einfällen giebt, hat, wie dies zu seiner Ehre sich von selbst versteht, ein ganz Allgemeines, das durch diese Reflexionen bricht und stets wiederkehrt. Dieses Allgemeine ist alsdann, daß das Subjective und die Reflexion hier nicht bloß als naive harm- und schuldlose Bemerkung auftreten, sondern selbst der eigentliche Kern des Kunstwerks sind. — Die Subjectivität ist auf den Thron gesetzt und regiert. Welche Achtung der Verfasser auch vor der Kunst hat, sie ist immer nur eine Lehnträgerin seiner Reflexionen. Er will, daß die Kunst hohe, große Leidenschaften hervorbringe, daß sie erfreue, entzücke, reinige: er haßt alles Schlechte, Gemeine, Niedrige, und eben der Unmuth über diesen dramatischen Zustand, der der jetzige ist, hat die dramaturgischen Blätter hervorgerufen. - Die Kunst hat diesen Zweck, dies im Individuum zu bewirken; dieser Zweck ist also ihr Höheres, nach dem sie gemessen wird. Das Kunstwerk wird demnach nicht bloß von unserem Verfasser zufällig, und weil er nicht anders kann mit Reflexionen, Bemerkungen und Einfällen betrachtet, sondern es ist sein Wesen und sein Werth, diese Reflexionen, Bemerkungen und Einfälle an sich selbst zu haben. Es ist hierbei ganz zufällig, und gehört der schätzenswerthen Persönlichkeit unseres Verfassers allein zu, daß er seine Liebe großen Kunstwerken, Dichtern und Darstellern zugewandt, da er ohnehin, was an diesen Kunstwerken und Dichtern sie selbst sind, nicht betrachtet, sondern was er daran Ausgezeichnetes, Schönes und Vortreffliches gefunden hat. Es ist daher im Grunde consequent, obgleich unser Verfasser sich sicherlich dagegen als etwas Schlechtes sperrt, was wiederum seiner schätzenswerthen Persönlichkeit zu Gute kommt, daß andere Dichter diese Ansicht zu ihrer Spitze getrieben, und dem Kunstwerk alles Interesse genommen haben, um dieses Interesse ins betrachtende Publicum zu verlegen. Der Gegenstand des Kunstwerkes ist somit der, daß das Kunstwerk an sich gar keinen Inhalt hat, daß das Publicum aber meint, es habe einen Inhalt, welches Meinen aldann zum Inhalte des Stückes wird. Die Catastrophe ist dann die, daß das Publicum sieht, das Meinen sey ein bloßes Meinen geblieben, und sich als der gefoppte Theil zurückzieht, zugleich mit der Anforderung, es solle sich daran ergötzen, daß es gefoppt sey. So wenig sicherlich unser Verfasser hiemit einverstanden seyn kann, so wenig läßt sich läugnen, daß die Weise das Kunstwerk zu subjectiven Reflexionen herabzusetzen, dazu nothwendig führt das Publicum mitspielen zu lassen, es mit dem Gegenstand zu verweben, und so endlich das Publicum zum Gegenstand des Stücks zu machen, wobei denn freilich, weil für ein Publicum gar kein andrer Ausgang da ist, nichts Anderes übrig bleibt, als daß es gefoppt wird. Wenn dies einerseits die falsche Ironie zum poetischen Hebel macht, so läßt andrerseits diese Reflexionskritik häufig, indem sie gar streng gegen das Schlechte, Gemeine und Niedrige auftritt, eben so, wenn sie gerade in der Stimmung ist, eine Art von billiger Gesinnung für dasselbe durchblicken, und weil es dasselbe nicht aus dem Standpunkt seiner Nichtigkeit, sondern vielmehr aus dem der Unzufriedenheit und des Nichtwohlgefallens betrachtet, so kann es wohl kommen, daß irgend ein Darsteller mit dem Schlechtesten versöhnt, daß man auch Mittelmäßiges der Beachtung empfiehlt, daß endlich irgend ein geheimer Zug einer angetroffenen Uebereinstimmung ganz Untergeordnetes anpreisen lassen. Es begiebt sich daher häufig in dem vorliegenden Buche, daß während der Verfasser oft die Grausamkeit hat, bei irgend einem mangelhaften Stücke den großen Britten zum strafenden Corrector herbeizurufen, und zu zeigen, wie der wohl so etwas behandelt hätte, er oft dagegen bei anderen Stücken den großen Britten zu Hause läßt, und nun der Maaßstab ein durchaus anderer, milderer, vielleicht eben deswegen ungerechterer wird. Diese Billigkeit hat in der subjectiven Weise der Kritik ihre Begründung und ihre Rechtfertigung. Man kann nicht verlangen, daß jeder zu jeder Zeit gegen das Schlechte gleich gerüstet und aufgebracht sey.

Will man aber das, was dieser Critik empirischer Weise zu Grunde liegt angeben, so darf man mit Gewißheit sagen, die vorliegenden Dramaturgischen Blätter, seyen einer keuschen und monogamischen Ehe entsprungen, nämlich der Ehe eines Seufzers und einer Bewunderung. Es ist der Seufzer über die große Zeit einer entschwundenen Bühne, welcher sich mit der Bewunderung eines einzigen ungeheuren alles absorbirenden Dichters vermählt hat: Durch alle Gesichtszüge dieser dramaturgischen Blätter zieht die Erinnerung an diese Urheber, und mitten in der ruhigen Betrachtung irgend eines Gegenstandes begiebt es sich daß oft elegischer Weise, der große Schmerz die Betrachtung übertrifft, und nun selbständig für sich fortgeht. Es ist die geheime Sehnsucht die alle Theile des Buches durchzieht und ihnen ihr Lebensprinzip ertheilt: So schätzbar nun sicherlich die Verehrung von Shakespeare wäre, und so ehrend diese Wahl für unsern Verfasser ist, so werden doch am Ende diese Anklänge, weil sie beständig wiederkommen, sich nicht in zu entfernten Zwischenräumen wiederholen, und oft da das Wort nehmen, wo etwas Anderes sprechen will, ermüdend. Andrerseits könnte sich Schakespeare selbst darüben beklagen, daß ihm dadurch, daß er überall herumgeführt und gezeigt werde, sein Recht auf keine Weise wiederfahre, etwa wie die Chinesen keine Familie haben, weil die Familie alles ist; oder die Indier keine Religion, weil Alles bei ihnen religiös wird. Der geistreiche Verfasser scheint dieses Unrecht noch dadurch selbst vermehren zu wollen, daß die ehrenden Epitheta, die er seinem Protopoeten ertheilt, grade solche sind die nicht blos zweideutig ausgelegt werden können, sondern vielmehr statt ehrenvoll zu seyn, den umgekehrten Charakter tragen möchten. Wo Herr Tieck von Shakespeare spricht und ihn völlig auszuloben die Absicht hat, nennt er ihn den unergründlichen, unermeßlichen, unbegreiflichen Dichter. Wir wissen, daß dies nur zu Shakespeares Ehren gesagt ist, aber dann macht Herr Tiek sich selbst ein schlechtes Compliment, denn wäre Shakespeare ein unergründbarer, unbegreifbarer Dichter, so würde dies eben der größte Tadel seyn, der dann mit der Tiekschen Verehrung in gradem Widerspruch stände: ist er aber bloß unergründlich, unbegreiflich, d. h. von Herrn Tiek unergründet und unbegriffen, so würde denn das zu verwundern seyn, wie so Herr Tiek überhaupt dazu kommt, von ihm zu sprechen. Wir wissen allerdings, daß es der Schule unseres Verfassers namentlich zugehört, von dem Vortrefflichen unter dieser Gestalt zu sprechen, daß es etwas Unbegreifliches sey; haben ja christliche Theologen Gott zu ehren geglaubt, wenn sie ihn den Unbegreiflichen nannten. Unser Verfasser würde gewiß Shakspeare zu beschimpfen glauben, wenn er ihn den Unverständlichen nannte: warum das nun: ein Unergründlicher ein Unbegreiflicher zu seyn, eine größere Ehre ist, können wir nicht einsehen. Aber der Verfasser meint es so schlimm nicht. Wenn er Shakespeares den Unergründlichen, den Unbegreiflichen nennt, so heißt das nur: man kann kaum begreifen, wie jemand ein so großer Dichter seyn kann.

Eben so ermüdend wie die Bewunderung, ist aber häufig der Seufzer. Es ist allerdings kaum daran zu zweifeln, daß die dahingegangene Bühne, sowohl im Einzelnen als im Ganzen Ausgezeichneteres darbot, als die heutige. Fleck, Schröder, Brockmann, Reineke und Eckhof haben ihre Namen erhalten, was den Jüngeren um so trauriger ist, als zugleich Nichts außer diesen Namen übrig blieb. Es ist daher gewiß höchst verdienstlich, und kann nur mit äußerster Dankbarkeit gegen unseren Verfasser aufgenommen werden, wenn er Züge aus dem Spiele dieser großen Künstler, in seinem bewundernswürdig frischen Gedächtniß erhalten hat, und so gut ist, sie mitzutheilen. Dies geschieht einmal sehr gut in Beziehung auf Fleck im Wallenstein. Freilich entbehrt man hier immer die Anschauung, d. h. die eigentlich interessante Seite der Sache, aber es ist alles gethan, damit der Leser wenigstens ein Nachbild erhalte. Kommen aber solche Erinnerungen an die große vorübergegangene Zeit jeden Augenblick wieder vor, kommen sie mehr in Gestalt von Klagen und sonstiger Unzufriedenheit, als wirklich positiver und belehrender Anleitung vor, treten sie etwa in dieser Form auf, daß ohne in die Richtigkeit oder Unrichtigkeit einer heutigen Leistung einzugehen, der dahingegangene Künstler, und das bloß mit seinem Namen, wie ein Gespenst citirt wird, vor dem der Gegenwärtige erbleichen muß, so scheint diese Vorliebe, so begründet sie auch seyn mag, zu sehr mit dem gewöhnlichen Ausspruch und dem Verfahren alter Leute übereinzustimmen, in deren Zeit Alles besser gewesen ist, daß nicht auch das Wahre diesem Mißverständniß unterworfen seyn sollte. Besser wäre es zu zeigen, wie so die Schauspielkunst herabgekommen ist, oder vielmehr, was an den heutigen Leistungen, das Andere ist, worin sie sich unterscheiden u. s. w. Denn daß dafür innere Gründe sind, wird der Verfasser nicht läugnen; diese Gründe wurzeln tief in unserem ungleich fortgeschrittenem Zustande. Die bloße Anführung, Reineke, Schröder und Fleck wären ganz anders gewesen, kann auch nicht den geringsten Nutzen herbeiführen, indem die jungen Schauspieler durchaus nicht einsehen lernen, wie Schröder, Fleck und Reineke gewesen sind. Es kann nur unangenehm wirken, wenn an etwas erinnert wird, und diese Erinnerung nicht zugleich eine inhaltsvolle Erinnerung ist.

Nachdem so im Allgemeinen über das Buch, das uns vorliegt gesprochen worden, ist es billig in die Besonderheit seines Inhalts einzugehen, wobei denn wiederum Manches ausgeschieden werden muß, was unmöglich Gegenstand einer Kritik seyn kann. So hat der Verfasser mit sonst sehr geistreichen treffenden und wie überall ausgezeichnet geschriebenen Bemerkungen über Stücke sich vernehmen lassen, die auf keine Weise verdienten, von einem solchen Autor genannt, geschweige denn kritisirt zu werden. Was sollen wir uns weiter darüber auslassen, wenn der Verfasser den Wollmarkt besucht, den Empfelungsbief des Herrn Töpfer annimmt, gegen die Pilgerinnen der Frau von Weißenthurn galant ist, oder sonst vorübergehende und von selbst ausgehende Theaterwaaren beurtheilt. Eben so wenig können wir über Darstellungen ausübender Künstler sprechen, die wir nicht mit angesehen haben, und die uns so interesselos vorkommen, daß wir den Autor kaum begreifen, daß er einem größeren Publicum in Form eines Buchs so etwas mitgetheilt hat. Dergleichen gehört allerdings in Tageblätter hinein, namentlich in Tageblätter des Orts, wo so etwas geschieht. Welches weitere Interesse soll es aber haben, wenn man weiß, wie Herr Berdy oder Madame Schirmer in irgend einem unbedeutenden Stücke ihre Rollen genommen haben haden. Der Verfasser hätte diese Bemerkungen, und sie nehmen fast den größten Theil des Buchs weg, nicht in das Buch aus den Tageblättern mit übertragen lassen sollen.

Wir wollen uns lieber die Freude gönnen dem Verfasser da entgegen zu treten, wo er auf seinem Boden ist, nämlich bei Gelegenheit der Beurtheilung Shakespearscher und Schillerscher Stücke, oder andrer Meisterwerke. Wenigstens steht hier den Bemerkungen des Verfassers ein Gehalt gegenüber auf dem wir festen Fuß fassen können.

G — s.

Aus Jean Pauls Zimmer in Baireuth.

VI.

An *** Baireuth im October 1826.

Die Tage sind zu kurz und meine Zeit zu gemessen, um weitere Partien in das Fichtelgebirge zu unternehmen; wir beschränken uns daher auf die nächste Umgegend und so haben wir gestern „Fantaisie besucht.

Auch in diese Gegend hat, wie sie wissen, Jean Paul einige schöne Scenen verlegt; zunächst ist mir die Begegnung Firmians mit Natalien gegenwärtig und wir stiegen zu dem ausgetrockneten Bassin der versteinerten Flußgötter hinab, aus welchem sich Leibgeber mit einer Flasche Rheinwein als belebter Triton erhob. „Da lag der Mond plötzlich mit seinen ersten Streif wie mit einem Schwanenflügel auf dem fernen Gebirge. — Welche flimmernde Welt! durch Zweige und durch Quellen und über Berge und über Wälder flogen blitzend die zerschmolznen Silberadern, die der Mond aus den Nachtschlacken ausgeschieden hatte und der Silberblick flog über die zersprungene Woge und über das rege, glatte Apfelblatt und legte sich fest um glatte Marmorsäulen an und an gleissende Birkenstämme! Firmian und Natalie standen still, und schauten nach dem Sophienberg, dessen Gipfel die Last der Zeit breit drückte und auf dem statt der Alpenspitze der Koloß eines Nebels aufstand und sie blickten über die blaßgrüne, unter den fernern, stillen Sonnen schlummernde Welt, und an den Silberstaub der Sterne, der vor dem herausrollenden Mond weit weg in ferne Tiefen versprang. — Sie kamen jetzt an einer vom breiten Wasserfall des Mondlichtes überkleideten Felsenwand herunter, an die sich ein Rosen-Spalier andrückte.“ ....

— Von der Eremitage schickte ich Ihnen eine in dem Goldschimmer der Abendsonne glänzende Landschaft; die schönste Mondschein Landschaft, die jemals gemalt wurde, liegt so eben von der Fantaisie vor Ihnen, und auch hier werden Sie dem Dichter den Preis vor jedem Maler zu erkennen. Mit welchem unendlich feinfühlendem Sinne hat Jean Paul die Natur belauscht! wie weiß er den flüchtigen Zauber der bewegten Erscheinungen in sein Bild aufzunehmen, nichts entgeht ihm von „dem Silberblick, der über das rege, glatte Apfelblatt fliegt, bis zu dem Koloß eines Nebels, der auf dem von der Last der Zeit breitgedrücktem Bergesgipfel statt der Alpenspitze aufstand.“ Und welcher Maler hat je sich vermessen, „eine vom breiten Wasserfall des Mondlichtes überkleidete Felsenwand“ zu malen? und — selbst wenn er ein Rüysdal war — gelang es ihm wohl so, wie unserem Dichter? Was aber vornehmlich den Landschaften Jean Pauls die Bedeutung und Weihe giebt, ist die Staffage, die bei den Malern gewöhnlich die schwächste Partie ist, wenn sie nicht so klug waren und sich, wie Berghem auf das liebe Vieh beschränkten. Poussin, Claude Lorrain und Vernet haben es vorgezogen, Scenen aus der Mythologie: Argus und Jo, Dido, Ariadne u. s. w. in ihre Landschaften aufzunehmen, allein dergleichen Vorstellungen haben immer etwas Verunglücktes; es nimmt sich ungeschickt aus, wenn man Helden und Götter verurtheilt sieht, da, wo die untergehende Sonne, Wasserfälle, Baumschlag und Luftperspective, die Hauptrollen spielen, als bloße Statisten zu dienen und noch dazu in sonst höchst interessanten Situationen, die jedoch auf keine Weise in Beziehung zu der sie umgebenden Natur stehn. — Wie ganz anders ist dagegen das Verhältniß, in dem wir die Personen in einer Landschaft Jean Pauls zu der sie umgebenden Natur finden! Hier erscheint die Natur sogleich als das Untergeordnete, als die Melodie, die für sich nur ein unbestimmtes Tönen ist, die aber in dem Liede, an welches sie sich angeschlossen, ihre Bedeutung und ihren Halt hat. In dem leisesten Pulsschlag unsers Herzens ist mehr Leben, als in dem furchtbar brausenden Wasserfall und so bringen die wildesten Stürme des Gewitterhimmels die Stimme der Menschenbrust nicht zum Schweigen.

Berliner Chronik.

Königstädter Theater. Donnerstag den 22. Febr. zum ersten Mal: Roderich und Kunigunde, oder der Eremit vom Berge Prazzo, oder die Windmühle auf der Westseite, oder die lang verfolgte und zuletzt doch triumphirende Unschuld. Ein dramatischer, melodramatischer Galimathias, als Parodie aller Rettungsstücke und aller gewöhnlichen Theatercoups mit beliebten Musitstücken versehn; in 2 Akten von Castelli. — Hr. Castelli, der in allen Zeitungen seine verdeutschte Pariser Waare ausbietet, will uns jetzt eine Parodie seiner eignen Sünden geben; allein es geht ihm wie Münchhausen, der in dem Sumpfe steckt und sich an seinem eignen Haar herausziehen will. Herr Castelli will die melodramatischen Räuber- und Rettungsstücke persifliren und giebt uns ebenfalls ein dergleichen, nur daß die Schauspieler dabei angewiesen sind, Alles zu übertreiben. Der Dichter hätte sich die Mühe seiner Arbeit, und die Direction etwaniges Honorar sparen können; sie durfte nur irgend ein Kotzebusches Trauerspiel oder auch bessere Arbeiten (z. B. die Tochter der Luft), in welchen recht aufgeblasener Pathos vorkömmt, auf solche übertriebene Weise spielen lassen, so hätte sie dasselbe und das Publikum mehr, nämlich weniger Langeweile gehabt. So hat Hr. Castelli vom ersten besten Puppentheater das Sujet genommen und läßt nun auch die Schauspieler wie Puppen spielen; aber Kasperle, der die Seele solcher Spiele ist, fehlt. Die Hauptaufgabe des Dichters war: dem melodramatischen Unwesen den Krieg anzukündigen, dessen Wesen darin besteht, daß die Rede der Dichtung so arm geworden ist, daß sie zu ihrem Halt die Musik herbeiruft, die, wo die Sprache nicht fortkann, aushelfen soll. Hr. Castelli hat sich aber wohl gehütet, auch die Musik zu travestiren und etwa Musikanten mit blinden Instrumenten hinzustellen. Im Gegentheil — und dies ist seine Perfidie — er hat die schönsten und passendsten Musikstücke aus Mozart, Gluck 2c. ausgewählt und weiß recht gut, daß wenn er diese Musik nicht hätte, sein Galimathias nicht auszuhalten wär. — Die Melodramen zu Grunde zu richten ohne Musik, *that is the question!* Herr Castelli hat nach dem bedenklichsten Mittel gegriffen, dem Publikum den guten Geschmack wieder zu verschaffen, nach einem Brechmittel; allein die Dosis ist nicht stark genug, es wird uns nur übel dabei. —

(Redigirt von Dr. Fr. Förster und W. Häring (W. Alexis.)

Im Verlage der Schlesingerschen Buch- und Musikhandlung, in Berlin unter den Linden Nr. 34.

Berliner
Conversations-Blatt
für
Poesie, Literatur und Kritik.

Montag, — Nro. 41. — den 26. Februar 1827.

Die Hochzeit in Baireuth.
Lustspiel in zwei Abtheilungen.

Personen:

Der Armen Advokat Siebenkäs.	Albano, Linda	aus dem Titan.
Lenette, seine Frau.		
Fibel aus Bienenroda.	Gustav, Beata	aus der unsichtbaren Loge.
Drotta, seine Frau.		
Bibliothekarius Schoppe.	Viktor, Klotilde	aus dem Hesperus.
Quintus Fixlein.		
Dahore.	Hesperus.	

Die erste Abtheilung spielt in Kuhschnappel; die zweite in Jean Pauls Wohnung in Baireuth. *)

Erste Abtheilung.

(Zimmer des Armen-Advokaten Siebenkäs in dem Reichsmarktflecken Kuhschnappel.)

Siebenkäs (mit einem Aushängeschilde in der Hand.)

Mein Schild ist fertig und wird nun ausgehängt;
Das ist der Lockvogel, mit dem man die Leute fängt.
S'ist deutlich zu lesen, so recht fürs Publikum,
Nun merken sie doch gleich wie? und warum?

(liest.)

„Allhier kann man in allen Fällen
„Für Civil und Militair Gedichte bestellen;
„Reelle Bedienung jedem Wunsche gemäs.
„Der weiland Armen-Advokat Siebenkäs."
Kein Fürst führt solch ein Schild und Wappen,
Wie sollen mir da die Kuhschnappler zuschnappen!
Aber jetzt will ich nur gleich niedersitzen
Und Gedanken und Reime in Vorrath schwitzen.

(schreibt und sieht sich öfter nach der Kammerthüre um.)

Wie das schon wieder rumort und fegt
Und mit dem Besen an die Thüre schlägt.
— Da polirt sie schon wieder am grünen Bette,
Nein, s'ist nicht auszuhalten. — Lenette! Lenette!

(Lenette tritt ein mit Kehr- und Borstbesen.)

Siebenkäs.

Aber Lenette, ich bitt dich um Gotteswillen!
Lieber hört' ich Hyänen und Löwen brüllen;
Dein Besen ist mir ein borstiges Ungeheuer,
Dein Kehren und Fegen ein wahres Fegefeuer.

Lenette.

Es muß doch Ordnung in der Wirthschaft seyn,
Und noch dazu kehr' ich so subtil und so fein.

Siebenkäs.

Ich sage dir, du mußt das Kartätschen lassen,
Ich kann ja keinen vernünftigen Gedanken fassen.
Hast du denn kein Mitleid, kein Gefühl?

Lenette.

Sei nur gut, ich bin schon mäuschenstill. (ab)

Siebenkäs.

Gefaßt muß ich sein auf alle Fälle,
In meiner Fabrik geht's nach der Elle,
Jeder will was haben für's Wochenblättchen,
Das ist just mein Vortheil in dem Städtchen.
Aber von allen Artikeln und Waaren

---

*) So bedenklich es auch ist, Gelegenheits-Gedichte, selbst wenn sie in dem kleinen Kreise, in dem sie entstanden, eine günstige Aufnahme fanden, dem größern Publikum mitzutheilen, so haben wir bei diesem Gedichte dennoch eine Ausnahme gemacht, weil einmal die Theilnahme an dem Feste sich nicht blos auf die dabei unmittelbar Gegenwärtigen beschränkte, und weil auch das Gedicht, als eine Gedächtnißfeier Jean Pauls eine allgemeinere Bedeutung hat. Bekanntschaft mit dem Personale der J. Paulschen Romane wird allerdings vorausgesetzt. Mehrere persönliche Beziehungen sind weggeblieben. D. R.

Hoff' ich mit Hochzeitgedichten am besten zu fahren,
Drum will ich ohne Zeit zu verlieren,
Sofort hochzeitlich phantasiren.
(schreibt und sieht sich zuweilen nach der Kammerthür um.)
Wird Lenette das Fegen wohl lassen können?
Wird sie mir und dem Borstwisch Ruhe gönnen? —
Beinah fängt mich's an zu incommodiren,
Daß ich sie gar nicht mehr höre fegen und handiren.
'S ist fatal, ich war's schon halb gewohnt,
Daß sie ohn' Aufhören biegelt und bohnt. —
(schleicht auf den Zehen zur Kammerthür.)
Diese Todtenstille in der Kammer, bei dem Bette,
'S ist zum Rasendwerden, Lenette! Lenette!

Lenette.

Aber, Siebenkäs, bist du recht bei Trost,
Was schreist du denn, was bist du so erboßt?
Was denkt sich die alte Sabel unten im Haus?

Siebenkäs.

Bei der alten Sabel und allen Heil'gen, ich halt's nicht aus,
Dein verdammtes Stillsein — ich kann's nicht lassen,
Ich muß dasitzen und passen und passen
Und wie ein Mäuschen horchen und hören,
Ob du nicht wieder anfängst zu striegeln und zu kehren.

Lenette.

Ich mag es doch machen, wie ich will,
Dir ist's nicht recht; denn bin ich still,
Dann willst du haben ich soll rumoren,
Und streu ich nur Sand, gleich fährt dir's in die Ohren.
Mit dir da hat man wirklich seine Plage.

Siebenkäs.

Das ist's eben, worüber ich mein Lamento aufschlage!
Aber sei gut, Lenette, setz dich her zu mir,
Und willst du lärmen, hier ist das Clavier,
Sing mir ein Liedchen, spiel mir was vor,
Das ist der einzig vernünftige Rumor.

Lenette (singt).

Tief im Waldesgrunde,
Wo der Giesbach rauscht,
Hab zur schönen Stunde
Ich ein Paar belauscht.

Durch die grünen Maien
Ging es Hand in Hand,
Bis man dann im Freien
Still ein Plätzchen fand.

Und er zog sie nieder
Auf die Bank von Stein;
Vöglein sangen Lieder
In dem dunklen Hain.

Und er bat bescheiden:
Emma sei mir gut,
Ihm zu widersprechen
Hatte sie nicht Muth.

Und zur Antwort gab sie
Treuen Augengruß,
Mit verwegnen Lippen,
Ach! den ersten Kuß.

Und kein stummes Wörtchen
Wurde weiter laut;
Ja, die werden, dacht ich
Bräutigam und Braut.

Und es konnt' nicht fehlen,
Ja, ich wüßte viel,
Dürft' ich's euch erzählen,
Doch ich schweige still.

Lenette.

Nun, Alterchen, hast du auch zugehört?

Siebenkäs.

Sing immer zu, das hat mich nicht gestört;
Diese vier Wände sind mein Alpenthal
Und du mein Stieglitz, meine Nachtigall.

Lenette.

Deine Singevögel in allen Ehren,
Ich möcht's halt lieber in der Küche schreien hören.

Siebenkäs.

Was meinst du?

Lenette.

'S wär wider Gewissen und Pflicht,
Den Martinstag ohne Gans, ich überlebt es nicht.

Siebenkäs.

Ist dir an Gänsebraten so sehr gelegen?

Lenette.

Ach nein, 's ist nur des Geredes wegen.
Morgen keine Gans, 's wär unerhört,
Grad' als ob zu Weihnacht der heil'ge Christ nicht bescheert.

Siebenkäs.

Das fette Fleisch verdirbt uns nur den Magen.

Lenette.

Und die Bratenschüssel hat die alte Sabel auch fortgetragen;
Du lieber Gott! mein schönes Zinn!
Das ist nun alles zum Juden hin!

Siebenkäs.

'S wird schon wiederkommen, sei ohne Sorgen,
Kömmst du heut nicht, heißt es, kömmst du morgen.
Und hättst du nur das Scheuern lassen sein,
Wir hätten morgen eine Schüssel und die Gans obendrein.

Lenette.

Gebratne Gänse kommen nicht aus der Luft geflogen.

Siebenkäs.

Hier hatt' ich sie schon halb auf diesen Bogen.
Das schönste Hochzeitgedicht war angelegt,
Da hast du mir alles hinausgefegt.
Nun hör' nur wie ich mir's ausgedacht
Und meine Rechnung nicht ohne den Wirth gemacht:
Vor meinem Fenster hab ich ein Schild ausgehangen,
Darauf steht: hier kann man nach Verlangen
Alle Sorten Gedichte und so weiter;
Liebes Lenettchen, sei gut, sei heiter,
Es fehlt ja nicht an Kindtaufen und Heirathen,
Ich mache Verse. —

Lenette.

Und wir essen Gänsebraten.

Siebenkäs.

Hörst du, da kömmt was, das wird schon Einer sein,

Lenette.

Wer denn? ein Gänsebraten?

Es klopft.

Siebenkäs.

Herein! herein!

Fibel mit Abcbuch und Vogelbauer. Drotta.

Bin ich hier wohl recht bei Herrn Siebenkäsen?
Ich hab' da so ein Schild gelesen,
Und da hätt' ich mir gern, wenns ihnen gefällt,
Etwas Gutes noch zur Hochzeit bestellt.

Siebenkäs.

Denkt ihr denn noch an's Hochzeitmachen?

Fibel.

Verzeihn Sie, 's ist nicht in meinen eignen Sachen.

Siebenkäs.

Und wer seid ihr?

Fibel.

Nehmen sie's schon nit übel,
Ich bin der alte Bienenroder Fibel.

Drotta.

Und ich bin ja die Drotta aus dem Försterhaus
Und möchte gern auch mit zum Hochzeitschmaus.

Fibel.

Wir bitten gar schön um ein Hochzeitgedicht.

Siebenkäs.

Das braucht ihr nicht, ihr altes, ehrliches Gesicht,
Ihr dürft nur den goldnen ABC-Hahn bringen,
Ihr laßt eure Drosseln und Finken singen,
Und eure Wachteln und Amseln schlagen,
Da wird niemand nach Hochzeitgedichten fragen.

Fibel.

Wir hätten doch gern was Apartes vorgestellt.

Siebenkäs.

Nun denn in Gottes Namen, wie's Euch gefällt;
Doch bitt' ich mir über das Hochzeithaus
Vorerst noch nähere Kundschaft aus.

Fibel.

Der Polterabend ist freilich schon heut
Und die Hochzeit morgen in Baireuth.

Man hört kommen.

Siebenkäs.

Da hör' ich schon wieder Leute kommen.

Lenette.

Immer herein, sein sie schön willkommen.

(Quintus Fixlein und Schoppe becomplimentiren sich eintretend.)

Fixlein.

Bitte gehorsamst voran zu spaziren.

Schoppe.

Nur zu, nur zu! wollen nicht lange complimentiren.

Fixlein.

Dürft' ich bitten mir dero Namen zu nennen?

Schoppe.

Ist mir doch ganz als sollten wir uns kennen,
Ja so wahr ich lebe, meiner Sixlein,
Sind sie nicht —

Fixlein.

Der Subrector Fixlein!
Und Sie? ich fliege in ihre Arme im Galoppe,
Sie sind —

Schoppe.

Der Bibliothekarius Schoppe.

Fixlein.

Mein Seelenbruder!

Schoppe.

Mein Herzensfreund!

Siebenkäs.

Welche großen Geister find' ich bei mir vereint?
Womit kann ich dienen, helfen, oder rathen?

Lenette.

Ach Gott! die bringen alle keinen Gänsebraten!

Fibel.

Sie vergessen doch nicht, die Hochzeit ist in Baireuth.

Fixlein.

Dahin wollen wir auch und zwar noch heut.

Siebenkäs.

Noch heut?

Schoppe.

Ja ja, mein werther *Septem Caseus*,
Die Hochzeit in Baireuth ist just mein Casus.
Und du mein ehrlicher poet'scher Armen-Advokat,
Sollst uns aushelfen mit allerlei Rath und That.

Fixlein.
So was von Comödie oder ein Hochzeit Carmen.
Fibel.
Bitt' gar schön, haben sie mit mir Erbarmen.
Siebenkäs.
Um des Himmelswillen, laßt mir nur Zeit.
Alle.
Nein nein, wir wollen zur Hochzeit nach Baireuth.
Man kömmt.
Siebenkäs.
Ach Gott! ich höre schon wieder kommen,
Hätt ich nur das Schild gleich wieder abgenommen.
Dahore. Gustav und Beate. Albano und Linda, Victor und Klotilde treten ein.
Dahore.
Wohnt hier der würd'ge Dichter Siebenkäs.
Siebenkäs.
Vor ihnen steht er, ein vertrocknetes Gefäß.
Dahore.
Sie kennen mich, Dahore ist mein Namen
Und sie errathen wohl, weshalb wir kamen.
Drei Liebespaare führ' ich ihnen zu.
Die guten Kinder lassen ihnen keine Ruh,
Sie wollen gern zur Hochzeit nach Baireuth
Und bitten um poetisches Geleit.
Siebenkäs.
Du mein Gott! will denn ganz Baireuth heurathen?
Lenette.
Sei still, die seh'n ganz aus wie Gänsebraten.
Gustav.
Es leben dort uns treuverwandte Seelen,
Da dürfen wir nicht bei der Hochzeit fehlen.
Victor.
Ein Liebespaar, wie wir, erwartet unsern Gruß.
Der diesmal ganz poetisch werden muß.
Albano.
Wir sahn ihr Schild, da säumten wir nicht lang,
Nun ist mir um das Hochzeitlied nicht bang.
Siebenkäs.
Mir aber wird nun bang und immer bänger,
Im Kopf und Zimmer wird es eng und enger
Und heut noch nach Baireuth? O weh mir armen Dichter!
Wer ist denn dort die Braut?
Beata.
Ei, unsre Emma Richter!
Die lange Zeit so spröd und trotzig that,
Der geht's nun auch, wie's uns gegangen hat.
Linda.
Nun, sie verlassen uns doch diesmal nicht?
Siebenkäs.
Ach Gott! da brauch ich selber ein Gedicht.
Beate.
Der Worte, der bedarf es da nicht viel,
Es spricht das Herz, das innigste Gefühl.
Linda.
Gewiß, wir dürfen nur erscheinen,
Sie weiß es gleich, wie redlich wir es meinen.
Albano.
Wer aber weiß den Weg dahin zu finden?
Gustav.
Man muß sich durch Gebirg und Wälder winden.
Schoppe.
Ach! wer doch erst nur in Gefrees
Bei Herrn Lochmüllers guten Forellen säß.
Fixlein.
Oder bei der Frau Rollwenzel in der Eremitage;
Leider hab ich zur Reise nicht viel Courage.
Linda.
Wir ziehen hin und wär es noch so fern,
Uns führt gewiß ein guter Stern.
Hesperus mit einer Fackel
Ihr rieft nach einem Stern, ich bin bereit,
Kein andrer weiß den Weg so nach Baireuth.
So folgt getrost nur meinem Schein,
Denn Hesperus wird euer Führer sein.
Alle folgen dem vorleuchtenden Hesperus.

(Beschluß folgt.)

Blicke auf die Welt.

(Von einem Diplomaten)

Ein sterbender Vater sagte zu seinem Sohn: „Wenn du Geld ausleihst, so versetze es unter die Sterne, denn du wirst es auf Erden nicht wiederseh'n." —

Vielen Menschen kostet ihre Gesundheit beinahe das Leben. —

Der Titel — *Eumenide* — (zu Deutsch: Wohlwollende) ist beinahe gleichlautend mit, „meine Gnädige," — So mag es der zitternde Orest in dem fürchterlichsten Damen-Zirkel, wohl nicht mit ihm gemeint haben. —

Wenn das Leben ein Traum ist, so ist es gewiß der des Sancho Pansa, in welchem der treue Stallmeister, von vier Hundert Mohren geprügelt wurde.

Ein Haupt-Bedürfniß einer wahren Liebe ist das, sich lächerlich zu machen. —

Seltsam, daß wir dankbarer gegen den sind, der Fürsprache einlegt, als für den, der die Wohlthat eigentlich gewährt. – Das ist die Trägheit der Dankbarkeit. Sie will nicht zwei Besuche machen. —

Zu den unvollkommensten menschlichen Tugenden gehört gewiß die Sparsamkeit. —

Es liegt tief in der menschlichen Natur zu glauben, daß der, der uns bedient, weder hört noch sieht. —

Die Römer hatten auch einen Luxus des Ruhms, der eingegangen ist. —

(Redigirt von Dr. Fr. Förster und W. Häring (W. Alexis).)

Im Verlage der Schlesingerschen Buch- und Musikhandlung, in Berlin unter den Linden Nr. 34.

Hierbei der liter. artist. musikal. Anzeiger No. 3.

Berliner
Conversations-Blatt
für
Poesie, Literatur und Kritik.

Dienstag, — Nro. 42. — den 27. Februar 1827.

Die Hochzeit in Baireuth.

Zweite Abtheilung.

Hesperus voranleuchtend; ihm folgen die Anderen.

Hesperus.

Ihr Lieben, folgt mir nach, wir sind zur Stelle,
Hier ist Baireuth und hier des Dichters Zelle,
Und die so treu und freundlich nach uns schaut,
Ist unser Liebling, ist die holde Braut.

(zur Braut)

Die mich zum Führer auserkohren,
Befreundet sind sie dir und deinem Herzen nah,
Sie sind mit dir aus einem Geist geboren,
Wie nie die Welt noch einen zweiten sah.
Ein Vater hat euch herrlich ausgestattet,
Ein Dichter hat euch hochbegabt
Mit einem Strahl des Lichts, das nie ermattet,
Woran die Welt sich ewig labt.
Und fühlt ihr heute, wie mit sanftem Regen
Ein heilger Schauer durch die Seelen geht,
Er ist uns nah, es ist des Vaters Seegen,
Der liebend, tröstend uns umweht.
So nimm denn freundlich unsre Gaben,
Geliebte, lebensfrohe Braut,
Denn was wir sind und was wir haben,
Vor andern sei es dir vertraut.

Fibel.

Soll ich denn heut den Anfang machen?
Bring eben nit viel schöne Sachen;
Wenn ich so vornehme Herrschaften seh,
Bin ich ganz schüchtern mit meinem ABC.
'S bleibt halt ein Buch, was jeder braucht
Und wohl in die neue Wirthschaft taugt.
„Kameele freilich, tragen schwere Last,
Das Kränzlein aber ziert den Hochzeitgast."

Schoppe.

Du weißt, ich konnte niemals ruhn,
Hat es immer mit dem bösen Feind, dem Ich, zu thun.
Bald sucht' ich ihn draußen, bald wieder drinnen,
Darüber kam ich endlich gar von Sinnen.
Schon manchem ging es so wie mir,
Er sucht sein Ich und findet's weder dort noch hier.
Zuletzt wird's ihm ein böser Feind,
Der ihm als Nachtgespenst erscheint;
Denn wer sein Ich nicht liebend wieder fänd,
Der hat es nimmermehr erkannt.
Wohl dir, du hast es so gefunden,
Du weißt in Liebe dich dem Liebenden verbunden.
Du gabst dein Ich zum Opfer hin,
So wurde dir ein andres Ich Gewinn,
Und dieses andre Ich ist nur das deine,
Du schaust dein Bild im Seelenwiederscheine,
Wie's kommen mag im Himmel und auf Erden,
Liebst du, — wird dir dein Ich nicht untreu werden.

Fixlein.

So hochgelehrt kann ich nicht sprechen,
Weiß nicht philosophisch zu radebrechen;
Ich rathe Dir, laß dich darauf nicht ein,
Man kann auch ohne das eine gute Hausfrau sein.

Dahore.

Ich darf getrost dich in die Welt entlassen,
Du weißt dein Schicksal zu leiten, zu fassen,

Und immer wirst du es zum Besten lenken,
Bewahrst du dir an uns ein liebes Angedenken.

Hesperus.

Drei Genien bekränzen schön das Leben,
Du kennst sie wohl: Natur, Gemüth und Geist,
Wem diese drei die Kraft der Weihe geben,
Der fühlt sich nie in dieser Welt verwaist.
Nicht Träume sind es, die sie zaubernd weben,
Denn sie verleih'n, was nur ein Gott verheißt;
Dem Dichter, dessen Gegenwart hier waltet,
Ihm haben ihren Schleier sie entfaltet.

Er kannte der Natur unendlich Weben,
Sie war es, die den Knaben schon empfing;
Der jungen Knospe schwellend frisches Streben,
Der Tropfen, der am Halme perlend hing,
Die Frühlingsaugen an den grünen Reben,
Nichts war ihm zu verborgen, zu gering,
Und hier, in dieser Thäler engem Kreise,
Schuf er sich eine Welt in seiner Weise.

Und wie in der Natur geheimes Walten,
Schaut' in die Tiefen er der Menschenbrust,
Da wußt' er das Verhüllte zu entfalten,
Er kannte jeden Schmerz und jede Lust,
Der Liebe Glück, der Leidenschaft Gewalten,
Der Freundschaft Trost, den schmerzlichen Verlust,
Was nur ein Herz in Leid und Freud gerungen,
In ew'gen Schriften hat er es gesungen.

Wie aber auch Gefühl und Neigung toben,
Nicht unter ging er in der Wogen Fluth,
Mit Geistesflügeln hat er sich erhoben,
Gleich einem Phönix aus der Flammen Gluth,
Es hielten Scherz und Witz den Dichter oben
Und des Humors verwegner Göttermuth;
Denn, ob Natur und Herz im Sturme wanken,
Er festigt sie „mit dauernden Gedanken."

So naht euch nun in freudigem Erglühen,
Die er mit seinem Zauberstab berührt
Und aus dem trüben Land der Phantasien
Ins helle Reich der Wirklichkeit geführt.
Euch hat er eine hohe Macht verliehen,
Daß ewig ihr die Welt erfreut und rührt.
Er schuf euch mit dem reinsten Liebeskusse,
Grüßt mir sein Kind mit euerm treusten Gruße.

Beata.

Die Freude der Natur ward uns zu eigen,
Wir schauten in den Himmel tief hinein,
Die Vöglein sangen in den grünen Zweigen,
Die Sonne sank im goldnen Abendschein.
Zur Erde fühlten wir ein stilles Neigen,
Wir kehrten gern in Blüthenthälern ein,
Und so vom Hauch der Himmelswittrung trunken,
Wir waren ganz in die Natur versunken.

Gustav.

Da fühlten wir ein Herz im Busen schlagen,
Wie's nimmermehr in kalter Erde schlägt,
Da mußten wir nach einer Seele fragen,
Wie sie sich nicht in Gras und Blumen regt
Und als wir Aug' in Auge durften sagen,
Was Herz zu Herzen freudig hinbewegt,
Das war ein höh'res, seliges Versinken,
Von theuren Lippen süßen Trost zu trinken.

Klothilde.

Wohl ist es schön, was die Natur bereitet,
Und schöner noch ein menschliches Gefühl,
Doch was Natur und was Gefühl bedeutet,
Wer löset uns dies wirre, krause Spiel?
Der Geist allein ist's, der zur Wahrheit leitet,
Er führt uns sicher zu dem fernsten Ziel
Und nur die Freuden, die aus ihm geboren,
Sie bleiben unvergänglich, unverloren.

Linda.

So hast auch du es früh erkannt, empfunden,
Natur, Gemüth und Geist in dir vereint,
Zu innigster Dreieinigkeit verbunden
Sind sie das Sternbild, das dir leuchtend scheint.
Die Blumen, die zum Kranze du gewunden,
Die Thränen, die in Liebe du geweint,
Du wußtest sie im Geiste zu verklären,
So mußten sie das schönste Glück gewähren.

Siebenkäs.

Das fängt mir an beinah zu ernst zu klingen,
Es wär wohl Zeit noch etwas Polterei zu bringen.
So bitt' ich euch doch allermeist,
Vertieft euch nicht zu sehr in Herz und Geist.
Sucht euch bei Zeiten zu verwahren,
Und habt ihr euch vielleicht schon festgefahren,
Denn ruft mich nur, ich spanne mich gleich vor
Mit meinem Flügelroß, genannt Humor,
So lassen wir die Noth der Erde liegen
Und wollen sporenstreichs zum Himmel fliegen.

Lenette.

Das Fliegen wird so rasch nicht gehn,
Und auf der Erde ist's doch gar zu schön;
Und da wir hier nun einmal bleiben müssen,
Muß man sich schon darein zu finden wissen.
So nehmt vorlieb mit dem, was wir gebracht,
Für heute wünschen wir euch gute Nacht,
Aber Morgen zur Hochzeit, das laßt euch rathen,
Vergeßt mir ja nicht den Gänsebraten.

F. F.

Ein Tag in London.
(Beschluß.)

Mein Weg brachte mich nach der schönen und bekannten Straße Piccadilli, wo ich lange Zeit vor dem bedeutendsten Karikaturladen stehen blieb. Es giebt immer noch manche gute Karikaturen in England, obgleich nicht so häufig, als in der aufgeregten Kriegeszeit und unter Pitt; aber sind nur einmal wieder die Intressen so bewegt als damals, so wird es auch hier nicht an guten fehlen. Diesmal erregten drei meine besondre Aufmerksamkeit.

Man muß wissen, daß der Architect Nasch eine Kirche am Ende der schönen Regent-Street gebaut hat, wo er auf einen griechischen Portikus einen nicht hohen ganz spitzen Thurm, der erst wieder auf kleinen griechischen Säulen ruht, gesetzt hat. Die Karikatur stellt nun den Herrn Nasch aufgespießt auf seinem Thurme dar, mit der witzigen Unterschrift „*Nashonal Taste.*“ Das andre Bild, gegen uns Deutsche gerichtet, führt die Unterschrift: „*German Comfort.*“ Es stellt einen Mann im Bette liegend vor, zugedeckt mit einem hohen, runden deutschen Federbette, die nackten Füße am Bettende hervorsehend, neben dem Bette an dem einen Ende ein Stuhl, der nicht den Namen des Tages führt, stehend, am andern ein Paar Kanonen-Stiefeln, an der Wand das Bild Friedrich's *II*, auf dem Tisch eine Schüssel Sauerkohl, auf der Erde eine graue kleine Zeitung liegend, und der Schläfer selbst aus einer langen Pfeife mit mächtigen Puscheln qualmend. — Das dritte Bild stellt eine Methodistenpredigt vor, wo in den Gesichtern des Predigers und der Zuhörer der brutale und heuchelnde Pietismus ganz vorzüglich gegeben ist. Dann sind noch alle bedeutenden Personen des Westendes, sehr gering karikirt, dort zu sehen. Der Engländer liebt die Zerrbilder so sehr, daß selbst die Bilderbogen für kleine Kinder Karikaturen enthalten.

Am Ende von Piccadilli ward ich durch ein griechisches Ladenschild angehalten, dessen Inhalt zu lang ist, um hier Platz zu finden. Es war nichts weiter, als ein Baumwollenwaarenladen, in dessen mit verschiedenen Farben gedruckten Charlatanzetteln Cicero, Horaz, Pope, Milton und Gott weiß wer noch zum Lobe der Strümpfe und Unterröcke vom Juden Jakson citirt wurden. Ich ließ mir mehrere dieser Zettel geben und will meinen Lesern von einem derselben die Englische Krämerpoesie abschreiben.

Advice to the World by Magnus Jackson, O' ΦΙΛΑΡΓΥΡΟΣ
At No. 229. Piccadilly, Corner of the Haymarket.

" — Tentanda via est, qua me quoque possim
Tollere humo, victorque virum volitare per ora,
Flectere si nequeo superos, Acheronta movebo.

Qu'au soul bruit de mon Nom l'univers se réveille,
Je suis magnus Jackson, la huitième merveille;
Ambassadeur des cieux, venu dans ces bas lieux,
Pour garantir du froid les malheureux goutteux.
Je ne me vante pas comme L—k, l'empirique,
D'en être descendu pour leur guérir la Bique:
Des Biques des humains je ne me méle pas
Mon but est, simplement, de leur vendre des bas.
Mais des bas, dont les fils, filés par les trois seurs,
Rendront à leurs vieux pieds leur première viguour.
Voilà l'unique but qui ait pu m'engager,
D'accepter la mission dont les Dieux m'ont chargé.
Jouissant un tel nom, ayant telle ambassade
Fusse-je fanfaron, j'eus pus faire parade,
Etaler à leurs yeux, dans toute sa splendeur,
Le rang de mes ayeux, leur hauts faits, leur valeur;
Les services par eux rendus à la patrie:
Les peuples délivrés du joug de l'anarchie:
Les tyrans, par leur bras, abaissés, Abymés
Et tant d'autres exploits, qui les ont signalés.
Et, tout fier de leur sang que l'univers révère,
M'endormir à l'abri de leurs longues rapieres. etc.

In dieser Art besingen sich auch oft die Friseure, und ganz gewöhnlich haben Sie *Bank of Fashion Notes*, ganz den wirklichen Banknoten ähnliche Zettel, auf denen sie 500 Pfund oder sonst eine große Summe demjenigen versprechen, der besser als sie die Haare verschneiden könnte.

Im Theater, wohin ich, nachdem ich mich in einem Bierhause gestärkt, wanderte, war mir heut etwas sehr Intressantes beschieden. Der Schauspielzettel von Drury Lane hatte den Freischützen nach Richard *III.* angezeigt. Das erste Stück ward gespielt und die Zuschauer erwarteten nun die angezeigte Oper, als plötzlich eine andre angefangen wurde. Es entstand ein unmäßiger Lärm, der vielleicht nach einer kleinen halben Stunde aufhörte, als der *Maneger* des Theaters, der Leiter, auftrat und erklärte, weil eine Sängerin nicht gekommen, könne der Freischütz nicht gegeben werden. Plötzlich springt ein feingekleideter Mann auf eine Bank und fragt: Warum ist sie nicht gekommen? Wie so? — Der arme Herr auf der Bühne sagte, sie könnte nicht und nun ruft das ganze Parterre: *the facts, the facts!* „Thatsachen!“ Es entstand nun ein förmliches ruhiges Debattiren; verschiedene Herren, die aufstanden, sprachen mit Nachdruck und klagten darüber, daß das Publicum angeführt sei; wogegen sich der Maneger zu entschuldigen suchte. Alles geschah sehr anständig, und wenn sich aus Versehen mehrere zugleich an den Vorsteher wandten, so rief man allgemein: nur einer spreche, und sogleich geschah's. Ich hatte meine große Freude daran. Nach etwa einer Stunde ließ man die Aufführung der andern Oper zu. In Berlin macht man mit den rothen Zetteln weniger Umstände. Ein zweitesmal, als ich die vielbesprochnen, in der That höchst erbärmlichen Foskaris sah, singen, was freilich auch allen Engländern unerhört war, zwei Herren im ersten Range an sich zu boxen. Sie wurden festgenommen und das Publicum wandte alle Aufmerksamkeit von der Bühne nach dieser Scene. Die Schauspieler wollten weiter spielen und plötzlich ruft mein Nachbar: *stop, stop a moment.* Halt, halt einen Augenblick! Die Schauspieler treten ein Weilchen in den Hintergrund, die Boxer werden hinausgeschleppt und ein andrer ruft ganz gutmüthig: *now go on!* „jetzt fortgefahren!" Die Schauspieler traten wieder vor und alles geht vorwärts, als wenn nichts geschehn wäre. Ich glaube, wenn das je auf dem Festlande hätte vorfallen können, man hätte Monate lang darüber in allen Blättern geschrieen, als stände nun die Welt nicht mehr fest. Die Englischen Theater spielen lange und so kommt, wer einen Tag in London mit verlebte, erst spät zur Ruhe.

Blicke auf die Welt.

(Von einem Diplomaten)

Man kann ein Land weit leichter erobern, als seine Sprache. —

Den eifersüchtigen Klagen der gekränkten Liebenden gleicht nichts mehr, als das Brummen eines mißvergnügten Postillions: „Warum geben Sie mir denn weniger, als meinem Vorgänger?" —

Um ein Optimist sein zu können, muß man keinen Augenblick aus dem Gesicht verlieren, daß diese schöne Welt auch die gute Eigenschaft hat, nicht ewig zu dauern. —

Warum sollte nicht Jeder, selbst der Dümmste, in dieser Welt trefflich eine Stelle ausfüllen? Ist doch in einer Landschaft ein Esel sehr oft von herrlicher Wirkung. —

O du Gemahl der Verfasserin des Heliogabals, in den sämtlichen Werken deiner Frau, ist jedes Komma bedeutender, als du! —

Man hatte in der letzten Zeit geglaubt, zu einem guten Gedichte gehören keine schönen Verse. —

Eine ewige Correspondence ist das kühnste Ideal der Jugend, der Freundschaft und der Liebe. —

Es giebt Phrasen, die so ausgedient sind, daß sie schon seit Jahrhunderten Ansprüche auf eine Pension haben. —

Man behauptet, die Pferde haben einen Instinkt, der sie hindert, auf einen Menschen zu treten; wie viele Menschen haben diesen thierischen Trieb nicht! —

Berliner Chronik.

Königstädter Theater. Freitag den 23. Febr. **Sargines**, Oper in zwei Aufzügen von **Pär**. — So lange eine Oper wie Sargines so trefflich gegeben und mit so lebhafter Theilnahme aufgenommen wird, können wir die ewigwiederholte Klage über das absichtliche Verderben und Verdorbensein des guten musikalischen Geschmacks ruhig mit anhören. Ein solcher Abend überzeugt uns, daß hier zu Land nicht blos nach leichter Modewaare gegriffen wird, sondern das Vortreffliche seinen Rang und Vorrang behaupter, sobald nur die Darstellung der Aufgabe des Componisten entsprechend ist; und dies ist sie bei dieser Oper in hohem Grade. Die Anforderungen sind nicht gering, die diese Musik macht; Pär lebte lange genug in Deutschland, um die innige Tiefe Deutscher Musik kennen zu lernen und als geborner Italiener, hervorgegangen aus der Italienischen Schule, gestand er der der Musik und namentlich dem Gesange die ihm gebührende Freiheit zu, die darin besteht, daß er nicht nur Ausdruck des subjectiven Gefühls bleibt, an die Leidenschaft und zufällige Gemüths-Stimmung dieser oder jener Person gebunden ist, sondern sich unabhängig in seinem eignen Elemente bewegt und dies eben ist die Rechtfertigung der von den Deutschen Theoretikern oft so hart angeklagten Verzierungen des Gesanges. Mit vollem Rechte erscheinen sie an dem Schlusse einer großen Arie, die in ihrem Eingange und ihrer Entwickelung die Ueberlegung, dann die Entscheidung eines, sei es in Schmerz oder Freude aufgeregten Gemüthes gab. Der Ton, der sich zuerst dazu hergab, diesem Gefühl zu dienen und auszusprechen, was dasselbe hofft und fürchtet, erhebt sich nun in seine eigne Region, gefällt sich darin sich selbst zu vernehmen, spielt mit den ihm untergeordneten Qualen und Freuden, die ihn nicht berühren, verschönt und schmückt aber zugleich die Leidenschaft, die er zuvor erregte. Wie wir auf den, durch den furchtbarsten Orkan aufgewühlten, Wellen des Meeres den perlenden Schaum in leichten Kräuseln spielen sehn, so wiederholt sich dies schöne Naturspiel auch in der Kunst. — In Paris hat man von Dem. **Sontag** gerühmt, daß in Rücksicht der Eleganz und Grazie der Verzierungen und Figuren des Gesanges keine Sängerin, selbst Mad. Catalani es ihr nicht zuvorgethan; da wir die letztere bald zum dritten Mal bei uns sehn werden — (noch ist sie nicht hier,) so finden wir wohl Gelegenheit unser Urtheil hierüber festzustellen, im Fall uns Mad. Catalani nicht blos auf schöne Erinnerungen verweist. — Was übrigens Sargines betrifft, so ist die Partie der Sophie von allen Rollen in denen wir Dem. Sontag gehört haben, diejenige, in welcher sie am meisten Gelegenheit findet ihre Ansprüche auf den Ruhm einer Sängerin des ersten Ranges, nicht blos von **Berlinischem**, sondern von **Europäischem** Rufe, zu bewähren. —

(Redigirt von Dr. Fr. Förster und W. Häring (W. Alexis.)

Im Verlage der Schlesingerschen Buch- und Musikhandlung, in Berlin unter den Linden Nr. 34.

Berliner Conversations-Blatt für Poesie, Literatur und Kritik.

Donnerstag, — Nro. 43. — den 1. März 1827.

Meine letzte Nacht in Berlin.

Novelle.

Aus dem Inhalt ergiebt sich, daß dies die Nacht vom 11ten auf den 12ten September des vergangenen Jahres war. Der Autor des so überschriebenen Aufsatzes lebt nicht mehr. Auf dem Dresdner Wege, etwas links von Belitz abwärts, fanden zum Markt fahrende Bauern den Mordplatz. Im Sande unter Kiefergebüsch war die Stelle deutlich zu sehen, wo Jemand gelegen oder gesessen. Beim letzten Ringen mit seinen (noch unbekannten) Mördern mochte ihm das zusammengerollte Manuscript aus der Tasche gefallen sein, diese hatten es als werthlos liegen lassen; auch fand man im Gebüsch noch andere Papiere, bedruckt, in einigen schien Speise aufbewahrt gewesen. Wo der Leichnam — den übrigens Niemand gesehen — hingekommen, ist gänzlich unbekannt. Ein morastiges Fließ in der Nähe vergeblich durchsucht, mag leicht unter den Schilf- und Elsenwurzeln den Körper dem Auge der Gerechtigkeit noch jetzt entziehen. Blutspuren im Sande und an den Kiennadeln dicht neben der bezeichneten Stelle, deuteten auf Raubmord, Selbstmord (unwahrscheinlicher) oder (auch diese Meinung sprach sich aus) auf Nasenbluten. Sonst nicht die geringste Spur! Weder in Belitz, wo der Unglückliche, von Berlin kommend, über vier und zwanzig Stunden, den ganzen Tag, wie die Wirthsleute aussagen, mit Schreiben beschäftigt, verweilte, (aus dem Papier des Manuscriptes, erstanden bei einem Materialisten in Belitz, hat man die Identität des muthmaslich Ermordeten mit dem Reisenden entnommen) noch in Berlin hat man seinen Stand und Namen mit Gewißheit erfahren können. Nach dem Aufsatze war er ein Doctor oder Legationsrath; aus der Anrede des Kellners „Gnädiger Herr!“ möchten wir nicht mit Bestimmtheit argumentiren, daß er von Adel gewesen, da Leute der Art erstaunlich gewissenlos in Anwendung der Titel verfahren, überdies der Marqueur nur einmal und gegen das Ende davon Gebrauch macht, wo die Erwartung des Biergeldes wohl zu Ungebührlichkeiten der Art verführt. In Berlin scheint der Autor entweder im König von Portugall oder im goldnen Engel logirt zu haben; es bleibt indessen merkwürdig, daß alle Nachforschungen in beiden Gasthöfen vergeblich blieben, eben so wenig als man durch Vernehmung der Schildwacht, welche in gedachter Nacht von 11 bis 1 auf der langen Brücke gestanden, den betreffenden Personen auf die Spur kam.

Wir erstanden das Manuscript bei der letzten Auction herrenloser Criminalsachen. Den Namen Novelle haben wir dem Aufsatz nur nach vielem Widerstreben zugebilligt, indem der lange raisonnirende Dialog: über Kunst, Theater und Kritik, der noch dazu recht willkührlich hineingelegt scheint, nach vieler gelehrten Recensenten Urtheil, ganz gegen den Character der Novellen streitend, ihnen (wie z. B. den Tieckschen) nur den Character der Langenweile verschafft! Indessen bedenke man, die folgende Erzählung ward in Belitz geschrieben! Der Autor wollte ihr eine Localtinte geben.

Wie dem auch sei, und welche Meinungen auch über die Natur der Novellen herrschen, wir gestanben der Erzählung den Novellennamen lediglich aus Achtung für den Verfasser zu, weil er ein Todter ist. Was darin wahr ist, getrauen wir uns nicht zu entscheiden, wir halten die Erzählung für das Bruchstück einer bizarren Phantasie, die aber in Deutschland immer Anerkennung verdient, weil der Mann nicht mehr lebt. — Sollte, was ein Freund gewiß fälschlich argwöhnte, die sogenannte Novelle eine Satire der Berliner Kritik sein, hätten wir jedenfalls ihr die Aufnahme versagt. Wäre es aber der Fall, so muß der Zorn verstummen, da der Verfasser bereits ereilt ward von den Erynnien zwischen Belitz und Treuenbrietzen.

* * *

Seltsam! rief ich, den Hut abbürstend. Um fünf Uhr wie gestern!

Und vorgestern, fiel der Kellner ein.

Er wollte auch nicht seinen Namen nennen, keine Karte zurücklassen, kein Billet schreiben?

Er hatte einen dreieckigen Hut auf, sagte der kleine Jean.

Einen dreieckigen Hut! Höchst seltsam! Ich kenne keinen Bekannten mit dreieckigem Hute; auch müssen sie selten sein, denn ich bemerkte kaum drei während der drei Wochen in Berlin. Aber sein Gesicht, war er jung, alt, militairisch, stutzerhaft oder solide gekleidet?

Jedesmal stampfte er dreimal mit dem Bambusstock auf den Boden, und kehrte uns, ohne eine Bewegung zu machen, den Rücken.

Bambusstock? Seltsam! Es war doch kein Jude?

Es war ein Perlemutterknopf drauf, mein Herr.

Und jedesmal, Jean, sagte er, ein wichtiges Anliegen treibe ihn?

Gesagt hat er dies wohl eigentlich nicht, aber man konnte es ihm anmerken, weil es schon so finster war; sonst war es gewiß ein großer Herr, besonders mit dem Hute.

Und dabei lächelst Du so schelmisch, rief ich den Markeur fixirend, indessen ich den ausgezogenen Staats- und Leibrock über die Sofalehne warf.

Ich bewundere meines Herren Gleichmuth, da es schon drei Viertel auf Sechs geschlagen. Jedermann kommt nicht zu dieser Zeit nach Berlin und Sie haben einen Parquetplatz auf der dritten Bank, und noch dazu nur um den doppelten Preis. Ich gäbe ein vierfaches Wochenverdienst darum, könnt ich sie heute sehen, gerade heute, wo es gilt —

Was gilt? sagte ich, fertig zum Gehn. Ist sie nicht eine gekrönte Sängerin, heimgekehrt im Triumphzuge, daß ein Abend die Hochgefeierte nicht erhöhen und nicht erniedrigen kann?

Jean stieß einen tiefen Seufzer aus, der vermuthen ließ, daß er mehr war als ein Seufzer, wie er aus dem Busen eines Markeurs aufzusteigen pflegt. Es wird sich entscheiden, sagte er, und Sie werden Zeuge sein! Er holte seine Brieftasche heraus und zeigte mir verstohlen ein Bild, als fürchte er, ich könnte es ihm entreissen. Wie ungegründet war die Furcht des guten Burschen; es war ja nur ihr Bild, wie es jeder Conditorladen um ein Billiges in den bekannten, ihren Namen tragenden, Bonbonpapieren darbietet. Glas, ein zierlicher Goldramen, auch wohl ein Vers darunter, konnten dem flüchtig skizzirten Portrait keinen höhern Werth geben, als den der Erinnerung.

So werden Sie sie heute sehen, und, mein Herr, ich wünschte, wenn eine Entscheidung käme, Sie handelten so wie ich an Ihrer Stelle.

Das heißt auf meinem Parquetplatz Nummer 33? wollte ich erwiedern, als eine Thräne im Auge des guten Jungen die phantastische Frage zurück drängte.

Du sahst sie schon oft? sagte ich, die Thürklinke in der Hand haltend. Da faßte Jean die andere mit einem Druck, der über die Verhältnisse zwischen Kellner und Gast hinausging. Seine Stimme war weich, seine Logik, schon sonst nicht die stärkste Seite bei ihm, wich dem Uebermaas des Gefühls.

So oft ich loskommen konnte, ich hätte stehlen mögen. Sie können sich glücklich preisen — es war mir nur heut absolut unmöglich. Darum ersuche ich Sie, den ersten Augenblick, den allerersten, was wir den Empfang nennen, den versäumen Sie nicht. Darin liegt eigentlich das Ganze. Rasch wie ein munteres Reh hervor. Nun bricht die Herzenslust von allen Seiten durch die Hände aus. Das leichte Reh stutzt. Sie tritt bescheiden zurück mit den zarten Hacken. Sie neigt sich tief, die Hände auf der Brust, und die reinen, schönen großen Augen blicken aus dem Lockenköpfchen hervor, ob der Sturm ausgebraust hat? Dann richtet sie sich langsam empor, blickt schüchtern, schelmisch, innig auf, und nun der erste Laut von ihrer Silberstimme, da geht dem harten Steine das Herz über. Nun ein hüpfender Schritt und sie ist wieder das heitre, muntre Reh, das im grünen Walde spielt, just wie es muß und soll, und nichts von Jägern und Menschen weiß, so unbefangen und lieblich und appetitlich. Die Töne in ihr zittern vor Lust herauszukommen, daher braucht sie gar nicht erst, wie andere, einen Ansatz zu nehmen; es ist, als brauchte sie nur zu tippen, und die Melodie fließt heraus, so rein, so vollkommen, so abgeschlossen, daß ihr kein Concertmeister beweisen kann, sie hätte was verschluckt, oder es ließe sich noch was, wie eine Erbse groß, daran setzen ohne Schaden. Und wenn dann die letzte Arie zu Ende, die liebe Nachtigall ausgeflötet hat, ist's doch als müßte ihr Alles Kußhände zuwerfen und zurufen: Nun ruhe dich aus nach deinem schönen Tagewerk, flattre auf deinen Zweig, schaukle dich auf dem grünen Laubdach, bis die Morgensonne dich aus den allerschönsten Träumen weckt, du einzige, liebe, schöne Nachtigall.

(Fortsetzung folgt.)

Mittheilungen aus Paris.

Pariser Theater. — Wenn wir oft genug Grund haben über die Deutschen Theater-Direktionen Klage zu führen, daß sie mit besonderer Vorliebe Französische kleine Stücke geben, so gewährt es eine nicht geringe Genugthuung, wenn wir dagegen sehen, welche Deutschen großen Stücke auf den Pariser Theaterzetteln figuriren; nur daß die Franzosen nicht so ehrlich sind, wie wir, und den Namen der Deutschen Dichter nennen; das empfiehlt dort nicht. Während uns die Herren Scribe, Theaulon u. andere, mit einem Hahn im Korbe und sieben Mädchen in Uniform versorgen, geben wir den Parisern dafür den Tasso und die Geschwister von Göthe, Maria Stuart, Fiesko, Kabale und Liebe von Schiller; das letztere bereits in vier verschiedenen Zurichtungen. Noch mehr aber versorgen wir die Pariser Bühnen mit Musik. Daß Mozart dort einheimisch ist, wußten wir längst; aber mehr noch hat in neuster Zeit der Freischütz von Weber mehreren anderen Deutschen Opern Bahn gebrochen. So wurde kürzlich auf dem Theater des Odeon die Schweizerfamilie von Weigl mit großem Beifall gegeben. Diesmal entschied die Musik mehr als der Text; denn schon 1807 hatten die Herren Sewrin und Chazet auf dem Theater in der Chatrestraße ein Vaudeville in 3 Akten unter dem Titel: der arme Jakob, aufgeführt, welches jedoch kein Glück machte; man fand darin nichts weiter als eine schlechte Bearbeitung des Romans **Nina**. Einige Jahre darauf erschien der arme Jakob wieder in der komischen Oper, wo es ihm jedoch nicht besser ging als früher. — Denselben Text hat Hr. Weigl zu seiner Oper benutzt und seine Musik hat gefallen. „Die Partitur Weigls, heißt es in einem Pariser Blatte, erfreut sich in Deutschland einer großen Gunst und sie verdient dieselbe. Man findet in ihr keinen Lärm, kein unnützes Getöse, sondern Liebreiz und hinreißende Arien von zartem und melancholischen Ausdruck. Eine solche Musik würde alle erdenklichen Langweiligkeiten des unbedeutendsten Gedichtes ertragen lassen.“ Was wir aber hier in Paris vermissen, ist eine **Milder** als Emmeline; allein auch den Berlinern war schon bei meiner Anwesenheit dieser Genuß versagt, weil man der Milder diese für sie von Weigl componirte Rolle — so viel ich aus dem Munde der Sängerin selbst hörte, — gegen ihren Willen, nicht mehr zutheilte. —

An demselben Tage, an welchem in dem Théater *français* das Trauerspiel Marcel zum erstenmal aufgeführt würde, gab das Königl. Theater der komischen Oper „**Fiorella, komische Oper in 3 Akten, Text von Scribe, Musik von Auber**,“ zum erstenmal. — Ueber die Aufnahme eines Stücks auf dem Pariser Theater entscheidet selten die erste Aufführung, welche in der Regel dem Verdacht einer feindlichen oder freundlichen Partheilichkeit ausgesetzt ist. Hat der Dichter, oder der Componist sich noch nicht in der Gunst des Publikums durch eine lange Reihe glücklicher Erfolge befestigt, so ist er entweder so klug, oder so schwach, zu fremder Unterstützung seine Zuflucht zu nehmen. So glückt es denn wohl dem Dichter bei der ersten Vorstellung, allein mehr als einmal ist es vorgekommen, daß, indem er die Schlacht gewann, er einen Feldzug verlor. Der Abend endet, man kann die Batterien der Gallerie und des Parterres nicht ein zweites und drittesmal bezahlen und der Theater-Direktor, dem an dem guten Erfolge des Stücks oft noch mehr gelegen ist, als dem Dichter selbst, kann wie Pyrrhus ausrufen: „Noch einen solchen Sieg und alles ist verloren.“ — Unternimmt es aber der Dichter, im Vertrauen auf die gute Aufnahme, welche seine früheren Leistungen fanden, ohne andere Fürsprecher und Hülfstruppen zu erscheinen, so ist er einer Gefahr anderer Art ausgesetzt. Der Neid ist der Schatten des Ruhms, und ein Schriftsteller, der hundertmal den Preis davon trug, findet in dem Theater eine Parthei neidischer Feinde. Dies ist die Stellung des Herrn Scribe; denn in Paris, wo sich der Erfolg einer Oper vornehmlich nach der Dichtung richtet, hat dieser den Vortritt vor dem Componisten. Er ist zu stolz, um sich durch niedrige Mittel seinen Erfolg zu sichern und so hatte er auch diesmal sein Werk dem Publikum mit aller Unabhängigkeit eines Autors, der sich kennt und sich zu schätzen weiß, übergeben, weshalb bei der ersten Aufführung die Feindseligkeiten gegen sein Stück nicht gespart wurden. Allein bei der zweiten Aufführung verschwinden die geborgten Feinde wie die geborgten Freunde und das eigentliche Publikum kann sein Urtheil ungestört aussprechen. Deshalb kann man in Paris über den wahrhaften Erfolg eines Stücks nicht eher als nach der dritten und vierten Vorstellung Bericht erstatten. Die Fabel des Stücks ist folgende: Camilla, die Tochter eines armen römischen Fischers hat eine Liebschaft mit einem jungen Franzosen, Namens Rodolf, dem sie ewige Treue geschworen hat. Rodolf marschirt indessen mit dem Heere Carls *VIII.* nach Neapel, wird gefangen und kann sich erst nach drei Jahren befreien. Camilla glaubt ihren Geliebten todt oder untreu und von den Anträgen des Herzogs von Farnese bestochen, entschließt sie sich, diesem ihre Hand zu geben. Dieser alte Libertin hatte, wie der Clarandon der Eugenie, 3 oder 4 Schufte in seinem Dienst, die er als Priester und Zeugen auskleidete, um sich mehr als einmal junge Mädchen, die zu tugendhaft waren, sich auf eine ungesetzliche Weise seinem Willen zu fügen, durch diese vermeinten Priester antrauen zu lassen. Auch Camilla kann er nur dadurch gewinnen, daß er ihr am Altare die Hand zu reichen verspricht. Diesmal aber hat einem seiner Agenten das Gewissen zu sehr geschlagen und er hat das ihm aufgetragene Amt einem wirklichen Priester übertragen, so, daß Camilla, ohne daß es der Herzog wähnt, wirklich Herzogin von Farnese geworden ist. Eines Tages entdeckt der Herzog Fiorella, daß sie nichts weiter als seine Maitresse sei. Sie ist voll Verzweiflung, sie will fliehen, allein zuletzt läßt sie sich zureden und bleibt. — Der Herzog stirbt ohne Erben und hinterläßt ihr in seinem Testament seine sämmtlichen Güter als Eigenthum. Jetzt macht sie in der prächtigen Villa farnese ein großes Haus, wo sich die elegante Welt Roms und Italiens versammelt. Unter den vielen Anbetern, die sich jetzt um ihre Gunst bewerben, steht ein junger Neapolitaner Albert von Sorent oben an; allein er wird nicht erhört und forscht vergeblich nach dem Nebenbuhler, welchen er sich vorgezogen glaubt. — Unterdessen ist der frühere Geliebte frei geworden und nach Rom zurückgekehrt. Als wandernder Troubadour durchzieht er mit seiner Guitarre Italien und kömmt als solcher, auf seiner Rückkehr nach Frankreich in Rom an. Hier findet er zufällig in Albert von Sorent einen Bekannten, dem er während des Neapolitanischen Krieges Gefälligkeiten erwiesen hätte. Er bittet ihn, ihm einen Paß nach Frankreich zu verschaffen. Albert wendet sich deshalb an Camilla, welche gegenwärtig den Namen Fiorella angenommen und bei dem deutschen General, der in Rom commandirt, in besonderer Gunst steht. Fiorella erhält den Paß und wünscht ihn auf einem glänzenden Balle dem jungen Franzosen selbst einzuhändigen. Albert führt Rodolf zur schönen Freundin, beide erkennen sich, allein Rodolf, der in seiner Camilla nur eine Entehrte erkennt, entfernt sich voll Verzweiflung. So endet der erste Akt. In dem zweiten finden wir Rodolf und Albert nach Rom zurückgekehrt. Von einem fürchterlichen Ungewitter überrascht, suchen sie Zuflucht in dem St. Lorenz-Kloster. Leider sind alle Zimmer bis auf eins besetzt und dieses erhält Albert; Rodolf muß auf einem Lehnsessel in einer Vorhalle die Nacht zubringen. Schon ist es Mitternacht, das Kaminfeuer verlöscht, da klopft noch ein Pilger an die Pforte. — Der Pförtner öffnet und weist dem Eingetretenen sein Quartier ebenfalls in jener Vorhalle an. Dieser Pilger ist natürlich Niemand anders, als die unglückliche Fiorella, welche in dieser stürmischen Nacht ihren Pallast verlassen hat, um in einem Kloster den Trost der Religion zu suchen. Die beiden Geliebten erkennen sich und so trotzig anfänglich Rodolf die Geliebte behandelt, so gelingt es ihr doch, ihn zu rühren. „Ich bin ein Weib, ruft sie aus, ich liege zu deinen Füßen und ich weine." Das ganze Publikum weint mit und der strenge, barsche Monsieur wird zahm und hat ihr verziehen. — Fiorella ist von der Gemüthsbewegung und der Anstrengung der Nacht zum Umsinken ermattet; sie zittert in dem durchnäßten Pilgergewande, das Feuer ist ausgegangen, kein Holz ist mehr zur Hand. Da zerschlägt der Liebhaber seine Zitter, um an der erneuten Flamme die Geliebte zu erwärmen und zu trocknen. Unter den Geständnissen Fiorellas vergeht die Nacht, der Tag bricht an und Albert ist nicht wenig erstaunt, Rodolf, der ihm zugeschworen hatte, Fiorella nie wieder zu sehen, mit ihr in so vertrauter Gemeinschaft zu finden. Er fordert dafür Genugthuung von Rodolf und beide gehen fort, um sich zu schlagen.

Im dritten Akte wird eine langweilige Auflösung des Knotens gegeben. Ein, in dem St. Lorenz-Kloster sterbender Lazarone macht das Bekenntniß, daß er den Herzog von Farnese betrogen habe und läßt Papiere zurück, aus welchen sich ergiebt, daß Fiorella wirklich die Gemahlin des Herzogs von Farnese war, dem sie nicht durch einen Betrüger, sondern durch einen wirklichen Priester angetraut wurde. Das Stück schließt mit einer allgemeinen Versöhnung.

Die Musik des Hrn. Auber steht seinen andern Opern, namentlich dem Schnee und dem Maurer nach, doch fehlt es ihr nicht an einzelnen gelungenen Stellen, die auch verdienten Beifall erhielten.

(Forts. folgt.)

(Redigirt von Dr. Fr. Förster und W. Häring (W. Alexis.)

Im Verlage der Schlesingerschen Buch- und Musikhandlung, in Berlin unter den Linden Nr. 34.

Berliner
Conversations-Blatt
für
Poesie, Literatur und Kritik.

Freitag, — Nro. 44. — den 2. März 1827.

Meine letzte Nacht in Berlin.

(Fortsetzung.)

Jeans Worte summten noch lange in meinen Ohren, als ich mir durch den Strom der Wagen und Volksmenge auf der langen Königsstraße Bahn brach. Wie las ich erhöhten Frohsinn auf allen Gesichtern, wie ergriff mich selbst der Enthusiasmus für ein Etwas, das ich noch nicht kannte; ich that den Norddeutschen, denen man so oft warme Empfänglichkeit für das Schöne und Große abgesprochen, ehrenvolle Abbitte und drückte dankbar die Hand meines Nebenmannes, der ungestüm im Gedränge mich bei Seite stieß.

Ein Blick vom Kronleuchter herab auf das Meer von Köpfen, welche Erleuchtung hätte das gewährt! Kahle Köpfe, schwarze, blonde, Perücken! Wenn nun ein Zauberer, wie dort in Tausend und Einer Nacht, sie mit Farben sonderte. Gold, Silber, Schwarz, Blau! Viele Heiden, wenige Christen, wenige Juden und — Mohamedaner fehlen in dieser Residenz, man hätte aber dafür die Philosophen substituirt. Nun der innere Unterschied: hohle Köpfe, witzige Köpfe, große Köpfe — vielleicht darunter die größten des Jahrhundertes! Alte Enthusiasten, junge Enthusiasten, und unter den Enthusiasten alle Motive: aus Kunstliebe, aus Theaterliebe, aus Vaterlandsliebe, aus Liebe zu Rossini, aus Eigenliebe und aus Liebe allein. So schichtete und secirte ich von meiner Nummer 33., meinem gewonnenen Sitze, aus, und dachte nicht an einen Unterschied, der nur zu bald, alle Harmonie zerstörend, meine ganze Eintheilung zusammen warf.

Der kleine Dictator vor mir erhub in der Rüstkammer zwischen Lampen und Parquet seinen Stab, und es begann zu leiern, tosen, lärmen; ein so buntes lustiges Meer der Töne, als sollten alle mitgebrachten Gefühle sich in frivolem Gelächter auflösen. Die Stirn eines bejahrten Nachbars zog sich kraus zusammen, als sträube sich sein classischer Sinn gegen die leichtfertige Zumuthung; auch ich hätte an anderem Orte anders geurtheilt, hier schien mir Rossinis Musik an ihrer Stelle. Glühte doch Alles in leichtem Champagnerrausch und nur den galt es zu erhalten und zu nutzen. Doch hinderte das Orchester den ruhigeren Fremden nicht an den Beobachtungen, welche die nächsten Gegenstände ihm aufdrängten.

Der reiche Frauenflor auf den Balconen und Logenreihen ging unten in dem weiten Gefilde der Sperrsitze nicht aus. Was den Damen für mich einen neuen Reiz verlieh, war die Theilnahme, welche aus ihnen fast lebendiger, als in den Augen der Männer strahlte. So saß vor mir ein Wesen, welches für mich die doppelte Artigkeit gehabt, den Hut abzunehmen, daß ich erstens freier über sie hinaus auf die Bühne, und zweitens freier in ihr interessantes Gesicht blicken konnte, wenn sie zu ihrem Nachbar sich wandte, einem Manne, dessen grader Nacken und kurzer Ton den schon lang berechtigten Bräutigam verkündete. Wenn sich das liebliche Wesen zu ihm hinüberbeugte, ihm mit den Rosenlippen etwas zuzuflüstern, und er kaum das Ohr neigte, hätte ich dem Ungalanten gern einen Wink mit der geballten Hand gegeben. Sie schienen nicht einig, ohne daß ich, während der Musik den Gegenstand ihres Wortwechsels vernehmen konnte. — Nun rauschte der Vorhang auf. Dachte ich doch, sie müsse selbst dastehn, so tönte der Beifall bei den ersten Scenen, bei jedem Empfange. Wie der Vogel, vom Blick der Schlange bezaubert, hafteten alle Augen auf dem Bühnenraum; ein Taschendieb hätte keinen günstigern Moment erwählen können. Verwandlung; es begann das Gewitter, die Barke landet an der Africanischen Küste, und die Liebreizende steigt aus. War ich doch kaum mit mir einig, ob ich die ganze Aufmerksamkeit vor mir oder um mich richten solle? Dort auf den Brettern stockte das Schauspiel, trotz Lampen Gold und Flitterleinwand, während rings um mich die Wirklichkeit zum phantastischen Schauspiel wurde, wo der Zufall als Director waltete. Mitten unter dem Klatschen, dem Bravo, den unartikulirten Lauten der Lust, schreckliche Töne. Vielleicht ein neu erfundenes Instrument, das Stampfen der Hufe auszudrücken; dazu das Gellen einer pfeifenden Orgel. Unwillkührlich war ich aufgestanden, aber die nächste Scene des Schauspiels dicht vor mir, fesselte allein meinen Blick. Der unnatürlichste Auftritt. Die schönen Lippen der Braut hatten sich verzogen, schon längst glühten ihre Augen von edlem Feuer, ihr Busen hob sich, krampfhaft zitterten die Arme. Ihre Hände klammerten sich an den Arm des Bräutigams. Du wirst doch nicht? schien ihr Mund zu sprechen, aber in dem allgemeinen Getöse, in dem Kampf der Partheien, der Zischenden, Scharrenden, Pfeifenden und Klatschenden verhallte jedes Wort, wie das Schauspiel heut auf den Theatern unter den Opern, Balletten und Seiltänzerstücken.

Und wie ich so vor mir hinstarre, kaum die Königin erblickend, welcher der bunte Wettkampf galt, bemerke ich nicht, wie ich selbst der Gegenstand der Aufmerksamkeit geworden bin. Das Mühlenwerk meines Vordermannes arbeitete unaufhörlich gegen die Bretterschwelle seines Sperrsitzes, indeß die Dame mit glühenden Wangen, halb den reizenden Leib vom Sitze erhoben, aus Leibeskräften klatschte. Da scholl es: Der dort! Jener da! Auf mich, der ich allein auf meiner ganzen Seite stand und, die Hände auf die Vorderlehne gestützt, nicht klatschte, waren tausend Augen gerichtet und aus den Logen kamen so deutliche Fingerzeige, daß auch die blödesten nicht irren konnten. Was man im Parterre in heiligem Enthusiasmus begonnen, warum sollte die Lust, sich selbst Recht zu verschaffen, von den bretternen Scheidewänden gehemmt werden? Ich fühlte mich gefaßt, gezogen, wer hörte auf Protestationen in dem Lärm? Die Parthei der Klatschenden ward stärker durch alle, welche die neue Execution belustigte. Ich rief nach der Polizei, ich betheuerte meine Unschuld, die Polizei hörte nicht, und auf den Lippen meines gelassen dasitzenden Nebenmannes sprach ein Lächeln: Sie haben es nicht besser verdient, warum besuchen Sie die Rossiniaden?

Schon sah ich mich, in der allgemeinen Verwirrung zur Thür hinausgeworfen, als ein heroischer Entschluß in der schönen Interessanten reif wurde.

Sie fassen den Unrechten, dieser hier ist es! rief sie, sich erhebend und deutete auf ihren Nachbar, der ohne Unterbrechung trommelte. Er hatte sich selbst sein Loos bereitet, denn noch waren, als die Verrätherin gesprochen, seine Beine in Bewegung. Ein Nicken des Classischen bestätigte die Anschuldigung. Man ließ mich los und legte Hand an den Mann, welcher erst nach hartnäckigem Widerstande, und wüthende Blicke auf die Dame schießend, seinen Sitz verließ.

Die Ruhe nach dem ersten Sturm war wieder hergestellt; wie aber hätte ich sie gewinnen sollen, um auf die Sängerin zu blicken? Die Schöne ließ ihre Augen auf dem Boden haften. Welche Gedanken mochten in diesem Busen wogen. Ich fühlte mich gedrängt meine Retterin anzureden, theils verbot dies jedoch die Furcht zu stören, theils und noch mehr das Zartgefühl. Der Platz neben ihr blieb leer, auch während des Zwischenaktes, wo ich nicht unterließ mich zu ihr hinüberzubeugen, ihr etwas Verbindliches zuzuflüstern.

Es war wohl die Pflicht eines Jeden nicht stumm zu bleiben, wo so was Ungezogenes geschieht, entgegnete sie rasch ohne mich zum Fortfahren aufzumuntern.

Wo für das Schöne so partheiloser Enthusiasmus herrscht, da wird die ganze Stadt zum einem Tempel der Kunst geweiht, setzte ich hinzu, und sie erwiederte:

Ja, sie war heut wieder recht schön; er meinte aber, sie hätte seit Paris eingelegt, und das verdroß mich gleich von Anfangs.

Nur der Vergleich mit der schönen Nachbarin konnte ihm das herbe Urtheil entlockt haben.

Ich bitte Sie recht sehr —

Warum sie bat, weiß ich nicht, denn der kleine Director hatte wieder den Stab geschwungen, die Bratsche vor uns brummte mit Heftigkeit und die Interessante wandte den Kopf nach einer Loge. Wen ihr Blick traf, konnte ich nicht bemerken, doch schloß ich aus ihren erhellten Zügen, so oft sie hinsah, —

und dies geschah oft — daß der hier Verbannte dort oben ein neues Asyl gefunden.

Der Geschichte gehört der weitere Erfolg dieses denkwürdigen Abends an. In mir ließen Staunen und Zweifel keinen Genuß zu. Wie war es möglich, daß so gerühmter Liebreiz, so besungene Vollendung in einem Momente ihre Kraft verlieren konnten, daß eine leichte, eine eingebildete Kränkung den so gehegten und genährten Enthusiasmus vergessen ließ! Aber die Wirklichkeit überbietet ja oft an Wundern die Dichtung, und ich sollte noch Zeuge sein, daß die patriotische Opposition nach dem Schluß der Vorstellung ihr dämonisches Spiel, wiewohl mit geschwächten Kräften, fortsetzte, als die Sängerin auf allgemeinen Ruf erschien.

Noch stand ich lange, zurückgelehnt in den aufgehobenen Sitz, und der Blick irrte staunend auf den Räumen umher, wo das Unmögliche möglich geworden, als ich bemerkte, daß es ringsum leer wurde. — Die Dame! die Dame, die durch dich ihren Führer verloren! rief mir eine innere Stimme zu, mächtiger als alle meine philosophischen Betrachtungen, und ich stürzte hinaus. Noch wogte es in den Vorhallen und das Glück führte mich zu ihr, die, wie in ungewisser Erwartung, an einer Treppe stand.

Sie erröthete, als ich ihr, der Himmel weiß unter welchen Redensarten, meine Begleitung antrug. Sie stammelte etwas von einer Tante oder Verwandtin, die sie erwarte, und ihre sichtliche Verlegenheit sprach zu deutlich, daß sie mich fortwünschte, als noch einen zweiten Antrag zu wagen, der dahin gehen sollte, ihr diese Tante oder wenigstens eine Droschke zu holen. Selbst stammelnd einige Floskeln von reinem Enthusiasmus, und wie das Beispiel solchen Kunsteifers höhern Genuß den Kunstfreunden gewähre wie die Meisterschaft der holden Sängerin, entfernte ich mich, als aus der Restauration ein Mann, der Bräutigam, vorschoß.

Sichtlich schrak das zarte Wesen zusammen, und ermannte sich doch im nämlichen Augenblick, ihm mit weiblicher Festigkeit ins Gesicht zu blicken.

So einsam, rief er? Wohl ganz wider Wunsch und Erwarten, daß Fräulein Julie mich noch hier erblickt?

Wenn Sie mit denselben rohen Gesinnungen hier prahlen wollen, so wäre es mir wahrhaftig lieber, Sie nicht wieder gesehn zu haben.

Der Mann mit einer soldatesken Manier, welche der militairische Anstand abging, wandte sich hier, als wolle er alle noch Anwesenden zu Zeugen des Gespräches aufrufen, um, und antwortete mit lauter Stimme: Die Huldigungen, welche man dem einen heraufgeschraubten Glückskinde zollte, möchten sie Alle auf sich beziehn; sonst kann man nicht begreifen, warum Eine am Succeß der andern Theil nimmt. Nach natürlicher Ordnung müßten sie sich die Augen untereinander auskratzen. Ich habe sonst geklatscht, nun mocht' ich nicht mehr klatschen, und will sehn, wer mich zwingen will zu klatschen, wenn ich nicht klatschen will!

(Fortsetzung folgt.)

Pariser Theater.

(Fortsetzung.)

Der Roman Walter Scott's, Quentin Durward, hat Herrn Mély Jannin, der sich schon durch mehrere dramatische Arbeiten bekannt gemacht hat, Stoff zu einem Drama gegeben, welches unter der Ankündigung: „Ludwig *IX*, historische Comödie in 5 Akten in Prosa“ auf dem Theater Français den 17. Febr. zum ersten Mal gegeben wurde. Die Pariser Kritiker sind außer sich, daß das Stück so großen Beifall gefunden. Der romantische Dichter hat es nämlich gewagt, das ewige Gesetz der classischen Kunst: die Einheit des Orts und der Zeit zu verletzen; König Ludwig, der sich in dem 3. Akt noch in Plessis le Tours befindet, erscheint im 4. Akt auf dem 80 Meilen davon entlegenen Schlosse Peronne. Allgemein ist man der Meinung, daß nur zu einer Zeit, wie die jetzige, wo alle Köpfe zu sehr mit dem Preßgesetze beschäftigt sind, es möglich war, sich ungestraft eine solche Verletzung der Regeln des Aristoteles zu erlauben, von dem die hiesige Gallerie so geläufig spricht, wie die Berliner von — Salzkuchen. „Die Romantiker, rufen die Classiker aus, haben jetzt bei ihren Neuerungen gutes Spiel. Auf dem Parnaß herrscht Verwirrung. — Die Barbaren, mit Stempeln und Preßbengeln bewaffnet, drohen die Musen von dort zu verjagen, um daselbst ein Kloster zu bauen. — Apollon weiß nicht mehr, mit welchen Waffen er sich gegen seine Feinde rüsten soll. Man kann sich vorstellen, daß bei solcher Verwirrung die Musen sich wenig um die Verletzung der Regeln des Aristoteles kümmern. Mit dem härnen Bußgewand und der Kapuze bedroht, denken sie nur daran ihre Freiheiten zu retten und verschieben die Prüfung der eingeschlichenen Ketzereien auf günstigere Zeit. Auch das Publikum hat sich diese unerhörte Neuerung gefallen lassen; mit ganz anderen Intressen beschäftiget, hat es eben keine Wichtigkeit darauf gelegt. Wenn die Barbaren vor den Thoren sind, denkt man nicht ernsthaft an Schulgeschwätz. Die Romantiker und Klassiker haben ihren Streit vergessen; unter einer und derselben Standarte bieten sie dem gemeinschaftlichen Feinde Trotz und das Preßgesetz macht jetzt den Parteien mehr zu schaffen als alle Gesetze des Aristoteles." Nun zu dem Stück selbst. Der Dichter hat sich getreu an die Erfindung, Erzählung und sogar an den Dialog Walter Scotts gehalten Im ersten Akt wird Quentin Durward vom König Ludwig *XI.*, welchen er für einen Kaufmann hält, in das Schloß Plessis les Tours eingeführt. Der König nimmt ihn unter seine Garde auf und der junge Schotte erfreut sich seiner Gunst. Diese bedarf er bald: der Graf de Crevecoeur kömmt als Botschafter von Carl dem Kühnen, verlangt über mehrere Verletzungen Genugthuung und außerdem noch die Gräfin de Croy, welche Karl zwingen will, seinen Botschafter zu heirathen. — Der König verweigert alles entschieden und schwört mit seinem *„paque Dieu"* kein Unrecht gegen den Herzog von Burgund, den er daran erinnern läßt, daß er sein Vasall sei, zu haben. Was die Gräfin de Croy betrifft, ist er eben so wenig geneigt, sie dem Botschafter zu übergeben. Dieser wirft dem Könige, der ihn beleidigte, den Handschuh hin, viele Ritter sind bereit ihn aufzunehmen, allein Quentin Durward, der begünstigte Liebhaber der schönen Gräfin, wird von dem Könige zum Champion erwählt. Beide Nebenbuhler geben sich ein Rendezvous, um die Sache abzumachen, während sich der König zu dem Herzoge von Burgund begiebt, um mit diesem gefürchteten Gegner nicht in einen Krieg verwickelt zu werden. — Hier ist es nun, wo der Dichter des Dramas jeden Pakt mit den classischen Musen gebrochen hat. Durch diese auf dem französischen Theater unerhörte Neuerung vergehen zwischen dem 3ten und 4ten Akte 8 Tage. Die Kritiker können es gar nicht begreifen, wie man dem Könige zu einem Wege von 80 Poststunden nicht mehr Zeit läßt, als der Musik-Direktor des Orchesters braucht, um eine alte Symphonie aufspielen zu lassen und eine Prise zu nehmen. — Der König wird von dem Herzog ausgezeichnet empfangen, allein das gute Vernehmen hört auf, da der Herzog erfährt, daß seine Unterthanen in Lüttich sich auf Antrieb des Königs empört haben und der Graf de Crevecoeur ermordet worden sey. — Die erste Nachricht ist wahr; was die zweite betrifft, so ist der Graf von dem braven Quentin Durward im Zweikampf erschlagen worden. Carl ist wüthend, klagt den König der Treulosigkeit an und läßt ihn in einen Thurm einsperren. Hier nun erwartet der geängstigte Ludwig sein Todesurtheil. Zuvor aber will er sich doch noch ein Vergnügen machen und seinen Astrologen Galeotti, dessen Rath er befolgt hatte, aufhängen. — Er läßt ihn kommen und der Astrolog, der von sonst her gewohnt ist, nach den Sternen zu sehen und den Blick nach oben zu richten, bemerkt an der Decke ein Seil und fürchtet mit Grund, daß ihm dieses nichts Gutes bedeute. Die Geistesgegenwart verläßt ihn jedoch nicht und ohne weitere Rücksicht auf das verhängnißvolle Seil zu nehmen, sagt er dem Könige mit festem Tone: Er habe in den Sternen gelesen, daß er (der König) 24 Stunden nach ihm sterben werde. Ludwig ist von dieser Weissagung betroffen und der Sterndeuter kommt glücklich davon. — Unterdessen hat Quentin Durward Truppen versammelt und befreit den König, welcher jetzt den Herzog in seinem eignen Schlosse gefangen nimmt. Endlich gleicht sich alles aus, die beiden Fürsten schließen Frieden und der tapfere Quentin Durward erhält die Hand der schönen Gräfin de Croy zur Belohnung seiner Liebe und Treue.

(Forts. folgt.)

Berliner Chronik.

Die Direction des Königstädter Theaters hat eine glänzende Acquisition gemacht: sie hat die **Partitur des Oberon** von C. M. v. Weber von den Erben gekauft und wird diese Oper schon im Mai bei Gelegenheit der Vermählungsfeierlichkeiten S. K. H. des Prinzen Carl geben. So viel wir hören zahlt die Direktion 800 Rthlr. und außerdem von der Einnahme einer jeden Vorstellung eine *tantième*. Die Freunde der sogenannten großen Opern bedauern, daß bei diesem Kaufe die Verwaltung der Königl. Oper — obwohl der Freischütz die Kasse ziemlich gefüllt hat — zurückgetreten ist und wir nun die Oper nicht mit dem Glanze, wie Nurmahal und Alzidor ausgestattet sehen werden; indeß hoffen wir, daß die Musik selbst und Dem. Sontag als Rezia uns jene fehlende Pracht vergessen machen werden. —

(Redigirt von Dr. Fr. Förster und W. Häring (W. Alexis.)

Von diesem Journal erscheinen wöchentlich 5 Blätter (und zwar Montags, Dienstags, Donnerstags, Freitags und Sonnabends) außerdem literarisch-musikalisch-artistische Anzeiger. Der Preis des ganzen Jahrgangs ist 9 Thaler, halbjährlich 5 Thaler. Alle Buchhandlungen des In- und Auslandes, das Königl. Preuß. Post-Zeitungs-Comptoir in Berlin, und die Königl. Sächsische Zeitungs-Expedition in Leipzig nehmen Bestellungen darauf an.
Im Verlage der Schlesingerschen Buch- und Musikhandlung, in Berlin unter den Linden Nr. 34.

Berliner Conversations-Blatt

für

Poesie, Literatur und Kritik.

Sonnabend, — Nro. 45. — den 3. März 1827.

Dante Alighieri's lyrische Gedichte, italienisch und deutsch, herausg. von Karl Ludwig Kannegießer. Leipz. bei Fr. A. Brockhaus, 1827.

Wenn jede poetische Uebersetzung ein mißliches Unternehmen ist, so ist die Uebersetzung lyrischer Gedichte gewiß das mißlichste. Was der lyrische Dichter, seine innere Welt betrachtend, singt, gehört ihm so ausschließlich eigenthümlich an, ist in Stoff und Form so unmittelbar aus ihm entsprungen, so ganz belebt von dem Gefühl des Augenblicks, daß er selbst in einem anderen Augenblick nicht etwas ganz entsprechendes zu dichten vermögend sein würde. Wie sollte nun ein Anderer in einer anderen Sprache es befriedigend wiederzugeben vermögen? Der beste Uebersetzer wird, wenn er den Schmetterling eingefangen zu haben glaubt, bei näherer Betrachtung und wenn die Freude über den Fang sich abgekühlt hat, erkennen, daß der Farbenstaub der Flügel verwischt und das muntere Leben, mit welchem das zarte Geschöpf durch die Blumen flatterte, ertödtet ist.

Je eigenthümlicher und tiefer der Original-Dichter, um desto weniger können seine lyrischen Erzeugnisse mit Glück wiedergegeben werden. Daß Dante, als lyrischer Dichter, am allerwenigsten übersetzt werden kann, ist hiermit ausgesprochen.

Beseitigen wir nun, von dieser Voraussetzung ausgehend, den Einwand, daß lyrische Gedichte nicht hätten *metrisch* übersetzt werden sollen, daß es vielmehr besser gewesen seyn würde, wenn der vorliegenden Sammlung zum Verständnisse des Originals treue prosaische Uebertragungen gegenübergestellt worden wären, so müssen wir Hrn. Kannegießer nachrühmen, daß er mit Talent, Fleiß und Geschicklichkeit eine höchst undankbare Arbeit vollbracht hat, und dem, was in dieser Gattung überhaupt erreichbar seyn dürfte, oft ziemlich nahe gekommen ist. Wir theilen zum Beweise für unsere Ansicht dasjenige Sonett mit, dessen Uebersetzung man am ersten für ein lyrisches Gedicht zu halten sich versucht fühlen möchte:

Di donne io vidi una gentile schiera
  Quest' ognissanti prossimo passato;
Ed una ne venia quase primiera,
  Seco menando amor dal destro lato.
Dagli occhi suoi gittava una lumiera
  La qual pareva un spirito inflammato;
  Ed i' ebbi tanto ardir, che la sua cera
  Guardando, vidi un angiol figurato.
A chi era degno poi dava salute
  Con gli occhi suoi quella benigna e piana
  Empiendo il core a ciascun di virtute:
Credo che in ciel nascesse esta soprana
  E venne in terra per nostra salute;
  Dunque beata, chi l'è prossimana.

Von Frauen sah ich eine holde Schaar
  Am Allerheil'gentag, der jüngst vergangen,
  Und Eine stellt' als Herrlichste sich dar,
  Und recht kam Amor neben ihr gegangen.
Dem Aug' entquoll ein Licht, glanzhell und klar,
  Gleich einem Geiste, der von Gluth umfangen;
  Kühn nahm ich nun ihr Antlitz näher wahr
  Und sah ein Engelsbild mir aufgegangen.

Sie grüßte den, der dessen würdig schien,
Mit ihren Augen, hold ihm zugeneiget,
Da wurde jedem Herzen Kraft verliehn.
Ich glaube, daß im Himmel sie gezeuget,
Und hier auf Erden uns zum Heil erschien.
Glückselig drum, dem sie sich nahe zeiget.

Was man etwa in diesem Sonett noch vermissen oder tadelnswerth finden möchte, das rechne man nicht dem Uebersetzer, sondern den Grenzen seiner Kunst an.

Ueberhaupt ist Herr K. wegen dessen, was ihm nicht gelungen, nur um deshalb zu tadeln, weil er die Grenzen der Uebersetzungskunst entweder nicht erkannt, oder nicht beachtet hat. Gewiß hätte er sonst, wenn er aus Liebe zu dem großen Dichter sich nun einmal solchen Wagnisses nicht enthalten konnte, gewiß alles unübersetzt gelassen, was nicht wenigstens leidlich übersetzt werden konnte. Viele kleinen Gedichte Dante's und anderer großen Sänger, wollen hauptsächlich durch die Vollkommenheit ihrer Form etwas gelten und sind völlig gestört, wenn man diese auflöst. Wer findet wohl in folgenden Zeilen auch nur einen Anklang von Dante wieder:

O blicket her zu sehen, wer mich ziehet,
So, daß ich leben kann mit euch nicht mehr,
Und achtet jenen, denn er ist es, der
Um holde Frauen Andre schmerzdurchsprühet.

Zu jenen Gedichten, die nur in der Schönheit der Form ihren Werth finden, gehört das vierzigste Sonett, das der gelehrte Kommentar, Herr Witte, selbst gering findet. Zu was nun von dem geringen eine bei weitem geringere Uebersetzung, die von seinem Werthe des Originals auch nicht eine Spur übrig läßt? Man höre:

O mein Sonett, kommt dir Meuccio vor,
Mußt du, sobald du ihn erblickst, ihn grüßen,
Und eilen und dich werfen ihm zu Füßen,
Damit du nicht an Sitten scheinst ein Thor; *)
Und lieh er dir ein Weilchen dann sein Ohr,
Ihn wieder grüßen, laß dich's nicht verdrießen,
Und dann, was ich dir auftrug, ihm erschließen,
Abseits indessen geh mit ihm zuvor.
Meuccio sprich, er, der dich liebe so sehr,
Schickt dir von seinen theuersten Juwelen,
Um deinem wackren Sinne sich zu nahn.
Als erste Gabe laß ihn dann empfahn
Deine Geschwister hier mit den Befehlen, **)
Daß sie von dorther kehren nimmermehr.

*) Sicchè tu paja bene accostumato!
**) ed a lor si commanda.

Wir fragen hierbei: Soll eine poetische Uebersetzung nicht auch einen absoluten Werth haben? Und würde es, wenn man dieses deutsche Sonett als ein für sich bestehendes Gedicht betrachtete, irgend einen Ausländer einfallen, es in seine Sprache zu übersetzen?

(Beschluß folgt.)

Correspondenz.

Rom den 10ten Februar 1827.

Gestern verlebte ich einen der interessantesten Abende durch den Improvisator Thomas Sgrizzi, der in der *Argentina* eine Vorstellung gab. — Wie ich mit der gespanntesten Erwartung in das Theater ging, eben so befriedigt kam ich heraus. Um 2¾ (bei uns 8 Uhr) war der Anfang angekündigt, doch erst drei viertel Stunden später erschien der Held des Tages auf das stürmische Verlangen des Publikums. — Man reichte jetzt aus einer Loge ein Körbchen mit Themas, die, nachdem sie ein Schauspieler vorgelesen — es waren ungefähr 50 — in eine Urne geschüttet wurden. Irgend jemand zog ein Loos: „Plautilla wird mit ihrem Vater durch Tiber zum Tode verurtheilt." Ich fühlte, daß ich roth wurde, denn mir war der Gegenstand völlig unbekannt. Allein dem guten Sgrizzi ging es nicht besser. In schwarzsammtner altdeutscher Tracht, weißem Kragen, engen ebenfalls schwarzen Beinkleidern und kurzen Ritterstiefeln — ein Anzug, der ihm ganz vortrefflich stand — trat er ehrerbietig gegen das Publikum und ersuchte, beinahe stotternd vor Verlegenheit, denjenigen, der das Thema gegeben, ihm kurz das historische desselben zu erzählen, da er gestehen müsse, daß es ihm durchaus fremd sei. Tiefes Schweigen. Niemand meldete sich — welcher Nichtgeübte mag auch im Theater dem Publikum etwas vorerzählen? — Jemand rief *un altro* und ich im Orchester rief kräftig mit. Der Wunsch ward allgemein und bei neuer Ziehung kam *la morte di Turno* zum Vorschein. Den Lesern des Virgil ist der Gegenstand bekannt. Aber mir war bange für den Mann, welcher schon die wenigen Worte Prosa so zögernd und zagend improvisirt hatte; — ohne Grund. — Er bestimmte jetzt die agirenden Personen: Turnus, Aeneas, Lavinia, deren Mutter, ein Krieger, Chor von Mädchen, Priestern und Soldaten. Ein Prolog im Munde der Mutter der Lavinia begann. Bei der Lebhaftigkeit der Diction, den vielen poetischen Einflickungen, bei dem Umstande, daß die verschiedenen Personen oft nur durch eine unmerkliche Veränderung der Sprache oder durch eine andere Stellung des Improvisators angedeutet werden, ist es für einen Fremden, wenn er auch noch so sehr der Sprache gewachsen, schwer, genau zu folgen. — Sobald man über etwas nachdenken will, geht weit mehr des Folgenden verloren und man verliert den Zusammenhang. Was ich gestern Abend nur als Vermuthung über den Gang der Fabel hätte ausgeben können, wird mir heut durch einen Italiäner bestätigt. Turnus und Aeneas machen Ansprüche auf die Hand der Lavinia, welche durch die Mutter ersterem versprochen worden. Beide Rivale wollen endlich ihr Recht durch einen Zweikampf entscheiden. Durch Unvorsichtigkeit entsteht aber ein allgemeiner Streit unter den Soldaten. Turnus, vom Aeneas tödtlich verwundet, kommt aus der Schlacht. Die Mutter will Lavinia zwingen, dem Sterbenden ihre Hand zu reichen. Deren Neigung scheint jedoch nun entwichen und dem Sieger Aeneas zugekehrt. Die Mutter, die nur in der Verbindung mit Turnus ein Glück sieht, ersticht sich, als er stirbt. Doch im Sterben verflucht sie noch die Ehe ihrer Tochter Lavinia mit Aeneas, die sie in prophetischer Furcht voraussieht. — Eine traumartige Phantasie der Lavinia lieh dem Stücke einen sehr düstern Charakter.

Eine Tragödie wird man im strengen Sinne das improvisirte Stück nicht nennnen können. Aber eine bewunderungswürdige Erscheinung bleibt's, wie ein Mensch über zwei Stunden in gut gebildeten Versen zusammenhängend und schön über ein plötzlich gegebenes Thema sprechen kann, wobei er doch zugleich eine gewisse dramatische Ver- und Entwickelung beachtet. Und wie schwierig fällt oft dem in aller Muße Dichtenden die anscheinend einfachste Anordnung und Verbindung der Scenen. Während des ganzen Vortrags stockte Sgrizzi eigentlich nur, wenn das allzulebhafte Sprechen einen Schlucken hervorbrachte. Nur viermal bemerkte ich, daß er einen Vers zum zweitenmal anfing, um irgend eine Position oder ein Wort zu corrigiren. — Bei einigen wohlklingenden malerisch poetischen Stellen erscholl ein lauter Applaus des nicht sehr zahlreichen, aber anscheinend gewählten Publikums und ich verfehlte nicht meinen nordischen Beifall mit zu erkennen zu geben. Scheint doch die weiche italiänische Sprache wie geboren zum Improvisiren.

Sgrizzi hat im Gesicht einige Aehnlichkeit mit Rebenstein in Berlin, nur denke man ihn sich magerer und blasser, was man interessanter nennt, mit dunklen, lebhaften Augen und einem Munde, in welchem die köstlichsten weißen Zähne prangen. Er trägt langes Haar nach Art unserer Altdeutschen und hatte gestern an langer Kette die Medaille, welche ihm die hiesige *Academia Tiberina* geschenkt, um den Hals. Sgrizzi ist aus Arezzo, der Großherzog von Toskana hat ihn zum Cavallier erhoben. Sein Aufenthalt in Paris ist bekannt. Von zwei dort ihm nachgeschriebenen Dramen ist das eine, so viel ich weiß, gedruckt worden *). Eben erzählt mir ein Italiäner, er sei noch gestern Abend bei ihm gewesen, hätte ihn aber so angegriffen gefunden, daß Sgrizzi wenig oder eigentlich nichts von dem verstanden, was man ihn gefragt oder ihm erzählt. Miene, Unruhe und Agitation sei merkwürdig. Gewiß spannt die körperliche und geistige Anstrengung unter diesen Verhältnissen mehr an, als es irgend bei einem Römischen oder Englischen Redner der Fall gewesen ist. Sonderbar sah sein Hinstarren aus, wenn das Publikum eine gelungene Stelle beklatschte; nach seinen Gesichtszügen zu schließen, war er viel zu bewegt und gespannt, um etwas davon zu hören. In kurzem geht er von hier nach Neapel.

Correspondenz.

Dresden im Februar.

Sie verlangen, Verehrtester, trotz der glücklichen Athmosphäre, die mich hier umgiebt, doch noch zu viel von mir. „Wie Dresden sich im Winter ausnimmt? wollen Sie hören, war's nicht so. — Soll ich die Stadt sehr loben, so ist der Winter dazu unbeschreiblich wenig geeignet, da sie erst lebendig wird, wenn die Einwohner selbst von Innen ihre Jerichomauern sprengen, und auf's Sommerplaisir ziehen, weshalb der Kanonendonner, der jedesmal den Aufgang der Elbe verkündet, für mich ein doppelt schöner Ruf ist zum Erwachen zu einem schönen und frischen Dasein aus dem Murmelthierschlafe; auch habe ich immer noch zu wenig Lobmaterie, die die Luft hier so reichhaltig erzeugt, wie der Herbst den alten Weibersommer, nach dessen Erscheinen sogleich die Stadt sich wieder füllt, eingesogen; — soll ich sie aber tadeln — so bin ich immer noch nicht zu der schönen Objektivität durchgedrungen, die dazu erforderlich ist, so wenig wie Ihre Milder nach dem Berliner Correspondenten des Morgenblattes aus einer runden Tempelkuppel zu einem spitzen gothischen Dome. — Könnten Sie es indeß veranstalten, was Ihnen und den Berlinern vielleicht nicht zu schwer ist, daß im

*) Karl I. (von England) Tod.

Winter noch ein Mann mit einer solchen seltsamen Nase durch den Ort zöge, wie der des Stawkenbergius im Tristrum, so würde die Stadt bald so leer werden, wie Straßburg, und man könnte unterdeß, ehe die Leute zurückkämen und sich draußen Alles erzählt hätten, gemächlich die Stadt besehen und loben. — Denn man erzählt sich hier erstaunlich gerne, und ist man deshalb in so genannte geschlossen Gesellschaften auseinander gegangen, die sich einzeln herrlich laden und dann ihre elektrischen Funken zierlich gegenseitig auf einander überspringen lassen. Gott gebe deshalb nur, daß das Gerücht, es seien Jesuiten hier, nicht wahr sein möge: denn breiteten diese erst ihre Lehre von der Calumnie systematisch aus, es würde noch schlimmer werden, wie am Wiener Hofe ehemals, wo in den ersten Tagen, nachdem diese Väter lehrend unter den Damen dort aufgetreten waren, ein unbeschreiblicher Wirrwarr sich ergab, — und wer weiß, ob wir gleich einen so guten Capuziner uns verschreiben könnten, wie die Kaiserin an den Pater Quiroga, den sie kommen lies, und der den Sturm wieder stillte, erhielt. —

(Fortsetzung folgt.)

Berliner Chronik.

Concert der Königl. Kammersängerin Henr. Sontag. d. 1. Mrz. — Hätte doch der selige Freund, dem wir die in Nr. 45 unseres Blattes angefangene Novelle verdanken, dieses Concert noch erlebt, er würde leicht Stoff zu einer zweiten Novelle gefunden haben und vielleicht schon bei Lebzeiten unser seliger Freund heißen, wie wir deren wohl öfter gehabt haben. — Dem Zettel nach sollte das Concert mit einer Haydn'schen Symphonie eröffnet werden, allein zuvor mußten wir bei einer Berliner Ouvertüre selbst mit agiren. Schon um vier Uhr sammelten sich in der Vorhalle die Vorfechter vor der Thüre, die vor Schlag sechs nicht geöffnet wurde, zu dem Concert, das vor Schlag Sieben nicht anging. An der Spitze der Enthusiasten für gute Plätze stand auf der steilen Treppe ein Grenadier mit dem Roßschweif, der sich jedoch nur abwehrend verhielt; auf gleicher Stufe mit ihm links ein Paradiesvogel, rechts ein Marabou und dahinter in dichtgedrängter Colonne Straußen, Reiher und eine Adlernase, die sich des Gefieders der fremden Vögel nicht erwehren konnte, weil die Flügel zu dicht gedrängt wurden und durch den unabwendbaren Kitzel mehrmals zum Niesen genöthiget wurde. Das rührendste Bild in dieser dichtgekeilten Schlachtsäule waren mir zwei Greise, von denen der Eine wenigstens sich die rechte Hand frei gehalten, um seinen Cameraden zuweilen den Schweiß von der Stirne zu trocknen und dann sich selbst den Schnurrbart zu streichen. Ich stand zu entfernt, um den Zusammenhang ihrer Rede vernehmen zu können, aus den einzelnen Worten: „bei Cunersdorf, bei Roßbach" mußte ich schließen, daß es Krieger aus dem siebenjährigen Kriege waren, die sich hier ihrer Heldenjugend erinnerten. — Ergötzlicher war die Scene an einer andern Stelle, wo mitten im Gedränge der Brillanten, des Schmelzes und andern Glanzes ein brauner Landpächter stand, der sich die Freiheit nahm, einige Spanische Merinos, Cachemir- und Ternaux-Ziegen, die er eben erreichen konnte, mit prüfender Hand zu streicheln und bei jedem sein Gutachten dahin abzugeben, daß er mit seinen selbstveredelten Schafböcken eben so weit zu kommen sich getraue. Endlich schlug die ersehnte Stunde der Eröffnung der Thüren und im Sturmschritt erstiegen heldenmüthige Frauen und galant-zögernde Herren die Wälle des Saals und meine siebenjährigen Achtziger blieben nicht die Letzten. Welch einen ganz andern Anblick gewährte die Gesellschaft, nachdem sich jeder seinen Platz gesucht und gesichert hatte! — Die Damen, die man vorher im Gedränge nur zu beklagen hatte, brachten ihre Toilette rasch in Ordnung und alles gewann ein heitres und festliches Ansehn. Der Saal war bis in die Vorhallen gefüllt, ohne gedrängt zu sein; die Anzahl der Billette soll von der General-Intendantur auf eine bestimmte Anzahl beschränkt worden sein. — Noch dankbarer würde das Publikum es anerkennen, wenn es zu den Concerten eine Anzahl fester Plätze für einen erhöhten Preis gäb; denn das Sturmlaufen ist bei aller Erobrungssucht nicht aller Frauen Sache. — In dem Concert war für Kunstgenuß und Unterhaltung reichlich gesorgt. Die Instrumental-Solos waren auf ein vom Hrn. Musikdirektor Möser, dem Meister der Violine, vortrefflich vorgetragenes Adagio mit Polonaise beschränkt; dagegen gab es fünf verschiedene Gesangstücke. Dem. Sontag hatte für sich die schönste Auswahl getroffen, so daß wir Gelegenheit hatten, die Gewalt und Zartheit, die Sicherheit und Beweglichkeit ihrer Stimme in dem kräftigsten Colorit, wie in den leisesten Schattirungen kennen zu lernen. Die Arie aus Titus von Mozart; *„Deh per questo istante solo"* war die würdigste Eröffnung des Musikfestes; mit Recht sucht die deutsche Sängerin, obwohl von Rossini erzogen und bald von ihm vielleicht verzogen, ihren schönsten Ruhm in dem Vortrage einer solchen Arie von Mozart. Das komische Duett von Fiovaranti, welches sie mit Hrn. Spitzeder sang, war höchst ergötzlich und wurde unter stürmischen Applaus Da Capo verlangt.

Das schottische Volkslied (Robin Adair) mit Variationen von Pixis für die Concertgeberin componirt, wurde von derselben mit einer Leichtigkeit und einem Flug der Stimme vorgetragen, den der Comnonist wohl kennen mußte, der einer Sängerin solche kühne Gänge zumuthete. Die Hrrn. Jäger, Wächter u. Mad. Wächter unterstützten Dem. Sontag in einem Quartett von Rossini und Hr. Jäger sang außerdem noch eine Arie von Rossini mit großem Beifall. 9.

(Redigirt von Dr. Fr. Förster und W. Häring (W. Alexis.)

Im Verlage der Schlesingerschen Buch- und Musikhandlung, in Berlin unter den Linden Nr. 34.

Berliner Conversations-Blatt
für
Poesie, Literatur und Kritik.

Montag, — Nro. 46. — den 5. März 1827.

Meine letzte Nacht in Berlin.

(Fortsetzung.)

Es verräth eine erbärmliche Gesinnung von Ihnen, recht sehr erbärmlich von Ihnen, mein Herr, sagte die Dame. Haben Sie nun einmal keine gefühlvolle Empfindung für das Ideale, wie wir es hier bekommen können, hätten Sie besser gethan ganz fortzubleiben, als andere zu stören, und ich muß Sie ersuchen, nicht mich, nicht meine Schwester, nicht meine Familie mit Ihren rohen Aeußerungen zu belästigen, bis wir uns besser verstehen lernen.

Ich sollte meinen, daß wir uns verstehn, sagte der Bräutigam, seinen rothgelben Schnurrbart streichend, indem ich jetzt erst bemerkte, daß sein Colorit durch den Aufenthalt in der Restauration dunkler geworden. Ich stritt einen peinlichen Selbstkampf zwischen gehn und bleiben. Jede Einmischung eines Dritten und Fremden in den Zwist zweier Verlobten war unschicklich; doch ebenso verbot die Ehre das zarteste Wesen in der brutalen Gewalt zu lassen, wo ich die unglückliche Ursach seines gereizten Zustandes war.

Ich gehe nicht mit Ihnen! rief sie, sich entschlossen von ihm wendend.

Ich aber mit Ihnen, Mamsell, antwortete er, ihre Hand ergreifend. Was würde die Gesellschaft bei Ihrer Frau Tante sagen, wenn ich Sie nicht zurückgeleitete?

Ein Blick, wie ein Bittender, aus ihrem Auge traf mich. Nein, auf keinen Fall! rief sie mit weinerlichem Tone und doch nicht ohne Trotz, indessen er ihr eindringlich etwas ins Ohr flüsterte. Ich sah, wie er mit barbarischer Härte ihre kleine Hand drückte, daß sie laut aufschrie und hätte jetzt nicht länger schweigen können.

Herr! fuhr ich auf den Unmenschen los, giebt Ihnen der Name Bräutigam das Recht diese Dame so zu mißhandeln, daß selbst die Polizei sich in die geheiligten Verhältnisse einmischen könnte?

Loslassend sah er mich groß, doch mehr verwundert als zornig an: Sie, Herr, wollen hier trösten? In der lächerlichen Betonung des Wortes: Sie, lag eine neue Beleidigung, die meine persönliche Rache aufgerufen, hätte dies nicht schon der beklagenswerthe Zustand der Dame gethan. Julie hielt ihr Battisttuch vor den schönen Augen, die Geistesstärke war gewichen und sie weinte bitterlich.

Mein Herr, den ich nicht kenne, sprach ich heftiger, noch eine beleidigende, nur eine rohe Aeusserung gegen die Dame, und ich rufe die Behörden an, wenn Sie nicht in dem Zustande sind, die verständlichen Drohungen eines Mannes von Ehre zu verstehen.

O ich kann vortrefflich hören, entgegnete er. Nur immer lauter, lauter!

Ich faßte mich mit Gewalt und trat ihm näher: Nur Ihr Zustand, flüsterte ich ihm ins Ohr, kann Ihre teuflische Absicht, die Thürsteher zu Zeugen der Beleidigung einer Dame zu machen, einigermaßen entschuldigen. Mein Name und meine Wohnung! rief ich eine Karte aus der Busentasche reißend.

Hier lachte er so höhnisch auf, daß ich, an anderm Orte und bewaffnet, sogleich mein Recht hätte suchen müssen.

Aber Julie, die ängstlich und verlegen umher geblickt hatte, sprang, als sie den ernsten Ausgang des neuen Streites bemerkte, auf mich zu und riß mich von dem Bräutigam los.

Um Himmels willen, flüsterte sie mir zu, machen Sie die Sache nicht schlimmer, nur hier nicht. Entfernen Sie sich, wenn Ihnen mein Ruf lieb ist.

Ihrem dringenden Blicke hätte nur ein Barbar widerstanden. Ich fühlte das Gewicht ihrer Gründe, ich bewunderte das schöne weibliche Gemüth, das sie stark machte, sich dem rohen, ihrer unwerthen, Menschen zu übergeben; denn sie reichte dem Bräutigam die Hand und sprach voll Hoheit: Führen sie mich zur Tante!

Doch mochte er selbst meinen Wunsch bemerken, und trat im Hinausgehn so nahe an mich, daß ich ihm unbemerkt ins Ohr züscheln konnte: Wir müssen uns treffen, wann?

Er zauderte nur einen Moment, ehe er mir auf gleiche Weise zuflüsterte: Beim großen Kurfürsten um Mitternacht.

Der Auftritt hatte mich so aufgeregt, daß ich kaum gesehen, wie wir an einigen Thürschließern, dem Portier, und selbst noch der Arienverkäuferin ein aufmerksames Auditorium gehabt; ja ich hatte es nicht bemerkt, daß der kleine Jean mich schon fünf Minuten hinten am Rock gezupft.

Wie kommst Du hierher? rief ich verwundert.

Wie, entgegnete er, weiß ich es doch selbst kaum. Der Herr mit dem Bambusstock hat um halb Sieben wieder nach Ihnen gefragt und stampfte, als er hörte, Sie reisten morgen schon, so stark auf, daß der Wirthin die Kaffeetasse aus der Hand fiel. Da mußte ich Ihnen nachlaufen, und, lieber Herr, ich mußte hinein und kam hinein, und sah von oben, wie man auf Sie mit Fingern zeigte. Sie können es nicht sein, schwor ich bei mir, und Sie mögen denken, wie ich jauchzte, als Sie von dem schändlichen Verdacht rein wurden. War das nicht ein Abend?

Aber der Mann, der nach mir fragte?

Ach du lieber Gott der! Der geht nicht hinein. Die Hände sind mir wund; aber, und wenn sie mich zerdrückt hätten, es mußte doch geschehen. —

Aber hast du dem Manne nichts gesagt, ihn nicht bestellt?

Ich erinnere mich nicht. Doch ja, ich sagte ihm, Sie gingen Abends gemeinhin in das Weinhaus.

So kann ich ihn dort treffen?

Indem ging ein nachzügelnder Elegant vorüber, der mich seltsam forschend anblickte, und während er hinaustrat, zu lächeln schien. Auf meine Frage, ob es der vielleicht gewesen, antwortete Jean entrüstet: der hat ja kaum zweimal Bravo gerufen!

(Fortsetzung folgt.)

Dante Alighieri's lyrische Gedichte, italienisch und deutsch, herausg. von Karl Ludwig Kannegießer. Leipz. bei Fr. A. Brockhaus, 1827.

(Beschluß.)

Der Titel des Buches nennt Herrn K. allein als Herausgeber. Aber nicht nur als Uebersetzer, sondern auch als Kommentatoren haben Herr Wilhelm von Lüdemann und Herr Karl Witte an dem Buche Theil. Wahrscheinlich hat nur die gewohnte Bescheidenheit des Letztern die Angabe der Namen auf dem Titelblatte verhindert, und es Herrn Kannegießer überlassen, über ihre Theilnahme in der Vorrede Rechenschaft zu geben.

Herrn von L. verdanken wir einen einfachen, klaren und wohl geschriebenen Auszug aus der *Vita nuova*, welcher nöthig war, um die aus diesem Werke entnommenen Gedichte durch Kenntniß der Veranlassung, die sie ins Leben rief, besser zu verstehen. Als Uebersetzer dürfte er dem geübtern Herrn K. an Gewandtheit nicht erreichen.

Was aber Herrn Witte anbelangt, so hat er außer einigen Uebersetzungen eine tiefgelehrte Abhandlung über die Echtheit, Bedeutung und Anordnung der lyrischen Gedichte, welche Dante beigelegt werden und eben so gelehrte Anmerkungen zu den einzelnen Gedichten geliefert. Die prosaischen Arbeiten zeugen von Herrn Witte's Belesenheit und kompilatorischen Fleiß. In welchem Verhältnisse aber sonst seine Kräfte zu seinem Unternehmen, seine Verdienste zu seinen Ansprüchen stehen mögen, und in wie weit man durch ihn in der Erkenntniß des großen Dichters gefördert zu werden sich versprechen darf, dies wird sich am besten durch die nähere Beleuchtung seiner Uebersetzung der zwanzigsten Canzone und der dazu gelieferten Anmerkungen ergeben. Diese Canzone oder Sestine gehört keinesweges zu den schwierigsten an Inhalt und Form. Sie ist für diejenigen, welche nicht hinter jedem Worte eine Allegorie suchen, eine Klage über unerwiederte Liebe, und bietet dem Uebersetzer weniger Schwierigkeit dar, als die andern Gedichte, da hier keine Reimworte zu suchen sind, sondern es nur darauf ankommt, die immer wiederkehrenden

Schlußworte, wie das Original selbst sie angiebt, mit Geschicklichkeit zu gebrauchen.

Der Dichter klagt in der ersten Strophe, daß er zu der Zeit gelangt sei, wo die Tage kurz, die Schatten lang werden, die Hügel erbleichen und sich die Farbe des Grases verliert, daß dennoch seine Sehnsucht ihr Grün nicht wechsele; so angewurzelt sei sie in dem harten Steine, welcher spreche und rede, als ob er ein weibliches Wesen sei. Hier übersetzt nun Herr Witte die dritte Zeile

Quando si perde lo color dell' erba,

Wo längst verblich die Farbe frischer Kräuter,

Er bezieht sie auf die von ihm, dem Uebersetzer, mit Schnee-bedeckten Hügel, und versetzt dadurch den Dichter aus dem kurzen in den kürzesten Tag, aus dem Herbst in den tiefsten Winter, macht mit einem Worte, aus dem Manne einen Greis, und folglich seine Liebesklage zu der eines alten Gecken. Im folgenden Verse:

E'l mio disio però non cangia il verde,

Doch meine Hoffnung hört nicht auf zu grünen,

verwandelt er die Sehnsucht in Hoffnung, obwohl im ganzen Gedichte sich Hoffnungslosigkeit, und nun am Schlusse eine Andeutung trügerischer Hoffnung ausspricht, von welcher jedoch Herr Witte, wie wir sehen werden, nichts wissen will.

Zu der folgenden Zeile

Si è barbato nella dura pietra

macht Herr Witte die gelehrte Anmerkung: *barbato* wird, nach mehreren Beispielen in der *Crusca* für alt geworden, verwurzelt, gebraucht, während wir durch jedes Lexicon erfahren können, daß *barbare* einwurzeln bedeutet. Dennoch übersetzt er:

So ist sie ganz verfangen in dem Steine

und zerstört dadurch das Bild der Pflanze, obgleich die Uebersetzung:

So festgewurzelt ist's (das Sehnen) im harten Steine

von selbst in die Hände läuft.

Donna, der Ehrenname des weiblichen Geschlechts, der, wie *donno* und *donneggiare*, beweisen, die Frau, als Herrin, Gebieterin bezeichnet, ist ihm im folgenden Verse, und im ganzen Gedichte nichts weiter als ein Mädchen (*ragazza*) hier, in der neunten Ballade ist ihm die *donna mia*, gar zu meinem Kinde geworden.

Zu ähnlichen einzelnen Bemerkungen bietet das ganze Gedicht reichliche Veranlassung dar. Doch sehn wir nun, wie sich eine ganze Strophe im Original und der Uebersetzung ausnimmt.

Le sue bellezze han piu vertù, che pietra,
E'l colpo suo non puo sanar per erba;
Ch'io son fuggito per piani e per colli
Per potere scampar da cotal donna;
Onde al suo lume non mi può fare ombra
Poggio, ne muro mai, ne fronda verde.

Mehr Kraft besitzt ihr Reiz, als edle Steine.
Die Wunde, die sie schlägt, heilt nicht durch Kräuter.
Vom Thale bin ich schon zu öden Hügeln
Geflohn, um zu entgehn dem argen Mädchen; (!)
Vor Ihrem Licht gewährt kein Berg mir Schatten,
Kein Mauerwerk und keines Baumes Grünen.

ohne in das Einzelne einzugehn, bemerken wir, daß Herr Witte in sechs Zeilen drei Verbindungswörter *E*, *che* und *onde* weggelassen, der Rede dadurch ihre Gedanken benommen, und statt eines wohlgestaltenen Körpers uns abgeschnittene Glieder gegeben hat.

In den folgenden Strophen heißt es: Ich habe sie einst gesehn, in Grün gekleidet, so gestaltet, daß sie die Liebe, die ich selbst zu ihrem Schatten trage, im Steine erregt haben würde. Dann folgt

Onde io l'ho chiesta in un bel prato d'erba
Innamorata, come anco fu donna,
E chiusa intorno d'altissimi colli.

Herr Witte übersetzt, mit Weglassung des nothwendigen Verbindungswortes *Onde*

Ich sprach sie an auf einer Flur voll Kräuter
So lieblich, wie nur je ein schönes Mädchen
Und rings umschlossen vor erhabnen Hügeln.

hierzu die Anmerkung: „Diese drei Zeilen sind dunkel. Will man *innamorato* auf die Geliebte beziehen, so erscheint nicht allein die letzte Zeile sehr gezwungen, sondern es widerspricht auch der Inhalt der nächsten Strophe einem solchen Beiwort entschieden. Auf *erba* bezogen, ist aber *innamorato* ein nicht minder ungewöhnliches und seltsames Adjectiv, (vergl. indeß *Crusca* §. *II.*)

Wenn wir uns über diese gelehrten Zweifel beruhigt und zurecht gefunden haben, versuchen wir eine wörtliche Uebersetzung:

Daher (weil ich sie so reizend sah) habe ich sie begehrt auf einer schönen Wiese, von Liebe erfüllt, wie sie auch ein Weib war und rings von sehr hohen Hügeln umschlossen. Mit andern Worten: Der Dichter, auf ihre weibliche Natur trauend, und auf die stille Verschlossenheit des Thales, wünschte und hoffte, sie auf jener Wiese für Liebe empfänglich zu finden. (*Innamorato* ist edler und allgemeiner, als das deutsche verliebt.)

Die folgenden Zeilen, die Herrn Witte so gelehrte Zweifel eingeflößt haben, beseitigen den Zweifel vollkommen: „Aber eher werden die Flüsse zu den Hügeln kehren, als dieses feuchte und grüne Holz sich entflammen wird, wie eine schöne Frau zu thun pflegt" für mich rc.

Der Schluß lautet folgendergestalt:

Quandunque i colli fanno più nera ombra,
Sotto un bel verde la giovene donna
Gli fa sparir, come pietra sotto erba.

Herr Witte übersetzt:

Liegt an den Hügeln auch ein dichter Schatten,
Es scheucht im Grünen (?) ihn dies zarte Mädchen;
So bergen Steine wohl sich unter Kräuter.

So bergen Steine sich, wie sie ihn scheucht. — Diese Art sich auszudrücken will uns nicht als logisch richtig erscheinen. Es heißt im Original: Die junge Herrin macht unter schönem Grün die Hügel verschwinden, wie einen Stein unter dem Grase.

Doch wie erläutert Herr Witte die Stelle? „Auch die Erklärung der Schlußstrophe oder *ripresa* macht Schwierigkeiten. In allem Fall (?) scheint der Gedanke der zu seyn: Die dunkelste Nacht (Objekt) überdeckt die Geliebte mit Ihrem Glanze, so wie Steine vom Grase überdeckt werden. Ob das Grün, das mit Ihr zusammengestellt wird, das grüne Laubdach, unter dem sie sitzt, oder Ihr eignes grünes Gewand seyn soll, weiß ich nicht zu entscheiden."

Daß Herr Witte dies nicht zu entscheiden weiß, hat uns mit Verehrung für seine Bescheidenheit erfüllt. Uebrigens müssen wir aber bekennen, daß wir uns weit leichter bei den allerdings räthselhaften Worten des Dichters etwas vernünftiges und mit dem übrigen Inhalte des Gedichtes zusammenhängendes zu denken wissen, als bei seiner Erklärung.

In der dritten Strophe hat der Dichter gesagt: Amor hat mich zwischen kleinen Hügeln angeschlossen, fester als der Kalk den Stein. Hier ist mit den Hügeln deutlich genug der Busen der Geliebten bezeichnet, und Herr Witte hat dies noch deutlicher angegeben, da er von zwei Hügeln spricht. Gehen wir nun hiervon aus, gedenken wir des oben erwähnten grauen Gewandes, und übersetzen wörtlich: Wenn auch die Hügel den schwärzesten Schatten machen, die junge Herrin macht sie verschwinden unter einem schönen Grün, wie den Stein unter dem Grase — so bietet sich zunächst dem Auge ein angenehmes sinnliches Bild der Geliebten, welche den halbentblößten Busen dem Auge des sehnsuchtsvollen Liebenden entzieht. Aber wir finden auch ohne Schwierigkeit den Sinn des Bildes, der dem ganzen Inhalte des Gedichtes völlig entspricht. Wenn auch in ihrer Brust der schwärzeste Schatten, wenn er durch Gluth der Liebe auch noch so wenig erwärmt und erhellt ist, so überkleidet die Herrin ihn mit dem schönen Grün der Hoffnung, welche die Liebe nicht ersterben läßt, wie der Stein, der harte und fühllose, von dem weichen, das Auge stärkendem Grase bedeckt wird.

Da Herr Witte so sehr genau zu wissen pflegt, was hinter den Worten des Dichters verborgen ist, so ist es nicht verwunderlich, daß er zuweilen nicht weiß, was in den Worten liegt. Wenn manche Leute den Wald vor lauter Bäume nicht sehen, so ist ihm im Gegentheile nachzurühmen, daß Er vor lauter Wald die Bäume nicht sieht.

Wir haben die Arbeit des Herrn Witte mit einer Ausführlichkeit beurtheilt, die sie durch ihre Wichtigkeit nicht verdient. Da aber derselbe sich bei jeder Gelegenheit als einen Dante-Forscher ankündigt, wie es bis jetzt noch keinen gegeben, und eine Stimme, die sich laut und oft vernehmen läßt, von vielen leicht für eine bedeutende gehalten wird, so hat es uns rathsam geschienen, deutlich zu machen, was eigentlich von dieser Stimme zu halten sei. Kritischer Fleiß, wenn er mit dem Geiste geübt wird, der den seligen Geh. Rath Wolf beseelte, ist höchst verehrenswerth. Ohne diesen Geist macht der Staub, der auf alten Manuscripten und Büchern ruht, nur die Finger schmutzig und die Augen noch blöder, als sie ohnehin sind.

Das Buch ist mit der Eleganz gedruckt, welche die Unternehmungen der Brockhausischen Buchhandlung, auch nach dem Tode ihres verdienstvollen Stifters, von denen aller andren deutschen Verlagshandlungen auszeichnet. Ob wir schon bedauern, in der Sammlung das Credo und die Bußpsalmen des Dichters zu vermissen, so wünschen wir ihm doch Verbreitung, da diese kleinen Gedichte des göttlichen Sängers in Deutschland noch wenig bekannt sind. Auch die unbedeutenderen, nur anf den Augenblick berechneten wird man, als unmittelbare Aeusserungen eines großen Geistes in den Originalen mit Vergnügen lesen, in den bedeutenderen aber überall den Dichter der göttlichen Komödie wiederfinden.

Streckfuß.

(Redigirt von Dr. Fr. Förster und W. Häring (W. Alexis.)

Im Verlage der Schlesingerschen Buch- und Musikhandlung, in Berlin unter den Linden Nr. 34.

Berliner Conversations-Blatt

für

Poesie, Literatur und Kritik.

Dienstag, — Nro. 47. — den 6. März 1827.

Meine letzte Nacht in Berlin.

(Fortsetzüng.)

Die lange öde Königsstraße hinunter verfolgten mich die heut empfangenen Bilder, von der Phantasie noch lebendiger ausgemalt. Was mir beim Eintritt in Berlin kalt und gewöhnlich erschienen, glänzte in dunklerem Colorit, umwoben vom Schleier des Wunderbaren. Die getrennten Auftritte verketteten sich und gewannen dadurch Bedeutung. Es wurde mir klar, wie viel Seltenes mir begegnet sei und unwillkürlich dachte ich an den seligen Hoffmann, den die Natur zum Historiographen des mysteriösen Berliner Nachtlebens geschaffen. Stand ich doch in dem Augenblicke dort, wo die Königsstraße von dem vorspringenden alten Rathhause beengt wird, an einer classischen Stelle. Ich blickte hinauf; der alte Thurm, dessen Gitterfenster in der Brautwahl eine so bedeutende Rolle spielt, war indessen abgetragen, und keine Hand winkte vom grauen Gebäude herab. Die hell erleuchtete neue Post, wo stündlich die fliegenden Nachrichten aus den Welttheilen der Wirklichkeit eintreffen, mochte die Geister verscheucht haben.

Nun aus der engen hohen Gasse auf die lange Brücke. Welch ein erhebender Anblick! Ueber den hinschleichenden Fluß die schöne Brücke mit dem Geländer von schwer durchbrochenem Eisenwerk, rechts, jenseits der Spree, die weiten dunkelgrauen Bauten des alten Schlosses mit seinen Thürmen und Zinnen, und links über dem Wasser schwebend der große Kurfürst im Bronzeglanz seiner Statue. Darüber der weite blaue Nachthimmel mit seinem Wiederschein auf den Zinnen des Schlosses und im Wasserspiegel. Jenseits und zu beiden Seiten die tausend erhellten Fenster und Kaufläden einer schönen Stadt. Hier treten uns auch Geister entgegen, wenn der Mond über die hohen Häuser schreitet und einen magischen Schein ausgießt auf das ernste Haupt des großen Fürsten und das kolossale Gebäude, seines und seiner Ahnen Werk, das in ruhiger Festigkeit dasteht, und hier weichen vor dem Geiste die Gespenster.

Doch duldete es mich noch nicht zuhause, mein zu bestehendes Abentheuer forderte Stärkung und Ueberlegung. Ueber den Schloßplatz, an den Mühlen entlang, durch die schweigende Jägerstraße, schweifte ich bis zum Gend'armenplatz. Schon waren die Thüren im weiten Porticus des Theaters geschlossen; nur ein Vereinzelter — wo er hergekommen, blieb Räthsel — schritt die Stufen der hohen beleuchteten Treppe herab, und zeigte mir den Weg bei Stehelt vorbei. Er war nicht weit.

Schon schwebte in der Weinstube auf aller Lippen die Begebenheit des Tages. Obgleich ein Fremder in Berlin, war ich dort nicht fremd; denn den Süddeutschen hatte der seltene Ort, wo es einem Kenner durch beharrliche Kritik möglich wird, einen erträglichen Wein zu erhalten, bald gefesselt. Künstler, Dichter, Schauspieler, Gelehrte waren hier versammelt, aber mein genauester Bekannter war ein Mann, mit dem ich noch kein Wort gewechselt hatte. Auch heute saß der ältliche hagere Besucher auf seinem gewöhnlichen Platze und starrte mit den theilnamslosen Augen vor sich hin, ohne der durch die belebtesten Gespräche aufgeregten Gesellschaft nur einen Blick zu schenken. Er dünkte mir heut bekannter als je, denn ich mußte mich sehr irren, oder es war derselbe, der vorhin die Treppen des Komödienhauses herabschritt. Es ist hier nöthig, die Art unserer Bekanntschaft zu erzählen.

Als ich vor drei Wochen zum erstenmal die Weinstube betrat, setzte mir der Kellner einen Wein vor, den kaum ein Chinese für Französischen gehalten hätte. Ich forderte anderen. Schmeckte in dem ersteren das unschuldige Rosinenwasser vor, und senkte sich der Rest der blauen Heidelbeeren, die ihm in Stettin oder Magdeburg die rothe Farbe verliehen, sichtlich zu Boden, so brannte in diesem der Kartoffelbranntwein mit Nelken und Ingwer die Kehle wund. Das ist doch echter, starker Graves? fragte der Kellner, als ich ihm bereits das Höllengebräu vor die Füße goß. Ich hatte, wie Tamino, die beiden ersten Proben, des Wassers und des Feuers, überstanden und lächelnd ging Louis mir einen Wein vorzusetzen, von dem doch vielleicht ein Drittel in seiner Kindheit die Ufer der Garonne erblickt hatte, wenn auch späterhin mehrere Mesalliancen mit den Grüneberger und Meißner Rebenhügeln das Französische Blut verunreinigten. Diesmal ließ ich es bewenden und setzte das langsam ausgeschlürfte Glas mit einem bedeutsamen Blick und den Worten nieder: Morgen, Louis, weiter nach Frankreich!

Während der Procedur hatte ein Mann mir gegenüber mit peinlicher Aengstlichkeit alle meine Bewegungen verfolgt. Der Gast, der vielleicht Jahre lang bei Rosinenwasser und Blaubeeren zufrieden gewesen, erhob sein Glas und forderte bessere Sorte. Betroffen und zögernden Schrittes folgte Louis seinem Begehren. Er hielt den neuen gegen das Licht, nippte und sprützte einen Graves, den er sonst nur an Festtagen erhielt, mit der Benennung: Höllengebräu! gegen die Decke. Erst als Louis nach langen Debatten mit dem Wirthe ihm ein überfließendes Schoppenglas vorsetzte, dessen Wein die Farbe des meinigen trug, gab er sich zufrieden.

Ich nicht so. — Weil ich immer der Meinung war, man müsse ein ehrwürdiges Herkommen nicht mit einem male umstoßen, sei es auch noch so schädlich, drang ich nicht plötzlich über alle Schranken der Weinschenken-Convenienz; aber mit jedem Tage forderte und erhielt ich eine bessere Sorte, bis ich auf dem Läuterungswege so weit vorgeschritten war, daß Louis eines Tages lächelnd mit der Versicherung zu mir trat: einen bessern gäbe es in des Königs-Kellern von Frankreich nicht.

Aber welche Umtriebe hatte ich in der Weinstube verursacht! Der unbekannte alte Gast fand sich, wie instinctartig hergetrieben, zu jeder Stunde ein, wo ich die Stube betrat, mochte es des Morgens oder Abends sein, mochte ich von jener oder dieser Seite kommen. In der Nähe konnte er nicht wohnen, wie mich Louis versicherte, und um täglich Aufpasser zu halten, welche ihm meine Ankunft meldeten, dazu schien er nicht vermögend genug. Ruhig pflanzte er sich nieder, und antwortete auf die Fragen der Aufwärter nur mit einem barschen Blicke, bis ich meinen Wein erhalten und geprüft. Dann folgte ein gebietender Wink mit den Worten: Von dem da!

Sein Beispiel war nicht ohne Nachfolger geblieben, das Verlangen nach reinem Wein wurde so allgemein, daß der Wirth mir einst bei Seite das Anerbieten machte, billiger, ja allenfalls umsonst die theuersten Weine vorzusetzen, wenn ich mich in einer Separatkammer mit ihm verschließen wolle. Als er meine Unlust bemerkte, griff er die Sache von der politischen und moralischen Seite an und endete mit einer Schmeichelei:

Sie greifen, mein Herr, durch Ihr freieres Benehmen in eine alt hergebrachte Ordnung dieser Stadt, und führen unter lockenden Aussichten die Gäste zu ihrem eigenen Verderben. Abgesehn davon, daß die nordische Cultivirung des Weines vielleicht ganz dem physischen und dem Bildungszustande unserer Nation angemessen ist, daß vielleicht der Genuß des reinen Weines, unerhört bis jetzt, zu schädlichen Folgen führen könnte, wie denken Sie, daß es möglich ist, mit den geringen Producten der Paar Weinländer, wenn sie nicht durch Zersetzung vermehrt werden, dem ungeheuren Bedürfniß der beiden Polarkreise nachzukommen? Bedenken Sie allein den Bedarf an Moselwein! Das einzige Berlin trinkt mehr davon, als alle Moselberge liefern. — Versetzter Wein schmeckt schlechter, als reiner, das gebe ich Ihnen zu; mag es aber nicht gerade in einer weisen polizeilichen Einrichtung unserer Vorfahren beruhen, daß man den versetzten bei uns einführte, den Leuten nicht den Appetit zu reizen? Dann aber ist es gut überall versetzten Wein schenken, denn, wer einmal reinen getrunken, findet an jenem nie wieder Geschmack. Doch existirten auch nicht alle diese inneren Gründe, der eine Grund, daß es etwas Altes und Hergebrachtes ist, daß: daran rütteln auch mit den trefflichsten Vernunftschlüssen und mit dem Scheine der Wahrheit, nur zu Unordnungen und Umsturz führe, müßte genügen. Kann das die Polizei zugeben, wenn es hieße:

In Berlin wird überall reiner Wein geschenkt? — Bemerken Sie selbst, welche Unzufriedenheit Sie schon hervorgebracht haben, wie Sie einen Feuerbrand in das ruhige Gemüth jenes alten Officiers geworfen. Bis Sie kamen war er gottselig bei seinem Medoc aus Nummer 1, ich sehe den Zeiten entgegen, wo ihm der hoch und theuer verpichte Schloß Johannisberger wird verfälscht erscheinen. Wer so lange Jahre selig bei dem Naturzustande war, wozu ihm nie gekannte Bedürfnisse der Cultur zeigen! Es schmerzt mich jedesmal, wenn Louis dem Menschen, der nichts davon versteht, aus einem echten Fasse zapft. Und nun alle die Gimpel, die auf ihn blicken? Wohin soll das führen? Mein verehrter Herr, halten Sie mich nicht für so beschränkt und eigennützig, dem Verdienst seinen Lohn entziehn zu wollen. Sie kennen guten Wein, Ihnen denselben entziehen, wäre unrecht; aber die Guten und die Kenner sind ja überall nur Ausnahme, und sie mit dem Volke zusammen werfen wollen, hieße nicht die Welt verstehn. Beehren Sie mich, je öfter je lieber, mit Ihrem Besuche in meiner kleinen Stube, aber lassen Sie die schlechte Menge hier sitzen, bis sich das wahre Talent durch sich selbst zum Kenner herausbildet.

(Forts. folgt.)

Correspondenz.

(Beschluß.)

Dresden im Februar.

Humor wollen Sie? Sie schienen selbst in dem Vorworte Ihres Blattes anzudeuten, daß sogar Tieck, seitdem er in Dresden wohnt, mit seinem ehemaligen Humor nicht viel sich zu schaffen machte. Von Zeit zu Zeit indeß wandelt ihn eine leichte ironische Neigung noch an, wie neulich, als er einer adlichen Gesellschaft ein Lustspiel zum Darstellen auf ihrem öffentlichen Privattheater auswählte — den Postzug — der eine etwas sehr pikante Beize gehabt haben soll. Das Dresdner Abendblatt war so kurzsichtig, den Spaß für Ernst zu nehmen, und stellte die Gesellschaft deshalb sogar zur Rede. — Sonst aber können Sie dreist, ohne Gefahr zu laufen, ihr Geld zu verlieren, einen Preis auf einen guten Einfall in und über Dresden gewacht, setzen. — Beklagte sich doch schon Schoppe nur immer darüber, wie der Deutsche weder eine vernünftige Leidenschaft, noch eine vernünftige Tollheit habe und Giannozza konnte aus den Lüften sogar sich blos praktisch über das Land ergießen — und wir leben hier im Herzen Deutschlands. Ich weiß nicht, ob Sie den Aufsatz Jean Paul's über Dresden, den er nach seinem Aufenthalte hier 1822 in die Abendzeitung einschickte, gelesen, so viel weiß ich aber, daß es wol das Schwächste ist, was er je geschrieben. Auch soll Baggesen mit dem Vorlesen seines humoristischen Epos, Adam und Eva, bei den Autochthonen hier nicht sonderliches Glück gemacht haben, wie ich vernommen, da man sich zu gleicher Zeit augenscheinlich in einer anwesenden Menagerie überzeugte, daß die Schlange das an sie gerichtete Französisch nicht verstand.

Ihre schmeichelhafte Aufforderung, und die Ueberzeugung, wie ich ihr sogar nicht entsprechen können würde, setzte mich sehr in Bewegung, so daß ich nach Empfang Ihres Briefes in meiner Stube auf und niederging, und mir Manches vorzustellen versuchte. Als ich nach langem Umhergehen mich voll Aerger in meinen Lehnsessel warf, mein Blick aber auf meine Nase fiel, und ich lange durch verschiedenes Drehen und Wenden des Kopfes der lebendig gewordenen Satyre zu entgehen versuchte, sank ich endlich, ermüdet, in einen tröstenden Schlaf. Ich weiß nicht, wie es kam, daß ich mich auf den Neumarkt hin versetzt fühlte, und daß mir auf ihm vom Judenhofe her plötzlich — der Memnonskopf der Morgenzeitung entgegenschritt. Ich wollte ihn eben erstaunt betrachten, als in demselben Augenblicke aus der Morizstraße, aus der Gerlach'schen Buchdruckerei, wie es schien, — der geflügelte Knabe der Abendzeitung, in der Hand den Oelkrug, den er kürzlich erst wieder gefüllt, mit einem großen Schwerdte, das er, zum Krieg sich rüstend, erst am Neujahrtage umgethan hatte, und das, beinah so groß wie er, ihn sehr im Laufen hemmte, hervorbrach. Ganz erschreckt über die ungewöhnliche Keckheit — doch hatte der Schalk keine Maske umgenommen, und glaubte, man kenne ihn nicht — sah ich ihn auf den Memnon zu eilen und ihm heißes Oel in's Gesicht gießen. Heißes Wasser, — denn es schien dessen sehr viel im Kruge zu sein — tropfte vom begossenen Kopfe in den Schnee herunter von allen Seiten, und bildete um ihn eine zierliche Insel, auf der er allein dastand. — Einige Oeltropfen hatten den Kopf mit Wunden verletzt; aber keinen Laut gab er von sich; denn es schien eben die Sonne nicht, auch regte er sich sonst keineswegs; denn es fehlen ihm, wie Sie wissen, die Arme zum Schlagen, selbst wenn er letztes auch wollte. — Der Knabe konnte daher ungestört ätschend mit dem Finger schaben. Eine Menge Leute waren herbeigekommen und beguckten, die Hände auf die Kniee gestemmt, neugierig den triefenden Kopf, bis endlich ein mitleidiger Mann heraustrat und ihm das Oel aus dem Gesicht wischte. Glücklicherweise brach eben ein Sonnenstrahl durch die Wolken, der Kopf fing an zu reden: Ihr Leute, sagte er, seht, unser X hat mich beschrieben, unser Q hat mich gezeichnet, unser W hat mich geschnitten — und nun. — Eben überzog wieder eine schwarze Wolke die Sonne und mit dem Geschrei: „Du Memnonsvogel" brach Merkur, einen Stock in der Hand, aus der Frauengasse hervor und schlug unbarmherzig auf den Kopf los. Der Memnon dröhnte nicht — nur wollen Einige einen schmerzlichen Zug im Gesicht bemerkt haben, vielleicht täuschte aber blos das Oel. Das Volk umjauchzte seinen geliebten Merkur; nur der beschreibende X, der indeß dazu gekommen war, streichelte gutmüthig den Kopf und pries ihn. — Merkur operirte indeß schlagend fort, zugleich mit dem ätschenden Jünger, wiewohl beide sich den Rücken zukehrend. Der Kleine sprang nur vorsichtig von Zeit zu Zeit umher, um den ihn schon bekannten Schlägen Merkur's zu entgehen, die ihn zufällig mittreffen konnten, bis er unter lautem Gelächter der Umstehenden über sein großes Schwerdt in den Schnee fiel — und sich beschämt davon stahl. Von der andren Seite hatten indeß mehrere sehr gewichtige und ernsthafte Leute den Memnon still in ihre Mitte genommen, um ihn ehrerbietig nach Hause zu begleiten. — Merkur unterhielt sich noch mit dem Volke, als plötzlich der große Schlitten des Fürsten Puttiatini mit Glasfenstern und einem geheizten Windofen (ein Mann saß allein mitten drin, wie der Apotheker Zeusel im Hesperus in seinem Staatswägen wie ein kleiner Kern in einer großen Nuß wankend) auf den Platz gefahren kam. Das Volk verließ den Merkur, jauchzte und lief dem Schlitten nach. Es wurde ein Knallen, Klingeln, Schreien — daß ich erwachte. —

„Gott segne den Mann, der den Schlaf erfand."

99.

Der Carneval zu Cöln am Rhein.

Da uns der diesjährige Carneval zu Cöln an der Spree nicht zum besten versorgt hat, haben wir uns an unsre gute Stadt Cöln am Rhein gewendet, der einzigen Deutschen Stadt, in der es zur Zeit einen wahren Carneval giebt und aus den von dort eingegangenen höchst erfreulichen Berichten, theilen wir folgendes mit:

Mit den ersten Tagen des neuen Jahres beginnt bei uns auch schon wieder die Faschingslust rege zu werden und wenn wir gegen die Residenz so manches Vergnügen entbehren müssen, was gerade die rauhe Jahreszeit des Winters Ihnen bietet, so versetzt uns der hiesige, wie ein Phönix aus seiner Asche wieder erstandene Carneval, mindestens während zweier Wintermonate in eine solche rosenfarbne, dem südlichen Himmel angehörende Laune, daß wir, wenigstens in dieser Zeit, die glänzenden Opern und Maskenbälle Berlins nicht mit den uns gebotenen aus dem Leben gegriffenen oder entstandenen Schauspielen der Heiterkeit des Scherzes, des Frohseins und der guten Laune vertauschen möchten. Wie immer hat sich auch Goethes Zuruf an den Cölner Mummenschanz

Löblich wird ein tolles Streben,
Wenn es kurz ist und mit Sinn,
Daß noch Heiterkeit im Leben
Giebt besonnenem Rausch Gewinn,

seit nunmehr fünf Jahren auf die erfreulichste Weise durch das gesteigerte Aufblühen des hiesigen Carnevals bewährt. Bekanntlich gab die in einer fröhlichen Gesellschaft aufgeworfene Frage eines hiesigen, so wohl durch Kenntniß als Rechtlichkeit hoch geachteten, als durch unversiegbaren Scherz und Fröhlichkeit überall beliebten Kölner: „Soll denn der Cölnische Fasching ganz untergehen" vor fünf Jahren die nächste Veranlassung, den Thron des Helden Carneval mit allem Glänz wieder herzustellen. Es lebte damals in unserer Mitte noch ein leider früh heim gegangener Sänger Schier, der zum Dichter geboren, jene Frage mit Begeisterung aufgriff und indem er durch seine Muse die bereits erlöschende Lust für das Volksfest auf's neue belebte, war auch er in dem engern Kreise der zusammengetretenen Freunde der Mittelpunkt, durch den die vielfach entstandenen und aufgefaßten Ideen sich zu einem Ganzen gestalteten, welches, da die Leitung in den Händen des gebildeten Publicums blieb, den Forderungen eines höhern Dramas entsprechend, auch die Theilnahme der Masse des Volkes zuließ. Die Seele des Ganzen ist der Held Carneval als Repräsentant der Freude dem als Attribut in der Corporation des lustigen Rathes Witz und Laune begleiten. So hat dieses Fest nunmehr seine höhere Richtung in dem Maaße bewährt, daß in diesem Jahre unter der bedeutenden Zahl der gebildeteren Einwohner nicht mehr davon die Rede ist, wer sich dem Verein anschließt, sondern höchstens noch darnach gefragt werden könnte, wer sich noch ausgeschlossen hält. Ich lasse, um Ihnen ein anschauliches Bild von unserm diesjährigen Treiben zu geben, die zeitherigen Vorbereitungen und Verhandlungen chronologisch folgen. (Forts. folgt.)

(Redigirt von Dr. Fr. Förster und W. Häring (W. Alexis.)

Von diesem Journal erscheinen wöchentlich 5 Blätter (und zwar Montags, Dienstags, Donnerstags, Freitags und Sonnabends) außerdem literarisch-musikalisch-artistische Anzeiger. Der Preis des ganzen Jahrgangs ist 9 Thaler, halbjährlich 5 Thaler. Alle Buchhandlungen des In- und Auslandes, das Königl. Preuß. Post-Zeitungs-Comptoir in Berlin, und die Königl. Sächsische Zeitungs-Expedition in Leipzig nehmen Bestellungen darauf an.
Im Verlage der Schlesingerschen Buch- und Musikhandlung, in Berlin unter den Linden Nr. 34.

Berliner
Conversations-Blatt
für
Poesie, Literatur und Kritik.

Donnerstag, — Nro. 48. — den 8. März 1827.

Meine letzte Nacht in Berlin.

(Fortsetzung.)

Demungeachtet war ich unter den Gästen sitzen geblieben, versichernd, wie seine politischen Gründe mir einleuchteten, meine Intention: Bekanntschaften zu machen, mir aber lieber sei, als seine Politik. Heut ging es bunt über Eck an den Tischen. Geistreiche Gesichter, scharfe Zungen. Es waren hier keine Enthusiasten *pro* und *contra*; man dünkte sich über diese unmittelbare Theilnahme erhaben, dafür wurde aber die Berechtigung beider Partheien desto gründlicher und witziger erwogen. Allgemein schien man jedoch die Aeusserung des Unwillens, wie er heut ans Tageslicht getreten, zu misbilligen, als ein Maler einen andern Ton anstimmte: Meine Herren, Sie werden erstaunen, ich habe mitgetrommelt, ich, der ich sonst zu ihren eifrigsten Freunden gehörte und ferner gehören will; ich halte mit meinem Grunde nicht hinterm Berge. Was entzückte uns an ihr? Spiel, Gesang und Anmuth nicht allein. Es war mit ihrer Persönlichkeit, der treffliche Character des Mädchens. Ihr Ruf war felsenfest, und der untrüglichste Stempel desselben ihr grundehrliches Gesicht. Man hätte Wechsel auf den freundlichen, heitern Blick schreiben mögen, und denselben Ausdruck trug ihre ganze Erscheinung bis zu den Fußsohlen herab, und nun kommt sie aus Paris —

Nun, riefen Alle, was hätte sie dort eingebüßt?

Nichts als die Modestie in der Tracht. Freunde, wo war sie reizender als im grauen Aschenbrödelkleide, wo man sie — und nur sie sah? Jemehr Staat, jemehr schwand mir von der lieblichen Erscheinung. Und nun, denkt Euch, kommt das liebe, gute, ehrliche Mädchen, behangen und bekleidet mit allem Pariser Tand und Firlefanz zurück. Welcher Feind, oder welche Feindin mag ihr eingebildet haben, das stehe ihr gut? Breite Schultern, die Haare, wie ein halber Mond gen Himmel gereckt, die hübschen Arme in unförmlich weiten Aermeln versteckt, und das Kleid in hundert tausend Falten ausgelassen, daß man von dem zarten Ebenmaas ihrer Glieder rein nichts gewahr wurde. — Deshalb, und weil ich weiß, daß es ihr nicht schaden, sondern nur zur Correction dienen kann, habe ich von Herzen mitgepocht, und an ihrem ganzen Unstern, wette ich, ist nicht ihr Gesang, nicht ihr Spiel, nicht ihr Engagement, sondern die Falbalas und Gigots schuld, ein Wort, so übrigens nicht einmal ursprünglich aus Paris stammt, sondern aus Deutschland in's Französische übergegangen ist, indem nach meinem Lexicon *Gigot*, Italienisch *giga* oder *gigotto*, bedeutend eine Schöpskeule oder einen Hammelschlägel, vom Deutschen Worte Geige, von wegen der Gestalt, hergeleitet ist. Möge sie daher bald besagte Keulen von den Schultern abschnallen, und wieder zier- und putz-los das ehrliche, liebe, deutsche Mädchen werden, mit den hellen, freundlichen Augen klar durch allen Weihrauch blickend.

Er hob sein Glas, man stieß lachend an *) und schalt ihn einen Rebellen, als ein Dichter, ein Mann

*) Hier muß ich, da der Autor todt ist, bemerken, daß dieser Wunsch durchaus in Erfüllung gegangen, wie sich Jedermann überzeugen kann, wenn er die weiße Dame sieht. Anm. d. Setzers. — Vu et approuvé par nous. D. Red.

von mittleren Jahren, der sarkastisch umherzublicken pflegte, das Wort nahm:

Und weshalb ist es ein Majestätsverbrechen, gegen eine Hoheit rebelliren, die wir erst selbst dazu gestempelt haben? Bleibt die Hoheit bestehn, wenn wir sie näher ergründen? Sie ist eine Sängerin, auch eine gute, aber es gab und giebt viel ausgezeichnetere. Sie ist ganz artig, doch brauchen wir nach Schöneren nicht weit zu suchen. Sie ist liebenswürdig, das sind viele; weil sie eine Schauspielerin ist, gewinnen deshalb ihre Vorzüge ein solches Lüstre, das eine alle Gränzen überschreitende Verehrung rechtfertigt?

Ein jüngerer strich sich die Haare aus der Stirn und hub mit einer Gelassenheit an, welche von der innern Sicherheit Zeugniß ablegen sollte.

Worin besteht denn der Zauber der Liebenswürdigkeit, als in der wunderbaren Vereinigung angenehmer Eigenschaften, die einzeln betrachtet unbedeutend erscheinen? Es ist der wunderbare Schmelz, der keine chemische Zersetzung duldet, das bunte Regenbogencolorit, wo wir vergeblich nach Abgränzung der einzelnen Farben suchen. Wissen Sie eine ausreichende Erklärung der Anmuth, kann man sie nach Regeln construiren? Und doch ist sie es grade, welche uns erwärmt, während die vollendete, regelrechte Schönheit kalt läßt. Wir hören oft Klagen, daß die Zeit der Begeisterung vorüber, und die kalte Reflexion selbst die Gemüther der Jugend beherrsche; es ist nicht wahr, es giebt noch Begeisterung, nur verlange man nicht, daß sie, wie vor Jahrhunderten, auf ein unverständliches Dogma oder auf Palästinas Eroberung gerichtet sei. Das Hohe und Schöne hat dem Anmuthigen weichen müssen, dieser Zauber waltet noch allmächtig über die jüngern Geschlechter, und unter den geschaffenen Wesen ward der Zauber der Anmuth vor allem den Weibern zu Theil. Warum griesgram murren über die sanfte Herrschaft? Nun sehen wir eine, der auch der blasse Neid die Lieblichkeit nicht abstreitet, als Siegerin durch alle Schranken dringen, die Nordische Kälte, Deutsches Pflegma und unser kritischer Geist dem Enthusiasmus entgegenstellt. Auf der einzigen Stelle, wo es heut einer Frau zu wirken und zu glänzen möglich wird, steht sie in reiner Schönheit da. Das eben ist der Triumph des Besseren, daß man Mängel, die allen Sterblichen anhaften, übersieht und in reiner Lust an dem Schönen sich freut. Und diesen gelinden Rausch zergliedern und auf seine Elemente zurückführen wollen, heißt die Lebensluft der Kunst ersticken.

Der Kunst! fiel scharf der Aeltere ein. Ist die wohlgeregelte Fertigkeit einer menschlichen Stimme Kunst? Der Gesang der Nachtigall verhallt, und ich wüßte nichts Bleibenderes in dem einer Opernsängerin.

Also ein Thorwaldsen, wenn er aus Schnee einen Ajax bildete, wäre deshalb kein Künstler, weil, wenn der Schnee schmilzt, es mit der Statue aus ist. Die Kunst bestände am Ende nur darin, chemisch dem Schnee eine Consistenz zu geben, daß er die Sommerhitze überdauerte!

Ein Thorwaldsen würde keinen Schneemann machen, fiel der ältere Dichter nicht ohne Heftigkeit ins Wort.

Wenn er in Island lebte, statt in Rom, warf der Maler hin, warum nicht? Wenigstens knetete er dort den Gott Thor aus Isländischem Schnee am Fuß des Hecla, welcher besagte Schneemann sonach bei der nächsten Eruption des Vulcans durch die Glasirung der Lava zu einem Kunstwerke würde. Und der Künstler wäre sofort auch fertig.

Man lachte. Der jüngere Dichter hub wieder an: Wenn die Production dauernder Werke allein den Künstler ausmacht, folgte unstreitig eine neue Eintheilung der Künste nach der Dauer ihrer Productionen. Dank unsern Preßbengeln, die Poesie kann in Nach- und Abdrücken ziemlich lange leben, aber es läßt sich doch auch eine Zeit denken, wo alles Papier zu Lumpen wird! Wie lange lebt Spontini, wenn die Noten Makulatur geworden sind! Ihr großen und freien Künstler unserer Zeiten, die ihr Häuser nach dem Winkelmaas aufrichtet, und — so weit erhebt sich heut die architectonische Kunst! — ein Fenster schnurgrad wie das andere zu bauen versteht, jubilirt, denn Eure Werke, vorausgesetzt, daß sie nicht aus Luftsteinen sind, überdauern Canovas Schöpfungen. Und du Raphael, erhebe deine Madonna nicht allzuweit über die Opernsängerin, denn schon bleicht sie und wenige Jahrhunderte, so ist die Leinewand zerfallen; aber der Tagelöhner, der mit Glasstiften in Mosaik deine Gemälde verewigt, ist ein weit größerer Künstler, als der göttliche Urbiner.

(Fortsetzung folgt.)

Pariser Theater.

Die Dichter, welche die hiesigen Theater zu dem Carneval mit Neuigkeiten versehn haben, sind eben nicht glücklich gewesen; fast sämtliche Carnevalsstücke sind durchgefallen. In dem Gymnase hat „der Myops" einen Fall gethan, von dem er schwerlich wieder aufstehen wird. „Die Nymphe der Armide,“ welche im Vaudeville uns ihren Schleier enthüllte, wird bald in Sack und Asche trauern müssen. Nicht besser wird es den „Turbans- und wollenen Mützen“ ergehen, welche die Variétés an den Mann zu bringen suchten. Im Odeon fiel eine Oper *„Pourceaugnac,“* zu welcher Hr. Castil Blaze die Musik aus Weber und Rossini zusammengestoppelt hatte. — Von dem *„Courier des Théâtres“* von den Herren Theaulon, Theodor Anne und Gondelier, welches ebenfalls im Vaudeville gegeben wurde, sagt man, daß er bei seinem ersten Ritt, sogleich die Steigbügel verloren habe. Mehr Glück machte in dem Theater *Porte St.-Martin* „der Perûquier in Smyrna“ und in der *Gaîté „Poulailler“* ein großes Melodrama in 9 kleinen Akten. —

Unter den neuesten Vaudevilles hat: „die Mutter auf dem Ball und die Tochter zu Haus,“ von Hrn. Theaulon, auf dem Vaudeville-Theater die beste Aufnahme gefunden. Hr. Theaulon hat ein Spanisches Lustspiel des Hrn. Martinez de la Rosa, welches seit einigen Jahren schon in Spanien viel Glück machte, bearbeitet. Da der Verfasser des Originals während der Regierung der Cortes die ernste politische Bühne betrat und hernach verbannt wurde, so zog auch von dieser Seite das Stück das Interesse des Publikums auf sich. Hr. Theaulon ist in seiner Bearbeitung dem Original ziemlich treu geblieben und er konnte dies um so eher, da die Frauen jenseit der Pyrenäen eben nicht anders sind, als diesseit und auch dort die Mamas gern in derselben Reihe noch ein Tänzchen mitmachen, in welcher das Töchterchen schon figurirt. — Die Gräfin de Mirval, eine reiche und schöne Wittwe, von 37 Jahren, kann noch immer nicht vergessen, daß sie jung und hübsch war. — Zum Unglück für sie muß sie jetzt die Huldigungen, die ihr sonst allein zu Theil wurden, mit ihrer 15 jährigen Tochter Ernestine theilen. Von allen, welche der Gräfin, die sich als junge Wittwe noch immer für eine annehmliche Partie hält, den Hof machen, ist Hr. Alfred de Soligny der Begünstigste, allein der Baron fängt an zwischen der Mutter und der Tochter zu schwanken. Die Prinzessin Ovinska, eine reiche Polin, giebt einen Ball, zu welchem sie die Frau v. Mirval und ihre Tochter eingeladen hat. — Alfred, der sie begleiten soll, regt die Eifersucht der Mutter dadurch auf, daß er in ihrer Gegenwart dem Fräulein die übertriebensten Schmeicheleien sagt. Die Gräfin, die von dieser lebhaften Begeisterung nicht sehr erbaut ist, findet bald einen Vorwand, Ernestinen zu zwingen, zu Hause zu bleiben. Unterdessen trifft zu sehr ungelegener Zeit der Contre-Admiral Baron Norlis mit dem jungen Hr. von St. Almond, dem er in der Stille Ernestinen bestimmt hat, bei Frau von Mirval ein. Statt der Gräfin findet er nun die Tochter zu Haus, welche sehr erfreut ist, ihren Onkel zu sehen, allein sehr betrübt darüber, daß sie nicht auf den Ball gehen darf. Sie vertraut sich dem Baron, der sie zu trösten sucht und sich mit dem Versprechen, bald wieder zu kommen, entfernt. Um sich wenigstens einigermaßen zu entschädigen, macht sich das Fräulein das Vergnügen, sich in den schönsten Ballstaat zu werfen und in ihrem Zimmer sich einzubilden, daß sie sich in dem brillantesten Ballsaale befinde. — Alfred, der die Gräfin nach dem Ball begleitet hat, macht sich dort von ihr los und unter dem Vorwande, einen zurückgelassenen Fächer zu holen, eigentlich aber in der Absicht Ernestinen zu verführen, kömmt er nach dem Hause der Gräfin zurück. Er hat kaum Zeit, sich hinter einen Spiegel zu verstecken, als die junge Gräfin im vollen Ballstaat von ihrem Kammermädchen begleitet, in das Zimmer tritt. Sie fängt nun ihren Privatball an und die Schauspielerin hat hier die schönste Gelegenheit, vor dem Spiegel ihre naive Koketterie zu zeigen. Das Kammermädchen schläft indessen ein und Ernestine selbst langweilt sich bei diesem stillen Vergnügen so sehr, daß sie ebenfalls ermüdet auf einen Lehnsessel sinkt und einschläft. Jetzt schleicht Alfred hinter dem Spiegel hervor, allein in dem Augenblick, wo er sie mit leiser Stimme wecken will, wird die Klingel gezogen und er muß sich von neuem verbergen. Ernestine und ihr Mädchen springen auf, der Baron Norlis kömmt zurück, freut sich, seine Nichte so schön angekleidet zu finden und überredet sie mit ihm auf den Ball der Prinzessin Ovinska zu fahren. — Im 2. Akt sehen wir den Ballsaal vor uns, wo die Gräfin Mirval sich darüber in größter Unruhe befindet, daß Alfred noch nicht zurückgekehrt ist. Die Prinzessin ist beschäftigt, die Gräfin dadurch zu beruhigen, daß sie ihr eine Avantüre erzählt, die bereits auf dem Ball einiges Aufsehen macht, die nämlich, daß eine Mutter, ohne es zu wissen, in derselben Quadrille mit ihrer Tochter, die maskirt erschienen war, getanzt hat; eine für die Gräfin eben nicht sehr erfreuliche Geschichte. — Endlich findet die Gräfin Alfred wieder in dem Ballsaal, allein ihre Eifersucht wird auf's neue dadurch erregt, daß ihr Liebhaber eine junge Dame in einem blauen Domino nicht aus den Augen verliert. Sie macht ihm Vorwürfe, sie verlangt von ihm den Namen der jungen Dame zu erfahren, und da er es nicht sagen will, wendet sie sich an die junge Dame selbst. Diese nimmt die Mäske ab und die Mutter ist nicht wenig erstaunt unter derselben ihre Tochter zu finden. Die heftige Scene wird indeß dadurch gemildert, daß der Bruder der Gräfin um die Hand Ernestinens für den jungen St. Almond wirbt, die er auch erhält. — Zur Belustigung der Gallerie hat Hr. Theaulon dem Contre-Admiral einen Dänischen Bedienten gegeben, der das Französische versteht, aber nicht sprechen kann und daher mit vielen komischen Gebehrden eine neue Art von Stummen spielt. — Seit mehreren Monaten erhielt auf den kleinen Theatern kein Stück so ungetheilten Beifall.

Der Carneval zu Cöln am Rhein.

(Fortsetzung.)

Vor dem Eintritt der eigentlichen Faschingszeit und gleich nach dem neuen Jahre constituirt sich die Gesellschaft der Faschingsfreunde, die, schon in dem ersten Zeitungsblatt durch die Vignette des sich nur mit dem Kopfe zeigenden Hanswurstes vorläufig erinnert, an den darauf folgenden Tagen durch das Organ des in voller Rüstung erscheinenden Harlequins eingeladen ward, sich an bekanntem Ort und Stelle am 7. Januar zur ersten Generalversammlung einzufinden. Sinnvoll und bedeutend ist schon der Ort der Zusammenkunft gewählt, denn wir finden uns in einem Gebäude zusammen, was der Geschichte angehört.

Folgende in dem Hausflur angebrachte Verse erläutern dem Unbekannten die Wichtigkeit der Stelle, die er betreten:

Steine verschiedener Art bezeichnen dies Haus und die Straße,
Hier kam Rubens zur Welt hier starb Medicis auch.
Gab der Königin einst dies Haus den deutschen Apelles.
Fand die Verfolgte doch hier ruhig den wartenden Tod!

Von diesem Hause wehte uns schon flatternd die Fahne des komischen Helden, mit allen Attributen der Freude auf das sinnreichste decorirt, entgegen. Mit vollem Tusch des anwesenden Musikchors ward jeder empfangen, der den geschmückten Saal betrat, und obschon die 200 Personen, welche vielleicht an jenem Abend zusammenkamen, theils im Geschäftsleben, theils in Erholungsorten sich täglich begegnen, so war es dennoch ein besondres Gefühl, sich zu einer für Geist und Herz gleich einladenden Feier, lediglich zu dem Zweck versammelt zu sehen, durch eigne Fröhlichkeit auch Anderen Freude zu bereiten. Wie man nach langer Abwesenheit den Kreis der Jugendfreunde und Bekannten betritt, mit denselben herzlichen Grüßen, mit derselben Freude war jeder willkommen und es hatte sich schon am ersten Tage eine Versammlung der angesehensten und gebildetsten Männer constituirt, welche hier einen Bruderkreis bildend, die sichere Gewähr auch in diesem Jahre gaben, daß das schwierige Geschäft der Vorbereitungen in gute Hände gelegt sey.

Nach Absingung verschiedener, dieses Zweckes halber besonders gedichteter, Lieder, begann die Eröffnung der Versammlung durch Vorlesung des, nach dem Schluß des vorjährigen Carnevals von dem festordnenden Comitee aufgenommenen, letzten Protocolls. Es wurde hier der Gesellschaft Rechenschaft über die Verwendung der im letzten Jahr erübrigten Summe der Subscriptionsbeiträge von 500 Rthlr. gegeben, und gleichzeitig auch dadurch jedem Theilnehmer die erfreuliche Genugthuung gewährt, durch seinen Beitrag ein Werk der Mildthätigkeit gefördert zu sehen. Bekanntlich hat Cöln im Vergleich mit anderen Städten gleicher Bevölkerung unverhältnißmäßig viele Arme und es ist daher natürlich, daß die Erziehung einer größeren Anzahl verwaiseter oder verwahrloseter Kinder der Stadt zur Last fällt als anderswo.

Einen der ersten Besuche unsers würdigen Erzbischofes nach seiner Ankunft erhielt die hiesige Waisen-Anstalt. So sehr auch dieser hohe Prälat mit der Einrichtung, Ordnung und Reinlichkeit zufrieden zu sein sich äußerte, so verhehlte er dennoch nicht, wie die zeitherige Beschäftigung, namentlich der Knaben, ihre physische und moralische Bildung aufhalte und wie es dringendes Bedürfniß sei, nach dem Muster anderer Anstalten jene Kinder schon jetzt auf ihr künftiges Verhältniß vorzubereiten und ihnen eine Beschäftigung anzuweisen, die so wohl ihre Kräfte übe, als auch mit Lust von ihnen betrieben werden könne. Manche Schwierigkeiten stellten sich dem entgegen, da die Stadtbehörden im Interesse ihrer Verwalteten vorstellen mußten, daß keine Handwerke oder Gegenstände zur Beschäftigung der Waisen gewählt werden möchten, welche einen Nahrungszweig der städtischen Bewohner selbst ausmachten, indem sonst nicht ohne Grund zu fürchten sei, daß die betreffenden Handwerker, die Familien zu ernähren und Steuern zu zahlen hätten, mit der Waisenhaus-Anstalt nicht würden concurriren können und verarmen müßten. — Es fand sich hier ein glücklicher Ausweg, indem man die Idee realisirte, eine Industrie- und Handwerksschule zu errichten, aus welcher jedoch als verkäufliche Fabrikate nur die sogenannten Nürnberger und Sonnenberger Spielwaren hervorgehen. (Forts. folgt.)

(Redigirt von Dr. Fr. Förster und W. Häring (W. Alexis.)

Von diesem Journal erscheinen wöchentlich 5 Blätter (und zwar Montags, Dienstags, Donnerstags, Freitags und Sonnabends) außerdem literarisch-musikalisch-artistische Anzeiger. Der Preis des ganzen Jahrgangs ist 9 Thaler, halbjährlich 5 Thaler. Alle Buchhandlungen des In- und Auslandes, das Königl. Preuß. Post-Zeitungs-Comptoir in Berlin, und die Königl. Sächsische Zeitungs-Expedition in Leipzig nehmen Bestellungen darauf an.

Im Verlage der Schlesingerschen Buch- und Musikhandlung, in Berlin unter den Linden Nr. 34.

Berliner Conversations-Blatt

für

Poesie, Literatur und Kritik.

Freitag, — Nro. 49. — den 9. März 1827.

Meine letzte Nacht in Berlin.

(Fortsetzung.)

Da man beifällig einstimmte, räusperte sich der Aeltere und sagte, eine Prise nehmend: Es scheint, als wäre ich unter einen Klubb Enthusiasten gerathen, da ich mich doch unter Künstlern wähnte, deren jeder, ausgestattet mit der üblichen Portion Eigenliebe, den ihm zukommenden Antheil Lob durch die Attractionskraft der Gefeierten geschmälert glaubte. Nichts von Neid und Egoismus. Allgemeine Liebe für das Schöne! Wohlan, machen wir miteinander eine historische Lustpartie nach Rückwärts: wir klatschen im Bär und Bassa den Bären an, jauchzen zum Hunde des Aubry und werfen, in enthusiastischem Eifer für das reine Schöne, die Gegenparthei hinaus, die wahrhaftig unrecht hatte, als sie meinte: mit diesem Hundestück sei das Deutsche Theater zu Ende, denn damit hat ja erst der neue enthusiastische Glanz begonnen, und heut zu Tage könnten sie behaupten, jener Französische Hund sei eine classische Tragödie gegen die jetzigen Französischen und andern Vieh-Stücke. Doch weiter. Wir berauschen uns mit dem göttlichen Weißbier vorm Potsdammer Thor, und sieben Schneider- und Stickermamsells scheinen doch wirklich das Ideal zu sein, wohin die Weiblichkeit gelangen kann, wenn nicht die sieben Mädchen in Beinkleidern noch weit gefährlicher würden. Nun vervollkommnet sich der Schauspieler zu einer Pagode, und aus Menschen werden Bilder, zu denen nur der Beiname der lebenden nicht paßte. Aber wir enthusiasmiren uns weiter, indem die Vaudevills um uns klingeln und schallen, für einen stummen Riesen Branco und Feuer, Wasser, Ungethüme, stumme Kinder, die auf Uhren kletternd, dumme Geister betrügen, daß uns dagegen die Zauberflöte eine Vorlesung von Aristoteles über die Vernunft dünkt. Jetzt jauchzen wir den Affen Jocko und menschliche Kunst an, die beinah zum Affen wird; wenn nicht das plätschernde Wasser von Leinwand doch zuletzt den Beifall, wie das Meer den Regen an sich zöge. Nun, meine Verehrten, sind wir einmal in diesem bacchantischen Jubel, dann ist jeder Sprung erlaubt — wie ja auch die große Springerfamilie, welche alle diese staunenswerthen Wunder in unsere Residenz gebracht, von einem Theater zum anderen hinüberspringt, — wir nehmen einen Ansatz, und dann erklärt es sich, warum die Sängerin tadeln zur Blasphemie wird.

Jetzt wurde auch der jüngere hitzig: Grade dies carikirte Zusammenwerfen des Verderblichen mit dem Schönen liefert ein Argument für mich. Nach dieser tiefen Entwürdigung der Bühnen, herbeigeführt durch unbegreifliche Verblendung der Directionen, was soll da helfen? Für die Kunst im Kothurn und im würdigen Schleppkleide ist der verderbte Sinn erschlafft. Selbst die Töne aus dem Reiche der Geister dringen nicht mehr an's Herz, selbst die Musik läßt kalt, wenn sie in den großen Schöpfungen alter Meister zu den abgestumpften Ohren tönt. Unter dem Läuten, daß die Glocken zerspringen, und dem wollüstigen Klingeln und Leiern, welches Schmerz und Lust in einer Weise ausdrückt, wenn da ein Wesen auftritt, das durch harmonische Vollendung die entnervten Sinne aus ihrer gänzlichen Erschlaffung aufweckt und fesselt, wenn ein Gesang, der aus der Seele kommt, die frivole Musik adelt, wenn eine menschliche Stimme einen höheren, dauernden Zauber wirkt als die bunten Gaukeleien, und wenn dieses Wesen alles vereint, was man als schön und edel rühmt, warum sollen wir da mit stoischer Kälte die Augen schließen und die Ohren zudrücken? Ist es nicht vielmehr die Pflicht eines Jeden, alle, zu anderer Zeit erlaubten, Zweifel gefangen gebend, mit an der Sturmglocke zu läuten, welche die geistig Schlummernden weckt, denn nur unter Wachen leben Kunst und Wissenschaft.

Nur nicht, wie in Goethes neu-poetischen Katholiken, erwiderte jener lachend, die bekanntlich an einem Strick zogen und bum! bum! sagten. Auf den Theatern pflegen die Glocken von derselben Art zu sein. –

Es fehlte noch, rief der Jüngere, ein Pietist unter uns, der die Herrliche excommunicirte, eben weil sie eine Sängerin ist! Sind Sie, Dichter, dramatischer Dichter! denn minder verblendet als die Directionen, welche, im Glauben ihrer Kasse aufzuhelfen, sich immer tiefer und unerrettbar in das Spectakelwesen stürzen. Fühlen Sie nicht den Fluch, den Sie heut über die Gefeierte aussprechen, Sie selbst überkommen, wenn die Scheidewände zwischen Ihnen gefallen sind? Ist denn der Weg so weit von dem Untergange einer bis zum Untergange aller Kunst? Mensch und Dichter und Egoist! Laufen Sie zur Sturmglocke mit uns und ziehen und läuten am Strange, denn es hat Mathäi am letzten geschlagen.

Ein Mime mit scharfen Blicken und rabenschwarzem Haar stieß hier mit humoristischem Ungestüm sein Glas auf den Tisch. Wenn er mit komischem Feuer rings um sich blickte, pflegte es still zu werden, so auch jetzt, als er mit ausdrucksvoller Stimme anhub:

Ihr Herren schweift über Euer Gebiet hinaus, und an das Schleppkleid der kleinen Sängerin haakt sich bei Euch wie eine Klette das ganze Deutsche Theater. Hohl's der — wenn wir nichts besseres sind als ein Appendix! Sind wir einmal durchaus versunken, so eine diabolische Grundsuppe des Entarteten, und, wie man sonst die Schauspieler moralisch als verlorne Sünder ansah, ästhetisch ganz verlorne Künstler, so gönnt uns wenigstens den Vorzug *entre nous* zu sein. Schimpft auf Publicum, auf Directionen, Regisseure, auf Kulissen und Menschen, multiplicirt die absolute Schlechtigkeit mit sich selbst und meint dann, sie sei doch nur ein schwaches Schattenbild der unseren, thut mir und Euch den Gefallen und malt mir mit allen gräslichen Farben vor, wie schlecht Ich bin, aber dies etwas wenigstens laßt uns ohne Abzüge und Vergleichungen.

Der wenigstens, fuhr der ältere Dichter lachend auf, erwartet keine Rettung durch die enthusiastische Sturmglocke für die kleine Zauberin.

Nein Kinder, sagte der Mime mit komischer Gelassenheit, ich gebe Euch alles zu, nennt uns meinethalben unter der Kritik, lobt die alten Schauspieler aus jenen Zeiten, die Ihr *nota bene* alle nicht gesehn habt, schreibt in den Zeitungen, Brockmanns Bediente habe jede Rolle besser gespielt als Wolff, und die Betmann sei drei Fuß größer gewesen als die Crich. Um ein recht anschauliches Bild zu haben, vergleicht uns und unser Publicum mit Opiumessern. Täglich verlangen wir mehr Berauschendes, weil täglich der Zustand des Erwachens unerträglicher wird. Seiltänzer und Feuerwerke bedienen, sei unser Amt, und wenn wir ein Wort sprächen, so sei das überflüssig. Kinder, ich unterschreibe Alles, malt uns ab, und schreibt darunter: „Die Hölle," oder wenn Ihr verlangt: „Das Spital" oder auch „Das Tollhaus." Ihr seht, ich bin tolerant, aber kommt mir nicht mit dem Enthusiasmus für die reine Schönheit, oder ich stecke mich selbst in die Haut des Affen Jocko, wenn bis dahin kein neues Vieh-Ideal erstanden ist.

So zeig' uns ein anderes Mittel, rief der jüngere Dichter, wie der in den Koth verfahrene Thespiskarren herauszuziehn? Als die müden Pferde beim Calderon die Equipage weder auf Schläge noch Schmeichelworte achtend, im Madrider Morast stecken ließen, half endlich ein ihnen vorgehaltenes Bündel Heu. Die Hungrigen reckten sich; das schlägt aber bei Euch nicht mehr an.

Der Mime schlürfte wohlgefällig den Römer voll duftender Ungar herunter, ehe er mit possirlichem Pathos anhub.

Fürtrefflichste Freunde! da ist ja die schöne Kritik. Wie dankbar müssen wir Schauspieler dem Himmel sein, der uns in Berlin geboren werden ließ, wo uns an jeder Ecke der Wegweiser ins Himmelreich der Kunst entgegen stößt. Wächst oder gedeiht wohl in irgend einer Stadt der Baum der Kritik so üppig als hier, wo seine schwarz bedruckten Blätter das Steinpflaster, und nicht allein im Herbst bedecken könnten. Jeder Gassenbube ein kritisches Gesicht, jede Hökerfrau eine Recensentin, jedes Publicum, wie Roms Senat eine Versammlung von Königen, eine Versammlung von Leuten, die alles besser wissen-

als wir. Denkt an jenen Bengel, der unserm Zelter zurief: „wenn er den Jungfernkranz aussingen will, kann er ihn sich auch allein anfangen!“ Dann die köstlichen Bonmots, in jeder Woche wenigstens sieben! — O gewiß ist es nur die Schuld der Künstler, wenn da die Kunst nicht blüht, wo Tertianer und stumpfsinnige Alte sich abmühn, uns geistig die rechte Verständnis einzubläuen. Und welche schöne Sprachverwirrung unter den tausend Stimmen, daß es der wahre Prüfstein des Genius wird, die rechte herauszufinden. Ja die Kritik, die bei uns ihr lang verlornes Vaterland und Asyl gefunden, daß selbst heimathlose Recensenten hier wieder eingepfarrt werden, die Kritik, die anspruchslos in den grauen löschpapiernen Gewändern umhergeht, sie, die so viel goldne Früchte unserer Kunst und Wissenschaft gebracht, sie allein wird auch uns noch retten. Morgens und Abends ist es daher mein einziges in den Zeitungen die goldenen Fingerzeige zu lesen, und wenn jeder, wie ich, sich an der Weisheit daraus satt getrunken, wer weiß, ob die goldne Zeit dann nicht selber mit den löschpapiernen Fittichen wiederkehrt!

(Forts. folgt.)

Bei der Nachricht von Pestalozzi's Tode.

Die Berliner Zeitung vom 28. Februar erzählt ruhig, wie es einer Zeitung geziemt, daß Heinrich Pestalozzi in einem Alter von ein und achtzig Jahren seinen Lauf beendigt habe. Auch um die Leiche eines Kindes und Jünglinges soll nie bitterer Schmerz laut werden; wie viel weniger um die Leiche eines Greises, den wir uns ruhig einschlummernd denken dürfen. Dennoch ist der Schmerz um Pestalozzi nicht ohne einen besonders scharfen Stachel. — Schreiber dieses hat nie zu seinen enthusiastischen Verehrern gehört, die von seiner Methode ein entschiedenes neues Heil für die Welt erwarteten, er hat weder ihn, noch sein Institut jemals gesehn und kann deshalb auch nicht beurtheilen, in wie weit diese Erziehungsanstalten den gerechten Wünschen entsprechen. — Das aber ist ihm stets klar gewesen, so wohl durch eigne Prüfung der früheren Schriften des Erziehers, als durch die Erzählung glaubwürdiger Männer, die ihn kannten, daß wir in Pestalozzi einen Mann besessen haben, der sich durch Verstandeshelle und Gefühlstiefe, durch Unermüdlichkeit in der Anstrengung und Uneigennützigkeit in allem Thun und Treiben, auf das Rühmlichste auszeichnet, und daß (um doch auch einer Einzelnheit zu gedenken) die Darstellung in seinen Volksbüchern, z. B. Lienhardt und Gertrud eine Einfachheit, Kraft und Gediegenheit beurkundete, die über alles gewöhnliche Lob hinaus ist. — Ist er nun aber als Greis sanft eingeschlafen, woher noch jener oben angedeutete Stachel über den Verlust? Nicht deswegen hauptsächlich, weil die letzten fünf und zwanzig oder dreißig Jahre seines Lebens fast eine ununterbrochene Kette von Kummer und Verdruß bildeten, (obwohl es allerdings ein höchst betrübender Gedanke ist, daß ein bejahrter Mann und Greis so sehr viel zu leiden hat) denn auch hier hilft und tröstet die Unantastbarkeit der Idee, die durch das Leben eines so ausgezeichneten Mannes hätte gehen können; sondern es wird jenes trübere Mitleid erzeugt durch sein eignes letztes Buch, (Leipzig, bei Fleischer 1826). — In dieser traurigen Schrift läßt er uns die einzelnen Foltergrade seines Lebens mit durchmachen, lobt wie ein gutes Kind Viele, sehr Viele, die neben ihm wirkten, und tadelt sehr wenige *), um nur die Waffen gegen sich selbst richten zu können. So hart, so bitter geht auch der heftigste Feind mit einem rechtlichen Manne nicht um, als hier Pestalozzi der Greis mit sich selbst umgegangen ist, und die Wunden, die er sich selbst versetzt, sind kaum zu zählen. Es ist schmerzlich, auch nur daran zu denken, und ich kann nicht verhehlen, daß mir bei der Lektüre dieses Buches — der König Lear eingefallen ist. Zwar war der brave Schweizer darin glücklicher, daß nicht sein eignes Blut, Gonerill und Regan gegen ihn wütheten, aber er hat doch auch Scenen erlebt, die an jene furchtbare Gewitterscene wenigstens erinnern können. Wenn endlich Lear die markdurchschneidenden Worte spricht: „ich gab euch Alles“ so erhöht das freilich unser Mitgefühl gar sehr, allein er und wir haben doch den Trost, daß dieses „Alles“ so wohl von ihm selbst, als von sämmtlichen übrigen Personen als etwas Großes anerkannt wird; Pestalozzi aber sagt — wenn auch mit andern Worten — „ich gab Euch alles und fast Alles war ein Irrthum.“

Möge irgend ein wohlgesinnter Mann, der ihn genau kannte, die gerechte, reine Grabrede über ihn halten; ich selbst kann es nicht; ich will nur meine lieben Landsleute bitten — was hoffentlich auch nur für wenige nöthig ist: Glaubt Pestalozzi'n nicht, wenn

---

*) In wie weit P. in diesem Lob und diesem Tadel Recht hatte, vermag ich nicht zu entscheiden; hier ist lediglich von der trüben Empfindung die Rede, in welcher der sonst kerngesunde Mann unterging.

er in verworrenen Jammerstunden sich verurtheilt, sondern prüfet selbst mit Unbefangenheit und Gerechtigkeit. Es giebt Stunden, wo auch ein sonst starker Mensch, wie ein abgehetzter, wundgeriebener, blutender Hirsch in sich zusammenstürzt, und wenn er dann sich selbst anklagt, wollen wir ihm nicht glauben, wenigstens nicht ohne die sorgfältigste Prüfung, ja es sei uns eine Freude, den Sachwalter für ihn — gegen ihn zu machen. — Lasset uns überhaupt wohl bedenken, daß der wahrhaft wackre Mensch immer am strengsten mit sich selbst verfährt, und daß diese Strenge ihn in gewissen Momenten auch wohl zur Härte verleiten kann. Nicht bloß der vielfach gekränkte Greis Pestalozzi bietet uns ein solches Beispiel, auch der starke, helle, fröhliche Jünglingsmann Lessing zeigt uns ein ähnliches, wenn er am Schluß seiner unschätzbaren Dramaturgie 1769, alles was er bisher für die Deutsche Bühne geleistet habe, für höchst unbedeutend erklärt, mit dem Zusatze, er danke Gott, daß er den ganzen „Plunder" vergessen habe. Darf ein solcher Ausspruch Einfluß auf unser Urtheil haben? Wahrlich dann verdienten wir, daß wir auch im Gegensatze gezwungen sind, den Hinzen und Kunzen zu glauben, die ungenirt und laut genug ausschreien: „Wir haben euch herrliche, prächtige Sachen gegeben, bewundert doch!" — Wollt Ihr ihnen den Willen thun?

F. H.

Der Carneval zu Cöln am Rhein.

(Fortsetzung.)

Das engere Comité des vorigen Jahres erklärte nach diesem Vortrag und der verifizirten Rechnungslegung seinen Wirkungskreis durch die heutige Zusammenberufung für geschlossen, forderte jedoch gleichzeitig die anwesende Gesellschaft auf, zur Wahl eines neuen Ausschusses für dieses Jahr zu schreiten. Die Wahl des neuen Comites war durch den Sprecher bereits begonnen und man war schon mit dem Scrutinium beschäftigt, als Trompetenklänge auf der Treppe des Locals der Gesellschaft eine ungewöhnliche Erscheinung ankündigten. Kaum hatte der Sprecher den Ceremonienmeister beauftragt, die Ursache des fremden Geräusches zu erspähen, als schon beide Flügel des Haupt-Einganges sich aufthaten und zwei muntre Knaben als Herolde der Versammlung ganz unerwartet eine Deputation der Zöglinge der im Waisenhause gegründeten Gewerbschule ankündigten und um die Erlaubniß anstanden, solche vorführen lassen zu dürfen. Es ward erwiedert, daß sie willkommen seien und die Deputation, bestehend aus zwanzig Knaben, geschmückt mit den Insignien des Freudenreiches, trat unter Anführung ihrer Werkmeister, an der Spitze zwei Trommelschläger, in die Versammlung. Die Deputation überbrachte als einen Beweis ihres Dankes und als Zeugniß ihres Fleißes und ihrer Fortschritte eine von ihnen ganz aus Holz geschnittene mechanische Figur, den Carnevals-Boten darstellend, in demselben Costüm, wie er als Begleiter des Helden auf seinen Zügen erscheint.

Wenn schon der Anblick der elternlosen Knaben durch das Unerwartete der Erscheinung die herzliche Theilnahme an ihrem Geschick gewiß in jedes Brust erregte, so brachte dennoch die Anrede eines 11jährigen Zöglings, welcher in gereimten Stanzen den Dank seiner Comilitonen für die erhaltenen Wohlthaten kindlich rührend aussprach und in sieben Bitten die aufblühende Anstalt der ferneren Unterstützung und Theilnahme der Gesellschaft so dringend als ergreifend empfahl, alle Gemüther in die lebhafteste Bewegung. Es schämte sich die echte Freude und das Gefühl des Wohlthuens der Thränen nicht und nicht umsonst hatte der Kleine seine fünfte Bitte vorgetragen:

Wenn hundert Thälerchen so in den Ecken
Der Karneval-Casse sich ließen entdecken,
Womit man gerade nicht wüßte wohin,
Und führ' dann in Euren wohlthätigen Sinn
Die schöne Idee, uns damit zu beglücken,
Es würd' Eure Großmuth uns mächtig entzücken;
Doch wie gesagt nur für den Unterricht:
Denn weitere Beisteuer brauchen wir nicht.

Statt aller Antwort wurde eine Collecte gesammelt, welche reichen Ertrag spendete und nach wenigen Tagen wurden die von den Bittenden anderweit gewünschten Reißzeuge, architektonischen Werke 1c. durch unbekannte Geber der Waisenhaus-Anstalt zugesandt. Der kleine Redner empfing eine Uhr, die ihm das Andenken jenes Tages stets in der Erinnerung erhalten wird. Alle wurden auf Kosten der Anwesenden reichlich bewirthet und zum erstenmal wohl mochten jene Kleinen in einer ansehnlichen Restauration *Boeuf a la mode* verzehren. Unter Spiel und Absingung eines Liedes, durch welches die Knaben von dem Hanswurst Abschied nehmen, verließen sie den Saal.

Die zurückgebliebene Gesellschaft gab sich der Fröhlichkeit um so mehr hin, als gewiß jeder für diesen Abend ein besonderes Recht darauf zu haben glauben durfte. Die Wahl des engeren Ausschusses unter Absingung fröhlicher Lieder wurde fortgesetzt und beendet. Den Schluß dieser ersten Sitzung in später Nacht machte die Vorlegung der Subscriptions-Liste, wodurch sich jeder Theilnehmer verbindlich macht, zu Bestreitung der öffentlichen Aufzüge, Lustbarkeiten, Volksfeste 1c. den Beitrag von 3 Thaler einzuzahlen. Die Einsicht ergab schon die Unterschrift von 224 Theilnehmern.

(Fortsetzung folgt.)

(Redigirt von Dr. Fr. Förster und W. Häring (W. Alexis.)

Im Verlage der Schlesingerschen Buch- und Musikhandlung, in Berlin unter den Linden Nr. 34.

Berliner

Conversations-Blatt

für

Poesie, Literatur und Kritik.

Sonnabend, — Nro. 50. — den 10. März 1827.

Dramaturgische Blätter von Ludwig Tieck.

(Zweiter Artikel.)

Wir haben im ersten Artikel die allgemeinen Principien angegeben, die diesen Kritiken zu Grunde liegen, und wollen uns nun bemühen, dieselben in den einzelnen Anzeigen zu verfolgen und weiter nachzuweisen. Zunächst sey es vergönnt sich mit dem Hauptdichter dieser dramaturgischen Blätter, mit Shakespeare zu beschäftigen, und die einzelnen Stücke durchzugehen, von denen der Verfasser insbesondere spricht. Der Anfang sey mit Hamlet gemacht. Der Aufsatz, der davon handelt, steht im zweiten Bande und ist überschrieben: Bemerkungen über einige Charactere im Hamlet und über die Art, wie diese auf der Bühne dargestellt werden könnten S. 58—133. Der Verfasser erklärt sich im Eingange zu diesem Aufsatze gegen die Weise, wie Göthe den Hamlet aufzufassen und auszulegen versucht hat. Aber dennoch lag in dieser Götheschen Auffassung ein richtiges Moment, das, wie wir uns nicht verhehlen können, der gegenwärtigen Darstellung fehlt: es wird nämlich bei Göthe von Hamlet ausgegangen und das ganze Stück wird nur als Entwickelung dieses einen Helden betrachtet. Und dies ist nicht willkührlich, sondern so verhält es sich mit diesem Stücke in der That. Alle Charactere im Hamlet haben nur einen relativen Werth, den Werth, den sie im Verhältniß zu Hamlet haben, sie sind die Seiten, die ihm fehlen, und seine Bedeutung ist, ein höchst vollendeter Mensch zu seyn, aber diese Vollendung nur als Abstraction, als mögliche Vollendung zu haben, während die wirklichen Einzelnheiten und Bestimmtheiten dieser Vollendung sich außerhalb seiner aufhalten, und als die andren Personen umhergehen. So ist Polonius die wirkliche Erfahrung und Klugheit, die dem weit klügeren und erfahreneren Hamlet fehlt. Ophelia, die wirkliche Liebe, die Hamlet in der That abgeht, Laertes, der von der Liebe zum Vater, und von der Pflicht ihn zu rächen, wirklich durchdrungene Sohn, während ihn Hamlet in dieser Liebe in diesem Rachefühl bei Weitem überbietet, jedoch ohne daß diese Leidenschaften zu wirklicher That werden. Hamlet ist allen diesen Personen, in Allem was sie auszeichnet, überlegen; er übersieht sie, aber darum fehlt ihm das Gepräge und der Werth ihrer Bestimmtheit, sie sind gegen ihn gehalten, flach und gewöhnlich, aber sie leben in einer wirklichen Welt und haben in dieser Welt, was sie brauchen.

Es ist darum ein ganz vergebliches Unternehmen über einige Charactere im Hamlet isolirt sprechen zu wollen, ohne auf Hamlet zurückzukommen, und ihn als die Seele dieser Charactere zu betrachten. Gelänge ein solches Unternehmen, d. h. wäre möglich es ganz durchzuführen; so würde zu gleicher Zeit die Unrichtigkeit des Gesagten gewiß seyn. Der Verfasser sagt: „Es kann nicht meine Absicht seyn, in „diesem beschränkten Raum das Gedicht zu zergliedern, oder nur einen neuen Versuch zu machen, den „Hauptcharacter zu entwickeln. Dies bleibe einer „Arbeit von längerem Athem überlassen.“ Und doch hat diese Arbeit 75 Seiten. Recensent macht sich anheischig, in einem Aufsatze, der den halben Raum einnehmen soll, den Hauptcharacter sowohl, als seinen Zusammenhang mit den Nebencharacteren, was hier unmöglich anders seyn kann, zu entwickeln. (S. Literaturblatt des Morgenblatts No. 80. 81. 1826.) Der einsichtige Verfasser hat dies wohl auch selbst eingesehen, wenn er fortfährt: „ich weiß wohl, daß „meine Absicht nur ganz kann verstanden werden, „wenn ich über das Werk selbst im Zusammenhange „spreche, indessen sey auch dies Einzelne versucht, da „man doch bei dieser wundervollen Schöpfung schon „sehr viel beim Leser voraussetzen muß." Es wird also im Grunde die Hauptsache nur beim Leser vorausgesetzt: Dieses sehr Viel, was vorausgesetzt wird, ist vielleicht Alles; Aber das, was beim Leser vorausgesetzt wird, ist den Lesern des vorliegenden Aufsatzes unbekannt: es wäre eben zu sagen gewesen, was beim Leser über den Hauptgegenstand vorausgesetzt wird. Daß vorausgesetzt wird, diese Angabe, kann für den unangegebenen Inhalt dieser Voraussetzung unmöglich entschädigen. Wir sind also hier im Grunde um das Geständniß reicher geworden, daß die Entwickelung des Hauptcharacters zum Verständniß der Nebencharactere durchaus nothwendig sey: es läßt sich nur nicht einsehen, warum, da die Kenntniß des Hauptcharacters vorausgesetzt worden, grade diese Voraussetzung die Nebencharactere nicht trifft.

Aber auch gegen diesen möglichen Einwurf verwahrt sich der Verfasser. Er sagt, er wolle Charactere, die sonst vernachlässigt werden, in ein helleres Licht stellen, und denkenden Schauspielern über diese einen Wink geben. Er ist also der Meinung, es sey bei Hamlet weniger der Fall, daß ein helleres Licht darüber verbreitet zu werden brauche, auch mag der Verfasser nicht ganz von der Ansicht entfernt seyn, daß uns im Ganzen der Schlüssel zu diesem Hauptcharacter fehle; denn er meint (S. 61.) Shakespeare müsse sich unter seinen Freunden und wohlwollenden Beschützern einsam gefühlt haben, weil er sich nicht verantwortete, und keinem das innere wunderwürdige Triebwerk aufdeckte. Man sollte indessen glauben, diese Verantwortung habe ein Dichter in seinem Werke immer am Besten abgethan. Einzusehen, was der Dichter gewollt habe, ist dann eben die That Andrer. Es wäre schon die Annahme eines schlechten Kunstwerks vorhanden, wenn die Nothwendigkeit irgend eines Commentars hervortrete.

Wie schlecht ist nicht einem unsrer größten Dichter eine ähnliche Verantwortung gelungen, und welches Geständniß des verfehlten Werks lag nicht in dieser Vertheidigung. Doch es könnte auch überhaupt seyn, daß der Verfasser über Hamlet im Ganzen eine ganz neue, von allen bisherigen abweichende Ansicht hätte, daß er nämlich Hamlet im Stücke gleiches Namens gar nicht für den Hauptcharacter hielte; und somit, das was uns als Nebencharacter erschiene, im Grunde wirklich an die Stelle des Hauptcharacters zu setzen sey.

Der Verfasser tadelt an der Schröderschen Bearbeitung, daß alle anderen Personen gegen Hamlet im Schatten gestanden hätten, namentlich, daß der König, der Usurpator, der Mörder, am schlechtesten dabei gefahren sey: seitdem habe sich ein Vorurtheil gegen diesen Character festgesetzt, das auch auf die musterhafte Schlegelsche Uebersetzung übertragen worden. Es hat gar nichts helfen wollen, gesteht der Verfasser selbst, wenn er gegen mehr als einen Künstler behauptete, daß, wenn der König so dargestellt würde, wie es der Dichter verlangt, der gute Hamlet nur sorgen möge, daß er noch die Hauptperson bleibe. Denn, setzt er hinzu, gewiß muß ein mittelmäßiger Hamlet vor dem Könige, wird dieser mit aller Eigenthümlichkeit gespielt, ziemlich verdunkelt werden. Der gewiß gegen sich selbst unbefangene Verfasser wird hier eingestehen müssen, daß zweierlei in dieser Aeußerung ziemlich verwechselt ist, die Bedeutung, die der König im Stücke an sich in Beziehung zu Hamlet hat, dann aber die Weise, wie der König durch einen Darsteller erscheinen kann. Und zwar wird diese Darstellung nicht sowohl naiv und als unmittelbar gefordert angenommen, sondern es wird, damit der König in seiner selbstständigen Wichtigkeit erscheine, zugleich verlangt, daß Hamlet durch einen mittelmäßigen Schauspieler gespielt werde. Darin liegt aber schon die Selbstwiderlegung des Verfassers, denn welcher große Character könnte nicht durch mittelmäßiges Spiel sinken, und welche Mittelmäßigkeit nicht durch großes Spiel gehoben werden. Obgleich nun aber der Verfasser hier in der That die Größe des Königs dem Schauspieler aufbürdet, so scheint ihm dieselbe aus der Absicht des Dichters hervorzugehen: Ob aus dem Stücke, scheint weniger klar, denn der Verfasser bemüht sich, wie wir sehen werden, den König möglichst isolirt zu betrachten, und wagt es nicht recht, ihn den anderen Personen gegenüber zu stellen.

Herr Tieck fängt seinen Beweis, daß dieser König eine Hauptrolle sey, also an: Er sei einer Heldenfamilie entsprossen, habe große und treffliche Eigenschaften, neben schlimmen und niedrigen, aber er umkleide diese mit Adel und Liebenswürdigkeit. Er sey stark und groß, aber ein schöner Mann, und der

Geist selbst nenne ihn verführerisch. Hamlet schildere ihn zwar hinterrücks als ganz abscheulich, sey aber in seiner Gegenwart selbst immer befangen und verlegen. Man kann aber, dürfte hier eingewandt werden, einer Heldenfamilie entsprossen seyn, ohne grade den Helden eines Stücke auszumachen. Prinz Escalus in Romeo und Julie, und der König von Frankreich in Lear sind beide aus Heldenfamilien, darum sind beide dennoch nicht Hauptcharactere in diesen Stükken. Wie vollends Adel, Liebenswürdigkeit, Schönheit und verführerisches Wesen* dazu machen können, ist nun gar nicht abzusehen. Wie viel Verführer giebt es nicht alle Tage, die sich wundern würden, deswegen, weil sie Verführer sind, eine ihnen unbekannte dramatische Wichtigkeit zu haben. Was aber Herrn Tieck besonders in diesem Könige imponirt zu haben scheint, ist daß er eine Königliche Repräsentation hat. Dies ist zuzugeben, seinen Unterthanen gegenüber benimmt er sich als König, was er eben ist; aber es ist gar nicht abzusehen, wie er sich hier überhaupt anders benehmen sollte. Als Prinz vom Blut ist ihm die Königliche Weise, d. h. die Hofseite daran etwas Geläufiges: er ist auch schlau genug Höflichkeit, Sorgsamkeit, Gleichgültigkeit hervortreten zu lassen, da wo andre Leidenschaften im Hintergrunde lauern. Wenn der Schauspieler, der den König spielt, dies ausdrückt, so ist dies sicherlich nicht verwerflich, aber mit allen diesen Feinheiten und Eigenschaften wird er nichts mehr und nichts weniger seyn, als der „Lumpenkönig," als der „blutschänderische Däne," der zu einem offenen Teufel zu wenig Muth, und zu viel Gewissen hat, aber der vom Könige nur die Seite der nothdürftigen Repräsentation zeigt. Wie Shakespeare es hätte über sich gewinnen können, auch nur durch Hamlet, den König Lumpenkönig nennen zu lassen, wenn dieser in der That eine ganz beachtenswerthe Figur seyn sollte, ist schwer zu begreifen.

(Beschluß folgt.)

Berliner Chronik.

Königl. Opernhaus. Concert des Herrn Guillou. — Die menschliche Stimme hat sich bei uns so sehr vor aller Instrumental-Musik geltend gemacht, daß die ausgezeichnetsten Virtuosen hier nicht mehr darauf rechnen dürfen, durch noch so große Kunstfertigkeit den Concertsaal zu füllen. Clavierspieler wie Moscheles, Kalkbrenner, Ferdinand Ries, Aloys Schmidt, Violinisten wie Müller aus Braunschweig, Clarinettisten wie Iwan Müller aus Paris haben — bei den bedeutenden Auslagen für Saal und Capelle — keinen erklecklichen Ueberschuß gehabt und daher zogen es in neuerer Zeit auswärtige Künstler vor, als Gastspieler in Concerten aufzutreten, welche die Theater-Direktionen veranstalten. So hörten wir Hrn. Guillou, ersten Flötisten des Königs von Frankreich, Soloflötisten bei der Königl. Akademie der Musik, Mitglied und Professor des Conservatorius zum ersten Mal am Sonntag in dem großen Opernhause, wo er ein Concert und eine Phantasie auf eine französische Barcariola, beides eigne Compositionen, mit großem Beifall vortrug. — Wenn aber mit Fug und Recht darüber geklagt wird, daß in unseren Tagen die menschliche Kehle mehr als billig ist, zum Instrument zu- und abgerichtet wird, so darf man nicht erwarten, daß die Instrumentisten nicht eifersüchtig genug wären, um dafür zu sorgen, daß in Läufen, Sprüngen und Trillern die Sänger sie nicht einholen. Diese große Kunstfertigkeit müssen wir auch Herrn Guillou zugestehn; allein wo bleibt da der „süße Ton der Flöte," den wir den Klagen der Nachtigall abgelauscht haben sollen? Gerade die Flöte ist dasjenige von allen Instrumenten, in welches durch den unmittelbar aus der Brust strömenden leisen oder schwellenden Hauch Gefühl und Seele gelegt werden kann, der Schwermuth wie der Heiterkeit leiht sie ihre Töne. Will man den Zauber, den sie ausüben kann, kennen lernen, so ist es Mozart in der Zauberflöte und Gluck in der Armide, an die wir erinnern müssen. Solche Flötensolos würden uns mehr, als alle noch so künstliche Variationen überzeugen, was ein so ausgezeichneter Künstler, wie Hr. Guillou, vermag. —

Königstädter Theater. Montag den 5. März, zum ersten Mal: Der Geizige von Moliere. — Herr Zschokke, dessen Bearbeitung des Molierschen Geizigen auf der Deutschen Bühne, insbesondere durch Ifflands Darstellung, berühmt geworden ist, hätte besser gethan, dabei mit seinen eignen Einfällen nicht zu verschwenderisch zu sein; in der jetzigen Form dehnt sich das Stück und fast wär' es an der Zeit gewesen, die Zschokkische Bearbeitung nochmals zu bearbeiten. Der Geizige, wie ihn Moliere gezeichnet, bleibt eben so wie sein Tartüffe, einer jener unsterblichen Charaktere der Dichtung so wohl, als des wirklichen Lebens; nur ist es unerläßlich, daß der Bearbeiter ihm einen Anflug von der Zeit und dem Orte zu geben weiß, wohin er sie stellt; auch der

Schauspieler kann hier viel, ja das Meiste thun. — Moliere, der bekanntlich seinen Geizigen dem Euclio des Plautus nachbildete, hat keinen Filz, sondern einen Geizigen geschildert, wie er vielleicht zu jener Zeit in Paris selbst noch vorkommen mochte. Jetzt dürften solche Charaktere nicht nur in Paris, sondern auch in andern, durch die Revolution bearbeiteten, Hauptstädten Europa's seltner geworden sein. Die Leute sind zu sehr an Aufopferungen für das allgemeine Beste gewöhnt worden, um ihr Geld in Kisten und Kasten zu verschließen und noch mehr hat das Papiergeld den Geizhälsen den Hals gebrochen. Ein Paar Tausend Stück blanke Dukaten zu fühlen, zu zählen, zu beschauen, zu beschaben, das war doch noch eine reelle Freude, aber an Assignaten und Staatsobligationen, und wenn sie so sicher sind, wie die Pommerschen Banknoten, hat man sich bald satt gesehn und doch sind wieder die schönen Procente zu verführerisch, als daß man das Geld im Kasten könnte todt liegen lassen. — Daß auf dergleichen bei einer Bearbeitung des Geizigen für unsere Tage Rücksicht zu nehmen wäre, läßt sich wohl nicht läugnen; auch ist es von Zschokke ein Fehlgriff gewesen, Molieres Harpagon, der ein Pariser Bürger ist, zu baronisiren; dem Laster des Geizes ist der Bauer und Adeliche im Allgemeinen weniger ausgesetzt, als der Kaufmann und der bürgerliche Rentier. Indeß kann uns eine gelungene Darstellung alles vergessen machen, was wir in und an dem Stück selber vermissen. — Herr **Schmelka** hatte als Hr. von Fegesack einige sehr glückliche Momente, obwohl er im Ganzen, weder der Sprache, noch der Haltung nach, vornehm genug für einen Kammerrath von Fegesack schien. Mit wahrhaft tragischer Kraft gab er die berühmte Scene, wo er sich selbst als den Dieb fest nimmt. Pottier, von dem wir diese Rolle in Paris sahn, ergreift sich, wie Moliere es vorschreibt, beim linken Arm; Schmelka faßte sich mit beiden Händen bei der Brust und schüttelte sich selbst tüchtig durch und dies paßte sehr gut zu seinem überhaupt etwas gesteigerten Spiel. Von nicht minder ergreifender Wirkung war die Scene, wo er den Dieb in dem Parterre und den Logen sucht, eine Scene, die aus Plautus genommen ist, wo Euclio ebenfalls den Zuschauern zuruft: *Quid est quod ridetis? Novi omnes, scio fures hic esse complures!* — In Rücksicht des Kostums hätte mehr gethan werden können, um an den Geizigen zu erinnern, der hier ziemlich splendid erschien. Selbst in Kleinigkeiten muß sich dies markiren. Daß Herr Schmelka die Uhr und den Stockknopf mit kleinen ledernen Beuteln verwahrt, ist gut, allein, daß diese Beutel von nagelneuem gelben Leder sind, hebt die Täuschung wieder auf. Pottier ging noch weiter; er trug sogar sein gutzusammengelegtes Schnupftuch in einem kleinen, schmutzigen, ledernen Beutel und als die dienstfertige Kupplerin, sobald sie diesen Beutel ziehn sieht, die Hand unterhält, ist sie nicht sehr von dem Trinkgeld erbaut, das ihr zu Theil wird. Ist so etwas auf dem Theater français erlaubt, warum nicht in der Königstadt? — Die Vorstellung fand eine gute Aufnahme, wenigstens eine bessere, als Moliere sie bei der ersten Aufführung des Geizigen 1667 in Paris erlebte, wo er ausgepocht wurde, theils weil das Stück in Prosa geschrieben war, theils weil man Moliere dadurch zwingen wollte, nur niedrige Farcen und Schwänke zu schreiben. Ein Jahr lang legte er den Geizigen zurück; dann aber gewann er großen Beifall. —

Donnerstag den 8. **Die Genesungsfeier.** Ländliche Scene in einem Akt von **Adalbert vom Thale.** — Der Dichter hat seine vier Hauptpersonen aus Goethe's Herrmann und Dorothea genommen. Ein etwas barscher, zuletzt aber doch gutmüthiger Vater schickt ein an Kindesstatt angenommenes Mädchen aus seinem Hause fort, weil er merkt, daß sein Sohn ein Auge auf sie hat. Die Mutter versteckt sie im nahen Busch, da sie schon weiß, daß es dem Alten wieder leid thun wird. Der Sohn kommt aus der Residenz zurück und bringt die frohe Nachricht mit, daß der König wieder genesen und die ganze Stadt voller Jubel sei. Als nun der Sohn weiter erzählt, wie ein jeder treuer Bürger gelobt habe, dieses Fest durch eine **gute That** zu feiern, wird dem Vater das Herz weich, und obwohl er bis zum Schluß behauptet, daß er Herr im Hause sei, so haben doch nun die Kinder den Willen und es giebt Hochzeit. Die Dorfjugend findet sich ein und mit: „Heil Dir im Siegerkranz" schließt das Fest. — Als Gelegenheitstück fehlt dieser ländlichen Scene ein bestimmter Localcharakter; es könnte am Schluß eben so gut *Vive Henri IV.* gesungen werden. Dies und ferner, daß die Hauptsache, die Wiedergenesung, nur als eine untergeordnete Nebensache behandelt wird, war Ursache, daß das Publikum, interesselos wie der Chor der Alten, dem Spiele gelassen zusah.

Verbesserungen.

In dem Aufsatze, Dante Alighieri's lyrische Gedichte ic. Nr. 45 und 46 dieser Blätter, bittet man folgende Fehler zu verbessern:

Seite 177. Spalte 2. Zeile 28. recht l. rechts. —
S. 178. Sp. 1. Z. 17 ist das Wort **gewiß** wegzulassen.
„ „ „ „ Z. 30 Kommentar l. Kommentator.
„ „ „ „ Z. 32 von seinem l. von dem
„ 183. „ 1. Z. 45 ist das Wort **hier** wegzulassen.
„ „ „ 2. Z. 20 Gedanken l. Gelenke.
„ „ „ „ Z. 2 v. u. Wie sie auch l. Wie ja auch.
„ 184. „ 2. Z. 2 grauen l. grünen.

(Redigirt von Dr. Fr. Förster und W. Häring (W. Alexis.)

Im Verlage der Schlesingerschen Buch- und Musikhandlung, in Berlin unter den Linden Nr. 34.

Berliner

Conversations-Blatt

für

Poesie, Literatur und Kritik.

Montag, — Nro. 51. — den 12. März 1827.

Meine letzte Nacht in Berlin.

(Fortsetzung von No. 49.)

Freund Mephisto hat das Bild nicht weit genug ausgeführt, sagte der ältere Dichter mit der Brille. Ich zwar lese keines dieser fliegenden Blätter, die gleich den Fliegen in der Mittagssonne lästig werden, und bekümmere mich auch um keine Kritik meiner Sachen, aber ich frage: wer ertheilt denn überhaupt das Recht zu recensiren? Ist jemand dazu vom Staate angestellt, wird man dazu geboren, examinirt, erhält man ein Attest, löst man ein Patent, zahlt man Gewerbesteuer? Der Gassenjunge, der Neue Beschreibungen ausschreit, muß dazu polizeiliche Erlaubniß haben, aber recensiren **kann**, wer recensiren **will**. Abgesehen, daß ich überhaupt gar nichts von der Kritik halte, weil sie zu nichts gut ist, als das Gute schlecht zu machen, und Debit und Kredit zu schwächen, wer recensirt denn jetzt? Es laufen einige Leute in den Straßen herum, die so ohne weiteres den Titel Recensenten führen, aber sonst sind es ja Kinder. Es ist ja eine Schande, wenn Buben über Männer urtheilen wollen, wenn Gelbschnäbel, die noch gar keine Erfahrung haben, psychologische Betrachtungen über Wahres und Unwahres anstellen, wenn sie von Begriffen sprechen und Menschendarstellungen, die noch gar keine Menschen sind, daß man alle diejenigen eigentlich strafen sollte, die die Kritik billigend, die Kinder zu dem Unsinn verführen.

Während es stille geworden, flüsterte der Mahler seinem Nachbar ins Ohr: Sieh mal, und er liest jeden zerrissenen Wisch, wo eine Sylbe über ihn gedruckt steht; und eben so, wie er auf die Kritik lästert, ist er eigentlich selbst die personificirte Kritik, denn ihm ist nichts recht.

Aber die lästernde Aeusserung war weiter gedrungen als das ganze Gespräch.

Ich weiß nicht, was man gegen die Kritik einzuwenden hat! rief mein immer stummer Mann, indem er mit dem Stocke aufstieß, daß die ganze Gesellschaft aufmerksam wurde. Hätte man sich wie ehemalen nach den guten Regeln gerichtet, wäre auch die ganze wilde Monstruosité von Göthe, Schiller und Shakspeare da geblieben, wo sie hingehört, das heißt in jenen barbarischen Zeiten, wo die Cultur und die Bildung noch nicht waren.

Als hätte eine Geisterstimme aus dem Grabe herauf getönt, gaffte alles den Redenden an. Die Partheien waren verschwunden, und man schob das Licht, den Mann des vorigen Jahrhunderts zu erblicken. Ein Lächeln schwebte auf aller Lippen und die Augen sahen sich fragend an; da aber der Redner wieder verstummte und sonst gar nichts ausserordentliches an ihm zu entdecken war, rückte man mit unterdrücktem Lächeln auf die vorigen Plätze bis der junge Dichter begann:

Da haben wir nun durch die Bemerkung des Herrn erfahren, daß es eigentlich unsere Kritik verschuldet hat, weil sie nicht genug kritisch gewesen, wenn wir, das heißt unser Thespiskarren, noch immer im Koth stecken. Kritik zieht nicht, daher Mephisto, rufe deine Geister und nenne das **letzte Mittel**.

Der Mime ließ seine großen, feurigen Augen umherrollen, wie fragend, ob alles aufmerksam sei?

Dann erhub er sich schnell, schwenkte das Glas, und rief mit ausdrucksvoller Stimme: da hilft allein der Satan!

Das Wort macht immer, wo es selten gebraucht wird, einen magischen Eindruck, um wie vielmehr wo es mit solchem Ausdruck proclamirt wird.

Richtig gewiß, sagte nach dem ersten Eindruck der Mahler, daß wo die Kritik zum Teufel gejagt ist, der Satan sein Spiel hat. Zweifle auch nicht, daß er vortrefflich spielt, wo er spielt, zweifle aber, daß er sich incommodiren wird, in allen Rollen zu agiren, als z. B. in Liebhabern und Helden, wo es vor allem noth thäte. Dann als Regisseur und als Director, wo es noch mehr noth thäte, wo er aber sich beim Publicum gar keine Autorität verschaffen kann, sintemalen sein reelles Höllenfeuer gegen unsere bengalischen Feuerungen wie ein Kind mit Schimpf und Schande bestände.

Erklärung! forderte man von allen Seiten.

Wenn die ganze Welt bankerot wird, rief der Schauspieler, ist das kein Spiel des Satans? In dieser Thätigkeit wünsche ich mir den Verehrten in unsere Regie. Ja, mein antikritischer Tragöde, immer mehr und mehr von deinem beliebten Enthusiasmus herein in das Haus bis es platzt und bricht. Nur immer fettere, stärkere und größere Bestien — ich hatte schon eine große Freude als der erste Elephant erschien, aber es ging mir in der That zu spurlos vorüber — laß die Rhinocerosse trampeln und Löcher stampfen, bis alles eine Versenkung wird. Dann weiß ich nicht, was Ihr gegen das Feuer habt? Wenn die Thais im vielbesprochenen Alexander die Fackel schwingt und wirft, thut es mir allemal in der Seele weh, daß nicht die Kulissen sammt und sonders abbrennen. Laß die Balken zünden, glimmen, bersten, krachen, die prachtvollen Mauern laß mit ihrem einstürzen, und durch Kohlen, Brand und stürzende Ruinen wollen wir ein Ballet tanzen, Schauspieler, Dichter, Uebersetzer und Direction, und einen Chorgesang zum Lobe des Bankrottes anstimmen, der uns allein Hoffnung bringt, daß es besser wird, denn schlechter kann es nicht werden.

Das ist dein Satan, Mephisto?

Ich erkläre mir den Satan anders, rief ein junger Mann mit ausdrucksvollem Gesichte, der bisher den Zuhörer abgegeben.

Wie, rief der Mimer, der sich hier ein specielles Recht auf alles Satanische zu haben glaubt?

Wie kann Ihr Satan, sagte Jener, ein echter sein, wo er sich ja selber zerstört? Der leibhaftige aber findet seine volle Lust in dem Zustande, den Ihr Bankrott auflösen soll. Bedenken Sie, mit welchem Vergnügen durchreist er jetzt die Deutschen Städte und sieht, was aus den Theatern geworden. Die Klagen der Pietisten kommen gar nicht mehr auf über die der Theaterfreunde. Musik seinem Ohr. Königsberg, Petersburg bis nach Pesth und Ofen, und wo von den helvetischen Gletschern alle theatralische Kunst abprallt, eine große Kette Galeerensclaven, wo Directionen und Schauspieler an den raschen Effect geschmiedet sind. Der Teufel ist ein feiner Weltmann, der nichts mehr als Rührung und Langeweile haßt, daher war er schon seit lange den Conversationsstücken gramm; sehen Sie, mit welcher Zuvorkommenheit man ihm die Longeurs erspart, wie man streicht, aus dem Iffland den Dialog, aus dem Schiller den Pathos, aus Göthe Alles; schon langweilt Kotzebue. Hier giebt man ihm zu gefallen nur Melodramen, — denn daß die Tugend am Ende darin siegt, hat nicht viel auf sich — dort, z. B. in Stuttgart, drückt man schon, alle Longeurs verbannend, die Handlung in ursprünglicher Reinheit, ohne alle Worte, aus, nämlich durch Ballet. Warum endlich citiren Sie ihn als Bankerutteur nach Berlin, wo er schon so lange im Stillen als reicher Mann sich der edelsten Aemulation zwischen beiden Theatern erfreut? Er lebt unter Ihnen, er sieht und hört, er genießt mit Ihnen; was brauche ich die Worte unseres würdigen Tragöden zu wiederholen um den Wetteifer, das edle Selbstüberbieten der neuen und alten Anstalt seiner ganz würdig zu werden, anzuerkennen? Was ihn rufen, da er schon unter Ihnen sitzt?

Die Augen des Mimen funkelten, als wolle er den Fremden mit fragenden Blicken durchbohren.

Herr! Sind Sie der Satan selbst?

Vor der Hand nur sein Memoirist, entgegnete dieser und ergriff den Hut, sich zu empfehlen, als die ganze Versammlung in seltener Ueberraschung aufsprang.

(Forts. folgt.)

Dramaturgische Blätter von Ludwig Tieck.

(Zweiter Artikel.)

(Beschluß.)

Herr Tieck bemühe sich nunmehr, nachdem er den König zu dieser Wichtigkeit erhoben, ihn auch also durch das Stück wandern zu lassen. Ein solches Verfahren muß immer gelingen. Man braucht nur Alles, was einer zu sagen oder zu thun hat, mit Accenten hinreichend zu versehen, übrigens die Vorsicht zu haben, es immer allein zu betrachten und ohne Rücksicht auf die nebenstehenden Charaktere zu nehmen. Zum Beispiel die Erlaubniß, die der König dem Laertes ertheilt, nach Frankreich zurückzukehren, wird so ausgedrückt: „Jetzt wendet er sich mit übertriebener Höflichkeit und Herablassung zu Laertes, er schmeichelt diesem und dessen Vater Polonius noch mehr, dessen Gunst und Treue ihm natürlich wichtig seyn muß. Laertes hat die unbedeutende Bitte wieder nach Frankreich zu gehen, ausgesprochen und gewährt erhalten.“ In dieser beschreibenden und ausschmückenden Weise geht Herr Tieck alle Zustände des Lumpenkönigs durch, und was dem Charakter nicht an Kraft abzugewinnen ist, das bieten diese Zustände, namentlich, wenn sie recht malerisch hingestellt werden, dar. Da aber trotz diesem der Vorwurf der Unbedeutenheit am König haften bleiben würde, so sucht Hr. Tieck dem König dadurch ein neues Relief zu geben, daß er den Hamlet herabsetzt. Hamlet soll schon in dem ersten Zusammentreffen mit dem König sich als der erniedrigte Prinz darstellen. In welchen Worten Hamlets dies liegen soll, ob in der beißenden Spottrede über des Königs gleißnerische Trauer, ob in dem unterdrückten Verdacht, den Hamlet sogleich dem Könige einflößt, weiß ich nicht. Nirgends im Stücke tritt eine Erniedrigung Hamlets dem Könige gegenüber ein. Alle Erniedrigung Hamlets ist höchstens eine Erniedrigung vor sich selbst, ein Schaamgefühl, daß aller Reichthum seines Geistes nicht hinreicht, um die kleinste That auszumünzen. Dem König gegenüber ist Hamlet unentschlossen, der König aber auf jede Weise feige. Daß Hamlet im Grunde nichts thut, dies fühlt im ganzen Stücke keiner wie Hamlet allein. — Die andren Personen fürchten vielmehr, Hamlet möchte zum Entschluß und zur That kommen. Wie also der Prinz dem Könige gegenüber erniedrigt scheinen könne, ist nicht einzusehen. Gerade das ist der Character der Scenen, wo Hamlet und der König zusammentreffen, daß man beständig glaubt, jetzt werde die Rachethat geschehen, daß selbst der bloße Wortübermuth Hamlets schon eine That gegen die Haltungslosigkeit des Königs erscheint. Der Herr Verf. sagt selbst bei Gelegenheit der Meuterey: „Mit welcher Weisheit hat der Dichter hier angedeutet, welch leichtes Spiel Hamlet haben würde, wenn er, diesem Oheim gegenüber, nur irgend einer Entschlossenheit fähig wäre. Und dieser Oheim, der doch hier wahrlich die Bedeutung des Shakespearschen Lumpenkönigs haben soll, dem gegenüber Hamlet eine geringe Entschlossenheit nöthig zu haben braucht, derselbe Oheim zeigt sich einige Zeilen weiter als unerschrockner Held, der dem Laertes in majestätischer Sicherheit mit dem ganzen Gewicht seiner Würde entgegentritt. Entweder es ist mit der Shakespearschen Weisheit und dem leichten Spiel Hamlets nicht weit her, oder der lumpige Oheim ist ein Hexenmeister, daß er dem entschlossenen Laertes gegenüber so unerschrocken und königlich erscheinen kann, während dessen Hamlet gar nicht viel Entschlossenheit brauchte, um mit ihm fertig zu werden. Oder sollte Laertes dem Könige noch gefährlicher scheinen, als Hamlet, und so eine ihm sonst nicht inwohnende Unerschrockenheit wecken. Fast scheint dieses Herrn Tieck's Meinung zu sein; er meint: nach diesen Vorfällen und Eröffnungen kann der König dem jungen Mann nicht ferner trauen, ja dessen Untergang muß ihm noch wichtiger, als der des Neffen scheinen. Welche Stelle dieser Ansicht zu Grunde liegt, weiß ich nicht: sie ist nirgends angegeben, und aus dem Zusammenhange scheint sie ebenfalls nicht hervorgegangen zu seyn. Hamlet einzig und allein fürchtet der König, denn Laertes ist viel zu offen, viel zu bornirt, und viel zu sehr seinen Specialzwecken hingegeben, als daß der König hier Grund zur Furcht hätte. Aber der Verfasser scheint auch wiederum vom Laertes eine ganz andre, als die gewöhnliche Ansicht zu haben: es ist nicht der liebende Sohn, der seinen Vater rächen, der Erklärung über des Vaters Tod haben will; nein, er nimmt den Tod des Vaters überhaupt nur zum Vorwande, um seine ehrgeizigen Absichten damit zu verdecken und den Regenten in die gefährlichste Lage zu versetzen. Es ist aber eine der charakteristischen Seiten Hamlets, die freilich nur im Zusammenhange des Ganzen dargethan werden kann, daß vom Staate nur ganz beiläufig die Rede ist, daß er keines der Hauptinteressen ausmacht. Hamlet erinnert sich einmal im Vorübergehen dieser Seite, aber er haßt auf keine Weise den König, weil er König ist, sondern nur, weil er der Mörder seines Vaters ist. Und nun soll Laertes einen Ehrgeiz besitzen, der ganz plötzlich hereinbricht, ohne daß je früher von solchen Verhältnissen überhaupt, als den bewegenden des Stücks die Rede gewesen ist.

Wenn so der Verfasser dem König eine ihm im Stücke durchaus nicht zukommende Stellung gegeben hat, so ist nichts so merkwürdig, wie die Erklärungsweise der letzten Scene, welche auch die Todesscene des Königs ist. — Bekanntlich wechseln hier Hamlet und Laertes in der Hitze des Gefechtes die Rapiere; es heißt in den englischen Ausgaben: *Laertes wounds Hamlet, then in scuffling they change rapier and Hamlet wounds Laertes.* Der Verfasser kann nicht begreifen, wie ein zierliches Fechterspiel nach allen Regeln der Kunst ausgefochten, jemals so endigen konnte. Aber dieses Fechterspiel ist bloß im Anfang zierlich: es hört gegen das Ende auf Fechterspiel zu seyn und wird, wie der Ausgang zeigt, blutiger Ernst. Wie der Schauspieler sich dabei zu benehmen hat, ist die Sache des theatralischen Arrangements und gehört nicht hierher. Aber diese Verwechselung selbst ist eine Tiefe des Stückes und sicherlich nicht eine willkürliche Hinzufügung der Stagedirection, die gewiß durch solchen Zusatz die Aufführung nicht würde erschwert haben. Hamlet muß durch Laertes, Laertes durch den Hamlet sterben, denn beide haben gegeneinander eine schwere Schuld zu büßen. Aber das, was sie tödtet, ist die Bosheit des Königs, dessen Instrument das vergiftete Rapier ist. — Der König selbst wird wieder mit demselben Rapier getödtet. — Dasselbe Rapier verwundet den Hamlet, der es ergreift, um den Laertes zu vergiften, nachher um den König zu ermorden. Diese Wendung hat weder der Leichtsinn des Laertes, noch die Buberei des Königs vorausgesehn. Hamlet, der im ganzen Stücke zaudert, wenn es zu handeln gilt, kann sich nur entschließen, mit demselben Instrumente, das ihn tödtet, den Urheber des Anschlags zu vernichten. Nur dieser Unmittelbarkeit der Rache, die ihm das, was zu thun ist, in die Hände spielt, ist er noch fähig. Er würde sich vielleicht noch besinnen, wenn es gälte, die That mit einem andern Schwerte zu vollbringen. Damit nun die Regeln eines zierlichen Fechterspiels nicht übertreten werden, hat der Verfasser eine Erklärung substituirt, die sich weder von dem sprachlichen Standpunkt, noch von irgend einem andern rechtfertigen läßt. *Laertes wounds Hamlet, then in scuffling they change rapier, and Hamlet wounds Laertes.* — Das *they* soll hier nicht auf Laertes und Hamlet gehen, sondern auf Kampfrichter, die diese Verwechselung auf Befehl des Königs erreichen. Die Stelle würde also so zu übersetzen sein. Laertes verwundet den Hamlet, dann verwechseln die Kampfrichter in der Verwirrung die Rapiere, und Hamlet verwundet den Laertes. Wo bleibt aber die Verwirrung, wenn dies die Kampfrichter thun, die hier vielmehr die Ordnung aufrecht zu erhalten haben? — Haben die Kampfrichter die Verwirrung gemacht, oder bringen sie nur Ordnung in diese Verwirrung, indem sie sie noch mehr verwirren. Der Verfasser denkt sich dies so, daß nach jedem Gange des Gefechtes eine Pause entsteht, in welcher die Fechtenden, um sich zu erholen, auf- und niedergehen. Die Rapiere wurden an einem bestimmten Orte niedergelegt; beim letzten Gange werden sie verwechselt, damit auf Veranlassung des Königs Hamlet den Laertes ermorden kann. Also immer wieder die Meinung, der König wolle den Laertes ermordet wissen, und zwar hier natürlich ehe Hamlet vergiftet ist, denn vor dem letzten Gang kann Hamlet nicht füglich verwundet sein, ohne daß das Gefecht sogleich vorüber wäre. Aber daß dem König mehr daran liegt, daß Laeters sterbe, als daß Hamlet getödtet werde, wissen wir ja schon seit einiger Zeit.

Dieser Fehlgriff unseres Verfassers in der Auffassung des Königs hat seinen Grund in dem zu Eingang dieses Artikels näher bezeichneten Versuch von den Nebencharakteren im Hamlet isolirt sprechen zu wollen. Dies muß zu Reflexionen und Einfällen führen, die keine Rechtfertigung in der Sache selbst haben. Wir behalten uns vor, im folgenden Artikel noch näher in diese Betrachtung einzugehen.

Gans.

Blicke auf die Welt.

(Von einem Diplomaten.)

Friedrich — Napoleon — Rothschild. —

Wie viele glauben, daß Satyre eine Ueberlegenheit beweise, und vergessen, daß Cook von den Wilden ausgelacht wurde, wie Gall — von den Franzosen.

Sollte das gesellschaftliche Vergnügen nicht auf einer bloßen Regula de Tri beruhen? — Es sind nämlich dazu zwei Personen erforderlich, die sich über eine dritte lustig machen oder auch ernst unterhalten. Die aufzufindenden Laster oder Lächerlichkeiten dieses dritten bilden die vierte aufzusuchende Größe der goldenen Regel, deren Glieder man, nach den obwaltenden Stimmungen und zu berücksichtigenden Verhältnissen oder gar Vortheilen, auf vielerlei Weise versetzen kann. z. B.

A und B haben vom D gesprochen und folgendes Ergebniß erhalten:

„ein abgeschmackter, unerträglicher Narr."

Gleich darauf sprechen A und D vom B und siehe da, sie erhalten das Facit:

„Ein hämischer Affe."

Nun aber sprechen B und D von A und erhalten zum Ergebniß zehn Nullen oder in Buchstaben:

„Der Mensch ist nicht einen Groschen werth."

Darf man sich nun noch wundern, wenn gebildete Menschen an diesem Spiele beinahe eben so viel Vergnügen finden, wie an dem Handel mit Staats-Papieren?

Arithmetik, wie tief liegst du in der menschlichen Seele!

Was ist die Vergangenheit? — Pompeji und Herculanum. —

(Redigirt von Dr. Fr. Förster und W. Häring (W. Alexis.)

Im Verlage der Schlesingerschen Buch- und Musikhandlung, in Berlin unter den Linden Nr. 34.

Berliner Conversations-Blatt

für

Poesie, Literatur und Kritik.

Dienstag. — Nro. 52. — den 13. März 1827.

Meine letzte Nacht in Berlin.

(Fortsetzung.)

Es hatte sich nämlich begeben, daß in dieser Versammlung die Memoiren des Satans vielfältig der Gegenstand des Gespräches gewesen waren, und der unbekannte Autor ein von keinen Rücksichten zurück gehaltenes Urtheil anhören müssen. Man war unbarmherzig verfahren. Die Verlegenheit war sichtbar. Der jüngere Dichter lachte zuerst laut auf, der Mime schickte sich an die Versöhnung zu stiften. Aber der Fremde sprach:

Warum, würdigste Versammlung, ein Jota widerrufen von dem was geschrieben steht, denn, trauen Sie einem Historiker zu, daß mein Tagebuch nur ein Echo Ihrer Gespräche ist. Satan ist noch immer gelehrig und er hätte hier viel profitirt, wollte er einst als Kritiker auftreten, was ich, unter uns gesagt, nicht verschworen will. *Expande Hannibalem* oder umgekehrt, welche Eigenschaften, die zusammen einen Satan ausmachen, wenn auch einzeln nur lustige Teufelchen, die der Fromme allenfalls noch streicheln mag! Erst die enthusiastische, heut die stampfende Kritik, beide aus einem Herzen. Collegialische Schauspielerkritik, um so bitterer, je größer die Freundschaft scheint. Junge Dramatiker, die unversöhnlichsten Richter des Theaters, das ihre Stücke zurückgewiesen. Alte Theaterregenten, unerbittliche Catonen gegen alle neue Stücke, die Breschen zu schießen drohen in die Umschanzungen des Schlendians. Scharf von Recensenten Angegriffene, nun Todfeinde aller Kritik. Anbläser aus Liebe, weil die Sängerin X mit der verehrten Y rivalisirt. Kritiken, die nicht weiter gehn als über die Kleider, und solche der Philosophen, welche so tief plumpen in das Abstracte, daß Leben, Welt und Sonnenlicht aus dem tiefen Brunnen ihrer eigenen Ideen gar nicht wieder zum Vorschein kommen. Andere, die nur sich lesen wollen, und wenn sie sich nicht finden, nichts finden. Aber was ist alles dies gegen den wahren kritischen Hauch, der unsere Luft beschwängert, und den diese „arme Deutsche Sprak" Lieblosigkeit und Schadenfreude nennt? Würdigste, welch ein Hochgefühl es ist, ein ganzes Auditorium lauschen zu sehen, bis ein Schauspiel zum Schlechten umschlägt, das kann nur ein Teufel empfinden. Ein Schriftsteller kommt aus der Mode, ein Maler, der bisher Bewunderung eingeerndtet, zeigt sich schwächer bei der nächsten Ausstellung; nun lesen Sie die stumme Sprache der triumphirenden Gesichter, nun hören Sie das Urtheil der Selbstzufriedenheit: „Da haben wirs! Das konnte man vorherwissen!" Diese seelige Skepsis, die auf der ganzen Welt nur das Verfehlte sehen will, hört mit ärgerlicher Zuversicht auf den Moment, wo sich das als gut gepriesene denn doch als schlecht ausweist. O du, dessen Biograph ich die Ehre habe zu sein, was bist du gegen diese Lust? Meine Herren, nur sein Historiograph, nicht Enthusiast für ihn, verzeihen Sie meinen Enthusiasmus, denn solche Elemente fand ich noch nie. Er ruft mich jetzt aus Ihrem Kreise, und finden Sie einst im neusten Bande meiner Memoiren den Teufel als vollendeten Kritiker, so danke ich es den in Ihrem

Kreise gemachten Studien, der ich die Ehre habe zu sein Ihr ganz gehorsamster Diener!

Als ich meine Rechnung berichtigt hatte, war ich von der Gesellschaft der letzte, hätte nicht der Mann drüben, welcher vorhin die Kritik in Schutz, jetzt erst seinen Stock in die Hand genommen. Und er näherte sich mir. War es mir doch auch, als könne ich von einem so alten Bekannten nicht scheiden, ohne ein Wort zu wechseln, wiewohl das während der ganzen Bekanntschaft nicht geschehen. Auch ihn drückte ein ähnliches Verlangen. Noch einmal ließ er sich neben mir nieder und schlürfte das letzte Schoppenglas aus, indessen Louis an der Thüre lauschte, wer anfangen werde?

Er war es: Haben Sie, mein Herr, Berlin's Kunstwerke wohl betrachtet?

Auf seinen Lippen schwebte ein bedeutungsvolles Lächeln, während ich versicherte, ich hätte die drei Wochen meines Aufenthaltes hier wohl angewandt. Es kam mir ganz natürlich vor, daß meine Aufmerksamkeit auf das kaum geführte Gespräch den Gutmüthigen zu der Frage veranlasse. Doch seine schlaue Miene, die gehobene Brust deuteten auf eine verborgene Intention.

Drei Wochen! Und zeigte man Ihnen auch in den drei Wochen die drei Capital-Stücke?

Der Bezeichnung erinnere ich mich nicht, ob ich wohl alles sah, was hier auf Kunstwerth Anspruch macht.

Auch den Feldmarschall Blücher?

Wie sollte ich die schöne, neue Statue versäumt haben?

Auch den alten Dessauer? fragte er weiter.

Mit Wohlgefallen verweilte ich bei der trefflichen Arbeit Schadows; diese kräftige, markige Characteristik, dieser wahre Held einer alten Zeit —

Auch die Stiefletten? fiel jener ein und fuhr gleich darauf murmelnd fort: Aber den großen Kurfürsten?

Habe ist erst heut mit staunender Aufmerksamkeit betrachtet.

Nun und? sagte jener.

Und? Ich wüßte nichts.

So dürfen Sie nicht Berlin verlassen, sprach er, schnell die Uhr herausziehend.

Es war über Eilf, als wir die Weinstube verließen, und schon befand ich mich mit raisonablem Schritte an der Seite meines schweigsamen Cicerone auf der mondhellen Straße, ohne zu wissen, wie ich eigentlich Berlin nicht verlassen solle. Der todtenleere Gend'armenmarkt blieb hinter uns, der Hippogryph nickte vom Komödienhause Abschied:

Waren Sie heut in diesem Theater? unterbrach ich die peinliche Stille.

Ich gehe in kein Theater.

Sie, ein Kenner und Kunstfreund?

Seitdem diese Menschen so honorirt werden, daß es eine Schande ist, niemalen. Ehre, Ansehn, Vortritt, Zulauf, Orden, das hätte sollen zu meiner Zeit geschehen, wie wenn, alle Hagel! ein Jude sich unterstanden mit einer Kutsche und Liverey-Bedienten zu fahren! Ist das ein Verhältnis, was sonst ein Kapitain mit Kompagnie hatte, reicht jetzt für so einen Trippelfuß nicht hin. Neulich begegne ich solchem ausgeputzten Grünspecht mit Orden und Bändern, daß ich hätte Front machen mögen, wärs nicht zum Scandal ein Italiänischer Solosänger oder Oberbaßgeiger über die andern gewesen.

Bülow und Scharnhorst im weißen Geisterlichte grüßten uns drüben.

Lassen wir die Generale, sagte mein ernster Gefährte, hier steht der Feldmarschall, vor dem wir Front machen. Was sehen Sie daran?

Ein Meisterwerk neuerer Bildnerkunst.

Nicht wahr, antwortete er etwas höhnisch, ein Meisterwerk der neuern Kunst, verräth tiefe Erudition, charmant Uniform imitirt, bis wo der Mantel die Blöße bedeckt, Kanone, Säbel aufwärts. Was fehlt denn am Säbel? Nichts? — Freilich nichts als die Hauptsache, das Portepee! — Vorwärts mein Herr!

Zwischen zwei langen Schattenstrahlen der Pappeln im Lustgarten schritten wir auf die palisatirte Statue des alten Dessauer zu. Dreimal umkreiste ich an seiner Seite den alten Feldherrn und Deutschen Fürsten, der Eugens und Marlboroughs Schlachten gesehen, der unter dem großen Friedrich siegte und noch in der Sage des Soldaten lebt, gleich jenem „Prinzen Eugen, dem edlen Ritter" dessen Ruhm vom schlichten Liede deutlicher bewahrt wird als von den Blättern der Geschichte. Der alte Held nickte mir zu.

Wie ganz anders, rief mein Führer, dieser hier Posto faßt! Auch ein Fürst und ein Generalfeldmarschall; in der Rechten, wie es Ordnung ist, den Commandostab, die Linke am Degengefäß. Füße in der Position, den Hut auf. Und hinten, wie natürlich der Zopf auf den uniformirten Rücken herunterfällt; da brauchte man nichts mit einem Mantel zu verstecken, als ob ein General, wenn er die Batterie stürmt, den Mantel sich umhakte! Und nun die Stiefletten, sehen Sie, Falte an Fältchen, es fehlt kein Knopf, man möchte sie stramm ziehn und den Staub abbürsten und doch — das heißen sie Kunst! — bemerken Sie, wo der Mond auf der Wade spielt. Was gehört dahin? Knöpfe, ei ja doch von innen! Wo ist denn die Naht? Stiefletten ohne Naht!

Er riß mich fort, und, vorbei am ungeheuren Porticus des Schlosses, der langen Brücke zu. Mein Rendezvous mahnte mich ihn zu entfernen, er achtete auf keinen Wink.

(Fortsetzung folgt.)

Französische Literatur.

Daru histoire de la Brétagne, III Vol. in 8vo. Paris 1826 *).

Man pflegt sich in Deutschland Frankreich wohl so einfarbig im Innern vorzustellen, wie den blauen Himmel oder wenigstens wie die grüne Wiese oder den hellen Buchenwald, worin nur Sterne und Blumen und Blätter als Individuen sich unterscheiden, nicht wie in unserm Vaterlande alles drei beisammen und noch viel mehr dazu. Frankreich hat aber so gut seinen Norden, Süden, Osten und Westen, die mit den angrenzenden oder naheliegenden Ländern mehr Aehnlichkeit haben, als mit dem Abstractum von Frankreich, und dieß auch öfter durch den Namen ankündigen. Ein solcher charakteristisch verschiedener Theil ist die weite, traurige, von Haiden und Sümpfen erfüllte Ebne im Nordwesten, welche ihren alten Namen *Prydain* oder *Brétagne* noch bis auf den heutigen Tag behauptet. Wie dieses Land durch dieselben auf die benachbarte große Insel hinweist, so ist es der durch weitere Meeresstrecken getrennten, aber grade gegenüberliegenden Insel Irland am ähnlichsten und man könnte hierin wieder eine Bestätigung von Niebuhrs Bemerkung finden, daß sich zwischen den Bewohnern der durch Meere getrennten Länder fast immer eine sehr große Analogie findet, wenn nicht hier die Stammverwandtschaft beinahe noch auf dem Boden der Geschichte in ihren ersten Verzweigungen erschiene.

Hier im westlichsten Theile des alten Armorikum welcher sich am längsten gegen die Römische Herrschaft frei zu erhalten wußte und auch in späteren Zeiten eine, wenn auch manchmal geschwächte, doch nie ganz gebrochene Freiheit behauptete, hier erhielten sich mit den alten Gallischen Familienbanden die Erinnerungen und Sagen der fernsten Zeiten; lange wurden hier noch die Gebräuche der alten Druidenreligion begangen, während die Häupter des einheimischen Stammes die Freiheit dieser letzten unter den keltischen Völkerschaften gegen das siegreiche Schwerdt der Franken und gegen die Eroberungssucht der Normannen aufrecht zu halten wußten, obgleich durch fortwährende innere Uneinigkeiten entzweit. Die Thaten und Begebenheiten, welche aus diesen Kämpfen hervorgingen sind der interessante Stoff der von Herrn M. P. Daru herausgegebenen Geschichte von Bretagne, welche bei Firmin Didot in drei Bänden erschienen ist.

Daru gehört zur neuen historischen Schule: er bringt alle die Interessen, welche jetzt die Gesellschaft bewegen, mit zur Geschichte, die er aber dadurch weder färbt noch entfärbt. — Er weiß gerade die richtige Grenzlinie, die so fein ist, daß sie nur dem geistreichen Manne sichtbar bleibt, in seiner Forschung wie in seiner Darstellung zu treffen. Nach der Weise, der er folgt, sucht er zwar mit der Fackel der historischen Kritik das Dunkel, in dem jede Urgeschichte, besonders die eines solchen kleineren Landstriches, sich verliert, aufzuhellen, weilt aber nur sehr kurz dabei: bald führt er uns zu Cäsars Siegen, wodurch auch dieses Land unterworfen ward. Mehrere Jahrhunderte blieb dasselbe unter römischer Herrschaft; aber die Armoriker machten unaufhörlich neue Befreiungsversuche, die freilich alle mißlingen mußten. Von den letzten Zeiten Diokletians (384) bis auf Theodosius den Großen (395) erfolgten verschiedene Einwanderungen der von den Pikten und Scoten bedrängten Brittischen Stammgenossen. Der Usurpator Maximus, der sich durch einen Sieg in Besitz dieses Landes setzte, machte Conan Meriadec, einen seiner Waffengefährten, zum Statthalter von Armoricum und dieser ward Stammvater der ersten Dynastie, der Könige von Bretagne.

Von nun an widerstand dieses Land unter Conans Stamm den furchtbaren Einbrüchen der Schwärme, welche die Völkerwanderung in Bewegung gesetzt hatte, auch den Franken unter Chlodwig. Erst Pipin dem Kleinen und seinem Sohne Karl dem Großen gelang es, da Theilungen und innre Unruhen die Kraft von Conans Reich gebrochen hatten, sich zu Herren desselben zu machen. Unter Ludwig dem Frommen war *Noménoé*, wie schon sein Name andeutet, aus Celtischem Stamme, Statthalter von Bretagne,

---

*) In Berlin zu haben in der Schlesingerschen Buch- und Musikhandlung.

dieser machte sich unabhängig, ließ sich zum Könige krönen und gründete so die zweite Dynastie, welche durch die Ansprüche des fränkischen Reichs auf Oberlehenshoheit viel zu leiden hatte, so daß bei den unaufhörlichen Theilungen die späteren Zweige desselben den Königlichen Namen abzulegen und sich mit dem ihren Ländern angemesseneren von Grafen oder Herzögen begnügten. Familienverbindungen und Gewalt brachten Bretagne später an das übermächtige Haus Plantagenet, welches damals auf mehreren Thronen Europa's herrschte, auch in Frankreich, wodurch es eigentlich der natürliche Herr von Bretagne war. — Nachdem Philipp August von Frankreich dem englischen Könige Johann die Erbschaft dieses Landes entrissen hatte, kam es durch Heirath von Alix, der rechtmäßigen Erbin desselben mit Pierre de Dreux, Ururenkel Ludwigs des Dicken, an das französische Königshaus. Nicht genug, daß dies Land nun durch die Kämpfe zwischen Frankreich und England schwer leiden mußte, ward es nach dem Tode Johann *III*, der ohne Erben starb, 30 Jahre hindurch von der fürchterlichen Eifersucht der Häuser Blois und Montfort zerfleischt. Dieser unselige Krieg erzeugte Thaten, eines größern Schauplatzes und einer besseren Sache werth. Endlich bereitete die Heirath der Herzogin Anna von Bretagne mit zwei französischen Königen die völlige Vereinigung dieses Landes mit Frankreich, wovon es 1100 Jahre hindurch getrennt gewesen war, vor. Denn wie Anna als ächte Bretagnerin auch eine solche zu hindern suchte, erfolgte sie doch bald ganz von selbst und seitdem hat Bretagne im unzertrennlichen Verband mit Frankreich alle Schicksale desselben getheilt.

Diese, wie schon der flüchtige Ueberblick lehrt, bedeutenden Thatsachen, hat Daru bis ins Einzelne verfolgt und dadurch, wie besonders durch angemessenem Gebrauch der romantischen Chroniker, die er mit vielem Urtheil sichtete, sehr anziehend gemacht. Sein Styl zeichnet sich durch Einfachheit ebensosehr als durch zierliche Feinheit aus. Dagegen möchte man mehr über die Riesenbaue, die sich dort, vielleicht Denkmähler eines Geschlechts, dessen Andenken sogar erloschen ist, erhalten, über die dort gefundenen phönizischen Münzen, über den uralten Dienst des Belenus (Baal Beel?) erfahren. Auch bleiben die ältesten politischen Verhältnisse z. B. wie es komme, daß schon so früh (wenigstens 987) die Leibeigenschaft unter einem so freisinnigen und kriegerischen Volke habe aufkommen können, daß überhaupt das Lehenswesen hier so bald herrschend geworden und dergleichen auch nach dieser Geschichte eben so dunkel, wie zeither und hier wäre eine recht gründliche Forschung, wie in Deutschland deren so manche angestellt worden, dringendes Bedürfniß. Indessen sieht man mit Vergnügen auch hier eine schöne Frucht des wiederaufblühenden geschichtlichen Eifers und Studiums in Frankreich. B.

Der Carneval zu Cöln am Rhein.

Der Sprecher votirte nach bekannt gemachtem Resultat demjenigen Mitgliede, welches sich diesem Geschäft mit einer so lobenswerthen Thätigkeit unterzogen und dabei einen so erfolgreichen *modum persuadendi et captandi* gezeigt hatte, den Dank der Gesellschaft, welcher einstimmig angenommen ward. Am 10. Januar versammelten sich die zwanzig Mitglieder des engeren Ausschusses auf's Neue und der provisorische Sprecher legte die Frage vor: Wie viele Mitglieder sollen das Comité bilden und welche Anzahl von denselben ist erforderlich einen gültigen Beschluß zu fassen? Man citirte zur Beurtheilung dieser wichtigen Frage den nöthigen Geist, nicht von oben herab, sondern durch den Kellner von unten herauf und nachdem dies geschehen, auch der Eid abgelegt worden war: von den verhandelten und künftig zu verhandelnden Gegenstände nichts zu verschweigen, vertiefte man sich in das erforderliche Nachsinnen. — Die so spitzfündige als verwickelte Frage blieb bei dem allgemeinen Stillschweigen unbeantwortet, man mußte zum Kugelwerfen schreiten, welches die Anzahl von 7 Mitgliedern des Comité zur Beschlußnahme für competent erklärte. Bei der zweiten Frage, wer soll definitiver Sprecher seyn, bedachte man sich kaum so lange als erforderlich war unter dem Räuspern das Geklirr der Gläser zu verstecken und einstimmig wurde der seit 4 Jahren so würdevoll bestandene Sprecher auch zum Organ der dießjährigen Gesellschaft so wohl für das Comité als für die General-Versammlung einstimmig erwählt, erkohren und ernannt.

Der Sprecher dankte unter folgender Bedingung: Ich unterziehe mich der mir aufgelegten von mir sonst gern getragenen Last aufs neue mit der gewohnten Lust, wenn man den mit jedem Jahre mehr in Anspruch genommen werdenden Sprachorganen des Sprechers einen Collegen zur Seite stellt, mit einem Wort, wenn man das Organ der Gesellschaft in diesem Jahre zweispännig handhaben will. Ich verlange kein anders Vorrecht vor meinem zweiten Ich als jenes der Anciennetät. Dem Antrage ward deferirt, die Wahl des zweiten Sprechers fiel auf ein Mitglied, dessen bekannte hinreißende Beredsamkeit, die Verirrungen des menschlichen Gemüthes im rosenfarbenen Lichte darzustellen die sicherste Gewähr gab, daß das diesjährige Narrenreich in ihm eine feste Säule erhalten habe. Forts. folgt.

(Redigirt von Dr. Fr. Förster und W. Häring (W. Alexis.)

Im Verlage der Schlesingerschen Buch- und Musikhandlung, in Berlin unter den Linden Nr. 34.

Berliner Conversations-Blatt

für

Poesie, Literatur und Kritik.

Donnerstag, — Nro. 53. — den 15. März 1827.

Meine letzte Nacht in Berlin.

(Fortsetzung.)

Nun standen wir vor der Reiterstatue und schauten, gleich den vier Gefesselten, hinauf.

Sehn Sie nichts? rief er.

Ich beschrieb in kurzen Worten, was ich sah. Für die kühle Septembernacht vielleicht zu warm, zumal bei Betrachtung einer bronzenen Statue, deren Urbild schon über hundert und dreißig Jahre im Sarge ruhte. Er weidete sich stumm an meiner Lust, oder was für ein Instinct war es sonst, der ihn mit halb offenem Munde mich angaffen ließ?

Nun standen Sie lange genug um das eigentlich Merkwürdige zu entdecken, oder fehlt Ihnen so ganz der Geist der Anschauung?

War es Sphärenmusik, oder — ich kann mich geirrt haben — es seufzte.

Er faßte meine Hand und wies auf einen Punkt.

Was sehen Sie da?

Hilf Himmel eine Haube!

Einen Pferdefuß, Herr! Sehn Sie's nun? — Grad aufgesperrt die Augen!

Allerdings hat das Pferd einen Fuß — wie jedes Pferd.

Ein fürchterliches Gelächter schreckte mich und die Geister der Brücke auf. Mein Gefährte stieß es aus, und das ruhige Gesicht des hagern Mannes verzog sich in unförmlich höhnische Züge. Gränzenlose Verachtung malte sich drauf, als er zu mir ausrief:

Dieser Pferdefuß brach dem Künstler den Hals. Hier schwang er sich über das Geländer und kam nie wieder zum Vorschein, und das, weil er diesen Pferdefuß für einen gewöhnlichen hielt.

Gesticulation und Sprache waren so lebhaft, daß ich mich im Geiste mit hinüberschwang und mit den Armen dem vom reißenden Spreestrom fortgerissenen Leichnam bis in die fernen Mühlen folgte, deren dumpf herüber tönendes Räderwerk ihn zermalmte. *) Kein Gruß, kein Abschied; nur seinen Rücken sah ich noch, als der Erzähler mit gigantischen Schritten in die dunkle Königsstraße verschwindend trat.

Stumm und still standen wir drei, ich, der große Kurfürst und die Schildwacht; aber diese noch stummer, und, wie es schien, in Verlegenheit. Seltene Verlegenheit einer Schildwacht, die das Recht hat grob zu sein!

Der beschiedene Gegner zu dem seltsamen Rendezvous kam nicht, das gespensterhafte Verschwinden meines Begleiters rief mir den Gouverneur aus Don Juan in den Sinn und das Haar sträubte sich beim Gedanken, der Fürst werde herabsteigen von seinem bronzenen Pferde und mir die Hand schütteln. Das Abentheuer sollte näher liegen.

Das Unbegreifliche gränzt im Leben so nahe an das Alltägliche. Dasselbe Kind, das sich heulend und schreiend sträuben würde auf der Mutter Befehl aus der dunkeln Kammer einen Stuhl zu holen, drängt

---

*) Man siehe, daß der Erzähler fremd in Berlin war, da der „reißende Spreestrom" von den Mühlen herkommt. Uebrigens können wir auf Redactoren-Ehre versichern, daß die Erzählung lange vor dem hier mitgeheilten letzten Neujahrsritt geschrieben worden.

ein unbegreiflicher Kitzel, ohne Grund und ohne Befehl hindurch zu rennen. Die ungeheure Angst ist eine Wollust. Ich wollte sehen, wo der Mann sich ins Wasser hinuntergestürzt, trotz dem bronzenen Reiter, der absteigen und mir den Rückweg versperren konnte. Drei Schritte, und ich befand mich, unaufgehalten von der Schildwacht, auf dem eingeschlossenen Brückenpfeiler, auf welchem die Reiterstatue ruht. Es ist ein Winkel, abgeschieden von der übrigen Welt durch das Machtwort des schulternden Grenadiers. Ich stand im eingeschlossenen Raum, doch nicht allein. Eine weibliche Gestalt, durch die Statue des Fürsten vor den Blicken der Vorübergehenden geschützt, lehnte sich über das Geländer. Mein Tritt, mein Anblick, ein Schrei des Entsetzens, sie zitterte, wankte und — lag in meinen Armen. Noch klammerte sich der zarte Arm an das Geländer. Ihr Kopf ruhte mir auf der Schulter, während der Mond ihr in das blasse Antlitz leuchtete. Es war Julie; in den geschlossenen Augen, in den Rosenlippen las ich den Entschluß, der mich schaudern machte.

Fest umschlang ich sie, als stände es noch jetzt in der Macht der Ohnmächtigen, sich über das Geländer zu schwingen.

Um Gottes Willen Unglückliche! rief ich, als sie die Augen aufschlug und ihr erster Blick mich traf. Bin ich die unseelige Ursach?

Sie drückte mir sanft die Hand und bat mich leiser zu reden. Ich schauderte, als ich ins Wasser hinabblickte, sie mit mir.

Mein Fräulein, bei diesem blauen Himmel oben, bei den Sternen, die uns von unten entgegen blinken, fort mit dem entsetzlichen Gedanken. Ich errathe, was Ihre Seufzer mir sagen, aber ist denn der Bruch so unheilbar? Auch ein Barbar muß Ihre Seelengröße bewundern, auch er kann, darf nicht ewig zürnen um ein Wort. —

Ach Sie kennen ihn nicht, lispelte sie, den Kopf herabgebeugt. Eine warme Thräne netzte meine Hand, ich hielt Julien noch immer umschlungen.

Lassen Sie mich zu ihm reden, drang ich in sie, der Himmel wird meinen Worten Kraft leihen; und wäre er so gefühllos, wie dies Bild von Erz. Was Sie thaten im edelsten Gefühl für Recht und Schönheit zu Gunsten der Holden, alles vergessend, über das eine — schöne, Edle, diese hohe Uneigennützigkeit, diese Rücksichtslosigkeit bewaffnete, wenn es noch Ritter gäbe, die halbe Männerwelt für Ihr Recht.

Sie schüttelte ihr Lockenköpfchen und es war nicht ohne Stolz, als sie antwortete: Soll ich mich ihm denn aufdringen lassen? Nein er ist zu roh.

Er mag fliehen, rief ich warm, aber Sie, Julie, wollen nicht Ihr schönes Dasein vernichten. Sie leben, Sie sehen das schöne Morgenroth morgen und noch viele Morgen wieder.

Die Zitternde duldete den Kuß, den ich auf ihre noch kalten Lippen drückte. Es war das heilige Pfand, daß sie leben wolle. Sie blickte sich ängstlich um, die kühle Septembernacht erstarrte den zarten Gliederbau. Diesmal verweigerte sie mir nicht ihren Arm, als ich in sie drang, die unheilvolle Stelle zu verlassen. Aber als ich sie beschwor, wie vor einem Bruder ihren stillen Gram auszuschütten, weinte sie heftiger. Eine Nachtigall flötete im Käfig eines benachbarten Fensters, ich blieb stehen und wies Julie den Ort:

Wie diese Sängerin der Nacht, von allem geräuschvollen Treiben des geschäftigen Tages ungestört, ihre vollen, schmelzenden Accorde, in die stillen Lüfte ausgießt, so wird auch unsere Sängerin bald, was Aerger, Neid und Mißgunst ihr zufügten, verschmerzt haben. Das ist die himmlische Gabe dieser wenigen Beglückten, in ihrer Kunst Trost zu finden und einen immer frischen Quell, die Lebenskraft zu verjüngen.

So sprach ich leise zu ihr und sie bejahte meine Bemerkungen durch einen tiefen Seufzer.

Eine schöne Seele, fuhr ich fort, kann sich daher in ihrer himmlischen Theilnahme beruhigen und der Friede, den sie allem Schönen wünscht, wird auch zu ihr zurückkehren.

Sie haben mich recht erschreckt vorhin, sagte Julie, ich hatte wohl Stimmen gehört, ich glaubte aber Sie wären schon fortgegangen.

Doch ist der Schrecken gewichen, als Sie mich erkannten? flüsterte ich ihr ins Ohr und erschrak so darüber, daß ich die Worte hätte mögen mit Golde zurückkaufen. Sie senkte das Köpfchen, doch zog sie nicht zurück und in dem Momente schwor ich drauf, die Abreise morgen sei unmöglich. Ich will den Leser nicht mit den Bildern unterhalten, in welchen meine Phantasie schwelgte. Davon mochte ich noch berauscht sein, als ich, Gott weiß in welchem Zusammenhange, des Barbaren erwähnte, den ich doch eigentlich auf der langen Brücke erwarten sollte.

Sie schmiegte sich ängstlich an mich und blickte bittend zu mir auf.

Um Himmels Willen, Sie sahen ihn doch nicht? — Lassen Sie uns fort. Holt er uns ein, stehe ich unter Ihrem Schutze.

Wer vermöchte Bitten zu widerstehen, wo ein liebreizendes Wesen sich so arglos und zutrauungsvoll in unsre Hand giebt. Die Augen flehend zu mir aufgeschlagen, die Rosenlippen geöffnet, mit dem Arm mich bittend umfaßt, alles im ungewissen Lichte einer Laterne in der engern Königsstraße. Ein Heiliger wäre der Versuchung erlegen. Als Besieglung meines ritterlichen Gelübdes drückte ich einen Kuß auf die schönen Lippen und blieb bei dem einen nicht stehen, als ich den sanften Hauch der Erwiderung fühlte.

Nur weil ich ein Mädchen in einiger Entfernung mit einer Laterne stehen sah, riß ich Julien fort. So oft ich über die Schultern blickte, war die Laternenträgerin in gleicher Entfernung hinter uns, Julie aber, die meine Besorgniß merken mochte, sagte, ich sollte unbekümmert sein.

Wo führe ich Julien hin? flüsterte ich ihr zu, als wir am Scheidewege standen. Die Schüchterne wollte sprechen, als ihr Blick einen Gegenstand hinter uns traf. Ihr Arm umschlang mich, als gelte es, den Geliebten einer drohenden Gefahr entreissen. — Die Laternenträgerin humpelte uns ängstlich nach und ich konnte nur noch so viel hinter uns entdecken, daß eine schwarze Gestalt von der mondhellen Brücke herab in die Königstraße trat, als sie mich schon mit der Kraft einer Liebenden in die Seitengasse hineingerissen hatte. So viel merkte ich nun, während wir mehr rannten als gingen, daß das Mädchen mit der Laterne zu uns gehöre.

(Fortsetzung folgt.)

Der Pariser Catholique.

Der Baron v. Eckstein, der zur Zeit, als das Hauptquartier Ludewig des *XVIII.* in Gent war, die geheime Polizei daselbst mit vieler Umsicht leitete, hernach in Paris die Redaktion des kürzlich eingegangenen *Drapeau blanc* übernahm, empfiehlt sich jetzt dem Publikum als Directeur einer schon längere Zeit bestehenden Zeitschrift, welche den Namen: *le Catholique* führt. Ihm genügt es nicht, eine katholische Kirche zu haben, er verlangt auch eine katholische Politik und eine katholische Philosophie, verwahrt sich indessen gegen den Verdacht, als wolle er auf irgend eine Weise die Sache des religiösen und moralischen Absolutismus führen. „Unser System, sagt er in einer öffentlichen Erklärung, ist ein System der Freiheit, des Nationalfreisinns und der religiösen Toleranz, wir nehmen für die Jesuiten dieselbe Freiheit, wie für ihre Gegner in Anspruch. — Die Kirche ist in ihren Dogmen und in ihrer Hierarchie unveränderlich, (wie äußerst liberal!) allein sie ist veränderlich in ihrer Disciplin, sie hat beständig gesucht die Zeit so zu verstehn, wie sie ist, um den Zeitgeist zu beherrschen. Nun verlangt aber unsere Zeit vor allen, daß man zu ihr durch die Geschichte und Philosophie spreche; sie läßt sich nicht durch die Beredsamkeit beikommen, weshalb vor allen der Katholicismus in die Geschichte und in die Philosophie eindringen muß. — Wir geben dem Begriff der Politik den möglichst größten Umfang; sie ist die Wissenschaft von der Regierung in ihrem Zusammentreffen mit der Philosophie und Geschichte. — Eben so begreifen wir unter dem Titel der Wissenschaften alle menschlichen Kenntnisse. Die Kunst und die Poesie gehören ebenfalls zur Domaine der Wissenschaft; nicht zu der Wissenschaft, welche auf den Schulbänken gelehrt wird, sondern zu der inspirirten Wissenschaft, welche Gott in den Menschengeist eindringen läßt.“ Wenn die Franzosen dergleichen hören, meinen sie die Quintessenz der Deutschen Philosophie zu vernehmen. Herr von Eckstein ist übel auf die Schulbänke zu sprechen, und verweist uns auf Inspirationen. Was von solchen für Weisheit zu Tage gefördert wird, denen es der Herr im Schlafe giebt, sehn wir an ihm, der nun auch im Schlafe redet, ohne *clair voyant* zu sein.

Der Carneval zu Cöln am Rhein.

(Fortsetzung.)

Der vierte zu berathende Punkt enthielt die Frage: Wer soll bei der General- und Comitee-Versammlungen dem Sprecher als Wort-Copiermaschine, *vulgo* Secretair, zur Seite stehen. Man schritt durch Abstimmung zur Wahl und der Erwählte nahm unter erdichtetem Sträuben und erfolglosen Ausflüchten wegen Ueberladung mit anderen Arbeiten ꝛc. ꝛc. die ihm zugedachte Charge an, ohne jedoch in seiner freudigen Miene einen Zug von gekitzelten Ehrgeiz ganz unterdrücken zu können. Nach Empfang seiner Ernennungs-Urkunde als Secretair und Historiograph trug derselbe jedoch mit gebührender Bescheidenheit auf Ernennung eines Stellvertreters in Verhindrungsfällen an, der ihm auch in der Person des vorjährigen Secretairs gewährt ward, welcher Letztrer in dem ihm aufs neue geschenkten Zutrauen vollen Ersatz für die ihm so eben entschlüpfte Würde fand. Die fünfte

Berathung betraf die Redner der Gesellschaft, die Minister des Auswärtigen, die Ceremonienmeister, den Hofpoeten und den Musikrath. Da die Erwählten mit ihren Obliegenheiten schon früher vertraut waren, so ward nur dem Hofpoeten angedeutet, reine Reime zu liefern, die alten Meistersänger zum Muster zu nehmen, und sich namentlich alles Improvisirens, was selbst in Berlin kein *Furore* gemacht habe, gänzlich zu enthalten. Die Klage des Musikrathes, daß ihm die stete Leitung des Orchesters den Wein versaure, ward durch Ernennung eines Assistenten begegnet. Es wurde ferner die Nothwendigkeit eines geübten Betheiligungswerbers anerkannt, dem zugleich Sitz und Stimme in der Section der Finanzen einzuräumen sey und der vorzüglich darauf zu sehen habe, daß die Rechnung nicht ohne den Wirth gemacht werde, denn da das Papiergeld schwanke, so scheine die Speculation unserer Nachbarstädte bei und durch den Carneval auf Actien Schulden zu machen, eben keiner Nachahmung werth. Die Wahl stürzte sich rauschend und unter allgemeiner Acclamation auf den schon genannten, um diesen Gegenstand höchst verdienten Routinier, welchem der Titel eines Generallisten-Bewahrers, Haupt-Steuereinnehmers und öffentlichen Finanz-Rathes beigelegt ward. Es wurden nun die einzelnen Comitees zu Anordnung der Festzüge, namentlich 1) das Literarische 2) das Decorations- 3) das Ball- 4) das Finanz- 5) das Musik- und 6) das Pferde-Comitee gebildet. Es ward die Nothwendigkeit anerkannt, die Ideen zu dem diesjährigen Carneval einzusammeln und das Comitee beauftragte einen der auswärtigen Minister, in einem geeigneten Zeitungsartikel alle Freunde der Freude zu Geburtshelfern der frohen Laune aufzufordern und ihre Ideen bis nächsten Dienstag schriftlich einzureichen. Um die durch jenes Placat dem Comitee zuströmenden unsinnigen Ideen sinnig zu ordnen und darüber der General-Versammlung einen gutachtlichen Bericht abstatten zu können, erkannte man für Recht, ein Comitee *Rapporteur* zu ernennen.

Ein Schreiben der Schoppenstecher Innung aus Trier des Inhalts, während der Faschingzeit einen Deputirten in Cöln residiren zu lassen, wird vorgelegt, der Vorschlag angenommen und eine Dankadresse beschlossen. — Die nächste Versammlung begann mit Einführung des Deputirten der Nachbarstadt Deutz, den man als Bekannten, welcher zwar nicht den größten Theil des Tages, jedoch um so öfter nach Sonnenuntergang in Cölns Weinhäusern zu finden sei, ohne besonderes Ceremoniel auf seinen Ehrenplatz führte. Nach ihm meldete sich der Deputirte der Eifel durch sich selbst an. — So werth der Gesellschaft auch die Person des Anmeldenden sein mochte, so war dennoch durch das so dreiste Eintreten die bei allen Höfen so übliche Etiquette dermaßen verletzt, daß, um jenen Deputirten feierlich einführen zu können, man sich genöthigt sah, denselben vorerst wieder zur Thür hinaus zu bringen.

Nachdem dies nicht ohne Mühe gelungen, weil der begeisterte Deputirte sich gewaltig sträubte, wurden die Ceremonienmeister für die feierliche Einführung Sorge zu tragen angewiesen, und als die Pokale mit dem erforderlichen *Poudre fort* versehen waren, setzte sich der Zug in Bewegung, während das Orchester den Lieblings-Marsch des Gesundeten spielte. Sechs Fackelträger an der Spitze, der Gesandte von seinen Leibmameluken getragen, an der Seite die Ceremonienmeister, langte das Cortege unter dem Thronhimmel des Ehrensitzes an, wo das Beglaubigungsdiplom abgegeben wurde.

(Forts. folgt.)

Berliner Chronik.

Königl. Oper. Freitag den 9. März. Alzidor. Welches Ereigniß verdient wohl mit mehr Rechte einen Platz in der Berliner Chronik, als die Feier der Wiedergenesung S. Maj. des Königs. Das Festspiel auf der Königstädtischen Bühne war nur ein Vorspiel zu dem Jubel, der den geliebten Herrscher am Freitag begrüßte, als er das erste Mal wieder in seiner Loge in dem Königl. Opernhause erschien. — Wenn man gewohnt ist die Hauptstadt bei öffentlichen Festen als die Repräsentantin des Reiches anzusehn, so hatte sie diesmal die schönste Aufforderung in dieser Eigenschaft aufzutreten; es galt nicht blos die Freude über die glückliche Genesung, sondern zugleich auch die Freude über die gütige und huldvolle Anerkennung, welche die allgemeine Theilnahme gefunden. Denn wie besorgt und theilnehmend sich auch alle bei dem letzten trüben Ereigniß erwiesen, so sahen wir uns dennoch von der Huld des Königs überboten, und fühlen uns gerade da, wo wir eine Schuld abgetragen zu haben glaubten, nur aufs Neue im Rückstand. — Wie eifrig waren nicht die Entfernten und die Nahen, die alten wie die neuen Provinzen — wenn überhaupt dieser Unterschied noch gelten kann — bemüht gewesen, dem Könige auf vielfache Weise ihre Theilnahme zu beweisen und wie gerührt lesen wir nun alle die Allerhöchste Cabinetsordre vom 3. d. M. in welcher S. Maj. der König sagt: „Bei Gelegenheit des mich vor einiger Zeit betroffenen Unfalls habe ich aus allen Provinzen der Monarchie so viele rührende Beweise von Theilnahme erhalten, daß es Mir ein wohlthuendes Gefühl gewährt, Meinen Dank dafür auszusprechen. Wenn etwas die ernste Fügung des Himmels mildern konnte, so waren es die Zeichen der Liebe eines treuen Volkes, dessen Anhänglichkeit an Meine Person und Mein Haus sich durch alle Zeitverhältnisse im Glück, wie im Unglück genügend bewährt hat.“ — Welchem Herrscher eines Reichs von solchem Umfange, wo sonst das unmittelbare, väterliche Verhältniß zu dem Volk sich mit der in feierlicher Ferne stehenden Majestät nicht vereinigt, nennt uns die neuste Geschichte, der solche Theilnahme bei seinem Volke findet und sich die Freude gönnen darf, sie so zu erwiedern?

(Redigirt von Dr. Fr. Förster und W. Häring (W. Alexis.)

Im Verlage der Schlesingerschen Buch- und Musikhandlung, in Berlin unter den Linden Nr. 34.

Berliner
Conversations = Blatt
für
Poesie, Literatur und Kritik.

Freitag, — Nro. 54. — den 16. März 1827.

Meine letzte Nacht in Berlin.

(Fortsetzung.)

Unaussprechliche Unruhe malte sich auf Juliens Gesicht, als wir hinter einem Brunnen still hielten. Sie hatte etwas zu entdecken, fand aber keine Worte. Doch während ich das Geheimniß von ihren Lippen lösen wollte und schon unsern Verfolger mit beerzten Schritten an der Schattenseite heraukommen hörte, zeigte sich neue Gefahr von der andern. Auch dort kam aus der Ferne jemand auf uns zu, und kaum, daß ihn Julie erblickt und das Mädchen auf ihren fragenden Blick bedeutungsvoll genickt hatte, drückte sie meine Hand mit Heftigkeit, und das war alles, was ich von einem Abschied spürte. Denn ihr Blick, welcher das stumme Lebewohl ergänzen sollte, gehörte nur zur ersten Hälfte mir, die zweite war schon dem Andern entgegengeeilt. Mit Anmuth sprang die niedliche Gestalt über den Rinnstein auf die Schattenseite und mir hustete die heisere Laternenträgerin nur verstolen zu:

Um Himmels Willen, wenn Sie's mit meiner Mamsell gut meinen, halten Sie den Bramarbas uns ein bischen vom Leibe.

So stand ich da, gestützt auf den kalten eisernen Plumpenschwengel, wie Leonidas könnte ich sagen, an den Thermopylen, hätte mich nicht mein Sparta selbst verrathen. Die süßen Hoffnungen, genährt im warmen Busen, verschwanden, wie vor mir Juliens helles Kleid im Dunkel der Straße und hinter mir klirrte eine peinliche Erwartung näher und näher.

Der Teufel auch, sind Sie es wieder! brummte der Mann auf, dem ich nach kurzem Selbstkampf in den Weg getreten war. Ich erkannte ihn.

Sie erwarten mich beim Kurfürsten, kommen Sie mit mir zurück, dort stehe ich Ihnen und Sie mir Rede. So rief ich und faßte ihn am Arm.

Daß der bärtige Sohn des Mars einen stärkeren als ich besitze, ward ich inne, als ich es nicht war, der ihn, sondern er, der mich führete, und nicht zum großen Kurfürsten, sondern der Flüchtigen nach. Und dabei hatte er doch keine andere Ueberredung angewandt, als den einzigen Ausruf: Den Henker auch!

Wollen Sie denn durchaus unsere Katastrophe vor ihren Augen spielen lassen, sprach ich, der Gewalt mich fügend, so müßten wir schneller gehn.

Ei zu meiner Katastrophe kommen wir immer noch zu gelegener Zeit; ich weiß ja wo sie hingehn.

Mein Eifer war um ein Bedeutendes geringer worden, denn als mein Auge zum letzten male ihr weißes Kleid entdeckte, hing sie am Arm eines andern Vertheidigers. Beide huschten um die Ecke, und jetzt erst schritt mein Begleiter weiter aus.

Sehn Sie, es ist nichts versäumt, rief er, als auch wir um die Ecke bögen. Dort schließt der Besen die Thüre auf und der Galan spatziert mit ihr hinein.

Ich begreife nicht Ihre Ruhe. Fühlten Sie sich beleidigt, so galt es jenen Unbekannten einholen. Da dies zu spät ist, habe ich ältere Rechte auf ein Zwiegespräch, und fordere Sie auf, mir zur Brücke zu folgen, oder erklären Sie sonst, wo Sie unumwunden sprechen wollen.

Nachher bleibt noch immer Zeit zum Zwiegespräch, sagte er gelassen sich umblickend, und ich bemerkte zwei verdächtige Gestalten aus einer dunkeln Sackgasse auf uns los kommen. Er winkte ihnen, und sie waren schon ganz nahe, als sie unter ihre Mäntel griffen.

Wem gilt dies? rief ich, mit dem Rücken die Mauer gewinnend, um bei einem Angriff nur von vorn zu fechten zu haben. Womit fechten, wäre ein Problem geblieben, wären nicht die Waffen meiner Gegner auch nur Geigen und Fidelbögen gewesen.

Das werden Sie gleich erfahren, sagte der ruhige Bräutigam, ohne auf mein nicht schreckloses Erstaunen sonderlich zu achten. Es ist merkwürdig, warum Sie alles auf sich beziehen, da man doch in dieser Stadt nur Sängerinnen, Schauspielerinnen und Tänzerinnen Ständchen bringt, und jeden laufen läßt, der nicht bleiben will, um Musik mit anzuhören. Ihr habt doch das Kolophonium gespart.

Zu dienen! antworteten die Musikannten und wir standen bald dem Hause, in welches Julie verschwunden, gegenüber, der Bräutigam lehnte sich an das Haus drüben und probirte ein Instrument, indem er den andern hübsch still zu bleiben gebot, bis er das Zeichen gäbe.

Ungewißheit und Erwartung ließen auch mich dem Befehle folgen, doch nahmen beide Rücksicht auf die kalte Nacht und als wir andern Beide, nämlich der Bräutigam und ich, nach dem hellen Fenster oben blickten und lächelten, rief der letztere mir leise zu:

Merken Sie nun, wie oben die Kritik losgehen wird über die kleine verhexte Sängerin?

Ich begreife, war meine Antwort, eben so wenig jetzt Ihre Ruhe, als vorhin Ihr rüdes Benehmen.

Ein Spanier bin ich nicht, entgegnete er, sich in seinen Mantel hüllend, der doch den Spanischen Schnitt trug, und die Eifersucht paßt eben so wenig als Serenaden zu den kothigen Quergassen vom neuen Markt. Würde mir auch wahrhaftig nicht die Mühe geben, hätte mich nicht die Auffsageart frappirt.

Ich konnte nicht umhin mein Erstaunen zu äußern, wie auf ihn der Liebreiz der Sängerin so ganz und gar keine Wirkung gehabt, und mein Bedauern, daß augenblickliche Entrüstung für die Ewigkeit geschlossene Bande lösen könne. Er lachte laut auf:

Alles in der Welt hat eine Ursach und eine Gelegenheit, und was Sie bemerkt haben, war just nichts anders als die Gelegenheit, der die Ursach lange vorausgegangen war. Die Sängerin, ei, ist ein Blitzmädchen, und ich habe so gut wie einer geseufzt und Front gemacht, wenn sie durch den Corridor mußte. Ja es ging so weit, daß meine Verehrte selbst einen Raptus von Eifersucht kriegte, von dem ich allezeit frei geblieben. Weiber sind Weiber, die Sentimentalen wie die Naiven, und man sollte sich niemals zu früh versprechen, um zu früh einander satt zu werden. Wollen Sie unsere ganze Geschichte hören, meinethalben, aber Sie hören nichts besonderes. Die ganze Sache warum wir uns verliebten, war, daß wir keine Kritik anwandten. Ein paar hübsche Augen von ihrer, und von meiner Seite ein fester Blick darauf, das kann wohl eine charmante Liebesgeschichte abgeben, ist aber noch lange nicht genug zum Ringewechseln. Sie hatte gar nichts Solides an sich, was schon daraus erhellt, daß sie an den Ladentisch gemußt hätte, wäre ich nicht mit dem Bratenrock als Bräutigam bei ihrer Mutter introducirt worden. Verliebte Blicke und Küsse machen nicht satt, und wenn das Gähnen erst einreißt, dann ist gar kein Aufhören. So was, müssen Sie gestehn, macht einem keine Lust, sich zu sputen, und ich habe mich auch nicht gesputet und als ich mich nun nicht sputete, mußte ich doch mein Vergnügen dabei haben um nicht bei langer Weile und magerer Kost in derlei umzukommen. So etwas, besonders das auf die lange Bank ziehn, zieht meist die Gesichter der lieben Sippschaft noch weit länger, und wenn erst die fragenden Redensarten kommen von „Nicht Ernst sein" und „Sitzenlassen," bleibe ich allemal selbst nicht sitzen. Juschen, die auch bei Zeiten eine kleine Furcht haben mochte, blieb ebensowenig sitzen und tröstete sich auf ihre Weise, was ich ihr gar nicht übel genommen habe. Kurzum die Ursach war fertig, wir waren uns beide satt, und es fehlte nur an Gelegenheit und die mußte etwas eclatant werden vor Welt und Menschen, sollte sie vor der Verwandtschaft gerechtfertigt sein.

Daher der Auftritt im Theater, rief ich entrüstet. Das war die Begeisterung, wie ich sie nie erlebt. —

Sie meinten wohl, entgegnete er lächelnd, es wäre aus zarter Vorliebe für Sie geschehen, daß sie mich beim Kragen ergreifen ließ? Merkten Sie denn nicht, daß der neue Galan schon oben wartete die Verlassene zu führen. Das heiß ich Kritik und Eitelkeit! Nein, bei der Tante in der Gesellschaft hatten wir uns schon ausgesprochen und dafür auf dem ganzen Wege ins Theater keine Sylbe geredet. Nun, wenn man mit solcher Stimmung ankommt, mögen Sie denken, daß der Zunder da ist, um Funken zu fassen, und ich stampfte so auf, daß es Funken geben mußte. —

(Fortsetzung folgt.)

Pariser Theater.

Zu den eilf Theatern, in welchen in Paris beinah täglich gespielt wird, ist nun ein zwölftes hinzugekommen; das Theater *des Nouveautés*. — Man läßt dem Talent des Baumeisters Herrn Debret, der hier der eigentliche Theater-Baumeister ist, alle Gerechtigkeit wiederfahren. Er hat dem innern Raume eine elliptische Form gegeben, 4 Logenreihen erheben sich übereinander, von denen die erste weiß gemalt und mit Vergoldungen verziert ist; die andern sind orange drappirt mit Stickereien in carmoisin. Das Orchester ist anständig groß und die Sperrsitze so bequem, daß man darauf einschlafen kann, ohne dem Nachbar zu geniren; das Haus wird mit Gas erleuchtet. — Das Stück, womit das Theater eröffnet wurde, war ein Lustspiel: *Quinze et vingt ans ou les Femmes*, welches das Unglück hatte, vollständig ausgepfiffen zu werden. Mehr Glück machte die darauf folgende komische Oper: *le Coureur des Veuves*, von Brisset, Musik von Blangini. Eigentlich ist es nur ein Vaudeville, zu welchem man schon bekannte Gesangstücke von Blangini verwendet hatte.

Deutsche Literatur.

Jahrbuch der gesammten Literatur und Ereignisse betreffend die Erdbeschreibung, Geschlechter-, Wappen-, Münz- und Staatenkunde, die Staatswissenschaft, Zeitrechnung, Politische Geschichte und Archäologie von 1824 und 1825, von E. G. Woltersdorf, Prof. Berlin bei L. Oehmigke, 1826. (556 S. gr. 8.

Es ist uns lange Zeit keine Arbeit von so ungeheurem Fleiße vorgekommen, als das genannte Werk. Was die Aufgabe einer gesammten Akademie sein könnte, hat hier mit großer Sorgfalt und Vollständigkeit ein einzelner Gelehrter geleistet. Schon der Titel kann uns in Erstaunen setzen und wenn wir demselben mißtrauen sollten, so werden wir nur um so mehr überrascht; denn in dem Buche finden wir sogar noch mehr, als der Titel ankündigt. Der Verfasser hat aus 250 Deutschen, Englischen und Französischen Zeitschriften, Tageblättern u. s. w. literärische Auszüge gemacht, um uns eine Uebersicht der gesammten Literatur der letzten beiden Jahre und der wichtigsten Ereignisse, statistischen Zustände der Staaten u. s. w. zu geben. So mechanisch diese Arbeit scheinen könnte, so ergiebt sich doch bei näherer Ansicht sogleich, daß der Verfasser dieses große Chaos der Zeitgeschichte und Zeitliteratur durch seinen wissenschaftlichen Blick in eine systematische Ordnung zu bringen verstand. Auch findet man nicht einen trocknen literarischen Nachweis, wie ihn zur Noth jeder Meßkatalog giebt, sondern bei jedem Werke findet sich eine kurze Angabe des Inhalts und Beurtheilung desselben. Der Verfasser empfiehlt sein Werk allen Gelehrten, welche sich mit der politischen Geschichte, oder mit den historischen Hülfswissenschaften vorzüglich beschäftigen, ferner den Bibliothekaren, Diplomatikern, Staatsmännern, Aerzten, Physikern, Kriminalrichtern (warum nicht allen Juristen) Heraldikern, Münzsammlern, dem gebildeten Krieger, Geographen, Philologen u. s. w. und wirklich ist dieses Werk auch so einzig in seiner Art, daß wir kein anderes ähnliches nur damit vergleichen könnten. Eine Concurrenz hat weder der Verfasser, noch der Buchhändler zu fürchten, aber zu gönnen ist es beiden, daß ihr Unternehmen durch zahlreiche Käufer gefördert werde. — Zur näheren Kenntniß des reichen Inhalts theilen wir folgendes von dem Verfasser mit der Ueberschrift; „Fachwerk" gegebne Verzeichniß mit: 1 Abschnitt. Schriften über sämtliche historische Wissenschaften. — 2. Staatswissensch., rein theoretische. 3. Allgemeine Erdbeschreibung. 4. Allgem. Völkerkunde. 5. Allgem. Staatenkunde. 6. Allgem. Geschichtskunde. 7. Nördliche Halbkugel der Erde und Nord-Eiszone. 8. Atlantisches Hauptmeer mit seinen Küsten und Inseln. 9. Ostatlant. Meer und Südelsmeer. 10. Alte Welt. 11. Großbrittannien. 12. Westeuropa; Iberische Halbinsel. 13. Frankreich. 14. Mitteleuropa. Schweizereidgenossenschaft. 15. Niederlande. 16. Nordeuropa. Dänemark. 17. Schweden. 18. Osteuropa. Rußland. 19. Polen. 20. Ostsee. 21. Preußischer Staat. 22. Deutscher Staatenbund. 23. Königreich Hannover. 24. Königreich Sachsen. 25. Die kleinen Deutschen Staaten. 26. Donaustrom. 27. Königreich Würtenberg. 28. Königr. Baiern. 29. Oestreichischer Kaiserstaat. 30. Südeuropa. Italien. 31. Byzanter Staat. 32. Neugriechenland. 33. Mittelmeer. 34. Klass. Alterthum. — Alle diese Abtheilungen zerfallen wieder in eine Menge Unterabtheilungen z. B. 11. Großbrittannien. *A.* Literatur; histor. Zeitschriften. Allgem. histor. Schriften. *B.* Reisen in die Britt. Inseln. *C.* Statistik. Länderkunde. *D.* Einwohner. *E.* Gewerbe. *F.* Handel- und Colonial-Verhältniß.

G. Geistesbildung. *H.* Religion. *I.* Politische Verfassung, *K.* Verwaltung. Staatswirthschaft. *L.* Landmacht und Seewesen. *M.* Geschlechter-, Wappen-, Münzkunde, Zeitrechnung. *N.* Allgem. Geschichte. *O.* alter und mittler Zeiten; *P.* neuer Zeit. *Q.* Engl. insonderheit, Landes-, Völkerkunde und Geschichte. *R.* Gesch. allein. *S.* Engl. Naturmerkwürdigk. Alterthums-, Gebirgskunde, Gewässer-, Oerterkunde. *T.* Schottland, allgemeine Landes- und Völkerkunde. Geschichte. *U.* Naturmerkwürdigkeiten Alterthümer. Gebirge. Gewässer. *V.* Oerterkunde. *W.* Irlands allgemeine Landes- und Volkskunde; Geschichte. *X.* Insond. Gesch. *Y.* Landesk. Naturmerkw. Alterth. Gebirge, Gewässer, Oerterk. *Z.* Nachrichten von hist. merkwürdigen Britten.

Der Carneval zu Cöln am Rhein.

(Fortsetzung.)

Der Sprecher erwiderte, wie es der Gesellschaft zur angenehmen Ueberraschung gereiche, die Wahl der Eifel auf einer so schätzenswerthen Person beruhen zu sehen, die man eben so gut einen Geschickten, als einen Gesandten zu nennen berechtigt sei, so wie es ihr gleichzeitig eine freudige Genugthuung gewähre, aus dem muntern Aussehen des Deputirten schließen zu dürfen, daß die Anstrengungen einer ernsteren Mission (Landtag zu Düsseldorf) auf seine Gesundheit nicht nachtheilig eingewirkt hätten. Es ward bei dieser Gelegenheit den so eben zurückgekommenen Landtags-Deputirten der Stadt Cöln die Huldigung für die Bemühung um das Wohl der Provinz votirt und ein dreimaliges von dem Orchester begleitetes Lebehoch bethätigte den gefühlten Dank aller Anwesenden. — Der Versammlung ward hierauf ein zweites Sendschreiben der Schoppenstecher-Innung aus Trier mitgetheilt, wodurch sie den Anwesenden Herrn Petrasch zum Ordinarius beim Hofe des Helden Carneval einsetzt. Es ward über diese Wahl der allgemeine Beifall laut und er äußerte sich ungebunden bei der Absingung eines auf die Allianz des Heldenstaates mit der hochgefeierten Schoppenstecher-Innung gedichteten Liedes.

Nach diesem Vocal-Genuß erhob sich der Sprecher, um der Gesellschaft anzuzeigen, daß drei anwesende Mitglieder ihre sechsspännigen Equipagen sammt Prachtgeschirren, Kutschen und Vorreitern für die Tage der Fastnachtzüge anzubieten die Gewogenheit gehabt hatten. Ein Mitglied der Gesellschaft, das aus guten Gründen gewohnt war, sich stets zu bedecken, benutzte das Sprichwort, „gleiche Brüder gleiche Kappen," um den Vorschlag zu machen, daß künftig während der Versammlung jedes Mitglied mit einem buntfarbigen Käppchen bedeckt sei, damit man in den Stand gesetzt werde, die unberufenen eingedrungenen Zuhörer zu erkennen und abzuweisen. Erst an dem allgemeinen Beifall, den dieser Vorschlag erhielt, ward der Vorschlagende gewahr, welchen gescheiten Einfall er gehabt hatte.

Die nächste Comitee-Versammlung begann mit der Protestation eines Mitgliedes gegen den ihm unterlegten Ausdruck, als wenn es ihm an Zeit nicht gebreche, indem er vielmehr erklärt, daß er überflüssig Zeit zur Arbeit habe. Die eingelaufenen Ideen zu dem Feste werden offen gelegt, sie füllen die ominöse Zahl 7 und werden dem Comitee-Rapporteur zur gutachtlichen Berichts-Erstattung überwiesen. Der Notenwechsel mit der Schoppenstecher-Innung giebt zu der Bemerkung Anlaß, daß die Immediat-Eingabe nicht auf das gewöhnliche Hanswurst-Stempelpapier geschrieben sei, die Beikassirung wird empfohlen, jede Idee an Stempelstrafe jedoch aus dem Zimmer verbannt.

Die mitgetheilte Elegie auf einen abgeschiedenen berühmten Schoppenstecher versetzt die Gesellschaft in finstere Schwermuth, und bringt den einstimmigen Beschluß zu wege, kein Mitglied der Corporation sterben zu lassen. Der Schoppenstecher-Innung wird ein Muster der Siegelkapseln zu Beglaubigungs-Diplomen mitgetheilt, damit die Trierer hieraus die Größe der Flaschen, woraus die Kölner am liebsten trinken, kennen lernen; es führt dies Siegel die Umschrift:

Wie groß sind nicht die Berge.
Wo uns gedeiht der Wein
Und dennoch sind die Flaschen
So ganz verteufelt klein.

Die eingegangenen Muster der Narrenkappen unterliegen der Prüfung, die Mehrheit spricht sich für Roth und Weiß aus, weil diese Farben unbezweifelt diejenigen seien, welche der Freude am meisten Vorschub leisten, auch sie die National-Farben der Kölner Funken bilden.

In der sechsten Sitzung stattete die Commission über die eingegangenen Ideen des Festes Bericht, die Sujets waren folgende:

1) Die Verschwörung des alten Gecken. 2) Die Nachfolge des Helden. 3) Die Geburt des Faschings-Dauphin's. 4) Das *Lit de justice.* 5) Der lustige Rath in der Klemme. 6) Der Mann aus dem Monde. 7) Die Prüfung.

Unter den vorgelegten Ideen wurde die letztere für die vorzüglichere anerkannt, theils weil sie eine den früheren Festen verschiedene Handlung darstelle, vor den übrigen aber den Vorzug habe, daß sie die allgemeine Idee des Faschings, nach der Prüfung eines Jahres sich einige Tage zu erfreuen, lebendig ausspricht. Nur gegen den Titel selbst protestirte ein anwesendes Mitglied, das, nachdem er der Staats-Prüfung unterworfen gewesen, eine unvertilgbare Aversion gegen diesen Ausdruck zu empfinden behauptete.

(Beschluß folgt.)

(Redigirt von Dr. Fr. Förster und W. Häring (W. Alexis.)

Im Verlage der Schlesingerschen Buch- und Musikhandlung, in Berlin unter den Linden Nr. 34.

Berliner Conversations-Blatt

für

Poesie, Literatur und Kritik.

Sonnabend, — Nro. 55. — den 17. März 1827.

Ehrenrettung Berlins

gegen den gewaltsamen Angriff des Grafen v. Platen mit der verhängnißvollen Gabel; nebst kritischen Betrachtungen über dessen neustes Lustspiel: Die verhängnißvolle Gabel. Stuttgart bei Cotta 1826. und einem *Déjeuner à la Fourchette.*

Erster Artikel.

Die Fabel des Stücks ist kurz folgende: Die Ahnfrau eines Schäfers in Arkadien ist zum Nachtwandeln verdammt, weil sich ihr Mann, aus Schreck über einen Schrei, den sie über eine Spinne that, mit der Gabel den Gaumen so verletzte, daß er daran sterben mußte. Nun soll der Geist nicht eher Ruhe haben, als bis die ganze Nachkommenschaft, die in diesem Schäfer nebst Frau und zwölf Kindern besteht, alle durch diese Gabel gestorben sind; was denn auch, und zwar sehr rasch, geschieht, da der Schäfer seine 12 Kinder auf einmal anspießt und sich dann selbst damit ersticht. —

Der Dichter hat sich zum Theil selbst das Urtheil gesprochen, indem er am Schluß seines Stücks aus den Coulissen vortritt und dem von ihm oft hart gegeißelten Publikum sein Gedicht unter andern mit folgenden Versen empfiehlt:

„Euch aber, zu Gunst und zur Liebe geneigt, weissage der Dichter vertraulich
Des Gedichtes Vorzug, wie er selbst es versteht, denn er hält es für hübsch und erbaulich:
Ihr findet darin bei sonstigem Spaß, auch Rath und nützliche Lehre
Und alles zum Trotz dem Verkehrten der Zeit und dem Trefflichen Alles zur Ehre,
Ihr findet darin manch witziges Wort und manche gefällige Wendung
Und erfindende Kraft und Leichtigkeit und eine gewisse Vollendung;
Denn wie sich enthüllt jemaliger Zeit Volksthum in den epischen Liedern,
So spiegelt es auch in Komödien sich, mit allen Gelenken und Gliedern;
Drum hat der Poet euch Deutschland selbst, euch Deutsche Gebrechen geschildert,
Doch hat er den Spott durch freundlichen Scherz durch hüpfende Verse gemildert. ꝛc.“

Die Kritik kann sich wohl nicht günstiger gestimmt und gesinnt zeigen, als wenn sie sich bereit erklärt, die, von andern vielleicht als leere Anmaßung verurtheilte, Sicherheit, mit welcher der junge Dichter sein Werk empfiehlt, mit geringem Vorbehalt, von Wort zu Wort zu unterzeichnen. In der That sind die Trimeter, Tetrameter und Anapäste so classisch, daß sich ein jeder, der mit schönen wohlklingenden und rythmischen Versen des Sophokles und Aristophanes bekannt ist, daran erfreuen muß und unser Dichter hat aufs neue gezeigt, welcher Fügung und Biegung die Deutsche Sprache fähig ist. Daß er die Anapäste gereimt hat, scheint nicht passend; wo der Rythmus des antiken Versmaßes vorherrscht, muß sich der Klang des romantischen Reims nicht geltend machen wollen; es mißlingt. — Nicht minder müssen wir die Tendenz des Verfassers im allgemeinen anerkennen, der nur dem wahrhaft Schönen in der Poesie gehuldigt wissen will und sich gegen das Unschöne, zuweilen mit attischem Salz und Aristophanischer

Derbheit erklärt; doch scheint der Verf. sich zu sehr auf den Ausspruch Platos verlassen zu haben, nach welchem die Grazien ihre Wohnung in dem Geiste des Aristophanes genommen hatten, er hätte sich erinnern sollen, daß Wieland dies näher dahin bestimmt, daß er ihn einen „ungezogenen Liebling der Grazien" nennt und als solcher muß uns wohl der Griechische Dichter erscheinen, gegen dessen unumwundene Zoten das Aergste, was wir von dieser Art in Shakespeare finden noch als Galanterie erscheint. Je mehr aber der Verf. sich selbst das Lob vorwegnimmt, was wir für ihn bereit hielten, um so mehr sehen wir uns einzig darauf beschränkt, das Mangelhafte des Gedichtes nachzuweisen, wogegen sich allerdings der Dichter mit ziemlicher Entschlossenheit zur Wehr stellt, obwohl er mehr in der Hoffnung, als in dem Bewußtsein gegenwärtiger Erfüllung lebt, was er deutlich genug ausspricht, wenn er von seinem Lustspiel sagt:

„Nicht wirkungslos bleibt dieses Gedicht, das glaubt nur meiner Betheurung
„Und der wahren Comödie Sternbild steht in erfreulichem Licht der Erneurung."

Wenn wir nun dem Dichter eine genaue Bekanntschaft mit den Vorzügen seines Gedichtes und ein ziemliches Vertrauen zu seinen Leistungen nicht absprechen können, so sollten wir wohl erwarten dürfen, eben so genau durch ihn selbst über seine Mängel unterrichtet zu werden. Allein diese kennt er nicht und somit besteht seine Beschränktheit nicht so wohl darin, daß er diese Mängel hat, als vielmehr darin, daß er sie gar nicht kennt. — Diese, dem Verfasser nachzuweisende Unkenntniß zeigt sich auf mehrfache Weise. Vors erste befindet er sich in dem Irrthum, ein Lustspiel und noch dazu ein **antikes** geschrieben zu haben, während sein Stück eine sehr ernsthafte Travestie, oder ein satyrisches Drama genannt werden muß, wenn man es nicht gar zu den modernen Trauerspielen zählen will, die er durch dasselbe persifliren möchte. Der Charakter des antiken Lustspiels ist, daß darin der Dichter Personen, die er von Haus aus als Thoren bezeichnet, einen Anlauf nehmen läßt, als wollten sie das Höchste und Heiligste in ihren Bereich ziehn und umkehren; dies gelingt ihnen auch, insofern sie sich an alles wagen, alles zu vernichten glauben, was sonst Gültigkeit hat und dabei doch immer oben aufbleiben, da sie auf einer so niedern, man kann sagen, niederträchtigen Stufe stehn, wo ein zu Grunde gehn nicht mehr statt findet. Das Lustspiel des Verfassers ermangelt solcher Elemente gänzlich. Die Personen darin sind lauter Statisten, die gegen nichts auftreten, nichts thun, nichts denken, nichts wollen, er schiebt sie beliebig vor, um hinter ihnen, seinem eignen Herzen hier und da in einigen Schlußparabasen Luft zu machen, die er dem Juden Schmuel in den Mund legt. Der Jude scheint nur in das Stück gekommen zu sein, damit doch wenigstens eine **handelnde** Person darin vorkommt. — Ferner verwechselt der Verfasser den Zustand des alten Griechenlands mit dem des gegenwärtigen Europa, so, daß er es für thunlich hält, als ein Deutscher Aristophanes auftreten zu können.

Das Einzige, was ihn, wie er meint, daran verhindert, ist, daß er „keinem **freien** Volke angehört," weshalb er mit der früher schon gerühmten Aufrichtigkeit von sich sagen läßt:

„Größres wollt' er (der Verf.) wohl vollenden, doch die Zeiten hindern es:
Nur ein freies Volk ist würdig eines Aristophanes."

Der geehrte Hr. Verf. scheint nicht ganz genau unterrichtet zu sein, wie es mit der Freiheit des Griechischen Volks zu Aristophanes Zeiten bestellt war. — Aristophanes trat auf, als es mit dem schönen Griechenland zu Ende ging; wie aber die Griechen ihre Grabmähler mit bacchantischen Aufzügen und Tänzen schmückten, so hat auch der Griechische Geist seinen zerfallenen Leichnam mit dem buntgewirkten Mantel des Momus bedeckt. Mit dem Europäischen Weltzustande wird es kein so heitres Ende nehmen und am wenigsten wird der Deutsche Hanswurst auf dem Grabe Germaniens Possen reissen. — Aristophanes sprach aus, was die Ueberzeugung und der wahrhafte Glaube des Griechischen Volks war, und eben dadurch übten seine Dichtungen so große Gewalt aus; das Griechische Publikum war für ihn, so hart er auch mit ihm umging. Unser junger Dichter dagegen hat nichts im Hintergrunde, worauf er fußen könnte, er hat keine Vollmacht vorzuzeigen, als die: „*tel est notre plaisir;*" solche beliebige Meinung, die einsam steht, hat keine Gewalt. Die Macht des Aristophanes lag ferner darin, daß er seine Zeit und sein Volk genau kannte und die wunden Stellen traf, aber weder die Thorheiten des Demos, noch der Ehrgeiz der Machthaber, noch die gegenseitige Verrätherei der Staaten gegeneinander, noch die Untergrabung der Griechischen Sittlichkeit und Religion durch die Sophisten und Sokrates, alles Gegenstände, die er gebührend geisselte, lassen uns vermuthen, daß er in dem Gefühle „**einem freien Volke**" anzugehören, gedichtet habe. Beinah sollte man glauben, daß der

Verf. Aristophanes nur deshalb glücklich preist, daß er sich der unbeschränktesten Preßfreiheit zu erfreuen hatte. Dem könnten wir indeß entgegensetzen, daß Schiller und Goethe uns doch trotz allen Preßzwanges und aller Censur mit Kunstwerken beschenkt haben, die für die Nachwelt ein eben so unvergängliches Vermächtniß, wie die Lustspiele des Aristophanes sind. Einen sonderbaren Contrast aber bildet es, daß, während Aristophanes die größten Interessen des Staats, der Religion, der Sitte in seine Lustspiele hereinzieht, und dabei überall die ausgelassenste Heiterkeit und Tollheit vorwalten läßt, unser neuer Aristophanes sich niemals zum freien Humor erhebt, obwohl er es sich mehrentheils nur mit längst abgefertigter Misere zu schaffen macht. Er nimmt zwar einen Anlauf gegen die ganze deutsche Nation germanischer Herrlichkeit, hat es aber eigentlich mit Niemand weiter, als mit Kotzebue, Clauren, Müllner u. s. w. und mit den „Gründlingen des Parterres," wie sie Shakespeare nennt, zu thun. Weil die genannten Theaterdichter eine Zeitlang beifällige Aufnahme bei dem Theater-Publikum gefunden haben, verurtheilt der Dichter ganz Deutschland als das Land der Barbarei und Geschmacklosigkeit; und wie es scheint, nicht in Versen, die geeignet sein düeften, einen günstigen Einfluß auf den guten Geschmack auszuüben. So läßt (S. 18) der Chorus sich also vernehmen:

Doch sie (die Verse des Hrn. Grafen) wissen, daß in
Deutschland, wo nur Gänse werden fett*),
„Nichts die Bretter darf betreten, was nicht vor dem
Kopfe hat ein Brett.
„Wissen, daß ich nie vor euch sie recitiren darf,
„Darum sind sie um so kecker, um so mehr bestimmt
und scharf,
„Ja, sie wagen auch zu tadeln, wie ihr seid mit
Sack und Pack,
„Euer ungewisses Urtheil, euern ledernen Geschmack!
„Mittelmäßgem klatscht ihr Beifall, duldet das Erhabne
blos,
„Und verbannet fast schon alles, was nicht ganz gedankenlos."

Und an einer andern Stelle (S. 78.):

„Was recht schwerfällig und ledern erscheint, das halten
die Deutschen für gründlich,
„Denn diese Nation saalbadert so gern, salbadert
herab von der Kanzel,
„Saalbadert zu Haus, saalbadert sodann vor Gericht,
saalbadert im Schauspiel,
„Drum sind auch blos Saalbader in Gunst bei ihr,
Saalbader in Achtung."

Wenn der Verfasser nur noch ein Weilchen so fort saalbadert, so wäre dies ja der sicherste Weg sich ebenfalls Gunst und Achtung zu verschaffen. Nur schade, daß gerade das Publikum, um dessen Achtung und Gunst es dem Verfasser zu thun ist, nichts von der Strafpredigt zu hören bekömmt. Der Verfasser hat sein Stück nicht für die Bühne geschrieben; die Gallerien und das Parterre schilt er aus, allein da hört und sieht man nichts davon, und nun müssen wir Leser und resp. Critiker, die wir in mancher Hinsicht uns mit ihm verständigen würden, von ihm für ganz Deutschland ausschimpfen lassen. Wenn der Verf. das Deutsche Publikum anklagt, daß es von Schiller und Goethe nichts wissen wolle, so dürfte Hr. von Cotta als Verleger der neuen Ausgaben der Werke dieser Dichter ihn hierüber eines bessern belehren können.

Der Verf. läßt es indeß nicht bei so allgemeiner Achtserklärung bewenden, sondern hat auch die einzelnen Städte mit Bannbullen bestens bedacht; vor allen aber unser liebes Berlin; und hier gilt es nun eine Ehrenrettung. Sie folgt in einem 2ten Artikel.

---

*) Und die Stallfütterung?

Der Carneval zu Cöln am Rhein.

(Fortsetzung.)

Diese Opposition war leicht beseitigt und die Vorlegung des ausgearbeiteten Festprogrammes wurde für die nächste General-Versammlung beschlossen. Es wurden die Faschingskappen vertheilt, jedoch auch hier schon bemerkt, daß dieses Unterscheidungszeichen dem gehofften Zweck nicht gänzlich entsprochen, da bereits ein anderer Kappenkünstler Schleichhandel mit diesem Fabrikat getrieben hatte und sich eine Menge Anwesende vorfanden, welche sich zwar mit Narrenkappen versehen, jedoch ihre Namen auf der Narrenliste einzutragen nicht für nöthig erachtet hatten. Diesen Unfug zu begegnen, wurden sämmtliche Kappen der Theilnehmer mit denjenigen Nummern, welche ihre Namen in der Liste des Vereins tragen, und außerdem noch mit dem Reichs-Insiegel des Helden bezeichnet. Die gemachte Wahrnehmung, daß der Buchhändler und Buchdrucker Spitz, nachdem ihm der Nachdruck des Conversation-Lexikons nicht gelungen, der Houwald'sche Nachdruck confiscirt worden, gegenwärtig sein spitzfindiges Talent dahin gerichtet hatte, der officiellen Carnevalszeitung gänzlich ähnliche Flugblätter erscheinen zu lassen, und mithin das Publikum glauben zu machen, daß er sich im rechtlichen Besitz der laufenden Carneval-Artikel befinde, erheischte die Nothwendigkeit, in öffentlichen Blättern gegen einen solchen Vordruck zu protestiren und zu erklären, daß das Unternehmen des Herrn Spitz ein dem Carneval-Comitee fremdes Geschäft sei und mit dem hiesigen Faschingverein durchaus in keinerlei Berührung stehe. Der Abgeordnete der Schoppenstecher-Innung von Trier (Petrasch) sprach in gereimten Schoppenstecherstanzen den Dank seiner Corporation für die freundliche Bereitwilligkeit aus, mit welcher man die Allianz zwischen Cöln und Trier entgegengekommen war. — Als Geschenk übermachte er der Gesellschaft 12 leere Stückfässer 1822er Pisporter Moselwein, welche an den Carnevaltagen unter das Volk vertheilt werden könnten. Die zarte Poesie, welche in jenen Stanzen vorwaltete, mehr aber noch die Voraussetzung, daß der Triersche Sänger ein Abkömmling jenes italiänischen Dichters sei, veranlaßten den lustigen Rath ihm die vacante Stelle eines Minnesängers, jedoch nur unter der Bedingung zu übertragen, daß er aus seiner Pseudonymität heraustrete und sich künftig, wie er getauft sei, und mit vollem Rechte genannt zu werden verdiene „Petrarka" unterzeichne.

Eine Deputation der Gecken von Paderborn im Costüme des 15ten Jahrhunderts wird eingeführt. — Der Inhalt ihrer Bitten, welche auf große Pergamentrollen geschrieben war und verlesen wird, gehet ebenfalls dahin: während der Faschingzeit sich mit den Cölnern zu alliren. Sie versprechen, als Subsidien so viele Schinken und Würste zu liefern, daß es an Durst gewiß nicht fehlen solle. Sie werden auf die Ehrenplätze geführt und es wird dem Hofmedailleur aufgegeben, im nächsten Jahr Gedächtnißmünzen zum Andenken dieser Allianz zu prägen, jedem Abgeordneten aber bei ihrer auf Morgen festgesetzten Abreise sechs Stück davon einzuhändigen. — Ein Brief unseres vormaligen Commandanten und eifrigen Beförderer des Festes, worinnen derselbe sein Bedauern ausspricht, dieses Jahr nicht persönlich Theil nehmen zu können, wurde mit froher Herzlichkeit aufgenommen, besonders aber die Versichrung mit rauschendem Beifall begleitet, daß der Carneval, wenn er ein allgemeines Volksfest sein solle, wenn auch nicht gerade im südlichen Clima, dennoch in Ländern gefeiert werden müsse, wo besserer Wein als der berühmte Grüneberger Siebenmännerwein wachse. — Spät erst in der Nacht trennte sich die lustige Gesellschaft.

Die Skizze des Planes zum diesjährigen Fastnachtspiel ward in der letzten Versammlung vorgelegt.

(Fortsetzung folgt.)

Berliner Chronik.

Königstädter Theater. Mittwoch den 14. Der lustige Schuster, komische Oper von Ferd. Pär. — Wenn uns nur die verdrüßlichen, alten Theater-Critiker, und der Dresdner Dramaturg an ihrer Spitze, nicht beständig von „der guten alten Zeit" und „von der untergegangenen Schauspielkunst" vorlamentiren wollten. Für so einen lustigen Schuster wie Herr Spitzeder und so ein Rosinchen wie Dem. Sontag giebt man alle jene Klagen und jene Begeisterung für die gewesenen Heroen der Bühne dahin; denn wie in der Welt, so gilt noch mehr auf den Brettern, die die Welt bedeuten, der Spruch: „nur der Lebende hat Recht!" Die große Kunst Spitzeders ist sein absichtsloser, nie auf einen Effect berechneter und doch immer treffender Humor, den er im Gesang eben so sehr als im Spiel geltend zu machen weiß, und zwar immer in der Grenze des Anstandes und der Wahrheit, ohne jemals auch nur den leisesten Anflug von Gemeinheit zu zeigen, wodurch andere Komiker ihr Glück zu machen suchen; oder uns durch fratzenhafte Verzögerung zu beleidigen. Und neben ihm diese zierliche, gutmüthige aber doch kluge Schusterfrau, die uns durch ihr Spiel in dieser Oper fast vergessen macht, daß sie eigentlich eine Sängerin ist. Von einem unbekannten Nachbar hörte ich den bösen Wunsch aussprechen: wenn sie doch mit einem Mal das Singen verlernte, dann ging sie nicht nach Paris und wir gewönnen an ihr eine Schauspielerin, wie es in ganz Deutschland keine zweite giebt. —

Donna Catalani. — Zum dritten Mal begrüßt Berlin diese große Sängerin und wir werden bald Gelegenheit haben uns zu überzeugen, ob wir sie eben so, wie es vor wenigen Monaten die Turiner thaten, noch immer als die *Regina* und selbst als die *Dea del Canto* feiern dürfen. Ihrer äußeren Erscheinung nach, hat sich Mad. Catalani seit ihrem letzten Hiersein so wenig verändert, daß sie eher noch jugendlicher und frischer geworden zu sein scheint. Eben so hat ihre Stimme, nach Versicherung derer, die bereits so glücklich waren, sie in Privatzirkeln zu hören, zumal in den Mitteltönen und in der Tiefe noch immer jenen seelenvollen Klang, jenen magischen Zauber und jene Gewalt, die uns bei ihrem letzten Hiersein überzeugte, daß solch' eine Stimme nicht in jedem Jahrhundert geboren wird. —

Nachschrift. Es hat sich das Gerücht verbreitet, daß der Madame Catalani bei dem Arrangement ihres Concerts Schwierigkeiten gemacht würden, so daß sie vielleicht Berlin verlassen dürfte, ohne daß wir sie öffentlich zu hören Gelegenheit erhalten. — Möge sich die gefeierte Sängerin das Andenken an die Huldigung und Anerkennung, die sie früher bei uns erfahren hat zurückrufen und darin eine Aufforderung finden, jedes misliebige Urtheil des Ungebildeten und jede neidische Misgunst des Einzelnen zu verachten.

(Redigirt von Dr. Fr. Förster und W. Häring (W. Alexis.)

Im Verlage der Schlesingerschen Buch- und Musikhandlung, in Berlin unter den Linden Nr. 34.

Berliner

Conversations-Blatt

für

Poesie, Literatur und Kritik.

Montag, — Nro. 56. — Den 19. März 1827.

Meine letzte Nacht in Berlin.

(Fortsetzung.)

Und die Scene auf der Brücke? fiel ich ein. Die Unglückliche voll Reue und Schmerz, suchte den Tod in den Wellen —

I Gott bewahre, sie hatten bloß ein Biergeld auf die Erde geworfen. Der neue Galan war mit bei der Tante, es paßten aber zu viel Augen auf, als daß sie sich weiter hätten besprechen können, darum verabredeten sie das Rendezvous auf dem Zuhausewege hinter dem Kurfürsten, und ich, der Wind gerochen, wollte die Avantüre um ein bischen lustiger machen, und bestellte Sie darum auch dorthin. Nun hätten Sie sehn mögen die Komödie bei der Tante, daß ich sie nicht begleiten sollte. Es glückte ihr mit dem Mädchen allein loßzukommen, aber daß das schöne Rendezvous dort nicht zu Stande gekommen, daran sind Sie allein Schuld.

Ich erwache aus einem Traum.

Träumen schadet immer der Kritik, sagte der gewesene Bräutigam. Die Sache ist nun allerliebst im Gange, oder vielmehr im Ausgange; nur war mir die Weise des Brechens zu eclatant, als daß ich nicht von meiner Seite auch etwas Eclat dagegen machen möchte und dann verdrießt mich, daß sie einen winzigen, albernen Ladenschwengel mir vorziehen konnte. —

Still! flüsterte der eine Geigenmann, und trat zu uns in den Schatten, denn oben öffnete sich das Fenster und Sie und Er wurden sichtbar.

Es ist Niemand zu sehn, Sie können ruhig gehen, lieber Louis, tönte Juliens Stimme durch die stille Nacht. Zwei Betrogene und zwei Geigenmänner waren Zeugen des Scheidekusses. Ein schmelzendes Adieu! flötete uns noch leise durch das geöffnete Fenster herunter, als die Hufritte des Beglückten schon auf der Treppe klangen.

Unseeliger! kaum daß die geschäftige Sabine den Hausschlüssel leise umgedreht, faßte dich eine markige kalte Hand und zog dich in unsern Kreis. Julie, die ihr Lockenköpfchen hinausgebogen, fuhr mit einem unterdrücken Schrei zurück und du warst allein unter deinen Mördern.

Was haben Sie mit mir vor? sprach zitternd der junge Mann, in welchem ich denselben Stutzer erkannte, der mich heut im Theater so wunderbar anblickte; ich vergalt es ihm jetzt.

Wir wollen hier nur ein kleines Quartett aufführen, brummte die Baßstimme des Bräutigams.

Wo ich durchaus nicht stören will, da schon vier Herren beisammen sind, quikte dagegen der Kaufmannsdiener, indem er Hut und Kopf tief neigte.

Aber der Bräutigam hatte auf die Aalbewegungen in voraus geachtet und hielt mit holländischer Ruhe den Flüchtigen fest.

Das thut gar nichts, mein verehrter Herr Schilling, der Herr hier ist nur ein zufälliger Zuschauer, Ihre Virtuosität dagegen bei musikalischen Gelegenheiten ist mir so rühmlich bekannt, daß ich längst die Hoffnung Ihres Accompagnements bei derlei Vorfällen nährte. Nehmen Sie daher gefälligst den Hut zwischen die Beine und hier zwei Instrumente, wenn

Sie damit umzugehn wissen. Sie kennen sie doch, Herr Schilling?

Herr Schilling that wie ihm befohlen und hielt eine Knarre und einen Waldteufel in den zitternden Händen.

Spielen Sie nun, mein muthiger Jüngling, besser die Knarre oder den Waldteufel? Ich überlasse Ihnen ganz die Wahl, sagte der Bräutigam sich an der Todesangst weidend.

Beide — stotterte Herr Schilling, und wollte sagen, daß er sie nicht spiele. Der Concertmeister hatte aber seine eigene Art die Worte auszulegen, und er wußte den Stutzer auf gewisse eindringliche Art zu überreden, daß er auf beiden ein Virtuose sei, und mit der linken die Knarre, mit der rechten den Waldteufel spielen könne und solle.

Die Angst macht erfinderisch. Herr Schilling betheuerte, solche Musik könne Mamsell Julien oben lästig fallen, der Concertmeister erklärte aber ruhig, das solle sie sogar. Herr Schilling wollte wissen, die Mutter werde davon aufwachen, der Concertmeister versprach für den Fall ihn derselben gleich auf der Straße vorzustellen.

Melodieen können Sie sich beliebige wählen, für die Knarre aus der Italiänerin und für den Waldteufel aus dem Freischützen, sagte der Bräutigam. Ich will auf dem Brummeisen mein *di tanti palpiti* spielen, während unsere beiden Virtuosen, dieser mein Rossinianer und jener mein Spontinianer ganz ihrer Stimmung auf den verstimmten Geigen folgen werden.

Die Katzenmusik begann zum Schrecken der Nachbarschaft; das Licht an Juliens Fenster war schnell ausgegangen, aber ein Lied: „Schatz mein allertreuster Schatz!" tönte verständlich zu ihr hinauf. Erst als einige Flüche auf die nächtlichen Ruhestörer aus den umliegenden Fenstern herabflogen mit der Drohung substanziellerer Nachfolger, gab der Concertmeister das Zeichen zum Aufbruch; der Rossinianer und Spontinianer zogen langsam von der linken, ich mit dem Bräutigam von der rechten ab.

Nur Herr Schilling blieb stehen — freiwillig sagte mein Gefährte, denn er hatte ihm beim Abschiede etwas ins Ohr gezüschelt. Zwischen den Beinen den seidenen Hut, drehte er mit der linken unermüdlich die Knarre, mit der rechten den Waldteufel und — sang. So oft er nachließ, wandte mein Gefährte sich um und so lange Herr Schilling links die beiden Ini's und rechts den Concertmeister absehen konnte, setzte er allein die Katzenmusik vor der Thüre seiner Julie fort. Dies hätte lange dauern mögen, da mein Gefährte sich durchaus nicht übereilte, wäre nicht etwas anderes, nämlich die Patrouille, dazu gekommen.

Was ist das für ein Lärm zu nachtschlafender Zeit? schrie uns der Gefreite an.

Der Himmel sei Dank, meine wackern Cameraden, sagte mein Bräutigam, daß Sie kommen. Der Mensch da, der so toll knarrt und brummt, hat die armen Leute gedungen, vor seiner Liebschaft Thüre den Lärm aufzuführen und es fehlte nicht viel, als wir vorübergingen, hätte er uns sogar angepackt zu der schändlichen Unruhe, friedliebende Bürger von Berlin, so was sich zu unterstehn! —

I so soll dem ja geholfen werden — und es ward ihm vor unsern Augen geholfen; denn erst als wir deutlich gesehen, wie Herr Schilling auf beiden Seiten am Kragen gefaßt und aller Betheurungen ungeachtet nach der Wache geschleppt wurde — denn die Nachbarn schrieen, das sei der eigentliche Nachtstörer — riß mich der Bräutigam laut lachend um die Ecke.

Was aus Herrn Schilling weiter geworden, habe ich nie erfahren. Mein Gefährte blieb, als wir den nächsten Scheideweg erreicht, stehen, und fragte mich, ob ich es noch für nöthig erachtete mit ihm unter dem großen Kurfürsten ein Wort zu wechseln?

Ich sagte nein! Denn um die Ecke blickte mich ernst der bronzene Reiter an. Soll ich offenherzig es gestehen, ich fürchtete mich, noch einmal an ihm vorüber zu gehn und drückte meinem Bräutigam, der des Trostes um die verlorene Braut nicht bedurfte, die Hand, nachdem er mir gesagt, daß er Dreier heiße, für den Fall, daß ich an ihn schreiben wolle.

(Fortsetzung folgt.)

Ehrenrettung Berlins

gegen den gewaltsamen Angriff des Grafen v. Platen mit der verhängnißvollen Gabel; nebst kritischen Betrachtungen über dessen neustes Lustspiel: Die verhängnißvolle Gabel. Stuttgart bei Cotta 1826. und einem *Déjeuner à la Fourchette.*

Zweiter Artikel.

Bei Gelegenheit einer Verabredung zu einer Reise (S. 68) läßt sich der Dichter also vernehmen;

„Dann leiden wir fast Schiffbruch im berlinischen Sandmeer.

Dort lehre man uns, wie man Sprache verdirbt, mit Schrauben sie foltert und radbricht;

Was geschmacklos ist manirirt und gesucht, das ging
vom süßen Berlin aus,
Beduinische Kunst, kritisirende blos kommt fort im
dasigen Klima,
Und gesellt ist ihr in Geschwisterlichkeit despotische
feile Scholastik.

Wo finden wir in diesen Denunciationen, einen Funken von heitrer Laune des Lustspiels. Sind Thorheiten zu rügen, so stelle sich der Dichter darüber und lasse die bornirten Schelme zu gemeinsamer Lust und Ergötzlichkeit und zwar so, daß sie selbst noch ihren Spaß dabei haben, an ihrer eignen Beschränktheit zu Grunde gehn; das bloße Schimpfen und Verunglimpfen ist immer ein Zeichen der Unterdrückung und Ohnmacht. Sehen wir aber den über das arme Berlin ausgesprochenen Bannfluch näher an, so können sich unsre Seelen zur Zeit noch beruhigen; unser Poet führt einige Streiche in die Luft und so tapfer er auch seine Lanze einlegt, so wird ihm nicht einmal die Genugthuung von Windmühlenflügeln aus dem Sattel geworfen zu werden; denn die Riesen, gegen welche dieser neue Donquixote zu Felde zieht, sind nur Trug- und Nebelgestalten seiner eignen Phantasie. Was die Sprachverderberei in Berlin betrifft, so ist's freilich in Deutschland überhaupt schwe zu sagen, wo denn eigentlich Deutsch gesprochen wird, indessen denken wir ohne Anmaßung versichern zu können, daß wir die muthmaßlichen Landsleute des Verf., die von uns in jeder Hinsicht geachteten Schwaben, niemals als unsere Sprachmeister berufen werden. — Alles Geschmacklose, Manirirte und Gesuchte soll von Berlin, und zwar vom „süßen" Berlin ausgegangen sein. — Meint dies der Verf. wirklich im Ernst und nicht etwa in dem Sinne, daß das Geschmacklose von Berlin ausgegangen (ausgewandert) und bei ihm eingewandert sei, so muß er sich wohl seit dem siebenjährigen Kriege wenig um Berlin bekümmert haben. — Am übelsten aber ist der Verf. auf die Berliner Philosophen zu sprechen, die er zu Beduinen ausstaffirt und sie nebenbei „despotische," jedoch „feile" Scholastik treiben läßt, und dieß alles in dem „süßen" Berlin. Und doch wollt' ich drauf wetten, daß der Verf. bei diesem „süßem" Berlin ein sehr saueres Gesicht gemacht hat, denn aus dem ganzen Gedicht geht hervor, daß eben diese „Berliner Scholastik" die harte Nuß ist, von der er nur die herbe Schaale geschmeckt hat. Nun wird sie „despotisch" und „feil" genannt und damit soll es abgethan sein; aber den bittern Geschmack davon kann der verzweifelte Lustspieldichter selbst in allen Conditorläden des süßen Berlins nicht wieder los werden. Hätte der Herr Verf. sich etwas mehr um diese Scholastik bekümmert, so hätte er vielleicht Stoff zu einem artigen Lustspiel in ihr gefunden, aber er würde sie weder als feil, noch als despotisch verketzert haben, ja er hätte vielleicht sich in ihr sogar einigen Trost holen können.

Das ewige Lamento des Verfassers und der eigentliche Alp, der ihn drückt, sind die neuen Schicksalstragödien und die Gunst, die ihnen das Publikum schenkt. Diese *vox populi* ist ihm das Entscheidende, er wird von dem Geschrei der Menge lebhaft affizirt und weiß nicht, daß die von ihm so hart verklagten Scholastiker jenen Spuk- und Schicksals-Tragödien schon längst das Urtheil gesprochen haben. Um nur zwei von diesen verrufenen Berliner Scholastikern zu nennen, so ersuchen wir den Herrn Verf. gefälligst nachzulesen, was Solger in seinen Briefen an Tieck und Raumer über Grillparzer, Müllner 2c. und Hegel in seiner Philosophie des Rechts über Müllner's Schuld geschrieben haben. — Der Verf. glaubt diese neueren Schicksals-Tragödien dadurch aus dem Felde zu schlagen, daß er ebenfalls so eine Schicksals-Tragödie schreibt, in welcher die Fabel nicht einmal so gut erfunden und ausgeführt ist, wie bei Müllner und Grillparzer und wär sie es auch, so wär dies angebliche Lustspiel nach dem weit gelungeneren „Schicksalsstrumpfe" „dem Geist auf der Bastei u. a. nur *moutarde après diner*. Will der Verf. aber, wie es den Anschein hat, die eigentliche Fabel des Stücks, die er sehr untergeordnet hat, nur als Nebensache betrachtet wissen, und uns auf die eingestreute Critik, als auf seine Force verweisen, so kann er bei seiner Unbekanntschaft mit der Philosophie, nie zum Bewußtsein über seine Aufgabe als Critiker und seinen Beruf als Dichter kommen. — Wäre er hierüber mit sich im klaren, so würde er sich als Poet gar nicht darauf einlassen, durch Critiken seine Collegen und nun vollends gar das sogenannte Publikum bessern zu wollen. Als Dichter mag er uns tüchtige Kunstwerke schaffen, das Publikum wird sich schon finden. — Dies war die Weise, wie Schiller und Goethe sich Platz machten; Satyren haben sie nur als kleine Schaugerichte in ihren Xenien aufgetragen. Bei der Verehrung, die der Verf. gegen diese beiden Dichter ausspricht, hätte er sich veranlaßt finden sollen, dem Beispiele solcher großen Vorgänger sich anzuschließen.

„Nur Beduinische Kunst" kommt nach dem Urtheil des Verfassers in dem Berliner Klima fort. —

Bei solchem Gerede fällt mir der Französische Maire von Vervins ein, der uns 1814 ebenfalls nur als die *„barbares du nord“* kannte, die noch Heiden wären und bei denen Vielweiberei Brauch sei. In welcher Stadt Deutschlands ist wohl ein regerer Sinn für alle Künste und welche Deutsche Stadt kann sich, wenn unsere Künstler auftreten, daneben stellen? — Wird etwa die Baukunst hier nicht gepflegt, wo wir ein Brandenburger Thor, ein solches Opernhaus, ein solches Schauspielhaus, ein solches Museum vor uns und einen Schinkel dabei haben? — Welche andere Stadt hat in neuster Zeit solche Statuen aufgestellt, wie die von Blücher, Bülow, Scharnhorst und andere Monumente, durch die Rauch, Tiek und die Wichmänner sich verewigten? Welche Gemälde-Ausstellung war reicher, als die Berliner, wo Schadow, Begasse, Wach, Krüger den Preis empfingen? — In welcher anderen Stadt werden Gluck, Händel und Mozart noch so verstanden und gefeiert, wie in Berlin? In welcher Stadt darf ein Theater für Goethes Tasso und Iphigenie ein so empfängliches Publikum erwarten, wie hier? Wo giebt es für das Drama eine Stich, einen Devrient, einen Wolf? für die Oper eine Milder, eine Sontag? Und dennoch will diese verhängnißvolle Gabel der Welt es weiß machen, „daß alles Geschmacklose und Manirirte von Berlin ausgegangen sei.“ — Einige Gutmüthigkeit kann man aber dennoch dem Verfasser nicht absprechen, denn nachdem er uns „das süße Berlin“ in vier Zeilen total verbittert hat, nennt es der lose Schmeichler in der fünften Zeile eine „spartanische Stadt“ und das „große Berlin,“ von dem in heroischer Zeit des Volks Aufschwung ausgegangen sei? Demnach scheint es mit der Süßigkeit der Berliner doch nicht gar zu bitter gemeint gewesen zu sein. —

Déjeuner à la Fourchette.

„Reiche den Zweizack mir!“ so rief Graf Platen zu Pluto,
„Daß ich das falsche Geschlecht tilge vom Lichte des Tags.
„Traun! an den einen Zinken spieß ich die Berliner Scholasten
„Und an den andern gespießt bring' ich das Publikum dir.“
Schmunzelnd neigte das Haupt der Herrscher des Styx Aidoneus,
Reichte die Gabel dem Held, daß er vertilge die Brut.
„Euch nun gilt es zuerst, rief jener, ihr Herren der Spreestadt;“
Und im gestreckten Galopp ritt er zum stolzen Berlin.
„Sagt mir,“ so frug er im Thor, „wo speisen denn hier die Scholasten?“
Und man wieß ihn sogleich hin zu dem Caffee royal.
Jetzo band er das Roß an eine der Linde und wetzte
Auf dem granit'nen Gestein funkenaussprühenden Stahl.
Oben fand er im Saal bei festlichem Mahle die Freunde
Und ein offnes Couvert boten wir gastlich ihm an.
Sieh! er ließ sichs gefallen bei uns, es ward ihm behaglich,
Als er den dampfenden Hahn, den uns Kalkutta gesandt
Witterte. Aber es fehlte zur rationellen Zerlegung
Uns die Gabel, da war schnell unser Gast bei der Hand.
Krachend stieß er dem Thier in die Brust den gefürchteten Zweizack,
Lös'te mit Göttinger Kunst Flügel und Beine vom Rumpf.
Rheinwein brachte man dann in wohlversiegelten Flaschen
Und mit vergoldetem Rand klingende Römer dazu.
Aber der Kellner vermißte das propfausziehende Werkzeug,
Gleich mit dem Zweizack bereit war der gefällige Gast.
Mit Elephantenrüsselgeschicklichkeit zog er die Pfropfen,
Langkork zog er sogar listig und sicher heraus.
Und er gedachte nicht weiter des stygischen Schwures; der Truthahn
Und das Gewächs vom Rhein hatten den Ritter versöhnt.
Und so sitzt nun Pluto da unten und wartet und wartet,
Während *à la fourchette* oben sein Held dejeunirt.

Blicke auf die Welt.

(Von einem Diplomaten.)

Steht der Mensch nicht beim Scheiden des Jahres da, wie Shakspeares alter blinder Glocester auf der Felsenspitze bei Dover, er wähnt einen ge altigen Sprung zu thun, macht wohl auch in der That einen kleinen Satz, kommt aber ungefähr auf denselben Grund und Boden zu liegen, steht auf, spürt keine sonderliche Veränderung und wandert in seinem alten Elende weiter! —

Man kann des Lebens Fortgang und Treiben dem wüthenden Heere vergleichen, bald vorn, bald hinten stürzt Einer. Der Verwundeten bleiben, wo möglich noch mehr liegen als auf dem Schlachtfelde, als Abschied ist nur ein Zuwinken vergönnt. Das Horn wird wiederum geblasen und die Meute stürzt weiter. Nur entdeckt sich im Leben, daß man keinem Hirsche, sondern dem, zur Kurzweil über Gräben und Hecken springenden, Knochenmanne nachgesetzt hat. —

(Redigirt von Dr. Fr. Förster und W. Häring (W. Alexis.)
Im Verlage der Schlesingerschen Buch- und Musikhandlung, in Berlin unter den Linden Nr. 34.

Berliner
Conversations-Blatt
für
Poesie, Literatur und Kritik.

Dienstag, — Nro. 57. — den 20. März 1827.

Frühlingsfeier.

Allegorische Vorstellung am 19. März 1819.
(Ein Gelegenheits-Gedicht von Jean Paul.)

Winterlandschaft.

Der Winter.

Noch einen Tag, so ist mein kurzes Reich vorüber
Und Flora regiert,
Die Erde trägt ihr schon Blumen,
Der Himmel Gesänge entgegen.
Nur kurz erglänzte auf der Saatenwelt mein Herrschermantel,
Immer riß ihn die Sonne entzwei.
Ich ziehe wieder auf meine glänzenden Berge,
Nur dort stehen des Winters festeste Thronen.

(Thalia tritt auf.)

Sei willkommen, Thalia! heiterste Muse,
Daß du heute schon spielest und lächelst,
An deinem spätern Tage waltet Flora auf den Thron.

Thalia.

Nicht meine Gönnerin sendet mich heute, wie sonst,
Um spielend die Herzen zu erwärmen,
Die sich im strengen Leben erkälten,
Und wenn deine kalte Sonne gegangen
Sie in eine Abend-Sonne zu sammeln,
Wo Scherze und das schwere Leben gaukeln.
Und Einige, kunstvoll, Alle beschenken,
Wo vor der Dichtkunst Sonne
Des Lebens Eisberge farbiger schimmern
Und eiliger schmelzen,
Und jeder vergißt,
Daß du draußen bist,
Doch heut erschein' ich nicht zum Spiele.
Ich will das Fest meiner Beschützerin feiern,
Da brauch' ich keine Maske,
Um Freude zu malen,
Um Freude zu wecken;
Denn ich fühl' sie nicht allein.

Flora.

Nicht allein.

Der Winter.

Flora! — Frühling! heut regier ich noch,
Uebermorgen ist dein Krönungstag.

Flora.

Ich will nicht beherrschen,
Ich will nur bekränzen.
Siehe! wo Sie ist,
Herrschet Frühling schon.

Frühlingslandschaft (mit Josepha's Büste.)

Ja, der Geliebten gehört der Frühlingskranz!
Wann der andre Frühling
Bald wiederkehrt,
Bald wieder flieht,
So bleibet Sie mit mütterlicher Frühlingssonne
An Ihrer Lieben Herzen ruhen,
Und wärmet die Knospen zu Blüthen;
Und Sie umgiebt mit Ihrem heitern Himmel
Den hochgeliebten Gemahl
Und der Nahen glücklichen Kreis.

Der Winter.

Thalia! Ist dies nicht Spiel und Schein?
Sah ich nicht längst auf meinen Gebirgen
Diese Gestalt im Sturme des Kriegs
Als Schutzgeist Ihrer Geliebten?

Stand Sie nicht oft auf meinen Höhen,
Wo heiliger das Herz
Die Erde mit dem Himmel verknüpft?

(Die Wahrheit tritt auf.)

Thalia.

Sieh! es ist kein Spiel und Schein?,

Flora.

Wahrheit! — Seltne auf der Bühne,
Sprich du unsere Herzen aus.

Die Wahrheit.

Die Kunst macht Leben nur zu Bild und Schein.
Wie vor Pygmalion, nur schöner noch,
Verwandelt vor der Wahrheit sich —
Heut Bild — in Leben
Sie lebt vor uns, die Königin unsrer Feier!

(Thalia legt ihre Maske, der Winter seinen Tannenzweig auf den Altar.)

Nimm Verehrte, aus der Wahrheit Mund,
Welche Du nicht heut erst liebst,
Die stummen Wünsche Aller, liebend an,
Nur Wünsche werden dir gebracht.
Dir, welche tausend hat erfüllt.
Leicht trage, und lange, Deiner Jahre wechselnden Aehrenkranz
Und jede trübe Thräne, die Du getrocknet,
Sie komme in Dein Aug', als freudige zurück,
Die Freudenblumen, die Deine gütige Hand gesäet.
Es werden Alle Dir, von der unendlichen wieder gegeben,
Und ein ewiger Frühling bleibe Dein Leben!

Meine letzte Nacht in Berlin.

(Fortsetzung.)

Herr meine Seele! rief der schlaftrunkene Jean, als ein viertelstündiges Klingeln ihn aus dem besten Morgenschlummer geweckt hatte, und seine verdrossenen Augen so viel Licht gewonnen, um seine Wachskerze zu ertragen und mir klar ins Gesicht zu sehen. Herr meine Seele, sind Sie krank, lieber Herr, oder was ist Ihnen passirt? So können Sie doch unmöglich abreisen, denn es ist schon halb zwei und Morgen ist Dienstag, und gestern Abend hat die Wäscherin auch Ihr Zeug gebracht.

Ich reise morgen, rief ich, oder schrie es vielmehr, indem ich zwei Stufen mit einemmale die steile Treppe hinanstieg, daß der leichenblasse Jean mir kaum folgen konnte.

Und wenn der Teufel los wäre, setzte ich hinzu, daß der kleine Kellner vor Schrecken die Kerze fallen ließ. —

Nun war er allerdings los, denn das Licht war ausgegangen und Jean humpelte ängstlich die Treppe hinunter, die Kerze wieder anzuzünden. Ringsum Stille und Dunkelheit, fern unten die Schläge von Stahl und Feuerstein. Was hatte ich an diesem Tage alles erlebt! Täuschungen überboten die Erwartungen, Geheimniß auf Geheimniß und morgen fort — ehe vielleicht das wichtigste sich gelöst hätte.

Jean kam vorsichtig mit zwei Kerzen zurück, um wenn der Teufel wieder sein Spiel mit der einen triebe, die Macht der Finsterniß mit der andern zu vertreiben.

Lieber Herr, sprach er, nachdem er die Thüre aufgeschlossen, befehlen Sie vielleicht etwas Kamillenthee, oder Hoffmannstropfen, denn das bloße Zuckerwasser bleibt immer Zuckerwasser... Aber, als hätte mein Blick ihn auf eine unberufene Dreistigkeit aufmerksam gemacht, setzte er verbessernd hinzu: doch unser Pisporter ist ebenfalls rein und kühlend, wir haben auch Champagner und alle feurigen Weine, Kaviar und Austern sind im Keller und wenn Sie eine Tasse Bouillon befehlen —

Das Conversationslexicon! rief ich.

Der Bursche, vermuthlich ungewiß, ob dies eine Stärkung oder Kühlung sein solle, blickte mich staunend an, bis die Frage herauskam: Alle 10 Theile?

Mit den Supplementen!

Er ging und kam, beide Arme voll bepackt, wieder. Ich winkte ihm, sich zu entfernen, und doch flüsterte er zaudernd an der Thüre: Da hat wieder Einer um sie den Kopf verloren. Der arme Herr!

Er war schon fünf Minuten hinaus, als die Thüre nochmals leise aufging und der gute Jean den Kopf hereinsteckte:

Ach lieber Herr, geben Sie sich keine Mühe, ich habe das ganze Buch durchgeschlagen, sie steht nicht unter H, nicht unter S, nicht unter I, denn als sie das Buch druckten, war sie noch ein kleines Kind, dafür sind aber jetzt viele Bücher um sie ganz allein gedruckt worden.

Der Gute irrte, denn ich suchte weder nach einem kleinen Kinde, noch der lieblichen Zauberin, sondern nach dem ehrenfesten Bildhauer und Baumeister Andreas von Schlüter, von dem zu meinem Aerger weiter keine Notiz zu finden, als daß er, außer den bekannten Larven sterbender Fechter im Berliner Zeughause die Statue des großen Kurfürsten modellirt habe. Daß ihn ein Pferdefuß nach Berlin zurückgetrieben, um hier über die lange Brücke zu springen, davon stand kein Wort im Lexicon.

Oder sollte Johann Jacobi gemeint sein, der die Statue gegossen?

Noch waren die Zweifel nicht gelöst, als ich schon tief in den Federn des Wirthshausbettes versunken lag. Aber ich schlief nicht, denn die mondhelle lange Brücke lag mit so klaren Zügen vor mir, daß ich jeden Pflasterstein zählte. Die Schildwacht spatzirte auf und ab; alles war ruhig, nur der große Kurfürst wankte und regte sich im Sattel. Jetzt stieg er ab, aber das metallne Roß blieb unbeweglich stehen. In seiner ungeheuren, das bronzene Gesicht beschattenden Perrücke schritt er auf der Brücke auf und ab, daß sie unter seinen festen, geregelten Tritten elastisch zu wanken schien. Zuweilen sah er ernst über das Geländer, und da merkte ich wohl den Ort, wo sich der Bildner hinabgestürzt; aber viel ernster blickte er nach dem Alexanderplatz, bis die gigantische Gestalt in der Königsstraße verschwand. Nun hörte ich nur im Schatten die ehernen Fußtritte, aber kein einziger verhallte da; die Vorstellung von meinem Gefährten im Weinhause verwebte sich mit dem metallnen Fürsten, und immer heftiger pochte mein Herz als die ehernen Tritte mir näher und näher kamen. Jetzt stieg er die Treppe herauf. Ich dachte mir, sie müsse unter seinen Füßen brechen, oder der Heros, wenn er aufrecht ginge, die Decke einstoßen, doch die Thüre öffnete sich, er trat ein und setzte sich neben meinem Bette nieder.

Die Züge unter der Wolkenperücke belebten sich, als er meine Hand suchte, wie der Doctor den Puls. Todesschweiß stand auf meiner Stirn, und doch — das bewundere ich noch immer — hatte ich das Herz ihn anzureden:

Sie sind der große Kurfürst von der langen Brücke?

Nein, rief er, tief seufend, ich bin Andreas von Schlüter.

Aber, mein Gott, sagte ich, ging ich doch drei Wochen täglich bei Ihnen vorüber und die Schildwacht sagte mir jedesmal, Sie seien der große Kurfürst?

Nicht allein die Schildwacht, die ganze Welt wird Ihnen das gesagt haben; aber die ganze Welt ist betrogen, und das ist meine Verdammniß. Ich Andreas von Schlüter bildete, indem ich den großen Fürsten modelliren sollte, mich selbst ab, und statt des großen Siegers bei Fehrbellin, schauen Berliner und Fremde täglich seinen Baumeister und Bildhauer Andreas von Schlüter geboren zu Hamburg im Jahre 1662.

Sie verwechseln das, rief ich, mit jenem Aegyptischen Baumeister, der, statt seines Königs Namen, den eigenen aus Eitelkeit in die Pyramide grub.

Diese Eitelkeit, erwiederte er, war nicht allein den alten Aegyptern eigen, sie kehrt alle Jahrhunderte wieder und besonders bei den Künstlern ein. Poeten und Maler und Musiker, ein jeder trägt sich selbst über in sein Kunstwerk, besonders die Kritiker, die ein jeder immer sich in der Dichtung wiedersehen wollen und zornig werden, wenn es der Dichter nicht danach gemacht hat. Dieser Wurm nagt ewig an der Wurzel der Kunst und jagt die Künstler hinaus aus dem Paradiese.

Doch wer trieb Sie aus Berlin? fragte ich dreister. Dunkle Gerüchte über die Ungnade, in welche sie fielen, gehen um. Wohin und wen flohen Sie?

Die Kritik! rief Andreas. Und in ein Land, wo man im grauen Nebelzwielicht der Hyperboräer noch nichts von der Kunst wußte, wo keine Laffen in das Atelier des Meisters drangen und über seine Intentionen klug sprachen, wo kein Gönner wenn die aus tiefstem Gemüthe geborne Idee ans Licht treten sollte, mit der Kohle einen Querstrich machte, und meinte, es müsse so und so geändert werden, daß der Entwurf zusammen fiel, wo nicht die barfüßigen Gassenbuben mit witzigen Bemerkungen vorüberliefen, wo keine schadenfrohe Menge lüstern nach Fehlern so lange musternd stehen blieb, bis sie den neuen Mangel findend ausrufen konnte: Er wird doch schon schwach der Meister! Dorthin bin ich geflohen vor der Ungnade, in die ein jeder Künstler fällt, dem seine Göttin mehr werth ist, als der Mammon, um den er die Schmähreden der Unmündigen aushalten muß.

Ich richtete mich auf, und der Mann kam mir nicht mehr so schrecklich vor, auch dünkte es mich, als habe ich ihn schon längst gekannt.

Die Eitelkeit, rief ich, und fühlte meine Augen naß, führte schon manchen Künstler in das Land der Hyperboräer. Ich kenne einen berühmten Landschaftsmaler, dem die Erde so zuwider geworden, daß er seine Phantasie unter dem Eisgerüll des Nordpols bettet und in stillem Wahnsinn lächelt, wenn man ihn darum tadelt, weil er meint, Niemand könne das Sonnenlicht malen. Da liegt immer an Grönlands Felsen und auf den unabsehbaren Eisflächen seine Fregatte: „die Hoffnung“ zerschmettert, und er meint, bis dahin folgte ihm die Kritik nicht nach. Wie? Flohen Sie auch in Dünkel und Selbgefälligkeit dahin? Dünkten Sie sich über der Kritik erhaben, schwelgten Sie dort in den Nebeln der Wehmuth, und jeder Seufzer lautete: O undankbares Vaterland!

Hier schien das Gespenst scheu zu werden. Sein Druck wurde fester, aber seine Hand schwankte. Ich fuhr in meiner Beschwörung fort:

Das war der Dämon? Die Eitelkeit, die kein Urtheil ertragen mochte. War das der Sprung von der Brücke, das der Pferdefuß —

Sein Auge rollte, er drückte so stark, daß ich erwachte, während er zum Schatten wurde. Jean hielt meine Hand, die ich in der des ehernen Andreas wähnte, und auf seinem blassen Gesichte malte sich Angst und Besorgniß.

Lieber Herr, verzeihen Sie — wenn ich Sie — ach daß es so weit kommen mußte — aber es muß doch einmal sein, denn die Thurmuhr hat, wie Sie befahlen, geschlagen und der Herr mit dem Perlemutterknopf stampft auf und muß sie sprechen —

Ich winkte mit der Hand dem Guten Gewährung und rieb meine Augen, die vielen mehr als lebendigen Bilder abzuschütteln. Der Eherne rannte die Treppen hinunter, ich hörte die kolossale Erzmasse in einem Saz über das Geländer ins Wasser springen und gleich darauf sah ich doch den großen Kurfürsten in ruhiger Würde auf dem Pferde sitzen.

(Beschluß folgt.)

Französische Literatur.

Oeuvres de M. J. Droz, Mitglied der Franz. Akademie, 2 Bde. in 8. 14 Fr. — Am schlimmsten ist es mit der Französischen Philosophie bestellt, zumal was die Philosophen der Akademie betrifft. Man erstaunt, wenn man in solch ein Werk hineinblickt und sieht, was uns hier als Philosophie aufgetischt wird. Wenn wir es schon dem Engländer wegen seiner practischen Richtung zu Gute halten, daß er Abhandlungen über Dampfschiffahrt und Dünger für Natur-Philosophie ausgiebt, so können wir uns doch noch weniger mit dem Franzosen befreunden, wenn er in dem Gebiete des Geistes leere Einfälle und nichtssagende Phrasen für Philosophie giebt.

Bei dem Englischen Naturphilosophen kann sich doch der Landwirth noch Raths erholen; bei dem Französischen Kunstphilosophen nicht einmal der Windmüller, viel weniger der Künstler und Aesthetiker. — Nur dies zum Beleg. Hr. Droz giebt uns eine Abhandl. „*Etudes sur le Beau dans les Arts,*" die er ganz eigentlich für die ausübenden Künstler bestimmt zu haben erklärt. „*Qu'est-ce que le beau?*" ist die erste Frage, die er aufwirft. „*C'est ce qui élève l'ame;*" ist die ganze Antwort, die er darauf zu geben weiß. Er verbreitet sich dann weitläuftig über einen angeblichen Zusammenhang der Idee des Guten mit der Idee des Schönen und hat keine Ahnung davon, was es überhaupt mit der Idee besagen will. — Was er in der Politik und Moral geleistet hat, steht, obwohl eine seiner Abhandlungen von der Akademie den Preis erhielt, noch weiter zurück. Sein letztes Ziel ist: „die Kunst glücklich zu sein" und so beginnt er seine Politik mit der Regel: „*Cache ta vie!*" Als Maulwurf und Murmelthier sein Glück zu suchen, ist nicht die höchste Aufgabe des Lebens. — *La Curne de Sainte Palayes,* Memoiren über das alte Ritterthum, ist kürzlich, von Nodier mit Einleitung und Anmerkungen versehen, in zwei Octavbänden wieder herausgegeben worden. — Bekanntlich ist dieser Schriftsteller so enthusiastisch für das Ritterwesen eingenommen, daß er nur mit Mühe unpartheiisch bleibt, um so mehr, da er zum Theil aus jenen romantischen Jahrbüchern der Zeiten des Lehnwesens schöpft, deren lieblichen Erzählungen nichts fehlt, als — leider nur zu oft — die Wahrheit. Auf den vielbestrittenen Punkt der Entstehung der Ritterschaft läßt sich *Sainte-Palayes* nicht ein und sein Werk hätte viel stärker werden müssen, wenn er alle die verschiedenen Meinungen darüber auch nur hätte anführen wollen. Er beginnt erst da, wo dieselbe schon bestimmt ausgebildet erscheint. Damals setzten die übrigen Europäischen Länder den Rittern Frankreichs, wo sich das Ritterthum zuerst gebildet hat, die ihrigen entgegen. Es scheint indessen, daß die Ritterschaft Frankreich auf viel innerlichere Weise angehöre und daß diese edle Pflanze an allen anderen Orten nur Blumen ohne Glanz hervorsprießen ließ; dies sind die Sätze, von welchen *Sainte-Palayes* ausgeht und noch jetzt zeigen sich im Geist der Franzosen viele Spuren davon. Wie diese Ritter erzogen wurden, mit welchen glücklichen Vorurtheilen man ihre Seele erfüllte, um ihnen diesen schönen schwärmerischen Geist, der sich nur mit Ruhm und Ehre nährte, einzuflößen, das zeigt er sehr gut.

Seine Memoiren sind in fünf Abschnitte eingetheilt, deren Hauptinhalt folgender ist: Die jungen Leute kamen beim Aufhören der Kindheit in eine edle Familie als Knappen (*varlets*), oder Edelknaben (*damoiseaux*). Hier empfingen sie die ersten Belehrungen über die Liebe zu Gott und zu den Damen. Das letzte war besonders der Gegenstand ihrer ernsthaftsten Bestrebungen, welches nicht zu viel gesagt ist. Sie lernten die Waffen führen; sie beschäftigten sich mit Jagd und schweren Uebungen, welche unser hochmüthiges Jahrhundert den knechtischen Gewerben überlassen hat. — Nach einer gewissen Frist wurde der Jüngling durch den Grad eines Waffenträgers (*écuyer*) belohnt und diese Erhebung war mit lauter religiösen Festlichkeiten verbunden. Nun war das Feld der Gefahren seinem ungeduldigen Ehrgeiz eröffnet. Er theilte den Ruhm seines Ritters, den er weder bei Tage, noch bei Nacht verließ; oft gehörte er einem höheren Stande an, als dieser; aber dennoch mußte er sich in allen seinen Reden und Handlungen nach den Befehlen dieses seines Lehrers im Heldenthum richten.

(Redigirt von Dr. Fr. Förster und W. Häring (W. Alexis.)

Im Verlage der Schlesingerschen Buch- und Musikhandlung, in Berlin unter den Linden Nr. 34.

Berliner
Conversations-Blatt
für
Poesie, Literatur und Kritik.

Donnerstag, — Nro. 58. — den 22. März 1827.

Meine letzte Nacht in Berlin.

(Beschluß.)

Ein böser Traum! rief ich, mit aller Anstrengung die Augen aufreißend, als der Mann mit dem Perlemutterknopf auf demselben Stuhle saß, wo Andreas von Schlüter gesessen.

Ich träume nie in meinem Leben, sagte er, und verdanke das allein der Kritik, mit der ich alles Bunte, Phantastische und Wilde, was gegen Verstand, Vernunft und Herkommen streitet, sorgfältig aus Gedanken- und Vorstellungen ausmerze. So gehe ich nüchtern zu Bette und stehe nüchtern auf.

Himmel! es war mein Trinkgefährte, derselbe, der mich gestern hohnlächelnd, in tausend Zweifeln befangen stehen ließ.

Der Pferdefuß — rief ich, als sitze noch der Mann aus dem Traume an meinem Bette und faßte mit Heftigkeit seinen Arm. Erklären Sie mir das mystische Spiel mit dem Pferdefuß.

Von Mystik ist gar nichts dabei, sagte der Mann. Auch kann ich Ihnen keine andere Erklärung geben, als was jeder Bürgersmann von der Verfertigung sich erzählt. Sintemal der Bildhauer, wie, wer gesunde Augen hat, das klar und von selbst sieht, dem Pferde, das sonst nach jedem Gestütsreglement wohl proportionirt erscheint, einen platten Huf gegeben, wie kein Pferd von der Race seit Erschaffung der Welt am Fuße getragen, so hat sich der Künstler aus Aerger und Scham natürlich in die Spree gestürzt und ersäuft.

Und das ist die ganze Geschichte vom Pferdefuße, rief ich, mit beiden Beinen aus dem Bette springend?

Ganz natürlich, sagte Jener. Wie das jeder Handwerksbursch in Deutschland zu erzählen weiß, da es das Berliner Wahrzeichen der Professionisten ist.

Ein Morgen, zumal wenn die verschwärmte Nacht noch ihr Blei in die Glieder gießt, nährt keine für das Wunderbare empfängliche Stimmung. Ich warf den Schlafrock über und fragte den Gast, der in dem Augenblicke zu einem gewöhnlichen Spießbürger herabgesunken, was er von mir wünsche? Denn all' der Zauber, den das geheimnisvolle unsichtbare Nachfragen um meinen Berliner Aufenthalt gewoben, war zerstört. Mich verlangte fortzukommen, ich würdigte den Mann keines Blickes, und kaum einer Entschuldigung, als ich hastig in Hosen und Stiefel fuhr. Selbst sein Gespräch, reich an Aufklärungen, klärte so wenig die Wolken des Unmuths auf, daß ich klingelte und stampfte nach Kleidern, Rechnung, dem Lohnkutscher, und Gott weiß was sonst, das meine Ungeduld, Berlin zu verlassen, ausdrücken sollte.

Wünschen Sie eine Tasse Kaffee? unterbrach ich eine lange Erörterung, um ihn doch mit einer Höflichkeit abzuspeisen.

Im Kaffee, sagte er, habe ich mein Kriterium, es ist nur wegen des Weines, daß ich Sie noch bemühen muß.

Eine Flasche Wein, fuhr ich den Kellner an.

Von welchem, gnädiger Herr? fragte er erschrocken.

Wenn ich Euch sage, eine Flasche Wein, sehte

ich heftiger hinzu, so überlasse ich Euch die Wahl. Verstanden?

Der Gast hatte mich aber schneller und besser als Jean verstanden. Er dankte für Wein und erklärte, ihm sei es nur um die Auswahl zu thun.

Mein geehrter Herr, hub er den Sermon an, indem er seinen Stuhl näher an meinen Kaffeetisch rückte, ich verliere in Ihnen eine sehr werthe Bekanntschaft, die, je kürzer um so reicher an Ausbeute war.

Eine Bekanntschaft, fiel ich ein, um die es nicht verlohnt viel Worte verlieren, da sie ohne Worte bestand.

So liebe ich es, sagte er, und wie ich mich demohngeachtet zu Ihnen gezogen fühlte, werden Sie an dem richtigen Gefühle bemerkt haben, das mich immer in die Weinstube trieb, sobald Sie eintraten. Ob dieses nun Kritik, ob mehr, eine Art Eingebung gewesen, lasse ich unentschieden; genug für mich, daß es mich anfangs nicht zuhause duldete, wenn, wie ich nachher erfuhr, Sie die Charlottenstraße hinaufgingen, späterhin wußte ich es genau, wann Sie Ihr Haus verließen, ich glaubte Ihre Tritte zu hören, ja endlich spürte ich Viertelstunden lang voraus, wann Sie kommen würden und prüfte auf nahe gelegenen hohen Orten, z. B. der Treppe des Königl. Schauspielhauses, die Wahrheit meiner Empfindung, die sich zuletzt nicht mehr täuschen ließ. Ein bloßer Erfahrungssatz konnte dies nicht sein, denn Sie kamen zu verschiedenen Zeiten; ich consultirte deshalb einen Freund bei der Thierarzneischule, doch vergebens, in dieser Art war ihm das Phönomen weder bei Pferden noch Eseln vorgekommen, und es bleibt dies das einzige, worüber ich, meiner Kritik ungeachtet, nicht ins Klare gekommen. Sonst bin ich überall im Reinen, vorausgesetzt, daß Sie nicht ohne meine Bitte zu erhören, Berlin verlassen.

Ich machte ein Zeichen der Eil, das der kritische Besucher wohl verstand.

Es ist merkwürdig, während sich alles in Kunst und Religion und Wissenschaft auf Erfahrungssätze reduciren läßt, kann ich allein mit dem Weine nicht fertig werden. Mit dem Satze: daß dies eine Geschmackssache sei, lasse ich mich nicht abfertigen, denn ich statuire ganz und gar keinen Geschmack, wenn er nicht auf gewissen Regeln beruht. Diese habe ich für den Wein nie ausfindig machen können, und mußte daher immer schlechten trinken, ohne es zu wissen, bis Sie mich den guten kennen lehrten. Aber nun, geehrter Herr Doctor oder Legationsrath, haben Sie so viel Rücksicht für Humanität und Wissenschaftlichkeit und bedenken, wenn Sie fortreisen kriege ich gleich wieder schlechten, und muß mein Leben lang dabei bleiben. Theilen Sie mir darum Ihre Regeln mit, wie man den Wein gut finden kann, und sein Sie versichert keinen undankbaren Schüler gefunden zu haben.

Aber um Himmelswillen! fuhr ich auf und in meinen Ueberrock, Sie tranken ja von dem unverfälschten. Bleiben Sie bei der Sorte, so sind Sie immer sicher.

Sie verstehen mich nicht mein Herr, wenn ich auch bei der Sorte bleibe, wer bürgt mir, daß der Wirth dabei bleibt?

Herr, Ihre Zunge, Ihr Gaumen, Ihr Geschmack.

Das ist es ja eben, rief er achselzückend, daß dies durchaus kein Kriterium abgiebt.

Aber, bester Mann, wie merkten Sie denn vorhin, daß sie echten kosteten, da die bloße Farbengleichheit mit meinem keinen Beweis liefert?

Ich bin ein Physiognom, sagte er mir in's Gesicht schauend, daß ich es glauben mußte. Mit scharfem Auge beobachtete ich jeden Ihrer Züge beim Trinken: wie sich die Zunge spitzte und höhlte beim ersten Kosten, wie sich die Lippen beim Schlürfen in die Breite zogen, das Blinzeln der Augen, das Zusammenziehn der Nase und endlich, wenn Sie tranken, die langsamere oder schnellere Bewegung des Kehlkopfes. Dann probirte ich bei mir, und fand ich dasselbe Muskelspiel, so war ich sicher, von Ihrem Wein getrunken zu haben.

Der Hauderer stand vor der Thür und Jean lud meine Decken und Mäntel auf den Arm. Ich zuckte die Achseln.

Er drängte mich in die Ecke, den Angstschweiß auf der Stirn:

Es ist nicht der Geschmack, der Wein ist, wie Alles, was todt ist und lebendig, Gesetzen unterworfen — man wollte auch das Bierbrauen vom Luftzug und Zufall abhängig wissen, wie falsch! — Sie reisen fort, vielleicht auf immer. Bedenken Sie, ich bin ein alter Mann, wie bald gehe ich zur Grube — ich lasse Sie nicht fort.

Ich zuckte immer fort die Achseln. Er wurde immer dringender.

Denken Sie nicht, daß es eitler Kitzel ist, daß ich ein Leckermaul bin —

Ich stampfte mit dem Fuß.

Nein, es ist nur die Kritik; nur um nicht, ohne Lösung eines Problems, anscheinend so unbedeutend in die Grube zu gehen, ersuche ich Sie inständigst mein Herr; alle Ihre Vorstellungen überzeugen mich nicht, es ist ein Geheimniß vorhanden, ich betheure, daß ich es, nur um mir zu genügen, nur um in meiner eigenen Achtung nicht zu sinken, wissen will, ich betheure, wenn Sie verlangen schriftlich, es mit in die Gruft zu nehmen.

Des Hauderers Peitsche knallte mahnend.

Mein Herr, Sie sehen —

Ich sehe noch nichts —

Schriftlich will ich, wiederholte er, und ich griff schnell das Wort auf.

Schriftlich will ich es Ihnen senden, denn Sie sehen, daß es jetzt zu spät ist.

Freier aufathmend und mit stummem Händedruck leitete er mich die Treppe hinab. Ich steckte seine Adresse in meine Brusttasche; da ich aber vergaß, daß mein Schneider diese im Ueberrock vergessen, suchte ich vergeblich später nach der Karte. Noch lag eine Wolke des Zweifels über seinen Augenbraunen, als ich bereits den rechten Fuß auf dem Kutschentritt hielt.

In vierzehn Tagen — rief ich ihm kopfnickend zu — Hat sich das Publicum nächstens einer kritischen Abhandlung von Ihnen zu erfreuen?

Ueber die kommende Kunstausstellung, erwiderte er wohlgefällig; vielleicht in der Spenerschen oder Vossischen Zeitung.

Ein gewichtiger Händedruck trennte mich vom guten Jean, der noch, mir vernehmbar, dem Kritiker zuflüsterte:

Sehn Sie, da geht wieder ein guter Herr dem Tode entgegen. Wie munter kam er an, und wie blaß geht er weg! Auch Einer von den Tausenden, denen sie es angethan hat, und die mit krankem Herzen fortschleichen, bis sie liegen bleiben irgend wo. — Wann wird das aufhören und auch ihre Stunde schlagen? Es wäre doch endlich zu wünschen, der ganzen Menschheit wegen."

Der Wagen rollte über das Steinpflaster. — Welche Wünsche mich umgaukelten, finde ich nicht passend hier zu erzählen.

Kleine Schwärmer über die neuste Deutsche Litteratur.

Eine Xeniengabe für 1827 (120 S. in 12). Mit den Xenien des Schiller'schen Musen-Almanachs vom Jahre 1797 (263 S.) Frankf. a. M. bei L. Brönner.

In der Vorrede wird uns gesagt, daß der ungenannte Verfasser dieses kleinen Feuerwerks bereits aus dieser alten Welt geschieden und sich nach Mexico eingeschifft habe; damit ist denn jedem, dem er einen Schwärmer in das Haus geworfen hat, die Nachfrage nach dem Brandstifter abgeschnitten. Da jedoch seine Raketen vornehmlich nur solche Herren auf die Nägel brennen werden, bei denen wegen Mangel an Spiritus und andern geistigen Vorräthen keine Feuersbrunst zu fürchten steht, vielmehr Wasser in Ueberfluß vorhanden ist, so wird man ihm keine Brandbriefe nachschicken. Was indeß die Aeußerung des Vorredners, der nicht der Verfasser sein will, betrifft, „daß des Verfassers epigrammatische Bolzen nur auf die Werke und nicht auf die Personen gerichtet seien und dies sich noch obendrein von selbst verstehen solle," so ist dies die schlechteste Weise sich gegen etwaniges Uebelund respect. Mitnehmen zu verwahren; diese Schonung der Persönlichkeit kann weiter nichts heißen, als daß man dem Gegner nicht im eigentlichsten Sinne des Worts zu Leibe gegangen, denn es scheint gerade die größte Herabwürdigung zu sein, einem zu sagen: ich finde dein Gedicht, dein Trauerspiel herzlich schlecht und zwar aus diesen und diesen triftigen Gründen, aber nimm dir es nur weiter nicht zu Herzen, lieber Dichter, deine Gedichte haben mit Deiner Persönlichkeit, d. h. mit Deinem Sein und Wesen, mit dem was Du bist, gar nichts zu schaffen. Wenn der Dichter eigentlich ein Schuhflicker, wie Hans Sachs, oder ein Advokat, oder ein Professor, oder sonst was ist, und sein Verschen nur so nebenbei macht, mag es hingehn; erklärt er sich aber selbst für einen Dichter und haben wir es dann in dieser Eigenschaft mit ihm zu thun, dann wird es ihn immer jucken, wenn wir ihm den poetischen Pelz ausklopfen, so gut die andern schmunzeln, wenn sie cajolirt werden. Wird einmal der Name genannt, oder ist die Person sonst genug bezeichnet, dann ist's mit der Schonung der Persönlichkeit vorbei; der Verfasser der Schwärmer ist daher so klug gewesen, seinen Namen zu verschweigen. Wir glauben indeß nicht, daß er nöthig hat, damit so sehr hinter dem Berge zu halten, denn seine Epigramme haben Witz und treffendes Urtheil über Welt und Kunst und die Dystichen sind zwar nicht mit Schlegelscher Sorgfalt, aber doch nicht holpricht geschrieben; und doch haben bei aller Rundung die Verse ihre Spitzen, zum Theil Eisnadeln, die in unserer Zeit schon bei der Jugend epigrammatisch anschießen und nicht — wie Jean Paul einst bemerkte — erst wenn das Alter zum Gefrieren ansetzt. —

Einige Epigramme theilen wir zur Empfehlung des Büchleins mit:

Pustkuchen.

Aber zuletzt, da trippelt, in Züchtigkeit hangend die Köpfe,
Ein Herrnhutisches Paar, Harlequin hinter ihm drein! —
Falscher Wilhelm, du bist's mit deiner prüden Mathilde,
Kehrend von Lieme, wo dich eben der Pastor getraut.
Ach, und während die hohen, des Genius würdige Kinder,
Durch den Olymp hinziehn, sinket das Paar in den Schlamm.
Wie ein wandernder Handwerksgesell, durch Betteln und Fechten,
Hast du in Schmach durch die Welt, kläglicher Tropf, dich geschleppt.
Dacht'st du, Achilleus Helm und der mächtige Schild, und die Lanze
Seyen der Mißgestalt eines Thersites gerecht?
Gleich wie ein Irrlichtlein aus dem Sumpfe kommt und verschwindet,
Kam dein hektisch Produkt, puhstender Meister, und schwand.

Jean Paul.

Edeler Schwan sey jenseit gegrüßt! Unsterblichkeit singend
Zogst du hinweg, du bürgst ewige Dauer dem Geist.
Weil die Ströme noch rauschen, die Wolken noch ziehen, die Sterne
Leuchten, lebt ihr und liebt, Linda und hoher Alban.
Selig auch wirst du blühn, Paradiesesgestalt, o Liane,
Schlingt doch die Mus' um dich ewige Lilien her.
Für die Menge zu zart, doch manch unschuldiger Jüngling,
Manch jungfräuliches Herz weiht euer dreifach Gestirn.
Auch du, trefflicher Schoppe, gegrüßt: o mögt' in die Säue
Unserer Literatur fahren ein Dämon wie du!
Gottwalt Harnisch und Vult und Julius, Gustav und Victor,
Wina, Klotilde, mit Eins denken wir euer gerührt.
Eure Zahl ist zu groß, und die wunderbaren Nüancen,
Durch die, Eins ihr im Seyn, tausendfach spiegelt den Schein.
Gleich den Schmetterlingen auf goldenen Blumengefilden,
Flattern die Genien auf aus unerschöpflicher Brust.
Sprecht von den Schwächen der Dichtungen nicht, sie gehören dem Leben.
Wäre vollkommner die Kunst, weniger wäre das Werk.
Keiner hat so vollendet der Dichtkunst sittliche Größe
Wirksam gemacht; ihm hold, heißet der Tugend es seyn.

Goethe.

Herrlicher Greis, noch wärmet dein Abendroth selbst die Germanen,
Gehe dein Volk so einst rühmlich wie du in das Grab.
Majestätisch schreitet auf purpurnen Wolken ein Festzug,
Und von dem Glanze betäubt schwindelt der trunkene Blick.
Iphigenias hehre Gestalt, mit dem biederen Freunde
Wandelt Orest, Thoas folget in würdigem Ernst.
Tasso, sinnend begeistert, das ewige Werk in den Händen,
Aber der Freundinnen Paar schlingt den verdieneten Kranz.
Kalt und vornehm blicket Alphons, mit der Miene des Staatsmanns,
Sicher und streng und gewandt, schließt sich Antonio an.
Jetzt, welch reiches und tiefes, und zartes Leben entfaltest
Du, Eugenie, uns, herrliche Krone der Fraun.
Was sich Bedeutendes regt auf des Daseyns würdigstem Schauplatz,
Führet der Dichter im Drang mächtiger Bilder uns vor.
Egmont, zärtliches Klärchen, und Brakenburg, rührender Treue
Bild, euch reichet die Lieb' ihren unsterblichen Kranz.
Wackerer Götz, o schlage mit eiserner Faust in die plumpe
Schaar Nachahmer darein, die uns verzerret dein Bild.
Herrmann und Dorothea, die ihr im nächtigen Sturme,
Hell durch das sichre Gefühl, traft und verdienet das Glück.
Fernab, zögernd und ernst, in schmerzliches Brüten versunken,
Eine Heldengestalt, einfach und edel, der Faust.
Königlich trägt auf der Stirn' er das Prometheische Siegel
Sinnender Tief', ein Gott stehend, und fallend noch Mensch.
Ach und ist sein Geschick nicht der Menschheit eigenes Räthsel,
Die nach Erlösung stets ringt, und doch stets sie verkennt?
Frage dein Blumenorakel, und kose der spielenden Liebe,
Armes Gretchen! du leerst bald ihren bittersten Kelch!
Und nun wimmelt ihr um mich, ihr anmuthreichen Gestalten,
Wackre Therese, mit ihr, hohe Natalia, du.
Zaubrische Mignon, muntre Philin' und Aureliens heil'ger
Wahnsinn, Ottilie auch, helle Charlotte, mit dir.

(Redigirt von Dr. Fr. Förster und W. Häring (W. Alexis.)

Im Verlage der Schlesingerschen Buch- und Musikhandlung, in Berlin unter den Linden Nr. 34.

Berliner Conversations-Blatt

für

Poesie, Literatur und Kritik.

Freitag, — Nro. 59. — den 23. März 1827.

Wein und Liebe.*)

Sehet die munteren
fröhlichen Knaben;
lachend und scherzend
sammlen sie Trauben;
in ihr Gespiele
mischt sich der wilde,
feurige Amor.
Der lockige Bube
wird endlich ergriffen,
mit Reben umkränzet;
und Hände und Füße
sind fest ihm gebunden.
Er bittet und flehet
um bald'ge Erlösung;
doch schäkernd und lachend
necken die losen
jauchzenden Knaben.
Nun glüht vor Unwillen
der liebliche Amor;
die heiteren Braunen
verfinstern und zürnen.
Er bricht seine Fesseln, —
doch wehe uns allen —
sein zorniges Stirnchen
ritzt eine Rebe, und —
ein purpurner Tropfen
fiel auf die Trauben!

Fr. E........g.

*) Uns anonym als „erster Versuch eines unbegränzten Verehrers der Deutschen Literatur" aus Petersburg zugesandt. D. R.

Dramaturgische Blätter von Ludwig Tieck.

(Dritter Artikel.)

Eben so unrichtig wie den König, behandelt Herr Tieck den Polonius. Er tadelt es, daß die meisten Darsteller ihn als einen alten schlauen Mann nehmen, dessen Schwäche es ist, klüger zu thun, als er sich in Wahrheit fühlt, und der eben dadurch die Zielscheibe des witzigeren Hamlet wird. Herr Tieck dagegen sieht im Polonius einen wahren Staatsmann, der klug, politisch, einsichtig, mit Rath bereit, nach Gelegenheit schlau, dem verstorbenen König wichtig war, und dem neuen Herrscher für jetzt unentbehrlich ist. Als Beleg zu dieser Meinung, werden die verständigen Lehren, die er dem Sohne giebt, das was er der Ophelia über ihr Verhältniß zu Hamlet sagt u. s. w. angeführt. Wie richtig diese Meinung von dem Character des Polonius ist, so fehlt es ihr doch an aller Schärfe. Man könnte zugeben, Polonius sey ein wahrer Staatsmann, klug, politisch, einsichtig und mit Rath bereit, ohne daß die andere Seite, worin er klüger thut, als er in Wahrheit ist, oder mit anderen Worten, worin er als ein Narr erscheint, damit negirt wäre. Das nämlich, daß er der schlaue Staatsmann ist, bei Dingen, wo diese Staatskunst entbehrlich ist, und die ein gesunder Verstand ohne Weiteres auffaßt, wie sie liegen, ist sein Klügerthun, als er ist. Allerdings ist Polonius ein kluger verständiger Mann, aber es giebt viele Narren, die das sind. Der König weiß recht gut, was er von Hamlet zu halten hat. Polonius weiß dies nicht. Dies Nichtwissen schon, dies Herumgehen um den Brei, muß ihn bei denen, die es wissen, und dazu gehört auch das Publikum, zu einer komischen Person machen. Denn zum Theil liegt das Komische darin, daß man das Rechte verfehlt, indem man es grade zu treffen vermeint. Wo der Vater seinen Kindern gegenübersteht, mag daher der kluge Mann allein ohne die Trübung des Närrischen hervortreten: es sind einfache Verhältnisse, die hier zu ordnen sind: die Klugheit, das Verständigthun sind hier der kindlichen Ehrfurcht gegenüber in ihrer Sphäre: ob darum diese Reden des Polonius wie Herr Tieck will im edelsten und hochherzigsten Tone vorgetragen werden sollen, ist eine andre Frage. Es wird fast unmöglich seyn, einen Doppelgänger aus dieser Rolle zu machen, und den, welcher in den Scenen mit dem König und Hamlet, als durchaus komisch erscheint, hier nun seinen Kindern gegenüber zu ernstem Pathos zu erheben. Es giebt sicherlich keinen wohlorganisirten Zuschauer, der nicht lacht, wenn Polonius sagt:

Denn ich will ohne Kunst zu Werke gehn
Toll nehmen wir ihn also nun ist übrig
Daß wir den Grund erspähn von dem Effect,
Nein richtiger, den Grund von dem Defect,
Denn dieser Defectireffect hat Grund.
So stehts nun, und der Sache Stand ist dieß,
Erwägt!

Der Beigeschmack solcher Characteristik darf auch da nicht verloren gehen, wo Polonius sich in anderen Verhältnissen bewegt. Selbst der an sich tragische Tod des Polonius ist ja von dem Dichter zu dieser Komik verkehrt worden, so daß wir nicht mehr den unschuldigen Familienvater, sondern den vorwitzigen Alten sterben sehen. Herr Tieck hat diese närrische Seite des Polonius, wie es scheint auch sehr wohl gefühlt, nur daß er das, was närrisch ist, mehr als Vornehmes zu vertheidigen sucht. Daß Polonius das Unwichtigste mit dem Wichtigen vermischt, soll vornehm seyn; daß er viel Flaches sagt, ist durchaus vornehm; wenn er abwesend und zerstreut ist, so ist das etwas, was er mit vielen Vornehmen theilt. Wenn das Wort Vornehm das Närrische, aber nur auf vornehme Weise ausdrückt, so kann uns am Ende auch dieser Sprachgebrauch gleichgültig seyn. Noch ist hier einer Stelle Erwähnung zu thun, auf die Herr Tieck eine äußerste Wichtigkeit legt. Er behauptet, man habe das ganze Gewicht dieser Stelle, die nur wie Spaß aussieht, nicht verstanden, die Editoren hätten was anders zu thun, als dergleichen zu erklären.

Es ist folgende Unterredung zwischen Polonius und Hamlet:

Kennt ihr mich gnädiger Herr?
Vollkommen. Ihr seid ein Fischhändler.
Das nicht mein Prinz.
So wollt ich, daß ihr ein so ehrlicher Mann wäret.

Vielleicht findet man auch, sagt Herr Tieck, wenn das Wort ausgesprochen ist, daß der Sinn so nahe liegt, daß kein Mensch ihn verfehlen kann. Und was ist die Auflösung? Ich wünschte ihr wäret ein so ehrlicher Mann. Ihr seyd ein Kuppler, kein so ehrlicher Mann als ein Fischhändler. Ich glaube, daß Herr Tieck Recht hat, es wird kein Mensch diesen Sinn verfehlen können, aber ob irgend ein Mensch Scharfsinn genug hat, um den Unterschied zwischen dem verfehlten Sinn, und dem richtigen des Herrn Tieck herauszufinden ist eine andere Frage. Darin kömmt Herr Tieck mit dem verfehlten Sinn überein, daß Hamlet den Polonius für keinen so ehrlichen Mann als einen Fischhändler hält. Der richtige Sinn des Herrn Tieck geht also nur etwas weiter, als der verfehlte Sinn: er behauptet, dieser nicht so ehrliche Mann, als der Fischhändler, sey ein Kuppler, und jedermann wird eingestehn, daß ein Kuppler nicht so ehrlich ist als ein Fischhändler, wenn dieser nicht etwa unter der Hand selbst das Kupplerhandwerk treibt. Aber es giebt noch viele Andere, die nicht so ehrlich sind als ein Fischhändler, und da der Kuppler nicht durchaus genannt ist, so ist es möglich, daß Hamlet den schlauen Hofmann, der sich an ihn macht, um etwas herauszubekommen, meint, wenn er ihn an Ehrlichkeit einem Fischhändler nachsetzt. Es ist sogar wahrscheinlich, daß Hamlet hier durchaus nicht an den Kuppler denkt, und zwar aus dem einfachen Grunde, weil Polonius sich von Hause aus dieser Liebe abhold zeigt, und weil durchaus Nichts, wenigstens, so weit es im Stücke vorkommt, den Hamlet berechtigt, den Polonius für einen Kuppler zu halten, denn daß er ihm in angenommener oder wahrer Verrücktheit räth, seine Tochter nicht in die Sonne gehen zu lassen, soll offenbar Ausbruch der Verrücktheit seyn, und das Verfahren hierin einen tiefen Sinn zu suchen, stimmt offenbar mit dem ähnlichen gewisser Theologen überein, die Wunder der heiligen Schrift auf natürliche physicalische Weise zu erklären. Also es bleibt in letzter Instanz doch dabey, daß trotz aller Kritik Polonius bloß in abstracto nicht so ehrlich seyn soll, als ein Fischhändler, wobei der besondere Character dieser Unehrlichkeit ein beliebiger ist, und von Herrn Tieck, nach seiner besonderen Neigung, für Kuppelei, vor mir aber für eine durchaus andere Unehrlichkeit gehalten wird.

(Beschluß folgt.)

Johann Baptista Vico's Ansichten über Poesie.

(Mitgetheilt von Dr. K. Müller.)

Joh. Bapt. Vico, zu Neapel in der zweiten Hälfte des siebzehnten Jahrhunderts geboren, widmete mit unermüdetem Eifer sein Leben den Wissenschaften. Philosophie, Geschichte und Jurisprudenz waren seine Hauptstudien, welche er bis zu dem Grade durchdrang, daß er sich veranlaßt fühlte, in diesen Fächern mehrere Werke von großer Bedeutung zu schreiben. So wie dieser bedeutende Mann aber schon während seines Lebens das Schicksal hatte, von seinen Zeitgenossen nicht erkannt zu werden, so ist dieses auch nach seinem Tode der Fall gewesen, bis endlich jetzt, in neuester Zeit, sowohl in Italien, als in Deutsch- die ersten Nachrichten von diesem Manne dreien der ersten Förderer unserer Literatur, und zwar zunächst dem verstorbenen Philologen J. A. Wolff, der in seinem Museum der Alterthumswissenschaft Bd. 1. S. 555. das Vico rühmlich, wenn gleich etwas von oben herab gedenkt, indem er dort anführt, was Vico über Homer geschrieben, welches auch, insofern desselben in einem nachfolgenden Urtheil des Vico über Dante gedacht wird, hier bemerkt zu werden verdient. Sodann redet Orelli in dem Schweizerischen Museum, und zwar Heft 2. Jahrg. 1816 von Vico auf sehr ehrenvolle Weise, und endlich fügen wir noch Göthes Auctorität hinzu, der in seinem Buche „aus meinem Leben" Abtheil. II. Bd. 2. Vicos als eines Weisen, voll sybillinischer Vorahndungen des Guten und Rechten, welches einst kommen soll, oder sollte, und welches er auf ernsten Betrachtungen des Ueberlieferten und des Lebens gegründet, gedenkt, und ihn mit unserem Hamann vergleicht.

Alle diese Nachrichten nun berühren den Vico von Seiten der drei genannten Wissenschaften, und in dieser Beziehung haben wir ihn unterdessen schon näher kennen gelernt durch die freilich nicht vollkommen gelungne Uebersetzung des Vico'schen Hauptwerkes „Grundzüge einer neuen Wissenschaft über die gemeinschaftliche Natur der Völker," des Hrn. Prof. Weber zu Wetzlar, und es ließe sich in dieser Hinsicht noch mehreres hinzufügen. Hier soll aber nur darauf aufmerksam gemacht werden, daß Vico auch der Dichtkunst mit regem Eifer ergeben war, wie der Band seiner Gedichte, zu Neapel 1819 bei Porcelli herausgekommen, deutlich erweiset. Seine große Ansicht über Poesie spricht sich in dem nachfolgenden Urtheil über Dante aus, daß auch seine eigenen Gedichte von diesem Gesichtspunkte aus betrachtet seyn wollen, darf nicht bezweifelt werden, daß aber, wenn seine Prosa schon äußerst schwierig ist, seine Verse an diesem Uebel noch mehr leiden, und dieselben häufig, unverständlich werden, welches um so eher zu erklären ist, wenn man erwägt, daß fast lauter Gelegenheitsgedichte, in der hohen Bedeutung des Worts, vorliegen, oft also besondere Umstände erwähnt sind, die nur dem Vertrauten erklärlich waren, wird jeder, der sich die Ansicht dieser Gedichte verschafft, gerne zugeben. Von seiner poetischen Seite betrachtet den Vico im Publicum einzuführen, mögte für diese Zeitschrift nicht unpassend erscheinen. In einem der nächsten Stücke wollen wir eine Betrachtung des Vico über Dante aus den *Opuscoli di G. B. Vico raccolti e publicati da C. A. de Rosa. Napoli* 1818. *Porcelli* mittheilen.

Pariser Theater.

Auf dem Königl. Theater der komischen Oper, wurde am 9. März zum erstenmal *„le Loup-Garou"* (der Wehrwolf) komische Oper in 1 Akt gegeben. — Die Neugierde eine Bestie, und noch dazu eine verzauberte auf der Bühne agiren zu sehen, füllte das Haus; allein die Erwartung wurde getäuscht, denn von dem Wolf bekam man nichts zu sehen, als einen abgeschnittenen Kopf. — Auch die Erwartung derer, die etwa einen Wolf im Schaafskleide, wie sie auf *Mont-Rouge* gehegt und gepflegt werden, in der komischen Oper zu sehen hofften, wurde nicht erfüllt und viele mußten erst aus einem alten Mährchenbuche sich unterrichten, was denn eigentlich ein Wehrwolf sey, wo sie dann fanden, daß es Leute gäbe, die für das Gelingen einer bösen That mit dem Teufel einen Vertrag abgeschlossen, wodurch sie gezwungen sind, die Nächte hindurch sich als Wölfe umherzutreiben. — Die Intrigue des Stücks besteht darin, daß einem jungen Mädchen, welcher ein junger Mann im Walde das Leben gerettet hat, weißgemacht wird, dieser Liebhaber sei ein Wehrwolf. Später ergiebt sich's, daß der vermeintliche Unhold ein rechtschaffener junger Mann ist, dem sie dann zuletzt ihre Hand reicht. — Das Publikum nahm das Stück nicht zum besten auf. Später erfuhr man, daß die Herren Scribe und Mazeres die Verfasser des Textes sind. Die

Musik ist von einer jungen Componistin, die sich nicht genannt hat, von der aber eine aus Faust früher komponirte Scene vielen Beifall gefunden hat. —

Herrn Spontini
nach der Aufführung seiner Olimpia, am 16. März, gewidmet.

(Eingesandt.)

Sonnet.

So oft auch Deine Himmelslaute tönen,
Stets ist's für uns ein Tag der reinsten Lust,
Und Götterwonne dringt in unsre Brust,
Wenn **Deine** Töne uns der Erd' entwöhnen.

Wer kann mit solchen Klängen sich wohl krönen?
Ein Mann, der höh'rer Sphären sich bewußt! —
Und was Du **willst** und was Du **mußt**!
Das liehen Dir die himmlischen Kamönen.

Und alles, was Du ferner uns wirst bringen,
Wir nehmen's auf mit lauten Jubeltönen:
Denn was Du bringst, kann stets nur **Dir** gelingen.

Du bist der Geist des musikal'schen Schönen:
Denn **Deines** großen Genius Schwingen,
Sie können **höh're** Welten nur durchdringen.

Aug. S.

Berliner Chronik.

Guillou's Concert. Montag d. 19. März. Die große Kunstfertigkeit des Herrn Guillou haben wir schon früher gerühmt; allein es ist uns dabei immer zu Muthe, als hörten wir eine Nachtigall, der man ihre einfachen, seelenvollen Naturtöne abgewöhnt hat, um sie *„di tanti palpiti"* pfeifen zu lehren. Noch übler aber wird die Stellung des Instrumentes, wenn man ihm zumuthet zur Nachtigall zu werden und dies nicht anders auszuführen weiß, als daß man durch die allerkünstlichsten Triolen und Triller einen Nachtigallenschlag herausbringen will, wie wir es in der von Panseron componirten Romanze „Philomele" welche Dem. Sontag sang und Hr. Guillou als obligater Sprosser begleitete, hörten. Wenn die Hauptkunst darin beruhen soll, der Nachtigall nachzuflöten, so kann man das viel treuer haben, wenn man sich auf dem Topfmarkt eine so genannte Nachtigall, (eine mit Wasser gefüllte Pfeife) kauft oder auf einer grünen Zwiebelschale flötet; da giebt es wahrhaften Nachtigallenschlag. Wohin es führt, wenn in der Kunst der Grundsatz aufgestellt wird, daß sie vornehmlich an die Natur sich zu halten habe und ihr höchstes Ziel: Nachahmung der Natur sei, sehen wir besonders in der Musik, wenn diese anfängt, Naturtöne nachahmen zu wollen. Selbst Beethoven ist damit verunglückt; der Kukuk in seiner großen Symphonie, die er ein ländliches Tongemälde nennt, wird von den Clarinetten nicht besser wiedergegeben, als die Nachtigall *à la* Panseron auf der Flöte, weshalb in jener Symphonie ebenfalls ein Nürnberger Kukuk statt der Clarinetten zu empfehlen wär. Die Compositionen des Hrn. Guillou sind genialische Effectstücke aus der Pariser Schule; uns jammert die zarte Flöte, die der ganzen losgelassenen Janitschaaren Bande preisgegeben wurde. — Die Gebrüder **Leopold** und **Moriz Ganz**, Königliche Kammermusiker, trugen ein von ihnen componirtes Concertante auf der Violine und dem Violoncell vor und zeigten in ihrem Spiel viel Freiheit und Fertigkeit; in der Capelle werden sie gewiß die Gebrüder Bohrer vollkommen ersetzen, wenn sie auch jene noch nicht als Concertspieler erreichen. — **Mad. Schulz** sang eine große Arie aus Idomeneo von Mozart mit der Gewalt, die sie sich in den Spontinischen Opern angeeignet hat. — Dem. Sontag trug eine Arie von Rossini mit allem ihr eignen Zauber und Zartheit vor, obwohl ihre Stimme heut etwas unsicher schien; denn eine, wenn auch nicht strenge, doch gewiß immer bedenkliche Richterin saß auf dem Balkon; **Mad. Catalani** war gegenwärtig. Dem Vernehmen nach hat sie sich schon früher in einer Privatgesellschaft, wo sie Dem Sontag zum ersten Mal hörte mit einer Rührung und Bewunderung über die Deutsche Sängerin ausgesprochen, wie diese es von anderen Kunstverwandten vielleicht noch nicht erfahren haben mag, und sie darf dies Zeugniß um so höher-achten, da dem edlen Charakter der Catalani jede Verstellung und leere Schmeichelei fremd, und sie zugleich über jeden Neid erhaben ist. — Ueber den Concertsaal soll sich, was die Dekoration desselben betrifft, Mad. Catalani sehr günstig, was jedoch die architektonische Einrichtung, namentlich in Bezug auf die Sänger betrifft, nicht einverstanden damit erklärt haben. Einer Sängerin, der im ganz Europa kein einziger Concertsaal von Bedeutung unbekannt ist, müssen wir hierin wohl ein Urtheil zugestehn. Sie tadelt, daß das Orchester nicht erhaben genug sei und daß der Balkon und die Säulen der Verstärkung des Tons ungünstig wären. Vielleicht urtheilt sie günstiger, wenn sie selbst Gelegenheit genommen hat, ihre Stimme darin zu versuchen. — Die Versammlung war glänzend. S. M. der König besuchte den Concertsaal zum ersten Mal nach seiner Genesung; später erschien auch J. M. die Königin von Baiern, welche vorher im Königl. Theater Romeo und Julie gesehn hatte, um sich an dem vortrefflichen Spiel der Mad. Stich zu erfreuen. —

(Redigirt von Dr. Fr. Förster und W. Häring (W. Alexis.)

Im Verlage der Schlesingerschen Buch- und Musikhandlung, in Berlin unter den Linden Nr. 34.

Berliner

Conversations = Blatt

für

Poesie, Literatur und Kritik.

Sonnabend, — Nro. 60. — Den 24. März 1827.

Dramaturgische Blätter von Ludwig Tieck.

(Dritter Artikel.)

(Beschluß.)

Der Uebergang zu Ophelia ist nunmehr in unserem Buche natürlich, denn Ophelia ist des Polonius Tochter. Von allen Rollen des wunderbaren Schauspiels wird in der Regel, sagt Herr Tieck, die der Ophelia am meisten mißverstanden. Es ist, beiläufig gesagt, auffallend, daß im Anfang der Critik, die am meisten misverstandene Rolle, die des Königs war, denn diese hatte trotz aller Vorstellungen noch niemand so spielen wollen, wie sie sich Herr Tieck vorgestellt hatte, jetzt wird es hier die der Ophelia, die doch, wie Herr Tieck glaubt, denn selbst hat er sie hierin nicht gesehen, von Miß O'Neal groß und einzig mag vorgestellt seyn. In Ophelia sollen sich nach Herrn Tieck Eitelkeit, Koketterie, Sinnlichkeit, Liebe, Witz und Ernst, tiefer Schmerz und Wahnsinn nach und nach, oder auch in demselben Momente zeigen: sie soll, wenn Herr Tieck den Shakespeare nicht ganz mißversteht, im Rausche der Leidenschaft und Hingebung dem liebenswürdigen Prinzen schon längst so viel gewährt haben, daß die Warnungen und Winke des Laertes viel zu spät kommen. Wer eine, von allen bisher angenommenen Ansichten so sehr abweichende, Meinung aufstellt, hat zugleich die Verbindlichkeit des Beweises übernommen, und Herr Tieck ist auch weint entfernt, den Satz, wenn ich Shakespeare nicht ganz misverstehe, für einen Beweis gelten zu lassen. Ein solcher Beweis kann aber ein innerlicher, d. h. ein dem logischen Zusammenhang des Stücks entnommener seyn, und diesen hat Herr Tieck durch die Weise seiner Critik überhaupt, und namentlich hier dadurch verschmäht, daß er das Stück gar nicht im Zusammenhange, sondern nur isolirt in den Nebenpersonen betrachtet. Sonst würde diese Versuch nothwendig darauf geführt haben, daß, wie auch schon gesagt worden ist, alle Nebenpersonen im Hamlet ihrer eigenen Natur nach unbedeutend sind, und nur relativen Werth, als die dem Hamlet fehlende Seite haben. Ophelia würde in diesem Zusammenhange, als ein unbedeutendes Mädchen erscheinen, das aber allgemeiner Mädchenhaftigkeit theilhaftig ist, und deren tragisches Schicksal es ist, an Hamlet gerathen zn seyn, der nicht wie sie ein gemeiner Mann ist, und der nicht bloß sie, sondern ihren Vater und ihren Bruder, kurz ihr ganzes Familienglück schuldlos und theilnahmlos ins Verderben stürzt. Diese innere Betrachtung des Stücks vermöchte es auch jede Scene, jedes Wort, wenn es nicht sonst ein Adiaphoron ist, in dieser Weise hinzustellen und deutlich zu machen. Die äußere Beweisform dagegen, und es ist die, welche Herr Tieck einzig und allein wählen mußte, zieht es grade vor, sich bei irgend einem Adiaphoron aufzuhalten, dieses als den Hauptsitz irgend einer Meinung zu erklären, und sollte auch das Resultat wiederum eben so gleichgültig seyn. So ist es z. B. für die Bedeutung des Stücks ziemlich gleichgültig, ob das frühere Verhältniß Hamlets zur Ophelia bis zur Spitze des sinnlichen Genusses getrieben worden, oder nicht: sie bleibt in beiden Fällen eine gleich Verlassene, denn das spießbürgerliche Moment, daß alsdann mehr Grund vorhanden sey, daß Hamlet sie heirathe, kann wohl hier nicht eintreten: auch kömmt es nirgends im Stücke vor, daß darauf Gewicht gelegt werde, ob dieses Letzte eingetreten sey oder nicht. Wir sind daher nicht fähig zu beweisen, daß es niemals statt gefunden habe, ein Beweis, der in solchen Fällen seine großen Schwierigkeiten hat. Aber der, welcher ein Mädchen in bösen Ruf bringt, wie Hr. Tieck, ist durchaus verbunden, einen solchen Beweis zu führen, und wir haben nichts weiter zu thun, wie als gute Geschworne dieser Anklage unser Ohr zu leihen.

Erster Anklagepunkt. Laertes giebt bei seiner Abreise nach dem lustigen Frankreich, seiner Schwester Ophelia gute, nur etwas pedantisch steif gehaltene Lehren: Es ist ganz natürlich, daß der Ophelia diese Pedanterey etwas langweilig erscheint, und sie erwiedert mit gutem Recht:

Ich will den Sinn so guter Lehr bewahren,
Als Wächter meiner Brust, doch lieber Bruder
Zeigt nicht, wie heilvergessene Prediger thun,
Den steilen Dornenweg zum Himmel Andern,
Derweil als frecher lockerer Wollüstling
Er selbst den Blumenpfad der Lust betritt
Und spottet seines Raths.

„Ich begreife nicht, sagt Herr Tieck, wie ein „unschuldiges Mädchen so antworten könnte, eine „Antwort, die ganz von jener Warnung abführt. „Aber sie glaubt den Bruder zu kennen: sie fühlt „recht gut das Abscheuliche, daß diese Lehren erst jetzt „kommen, da man bisher dies Verhältniß mit dem „Prinzen geduldet oder ignorirt hat.“ Welcher unbefangene Leser fühlt wohl bei den eben gelesenen Worten, daß Ophelia irgend eine Abscheulichkeit fühlt und im Sinne hat: Wo liegt irgend in diesen Worten eine Hindeutung auf Indignation, die doch das Gefühl des Abscheulichen hervorrufen müßte. Lieber Bruder, sey aber nicht selbst locker, während du gegen Andre den Prediger spielst, wäre ungefähr die prosaische Uebertragung jener poetischen Antwort. Diese Worte könnte man noch so viel mal versetzen, jedes derselben einzeln auf die Perlenwaage legen und mit der angestrengtesten Aufmerksamkeit untersuchen: es würde nicht herauskommen, daß darin erstens Indignation über gefühlte Abscheulichkeit, ferner aber Aerger liege, daß das Verhältniß bis jetzt ignorirt worden. „Ich begreife nicht, wie ein unschuldiges Mädchen so antworten könnte,“ sagt Herr Tieck. Freilich ganz unschuldig, d. h. hier unwissend, ist Ophelia nicht mehr: sie hat etwas von dem ABC oder den sonstigen Anfangsgründen der Erkenntniß weg, man fühlt es, daß es eben nicht zu früh wäre, wenn sie jetzt heirathete; aber die meisten herangewachsenen Mädchen befinden sich in diesem Zustande, und von dem, bis zum Fallen, oder gar bis zum Gefallenseyn ist noch eine gute Strecke. Dazwischen liegen noch Sprödigkeit, Furcht, Grundsätze und Tugend. Eine Schwester, die mir die obige Replik machte, würde ich sofort verheirathen; ich würde mir aber keinen Schluß gegen ihre bisherige Tugend erlauben. Aber als Vormann eines Geschwornengerichts würde ich die Hand auf die Brust legen, und unbedingt folgendes Verdict abgeben; auf meine Ehre und mein Gewissen, die Erklärung der Geschworenen ist: „Ophelia ist eine Jungfer!“

Zweiter Anklagepunkt. Im Wahnsinn sagt Ophelia:

Er war bereit, thät an sein Kleid,
Thät auf die Kammerthür,
Ließ ein die Maid, die als 'ne Maid
Ging nimmermehr herfür.

Es ist einerseits unstatthaft, das was eine Wahnsinnige spricht, als einen Anklagepunkt gegen sie zu richten; denn hier bricht grade das hervor, was in der Wirklichkeit keinen Platz hat, oder in derselben durch geistige Anstrengungen zurückgedrängt ist. Ein tugendhaftes Mädchen wird oft grade im Wahnsinn die größte Schaamlosigkeit zeigen, während befriedigte Sinnlichkeit nicht erst die Form des Wahnsinnes braucht, um hervorzutreten. Aus dem was Ophelia im Wahnsinn spricht, wäre also insofern vielleicht mehr die Unterdrückung ihrer Lust, als die Befriedigung derselben zu argumentiren.

Dritter oder philologischer Anklagepunkt. Ophelia sagt zur Königinn. Da ist Raute für euch und hier ist, welche für mich. Ihr könnt eure Raute mit einem Abzeichen tragen. Herr Tieck hat gefunden, daß *rue* Raute auch für *repentance* Reue vorkommt, und glaubt nun, daß wenn auch die zu freien Wahnsinnsromanzen nichts für seine obige Behauptung bewiesen, diese Stelle sie doch rechtfertigen würde; denn nach der Symbolik jener Tage konnte Ophelia, sagt Herr Tiek, als eine verlassene Geliebte sich nur mit dem Weidenzweige schmücken, nicht aber die Reue der Raute tragen: sie giebt aber der Königinn auch davon, weil Ophelia und sie sich in verschiedener Sündhaftigkeit befinden. Welche Besonnenheit im wahnsinnigen Zustande! man kann hinzufügen, welche Kenntniß der Symbolik! Aber weil der Wahnsinn grade nicht der besonnene Zustand ist, so könnte man ja annehmen, sie hätte sich im Wahnsinn im Symbol vergriffen, oder ihr Wahnsinn bestände darin, sich von Hamlet entehrt zu glauben, während sie sonst ganz unberührt geblieben ist. Um aber Herrn Tieck bloß die eigenen Argumente entgegen zu setzen: Ophelia veranstaltet ihren Selbstmord an einem Weidenbaume; es ist nun aber nicht abzusehen, warum sie dies gegen die Symbolik damaliger Tage that, da sie mehr, als verlassene Geliebte war, und sich deswegen mit Rauten hätte erdrosseln müssen.

Nachdem wir so das Unsrige gethan, um die Keuschheit der Ophelia zu vertheidigen, da ohnehin die Offenheit, mit der sie ihrem Vater ihr Verhältniß zu Hamlet gesteht, jeden Verdacht entfernen müßte, wäre nun das Positive der Sache zu betrachten: ob Ophelia wirklich eine so bezaubernde Mischung von Eitelkeit, Koketterie, Sinnlichkeit, Witz, Liebe, Ernst, Schmerz und Wahnsinn darbietet, als Herr Tieck behauptet, ohne den geringsten Beweis zu unternehmen. Ich bin die Scenen, in denen sie auftritt, abermals mit großer Aufmerksamkeit durchgegangen, und behaupte, was ich denn nicht bloß den Worten, sondern dem ganzen Zusammenhange nach beweisen würde, wenn es mir hier obläge, daß ich nichts als ein gewöhnliches, gutes, gehorsames, liebendes Wesen gefunden habe, daß des Geliebten, des Vaters, des Bruders verlustig keine andre Stütze wie den Wahnsinn hat. Hierin eben liegt die Schwierigkeit der Rolle, wie aller Nebenrollen im Hamlet, daß sie nur im Lehnverhältniß zum Hauptcharacter stehen und daß es schwer ist, bei sonstiger Breite einer bedeutenden Handlung, diese Abhängigkeit mit selbstständigem Scheinen festzuhalten und auszudrücken. Je ruhiger, leidenschaftsloser, zarter die Rolle gehalten wird, desto mehr wird es hervortreten, wie sehr Ophelia durch Hamlet verletzt worden, dagegen ein angemaaßter Pathos die Schuld des Hamlet in den Hintergrund schiebt und fast rechtfertigt.

Wenn Herr Tieck die Keuschheit der Ophelia verdächtig macht, so nimmt er dem Laertes die einzige Tugend, die er wirklich hat, nämlich die, ein edler und empfindsamer Sohn und Bruder zu seyn. Die Kinder des Polonius haben bei Herrn Tieck einen harten Stand; er gedenkt ihnen nicht, wie hoch er den Vater stellte. Als Laertes nämlich zurückkommt, um seinen Vater zu rächen, und mit den stärksten Tönen der Verzweiflung, der Rache, sich vor den König begiebt, und seinen Vater fordert, da soll es nicht die kindliche Liebe seyn, die diese Töne hervorruft, nein es ist nur ein vorgespiegelter Schmerz, um den rasch geformten Traum seines Ehrgeizes wirklich zu machen. Rasch geformt muß sich dieser Ehrgeiz haben, denn es ist vorher durchaus kein Grund vorhanden, an ihn zu glauben. Laertes, der ehrgeizige Laertes verläßt sein Vaterland, das keinesweges ruhig ist, um in Frankreich als Kavalier zu leben. Aber der raschgeformte Ehrgeiz ist eben so ein rasch zerrinnender, denn es kommt auch nachher, nachdem er geformt ist, weiter keine Spur davon vor. Laertes tritt tobend auf, aber als der König ihn fragt:

ists eurer Rache Schluß:
Als Sieger in dem Spiel so Freund als Feind
Gewinner und Verlierer fortzureißen?

antwortet Laertes. Nur seine Feinde. Und auf die weitere Frage. Wollt ihr sie denn kennen? erwiedert er:

Den Freunden will ich weit die Arme öffnen,
Und wie der Lebensopfrer Pelikan
Mit meinem Blut sie tränken.

Damit ist der Ehrgeiz in allen seinen weiteren Folgen und Entwickelungen verstummt und erstickt. Herr Tieck hätte freundlicher gegen Laertes gehandelt, wenn er ihm lieber gestattet hätte, über den Tod des Vaters ungebührlich laut zu toben, als ihm einen so ungewöhnlich dünnen Ehrgeiz beizulegen. Aber freilich der Ehrgeiz des Laertes und seine Kraft sind bedeutend genug. „Daß Nichts daraus wird, ist „lediglich dem zuzuschreiben, daß die heroische Persönlichkeit des großen Königs, wie Herr Tieck meint nur noch bedeutender ist, eine Persönlichkeit vor der wir auch schon oben haben zurücktreten müssen, wie dies denn hier abermals geschieht.

G.

Correspondenz.

Leipzig den 20. März 1827.

Gestern endlich, g. H., hat auf unserer Bühne die längst erwartete Vorstellung zum Vortheil der Hinterlassenen von K. M. v. Weber Statt gefunden. Es war zu diesem Zwecke die Oper: „der Freischütz,“ welche wir hier lange nicht gehört hatten, recht passend gewählt worden, und sie ward im Allgemeinen gut, im Einzelnen vortrefflich dargestellt: alle dabei Beschäftigte schienen mehr oder weniger des Zweckes dieser Darstellung, die, in höherer Potenz, Nichts als eine Huldigung, dem Komponisten geweiht, war, sich bewußt zu sein, und es sprach sich zum Theil in ihrem sichtbaren Bestreben, das Möglichste zu leisten, aus. —

Das Theater war gedrängt voll — ein Zeichen entweder der Theilnahme des Publikums in Rücksicht auf den Zweck dieser Vorstellung oder der besondern Huldigung gegen den Schöpfer der Musik zum Freischütz. Ich erwähne nur noch in Betreff der gestrigen Darstellung desselben, daß Dem. Canzi, unsere *prima donna* — unbezweifelt aus tiefgefühlter Achtung gegen den Komponisten, in der sie sich selbst zugleich und das Publikum ehrte — die Parthie der ersten Brautjungfer übernommen hatte: und dieser Beweis der Achtung ward auch von den Anwesenden laut und ehrend anerkannt. — Der Darstellung des „Freischütz" folgte „Webers Gedächtnißfeier, Gedicht mit Musik und lebenden Bildern, von Heinrich Stieglitz," das ich Ihnen lieber ganz sende, als durch Zergliederung und Beschreibung dem Inhalte nach mitzutheilen versuche. Der Dichter hat in einigen Bildern, aus Weber's Kompositionen entlehnt, einige der schönsten Zeugnisse seines tiefen, das Kräftige wie das Zarte, den Schmerz wie die Freude in reinen Harmonieen darstellenden, Genius zusammengestellt und, sie erklärend, zu einem Ganzen, zu einer Gedächtnißfeier des Geschiedenen, verwoben. — Die Idee ist sehr schön aufgefaßt und ausgeführt. Das Gedicht wurde von Herrn Stein mit Gefühl und Ausdruck vorgetragen. Die versinnlichenden Bilder, theils stehende, theils bewegliche, wurden würdig vor das Auge der Zuschauer gebracht und bildeten so mit dem Gedichte selbst ein schönes Ganze, was auch der laute Beifall am Schlusse der Darstellung freudig anerkannte. (Das Gedicht selbst werden wir in dem nächsten Blatte mittheilen.) K.

Berliner Chronik.

Königstädtisches Theater. Die Geschichte unserer neueren Bühnen belehrt uns, daß es nicht hinreicht, Stücke von innerem Werthe zu schreiben; um ein so verwöhntes Publikum wie das heutige anzuziehen, muß der innere Gehalt noch durch den Reiz des Auffallenden und Originellen gewürzt seyn. Der Kritiker wird zwar niemals einer Neuigkeit den Kranz reichen, die blos durch präconisirende Titel und schaulustreizende Mittel das Haus füllt, oder das Publikum läßt auch werthvolle Stücke von gediegener Anlage und kunstgewandter Ausführung unbesucht, wenn sich dem inneren Werth keine äußere Anziehungskraft beigesellt. *Omne tulit punctum* — wer den Kritiker und das Publikum zugleich zu befriedigen und zu fesseln versteht. Aber auch das Publikum selbst bricht den Stab über ein Stück, bei dem das Unerhörte der äußeren Erscheinung den Mangel des innern Gehalts bedecken soll, und wenn es auch werthvollen Stücken, dem jene Empfehlung gänzlich gebricht, den Preis weigert, so schlägt es sich doch bei gehaltlosen Zugstücken bald auf die Seite der Kritik, ja es übt selber die Richtergewalt mit einer Heftigkeit aus, gegen welche keine Einwände gelten. Alles dieses hat die Aufnahme der Thierstücke und die spätere Geschichte des Königst. Theaters gelehrt. — Obgleich begünstigt durch die Pracht der Dekorationen, die Vortrefflichkeit der Maschienerie und der scenischen Einrichtung, haben jene blos durch die Neuheit und Unerhörtheit der Darstellung anziehende Thierkomödien, doch zuletzt dem besseren Gefühle des Publikums weichen müssen. Ein anderes Stück, der verwunschene Schneidergeselle, dem die Kritik trefflich erfundene Situationen und durch fünf Acte hindurch ausharrendes frisches Leben, nicht absprechen kann, wußte auch das Publikum durch die Neuheit des Titels, wie des Inhalts anzuziehen, und durch diese, wie durch andere Vorzüge während vieler stark besuchten Vorstellungen zu fesseln.

Nicht gleiches Glück ward Karl Schalls, Trau, Schau Wem Lustspiel in einem Akt zu Theil, welches unter den Stücken gleichen Umfangs zwar zu den besseren gehört, die wir neueren Deutschen Lustspieldichtern verdanken, aber weder an sich selbst, noch in der Erfindung neu ist und daher bei der ersten Vorstellung die wenigsten Zuschauer herbeilockte, die das Königsstädtische Theater fassen kann. Die Fabel des Stücks ist etwas leicht ersonnen und wäre die Ausführung nicht so heiter, anmuthig und lebenfrisch, so dürften wir sie geradeweg lose nennen. Ein junger Rittmeister, Hr. Meyer, hat das Unglück, es mit einer schönen Gräfin, um deren Gunst er sich bewirbt, zu verderben und muß sich zurückziehen. Die Gräfin beschließt nun einem andern, ihr noch Unbekannten, die Hand zu reichen, der ihr von dessen Mutter hinlänglich angepriesen wird. Der Rittmeister bedient sich nun der List, sich im Schloßgarten unter den Gärtner Avre zu verstecken und dem begünstigten Nebenbuhler (Herrn Angely), als dieser erscheint, einzubilden, man habe eine Comödie mit ihm vor, indem die Gräfin (Dem. Wagner) und das Kammermädchen (Dem. Holzbecher) die Rollen gewechselt hätten? — So hält nun der Ankömmling der Kammerjungfer eine höchst ergötzliche zärtliche Lobrede und beleidigt die Gräfin, bis der Rittmeister herbeispringt, seinen gespielten Possen bekennt und von der auf den neuen Liebhaber erzürnten Gräfin wieder zu Huld und Gnaden angenommen wird. Zwar entschuldigt sich der Beleidiger mit seinem Irrthum, ohne welchen er der Gräfin eben so große Elogen gemacht haben würde, aber die Sache ist nicht zu redressiren, am Wenigsten auf solche Weise, Herr Meyer und Dem. Wagener söhnen sich aus, und Herr Angely würde Dem. Holzbecher heirathen, wenn nicht Herr Karl Schall dawider wäre.

Dasselbe gilt von den Neugierigen, Lustspiel in drei Acten von Schmidt, welches bei völlig leerem Hause gespielt wurde und doch dem muthlosen Publikum die lebhaftesten Zeichen des Wohlgefallens zu entlocken wußte, welche freilich zum Teil auf Rechnung des guten Spiels der Dem. Wagner und Holzbecher gesetzt werden müssen. S—l.

(Redigirt von Dr. Fr. Förster und W. Häring (W. Alexis.)

Im Verlage der Schlesingerschen Buch- und Musikhandlung, in Berlin unter den Linden Nr. 34.

Berliner Conversations-Blatt

für

Poesie, Literatur und Kritik.

Montag, — Nro. 61. — den 26. März 1827.

Webers Todtenfeier,

nach der Aufführung des Freischütz (19. März. 1827).

Für die Bühne zu Leipzig gedichtet von Heinrich Stieglitz; gesprochen von H. Stein.

Hat die Trauer schmerzvoll uns vereinet?
Feiern wir ein düstres Todtenfest? —
Nein, hier sey kein Auge, welches weinet,
Hier kein Mund, der Klage tönen läßt.
Zwar ein Trefflicher ist heimgegangen,
Doch sein Trefflichstes ließ er zurück;
Das stillt unser sehnendes Verlangen,
Das erfüllt mit Freude unsern Blick.
Rauscht, ihr Saiten! tönt, ihr Harmonien,
Eurem Meister gilt heut euer Klang;
Sprecht die Sprache seiner Melodien,
Die so oft zum tiefsten Herzen drang,
Während wir in reinen Lebensbildern,
Heiter schwebend über Grab und Tod,
Sein und seiner Kunst gedenkend, schildern,
Was der Reiche Köstliches uns bot.

(Musik hinter der Scene fällt ein in das Weber-Körnersche Lied: „Was glänzt dort vom Walde im Sonnenschein?"

Horcht! bringt aus der Ferne nicht Hörnerklang
Im freudigen Jubel der Töne?
Es rauschet und woget wie Schlachtengesang,
Und rufet voll Lust mit begeisterndem Drang
Zum Kampfe Germanias Söhne.
Und wenn ihr die Göttin des Krieges befragt:
Das ist Lützows wilde verwegene Jagd.

(Erstes Bild. Gruppe der Lützowschen Jäger.)

Kampfbegeisterung füllt jene Kühnen,
Ueberall Bewegung rüst'ger Kraft;
Das gekränkte Vaterland zu sühnen,
Greift die Jugend zum gestählten Schaft.
Zieht mit Gott! — Wenn ihr den Sieg errungen,
Kehrt zur Heimath, muth'ge Heldenschaar,
Und vernehmet da, was tief durchdrungen
Singt am Königsthrone Adolar.

(Die Romanze Adolar's wird hinter der Scene gesungen.)

Unter blüh'nden Mandelbäumen
Fern an der Loire Strand,
Wo er die Geliebte fand,
Ist sein Sehnen, ist sein Träumen.
Und er singt der Liebe süß Verlangen,
Singt des Friedens stillbeseelend Glück;
Alle Ritter fühlen sich befangen,
Thränen perlen in der Frauen Blick. — —
Aber nicht in Höhen nur zu schweifen,
War des hohen Meisters Seelenlust;
In das Leben frisch hinein zu greifen,
Drängt ihn seine lebenvolle Brust.
Seht, wie heitre Bilder dort sich zeigen,
Wo ein fröhlich Landvolk sich erfreut,
Hört den Jubelruf zum muntern Reigen,
Der auch uns des Festes Lust erneut.

(Zweites Bild. Die Scene wandelt sich in ein ländliches Fest, wie zu dem Chore: „Der Mai bringt frische Rosen dar.")

Alle jauchzen unter heitern Spielen.
Adolar nur, dem dies Fest geweiht,
Wandelt einsam, streitend mit Gefühlen;
Doch ihm bleibt nur ungemeßnes Leid.
Denn die Eine, die sein Herz erkoren,
Sie, der ohne Wanken er vertraut,

Giebt im finstern Argwohn er verloren,
Euryanthe, die geliebte Braut.
Und die Holde, einzig ihm ergeben,
Folgt ihm bis zum öden Felsenpfad,
Freudig opfern will sie ihm ihr Leben,
Als das Unthier dem Geliebten naht.
Aber er in namenlosen Schmerzen
Läßt im wilden Forste sie allein;
Ein Gebet noch mit gebrochnem Herzen,
Dann entschlummert sie mit ihrer Pein.
Und wir trauern mit dem treuen Wesen,
Fühlen tief im Busen, wie sie bangt,
Ihrer Leiden schwere Nacht zu lösen,
Nach der Hoffnungssonne uns verlangt.
Da erscheint mit munterm Hörnerklange,
Jagdlust athmend, Ludwigs Jägerchor,
Und der König tritt bei dem Gesange
Rettend zu der Trauernden hervor.

(Drittes Bild. Euryanthe schlummernd am Felsen. Der König nahet mit dem Jägerchore, der unter der Begleitung der Musik das Lied singt: „Die Thale dampfen, die Höhen glühn.“)

Jagdlust, Jagdgesang, ein schweifend Leben,
Ja, auch das hat Webers Genius
Uns mit jugendlicher Lust gegeben
In dem freisten frischesten Erguß.
Durch die Felder dringet, durch die Forsten
Seiner Jägerchöre freud'ger Schall,
Von dem Felsen, wo die Adler horsten,
Tönt zurück der helle Widerhall.
Ihr, der Waldung Fürsten, sollt ihn preisen,
Wenn ihr feurig nach dem Speere greift,
Und voll Lust mit mörderischem Eisen
Auf des Wildes blut'ger Fährte schweift.
Wenn die Höhen glühn, die Thale dampfen,
Wenn zum Hörnerruf das Hussah tönt,
Wenn wuth-schnaubend eure Rosse stampfen,
Weber's Genius hat es verschönt.
Edel, rettend folgt er Ludwigs Zügen,
Scheucht von Euryanthen die Gefahr,
Fröhlich, jubelnd theilt er das Vergnügen
Mit der Schützen überlust'ger Schaar.
Zog er denn nicht ohne Furcht und Tadel
Mit Zigeunern selbst in Waldes Nacht,
Und erhielt auch dort den reinen Adel
Seiner Kunst, wie in Pallastes Pracht! —
Eine Jungfrau läßt sein Lied dort klagen,
Schön, wie Frühling, rein und seelenvoll;
Kaum den Lüften wagt ihr Mund zu sagen,
Wem des Auges heiße Thräne quoll.
Aber weiter ziehet, immer weiter
Mit Gesang und Klang der bunte Chor,
Alle folgen willig, folgen heiter,
Zieht die schöne Jungfrau ihnen vor.

(Viertes Bild. Preciosa auf dem Maulthiere reitend. Ihr folgt die Zigeunerbande.)

Heil, Preciosa, dir, o Jungfrau!
Ewig lebst du im Gesang,
Denn es feiert Dich im Liede
Seiner Töne Zauberklang.
Heil dir in des Waldes Dunkel!
Enden wird des Sehnens Qual,
Und im lichten Glanz der Hoheit
Grüßt entzückt dich der Gemahl.

(Unmittelbar nach den letzten Worten verschwindet das Bild, und der Chor fällt ein: „Es blinken so lustig die Sterne.“)

Strahlet nur mit lustigem Gefunkel,
Strahlt, ihr Sterne, nur in eurer Pracht;
Lichter, Sterne leuchten durch das Dunkel,
Sterne, die Sein Hauch uns angefacht.
Einen sehn wir heute voll erglänzen,
Jenen ersten, den das Vaterland,
Freudig anerkennend, mit den Kränzen
Unverwelklich jungen Ruhms umwand.
Wen entzückte nicht der Reitz der Töne,
Deren zauberischer Geisterklang
Von der Elbe zu der fernen Seine,
Von der Donau zu der Newa drang?
Aber unser, unser ist der Meister,
Der mit Seinem Geiste voll und tief,
An der düstern Themse luft'ge Geister
Zarter Elfen in das Leben rief.

(Fünftes Bild, aus Oberon. Act. I. Scen. I. während dessen der Chor gesungen wird: „Leicht wie Feentritt nur weht.“)

Ihre Sänge lispeln lind und leise,
Wie im Blüthenhain der Zephyr weht,
Sanft entschlummert ruht in ihrem Kreise
Des erhabnen Königs Majestät.
Oberon, dein Zauberstab vereinet
Herrlich Orient und Occident,
Und entlockt, wenn seine Macht erscheinet;
Lieder selbst dem feuchten Element.
O wie schweigt da jegliches Verlangen,
Wo ans Herz so sel'ger Ton sich schmiegt,
Wie muß süße Ruhe den umfangen,
Welchen Geisterstimmen eingewiegt!
Hättest du das selber nicht empfunden,
Meister? — Ruhte nicht dein schlummernd Ohr
Nach den seelenvollsten Schöpferstunden
Eingewiegt von deiner Geister Chor? —

Ja, sie trugen dich zu ew'gen Freuden,
Trugen liebend dich zum Licht hinauf,
Aber Freuden ließ auch uns dein Scheiden,
Und sie raubt uns nicht der Zeiten Lauf,
Harmonien, deiner Brust entquollen,
Preisen feiernd dich von Ort zu Ort,
Und so lang' der Zeiten Räder rollen,
Lebst, Verklärter, du in ihnen fort.

Ja, du lebst, wirst freudig fort uns leben,
Huldigend hangt unser Herz an dir;
Dir ein äußres Denkmal auch zu geben,
Suchten lange schon vergebens wir.
Schönstes Denkmal sind dir jene Geister,
Die verkörpert deines Geistes Ruf,
Aber wir, wir jubeln froh dem Meister,
Der sie liebend uns zur Wonne schuf.

(Oberon mit dem Lilien-, Preciosa mit dem Granatenkranze, Max mit dem Eichen-, Euryanthe mit dem Rosenkranze huldigen dem Meister und bekränzen seine Büste, wozu die Musik gespielt wird, welche Adolars letztes Recitativ begleitet.)

Berliner Chronik.

Die Literarische Mittwochgesellschaft beging am 21sten März dem Herkommen gemäß, die Feier des **Frühlingsanfanges** zugleich mit der des **Jean Paulschen Geburtstages**. — Nachdem der eine Secretair die Sitzung durch Vortrag eines Protocolls über die Ereignisse des vergangenen Jahres, worin aber die Lyrik des Gefühls über die factisch historische Darstellung den Sieg davon getragen, begonnen, leitete ein anderer den heutigen Feiertag durch wenige Worte über den Frühling und Jean Paul ein, welche darauf hinausliefen, daß es geeigneter sei, über beide zu schweigen; über den Frühling, weil Pelze und Mäntel im Vorzimmer ihn erinnert, daß es schonender wäre, von seinem Antritt gar nicht Notiz zu nehmen; über Jean Paul, den Frühlingssänger, weil im verflossenen Jahre so erstaunlich viel über ihn gedacht, gedruckt, gesprochen, gesungen, geklagt und gesagt worden, daß er nicht besser gefeiert werden könne, als wenn er einmal ganz mit Stillschweigen übergangen werde. Demnächst war als Lesepensum des heutigen Abends die erste Vorlesung aus Jean Paul's Auto-Biographie an der Reihe, worin er selbst über die Verbindung dieses Doppelfestes den besten humoristischen Bericht erstattet. Für die Gesellschaft schloß sich an diese doppelte noch eine dritte Feier an, über die wir des vortragenden Secretairs eigene Worte herstellen, um den Bericht zu ersparen:

„Mit dem Frühlings- und Jean Paulfeste ist diesmal noch eine andere Feierlichkeit verbunden, über die wir den Gästen und den seltenen Besuchern unserer Gesellschaft Auskunft schuldig sind. Es ward auf Vortrag hier sprechenden Secretarii für nöthig erachtet, das neue berühmte Reim-Lexicon für die G. Bibliothek zu acquiriren. Da indessen der davon erwartete Vortheil, nämlich: daß mehr und mehr die Poesie unter den Gesellschaftern um sich greifen und die Zahl der Consumenten verringert, dagegen die der Producenten möglichst vermehrt werde, nicht eintrat, sah man sich wieder um, wie auf gutem Wege das Lexicon los zu werden, und ein neuer Vorschlag ging dahin: es als Preis für das beste Gesellschaftslied auszusetzen. Dawider meinten Einige: die Aussicht einer solchen Prämie könne zu Wege bringen, daß die guten Dichter bei diesem Wettkampf *contra naturam sui generis* streitend, schlechte Gedichte an's Tageslicht brächten. Eine abermalige Motion erging demnächst dahin, besagtes Lexicon als *onus* dem Verfasser des schlechtesten Liedes in's Haus zu schicken. Dagegen ward nicht mit Ungrund eingewendet: der Hauptgrundsatz der Gesellschaft, die Unantastbarkeit des **fremden** Eigenthums werde dadurch gefährdet. Die Bibliothek fremder Werke sei die eiserne Klammer, welche die G. zusammen halte. In diesem Lexicon sei aber alles fremd, nicht allein für Berlin, sondern auch für Deutschland, also der G. ganz besonders heilig. Dazu meinten wiederum mehrere, dieses Reimlexicon bilde gewissermaaßen den Codex oder das unveräußerliche Symbolum der constituirten Versammlung, gleich wie Scepter und Reichsapfel in England das des Hauses der Gemeinen. Auf dem Tisch aufgeschlagen, ist Parlament, unterm Tisch, dann geht die Comodität und Conversation der Committeen los. Somit blieb nach diesen verschiedenen Emendationen von Seiten der Comitteen und Nichtcomitteen von dem ursprünglichen Vorschlage nichts stehen, als daß ein Preis festgesetzt werden sollte für das beste Gesellschaftslied. Nach neuen Debatten, die theils historisch von minderer Wichtigkeit sind, theils zu sehr Persönlichkeiten berühren, um schon jetzt von den Tagebüchern der Geschichte aufgenommen zu werden, wurde der Preis durch Stimmenmehrheit auf ein Schreibzeug festgesetzt u. s. w.

Dieses, meine Herren, steht vor ihnen; in dieser Urne ruht der Sieger, dieses ist das bewußte Reimlexicon und dies die feierliche Stunde der Entscheidung."

Die Urne wurde geöffnet. Von 33 Stimmzetteln

(die Gesellschaft zählt 55 ordentliche und 6 Ehrenmitglieder, es hatten also 26 ihres Rechtes sich in einer so wichtigen Angelegenheit begeben!) erhielt unter den sämmtlich zuvor gedruckten und unter den Mitgliedern vertheilten Concurrenzliedern Nr. 8 die relative Mehrheit von 10 Stimmen. Nach Entsiegelung des Mottozettels ergab sich als Dichter und Verfasser desselben Herr Intendantur-Rath W. Neumann, (Mitautor des 1807 erschienenen geistreichen Concurrenzromanes Karls Versuche und Hindernisse und mit Fouqué Herausgeber der Musen.) Die übrigen Stimmen waren sehr getheilt, doch erhielt das Stiftungslied Nr. 10 von Simrock das Accessit *), welches auch zuerst bei der hierauf folgenden Abendmahlzeit unter allgemeinem Jubel abgesungen wurde.

Die zahlreiche Versammlung, unter die hierauf des „neuen Liederbüchleins der Mittwochsgesellschaft“ erstes Heft, welchem eine Nachricht über die Gesellschaft und ihre Verfassung zugefügt worden, ausgetheilt war, sang nun allmälig in froher Stimmung die Preis- und anderen Lieder ab. Am meisten belustigte ein Lied „Herein!“ von Adalbert von Chamisso, in welchem die Kunstverwandten nach einander ihr Recht zum Eintritt in die Gesellschaft sprechen und der Chor darauf unter Becherklang ihnen ein Herein! zusingt. Als Tragiker wurde Raupach sogleich einstimmig begrüßt. Als der Komiker anpocht, und der Chor ruft: „Herein Du köstlicher Geselle,“ wollte man dem Verfasser des verwunschenen Schneidergesellen zutrinken, welcher aber mit seinem Glase dem Dichter von „Kritik und Antikritik“ und „Laßt die Todten ruhen!“ zueilte, worauf es zu einem freundlichen Vergleich kam. Dem Mimen erklang auch in der Abwesenheit das Glas, da unser Pius Alexander Wolf nicht erscheinen wollen. Ebenso wurde dem Uebersetzer Streckfuß, leider zufällig behindert, durch die Lüfte das Herein zugerufen. Bei dem Lyriker herrschte große Stimmentheilung. Dem fernen Mitgliede am Curischen Haff, das auch mitgesungen, Joseph Freiherrn von Eichendorff und Wilhelm Müller (von dem noch am selben Abende ein echtes Lied einging) in Dessau, schallten gleich wie den jüngern anwesenden Dichtern die Stimmen. Den Malern Schadow und Wach, (beide leider entfernt) galt das nächste jubelnde Herein! Daß der Musikergruß Herrn Häring gebühre, darüber waren seine Freunde keinen Augenblick im Zweifel. Ein treffliches Mitglied aus der ehrenwerthen Klasse der Consumenten, und zwar ein militärisches, vertrat endlich auch die Rechte der Leser unter allgemeinem Dank der anwesenden Dichter, denen an Erhaltung dieser Klasse von Virtuosen ganz besonders gelegen ist. Er schloß:

Ich trete kühn in diesen Kreis, es sind
Die Hände mir von Dinte rein geblieben,

worauf der Chor ihm mit einem Herein, herein, Du seltenster der Gäste!“ entgegenjubelte.

Nicht ohne Schmerzen muß ein aufrichtiger Ref. bei dem vielen Guten auch eines schlimmen Umstandes gedenken — des schlechten Gesanges. Sein Nebenmann, der die Südseeinsulaner, die Californier und Kamtschadalen singen gehört, flüsterte ihm zu, ein solcher eigenthümlicher Mittwochstact sei ihm selbst bei den Hofconcerten Sr. Majestät des Königs der Sandwichsinseln nicht vorgekommen. Uebrigens war doch der Regisseur der großen Oper zugegen und auch der Syndicus des Königstädtischen Theaters hätte nicht gefehlt, wenn keine Abhaltung gekommen wäre. Nur Herrn Hofrath Raupach's riesenhafter Anstrengung und Kenntniß der neuern Opernmusik hatte man es zu verdanken, daß wenigstens der Jungfernkranz nicht ganz mit dem Prinzen Eugen in eine Melodie zusammen fiel. *a.*

(Nr. 8. Das Preislied.)

Treue der Poesie.

Mel. **Allons enfans de la patrie.**

So hab' ich nun die ernsten Stunden
    Der Pflicht des Tages dargebracht;
Des Lebens Druck ist überwunden,
    Und der Erholung Wonne lacht.
Nimm nun mich auf in deine Hallen,
    Du heil'ge Freundin, Poesie:
    Denn deinen Dienst verließ ich nie,
Welch Loos auch immer mir gefallen.
    Durchglühe meine Brust,
    Erhebe mich zur Lust!
        Zu dir, zu dir kehr' ich zurück,
        Du Freude mir und Glück.

**Was klagst du viel, daß kalte Ketten
    Dich schmieden an des Amtes Bank;
Wer seinen Geist versteht zu retten,
    Dem thut das Leben keinen Zwang.
Der Keim, den sorgsam du gepfleget,
    Treibt Blüthen in der schwülsten Luft;
    Er stärket dich mit Balsamduft;
Wär' dir das Schwerste auferleget.
    Erhalte nur den Muth;
    Man sinkt nur, wenn man ruht.
        Der Geist, der Geist bleibt ewig neu,
        Bleibst du ihm nur getreu.**

Das ist es, was uns eng verbunden,
    Das ist's, was uns zusammen hält.
Die Poesie wird leicht gefunden,
    Wenn sie dem Suchenden gefällt.
Zwar duldet sie nicht schnöde Bande,
    Und läßt sich hemmen nicht im Lauf:
    Doch sucht ihr sie nur sorgsam auf,
Noch weilet sie im Vaterlande.
    Bekränzet ihren Thron,
    Sie schenkt den höchsten Lohn.
    Bleibt treu, bleibt treu bis an das Grab,
    Dann ruft sie selbst euch ab.

---

*) Wir theilen es nachträglich mit. d. R.

(Redigirt von Dr. Fr. Förster und W. Häring (W. Alexis.)

Im Verlage der Schlesingerschen Buch- und Musikhandlung, in Berlin unter den Linden Nr. 34.

Berliner
Conversations-Blatt
für
Poesie, Literatur und Kritik.

Dienstag, — Nro. 62. — den 27. März 1827.

Georgis.

(Neugriechisch.)

Georgis, Held Georgis, hast oft die Hände roth
Gefärbt in Türkenblute, gieb Einem noch den Tod.
Wer aber bringt dir Kunde aus ferner Heimath her?
Du trägst nun Sclavenbande in unsrer Feinde Heer.
Der Türke Ariph schaltet in Kretas ebnen Land,
Er hat die stolze Botschaft den Rajas rings gesandt:
Es sollen eure Töchter erscheinen allzumal,
Zu meiner Lust zu tanzen vor mir in meinem Saal.
Und an Georgis Vater sein Wort ergangen ist:
Es werde deine Tochter beim Tanze nicht vermißt.
Sie kam, und als am Abend er frei die andern sprach,
Da hatt er sie erkoren zu seines Bettes Schmach.
Die Jungfrau, stark und tüchtig, von aller Hülfe blos,
Entwand sich dem Versucher und rang von ihm sich los,
Im schnellen Lauf entflohen dem prunkenden Gemach,
Erreichte, fromm und züchtig, sie bald das heim'sche Dach.
In ihres Vaters Hause am Morgen Ariph ging,
Der Greis auf seiner Schwelle den argen Gast empfing,
Er schickt ihn aus zum Frohndienst, und bringt in's Innre nun,
Die Jungfrau sucht der Wilde, Gewalt ihr anzuthun.
Vor ihr in ihrer Kammer in Waffen er erscheint,
Die Thüren sind verschlossen, er nun zu siegen meint,
Mit männlichem Erkühnen greift selber sie ihn an,
Er liegt vor ihr entwaffnet, ein furchtsam feiger Mann.
Da schwur er beim Propheten ihr einen theuren Eid:
Er würde nun und nimmer versuchen eine Maid,
Da gab sie dem Bezwung'nen die Freiheit aufzustehn,
Und schenkt ihm seine Waffen, und hieß hinaus ihn gehn.
Er aber zähneknirschend, der tiefen Schmach bewußt,
Nach blut'ger Rache lechzend, stößt schnell in ihre Brust
Denselben Dolch, den eben ihm ihre Hand gereicht,
Sie stürzt zu seinen Füßen, verblutet und erbleicht.
Vom Frohndienst kommt der Alte zurück in böser Stund',
Er schaut die theure Leiche und ringt die Hände wund
Mein Sohn, mein Sohn Georgis, hast oft die Hände roth
Gefärbt in Türkenblute, gieb Einem noch den Tod.
Und Ariph hört den Jammer und schaut des Greises Schmerz,
Es ist ein Schuß gefallen, die Kugel traf in's Herz.
Der Vater und die Tochter sind blutig nun vereint,
Und keiner ist vorhanden, der über beide weint.
Georgis, Held Georgis, hast oft die Hände roth
Gefärbt in Türkenblute, gieb Einem noch den Tod.
Wer aber bringt die Kunde aus ferner Heimath her?
Du trägst nun Sclavenbande in unsrer Feinde Heer.
Die Möven bringen Kunde von Kretas heim'schen Strand,
Er hört die Möven, schüttelt und sprengt sein Sclavenband,
Ein Landsmann schafft ihm Waffen, ein andrer Ueberfahrt:
Er brütet Tag' und Nächte auf Rache seltner Art.
Was wühlt er stumm und grausig ein neugeschüttet Grab,
Und stört die Leiche dessen, der ihm das Leben gab?
Wohl schneidet aus dem Herzen er Ariphs Blei hervor
Und ladet vielbedächtig damit sein Feuerrohr.

Der Türke hat vernommen, sein Feind ist heimgekehrt,
Er schickt ihm eine Bothschaft, daß seiner er begehrt —
„Er möge heim mich suchen, ich traur' im öden Haus,
Ich komme nicht zu Ariph, und trete nicht hinaus."
Wie jener es gehöret, erwacht der alte Groll,
Er rufet seine Türken, und spricht bedeutungsvoll:
Mir folgen zehn in Waffen, der Raja spricht mir Hohn,
Dem Vater und der Tochter gesell' ich noch den Sohn.
Er schreitet zu Georgis wohl in das Haus hinein,
Der Held saß über'm Tische und trank den kühlen Wein, —
Er greift nach seiner Waffe: „Hab' oft die Hände roth
Gefärbt in Türkenblute, dir schuld' ich noch den Tod."
Er spricht, und schießt zurücke die Kugel, die er nahm
Aus seines Vaters Leiche, auf den, von dem sie kam.
Er zielte nach dem Herzen, es trifft der Schütze gut,
Der Ariph wälzt sich röchelnd in seinem schwarzen Blut.
Georgis, Held Georgis, hast oft die Hände roth
Gefärbt in Türkenblute, gabst Ariph auch den Tod,
Dein Nachruhm lebt in Liedern in aller Griechen Mund,
Und wird in späten Zeiten noch unsern Enkeln kund.

Adelbert v. Chamisso.

Johann Baptista Vico's Ansichten über Poesie.

(Mitgetheilt von Dr. K. Müller.)

Urtheil des Vico über Dante.

Die göttliche Comödie des Dante Alighieri ist in dreifacher Beziehung zu betrachten: erstlich als Geschichte der barbarischen Zeiten Italiens, sodann als Quelle der toskanischen Sprache in ihrer schönsten Blüthe, und endlich als Beispiel in erhabener Poesie.

Was das erste betrifft, so hat es die Natur so eingerichtet und angeordnet, daß nach einer gewissen Uebereinstimmung des Laufes, den der gemeinsame Geist der Nationen von ihrem Beginne bis zu den ersten Bildungsstufen und zum Heraustritte aus der Barbarei macht, die Dichter wahre Begebenheiten in ihren Gesängen erzählen. Der Character der Rohheit ist nämlich nach natürlicher Weise offen und wahrhaftig, indem sie der Reflexion ermangelt, welche wenn sie das Falsche erfaßt, die einzige Mutter der Lüge ist. So ist von dem Verf. in der neuen Wissenschaft über die gemeinschaftliche Natur der Nationen gezeigt, daß Homer der erste Historiker des heidnischen Alterthums war, und es ist dieses in den zu jenem Buche geschriebenen Anmerkungen bestätigt, und dargethan, daß dieser Homer ein ganz anderer ist, als wofür er bis jetzt in der ganzen Welt gehalten worden. Ebenso ist gewiß Ennius, der die karthagischen Kriege besungen hat, der erste uns bekannte Geschichtschreiber der Römer gewesen. Gleich diesen war unser Dante der erste, oder einer der ersten italiänischen Historiker. — Was er in seine göttliche Comödie als Dichter verwebt, ist, daß er erzählt, wie die Verstorbenen, ein jeder nach seinem Verdienste in die Hölle, das Fegefeuer, oder das Paradies vertheilt sind, wobei er, wie es der Dichter thun muß, *sic veris falsa remiscet*, um ein Homer oder Ennius, jedoch in Uebereinstimmung mit der christlichen Religion, zu seyn, welche uns lehrt, daß die Belohnungen, oder die Strafen für unsere guten, oder bösen Handlungen vielmehr ewige als zeitliche sind. Es sind daher die Allegorien in dieser Dichtung nichts als diejenigen Reflexionen, die der Geschichtforscher bei sich selbst machen muß, um den gehörigen Nutzen aus dergleichen Beispielen an Anderen zu ziehen.

Die zweite Beziehung, in welcher Dante gelesen werden muß, ist, daß er eine reine und reichliche Quelle der schönsten toskanischen Sprachformen enthält. In dieser Beziehung ist ihm noch nicht genug gethan durch einen erschöpfenden Commentar, auch hinsichtlich der allgemein verbreiteten Ansicht, daß Dante die Sprachformen aller italiänischen Dialekte in sich aufgenommen habe. Diese falsche Meinung aber hat nur daher entstehen können, daß die Gelehrten im funfzehnten Jahrhundert, als sie sich beeiferten, die toskanische Sprache auszubilden, welche zu Florenz im dreizehnten Jahrhunderte, dem goldenen Zeitalter dieser Sprache, geredet worden war, und dabei im Dante eine große Anzahl Formen fanden, die sie in anderen toskanischen Schriftstellern nicht angetroffen hatten, von der andern Seite aber zufällig bemerkten, daß viele seiner Worte noch im Munde anderer Völker Italiens lebten, sich zu der Annahme verleiten ließen, Dante habe sie dorther gesammelt, und in seine göttliche Comödie übertragen. Es ist dieses dasselbe Schicksal, welches dem Homer widerfuhr, welcher fast von allen Völkern Griechenlands als Landsmann in Anspruch genommen ward, weil jedes Volk in seinen Gesängen seine eigenthümliche noch lebende Sprache wiederfand. Diese Meinung aber ist aus zwei sehr wichtigen Gründen zu verwerfen: erstlich mußte Florenz in jenen Zeiten den größten Theil der Sprachformen mit allen andern Städten Italiens gemein haben, weil fast die italiänische Sprache nicht mit der florentinischen übereinstimmend gewesen seyn würde, und zweitens, da während jener unglücklichen Jahrhunderte in den andern Städten Italiens sich keine Schriftsteller fanden, die in allgemeinen Idiomen schrieben, wie auch wirklich dergleichen nicht auf uns gekommen sind, so hätte das Leben des Dante nicht hingereicht, um die Dialekte so vieler Völker zu erlernen, so daß er bei der Composition der göttlichen Comödie die Menge aller dieser Sprachformen gegenwärtig hätte haben können, welche ihm bei seiner Darstellung zu Hülfe kamen. Es würde daher eine akademische Beschäftigung sein, aus allen Sprachen Italiens einen Catalog solcher Worte und Sprachformen anzufertigen, und zwar hauptsächlich aus den der niederen Stände in den Städten, welche besser als die Vornehmen und Hofleute, und noch mehr aus den der Landsleute, welche noch besser als die niederen Stände in den Städten die alten Sitten und Sprachen erhalten haben, um sich daraus zu unterrichten, welcher und wie vieler sie sich bedienten, und in welcher Bedeutung, und hiernach eine wahre Einsicht zu gewinnen.

Die dritte Beziehung für das Studium des Dante ist, in ihm ein seltenes Beispiel eines erhabenen Dichters zu betrachten. Es ist aber die Natur der erhabenen Poesie diese, daß sie sich durch keine Kunst erlernen läßt. Homer ist ein viel erhabenerer Dichter als alle, die je nach ihm gekommen sind, und doch hatte er keinen Longinus vor sich, der ihn in der poetischen Sublimität hätte unterrichten können. Auch können die vorzüglichsten Quellen, welche Longinus uns zeigt, nur diejenigen kosten, denen ein solches Glück vom Himmel gegeben ist. Es sind aber nur zweie und zwar die heiligsten und tiefsten. Zunächst die Erhabenheit des Geistes, der nur um Ruhm und Unsterblichkeit besorgt ist, und deshalb alle jene Dinge verachtet, und für nichts hält, welche von geizigen, ehrsüchtigen, weichlichen und verzärtelten Menschen, und von weibischen Sitten bewundert werden, und sodann ein Geist, getränkt mit den öffentlichen und großen Tugenden, vorzüglich der Großmuth und der Gerechtigkeit, wie sie die Spartaner, denen durch ein Gesetz verboten war, die Buchstaben zu kennen, ohne alle Kunst und Kraft, der ihnen von Lykurg vorgeschriebenen großen Erziehung der Kinder, täglich und öffentlich in so erhabenen und großen Aeußerungen gaben, daß die berühmtesten heroischen und tragischen Dichter sich glücklich schätzen würden, etwas ähnliches in ihren Dichtungen zu leisten. Das Eigenthümliche bei der Erhabenheit des Dante aber besteht darin, daß er das Glück hatte, als großer Geist in der Zeit der zu Ende gehenden Barbarei Italiens geboren zu werden. Der menschliche Geist nämlich gleicht darin dem Erdboden, der, wenn er lange Zeit hindurch unbebauet gelegen hat, endlich aber wieder bestellt wird, zum schönen Anfang Früchte in bewundernswürdiger Vollkommenheit, Größe und Menge gewährt, jedoch am Ende, von der steten Bearbeitung ermüdet, nur wenige, unschmackhafte und kleine Früchte giebt. — Dies ist der Grund, weshalb zu Ende der barbarischen Zeiten ein Dante in der erhabenen, ein Petrarka in der zarten Poesie, ein Boccaccio in der leichten und graziösen Prosa erschienen, alle drei unvergleichliche Beispiele, welche sich in jeder Beziehung einander nicht nachstehen, jedoch unter keiner Bedingung sich vereinigen lassen. In unsern gebildeten Zeiten aber werden solche geistige Werke geschaffen, welche in Anderen die Hoffnung erwecken können, nicht allein sie zu erreichen, sondern sie zu übertreffen. Auf alles dieses Rücksicht nehmend, müßte man Bemerkungen zu der göttlichen Comödie des Dante schreiben, und darin, mit schwieriger Vereinigung und Klarheit und Kürze, die Geschichte der Dinge, oder Begebenheiten, oder Personen, deren der Dichter erwähnt, wahrscheinlich machen, in vernünftiger Entwickelung seine Gedanken erklären, sodann zur Erkenntniß der Schönheit, Leichtigkeit, Würde und Erhabenheit seiner Sprache führen, welches die wirksamste Weise ist, die Sprache guter Schriftsteller sich anzueignen, und zugleich in den Geist dessen einzugehen, was sie gedacht, oder haben sagen wollen, weshalb auf diesem Wege im funfzehnten Jahrhunderte es so vielen berühmten Schriftstellern in Prosa und Versen gelungen ist, noch ehe das Heer der Wörter-Bücher in Ansehen kam. —

Man müßte alle moralische und wissenschaftliche Allegorie bei Seite lassen und nicht die poetische Kunst erklären wollen, sondern dahin streben, daß die Jugend diese Anmerkungen mit dem Wohlgefallen lese, den der menschliche Geist empfindet, wenn er ohne die Gefahr des Ueberdrusses in kurzem mehr lernt, als aus den langen Commentaren, in denen die Commentatoren mit großer Mühe alles das zu verunstalten pflegen, was sie commentiren.

Urtheil eines Italieners über den gegenwärtigen Zustand des Französischen und Italienischen Theaters.

In einer literärischen Gesellschaft in Turin las kürzlich ein gelehrter Italiener eine Abhandlung vor, welche jetzt unter dem Titel: *„Paragone di due teatri francese ed italiano"* im Druck erschienen ist. Wir theilen daraus folgendes mit. Um die Französischen und Italienischen Theater zu vergleichen, wäre es vor allen nöthig, daß die Franzosen und Italiener Theater hätten, welche man vergleichen könnte. Allein meiner Meinung nach hat gegenwärtig weder Frankreich noch Italien ein wahrhaftes Theater. Das moderne Theater gleicht in nichts dem der Alten. Die Religion, die Politik, die Sitten, selbst der Geist der Sprache haben sich ganz geändert. Der religiöse Glaube der Griechen z. B. war auf einen Schicksalsglauben begründet, der einem Jeden den Muth nahm. Ihre Götter und Göttinnen konnten in einem Drama figuriren, da sie allen menschlichen Schwachheiten unterworfen waren. Allein wir, die wir das Glück haben, von dem Christenthum erleuchtet zu seyn, werden schon durch den Gedanken, unsere heiligen Mysterien auf das Theater gebracht zu sehen, empört. Die Politik der Griechen ging darauf aus, den Namen des Königs gehässig zu machen; man brachte sie nur auf die Bühne, um durch sie Schandthaten begehen zu lassen, wie sie in dem Hause der Atriden geschehen waren. Für uns Moderne hat der Name des Monarchen etwas Theures und Heiliges. Eine nur zu graysame Erfahrung hat uns gelehrt, daß der demokratische Zustand nur wilden Völkern genügen kann. — Das Griechische Theater kann uns deshalb nicht mehr in allen seinen Formen zusagen. Haben wir aber wohl das Recht uns zu rühmen, daß an die Stelle desselben das Französ. oder Italienische Theater getreten sey? Diese Frage verdient allerdings näher untersucht zu werden. Man nimmt drei Hauptarten theatralischer Vorstellungen an: das Trauerspiel, das Lustspiel und das lyrische Drama, welches sich wiederum in die ernste und komische Oper theilt. Von den andern Arten theatralischer Vorstellungen könnte ich nun mit der Verachtung sprechen, welche sie allen Leuten von Geschmack einflößen, um nur das Unheil, welches sie gestiftet haben und stiften werden, wenn man sich nicht beeilt, sie verschwinden zu machen, zu bezeichnen. Corneille und Racine machten die Französ. Bühne durch Meisterwerke berühmt, welche bei allen gebildeten Völkern um so mehr Bewunderer fanden, als sie den Sitten und den religiösen Glauben nirgend zu nahe treten. Allein nach diesen großen Männern spie die Hölle den bösen Voltaire (*il malefico*) aus. Er hatte einen großen Geist, aber noch größere Bosheit. Als Haupt jenes Haufens der Philosophen, oder vielmehr der Sophisten, deren Gedanken und Schriften der Welt so viel Blut und Thränen gekostet haben, verstand Voltaire mit einer wahrhaft teuflischen Kunst alle Formen anzunehmen, um sich einzuschmeicheln und zu verführen. Er merkte, daß das Theater in seinen Händen eine Schule des Lasters werden konnte und er bemächtigte sich dieser vergifteten Waffe. Sein Mahomed allein, für welchen er die Gemüther einzunehmen wußte, enthüllt die ganze Treulosigkeit der Absichten, welche über 60 Jahre seine Feder leiteten. Voltaire herrschte despotisch auf der Scene, als jene Revolution eintrat, welche er von weitem vorbereitet hatte. Jetzt erschien ein Chenier, um sie fortzusetzen. Nicht zufrieden in seinem *Cajus Gracchus* die Leidenschaften des Volks, durch welche so oft das Forum mit Blut getränkt worden war, aufzuregen, brachte er seinen Fenelon nur auf das Theater, um das Gift und den Haß gegen die religiösen Anstalten allgemeiner zu verbreiten. — Bisher beschäftigten wir uns nur mit dem Trauerspiel, wird das Lustspiel uns wohl besseren Trost gewähren? Richten wir unsern Blick nur auf die Werke, welche in unsern Tagen den größten Erfolg hatten und bald werden wir mit Widerwillen ihn von den frechen Gemälde eines *Beaumarchais* und von den groben Schändlichkeiten derer abwenden, welche unter der Maske der Franz. Thalia auf eine kühne Weise die Verachtung der guten Sitten und die Empörung gegen den Staat und die Familie gepredigt haben. — Sollen wir endlich zu jenen unedlen Kreisen hinabsteigen, welche noch zu sehr mit dem Namen der kleinen Theater beehrt werden; wohin die letzten Classen der Gesellschaft alle Abende durch die Lockspeise des Unglaublichen und Abgeschmackten gezogen werden? Sollen wir es wagen nach jenen Diebeshöhlen und Lehrschulen aller Arten von Betrug, Raub und Mord unsere Augen zu richten? Nein, lassen wir alle diese Abscheulichkeiten der Pariser kleinen Theater und entschuldigen wir dieselben nicht einmal mit jenen falschen Mitleid, welches die Franzosen selbst als Empfindelei (*sensiblerie*) lächerlich gemacht haben. Welches Land indessen ist mehr begünstigt als Frankreich, um ein Theater zu schaffen, welches allen übrigen in Europa zum Muster dienen könnte? Wo werden die Dichter besser für ihre Arbeiten belohnt? wo die Schauspieler besser bezahlt? wo von einem einsichtigen Publikum mehr aufgemuntert? —

Vergleichen wir, heißt es am Schluß der Abhandlung, das *Théatre français* in Paris und das *Teatro italiano* in Turin, so werden wir finden, daß das Französische Theater einer kräftigern Unterstützung bedarf, um nicht zusammen zu fallen; das Ital. Theater im Gegentheil nur ein wenig Beistand erfordert, um den Glanz zu erreichen, zu welchem es die Elemente besitzt.

(Redigirt von Dr. Fr. Förster und W. Häring (W. Alexis.)

Im Verlage der Schlesingerschen Buch- und Musikhandlung, in Berlin unter den Linden Nr. 34.

Berliner
Conversations-Blatt
für
Poesie, Literatur und Kritik.

Donnerstag, — Nro. 63. — den 29. März 1827.

Seebilder von H. Heine.

II.

Der Gesang der Okeaniden.

Abendlich blasser wird es am Meere,
Und einsam, mit seiner einsamen Seele,
Sitzt dort ein Mann auf dem kahlen Strand,
Und schaut, todtkalten Blickes, hinauf
Nach der weiten, todtkalten Himmelswölbung,
Und schaut auf das weite, wogende Meer,
Und über das weite, wogende Meer,
Wie Lüftesegler, ziehn seine Seufzer,
Und kehren wieder, trübselig,
Und hatten verschlossen gefunden das Herz,
Worin sie ankern wollten —
Und er stöhnt so laut, daß die weißen Möven,
Aufgescheucht aus den sandigen Nestern,
Ihn heerdenweis' umflattern,
Und er spricht zu ihnen die lachenden Worte:
Schwarzbeinigte Vögel,
Mit weißen Flügeln Meer-überflatternde,
Mit krummen Schnäbeln Seewasser-saufende,
Und thranigtes Robbenfleisch-fressende,
Eu'r Leben ist bitter wie Eure Nahrung!
Ich aber, der Glückliche, koste nur Süßes!
Ich koste den süßen Duft der Rose,
Der Mondschein-gefütterten Nachtigallbraut;
Ich koste noch süßere Josty-Baisers,
Mit weißer Seligkeit gefüllte;
Und das Allersüßeste kost' ich:
Süße Liebe und süßes Geliebtseyn.

Sie liebt mich! Sie liebt mich! die holde Jungfrau!
Jetzt steht sie daheim, am Erker des Hauses,
Und schaut in die Dämm'rung hinaus, auf die Landstraß',
Und horcht, und sehnt sich nach mir — wahrhaftig!
Vergebens späht sie umher und sie seufzet,
Und seufzend steigt sie hinab in den Garten,
Und wandelt in Duft und Mondschein,
Und spricht mit den Blumen, erzählet ihnen:
Wie ich, der Geliebte, so lieblich bin
Und so liebenswürdig — wahrhaftig!
Nachher im Bette, im Schlafe, im Traum,
Umgaukelt sie selig mein theures Bild,
Sogar des Morgens, beim Frühstück,
Auf dem glänzenden Butterbrodte,
Sieht sie mein lächelndes Antlitz,
Und sie frißt es auf vor Liebe — wahrhaftig!

Also prahlt er und prahlt er,
Und zwischendrein schrillen die Möven,
Wie kaltes, ironisches Kichern;
Die Dämm'rungsnebel steigen herauf;
Aus violettem Gewölk, unheimlich,
Schaut hervor der grasgelbe Mond;
Hochaufrauschen die Meereswogen,
Und tief aus hochaufrauschendem Meer,
Wehmüthig wie flüsternder Windzug,
Tönt der Gesang der Okeaniden,
Der schönen, mitleid'gen Wasserfrau'n,
Vor allen vernehmbar die liebliche Stimme
Der silberfüßigen Peleus-Gattin,
Und sie seufzen und singen:

O Thor, du Thor! du prahlender Thor!
Du kummergequälter!
Dahingemordet sind all' deine Hoffnungen,
Die tändelnden Kinder des Herzens,
Und ach! dein Herz, dein Niobe-Herz
Versteinert vor Gram!
In deinem Haupte wird's Nacht,
Und es zucken hindurch die Blitze des Wahnsinns,
Und du prahlst vor Schmerzen!
O Thort, du Thor! du prahlender Thor!
Halsstarrig bist du wie dein Ahnherr,
Der hohe Titane, der himmlisches Feuer
Den Göttern stahl und den Menschen gab,
Und Geyer-gequälet, Felsen-gefesselt,
Olympaustrotzte und trotzte und stöhnte,
Daß wir es hörten im tiefen Meer,
Und zu ihm kamen mit Trostgesang.
O Thor, du Thor! du prahlender Thor!
Du aber bist ohnmächtiger noch,
Und es wäre vernünftig, du ehrtest die Götter,
Und trügest geduldig die Last des Elends,
Und trügest geduldig so lange, so lange,
Bis Atlas selbst die Geduld verliert,
Und die schwere Welt von den Schultern abwirft
In die ewige Nacht.

So scholl der Gesang der Okeaniden,
Der schönen, mitleidigen Wasserfrau'n,
Bis lautere Wogen ihn überrauschten —
Hinter die Wolken zog sich der Mond,
Es gähnte die Nacht,
Und ich saß noch lange im Dunkeln und weinte.

Ueber Charakteristik der Landschaften. *)

Es ist vielleicht nicht unangenehm an einem Winterabende, wo die Gegend still und verlassen ruht, die Felder leer, die Bäume entblättert stehen, sich in der Phantasie zu duftenden Gefilden und grünenden Gebirgen zu erheben und sich über den Gegensatz zu freuen, der nie ohne Reiz ist. Wir wollen einen Blick auf die Manigfaltigkeit der Landschaften werfen und fragen, wovon und wodurch sie ihre Eigenthümlichkeit, ihren Charakter bekommen. Die Alten hatten keine eigentliche Landschaftsmalerei. Wenn sie irgend eine Gegend in den Kreis ihrer Vorstellungen ziehen wollten, gaben sie derselben menschliche Gestalt. Ein waldiges Vorgebirge erhob sich in Riesengestalt mit langem fliegenden Haar aus dem Wasser. Statt der Quelle wurde nur die Nymphe dargestellt; die Bäume, die Blumen verloren sogar in ihrer Dichtersprache ganz die Natur des Gewächses; sie waren verwandelte Gottheiten. In jedem Baume wohnte seine Dryade und ein Dichterwort nennt die Blätter des Baumes sein Gelock: Es scheint nicht, als ob die Alten das Leben des Gewächses gekannt hätten, welches uns so lebendig erscheint, nachdem wir es zum Gegenstande der genaueren Forschungen gemacht haben. Ueberhaupt scheidet sich in dieser Rücksicht das Alterthum von der neueren Zeit; jenes legte das Leben in die Natur, wir suchen das Leben in der Natur zu erforschen. Mit der alten Zeit war das Leben abgestorben; wir müssen es aus den Gräbern wiederum erwecken. Der Landschaftsmaler ist wie der Maler menschlicher Gestalt und Handlungen dreifach in seinem Beginnen. 1) Er ist ganz Dichter, er setzt die Landschaft ganz aus seiner Phantasie zusammen. Ein schweres Unternehmen und selten von Erfolg und belohnend. Der Geschichtsmaler muß in einem gleichen Falle eine sehr verständliche Handlung darstellen, sonst fragen wir gleich: was soll sie bedeuten? und gehen unwillig von dannen, wenn wir es nicht erfahren. So muß auch der Landschaftsmaler eine allgemeine verständliche Scene darstellen: ein Sonnenuntergang, das Meer im Sturm, einen Wasserfall und dergl. sonst wenden wir uns von seinen Bergen und Felsen und Bäumen unwillig ab, weil wir uns nichts dabei denken können. 2) Der Landschaftsmaler, welcher die Landschaften aus der Natur nimmt, ist dem Geschichtsmaler gleich, nicht nur, wenn er wirkliche Geschichte darstellt, sondern vorzüglich wenn er uns die Dichtung auf einen Augenblick zusammengefaßt vor die Seele bringt. Er wählt die Stelle der Landschaft, wo sie am reichsten, am ausdruckvollsten sich dem Auge entwickelt. Die Vergleichung der Landschaften mit Dichtungen liegt nahe. Die Landschaft ist gleich einem zarten Liedchen, sanft und spielend oder gemüthlich und ruhig, die Empfindung nur andeutend, nicht gewaltsam erregend. So sind die schönen Gegenden von Holstein, die lachenden Umgebungen von Eutin, oder der freundlich ernste Kellersee bei

*) Für den Künstler und diesmal insbesondere für den Landschaftsmaler muß es von großem Interesse sein, von dem Naturforscher und hier zunächst von dem Botaniker auf die Schönheit und das Charakteristische der Natur aufmerksam gemacht zu werden, zumal wenn es mit so sinnvoller Betrachtung und von einem so weit gereisten Manne geschieht, wie Herr Geheim. Rath und Professor Link, dem wir diesen Aufsatz, ursprünglich eine Vorlesung am Stiftungstage der Humanitätsgesellschaft, verdanken. D. R.

Sielbeck und in einem schon höheren Tone die reizenden Umgebungen vom Schloß Ploen, wo die Fluren Seen sind, aus welchen die waldigen Hügel emporsteigen. So sind Englands liebliche Hügel, jene Eichenhaine von wenigen, aber alten Eichen, umgeben mit dunkelgrünen Waldrändern, mit weichem Rasen, auf welchem man wähnt Shakespeares Feen im Mondenglanze tanzen zu sehen. Ueberall erinnert hier die Natur an die reiche Geschichte des großen Volkes, überall vernimmt man den Anklang der Dichtung, welche die Stelle besingt, wo man weilt; das Gemüth des Wanderers wird nirgends so sehr und so tief ergriffen, als auf der wundervollen Insel.

Ist das Meer in der Nähe und wird von den Hügeln gesehen, dann nimmt das Lied einen höhern Schwung an; so sind die waldigen Höhen auf Rügen, Doberans silberfarbene Küsten, die zierlichen Scheeren der schwedischen Ufer, wo auf kleiner Klippe die Fichte im Sturme wankt, dort sich an die Nachbarin lehnt und stützt, dort dem Meere zusinkt. Sinnvoller spricht zu uns Mount Edgecombe bei Plymouth, wo der hohe Berg dem tobenden Meere Troß bietet, am grünen Abhange geschmückt mit dem glänzenden Schlosse und dem Park voll hoher Bäume, aus denen der Korkbaum, der Lorbeer und die Weihmuthsfichte hervorragen; ein Anblick, der schon für sich uns sagen würde: daß dieses Land die Meere beherrscht, wenn nicht zu den Füßen der Hafen von Plymouth läge mit seinen Kolossen, welche wie der Dichter sagt, den brittischen Donner um die Welt tragen. Die Fülle unsers Goethe, freundlich und erhaben, heiter und ernst, nach jeder Richtung unendlich, zeigt sich in den Alpen. Ueber blumige Wiesen führt der Weg am Rigi hinauf. Immer größer wird die Umgebung und mit ewigem Schnee bedeckt, hebt sich ein Berg über den andern empor, indem zu den Füßen eine Wasserfläche hinter der andern hervortritt und der Bundessee in manigfaltigen Windungen den schönen Berg bespült.

Ganz anders ist Walter Scotts kunstvolles Gewebe; unbedeutend fangen die Begebenheiten an und steigern sich immer mehr und mehr bis zum höchsten Getümmel. Keine Erscheinung verschwindet ungenutzt und was im Anfange sich verlor, tritt späterhin gewiß in seiner eigenthümlichen Wichtigkeit auf. — Das ist Manier; ich kenne nichts gleiches in der landschaftlichen Natur, wohl aber haben wir theatralische Gegenden, wo sich alles verwickelt zur Auflösung des Knoten. Man tritt in das offene Thal der Reuß bei Altdorf. Immer mehr erheben sich zu beiden Seiten die Berge, immer mehr thürmen sich Felsen auf Felsen, immer mehr verengt sich das Thal, immer tobender wird die Reuß bis an der Teufelsbrücke die Gegend den höchsten Grad der Wildheit erreicht hat. Durch den ausgehohlten Felsen führt der Weg, man sieht wiederum den Tag und zwischen freundlichen Wiesen lacht Andermatt im Frühlingsschmucke der noch mit Schnee bedeckten Berge, indem der Fluß nun heiter und still durch die Fluren hineilt. Man glaubt die Iliade zu lesen, wenn man Smoland und Södermanland in Schweden durchreist. Nur Berge und Felsen, waldumgebene Seen und einzelne Häuser im Walde zerstreut, mit kleinen Feldern und Wiesen an der Stelle der Gärten, aus denen ein starkes Geschlecht hervortritt, schön und groß, die Frauen junonische Gestalten mit blauen Augen, wie Pallas Athene. Endlich Stockholm im höchsten Style; die Kunst des Südens in der Wildheit des Nordens. Alles groß und edel und einförmig.

Womit soll ich die Odyssee vergleichen, das wunderbarste Gedicht des Alterthums? — Nur mit dem wunderbaren Lande selbst, wohin der irrende Ritter der Vorwelt zog, nur mit Süditalien, mit dem Golf von Neapel, wo die Natur und Kunst ihren Zauber verschwendet haben, um dem furchtbaren Vesuv einen heitern Gegensatz zu geben.

Es giebt aber auch epigrammatische Gegenden. Pierre pertuis im Münsterthale bietet ein Beispiel dar; auch Fürstenstein in Schlesien mit seiner Alpenparodie im Hügel ausgebildet. Die Felsen vom Adersbach in Böhmen und die Heuscheuer in der Grafschaft Glaz sind eine Uebung der Natur in Burlesken. Nirgends hat man die Vergleichung der Landschaft mit der Dichtung so weit getrieben, als in Schlesien, wo man die Wasserfälle unter Schloß und Riegel setzt und dem Zuschauer für den gesperrten Sitz Eintrittsgeld bezahlen läßt. Dafür hat auch die Natur diesen Gebirgen eine handvoll ewigen Schnee gegeben, der Riesenkoppe gerade genug zur Nachtmütze, und anderthalb Abgründe und der flachen Elbe sumpfige Quellen.

3) Aber die Kunst geht nach Brod; sie hat auch gelernt Portraits zu malen. Nicht immer kann sie Götter und Helden darstellen, auch Präsidenten und Geheime-Räthe wollen gemalt seyn und der Oheim und die Muhme sehen sich gern an der Wand hängen. Auch hier wird vom idealisiren gesprochen; der Unterofficier soll zum Feldmarschall, der Kanzelleibote zum vortragenden Rathe gemacht werden. So auch die Landschaftsmalerei. —. Wir haben Ansichten von

Berlin und Potsdam, sogar von Spandau und Cöpenick und wahrlich! die Halbinsel Stralau liegt auffallend und merkwürdig. Es ist ein geistvoller Blick über einen Aktenhaufen.

(Beschluß folgt.)

Charade.

(Ein Wort aus drei Theilen.)

1.

Die beiden ersten mir von dir erbitten,
Das werd' ich nie, du Muster aller Frauen,
Da du, seit uns der Priester mußte trauen,
Das Zweite bist in guten alten Sitten,
Und jeder Dritten scheuchtest mit dem Dritten,
Wollt ihm das Ganze von den Lippen thauen,
Unfähig andre Tempel dir zu bauen,
Als jenen in des eignen Hauses Mitten! —
Und ich, dem Treu' und Liebe nicht erstarben,
Am Ganzen hab' ich stets wie du gehalten; —
Und triebst du mich auch zwischendurch seitweges,
So trug das Ganze dennoch reiche Garben,
Die dankbar nun es retten vom Erkalten;
— Behalte das vor Augen und erwäg' es!

2.

(Auf ebendasselbe.)

Ich hatte kaum das letzte Wort geschrieben,
So sahst du mich vergnügt von dannen tanzen
Und grüßtest mich bedenklich mit dem Ganzen! —
Den Sorgen einen Riegel vorzuschieben,
War wenigstens das Zweite mir geblieben,
Doch kommen oft, wie ich mich mag verschanzen,
Das Zweit' und Dritte mir, gleich Seelenwanzen,
Den schönen Traum des Zweiten mir zu trüben! —
Und wird mir, mit dem Zweiten **das** zu nennen,
Was ich ersehne, nicht die Freude werden
Und kann ich mir die ersten nicht erbitten,
Werd ich das Ganze auf den Pelz dir brennen.
Und, als Ultramarin, in schönern Erden,
Wenn du mich rufst, erscheinen mit dem Dritten!

Sengebusch.

Berliner Chronik.

(Eingesandt.)

Letzter diesjähriger Subskriptionsball im Saale des Königl. Schauspielhauses den 24. März. Bekanntlich weiß man, so oft man sich auch in dem Spiegel sieht, am wenigsten, was man denn eigentlich für ein Gesicht hat und so ist es auch mit den geselligen Verhältnissen; die eignen kennt man oft am wenigsten und deshalb erlauben Sie wohl einem weitgereisten Ausländer Bericht über eine Gesellschaft abzustatten, die diesmal mehr als je den Charakter eines Festes hatte. — Vor's erste muß ich bemerken, daß an eine solche Gesellschaft in keiner andern Europäischen Hauptstadt auch nur gedacht werden dürfte; überall würden Rücksichten, Bedenklichkeiten, Rangverhältnisse und dergl. störend dazwischen treten. — In so großen und volkreichen Städten wie London und Paris würde der Einlaß sehr beschränkt werden, auch würde dort der Reiz, einen Abend ohne irgend eine Géne in den Umgebungen des Hofes zuzubringen, nicht so groß wie hier sein, oder vielleicht gar gemißbraucht werden. In kleineren Residenzen dagegen nehmen solche Abende zu leicht den Charakter von Kleinstädterei an, denn der Unterschied der Stände, namentlich des Adels und der Bürgerlichen, hat sich dort weit mehr befestigt, als es hier der Fall zu sein scheint. So war es mir allerdings eine eben so erfreuliche als überraschende Erscheinung, einen Hof mit erlauchten Gästen, ein diplomatisches Corps, die Militärs und die Vornehmen des Reichs, ohne die sonst störenden Abzeichen der Uniform in der gemischtesten, obwohl anständigsten Gesellschaft zu finden, zu der ein jeder, der einen ehrlichen Namen nebst einigen Thalern zu unterzeichnen hat, Zutritt erhält. — So sehr indeß eine solche Gesellschaft den Charakter des Republikanischen hat, so vergißt man es doch keinen Augenblick, daß ein Hof mit seinem Gefolge gegenwärtig ist und die Anwesenheit des Königs giebt dem Ganzen eine feierliche Haltung, ohne daß jedoch eine Gezwungenheit fühlbar wird. An solch einem Abende ist mir die Physiognomie des Preußischen Staats schärfer hervorgetreten, als auf manchem andern Congreß, und obwohl ich zu den Aristokraten gehöre und keinesweges für ein Amalgamiren und Nivelliren der Stände bin, so habe ich mich doch überzeugt: daß nur in Preußen die verschiedenartigen Interessen so ausgeglichen sind, daß weder die Einen mit Gewalt einen Vorsprung in eine neue Zeit gewinnen wollen, aber eben so wenig die Andern sich anstrengen, den nicht minder unmöglichen Rücksprung in die alte Zeit zu thun. Den Geist und die Bildung der Nation auf diesen Punkt geführt zu haben, bleibt das hohe Verdienst des Königs, der gegenwärtig die Krone Preußens trägt und sie noch viele Jahre zum Heile seines Volkes und Europas tragen möge.

Für Theaterdirectoren.

Bühnendirectionen, welche gesonnen sind, meinen Fastnachtsschwank: „der verwunschene Schneidergesell,“ (in 5 Akten) zu acquiriren, belieben sich deshalb unmittelbar an mich, oder die Direction des Königl. Theaters zu wenden, indem ich ihn unaufgefordert nicht versenden werde. Zugleich bemerke ich, daß nur ein solches Manuscript als rechtmäßig erworben anzusehen, auf dessen Titelblatt meine Namensunterschrift steht mit der Bestimmung der resp. Copie für das speciell genannte Theater. Berlin, März 1827.

W. Häring.

(Redigirt von Dr. Fr. Förster und W. Häring (W. Alexis.)

Im Verlage der Schlesingerschen Buch- und Musikhandlung, in Berlin unter den Linden Nr. 34.

Berliner

Conversations-Blatt

für

Poesie, Literatur und Kritik.

Freitag, — Nro. 64. — den 30. März 1827.

Seebilder von H. Heine.

III.

Die Götter Griechenlands.

Vollblühender Mond! In deinem Licht,
Wie fließendes Gold, erglänzt das Meer;
Wie Tagesklarheit, doch dämmrig verzaubert,
Liegts über der weiten Strandesfläche;
Und am hellblau'n, sternlosen Himmel
Schweben die weißen Wolken,
Wie kolossale Götterbilder
Von leuchtendem Marmor.

Nein, nimmermehr, das sind keine Wolken!
Das sind sie selber, die Götter von Hellas,
Die einst so freudig die Welt beherrschten,
Doch jetzt, verdrängt und verstorben,
Als ungeheure Gespenster dahinziehn
Am mitternächtlichen Himmel.

Staunend, und seltsam geblendet, betracht' ich
Das luftige Pantheon,
Die feierlich stummen, grau'nhaft bewegten
Riesengestalten.
Der dort ist Kronion, der Himmelskönig,
Schneeweiß sind die Locken des Haupts,
Die berühmten, olymposerschütternden Locken,
Er hält in der Hand den erloschenen Blitz,
In seinem Gesichte liegt Unglück und Gram,
Und doch noch immer der alte Stolz.
Das waren bessere Zeiten, o Zeus,
Als du dich himmlisch ergötztest
An Knaben und Nymphen und Hekatomben!
Doch auch die Götter regieren nicht ewig,
Die jungen verdrängen die alten,
Wie du einst selber den greisen Vater
Und deine Titanen-Oehme verdrängt,
Jupiter Parricida!
Auch dich erkenn' ich, stolze Here!
Trotz all deiner eifersüchtigen Angst,
Hat doch eine Andre das Zepter gewonnen,
Und du bist nicht mehr die Himmelskön'gin,
Und dein großes Aug' ist erstarrt,
Und deine Lilienarme sind kraftlos,
Und nimmermehr trifft deine Rache
Die gottbefruchtete Jungfrau
Und den wunderthätigen Gottessohn.
Auch dich erkenn' ich, Pallas Athene!
Mit Schild und Weisheit konntest du nicht
Abwehren das Götterverderben?
Auch dich erkenn' ich, auch dich, Aphrodite,
Einst die goldene! jetzt die silberne!
Zwar schmückt dich noch immer des Gürtels Liebreiz;
Doch graut mir heimlich vor deiner Schönheit,
Und wollt' mich beglücken dein gütiger Leib,
Wie andre Helden, ich stürbe vor Angst;
Als Leichengöttin erscheinst du mir,
Venus Libitina!
Nicht mehr mit Liebe schaut nach dir,
Dort, der schreckliche Ares.
Es schaut so traurig Phöbos Apollo,
Der Jüngling. Es schweigt seine Ley'r,
Die so freudig erklungen beim Göttermahl.
Noch trauriger schaut Hephaistos,

Und wahrlich, der Hinkende! nimmermehr
Füllt er Hebe'n ins Amt,
Und schenkt geschäftig, in der Versammlung,
Den lieblichen Nektar — Und längst ist erloschen
Das unauslöschliche Göttergelächter.

Ich hab' Euch niemals geliebt, Ihr Götter!
Denn widerwärtig sind mir die Griechen,
Und gar die Römer sind mir verhaßt.
Doch heil'ges Erbarmen und schauriges Mitleid
Durchströmt mein Herz,
Wenn ich Euch jetzt da droben schaue,
Verlassene Götter,
Todte, nachtwandelnde Schatten,
Nebelschwache, die der Wind verscheucht —
Und wenn ich bedenke, wie feig und windig
Die Götter sind, die Euch besiegten,
Die neuen, herrschenden, tristen Götter,
Die Schadenfrohen im Schafspelz der Demuth —
O da faßt mich ein düsterer Groll,
Und brechen möcht' ich die neuen Tempel,
Und kämpfen für Euch, Ihr alten Götter,
Für Euch und Eu'r gutes, ambrosisches Recht,
Und vor Euren hohen Altären,
Den wiedergebauten, den opferdampfenden,
Möcht' ich selber knien und beten,
Und flehend die Arme erheben —

Denn, immerhin, Ihr alten Götter,
Habt Ihr's auch eh'mals, in Kämpfen der Menschen,
Stets mit der Parthey der Sieger gehalten,
So ist doch der Mensch großmüth'ger als Ihr,
Und in Götterkämpfen halt' ich es jetzt
Mit der Parthey der besiegten Götter.

Also sprach ich, und sichtbar errötheten
Droben die blassen Wolkengestalten,
Und schauten mich an wie Sterbende,
Schmerzenverklärt, und schwanden plötzlich.
Der Mond verbarg sich eben
Hinter Gewölk, das dunkler heranzog;
Hochaufrauschte das Meer,
Und siegreich traten hervor am Himmel
Die ewigen Sterne.

Ueber Charakteristik der Landschaften.

(Beschluß.)

Die Vergleichung der Landschaften mit der Dichtung kann nicht ganz als Spiel angesehen werden. Die Verschiedenheit der Landschaften muß mit der Verschiedenheit der Dichtungen übereinstimmen; jene ist der höhere Ausdruck des menschlichen Lebens, diese der höhere Ausdruck des Naturlebens. Aber sie trifft nur das Ganze der Landschaft, wie Entwurf und Inhalt eines erzählenden Gedichtes oder eines Drama; es muß auch das Einzelne bestimmt werden. Zu diesen Besondern und Einzelnen gehören noch 5 Stücke: Luft und Wasser, Gestalt der Berge, die Vegetation und die Thiere und der Mensch selbst, sofern er die Landschaft verändert und gestaltet, oder sofern er bloß als ein Nebengegenstand derselben erscheint. — Es würde ermüden, wenn ich alle diese einzelne Bestimmungen untersuchen wollte; ich will nur einige Bemerkungen über die Vegetation hinzufügen. Jedermann weiß, wie sehr der Charakter einer Landschaft von den Bäumen abhängt. Unsere Tanne, so schön der Baum an und für sich ist, so bedeutend auch einzelne Haufen von Tannen in Wäldern und zwischen andern Bäumen seyn können, so giebt sie doch in zu großer Menge der Landschaft ein trauriges Ansehen. Nur die Gipfel des hohen Baumes haben Blätter; diese sind schmal und steif und haben eine graugrüne Farbe. Die Umgebungen von Potsdam, die schöne Aussicht von der Potsdammer Chaussee nach Spandau, die Pichelsberge würden wenigstens zu angenehmen freundlichen Landschaften gehören, wenn nicht der düstere Baum diesen Eindruck minderte. Schöner ist die Pinie im südlichen Europa. Sie bildet nie große Wälder; sie erhebt sich zu einer schönen Krone, sie ist mehr belaubt, und selbst ihre Blätter sind länger, so daß sie zwischen den Denkmälern der Kunst in Italien als ein natürliches Kunstgebilde sich erhebt. —

Die Fichte macht immer wilde Gegenden, sie muß große Wälder bilden, wo dieser Baum, welchen der Wind leicht umwirft, bald halb, bald ganz zu Boden geworfen, den Sturm malerisch darstellt; einzeln ist er steif und langweilig. Die Edeltanne kann ich nur schön finden, wo sie an den Waldrändern einzeln steht, gleich einem Monument; wie man sie schon in der Grafschaft Glatz, besonders am Jura sieht. Freundlich ist immer der Lerchenbaum mit seinem angenehmen Grün und seinen zarten Blättern, ein Schmuck der Wälder in Tyrol. Der Reisende nach dem Brocken muß nicht um das Lerchenfeld weggehen, nachdem er in dem schönen Thal der Ilse emporgestiegen ist.

Die Birke ist die Schönheit des hohen Nordens, wo die Buche nicht mehr wächst und die Eiche klein bleibt. Sie läßt die Sonnenstrahlen freundlich durch ihre Zweige, denn hier bedarf es nicht des Schattens und das Spiel ihrer Blätter macht die Stille der Gegend lebendig.

Der ganze Süden entbehrt einer Schönheit, welche unserm Deutschland in einem hohen Grade zu Theil geworden ist, der Buchenwälder. Die glatte Rinde des großen Baumes, seine weit verbreitete Krone, das liebliche Grün der jungen Blätter im Frühling, der dunkele Schatten im Sommer, das bunte Farbenspiel im Herbst machen diesen Baum zum angenehmsten der Waldbäume. Nichts übertrifft die Schönheit der Buchenwälder auf den niedrigen Gebirgen in Deutschland, wie sie vom Harz, vom Riesengebirge, vom Fichtelgebirge, vom Schwarzwald sich verbreiten, nichts die Buchenwälder auf den Hügeln in Holstein und Meklenburg. — Ausgezeichnet schön sind auch die Buchenwälder auf der freundlichen Insel Seeland, einst der Sitz des Friedens, der Ruhe und des Wohlstandes. Ein angenehmer Wechsel von schönen Landhäusern, von Buchenwäldern und üppigen Feldern führt den Reisenden bis zum Abhange über Helsingör, wo ihn eine der schönsten Aussichten in Europa empfängt. Gegenüber Schwedens düstre Küsten, welche sich immer höher und höher erheben, seitwärts das Meer weit verbreitet, zu den Füßen Kronenburgs Schloß kühn in das Meer hineintretend; überall der Schiffe ragende Masten mit flatternden Wimpeln.

Der Eichenwald hat nicht die Reize des Buchenwaldes, wenn er gleich die Tannenwälder bei weitem übertrifft und der einzelne Eichbaum der schönste der einheimischen Bäume ist. Seine Größe, das Ausgeschweifte der Blätter, die weitgreifenden Aeste und die leichte Biegung der Zweige, sind die eigenthümlichen Schönheiten der Eiche. Am schönsten erscheint sie in der Provinz Minho in Portugal, wo sie einzeln in den Thälern an den Bächen steht, umklammert von dem Weinstock, der bis in ihren Gipfel aufsteigt, Aeste und Zweige umschlingt und den Riesen der Wälder fast zu erdrücken droht.

Der Kastanienbaum mit den eßbaren Kastanien, giebt den schönsten Schatten und gehört überhaupt zu den schönsten Bäumen. Er bedeckt die Berge an der Südseite des Genfersee's, er macht die Gebirgswälder im Süden von Europa, wo unsere Buche nicht mehr wächst. —

Es giebt viele Bäume, welche selten Wälder machen und daher nur an der gehörigen Stelle Wirkung thun. Im südlichsten Europa bilden der Johannisbrodbaum und der Orangebaum die Krone der Vegetation, die höchsten und schönsten Laubengänge und schmücken die Wege, so wie etwas nördlicher die Ulme; in dem mittlern Europa dienen dazu die Obstbäume, im Norden der Ahorn, der Vogelbeerbaum, und der Mehlbeerbaum. Einzelne Stellen zeichnet die Linde aus, die lombardische Pappel und die Esche; im südlichen Europa der Lorbeer und die Cypresse. Nur einen Lorbeerwald kenne ich. Er bedeckt ein Vorgebirge in Portugal, die Sierra da Avaleda. Ich habe nirgends etwas ähnliches gesehen. Weit in die See erstreckt sich das hohe Gebirge, den Fuß bespühlt von den Fluten des Meeres. Auf dem Gipfel blühen die zahlreichen Kinder der Kalkberge des heißen Europa, die niedlichen Cisten, die duftenden Thymiane, die mannigfaltigen Linarien.

Nur wenn die Sonne sich senkt, ist der brennende Gipfel zu besteigen, dann aber sieht man das weite Meer, nahe am Fuße das freundliche Setuval und in einiger Entfernung auf 7 Hügeln verbreitet Lissabon mit seinem Hafen und dem Walde von Masten; im Hintergrunde gegen Norden das zackige Gebirge von Cintra; gegen Osten die Ebene von Alemtejo mit ihren blumigen Hügeln, unabsehbar wie das Meer. Die Seiten dieses Gebirges umgiebt wie ein Kranz ein Lorbeerwald, wo die schlanken Stämme kühn in die Lüfte steigen und im heiligen Dunkel die zarten Orchideen blühen, die meine damals glückliche Hand zuerst pflückte.

Aber das Leben will Gegensätze, es will Einförmigkeit und Langeweile, damit das Schöne und Mannigfaltige desto auffallender hervortrete. Im Norden von Europa pflanzt man die Weiden zur Langenweile des Wanderers, im Süden die Oelbäume. Beide Bäume sind fast von einerlei Größe; zwar erhebt sich die Weide viel mehr als der Oelbaum und man hält ihn so niedrig, daß er gewöhnlich noch kleiner ist, als jene. Die Zweige sind dünn und die Blätter so schmal, daß sie nur so viel Schatten geben, als nöthig ist, um sich nach einem dichteren Schatten zu sehnen; das graue Laub sieht halb verdorrt aus. Nur das Zwitschern der Vögel in den Weiden und das Schwirren der Cicaden auf den Oelbäumen macht sie allein lebendig.

Aber wo wächst die Myrthe? höre ich meine Zuhörerinnen fragen. Die Myrthe, die freundliche Erwartung der Jugend, die süße Erinnerung des Alters, gedeiht nie auf der Höhe in der brennenden Sonne, sie sucht die stillen Thäler, sie folgt den kühlen Bächen. Zu ihren Füßen strömt der Bach bald wild und schäumend, bald fließt er sanft und heiter. Aber hoch und ruhig wölbt sich die Myrthe über ihn hin, im Frühling bedeckt mit zahllosen reizenden Blüthen, die für die dunklen Locken der Braut ein schönerer Schmuck sind, als die köstlichsten Perlen des Orients. Mögen sie keiner meiner jungen Freundinnen jemals Thränen bedeuten.

Link.

Bibliothek des Königs von Indien.

(Aus dem Arabischen.)

Dabshelim, König von Indien, hatte eine so große Bibliothek, daß hundert Braminen kaum hinreichten dieselbe in Ordnung zu halten und es gehörten 1000 Dromedare dazu, um sie von einer Residenz des Königs in die andere zu bringen. Da Sr. Maj. nicht im Stande war, alle diese Bücher zu lesen, gab er den Braminen auf, Auszüge aus den nützlichsten derselben zu machen. Die gelehrten Herren gingen eifrigst an die Arbeit, so, daß sie in weniger als 20 Jahren, eine kleine Encyclopädie von 12,000 Bänden, welche von 30 Kameelen fortgeschaft werden konnte, zu Stande brachten. Sie hatten die Ehre, dem Könige ihre Arbeit, da sie nicht selbst den Vortrag machen konnten, von den Kameelen vortragen zu lassen. Wie groß aber war ihr Erstaunen, als sie zur Antwort erhielten, daß es Sr. Majestät unmöglich sei, 30 Kameelladungen Bücher zu lesen. — Sie reducirten hierauf ihre Auszüge auf 15, dann auf 10, dann auf 4, dann auf 2 Dromedare und zuletzt blieb nicht mehr von der Encyclopädie übrig, als ein gewöhnlicher Esel tragen konnte. Unglücklicherweise wurde Dabshelim während dieser Arbeit seiner Bibliothekare alt, und sah daß es unmöglich sein würde, die Quintessenz der ausgezogenen Weisheit bis zu dem letzten Bande zu lesen. „Ruhmwürdiger Sultan, sagte der Vezir, der weise Pilpay, obwohl ich nur geringe Kenntniß von Eurer Königl. Bibliothek habe, so getraue ich mir doch Ew. Majestät den Inhalt derselben kurz und genügend anzugeben; Ihr sollt ihn in einer Minute durchlesen, und doch werdet Ihr Stoff genug darin finden, Eure ganze übrige Lebenzeit darüber nachzudenken.“ Pilpay nahm jetzt ein Palmenblatt und schrieb mit einem goldenen Griffel folgende Sprüche darauf: 1) Der größte Theil der Wissenschaften enthält nichts weiter, als das eine Wort: „Vielleicht“ und die ganze Geschichte der Menschheit weiter nichts als: Sie wurden geboren, litten und starben.“ — 2) Liebe nichts, als was gut ist und thue alles, was du liebst; denke nichts als was wahr ist, und sprich nichts als was du denkst. — 3) „O Könige zähmt Eure Leidenschaften, beherrscht Euch selbst und es wird für Euch ein Kinderspiel seyn, die Welt zu beherrschen.“ — 4) „O Könige, o Völker, es kann Euch nicht oft genug wiederholt werden, was der Halbweise zu bezweifeln wagt, daß es kein Glück giebt, ohne Tugend und keine Tugend ohne Gottesfurcht!

Cannings-Reden.

Die Veränderungen, welche Hr. Canning mit seinen Reden vornimmt, wenn sie (wie es bei einer noch kürzlich berühmt gewordenen der Fall war, in welcher er heftige Angriffe auf Frankreich und die Regierungen des Continents machte) in einer zweiten Ausgabe erscheinen, haben zu verschiedenen Gerüchten Veranlassung gegeben. Von einem mit Hrn. Cannings Art, seine Reden abzufassen, genau bekanntem Manne erfahren wir hierüber folgendes. Die Wahrheit ist, daß Hr. Canning im Entwurf seiner Rede sehr peinlich ist und seiner Strenge selten genug thun kann. Seine Reden, die er aus dem Stegreife hält, enthalten gleich den Reden alter Redner viele Wiederholungen. Wenn er den Bericht davon liest, streicht er dieselben ohne Gnade fort und dann geschieht es wohl auch, daß er manches, was seinen Zuhörern ein schönes Stück schien, mit wegschneidet.

Niemand kann sich eine Vorstellung von einem solchen Manuscripte machen, wer dasselbe nicht gesehen hat. Er ändert die Worte und verbessert sich zwei und dreimal, streicht ganze Phrasen weg und setzt dafür andere hin. Man muß gestehen, daß alle Aenderungen mit einem feinen Gefühl für Wahrheit im Ausdruck und Schönheit der Rede von ihm gemacht werden. Er läßt sich dann aus der Druckerei die Rede noch einmal bringen, fügt neue Abänderungen hinzu, so daß sich die Setzer immer vor seiner Correktur fürchten. — Er bringt oft 6 bis 8 Stunden bei der Correktur einer Rede zu, welche er in dem Parlament in einer Stunde hielt.

Blicke auf die Welt.

(Von einem Diplomaten)

Wie vieler Menschen Mund schließt so schlecht, wie der Schlag einer ausgedienten Lohnkutsche. —

Wie Flotten auf dem Meere an einander vorüber schiffen, ohne sich zu erkennen, so die Menschen im Alltagsleben, wenn sie schon sich oft grüßen. —

Ich billige sehr, daß man Uhren in Medaillonsform in unsern Wohnungen aufhängt, so besitzt man das Bildniß des größten Regenten — der Zeit, das wahrscheinlich immer hängen bleiben wird. —

(Redigirt von Dr. Fr. Förster und W. Häring (W. Alexis.)

Im Verlage der Schlesingerschen Buch- und Musikhandlung, in Berlin unter den Linden Nr. 34.

Berliner Conversations-Blatt
für
Poesie, Literatur und Kritik.

Sonnabend, — Nro. 65. — den 31. März 1827.

Spanische Literatur.

Poesias del M. Fr. Diego Gonzalez del órden de San Agustin. Nueva edicion. Valenc. 1827.

Zu den besten neueren Liederdichtern der Spanier gehört der Verfasser obiger Gedichte, der Augustiner-Mönch Diego Tadeo Gonzalez aus Ciudad Rodrigo. Er war gegen das Jahr 1733 geboren, entwickelte schon früh Neigung und Talent zur Dichtkunst und eignete sich bald eine vollständige Kenntniß der vaterländischen Literatur an. Aber Luis de Leon und neben diesem Horaz, waren seine Lieblinge, und in seinen eigenen Gedichten weht ihr Geist unverkennbar. Er trat, achtzehn Jahr alt, in den Augustiner-Orden, in welchem er sich bald durch seine Redner- und Lehrgaben auszeichnete. Die Mußestunden, die ihm seine Berufs-Pflichten als Lehrer, Visitator und Prior verschiedener Klöster in Salamanca, Pampelona und Madrid noch vergönneten, widmete er der Dichtkunst. Er starb im Jahre 1794. Eine so gutmüthige Heiterkeit, ein so reines Gefühl für die Schönheiten der Natur, ein so dankbares und kindlich frohes Herz, verbunden mit einem richtigen psychologischen Blick, scharfer Auffassung verschiedenartiger Situationen, und einer großen Gewandheit seiner melodischen Sprache hatte es vielleicht seit Luis de Leon nicht gegeben, und seine Gedichte sind eine erfreuliche Erscheinung neben so vielem Gehaltlosen, was die neuere lyrischen Poesie der Spanier hervorgebracht hat. Unser liebenswürdiger Mönch ist der vollkommenste Gegensatz gegen den frechen Presbyter *Don Josef Iglesias de la Casa,* (*Poesias póstumas, Barcellona* 1820. 2. *Voll*) der ein großes frivoles Publicum gefunden hat.

Vielleicht veranlassen die folgenden beiden Proben, die sich in der Uebersetzung möglichst getreu an das Spanische Original anzuschließen bemüht haben, manche Leser, auch die übrigen Gedichte des *Diego Gonzalez* kennen zu lernen, und der Uebersetzer hofft, daß niemanden die Bekanntschaft mit dem harmlos heitern Dichter gereuen werde:

1.
An Melisa.

Ein Quellchen sah ich fließen
So schwach und klein in seines Weges Lenkung,
Daß alles Wasser, was sich darin fände,
Man leichtlich konnte gießen
In eines Glases engeste Beschränkung,
Doch wollt ich sehn des kleines Bächleins Ende,
Wo's blieb', wo es verschwände,
Und folgte seinem leisen Lauf zur Seite. —
Bald sah ich, daß es anwächst in die Weite
Durch das, was mit ihm macht dieselbe Reise
Auf solche Art und Weise,
Daß ich, will ich entweichen,
Nicht mehr das andre Ufer kann erreichen.
Ein Fünkchen sah ich glimmen,
Von ungefähr bei meiner Thür entfallen,
Und da's so klein, entschlummr' ich, keine Tücke
Besorgend von dem Schlimmen.
Und als ich nun in tiefen Schlaf gefallen,
Bläst frisch der Wind herab, o Mißgeschicke,

Und schürt im Augenblicke
So grimmen Brand, daß mich der Rauch erwartet;
Die Flamme hat sich schon zur Thür gestrecket
Und raubt mir meine Habe ohn' Erbarmen.
Und ich, — was blieb mir Armen! —
Verwirret und versenget
Fand Rettung nur durchs Dach, so hart bedränget.

Ein Dünstchen sah ich schweben,
Das mit der Sonne Ruf sich leicht erhoben,
Kaum warf es Schatten, war schon halb zergangen,
Und nicht beacht' ichs eben.
Doch wie sichs dicht und dichter hat gewoben,
Deckt es den Himmel, nimmt den Tag gefangen
Und fällt herab in langen
Und dicken Wasserfäden, daß die Fluren
Und meine Erndten schnellen Tod erfuhren.
Und mich, der schnell zur Rettung kömmt gesprungen
Mich hat der Strom umschlungen,
Und schlecht wär mir's ergangen,
Hätt' ich nicht flugs den Dornenstrauch umfangen.

Zuletzt sah ich im Herzen
Liebe zu Dir, Melissa, leis' entstehen,
Und leicht hätt' ich mich anfangs ihr entzogen.
Doch unter Lust und Scherzen
Will ich, wohin dies weiter führe, sehen,
Und eh ich die Gefahren noch erwogen
Find' ich so hohe Wogen,
Daß jeder Weg zur Umkehr ist verwehret,
Find' einen Sturm, der mit sich fort mich reißet
Und jähen Tod verheißet. —
Wie straft mit strengen Sinnen
Die Lieb' ein unvorsichtiges Beginnen.

2.

An ein Mädchen, die dem Dichter eine frühere Liebe zur Schuld machen wollte.

Wenn ein Wandrer Durst empfände,
Schmerzlich, und er dicht am Wege,
Wie's der Zufall fügen möge,
Eine kleine Quelle fände,
Und er tränke nun behende
Wär der Trunk auch trübe hier
Und es gäb' im Waldrevier
Unfern eine bessre Quelle,
Schiltst du, wenn er trinkt zur Stelle?
— Nun, nicht anders geht es mir.

Wenn ein Armer Schiffbruch litte,
Und ein loses Brett sich zeigte
Das ihm schnelle Rettung reichte,
Nähm er's rasch in seine Mitte,
Gält' er, wenn er sichs erstritte,
Wol für eigensinnig dir?
Weil es möglich sei, daß hier
Bald vorbei ein Fahrzeug käme,
Das ihn mit zum Hafen nähme —
— Nun, nicht anders geht es mir.

Jener Wandrer bin ich eben
Mit des Durstes regem Triebe,
Und der wilde Sturm der Liebe
Oft zerriß er schon mein Leben.
Rede hab' ich Euch gegeben
Jetzt in doppeltem Vergleich,
Sprechet, Schönste, nun sogleich;
Denn dies Schweigen läßt mich bangen,
So allein ist's mir ergangen
— Saget, wie erging es Euch?

C. F. B.

Französische Literatur.

*Le Cabinet des Tuileries sous le Consulat et sous l'Empire, ou Memoires pour servir à la vie de Napoléon. Par Mr. le Comte de * * * Paris* 1827 *).

Der Verfasser dieser Memoiren verließ nach der Schlacht von Belle-Alliance Frankreich. Auf die Anfrage seiner Familie: wie er über diese Papiere verfügt wissen wolle, gab er zur Antwort: „Verbrennt sie, oder macht sie erst nach meinem Tode bekannt." Der letztere Fall ist nun eingetreten. An der Aechtheit dieser Memoiren darf man nicht zweifeln, und obwohl schon über das Privat- und öffentliche Leben Napoleon's so viel gedruckt worden ist, daß nichts leichter wäre, als aus diesen sämtlichen Schriften eine neue Schrift zusammen zu tragen, so trägt doch die vorliegende zu sehr die Spuren der Authenticität, als daß man an ihrer Aechtheit zweifeln könnte. Der Verfasser hat die Stürme der Revolution mit durchgemacht, doch zeigt er überall einen edlen Charakter. „Ich habe, sagt er, die Sache Ludewig *XVI.* vertheidigt, als er im Gefängniß war, ohne die Verfolgungen zu fürchten, welche ich bald darauf mir dadurch zuzog. Jetzt will ich die Sache eines andern Unglücklichen führen, und so weit es mir möglich ist, der Nachwelt die seltsamen und ausgezeichneten Eigen-

*) In Berlin bei Schlesinger.

schaften, die ihm von der Natur geschenkt waren, kennen lehren. Der Ruf von seinen großen Thaten hallte über den ganzen Erdkreis wieder; ich beschränke mich darauf, die vielen und intimen Gespräche, welche ich mit dem Kaiser Napoleon hatte, mitzutheilen und meinen Landsleuten diesen großen Monarchen in seinem Privatleben zu zeigen." — Aus dem Leben des Verfassers erfahren wir, daß er der Sohn eines geachteten Justizbeamten war, in Paris die Rechte studirte und 1789 Deputirter des 3ten Standes, bei den Generalstaaten wurde. Später wurde er dem General Bonaparte bekannt, der ihn als Consul in seine nähere Umgebung zog, ihn als Kaiser in den Grafenstand erhob und ein Ministerium anvertraute. Die Achtung, welche der Verfasser vor dem Kaiser hat, gründet sich vornehmlich darauf, daß er in ihm den Mann erkennt, welcher die Jakobiner zu Paaren trieb, die Revolution schloß, die Legitimität wieder herstellte. „Die Jakobiner, erzählt der Verfasser, wollten nach dem berühmten 18. Brumaire, an welchem Bonaparte der Herrschaft des Direktoriums ein Ende machte, ihn als den Cromwell Frankreichs darstellen. Eines Morgens fand ich den General in seinem Kabinett, vor sich einen Lebensabriß Cromwells. Es scheint, sagte er, daß man mich mit diesem Engländer vergleicht. Die Vergleichung, welche man zwischen ihm und mir ziehen will, ist wie mir scheint, sehr unrichtig. Wenn er den Thron der Könige von England unter dem Titel eines Protektors in Folge der Hinrichtung Carl *I.*, dessen Todesurtheil er gesprochen hatte, bestieg, so wird man wenigstens von mir nicht sagen, daß ich an der Verurtheilung Ludwigs *XVI.* Theil genommen, da ich zu jener Zeit von Paris entfernt war; eben so wenig wird man sagen, daß ich wörtlich oder schriftlich, dies gut geheißen habe. Der Zustand von Großbrittanien, als Cromwell das Parlament verjagte, war sehr von dem verschieden, in welchem ich Frankreich nach meiner Rückkehr aus Egypten fand. Diese Insel hatte nichts von den Fremden zu fürchten; sie trat nicht, wie unser Vaterland aus einer blutigen und anarchischen Herrschaft hervor; die Edlen hatten nicht die Heimath verlassen, um auswärts sich gegen sie zu verschwören und es ist sicher, daß ohne Cromwell sich alles nach dem Wunsch der Partheien arrangirt haben würde. — Cromwell! rief er aus — könnte ich ihm doch in dem gleichen, was er während der 13 Jahre seines Protektorats gethan hat! Niemals war England besser regiert, niemals mächtiger. Dieser Usurpator zwang Ludwig *XIV.* und die andern Herrscher Europa's seine Bothschafter anzunehmen und mit ihm zu unterhandeln. Unter ihm blühten Handel und Industrie; auf allen Meeren wurde seine Flagge respektirt. Will man mich in dieser Hinsicht mit jenem großen Manne vergleichen, so ist mir es ganz recht; allein ich werde nicht leiden, daß die Jakobiner, die ich geknebelt habe, ihre Festtage erneuen." Als merkwürdig werden Bonapartes damalige Aeußerungen über die Preßfreiheit angeführt. Da man ihm vorstellte, die Censur herzustellen, sagte er: „Die Presse heilt die Wunden, welche sie schlägt. Soll ich mich einiger unvermeidlichen Uebelstände wegen der Aufklärungen berauben, welche die Journale und Brochüren mir geben können? Ich will die Wahrheit hören, ich will wissen, bis zu welchem Punkte die Franzosen der Freiheit würdig sind." — Daß er in dieser Hinsicht seine Ansichten als Kaiser änderte, ist bekannt genug. Mehrere seiner Minister und Staatsräthe waren sehr dagegen, daß er sich, nachdem die Nation ihn als Kaiser ausgerufen, von dem Pabste salben lassen sollte. Als der Verf. der Memoiren ihm einen Aufsatz über diesen Gegenstand einreichte, sagte der Kaiser zu ihm: „Sie haben in ihrem Rapport zweierlei ausgesprochen. Erstens behaupten Sie, daß ich mich nicht soll salben lassen; zweitens, daß ich unpolitisch handeln würde, wenn ich den Pabst zu dieser Feierlichkeit nach Paris kommen ließ. — Hier mein Hr. Diplomat, haben Sie meine Ansicht: ich muß mich dem Vorurtheil des Volks fügen. Wenn ich mich nicht salben lasse, so wird es sagen: ich sei nicht Kaiser, so wie Ludewig *XVI.* König war. Dies Volk bildet sich ein, daß die Salbung der Könige ein Sakrament sei, welches ihnen einen göttlichen Charakter aufdrückt. Ich bedarf dieses Vorurtheils eben so gut, wie Pipin, der kein Narr war und ich bedaure nur, daß die heilige Oelflasche von Rheims nicht mehr aufzufinden ist." Was den 2ten Punkt betrifft, so glaube ich, daß es sehr passend ist, daß ich als Gründer einer kaiserlichen und katholischen Dynastie in Frankreich eine so große Begebenheit durch die Salbung von der Hand des Oberhauptes der Kirche verewige. Ich glaube nicht, daß ich eine abschlägliche Antwort erhalten werde; ich weiß, daß Pius *VII.* gegen mich gut gesinnt ist. — Wir haben, entgegnete der Minister, nicht an alle diese Gründe gedacht. — „Ich glaube es wohl, sagte er, sie sind zu einfach, um denen einzufallen, die alles in der Philosophie suchen. Man macht mir den Vorwurf, daß ich einen ehrwürdigen Greis in rauher Jahreszeit über die Alpen kommen lasse. Solcher Tadel kümmert mich nicht; Pius *VII.* wird mich salben und dieser Akt wird nicht weniger sein Pontifikat verewigen, als meine Regierung." Den 25. Novbr. 1804 traf Pius *VII.* in Fontainebleau ein.

Berliner Chronik.

Concert der Mad. Seidler. Mittwoch den 28sten. — Die Concertgeberin hatte ihrem Concert dadurch einen großen Reiz gegeben, daß sie fast lauter neue, oder hier noch unbekannte Musikstücke gewählt hatte; am gespanntesten waren wir auf das schöne Finale des 1sten Aktes aus Webers Oberon, welches von Mad. Seidler, Mad. Milder und einem Chor gesungen wurde. Mochte es nun die Schuld des Orchesters, des Chors, oder der Sängerinnen sein, — es fehlte Sicherheit und Zusammenhang in der Ausführung und nur Mad. Seidler gab durch ihren schönen Gesang und durch ihren theatralischen Vortrag, zu dem ihr ganzes Erscheinen, den Paradiesvogel und orientalischen Kopfputz nicht ausgenommen, gut paßte, uns immer das Gefühl der Sicherheit wieder, wenn uns zuweilen bange wurde. — Die Variationen von Hrn. **Dorn** trug Mad. **Seidler** mit vieler Grazie vor; der Componist hatte es sehr gut verstanden für seine Sängerin zu schreiben und ihr wenigstens nicht solche Luftspringe zugemuthet, wie Hr. **Pixis** in seinen Variationen der Dem. **Sontag.** —

Donnerstag den 29sten. Hans Kohlhas, Trauerspiel in 5 Aufzügen von C. v. **Maltiz.** — Hans Kohlhas ist in der Brandenburgischen Geschichte eine Erscheinung wie Götz von Berlichingen in der Deutschen Reichsgeschichte und einen solchen Helden auf der vaterländischen Bühne zu Ehren gebracht zu haben, bleibt, was sich auch gegen die Ausführung und dramatische Behandlung des Stoffs einwenden läßt, das große Verdienst des Hrn. v. Maltitz.

Ein Berliner Bürger und Roßkamm, Hans Kohlhas, ist von einem Sächsischen Edelmann an seiner Ehre und seinem Eigenthum gekränkt worden. Er sucht auf dem Wege Rechtens Genugthuung, allein weder in Wittenberg bei dem Sächsischen, noch in Berlin bei den Brandenburger Justizhöfen wird sie ihm gewährt; da nimmt der vielfach Gekränkte und Gereizte sich selbst Recht, und zwar nicht als Privatrache, sondern als Rache des verletzten Gemeinwesens. Er schreibt dem Kurfürsten von Sachsen u. später auch dem Kurfürsten von Brandenburg Absagebriefe und der Roßkamm und Berliner Bürger führt zwei Jahre lang Krieg mit zwei Kurfürsten.

So edel und großartig Hr. v. Miltiz den Kohlhas gezeichnet hat, so hat er doch mehreres unerwähnt gelassen, wenigstens nicht so herausgehoben, was zur wahren Charakteristik seines Helden gehörte. Bei ihm kündigt sich Kohlhas, sobald er auszieht, gleich als Räuber und Mörder an. Dies that er nicht; denn da er förmlich absagte, glaubte er sich in ehrlicher Fehde zu befinden. Während ihm so ein Grundzug seines eigenthümlichen Charakters genommen worden ist, hat er auf der andern Seite eine in das Allgemeine gehende Richtung erhalten, die zu sehr an Karl Moor erinnert, und daß Hans Kohlhas Tiraden gegen „**die Flachheit der Zeit**" macht, ist ganz unstatthaft. — Herr von Maltiz hätte wohl besser gethan, sich nicht so ängstlich an die bekannte Novelle von Kleist zu halten, sondern die Geschichte einfach und wahr, wie sie in Haftiz märkischer Chronik erzählt wird, zum Grunde zu legen. So wie Kleist den Charakter Joachims ganz verfehlt hat, so auch Maltiz. Sie machen ihn zu einem Adepten und schwachen Regenten und vergessen es, daß er ein kriegerischer, zu großem Aufwand geneigter Fürst war, dem jedoch das Land die Anlage zu einem Gesetzbuche, die bekannten Constitutiones verdankt. — Durch das Hereinziehen eines Zigeunerzettels und einer angeblichen Ermordung eines Fräulein von Sidow, woraus man jedoch nicht klug wird, da der eigentliche Hergang der Sache immer im Dunkeln bleibt, gewinnt das Drama durchaus nicht an Interesse; das Verhältniß Joachims zur schönen Gießerin würde hier von besserer Wirksamkeit gewesen sein. Hr. Rebenstein gab den Kohlhas ganz vortrefflich, mit Ehrlichkeit, Innigkeit und wo es sich gehörte mit der Kraft der Raserei. — Hr. **Devrient** j. als Kurfürst Joachim und Hr. **Beschort** als Markgraf Johann waren ebenfalls sehr brav. Hrn. **Devrients** d. ä. Rolle ist nicht bedeutend genug für diesen großen Künstler. — Auch das Publikum verdient gelobt zu werden; er bezeugte nicht, wie gewöhnlich nur dem Schauspieler, wenn er sich über Maaßen anstrengt, Beifall, sondern zeichnete auch die Verdienste des Dichters und die patriotischen Bezüglichkeiten gebührend aus. —

Blicke auf die Welt.

(Von einem Diplomaten)

Wird man nie Constitutionen für Familien erfinden und dort immer die größte Willkühr herrschen lassen? Es scheint, die Herren Staaten-Verbesserer kommen selten nach Hause oder dürfen sich dort nicht sehen lassen. —

Hier fällt ein altes betrunkenes Weib in den Straßenkoth, sie macht einen gewaltigen Spektakel; aber fürchtet nichts! — Schon führen sie zwei lahme Stadtsoldaten ganz still bei Seite. — Wie meint ihr wohl, daß die gute Alte sich nennt? Es ist die öffentliche Meinung. —

Entsagen ist schwer, versagen — schmerzlich! —

Kein Pferd hat eine so gesunde Bewegung für seinen Reuter — als das Steckenpferd. —

(Redigirt von Dr. Fr. Förster und W. Häring (W. Alexis.)

Im Verlage der Schlesingerschen Buch- und Musikhandlung, in Berlin unter den Linden Nr. 34.

Berliner
Conversations = Blatt
für
Poesie, Literatur und Kritik.

Redigirt
von
Dr. Fr. Förster und W. Häring (Willibald Alexis).

Erster Jahrgang.
Viertes Heft. April 1827.

Berlin.
Im Verlage der Schlesinger'schen Buch- und Musikhandlung.
(Unter den Linden Nr. 34.)

Inhalts-Verzeichniß.

April 1827.

Erster

Viertel-Jahres Bericht über das

Berliner Conversationsblatt

für Poesie, Literatur und Kritik

redigirt von

Dr. Fr. Förster und Willibald Alexis.

So günstig man auch in öffentlichen Blättern über das seit Januar 1827 in unserm Verlage erscheinende Berliner Conversationsblatt geurtheilt hat, so glauben wir doch dem Publikum kein zuverlässigeres Mittel der Beurtheilung dieser Zeitschrift geben zu können, als wenn wir aus den bis jetzt erschienenen drei ersten Heften dasjenige namhaft machen, was über die Richtung, den Inhalt und die Mannigfaltigkeit des Blattes, so wie über die bereits gewonnenen Herren Mitarbeiter die erwünschteste Auskunft geben kann. —

Von den poetischen Arbeiten nennen wir:

Im Januarheft:

1. Auch ich war dort. Novelle von Willibald Alexis. (In Nr. 5 — 18).
2. Aus einem noch ungedruckten Gedankenbuche Jean Pauls vom Jahr 1794. (Die Verlagshandlung bemerkt hierbei, daß ihr aus dem Nachlaß Jean Pauls bedeutende Manuscripte zur Benutzung für das Conversationsblatt überlassen worden sind).
3. Der zufriedene Mann von Washington Irving.
4. Die Runde des großen Kurfürsten. Zwei Berliner Legenden von Friedrich Förster.
5. An Mozarts Geburtstagsfeier. Gedicht von Fr. Förster.

Im Februarheft:

6. Der Dichter und der Trinker, vom Baron v. Nordeck.—
7. Der Herzog von York, biographische Skizze von Walter Scott.
8. Seebilder von Heine.
9. Knebels neuestes Gedicht.
10. Der Februar, ein Gedicht von Imanuel Kant.
11. Jean Pauls Anrede an Goethe.
12. Die Hochzeit in Beireuth. Lustspiel von F. F.
13. Erinnerungen an Portugal vom G. R. Prof. Link.

Im Märzheft:

14. Meine letzte Nacht in Berlin. Novelle von Willibald Alexis. (Nr. 43 — 58).
15. Frühlingsfeier. Allegorische Vorstellung von J. Paul.
16. Webers Gedächtnißfeier von Stieglitz.
17. Georgis, Neugriechische Ballade von Adelbert von Chamisso.
18. Seebilder von Heine.
19. Bibliothek des Königs von Indien. Erzählung aus dem Arabischen.

Von den kritischen Beiträgen erwähnen wir:

Im Januar:

1. Adelgis, Tragödie von Alexander Manzoni; von Streckfuß.
2. Goethe über Calderons Tochter der Luft.
3. Fouqué über die Räuberbraut von Robert.
4. Die Kunstausstellung in München von E. F.
5. Rauchs Denkmale in Berlin von F. F.

Im Februar:

6. Der Aufruhr in den Cevennen von L. Tiek; von Willibald Alexis.
7. Friedrich der Große oder die Schlacht bei Kunersdorf von J. Gründler; von Fr. F.
8. Bericht über die Naturhistor. Reisen der Herren Ehrenberg und Hemperich von A. v. Humboldt.
9. Solgers nachgelassene Schriften; vom Prof. v. Henning.
10. Tieck's dramaturgische Blätter; vom Prof. Gans.

Im März.

11. Dante's lyrische Gedichte herausgegeben von Kannegießer; von Streckfuß.
12. Tiecks dramaturgische Blätter vom Prof. Gans, zweiter Artikel.
13. Daru histoire de la Bretagne.
14. Die verhängnißvolle Gabel, Lustspiel vom Grafen von Platen.
15. Dramaturgische Blätter von Tieck; dritter Artikel.
16. Spanische Literatur, vom Doktor Bellermann.
17. Ueber Charakteristik der Landschaften vom Professor Link.
18. Dr. E. Müller über Johann Baptista Vico's Urtheil über Dante.

An Correspondenzen wurden bereits aus London, Paris, München, Dresden, Wien und Rom interessante Berichte gegeben und über die Leistungen der Berliner Königlichen und Königstädter Bühnen, über alles was im Gebiete der Kunst und Literatur von Bedeutung erschien, so wie über öffentliche Feste in einer fortlaufenden Chronik theils kritisch, theils blos erzählend referirt.

Schlesinger'sche Buch- und Musikhandlung in Berlin.

Ankündigung.

Im Verlage der Sclesinger'schen Buch- und Musikhandlung in Berlin, unter den Linden Nr. 34, wird erscheinen:

Life of Napoleon
by
Sir Walter Scott
in 8.

Es ist bereits daselbst erschienen eine vollständige, sehr correcte Ausgabe von

Walter Scott's Novels

containing:

The Abbot. 3 vol. 8. 3 Thlr.
The Antiquary. 3 vol. 8. 3 Thlr.

The Bride of Lammermoor. 2 vol. 8. 2 Thlr.
The black Dwarf. 8. 1 Thlr.
The Fortunes of Nigel. 3 vol. 8. 2 Thlr. 10 Sgr.
Guy Mannering; or the Astrologer. 3 vol. 2 Thlr. 20 Sgr.
The Heart of Mid-Lothian 3. vol. 8. 3 Thlr.
Ivanhoe. 3 vol. 8. 3 Thlr.
Legend of Montrose. 2 vol. 8. 1 Thlr. 20 Sgr.
Lives of the Novelists. 2 vol. 8. 2. Thlr. 10 Sgr.
The Monastery. 3 vol. 8. 3 Thlr.
Old Mortality. 3 vol. 8. 2 Thlr. 20 Sgr.
Peveril of the Peak. 4 vol. 8. 3 Thlr. 20 Sgr.
The Pirate. 3 vol. 8. 2 Thlr.
Quentin Durward. 3 vol. 8. 3 Thlr.
Redgauntlet. 3 vol. 8. 3. Thlr.
Rob Roy. 3 vol. 8. 2 Thlr. 20 Sgr.
St. Ronans Well. 3 vol. 8. 3. Thlr.
Tales of the Crusaders. 4 vol. 4 Thlr.

Containing:

the Betrothed 2 vol. 2 Thlr.
the Talisman. 2. vol. 2 Thlr. 8.
Waverley. 3 vol. 8. 2 Thlr. 20 Sgr.
Woodstock; or the Cavalier. 3 vol. 8. 1826. 3 Thlr.

Diese 21 Werke in 60 Bänden kosten einzeln genommen 56 Rthlr. 20 Sgr.; um aber den Freunden der englischen Literatur die Anschaffung dieser äuſserst correcten Ausgabe zu erleichtern, so erlassen wir dieselbe zusammen genommen zu dem höchst billigen Preise von 40 Rthlr. und cartonirt für 44 Rthlr; die Londoner Ausgabe kostet über 200 Rthlr.

Herabgesetzte Preise

von folgenden Werken, welche in der Schlesinger'schen Buch- u. Musikhandlung in Berlin, erschienen sind:

J. A. Demian Handbuch der neuesten Geographie des Preuß. Staats. Nebst Anhang, welcher die wichtigsten Veränderungen, die seit dem Jahre 1818 bis jetzt statt gefunden haben, auch mehrere Verbesserungen dieses Handbuches nebst vollst. Register enthält; Herausgegeben von Gotthold. Gr. 8. 2 Thlr. 7½ Sgr., jetzt 1 Thlr. 15 Sgr.

Schulen die 20 Exempl. nehmen, erhalten das Exempl. zu 1 Thlr. 7½ Sgr.

Dr. D. Korth Zimmerflora oder Natur- und Kunstgemäße Behandlung der Zimmerpflanzen, um ihnen die schönsten Blumen zu entlocken; für Liebhaber der Flora. 12. geh. 1 Thlr. 20 Sgr., jetzt 1 Thlr. 7½ Sgr.

Von demselben. Die schädlichen und lästigen Zimmer-Insekten, nebst gründlicher Anweisung zu deren Vertilgung. Zum Nutzen einer jeden Haushaltung. 12. geh. 20 Sgr. jetzt 12½ Sgr.

Ch. Reuter. Vollständiges Lehrbuch aller Rechnungsarten zum Selbstunterricht für Kaufleute, Lehrer und Lernende. Nach einer neuen leicht faßlichen Methode bearbeitet. 3 Thle. 8. 2 Thlr. 20 Sgr. jetzt 1 Thl. 15 Sgr.

Neue Schiften

welche im Verlage der Schlesinger'schen Buch- und Musikhandlung in Berlin, zur Leipziger Ostermesse 1827 erschienen sind:

Blesson, L., Uebersicht der Befestigungskunst. Als Leitfaden zur Ausarbeitung von Heften und Ersparung aller Dictate. 1stes Heft. Feldbefestigung. 8. 12½ Sgr.

v. Kayserlingk, Anthropologie; oder Hauptpunkte zu einer wissenschaftlichen Begründung der Menschenkenntniß. 8.

Schmidt, C W., neue Ansichten und Erfahrungen beim Branntweinbrennen und Bierbrauen. In 3 Abtheilungen mit Hinsicht auf das preuß. Beimischungssystem. Mit einem Grundriß. gr. 8.

Voß, J. v., neuere Lustspiele. 6r. Bd. Enth. 100,000 Mark Banco — Wolkenbrüche und Teufel — die Nasen. 8.

— — derselben 7r. Bd. enthält: Schnellpost und Schnelldichter — Das Versehen — Wiedersehen in der Ferne. 8.

Im Laufe dieses Sommers erscheint:

Blesson, L., Befestigungskunst für alle Waffen. 2r. Theil, die sogenannte große Befestigungskunst. 8.

Förster, Fr. Geschichte des preuß. Staats. 2 Bde. 8.

Jost, J. M., Geschichte der Israeliten seit der Zeit der Maccabäer bis auf unsere Tage, nach den Quellen bearbeitet. 8r. Theil. gr. 8.

Scott, Walter, the life of Napoleon. 6. Vol. 8.

Von diesem Journal erscheinen wöchentlich 5 Blätter (und zwar Montags, Dienstags, Donnerstags, Freitags und Sonnabends) außerdem litterarisch-musikalisch-artistische Anzeiger. Der Preis des ganzen Jahrganges ist 9 Thaler, halbjährlich 5 Thaler. Alle Buchhandlungen des In- und Auslandes, das Königl. Preuß. Post-Zeitungs-Comptoir in Berlin, und die Königl. Sächsische Zeitungs-Expedition in Leipzig, nehmen Bestellungen darauf an.

Im Verlage der Schlesingerschen Buch- und Musikhandlung, in Berlin unter den Linden Nr. 34.

Berliner

Conversations-Blatt

für

Poesie, Literatur und Kritik.

Montag, — Nro. 66. — den 2. April 1827.

Vorwort.

Indem wir mit dem heutigen Blatte ein neues Quartal beginnen, seien uns einige Worte über uns selbst erlaubt. Ein Journal, welches mit dem Vorsatz anfing, nicht als in Voraus gemacht zu erscheinen, sondern sich zu entwickeln, muß in gewissen Intervallen für sich Rede stehen. Am besten geschieht dies freilich wo, ohne Vorrede oder Nachrede, das Werk für sich selbst spricht; da in einem Journal aber viele verschiedene Münder sprechen, da der Leser geneigt ist aus einzelnen zufällig ihm vor Augen gekommenen Blättern auf das Ganze zu schließen und zu urtheilen, und da letzteres sehr unzeitig und unangemessen schon öffentlich, wenn auch zu Gunsten des Unternehmens geschehen, so dürfen auch wir unsere Redactions-Anmerkungen zu einem kleinen Prolog ausdehnen.

Für die Gunst, mit welcher man unser Unternehmen aufgenommen, unsere Leistungen verfolgt und unsern Erfolg beurtheilt hat, können wir zwar nur dankbar sein, der Redakteur aber, dessen Verwaltung das Gebiet der Originalschöpfungen zugefallen, kann nicht umhin, diese Beurtheilungen insofern sie in guter Meinung erfolgten, für mindestens unzeitig zu erklären. Was er verheißen, glaubt er erfüllt zu haben, es kann dies aber bis jetzt nur etwas Negatives sein. Er hat keiner Richtung den Weg versperrt, er glaubt manches characteristische gesammelt zu haben, was aber die Gesammtcharacteristik betrifft, so darf man das ästhetische Senkblei nicht an ein Quartal legen, kaum daß schon ein ganzes Jahr hier Rede stehen kann. Unsere Literatur, zumal die des Romans und der Erzählung, ist, Dank sei es dem Deutschen freien Geiste, nicht so encyklopädisch gerathen, um sie bequem und vollständig in ein Dutzend Monate einzuschichten. Hier etwas Vollständiges zu liefern ist schwer, wir können nicht, wie der Schneider aus demselben Tuche eine Mütze und auch ein Dutzend Mützchen mit beliebiger Größe zu beliebigem Gebrauch anfertigen; wir können nicht, wenn ein Romanendichter aufgetreten, bei ihm in demselben Genre eine Erzählung so und so lang bestellen, wir können aber auf jede neue Richtung aufmerksam, und wo wir nicht etwas Ganzes und Neues liefern dürfen, durch episodische Mittheilungen und referirende Darstellungen im Zusammenhange bleiben. Wir stehen in freundlicher Verbindung mit Allen, bei denen die schöpferische Thätigkeit noch lebt, und wir hoffen, auf manche aufmerksam zu machen, deren Kraft bisjetzt für die Augen des Publicums noch verborgen geblieben.

Die uns bewiesene Gunst zeigt sich auch besonders in reichlichen Zusendungen von Beiträgen, die wir aber großentheils abzulehnen genöthigt sind. Hier müssen wir uns indessen gegen den Vorwurf verwahren, als sprächen wir damit über den Werth oder Unwerth derselben ab. Oft werden schätzenswerthe Aufsätze abgewiesen, weil eine verwandte Mittheilung schon bereit liegt; und wo der Raum zwischen Schöpfungen im ganzen weiten Gebiete der schönen Literatur, zwischen Mittheilungen und Berichten über alles, was im Auslande und in der Heimath im Gebiet der Wissenschaft und der Künste neu erscheint, und zwischen der eigentlichen Kritik dessen, was literarisch ins Leben tritt, also dreifach getheilt ist, sind dem

Wunsch und der Lust Schranken gesetzt, die am liebsten nur Proben zulassen möchten. Kurze Aufsätze mit möglichst characteristisch scharfer Auffassung sind uns daher unter den unaufgefordert übersandten in der Regel die willkommensten.

Was die Correspondenzen betrifft, bestreben wir uns mehr cyklische Uebersichten bestimmter Perioden und Bilder bestimmter Ereignisse als fortlaufende Berichte zu liefern.

Wie es auch der Kritik bisher nur vergönnt war, die bedeutendsten Erscheinungen und die Berlin näher betreffenden zu betrachten, und wie vielleicht künftig hieraus eine bestimmtere Regel erwachsen dürfte, so wie die Grundsätze hinsichts der Aufnahme fremder Beiträge, überlassen wir unserm Mitredacteur gelegentlich auszusprechen.

Den Lesern, welche unser erstes Vorwort übersehen, wiederholen wir, daß bei einem gemeinschaftlichen Wirken, doch unsere Arbeit in der Art gänzlich getheilt ist, daß die Redaction des kritischen Theils lediglich Herrn *Dr.* F. Förster überlassen geblieben. Von mir rühren nur die mit meinen Chiffern unterzeichneten Recensionen her.

In der äussern Leitung findet ein monatlicher Wechsel statt. Sollen die an die Redaction gerichteten Schreiben von einem der Redactoren eröffnet werden, bitten wir dies auf dem Couvert zu bemerken.

W. A.

Der lachende Mörder.

Der Deutsche Leser, welcher sich für den fußreisenden Engländer interessirte, den seltenen Mann seiner Nation, welcher sie zwiefach verleugnet, einmal weil er nur zu Fuß reist, und zweitens das verschlossene Naturell ganz fahren läßt, sich allen Eindrücken wie ein echter Reisender hingebend, setzt zum Vergnügen des Publikums seine Fußpartieen in Frankreich, und die Beschreibung derselben fort. Wir reden von den in London erschienenen *High-ways and By-ways, or tales of the roadside, picked up in the french provinces by a walking gentleman,* welche auch in Frankreich und Deutschland (hier unter dem Titel Heer- und Querstraßen oder Erzählungen, gesammelt auf einer Reise durch Frankreich. Dunker und Humblot 1824) sich der regsten Theilnahme zu erfreuen gehabt. Wir gestehen, daß wir nicht allein der angeführten Eigenschaften, die wenig den Engländer verriethen, als mancher feiner Züge wegen, an einer echt Englischen Autorschaft irre wurden. Der Reisende entfaltete in seinen Betrachtungen und bei dem leicht eingeklungenen Verkehr mit Leuten jeder Art, ein viel zu geselliges Talent; jetzt erst nennt man einen Herrn Grattan mit ziemlicher Bestimmtheit als Verfasser, und durch die Angabe, daß er ein Irländer sei, erklären sich mit einem mal die Eigenschaften, welche bei einem Gentleman aus Alt-England an's Fabelhafte streifen.

Der anmuthige Reiz dieser Erzählungen thut sich nicht auf den ersten Anblick kund. Wir selbst bekennen, bei der genausten Bekanntschaft anfänglich sehr leicht über ihren Werth geurtheilt zu haben. Erst bei Vergleichungen ist man geneigt, diesen Erzählungen einen höheren Werth als den einer anspruchlosen Unterhaltung beizulegen. Das wirklich erlebte und das scharf und doch mit mildem Geist beobachtete, wird mit einer Anmuth dargestellt, die an wirkliche Poesie gränzt; ein Blüthenduft, der gar nicht an den Englischen schweren Nebel und noch weniger an dicken Porterdunst erinnert, ist darüber hingehaucht, daß wir den wohlthätigen Einfluß der schönsten Himmelsstriche im südlichen Frankreich wahrnehmen.

Ueber das Fußreisen äußerte er selbst in seinem Prolog: Kennten alle Leute, die zum Vergnügen reisen, nur die Hälfte des Vergnügens beim Fußreisen, so würden Postmeister und Fuhrherren bald nur auf die rechnen können, welche das Glück oder Unglück haben, verheirathet zu sein, und auf verweichlichte Burschen und alte Junggesellen. Welcher lebenskräftige, junge Mensch würde freiwillig seine schöne Zeit in der Einsamkeit einer Postkutsche vergeuden, oder sein Geld einer Diligence zahlen, wenn er bedenkt, in welcher Schnelligkeit sie ihn über Alles hinwegführt, was vernünftiger Weise einen Menschen interessiren kann. — Können wir ein Volk, wenn wir es so durchfliegen, kennen lernen, kann der Fremde unter — — Reisenden die wahre Nationalität des Volkes lernen? Nein, Freund! Ergreifen Sie Tornister und Stock und schreiten aus! Verweilen Sie auf dem Wege. Mischen Sie Sich unter das Volk, als kämen Sie durch Zufall und nicht aus Neugier hin — — Die Belehrung muß gelegentlich kommen, nicht herausgepreßt werden. — Man kann entgegnen: Nicht Jedermann hat so viel Zeit — messen Sie lieber die Gemüther, die Sie kennen lernten, als die Meilen, und haben Sie auch nur einen Distrikt eines fremden Volkes durchzogen, so sind Sie besser unterrichtet, als wenn Sie von Calais nach Paris, und von da nach Florenz, Rom und Neapel galoppirt wären.

Herr Grattan mit Yoriks Motto: *I hate the man, who can travel from Dan to Beersheba and says 'Tis all barren*, nicht im Munde, sondern in der Gesinnung, ist durch ganz Frankreich gewandert und hat kein einziges Fleckchen unfruchtbar gefunden. Er hat die Gemüther gemessen, und von jedem Ort seine Früchte nach Hause getragen. Wir wüßten kein neueres Werk, welches, abgesehen von dem poetischen Werthe, so getreue Berichte über das gesellige Leben in den Provinzen von Frankreich und wie Revolution und Restauration darauf zurückgewirkt, lieferte.

Er führte uns aus Auvergne hinunter nach der Garonne, streifte mit uns hinauf nach der Vendée mit Rückblicken auf die Gräuel und Heldenthaten daselbst; dann ließ er uns höchst interessante Blicke in das Departement *des Landes* thun, dessen unübersehbare Sandsteppen, Fichtenwälder und klare, große Seen an vaterländische Gegenden erinnern, verweilte mit uns in dem fröhlichen Lande von Bearn, bei dem schönen Geschlechte der Basken und klimmte mit den Bärenjägern umher an den eisbedeckten Pics der Pyrenäen. —

Neuerdings setzt er seinen Wanderstab in die nördlichen Provinzen, und wenn auch hier weniger die Naturgemälde ansprechen, versteht er es doch, auch sogar den Manufacturgegenden Reize abzugewinnen. In einer der neuesten Erzählungen, deren Uebertragung zur Vervollständigung des in den Heer- und Querstraßen ausgeführten Bildes zu erwarten ist, sehen wir das betriebsame Leben eines Manufacturherrn in der Normandie. Alle die großen Parteien des Staates, alle Umwälzungen und Ministerwechsel in Paris spiegeln sich ab im Leben der drei Dörfer eines unbedeutenden Thales bei Rouen. Die alte Erfahrung spricht sich auch hier aus, daß beim Kampfe der Factionen der Schurke temporell die Oberhand behält, während dem Redlichen die Mäßigung nichts hilft. Es ist merkwürdig, daß unser Reisende, welcher im Anfange sich als entschiedener Royalist und antirevolutionair gesinnt zeigt, dergestalt, daß er sogar einen bedeutenden Franzosen, der einst sein Votum gegen Ludwig *XVI.* abgegeben, obgleich er ihn lieben und achten muß, obgleich der Mann von der tiefsten Reue ergriffen und selbst begnadigt ist, nicht mehr sehen mag, als er von seinem Verbrechen Kenntniß erhält, daß dieser selbe Mann im Verlauf seiner Wanderungen ein nicht ungehässiges Bild von dem Zustande der gegenwärtigen Verwaltung in Frankreich entwirft. Ueberall begegnet er unbesonnenem Hasse, unklugen Erinnerungen, selten der Mäßigung. — Verächtliche Menschen, welche während aller Greuelperioden des Terrorismus, des Directoriums, des kaiserlichen Despotismus Augendiener der Gewalt waren, tyrannisiren jetzt in den entfernten Districten unter der Maske eifriger Royalisten. So lernen wir den Doctor und Maire Glautte in der Erzählung, betitelt *the Voude au blanc*, und noch mehr den ehemaligen Schreiber, jetzigen Maireadjuncten Monsieur Faussecopie kennen. Es ist der Entscheidungstag eines wichtigen Prozesses über die Entschädigung, welche ein gekränkter Liebhaber über das verweigerte Jawort von seiner Braut, der Heldin der Erzählung, fordert, in welchem unser Fußreisender durch Zufall in den genannten Kreis geführt wird, und diese Episode ist so launig erzählt, daß sie unsern Lesern nicht uninteressant sein kann, auch wenn die ganze Erzählung von dem schönen weißen Mädchen in Deutschland unbekannt bliebe.

Da wir bei der Einleitung einmal so weit gegangen, müssen wir auch des gedachten Liebhabers erwähnen, wenn er gleich in unserm Prolog zu dem Gerichtstage nicht unmittelbar auftritt. Es ist Monsieur Hippolite Emmanuel Narcisse de Chousleur, ein alter Chevalier und erklärter Royalist, auch Tanzmeister und Sprachlehrer, aber Trotz seines Royalismus eine so ergötzliche und unschädliche Person, daß ihn Robespierre und Bonaparte frei reden und denken ließen. Man gönnt ihm von ganzem Herzen die Pension nach der Restauration für seinen dabei bewiesenen Eifer und bedauert nur, daß dies harmlose eitle Geschöpf eben bei diesem Prozeß sich von Faussecopie verleiten läßt aus der Rolle zu fallen, um dafür zuletzt bei der poetischen Gerechtigkeitspflege ernster gestraft zu werden, als seine Unbedeutenheit erwarten konnte.

Der Walking Gentleman, der bekanntlich, wem es erinnerlich ist, mit seiner Doppelflinte (vom berühmten Joe Manton in London) und seinem Hunde Ranger umherstreift, introducirt sich selbst erst gegen das Ende der Erzählung auf folgende Art:

Ich hoffe meine Leser werden sich indessen gefragt haben: „Aber wo steckt der Autor — unser reisender Gentleman, der uns so seine ganze lange Geschichte aufzählt, ohne ein einziges Mal selbst herein zu blicken? Wir möchten nun wissen, was aus ihm geworden, und wo er alle diese Umstände eingesammelt hat?" Wohlan denn, gesagt sei es, daß ich grade an dem Tage, wo der Termin in Sachen Hippolite *versus* Leonie anstand, durch einen seltsamen, und, ich kann mir nicht helfen, auch glücklichen Zufall nicht allein Zeuge, sondern gewissermaßen auch mitthätig wurde. Wie das zuging, soll der Leser sogleich kurz und aufrichtig erfahren.

Am Abende vor dem denkwürdigen 20sten Octob. 1816 war ich nach einem langen Tagesmarsch auf dem Gipfel jenes Hügels angekommen, dessen wir beim Beginn unsrer Geschichte erwähnten. Wer nochmals nach der Beschreibung der Aussicht verlangt, blättere gefälligst in den ersten zwölf Seiten nach. Er möge mit mir hinabschauen auf das anmuthige Thal mit den Fabrikgebäuden und mit mir durchträumen alle die Betrachtungen über Landschaften, wo der Gewerbsfleiß oder noch die Natur vorherrscht und schließlich ganz zu Gunsten der letztern sich mit mir entscheiden.

Nachdem ich zur Genüge hinausgeschaut und hinausgedacht, fing ich an mit Freund Ranger hinter mir den kleinen Saumthierpfad, der wieder in's Thal führte, hinab zu steigen. Er schlängelte sich so, daß nun der Weg viel länger, aber bequemer für die Bauern wurde, welche zum Markte kommen mit Getreide und Gärtnereien auf ihren kleinen Pferden und Eseln oder von da mit ihren Einkäufen heimkehren. Ich trug ebensowohl als die genannten Thiere meine Last; denn ich hatte den Tag grade gutes Glück auf der Jagd gehabt und führte außer Tornister und Flinte einen Hasen und verschiedene Vögel in meiner Jagdtasche bei mir. Dazu kam ein warmer Abend, wenigstens für einen schwer beladenen Fußgänger, so daß ich den Hügel ganz gemächlich hinabspatzierte,

Bald war die Umgegend mir aus dem Gesicht verschwunden, und ich fand nichts umher, worüber ich, wäre mir die Lust dazu angekommen, moralisiren können, bis auf die Bäume in aller Manigfaltigkeit ihres herbstlichen Colorits. Einige hatten schon fast ganz ihr Laub verloren, während andere troß des Wechsels der Jahreszeit ihr Sommerkleid noch hartnäckig umbehielten. Sämmtliche breitblättrige Geschlechter, wie die Linden, die wilde Feigen- und Kastanienbäume, welche während des Sommers so üppig sich entfaltet, waren jetzt fast aller ihrer Kleider beraubt, die nun, welk und kraus, unter meinen Füßen rauschten. Die rauhern Geschlechter hatten dagegen nur wenig vou ihrer Kleidung eingebüßt, denn die Buche und Rüster, die weniger hervorstachen, als der ganze Wald noch in seinem Sontagsanzuge dastand, traten jetzt zu ihrem Vortheil, wenn auch nicht mehr üppig, doch anständig bekleidet heraus. Auch hatte die Farbe ihrer Kleider wie von gröberen, fester gewebten und stärker gefärbten Stoffen, wenig gewechselt. Pappeln, dürr und steif, als wären sie die Stutzer des Waldes, hatten ihre letzte Hülle verloren, und nur dürftige gelbe Blätter hingen von ihren dünnen Zweigen herab. Eine Erle am Wege war ein vollständiges Skelett. Ihre Zweige zitterten, obgleich kein Hauch die Luft bewegte; und auf dem höchsten davon flatterte ein verlassenes Blatt, als verlange es und arbeite dahin, vom Baume loszukommen, und könnten wir uns nur den Baum selbst eben so gut als unsterbliches wie als lebendiges Weseu denken, so möchte es als Symbol des letzten lebendigen Funkens gelten, welcher ringt seine zerbrechliche und hinsinkende Hülle zu verlassen. Während der geneigte Leser sich hieraus die Moral zieht, mag er sich vorstellen, daß ich den Hügel hinabgestiegen, aus dem Walde herausgetreten bin und nun den Weg verfolge, der mich, längs dem Bächlein, gerade nach den Dörfern führt.

Als ich so entlang schlenderte, hörte ich ein Rauschen in den Zweigen über mir und Hufschläge mit Männerstimmen untermischt. Da ich hinab schaute, gewahrte ich durch eine lichte Stelle des Waldes eine Anzahl berittener Gendarmen, die auf demselben von mir kaum verlassenen Pfade hinter mir herkamen. Solche kriegerische Beschützer des Friedens passen recht gut zu einer Landschaft der oben erwähnten Art, wo alles, Betriebsamkeit und Gewerbsfleiß athmet; für mich aber hatte diese Verbündung gar nichts angenehmes und von Herzen wünschte ich mich wieder unter die vulkanischen Trümmern in Auvergne, oder unter die öde Größe der Pyrenäen. Diesen unbehaglichen Gefühlen nachgebend schritt ich eher schneller als langsamer aus; aber auch jene, als hätte meine schnellere Bewegung den Verdacht gegen mich, der ich eben nicht viel anders als ein Wilddieb aussehen mochte, in ihnen bestärkt, beeilten sich und setzten, als sie den ebenen Weg erreicht hatten, in muntrem Trabe hinter mir drein, bis sie mich eingeholt hatten. Als ihr Anführer, ein Offizier, mich erreicht, brachte er sein Pferd in Schritt und redete mich, nach einem besonders scharfen Blicke, gebräuchlich wenn man einen Dieb fangen will und unter leichter Berührung seines dreieckigen Hutes folgendermaßen an:

(Fortsetzung folgt.)

Charade.

Sein Erstes ist wonach ich glühend schmachte,
Gedenk ich dein im vielgetreuen Herzen,
Erliegend der Entbehrung bittern Schmerzen,
Wenn nämlich ich's als Substantiv betrachte;
Doch wenn ich unsres Adelung nicht achte,
Und will verwegen mit dem Wörtchen scherzen,
So wird's, als Verbum, Docht für Amors Kerzen,
Die Jenes mir zur wilden Lohen fachte. —
Hab ich's als Substantiv von dir errungen,
So, denk ich, soll's als Verbum mir nicht fehlen,
Und kann ich auch des Zweiten dann nicht schonen,
Denn beide, wie die Liebe sie verschlungen, —
In welcher Glut sie immer sich vermählen, —
Sind in Adjecto Contradictionen.

Sengebusch.

(Redigirt von Dr. Fr. Förster und W. Häring (W. Alexis.)

Im Verlage der Schlesingerschen Buch- und Musikhandlung, in Berlin unter den Linden Nr. 34.

Berliner Conversations-Blatt

für

Poesie, Literatur und Kritik.

Dienstag, — Nro. 67. — den 3. April 1827.

Der lachende Mörder.

(Fortsetzung.)

„Sie sind Jäger, mein Herr?"

„Ja, mein Herr."

„Ich bin es auch. Jagen ist ein lustiges Leben, wenn man es ehrlich treiben darf. Sie haben heut gutes Glück gehabt?" dabei wies er auf meine Jagdtasche.

„I ja, es geht an."

„Darf ich fragen, wo Sie auf der Jagd waren?"

„Wo ich irgend auf meinem Wege Erlaubniß erhalten konnte."

„Sind Sie heut weit gereist?"

„Ich komme von Brionne," eine Stadt die ungefähr fünfunddreißig Meilen entfernt liegt.

„*Diablo*! und zu Fuß?"

„Ganz gewiß."

„Wahrhaftig das ist zu viel bei allen guten Dingen. Ich gehe wohl auch mitunter auf die Jagd, aber eine Runde von ein Paar Meilen, ist für mich vollkommen genug. Ist dies eine Englische Flinte?"

„Allerdings!"

„Erlauben Sie mir wohl, sie ein wenig zu betrachten?"

„Von Herzen gern."

Gesagt, gethan, ich übergab ihm meinen Joe Manton. Einen Augenblick prüft er ihn mit augenscheinlicher Bewunderung und übergab ihn alsdann einem seiner vier Begleiter mit den Worten: „Da, hebe des Herren Flinte gut auf — er muß müde sein, da er sie einen ganzen Tagesmarsch getragen hat."

Während es geschah, dankte ich ihm für seine Höflichkeit und ließ mir eben so gern auf des Offiziers Vorschlag von einem andern Gendarmen meine Jagdtasche abladen und über seinen Sattel hängen. So erleichtert schritt ich rüstig zu, und da meine Eitelkeit durch des Offiziers Lob über meine Schnellfüßigkeit und daß ich so wenig ermüdet schiene, ein wenig aufgeregt worden, machte es mir auch kein geringes Vergnügen als ich bemerkte, daß meine Reiter zu Pferde sich in einen gelinden Trab setzen mußten. Ich ließ den Offizier sogar hinter mir, so lange er noch Schritt hielt, und da ich sah, daß hierauf zwei seiner Leute herantrabten und links und rechts mir zur Seite blieben, hielt ich auch dies für Artigkeit. Die andern Beiden kamen dicht hinter mir drein und dem Lieutenant entfuhren ein oder zwei *sacre's* über sein wettbeiniges Pferd ehe er mich einholte um wieder zu schwören, ich sei der beste Marcheur, den er jemals escortirt hätte. Während des Plauderns, wobei sein offenes Wesens eher meine allgemeine Abneigung gegen Leute seiner Gattung verminderte, erreichten wir das erste der drei Dörfer, und nun ward verabredet, ich solle in's zweite gehen, wo wir in dem Wirthshause, das er immer zu seinem Quartier erwählte, und das, nach seiner Versicherung das einzig anständige in der Commune sei, zusammen Abendbrod essen wollten.

Als wir in dieser Ordnung durch die kleine Dorfstraße zogen, sah ich viel Volk aus den sehr bewohnten Häusern herauskommen und uns neugierig nachblicken, und beim Wirthshause, das sich durch ein heraushängendes Schild mit einem grünen, rothen und gelben Hahne, in welchem die Worte: „*Le Reveil Matin*" im Cirkel geschrieben standen, auszeichnete, stand endlich eine auch für solchen Platz große Menge versammelt. Mancher Zuschauer zog Erkundigungen von den Gensd'armen, wenn sie ihre Pferde in den Stall führten, ein, und mancher Blick traf mich und den Lieutenant, als wir in's Haus traten. Er führte mich in ein kleines Hinterzimmer, das auf eine Art Garten hinausführte, in welchem ich bereits einen seiner Leute erblickte, der sorglos, den Säbel mit der Scheide im Arm, darin auf und ab marschirte. Ich konnte mich nicht enthalten, dem Officier mein Erstaunen mitzutheilen, wie er so schnell sein Pferd verlassen habe, er entgegnete aber mit sehr gleichgültiger Miene: — „Alles hat seine Zeit — der Kerl ist ein Liebhaber von Blumen und sonst auch ein großer Müßiggänger."

Eine loose Disciplin! dachte ich, aber ich dachte falsch. Als wir uns niedergesetzt, wünschte mein Gesellschafter meinen Paß zu sehen. Er meinte, das wäre zwar nur eine leere Förmlichkeit, aber er hätte es mit einem verteufelt strengen Kerl von Mairie-Adjuncten zu thun, und die Stimmung gegen die Engländer wäre gerade jetzt bei den Communalbehörden eine sehr ungünstige. Ich gab ihm augenblicklich meinen Paß und ebenso auf sein Verlangen meine Erlaubniß Waffen zu führen. Dann bat er mich ruhig zu verweilen, während er das Essen bestelle und zur Mairie hinaufginge, dem Adjuncten meine Papiere zu zeigen.

Kaum daß er hinausgetreten, machte ich mich an meinen gewöhnlichen Zeitvertreib in solchen Lagen. — Ich betrachtete nach der Reihe alle die trefflichen Kupferstiche an der Wand, bis ich mit jedem Gesichtszuge der verschiedenen Heiligen, Marschälle, Prinzen und Verbrecher, die insgesammt eine merkwürdige Familienähnlichkeit hatten, wohl vertraut war. So kühn wie irgend ein geübter Phrenologist prüfte ich die auf dem Kamin stehende Gipsbüste Ludwig *XVIII.* und als ich den Kranz künstlicher Rosen, von Finger und Daum irgend eines Royalisten über die Königlichen Schläfen gewunden, fortgelegt hatte, wünschte ich mir nur so viel Kenntniß von der Wissenschaft um das Organ der Regierungsweisheit herauszufinden, damit ich meinen innigsten Wunsch, daß er sein Land frei und glücklich mache, näher der Erfüllung sähe. Was Spurzheim wirklich hier gefunden, oder doch sich eingebildet hätte zu finden, weiß ich nicht, ich war aber hier kein Spurzheim.

Eine Viertelstunde Beschäftigung der Art mit den davon abhangenden Gedanken ließen mich inne werden, daß das Zimmer nicht weit genug für mich sei. Müde der engen Mauern verlangte mich nach Luft. Ich öffnete deshalb das sechs Fuß über dem Garten angebrachte Fenster und war schon im Begriff hinunter zu springen, als der Blumenliebhaber und Faullenzer von Gensd'arme mir mit der Hand zuwinkte, ich möchte es doch lieber sein lassen. Da ich das nicht verstand, kam er näher, zog halb den Säbel aus der Scheide und ersuchte mich höflichst, ihn nicht in die Nothwendigkeit zu versetzen, daß er seinen Säbel mir in den Leib stoßen müsse. Schnell fuhr ich jetzt zurück, in der Voraussetzung der Mann sei betrunken, aber als ich die Thür öffnete, um meinen Ausgang auf regelmäßigere Weise zu halten, sah ich zu meinem großen Erstaunen ein sechsfüßiges, mit starken Knochen begabtes Gegenstück zu meinem Gartennachbar draußen stehen. Das Schwert im einen Arm, hielt er mir höflichst den andern entgegen mit der Bitte: „ihm doch den Gefallen zu erzeigen, mich wieder in das Zimmer zurück zu bemühen, da ich ein Gefangener wäre."

Ich that irgend einen Ausruf des Erstaunens — wiederholte, wie mich dünkt, sein letztes Wort, aber er blieb standhaft, und ich trat, ganz zu Rangers Zufriedenheit zurück, der zu denken schien, er sei genug den Tag marschirt. Während ich meinen Unwillen wiederkäute, — besser wäre es gewesen, ihn mit einem male hinunter zu schlucken — kam der Lieutenant zurück, und er kam mir selbst mit den Vorwürfen, mit denen ich ihn überhäufen wollte, zuvor, indem er so innig seinen Verdruß betheuerte und sein Mund von einem Strome von Entschuldigungen überfloß — meine Hand drückte er immerwährend dazwischen — daß ich endlich all mein Recht, ärgerlich zu sein, aufgab und sogar Gefallen an meinem Gefährten fand, als wir uns, frei von aller *Géne*, zu einem Abendessen, wie es nur das Haus aufweisen konnte, niedersetzten.

Der Lieutenant sagte mir, der Adjunct, Monsieur Fauffecopie (den ich hier zum erstenmal nennen hörte) habe Paß und Licenz ganz in Ordnung gefunden, und ich hätte völlige Freiheit nächsten Morgen, wenn es in meinem Willen stände, mich auf den Weg zu machen. Dies solle gewiß geschehen, versicherte ich ihn, und wir trennten uns nach Beendigung des Abendessens, und zogen uns, jeder gut auf den andern gestimmt, in unsere gegenseitige Schlafkammer zurück.

Im Bette wurde ich noch geraume Zeit durch eine Gesellschaft lärmender Burschen wach erhalten, welche in einem Zimmer unter mir Cider und Brantwein tranken und höchst geräuschvoll zur Ehre eines eben von den Assisen in Rouen erfochtenen Rechtsstreites schwatzten und sangen. Dies ist der größte aller Siege für einen Mann aus der Normandie; und ich glaube gewiß, daß Wilhelm der Erste seine Eroberung England in Vergleich mit einem gewonnenen Prozeß, wenigstens wie sie heut zu Tage sind, für etwas sehr geringes, erachtet hätte. Daher verwunderte ich mich auch gar nicht über die ungeheure Zahl von Mäßen Cider und von Brantweinflaschen, die alle zu Ehre des bemeldeten Ereignisses auszustechen waren, wie mir von der Magd in Holzschuhen und mit hochgesteifter Haube vertraut ward, als sie mich in mein Zimmer führte, und von mir den Betrag meiner Tagesrechnung empfing, indem es nämlich mein ausgesprochener Vorsatz war, morgen sehr früh in der Richtung nach Dieppe und andere interessante Orte der Nachbarschaft aufzubrechen. Nachdem ich mich wenigstens zum zwanzigstenmal umgedreht, in vergeblichen Versuchen mein Ohr vor dem Bachanal unten zu verschließen, hörte ich endlich die Thür von innen verriegeln und verrammeln, und als die herausgeworfene Partei von dannen zog, lallte ein Kerl mit einer Zunge von Prahlerei und Liquor gleich voll: „Nun fort, geht Ihr auch fort! denn ich will schlafen auf der Streu im Stalle hier und träumen von des Advokaten Dupré köstlichen Argumenten. Die Andern lachten über seine erklärte Absicht, aber der Kerl bestand darauf und als ihre Fußtritte verhalten, hörte ich ihn wirklich im Stroh rascheln, als ob er sein Bett sich mache. Jetzt endlich verfiel ich in Schlaf und erwachte erst als Ranger um sechs Uhr Morgens meine Hand leckte.

(Fortsetzung folgt.)

Freundschaftszeichen.

Er ist mein Freund, drum darf ich es gestehn,
Ich habe dümmern Menschen nie gesehn.

F. v. U.

Bemerkungen eines Engländers über den Zustand des Schauspielwesens in London.

Der verdiente Miscredit, worin die Theater von Coventgarden in Drury Lane gerathen sind, nimmt mit raschen Schritten zu. Unter Leuten von guten Sitten und Geschmack ist es der Gegenstand täglicher Beobachtung, daß diese Theater vermieden werden müssen, da die neuen Stücke, die Schauspieler, die Gesellschaft, die man dort trifft, und überhaupt die Leitung des Ganzen nur zur Schande der Sitten und des Geschmacks da sind, und das öffentliche Gefühl durchaus verletzen. — Es ist schwer zu glauben, daß ein Volk, das einige der größten Dramatiker hervorgebracht, welche die Welt gesehen, und welches noch vor nicht gar langer Zeit einen Sheridan hatte, mit einemmal alles dramatischen Talents beraubt sein sollte; wir müssen daher schließen, daß der Mangel höherer und selbst mittlerer Schauspiele nur aus der Abwesenheit der rechten liberalen Aufmunterung von Seiten der Schauspielpatrone entstehe. Dieser Bemerkung dient das Factum zur Bestätigung, daß kein einziger unserer ausgezeichneten Dichter und Schriftsteller daran denkt, sich im Drama zu versuchen. Wir haben kein Stück von irgend einem angesehenen Schriftsteller auf den Brettern, es sei denn für den verderbten Geschmack, der dort herrscht, auf das grausamste verstümmelt und verpfuscht. — Und woran liegt dies? Bloß daran, daß die Leute, die dem Geschäft vorstehen, seien es Commitées oder einzelne Directoren, allgemein in den Irrthum verfallen, die Sachen so einzurichten, daß der Schauspieler, der irgend eine auffallende Eigenthümlichkeit hat, wonach die Narren gaffen, nicht den allgemeinen oder besondern Charakter der menschlichen Natur darzustellen habe, sondern sich und immer nur sich selbst. Wenn Shakspeare seinen Coriolanus und Richard für die Kemble's und Keans, die sie zuerst darstellten, gezeichnet hätte, seinen Fallstaff für einen Elliston, seinen Probstein für den Liston seiner Zeit, seine Stücke würden gewiß nicht dauernd die Welt beherrschen, die Helden des Dichters würden in derselben Stunde gestorben und in dieselbe Vergessenheit gerathen sein, wie die Schauspieler.

Bis daher diese Fessel gebrochen ist und diejenigen, welche der Natur folgen, und nach dem Einfluß ihres Genies schreiben könnten und wollten, nicht vor das Publicum kommen können, ohne den kleinen Grillen und Leidenschaften der Directoren und Schauspieler zu huldigen, werden wir nie ein gutes Stück haben, ein Stück, das selbst der rohesten Menge noch gefällt, wenn der Mime, für den es fabricirt worden, vom Schauplatz abgetreten ist, oder sich darin überspielt hat. Fällt denn niemand ein, daß selbst die Schauspieler dadurch entwürdigt werden, da man sie wie Ungarische Windspiele behandelt, die mehr nach ihren Flecken beurtheilt, als wegen ihrer Sagacität, ihres Geistes bewundert werden. Der Schauspieler muß ein häsliches Gesicht, eine verdrehte Haltung haben, die Schauspielerin muß protegirt sein, so wie sie erscheint, Vorstellungen erregen, die bescheidene Frauen und selbst bescheidene Männer wegwenden macht.

Der faule Fleck des Ganzen liegt indeß in dem Theil der Zuschauer, der auf Verlangen oder Zulassen der Directoren, die Säle verunreinigt und sich auf eine solche Weise in die Logen eindrängt daß Auge und Ohr eines Jeden, der noch nicht aller Sitte abgesagt hat, davon beleidigt werden muß. Wenn man nicht eine ganze Loge für sich nimmt, so ist man nie sicher vor der gemeinsten Nachbarschaft. Feile Dirnen und Diebe, von der allerniedrigsten Gattung, drängen sich durch die Hallen, während die Salons und Vorhallen durch Erlaubniß der Direction für den größten Theil des Abends voll von öffentlichen Dirnen sind, so daß ein Fremder denken müßte, der Hauptzweck dieser Nationaltheater sei, Laster und Liederlichkeit aller Art zu befördern. Ein anständiges Frauenzimmer darf kaum wagen ins Theater zu gehn, selbst in Begleitung ihres Vaters, Bruders oder Mannes. Denn die ihr zunächst sitzende kann den ganzen Abend sich solcher Sprache und Mienen bedienen, die nur die allerfrechste mit anzuhören vermag. Unsere Zeitungen sind selten ohne lange Artikel über die Schauspielleistungen, aber nie sprechen sie in der kühnen und schonungslosen Weise, wie sie sollten, von den groben Beleidigungen alles Anstandes, die jeden Abend in den obern Logenreihen und in den Salons geduldet werden. Es ist bekannt, daß die letztern eigends dazu eingerichtet und verziert sind, die Söldlinge des Lasters herbeizuziehen. Es bringt dem Theater Geld ein, und dies ist der alleinige, große Zweck, den man vor Augen hat. Wir haben gehört, daß viele dieser unglücklichen Weibsbilder, die nicht reich genug sind, sich freien Eintritt zu kaufen, gratis damit versehen werden, damit sie Solche, die bezahlen können, nach dem Theater ziehen. Solch ein System offner schaamloser Beförderung der Frechheit gereicht nicht bloß den Theatern und der Nation zur Schande, sondern es ist auch offenbar eine der mächtigsten und wirksamsten Ursachen, die in den letzten Jahren, in den höhern und achtbaren Klassen der Gesellschaft, einen so allgemeinen Widerwillen gegen das Brittische Schauspiel hervorgebracht haben. Solch ein System hat nie anderswo als in England bestanden.

In Deutschland ist, wie wir durch einen neuern unterhaltenden Reisebeschreiber erfahren: „Das Theater dem Anschein nach eben so frei von schlechter weiblicher Gesellschaft als eine Privatassemblee; oder wenn sie sich dahin wagen, ist es unter der Hülle eines solchen Anzugs und Benehmens, das oft selbst der Argwohn über ihren Character nicht aufkommen läßt". —

Das einzige, was in unsern Theatern ganz erträglich ist, sind die Decorationen, die immer glänzend, und zuweilen auch angemessen und schön sind, doch ist auch hierin ein Uebelstand bemerklich. Es sollte wohl eine Art von Verhältniß zwischen den Schauspielern und Decorationen sein, oder wenn eine Verschiedenheit statt finden muß, so wird eine mäßige scenische Ausstattung bei gutem Spiel weit erträglicher sein als schlechtes Spiel vor den prächtigsten Decorationen die der Pinsel hervorbringen kann. Wie die Sachen jetzt stehen wird man an die Productionen der Buchdruckerpresse erinnert, die sogleich in Vergessenheit fallen, oder nie daraus hervorgehen würden wäre ihnen nicht der Kupferstecher gütig zu Hülfe gekommen, jene elenden Werke,

Worin die Bilder für den Druck bezahlen
Wo Ramberg muß, wie schön es sei, uns mahlen *)

Was ist die große Ursache aller dieser Gebrechen und Unvollkommenheiten? Laßt uns, wenn es möglich ist, Directoren, Schauspieler und Publicum entschuldigen, und Stein und Mörtel anklagen. Mit einem Wort denn, die Theater sind zu groß, als daß irgend ein Director sie beherrschen, ein Publicum sie bezahlen könnte, zu groß auch für jeden Schauspieler, der nicht die Worte hervorbrüllen, und jede Miene ins Fratzenhafte verzerren will. — Es wird so viel auf die Maschinerie, Erleuchtung, Heitzung und das bloß Aeußerliche des Instituts gewendet, daß keine Fonds bleiben, die Eigenthümer angemessen zu entschädigen. Die Folge davon ist, daß die wenigen, die einen Namen erworben haben, ungeheuer salarirt werden, während der übrige Theil der Gesellschaft aus den schlechtesten und wohlfeilsten Stoffen zusammengetrieben wird. Dadurch wird, selbst in einem gewöhnlichen Stück das rechte Verhältniß der Charaktere gegen einander ganz vernachlässigt, und alle Aufmerksamkeit dem Hauptacteur, oder der blendenden Scene zugewandt. Ist man der Bühne nah genug, so wird man von den Grimassen, den wilden, rohen, ungraziösen Bewegungen empört, und steht man entfernt, so daß diese weniger grell erscheinen, so geht der Dialog und überhaupt das Geistige der Unterhaltung verloren und man hört nichts als einzelne hart herausgestoßene Worte, die wie Signale klingen, daß die Götter da oben donnern mögen. —

*) In which the pictures for the page atone
And Quarles is sav'd by beauties not his own

(Redigirt von Dr. Fr. Förster und W. Häring (W. Alexis.)

Im Verlage der Schlesingerschen Buch- und Musikhandlung, in Berlin unter den Linden Nr. 34.

Berliner Conversations-Blatt

für

Poesie, Literatur und Kritik.

Donnerstag, — Nro. 68. — den 5. April 1827.

Der lachende Mörder.

(Fortsetzung.)

Wie glänzend standen die Bäume drunten im Garten gegen den blauen Hintergrund des Himmels, indem Laub und Zweig der schönsten Drahtarbeit glichen, und ein Morgenhauch über das Gras strich, geschwängert vom Dufte der letzten Jahresblüthen. Ich sah, daß dies gerade ein Morgen sei, wie für Ranger und mich gemacht, und es schien mir, als schnüffle er den Wind auf, der ihm den Geruch eines Völkchens Rebhühner oder einer Häsin bringe, die ihr warmes Lager noch nicht verlassen, um an ihrem thaubenetzten Frühstück zu nagen. Alles war daher bald zum Aufbruch in Ordnung, wir stiegen schnell die Treppe hinab, öffneten die Straßenthür und gingen hinaus. Es gab kein vollendeteres Gemälde der Ruhe. Keine Seele schien im ganzen Dörfchen wach, aus keinem Kamine stieg eine Rauchsäule, und die Häuser von Holz und Stein waren gleich leblos anzuschaun. Der krähende Hahn über meiner Wirthshausthür öffnete noch immer wie gestern Abend seinen Mund, es geschah aber nur, den Auftritt in der Wirklichkeit zu persifliren. Obwohl ich mein Recht, aus vorgängigem Contract entstanden, vollkommen inne hatte, nämlich das Haus seinem Schicksal zu überlassen, so war ich doch bedacht, einigen Einwohnern von meinem Abgange Nachricht zu geben. Ich ging deshalb in den Hof. — Aber auch dort hatte der Genius des Schlafs seine ruhigen Fittiche ausgebreitet. Der rothäugige Kettenhund lag schnarchend in seinem hölzernen Hause; die wirklichen Hähne und Hennen standen noch auf ihren Stangen, die Köpfe unter den Flügeln, und eine Gruppe Gänse war in einem Winkel, einige liegend, einige auf einem Fuße stehend, andere auch auf beiden, alle aber unbeweglich. Wenn Young Recht hat, war keines ihrer Augenlieder je „benetzt von einer Thräne."

Nachdem ich nun alles, was mein Gewissen mir befahl, gethan, wollte ich mich auf den Weg machen, als ich im Vorbeigehn vor der halb offen stehenden Stallthüre einen Ton vernahm, der ganz mit dieser schläfrigen Scene harmonirte, denn es war ein tiefgezogenes Schnarchen. Ich dachte sogleich an den betrunkenen Kerl, der mich so lange wach erhalten, und hielt es nicht mehr als billig, ihn nun auch aus seinem Schlaf zu wecken. Demgemäß öffnete ich die Thür und sah ihn dort rücklings auf seiner Streu im Stalle liegen. Ich weckte ihn auf und machte ihm, nicht ohne Schwierigkeit meinen Wunsch begreiflich, daß er etwas nach dem Hause sehen möchte, bis die Familie auf wäre. Sobald er mich verstanden, schwor er, „daß er nichts mit dem Hause zu thun habe und daß er durch kein einziges Gesetz, das irgend vom Code Napoleon anerkannt wäre, gebunden sei, im Eigenthum eines andern Wache zu halten. Er wolle nachhause gehn, und würde sehr froh sein, mich begleiten zu können, wenn wir desselben Weges gingen."

Ich sah, daß der Kerl noch immer über und über betrunken war, und da er, wie er sagte, nur ein klein wenig seitwärts vom Wege nach Dieppe wohnte, so hielt ich es fast für ein Werk der Wohlthätigkeit, ihn auf den Weg zu bringen. Aber bekennen muß ich, daß seine Versicherung, mich an einen Ort zu führen, wo ich zwei Volk Rebhühner antreffen würde, nicht von geringem Einfluß auf mich war.

Wir machten uns auf den Weg; kaum aber, daß wir aus dem Dorfe waren, als alle Anzeichen der Trunkenheit und des Schlafes um so heftiger herausbrachen.

Er wurde todtenbleich und matt und so von Schlaf übermannt, daß ich gezwungen wurde ihn zu tragen. Nur so viel Besinnung blieb ihm grade noch, auf einen kleinen Nebenweg zu weisen, welcher, wie er sagte, nach den Schnepfen und seiner Wohnung gehe, und in dieser Richtung führte ich ihn. Eine ganze Stunde hatte uns nicht weiter als eine Englische Meile vom Dorfe gebracht und fast verzweifelte ich, den Kerl weiter fortzuschleppen. Er war, was man sagt, obstinat hülflos, aber ich ging auf dem Fußpfade fort, bis wir in ein Gehölz kamen. Nachdem ich eine lange Weile ihn getreckt, getragen und gestoßen, verlor ich endlich auch die Geduld, da ich sah wie Ranger auf dem Felde neben uns einen Spürlauf umsonst machte. Um nicht alle Früchte zu verlieren, entschloß ich mich meinen Begleiter ganz sanft in einen Graben zu legen, wo er ruhig liegen und ausschlafen könne, während ich nach den Rebhühnern ginge, bis ich auf ein Haus oder einen Bauern stieße, dessen fernerer Sorgfalt ich ihn überantworten könnte. Ich legte ihn daher hoch oben und trocken in den Graben, und folgte alsdann Rangern. Ein Pärchen schwirrte auf, ich feuerte nach ihnen mit beiden Flintenläufen, fehlte aber rechts und links. Fort flogen sie und ihnen nach ein großer Schwarm. Ich wollte Rache haben, lud und verfolgte sie, kehrte aber zuvor noch einmal auf meinen schlafenden Freund zu blicken, der ein schönes Bild ungestörter Ruhe darbot.

Die Landschaft öffnete sich nun in weite Kornfelder, und rasch schritt ich über die Stoppeln, indem ich mehrere Schüsse that. Endlich sah ich eine Hütte, und näherte mich in dem vorhin erwähnten Vorsatz der Thür, als ein Mädchen den Kopf herausstreckte und ich ein sehr niedliches Gesicht erkannte, das ich den Abend zuvor im Gedränge um die Wirthshausthür damals bemerkt hatte, als ich in Begleitung der Gendarmen, oder vielmehr von den Gendarmen begleitet, ankam. Kaum, daß sie mich bemerkt, als sie ein lautes Geschrei ausstieß, rufend: Der Gefangene, der Gefangene! Der Engländer, der Engländer!" und schnell über das Feld lief, begleitet von einem dummaussehenden ungefähr sechzehnjährigen Burschen mit einer Mistgabel in Händen. Da mir alles dies nicht besonders gefiel, und es manche Verwirrung nach sich ziehen konnte, wenn ich einmal unter den Landleuten hier als ein entsprungener Verbrecher galt, machte ich mich augenblicklich wieder auf den rechten Weg und ging so schnell ich konnte, ohne dadurch einen Verdacht zu schwächen, der mich eben nicht schwer drückte.

Aber kaum nach Verlauf einer halben Stunde, als ich aus dem Walde hinaus trat, fand ich mich von an funfzig Landleuten, Männern und Weibern, angehalten, die fast aus der Erde erstanden schienen, meinen Weg zu unterbrechen. Schon von weitem schrieen sie mich an, mich zu ergeben, und als ich Miene machte Widerstand zu leisten, bereiteten sie sich auf einen allgemeinen Angriff. Ich hielt es daher für gerathen Unterhandlungen anzuknüpfen, und ich versprach ihnen, ruhig nach den drei Dörfern zurückzugehen, vorausgesetzt, daß keiner mir zu nahe käme. Als dies zugestanden, traten wir den Rückweg an, indem die Bauern fürchterliche Verwünschungen gegen mich ausstießen, und augenscheinlich nur aus Furcht vor dem Joe Manton zurückgehalten wurden mir Gewalt anzuthun.

Bald stießen wir auch auf zwei Gendarmen, die auf den ersten Allarm ausgeschickt worden. Unter schrecklichen Verfluchungen ward ich ihnen übergeben und zu meinem größten Erstaunen unterrichteten sie mich, statt mich zu befreien, daß ich angeklagt sei, einen Mann ermordet zu haben; dies war kein anderer, als der Vater des jungen Mädchens, welche zuerst den Lärm angehoben, indem man denselben todt in einem Graben gefunden, während ich doch mit ihm vor ein paar Stunden das Dorf verlassend war gesehen worden.

Ich war in der That bei dieser Nachricht sehr betroffen, und hätte mich nicht der Unwille über eine solche Beschuldigung zurückgehalten, ich hätte den in solcher Lage so natürlichen Gefühlen Luft gemacht. Aber ich unterdrückte Alles, was wie Schwäche erscheinen konnte, während ich die mir zunächst stehenden sich äußern hörte: „Der verhärtete Bösewicht!" „Der Blutdürstige Hund!" u. s. w. Aber auch während dieses Auftritts vergaßen die guten Leutchen keinen Augenblick ihre provinzielle Eigenthümlichkeit. Sie schwatzten nach Möglichkeit über die Criminaljustiz und besprachen im voraus jede Form der Anklage wider mich, mein Verhör und meine Hinrichtung. Alle gelobten für einen als Zeugen zu kommen, und ein Veteran schug, um doch einen recht schlagenden Beweis meiner Schuld vorzubereiten, vor, ich solle mit dem Leichnam confrontirt werden. Einstimmig billigte man dies, und da die Gendarmen auch darin willigten, schlugen wir den Fußpfad nach dem Orte ein, wo der

Körper noch so, wie er zuerst aufgefunden worden, liegen sollte.

Als wir uns der Stelle näherten, wo ich meinen unglücklichen Begleiter von so eben auf seinem Gesichte im Graben liegen sah, packte es mich doch mit einem male seltsam, und ich fühlte mich doch nicht ganz gerechtfertigt, daß ich das Leben eines Nebenmenschen eines Rebhühnerpaars wegen, auf's Spiel gesetzt — aber der Gedanke kam zu spät.

„Jetzt bewacht ihn!" — „Habt wohl Acht auf ihn!" — „Scharf ihm ins Gesicht gesehn!" so rief Jeder dem Andern zu, als einer mich aufforderte, die Hand des Todten zu ergreifen. Ich nahm eine seiner „schmutzigen Patschen," die niedergesunken war und in dem Kanal des kleinen Bächleins lag, auf.

„Jetzt blicke in das Gesicht deines Opfers!" rief ein anderer. Ich kehrte zu dem Behuf den Körper um, legte ihn auf den Rücken, und schaute ihm dann ein Weilchen in's Gesicht. Es war bleich und todtenähnlich. Die Nase, die am Morgen noch das allerschönste Carmoisin gewesen, war jetzt nur ein glänzender Purpur. Der Mund hing weit offen, indem er von Natur schon eine gehörige Dimension hatte. Auch das eine Auge stand weit auf — aber es war durch Zufall schon lange blind, ohne daß die Wimper schließen konnte, und das andere, welches im wachen Zustande von seinem Bruder in ungewöhnlich schiefer Richtung sich trennte, war jetzt fast zu, ein deutlicher Beweis, daß der Mann nur schlief und nicht todt war. Mich davon noch mehr zu überzeugen, legte ich meine Hand auf seine Brust und fühlte sein Herz in bester Ordnung schlagen. Ganz überzeugt, daß nichts Ernstliches zu besorgen stehe, und von Natur dem Scherze gar nicht abgeneigt, machte ich ein sehr ernstes Gesicht und stieg aus dem Graben. „Er ist überführt, überführt!" schrie es so laut von allen Seiten, daß ich fürchtete, es möchte der Schläfer aufwecken. Verstohlen blickte ich zurück, sah aber zu meiner Genugthuung, daß seine Augenwimper sich aufhob, aber wiederum schloß, und alles war in Ordnung.

(Beschluß folgt.)

Werk der Nemesis.

Ein von den innern Verhältnissen des türkischen Reiches und Griechenlandes wohl unterrichteter Grieche läßt in einem 1824 erschienenen Buche (*Essai sur les Fanariotes, par Zallony*. 1824.) einem Erzbischof der griechischen Kirche sagen, daß, während es unter der tyrannischen Herrschaft der Türken nicht an mächtigen Veranlassungen zur Apostosie für die Griechen, so es auch an unzähligen Beispielen dazu nicht gefehlt habe. „Die Apostasie, heißt es da, hat in das Reich der Osmanen eine andere Gattung Menschen gebracht. Der Renegat und seine Nachkommen zeichnen sich vor den übrigen Muselmännern durch ihren Muth, die Lebhaftigkeit ihres Geistes und Characters, ihre Liebe zum Ruhme und ihre besondere Neigung zu den Waffen aus. Sie sind begierig nach Auszeichnung; sie haben ein stolzes, imponirendes Aeußere, sie sind nicht Fanatiker, aber, stolz, zur Nation des Propheten zu gehören, haben sie einen geheimen Haß gegen die Emir's von Oberasien und mehr noch gegen die Griechische Nation *) Man erkennt ohne Mühe unter dem Türken den Griechen, der jener geworden ist. Diese Klasse von Menschen nun hat die europäische Türkey, Kleinasien und die großen Inseln des Archipelagus überschwemmt. Die Pforte nahm sie in das Korps der Janitscharen auf **), ohne es zu ahnen, daß sie dadurch, und indem sie die Vorschriften Soliman's des Zweiten (Amurath *I.* indeß stiftete die Janitscharen) verletzte, den größten Theil ihres Einflußes auf jenes Korps einbüßte, welchem sie vielleicht einst ihren eigenen Verfall und Umsturz zu danken haben wird." —

Was diese letzten Worte betrifft, so ist der Grieche, aus dessen Buche obiges entlehnt worden, anderer Meinung. „Ich glaube vielmehr, sagt er, daß, so lange die Janitscharen ihre Verfassung behalten, das Türkische Reich auch seine Macht behalten wird: denn unläugbar muß Europa durch die Ausführung der von Selim *III.* versuchten Reform kompromittirt werden und diese Reform, die die Schwäche jenes Korps vernichtete, würde den Fall des Türkischen Reiches für Europa's Ruhe nothwendig machen. Bei dem gegenwärtigen Zustande der europäischen Politik besteht die wirkliche Stärke der Pforte in der Nichtigkeit ihrer militairischen Kräfte (wie aber ist's mit dem Gegengewichte gegen Rußland, das die Politik

*) „Alle Reisende und Geschichtschreiber stimmen über die Verworfenheit der Türken im Pelepones, in Kreta und Negroponte überein, und dieselben sind größtentheils griechischen Ursprungs."

Der Grieche.

**) Nach andern Nachrichten raubten die Türken in den frühern Jahrhunderten Christenkinder, die denn nicht selten in das Janitscharenkorps aufgenommen wurden, und es bestand sogar ein Tribut, den die Griechen an die Pforte zahlen mußten, in dem fünften männlichen Griechenkinde — ein Tribut, der erst im 17ten Jahrh. aufgehoben wurde.

D. E.

in der Pforte finden will?), obgleich sie für sich selbst und auch in Betreff der Griechen großen Vortheil aus einer Reform jenes Korps ziehen würde."

Nun! wir müssen erwarten, was erfolgen wird! Mahmud *II.* hat die schon von Selim *III.* versuchte Reform, bis jetzt mit scheinbarem Erfolge unternommen, und, wie es scheint, sogar nicht ohne Einfluß der europäischen Diplomatie. Ob sein Unternehmen überhaupt, und auf diese Weise, wie er gethan, in's Werk gesetzt, gelingen werde? das muß die Folge lehren: daß es indeß wirklich gelingen werde, läßt sich nach Gründen bezweifeln. — Was den von dem griechischen Erzbischofe angegebenen Grund des Verfalls des Janitscharenkorps anlangt, so ist die Sache wenigstens wahrscheinlich in jeder Hinsicht, und ist sie nun wahr, so zeigt sich hier nur die Nemesis. Denn dann indem sie ihre in den vielen Kriegen und durch die Pest erlittenen großen Verluste durch Christen ersetzte, hat sie ihre Stütze, der die Pforte ihre früheren Siege gegen die Christen verdankt, also ihre eigene Stärke, wieder durch Christen verloren.

Ein Lied.

Gleich dem Meer ist unsre Liebe,
Dessen Schoß der Sturm durchwühlt;
Gleich dem Mond ist eure Liebe,
Der auf seinen Wellen spielt.

Gleich dem Baum ist unsre Liebe,
Rauschend, brechend, frischbewegt;
Gleich der Blum' ist eure Liebe,
Die auf Moos sich an ihn legt.

Gleich dem Aar ist unsre Liebe,
Den es kühn durch Wolken treibt;
Gleich der Taub' ist eure Liebe,
Die beim Neste wohnlich bleibt.

Gleich dem Schwert ist unsre Liebe,
Dreistes Eisen macht sich Bahn;
Gleich dem Gold ist eure Liebe,
Das zum Schmuck der Mensch empfahn.

Gleich dem Winzer unsre Liebe,
Der den Most der Traub' entzwingt;
Gleich Cristall ist eure Liebe,
Der den Wein den Lippen bringt.

Gleich dem Frühling unsre Liebe,
Der aus Keimen drängt und sprießt;
Gleich dem Morgen eure Liebe,
Der mit rothem Licht umgießt.

Gleich dem Wandrer unsre Liebe,
Munter ziehend, mühgestählt;
Gleich dem Mägdchen eure Liebe,
Die ihm tränkt, dem er erzählt.

Gleich dem Wort ist unsre Liebe,
Worin tiefer Sinn gelegt;
Gleich dem Ton ist eure Liebe,
Der das Lied zum Herzen trägt.

Gleich dem Licht ist unsre Liebe,
Das am Himmel golden lacht;
Gleich dem Demant eure Liebe
Ausgeforscht in tiefer Schacht.
Gleich dem Dichter unsre Liebe,
Der das Fremde eint und gießt;
Gleich dem Mund' ist eure Liebe,
Der's mit Sinn und Anmuth liest.

Franz L.

Rom, den 25ten Februar 1827.

Gestern das Turnier zu Kronstein! Viel Pomp, schlechte Darstellung, das Pferd vortrefflich! Allgemeiner Jubel. Wie, wirst du rufen, träumst du in Rom vom Königsstädtischen Theater, von den Triumphen der Bauer und Müller und welche Damen alle sich auf dem Kamäleons-parade-pferde dort versuchten? — Keinesweges; von Rom. — Aber wie kommt ein Holbeinsches Lustspiel auf ein Römisches Theater? — Vermuthlich von den durchmarschirenden Oestreichern zurückgelassen. — Was giebt es denn aber sonst dort? — Iffland und Kotzebue! — Aber haben die Italiäner nichts Eigenthümliches? — O ja, Uebersetzungen aus dem Französischen, Scribe, Delavigne, Mellesville — — Also unser ganzer Jammer findet sich dort wieder? — Nicht doch, mit der Maria Stuart ist es anders. — Alfieri's? — Nein, die darf nicht gegeben werden, Alfieri war zu liberal und patriotisch. — Doch nicht Schillers? — Allerdings, nur mit verbessertem Ende, nicht der Maria, sondern der Tragödie wird der Kopf abgeschnitten. Maria Stuarda entwischt glücklich der bösen Elisabeth und wird zur Befriedigung des Publicums wiederum auf den Thron gesetzt und mit allgemeiner Zufriedenheit fällt der Vorhang. — Ihr Götter Latiums, was blieb den Italiänern? — Klagen, nichts als Klagen. — Die haben wir ja in Deutschland auch. — Freilich, aber um Trost aus der Vergleichung zu schöpfen, besuche man die Italiänischen Theater. — Königliche Hallen und Lumpen-Flickwerk, Bettelwaare darin. Für ernste Sachen verliert der Italiäner mehr und mehr den Geschmack. In vier Monaten nur eine Tragödie auf dem Repertoir; neuere tragische Dichter giebt es daher auch fast gar nicht, Manzoni kann man nicht als für das Theater schreibend annehmen. Im Lustspiel will Goldoni auch nicht mehr immer herhalten, die neuern Dichter wollen nicht viel bedeuten. Verliert sich doch sogar die gerühmte Originalität der Italiänischen Masken im grotesken Lustspiel, nur der Pulcinell bleibt immer komisch, wer nur in seine neapolitanischen Geheimnisse einzudringen verstände! Colombine, Pantalon u. s. w. verschwinden mehr und mehr. Die Oper zehrt alles auf, ohne selbst Fleisch und Bein deshalb zu gewinnen, denn ein verzweiflungsvoller Director muß selbst Rossini unter die Beine greifen, indem er einen Taschenspieler aufs Theater citirt. So in Rom 1827: ob es in Neapel, Venedig, Bologna anders ist, will ich noch erfahren.

(Redigirt von Dr. Fr. Förster und W. Häring (W. Alexis.)

Im Verlage der Schlesingerschen Buch- und Musikhandlung, in Berlin unter den Linden Nr. 34.

Berliner Conversations-Blatt

für

Poesie, Literatur und Kritik.

Freitag, — Nro. 69. — den 6. April 1827.

Der lachende Mörder.

(Beschluß.)

Augenblicklich hatte man einen Thorflügel ausgehoben, den Schläfer darauf gelegt und ihn mit zwei oder drei Weiberröcken bedeckt, und so ging es in voller Procession nach dem Dorfe. Als wir bei der Mairie ankamen, war es grade acht Uhr, und die Nachricht vom Morde, die uns vorangegangen, hatte die halbe Welt herbeigelockt. Ich und die Gendarmen, und der Thorflügel, und die Last darauf, und an ein halb Dutzend Zeugen, darunter die Tochter, als Hauptleidtragende, wurden in die Gerichtsstube eingelassen. Dort fand ich eine häßlich aussehende Person von ungefähr funfzig Jahren, mit grauem, schlicht herabgekämmten Haar, ohne Vorderzähne, kleinen Katzenaugen, in einem grünen Rock mit großen Perlemutterknöpfen, einer weißen Weste und schwarzen Pantalons, in einem Armstuhl sitzend. Dies war Monsieur Francois Faussecopie. Ein lumpiger Schreiber saß am Tische, der mit weißem Papier, Federn und Dintenfässern bedeckt war, während eine höchst lächerliche Figur, welche Monsieur le Chevalier de Chousleur angehörte, mit allem Ausdruck des peinlichen Schreckens, ein weißes Tuch vor der Nase, in größtmöglicher Entfernung vom muthmaßlichen Leichnam dastand.

Während Faussecopie einige scharfe Blicke auf mich schoß und einige Fragen an die Gendarmen richtete, öffnete sich eine Thür und der Maire wurde gemeldet. Gleich darauf kam auch herein, oder ward vielmehr von einem Diener in einem Armsessel hereingerollt, eingehüllt in einen braunen seidenen wattirten Oberrock, die Füße in Flanell gewickelt, und eine schwarz seidene Kappe auf dem unförmlichen Kopfe, der wohlwürdige Doctor Glautte. Faussecopie gebot Ruhe und das Gericht begann. Der Schreiber nahm nach der Ordnung die Aussagen der Tochter und anderen Zeugen zu Protocoll, dahin lautend, wie man den Körper im Graben gefunden, wie man mich zuletzt in Gesellschaft des Ermordeten gesehen, wie ich das Haus besucht (denn es gehörte ihm) in der vermuthlichen Absicht es zu berauben, meine Flucht und meine Gefangennahme.

„Wo ist der Leichnam?" grunste Glautte.

„Hier im Winkel" entgegnete der Schreiber.

„Rollt mich hin, daß ich ihn prüfen kann," befahl der Maire, und man rollte ihn hin. Der Rock ward abgenommen, und Glautte rief, nachdem er flüchtig auf den Körper und das entstellte Gesicht gesehen aus: „Ja, ja, nur zu gewiß. Todt wie ein Stein, ohne Zweifel strangulirt. Tragt ihn fort und schickt nach dem Todtengräber — denn, ich glaube, der Körper kann sich nicht lange halten."

„Das dachte ich gleich. — Tragt ihn nur fort, ihr guten Leute!" rief de Chousleur, indem er sich zu den Leuten wandte, und das Schnupftuch nur noch fester an die Nase drückte.

„Arrestat!" rief Faussecopie, „was habt Ihr für Euch anzuführen?"

„Nichts" entgegnete ich.

„Gut," antwortete er, „schreibt das nieder," zum Schreiber gewandt.

„Habt Ihr Zeugen für Euch aufzurufen?“ wandte er sich zu mir nach einer Weile.

„Ja, einen.“

„Schreibt die Antwort nieder,“ sagte Faussecopie zum Schreiber, dann wieder feierlich zu mir: „Arrestat, rufe deinen Zeugen auf.“

Kaum daß ich den Befehl erhalten, so näherte ich mich und beugte mich über mein schlafendes Opfer, und wiewohl es mich betrübte, ihn beunruhigen zu müssen, so schrie ich doch mit aller Anstrengung meiner Lunge ihm zwei oder dreimal ins Ohr. Der nekromantische Spruch, welcher einst die ewige Ruhe der schlafenden Schönen im Walde unterbrach, konnte keine schönere Wirkung hervorbringen. Der Todte fuhr auf, öffnete das Auge und sprang davon, wie galvanisch berührt fast bis an die Decke, gleich dem Thiere, das, durchs Herz geschossen, noch einmal in die Höhe setzt. Grauen und Entsetzen bemächtigten sich der Zuschauer. Faussecopie und de Chousleur und der Schreiber und der Stuhlschieber sprangen von ihren Sitzen und stürzten heulend und schreiend nach der kleinen Seitenthür, Tisch und Bänke umstürzend und den alten Glautte in ihrem Drang und Taumel umreissend. Ebenso kreischten und rauschten die Zeugen nach dem Eingang von der Straße her, ja sogar die ehrenfesten Gensd'armen, Männer, die in mancher Schlacht dem Feuer ruhig ins Auge geschaut, wurden angesteckt und brachen hinaus.

Der muthmasliche Leichnam sprang ihnen nach. Kaum aber, daß er sich wohl und gesund dem Volke vorgestellt hatte, als der Schreck der Menge aufs höchste stieg, und das Auseinanderstieben der ganzen Masse bildete einen Auftritt, der sich besser denken als beschreiben läßt. Aber zu dem ganzen lächerlichen Tumult bildete die Tochter einen schönen Gegensatz. — Sobald sie überzeugt war, daß der Vater lebe, flog sie um seinen Hals an gar nichts denkend, als an ihr wiedergewonnenes Glück. Und sie hing sich, seufzend und schreiend vor Freude, fest an ihn, wie auch der verwunderte Bauer sie loszumachen und eine Erklärung zu erhalten wünschte.

Der Prozeß endete, wie man sich denken mag. Jedermann kam binnen kurzem wieder zu seinen fünf Sinnen, der Gerichtshof nahm sein würdiges früheres Ansehn an, und Tische und Bänke wurden wieder in Ordnung gerückt. Das Volk zerstreute sich, indem eine große Menge dem betrunkenen Kerl, der auf so wunderbare Weise dem Grabe entrissen war, nach Hause folgte, und einstimmig hielt man dafür, die Begebenheit könne aufgenommen werden unter die aller wunderbarsten der „*Causes Célèbres.*“

Industrie.

Von **Cooper**, dem Amerikanischen Walter Scott, der sein Europäisches Vorbild wenigstens an Bändezahl bald erreicht haben muß, erscheint binnen kurzem ein neuer Roman, welcher an einem und demselben Tage zugleich in New-York, London, Paris und Berlin (hier bei Dunker und Humblot) publicirt werden wird. Mit dem ehemaligen Großen Unbekannten zu reden — welcher in Pauls Briefen zu der Deutschen noch eine Preußische Sprache erfindet — könnten wir sagen, dieser Roman erscheint zugleich in vier Sprachen, der Amerikanischen, Englischen, Französischen und Deutschen. — Von den Amerikanischen Druckbogen ist er sogleich ins Berlinische übersetzt; so breitet sich die Sprachkunde über alle Welttheile aus, und auch die Romanenliteratur wird bald ein Gemeingut werden von der Neva und dem Pregel bis zum Mississippi und Missouri. Aber auch diese Entfernung auf der andern Halbkugel wird sich allmälig ausgleichen. Dieser neue Amerikanische Roman verläßt die Urwälder und Niederlassungen an dem sogenannten Großen Strome (*big river*) und verliert sich in die ungeheuren Wüsten jenseits desselben, die sich unter dem Namen der **Prairieen** (welches man sehr unrichtig mit Wiesen übersetzen würde, da es unebne, unfruchtbare Steppen sind) nach der großen Kette der Felsgebirge und dem stillen Meere zu ausdehnen. Florida und Louisiana sind von den Nord-Amerikanern gekauft, jährlich überschwemmen Auswanderer das öde Land, die Cultur, und mit ihr Cooper, wird vordringen bis an den stillen Ocean, dann geht es hinüber mit Stationen auf den Südseeinseln, nach dem alten Asien, wo die interessanten chinesischen Romane die Cooperschen als ihre Brüder aufnehmen werden. Die Mongolen und ihre weiten Steppen und Wüsten werden gewiß reichen Stoff zu neuen darbieten, und so kommt die neue Cultur auf einem alten Wege, nämlich durch Asien, zu uns, wiewohl dieser Weg das Porto für die Aushängebogen nicht vermindern wird. Der Roman führt den Namen von dieser Wüste selbst: *the prairie*. *Nomen et omen!* Denn wird nicht jedem Leser, wenn er einen ersten Theil von Cooper aufschlägt, zu Muthe, als müsse er sich rüsten zur Reise durch eine große Wüste? Freilich bleibt es nicht immer wüst. Es sind schöne Oasen darin, angenehme Aussichten, die Sonne geht majestätisch auch in der Einöde auf und unter, die Menschen sind uns sehr angenehme Bekannte, weil man, wo sie überhaupt selten sind, es nicht so genau nimmt; aber eine Wüste bleibt es immer, wo die ein oder zwei Gedanken des Dichters sich verlieren. An großartigen Schilderungen, an rührenden Scenen, an gut ausgeführten Charakteren und, was die Hauptsache ist, an einem äußern Interesse, welches den Leser bis zuletzt festhält, fehlt es auch diesem neuen Romane keineswegs. Vielmehr wird er, da er sich einem der interessantesten unter den letztbekanntgewordenen anschließt, große Theilnahme unter den zahlreichen Freunden dieser Romane erwerben. Cooper befindet sich gegenwärtig auf dem festen Lande von Europa und wird von Paris nach Lyon gehen, um dort als Amerikanischer Consul zu bleiben. Nächstens eine interessante Episode aus diesem Romane. *a.*

Proben aus einer Chinesischen Chronik.

Zur Zeit *Houang — te* (ungefähr 2,200 Jahre v. C.) kam ein Fremder aus dem Mittage und brachte eine Schaale und Felle als Tribut. — Zur Zeit Heas brachten Insulaner gestickte Kleider. — Zur Zeit Chamg's (1700 v. Chr.) brachten die Yejou welche verschnittene Haare tragen, Schwerdter, Schilde und Kästchen von Fischschuppen. Sie brachten aus dem Mittag Perlen, Elephantenzähne, Schildpatte, Pfauenfedern, Vögel und kleine Hunde. — Zur Zeit Chou (1000 Jahre v. Chr.) trat China mit 8 barbarischen Nationen in Verbindung. — Zur Zeit Han's (200 Jahre v. Chr.) kamen mehrere Leute aus Canton, Lou-whang-che und aus andern mittägigen Ländern; die ersteren waren 10 Tagereisen, die andern 5 Monate von der Grenze des Reichs entfernt. — Der Kaiser Wou-te (120 Jahre v. Chr schickte Botschafter in verschiedene Länder, von wo sie Perlen, Edelsteine, Merkwürdigkeit verschiedener Art, Gold rc. mitbrachten. Sie wurden überall gut aufgenommen und seitdem wurden Waaren dieser Art in großer Menge in das Reich eingeführt. — Zur Zeit Kang-wou's (100 J. n. Chr.) brachten die Barbaren Pferde. — Mau-yuen ließ eiserne Pfähle aufrichten um die Einfälle der Fremden in Mittag und Abend zu verhindern. — Zur Zeit Souy's (600 J. nach Chr.) wurden Bothschafter an alle benachbarten Völker geschickt. — Zur Zeit der Dynastie Tang (700 J. nach Chr.) wurde ein regelmäßiger Markt in Canton eingerichtet und der Kaiser schickte einen Officier dahin, um die Zölle zu heben. Die Fremden, welche nach Canton kamen, empfingen von den Chinesen Gold, Seide u. s. w. und gaben dafür Rhinozeroshörner Elephantenzähne, Korallen, Perlen, Edelsteine, Glaswaren, Droguerien. — In dem 10ten Jahre der Regierung Ching-ti (1550) kamen Fremde welche sich Fa-lan-te (Franzosen ?) nannten aus dem Abendlande und sagten daß sie Tribut brächten; sie fuhren hierauf ohne weiter anzufragen in den Hafen, wo sie mit großen Kanonen feuerten und die ganze Stadt erschütterten. Man schrieb sogleich an den Hof und der Kaiser befahl, sie auf der Stelle fortzuschicken und den Handel mit den Barbaren aufhören zu lassen. Allein da sich die Einwohner von Canton an den Hof wendeten, um den Handel wieder fortsetzen zu dürfen, wurde es ihnen gestattet. Se-yang-kuo (Portugal) ist ein beträchtliches Land 100, 000 Li von China entfernt; es bringt wohlriechende Hölzer und Stoffe verschiedener Art hervor. — In dem ersten Jahre der Regierung Young-lo's (1588) schickte der König von Portugal einen Bothschafter. Drei Jahre darauf schickte er einen zweiten, mit Tribut. Der Kaiser schrieb ihm, ernannte ihn zum König von Kou-Li und verlieh ihm ein silbernes Siegel. In den 5. Jahre seiner Regierung befahl er seinem Verschnittenen dem König von Portugal einige seidene Stoffe zur Bekleidung seiner Officiere zu schicken. — Im 6. Jahre seiner Regierung wurde dem Kaiser Kang-Hi ein Botschafter mit einem Schreiben des Königs von Portugall geschickt, welches auf goldene Blätter geschrieben war; hierbei befanden sich ein Bildniß des Königs, ein mit Gold besetzter Degen, Korallen, Ambra, 2 Stück wollenes Zeug, 10 Elephantenzähne, 4 Rhinoceroshörner, wohlriechende Hölzer u. s. w. Der Kaiserin überreichten sie einen Halsschmuck von Korallen, einen großen Spiegel, Ambra, Rosenessenz und andere Parfümerien. Der Kaiser nahm die Personen welche zur Gesandtschaft gehörten, auf das prächtigste auf. Er schenkte dem Bothschafter 66 Stück seidene Zeuge und 100 Taels; dem der nach ihm kam 18 Stück seidene Zeuge und 50 Taels und einem jeden der 19 Domestiquen 10 Stück seidene Zeuge und 20 Taels. Im 50. Jahre Kang-Ki's schickte der König von Portugal einem Staatsminister als Botschafter, welcher Tribut brachte; er hatte 20 Personen in seinem Gefolge. — In dem 3. Jahre der Regierung Yung-ching schickte der König der Kirche (der Pabst) eine Botschafter mit einer großen Menge Geschenke: Perlen, Ambra, Schaalen u. s. w. Im 4. Jahre kam eine andere Bothschaft; der Kaiser schrieb dem Könige der Kirche eigenhändig und dieser antwortete in einem Schreiben, welches in einem goldenen Kasten lag. — Die Holan

(Holländer?) kamen sonst nicht nach China. In dem Winter des 29. Jahres der Regierung Wan-li's (1600) kamen 2 oder 3 große Schiffe nach Macao; die Kleider der Leute welche sich darauf befanden waren roth, ihr Wuchs groß, ihr Haar röthlich, ihre Augen blau, ihre Füße sehr groß; sie setzten das Volk durch ihre sonderbare Erscheinung in Schrecken. Man frug, wer sie wären? sie antworteten, daß sie keine Seeräuber wären und Tribut brächten. Da man sie indeß früher nicht gesehen hatte und sie keine Briefe mitbrachten, wollte man sie nicht annehmen. Im 10. Jahre der Regierung Shun-chi schickten diese Barbaren eine Botschaft. Der Kaiser wollte, im Betracht der Schwierigkeit ihrer Reise, sie diesmal nicht abweisen und nahm sie an. Im 2. Jahre der Regierung Kang-hi's schickten sie einem König des Oceans (einen Admiral) um die Chinesen von den Seeräubern von Fo-Kin zu befreien und verlangten hierauf die Ermächtigung zum Handel mit China. Der Kaiser befahl ihnen nach China zu kommen und alle 2 Jahre daselbst Handelsgeschäfte zu machen. Im 3. Jahre schickten sie nochmals einen König des Oceans, um die Seeräuber von Fo-Kin zu bekriegen. Im 5. Jahre wollte man sie nicht annehmen, weil sie mehrere Jahre lang keinen Tribut bezahlt hatten. Im 25. Jahre baten sie um Erlaubniß den Tribut aller 5 Jahre zu bringen. Vordem brachten sie Tischgeschirr von Silber, Sättel u. s. w. Man gestattete, sie wieder zuzulassen, allein man befahl ihnen, nur Corallen, Kampfer, Kleider, Ambra und Gewehre zu bringen.

Correspondenz.

Wien im März. Fast bin ich noch nicht zur Besinnung gekommen seit ich hier bin, wenig oder gar keine Zeit blieb mir übrig, um etwas andres zu thun als zu essen, zu trinken und zu tanzen. Die Wiener sind harmlose Epicuräer — Heraklit ihnen wohl kaum dem Namen nach bekannt, der lachende Democrit wenn er das Glas in der Hand, und einen guten Fasan mit dem nöthigen Kraut vor sich hat, ist ihnen der liebste Gesellschafter.

— — — hier wohnt das lustige Volk der Fäjaken
Immer ist's Sonntag, es dreht immer am Heerd
sich der Spies.

Als ich jemandem erzählte, Heinrich der vierte habe gesagt — „ich wünsche daß in meinem Lande alles froh und glücklich sey, und daß Sonntags jeder Bauer sein Huhn im Topfe habe" — — da fiel er mir um den Hals gerührt ausrufend — „Freund welch ein großer Mann!" — Tags darauf erzählte er seinen Bekannten — „Ihr wißt gar nicht was andre Leute für Könige gehabt haben — da war Heinrich der vierte, so besorgt für das Glück und das Wohl seiner Unterthanen, daß er ein Edict ergehen ließ, es solle — bei Todesstrafe — Sonntags jeder Bauer ein gebacknes Hähndl haben.

Ich weiß, ich thue dir einen Gefallen wenn ich das vielbesprochne Mädchen aus der Feenwelt oder den Millionair, mit dir noch einmal bespreche; ich hätte eigentlich zur Genüge, denn es ist hier, wie der Freischütz in Berlin, schon funfzigmal gegeben, allein dir zu gefallen will ich ein Uebriges thun.

Es soll alles eine Tendenz haben, so weit ich dieses berühmte Schau- Trauer- Sing- Lust- Thränen- und Zauberspiel erkannt, scheint mir darin eine sehr tief durchdachte und lobenswerthe Tendenz zu liegen, nähmlich die, das leicht bewegliche Publikum durch einige weit hergeholte Späße, durch saubere Decorationen, und eine ziemlich gefällige Musik nach Möglichkeit zu amüsiren; dieser Zweck ist erreicht, indem es bereits sein Amtsjubiläum gefeiert hat, auch die Musik der Art ist, daß sich nach derselben Cottillon, Ecossaise, Walzer und Gallop tanzen läßt, ohne daß man irgend eine Veränderung damit vorzunehmen braucht, daher auch die sogenannten Millionair-Deutschen entstanden sind, welche so viel Aufsehn machen als hätte sie ein deutscher Millionair geschrieben.

Gewöhnlich nimmt der Schneider zum Mantel der Geduld das Maas zu kurz — dies kann von dem des Wiener Publicums, nicht behauptet werden — denn es ist kein gewöhnlicher, kein Carbonari auch nicht ein Radmantel — es ist ein solcher, in den die Wiener sich mit allem was an ihnen ist, vom Kopf bis zu den Füßen einhüllen, den sie besonders doppelt und dreifach über Augen und Ohren ziehn — nur die Hände stecken heraus, theils zum klatschen, theils um sich etwas drauf geben zu lassen, sie brauchen um glücklich zu sein nur *panem et circenses*, den Kasperle und ihr tägliches Brodt; worunter jedoch wie bei der Bitte um tägliches Brodt im Vaterunser, noch das Nöthige an Suppe, Eingemachtes, Mehlspeis und Braten, nebst einigem Wein, verstanden wird.

Dieses großen Mantels wegen ist es nun nicht zu verwundern daß besagtes Sing- und Zauberspiel wohl gefällt; es enthält nichts gegen Gott und die Religion, nichts gegen den Kaiser und den Staat, ist daher zollfrei, es enthält verschiedene Ungarn, Schwaben, Zauberer, Feen, das Alter, die Jugend — welche das Schönste an dem ganzen dramatischen Gedicht ist, — die Zufriedenheit welche am Schluß des Stückes, das Publicum *nolens volens* nach Hause begleiten muß, und dergleichen mehr. — Um jedoch nicht gar zu oberflächlich zu verfahren, will ich dir die Sache etwas näher auseinander setzen.

(Redigirt von Dr. Fr. Förster und W. Häring (W. Alexis.)

Im Verlage der Schlesingerschen Buch- und Musikhandlung, in Berlin unter den Linden Nr. 34.

Berliner Conversations-Blatt

für

Poesie, Literatur und Kritik.

Sonnabend, — Nro. 70. — den 7. April 1827.

Französische Literatur.

Considerations historiques et politiques sur la Russie, l'Autriche et la Prusse, par M. J. Aubernon, ex-prefect. Paris 1827.

Wenn auch dem Verf. ein geistreicher Ueberblick über die gegenwärtige Lage Europa's nicht abzusprechen ist, so zeigt er sich dennoch so sehr in den Ansichten der antiministeriellen Parthei der Französischen Liberalen befangen, daß er auch das Ausland nur durch diese Brillen, die eben keine rosenfarbenen Gläser haben, ansieht. —

Eine ganz neue Entdeckung die wir Hr. Aubernon verdanken, ist: das 1820 das Besatzungsheer der Europäischen Mächte nur unter der Bedingung Frankreich verlassen haben soll, daß die damals bestehende Deputirten-Kammer und das damalige Ministerium entlassen würde. Ein Patriot im gewöhnlichen Sinne ist der Verf. auch nicht; denn während wir gewohnt sind, von den Franzosen uns beständig sagen zu lassen, wie sie in der Mode, der Wissenschaft und der Politik an der Spitze der Welt stehn, so erfahren wir nun, daß sich Frankreich in der erniedrigensten Abhängigkeit vom Auslande befindet und daß nicht die beiden Kammern, das Ministerium und der König die Gesetze über das Sakrilegium, die Siebenjährigkeit der Kammer, die Entschädigung der Emigrirten und den Preßzwang gegeben haben, sondern die heilige Allianz hat diese Besorgung gefälligst übernommen. Hr. Aubernon ist der Erste, der dahinter gekommen ist und da es nun vornehmlich Oestreich Rußland und Preußen sind, unter deren *„tutelle humiliante“* das schöne Frankreich seufzet, so giebt er zunächst eine Uebersicht der politischen Lage dieser Mächte, deren Zustand er als der Auflösung nahe schildert, wobei denn Frankreich freilich sehr zu kurz kömmt, da dies sich in einem noch betrübteren und aufgelößteren Zustande befinden müßte, wenn es wirklich unter der Vormundschaft dieser Staaten stände.

Von Oestreich sagt der Verfasser es habe mit 6 Millionen Deutschen 13 Mill. Slaven, 5 Mill Ungarn, 4 Mill. Italiener und 1,600000 Walachen unterjocht; ein Zustand der nicht von Dauer sein könne. Oestreich sei in Deutschland nur durch die Religionskriege groß geworden, wo es der Schutz der Katholiken gewesen. Jetzt sei kein solcher Krieg mehr zu fürchten und die katholischen Fürsten hätten bei der allgemeinen Duldung nicht mehr nöthig sich um die Gunst Oestreichs zu bewerben.

Preußen, sagt der Verfasser, liegt noch zerstreuter und unzusammenhängender, als Oestreich; es giebt nicht e i n Preußen, sondern d r e i; eines davon liegt in Rußland, das zweite in Deutschland, das dritte in Frankreich. Die sonderbare Lage dieses Staats erklärt das Bedürfniß desselben, von Anfang an erobernd zu sein und aller Zuwachs, den es erhalten, hat dasselbe nur irritirt. — Allerdings mag es für den Franzosen eine unbegreifliche Erscheinung sein, daß Preußen sich von dem Niemen bis zur Maas streckt und dennoch immer ein Ganzes bildet, mag es durch die Krone, die Nation, die Kirche, die Wissenschaft, die unsre gesetzgebenden Gewalten sind, repräsentirt werden. Wer sich bei Betrachtung des Preußischen Staats nur an die äußere Gestaltung, die mehr oder weniger zufällig erscheint, halten will, der kann freilich nichts als ein Conglomerat fremdartiger Theile finden. Aber *„disjecta membra poetae“* ist noch nicht der schlimmste Titel, den man unserem Staate gegeben hat. Wie der Poet schon wissen wird, das geistige Band für die zerstreuten Theile zu finden, so ist auch durch die Staatsgewalt und den Volksgeist der geheimnißvolle Ring gewunden, der diese Riesenglieder zu einem organischen Bau verbindet. Einige Ahndung hat allerdings der Verfasser von der Bedeutung Preußens und dem Vertrauen, welches in jeder großen Entscheidung Deutschland auf dasselbe setzte. Nachdem er einen Widerspruch darin zu finden vermeint, daß Preußen einmal die Rolle des Protektors und dann wieder die des Eroberers übernommen habe, weshalb die Deutschen Fürsten nicht günstig gegen dasselbe gestimmt wären, fügt er hinzu:

„Mais il se peut, que les peuples n'eprouvent pas les mêmes craintes que leurs gouvernans et un monarque habile pourrait fort bien à la faveur d'une guerre et en prononçant un de ces mots magiques qui en 1813 retentissaient dans les rangs prussiens, conquérir à la fois l'empire de l'Allemagne et les coeurs de ses habitans.“

Am meisten fürchtet der Verfasser von Rußland, welches eine Bevölkerung von 50 Millionen Slaven besitze und außerdem noch 25 bis 30 Mill. desselben Volkstammes in den Nachbarstaaten nach und nach mit sich vereinigen werde. — Das einfache Hausmittelchen, welches Hr. Aubernon gegen diese Gefahren vorschlägt ist: *„un système de contre-alliance, à la tête duquel marcheraient la France, l'Angleterre et l'Autriche.“* Dies genüge um die Staatsweisheit der Verf. kennen zu lernen.

Typographie.

Der Buchdrucker William Nicol in London hat eine Prachtausgabe der Georgica Virgils mit beigefügter Uebersetzung in fünf verschiedenen Sprachen veranstaltet, die so eben unter dem Titel: *„Georgica Virgilii Maronis Heptaglotta“* in Folio erschienen ist. Der Englische Uebersetzer Hr. Sotheby, auch sonst als Dichter nicht unrühmlich bekannt, hat die Ausgabe besorgt und das Werk dem Bischof von London zugeeignet. Zur linken Hand hat man auf einer Seite den lateinischen, spanischen und deutschen Text, zur rechten den englischen, italienischen und französischen. Die Spanische Uebersetzung ist von Joanne de Guzman; die deutsche von Voß; die englische von Sotheby; die italiänische von Franzisco Soave; die französische von Delille. Der deutsche Uebersetzer hat in sofern den Preis gewonnen, als er allein es ist, der das Versmaaß des Originals und den Text ganz genau Zeile für Zeile wiedergegeben hat. Diese Genauigkeit und Treue bezeichnet den Deutschen; so ängstlich haben es die anderen nicht genommen, sie haben, wo es sich nicht anders thun ließ, aus ihren eignen Mitteln zugelegt, so daß bei einigen Gesängen ein ansehnlicher Ueberschuß an Versen entsteht, wie sich aus folgender vergleichenden Tabelle ergiebt; die kürzeren Zeilen der gereimten Stanzen müssen jedoch dabei in Anschlag gebracht werden. Das erste Buch hat im Original 514 Verse (Zeilen); dieselbe Anzahl in der deutschen Uebersetzung, die wir bei den folgenden Büchern nicht weiter mit aufführen, weil sie immer mit dem Original eine gleiche Verszahl hat; im Spanischen 963 Zeilen; im Italienischen 887; im Französischen 615; im Englischen 574. Das zweite Buch hat im Lateinischen 542; im Spanischen 1045; im Italienischen 945; im Französischen 654; im Englischen 637. Das dritte Buch: im Lateinischen 566; im Spanischen 1104; im Italienischen 938; im Französischen 642; im Englischen 634. Das vierte Buch: im Lateinischen 566; im Spanischen 1089; im Italienischen 939; im Französischen 646; im Englischen 632. Um nur eine kleine Probe der verschiedenen Uebersetzungen zu geben, wählen wir die berühmten sieben Verse aus, in welchen Virgil den homerischen Donnergott nachzubilden strebt, was ihm freilich nicht so gelungen ist, wie es Phidias gelang; allein die Verse sind dennoch schön:

Ipse pater, media nimborum in nocte, corusca
Fulmina molitur dextra; quo maxima motu
Terra tremit, fugere ferae et mortalia corda
Per gentes humilis stravit pavor: ille flagranti
Aut Athò, aut Rhodopen, aut alta Ceraunia telo
Dejicit; ingeminant austri et densissimus imber;
Nunc nemora ingenti vento, nunc littora plangunt.

El sumo padre en media desta noche
De tempestades coruscantes rayos
Con mano poderosa arrojar suele,
Con cujo estruendo tiembla la gran tierra,
Las fieras huyen, y un pavor que hace
A los hombres humildes, les abate
Su debil corazon a los mortales,

Jove con encendido rayo suele
Herir al monte Ato ó al Rodópe,
O a los montes Ceraunios encumbrados;
Los austros se redoblan, y se espesa
La tormenta, y los bosques con gran viento
Resuenan, y retumban las riberas.

Selbst der ewige Vater, hervor aus des grausen Gewölks Nacht
Schwingt helleuchtende Strahl' in der Hand, daß ganz von der Regung
Bebet die Erd; hin floh das Gewild und den Erdegeschlechtern
Sank das zagende Herz vor dem Schrecklichen. Jetzo den Athos,
Jetzt der Ceraunien Haupt und des Rhodope schlägt sein entbrannter
Donner hinab! Es erneun sich die Wind und der dichteste Regen,
Daß nun der Hain vom Sturme zerwühlt, nun das Meeresgestad hallt.

The Thunderer, throned in clouds, with darkness crownd,
Bares his red arm, and flashes lightnings round.
The beasts are fled; earth rocks from pole to pole,
Fear walks the world and bows th' astonish'd soul;
Prone Athos flames, and, crush'd beneath the blow,
Jove rives with fiery bolt Ceraunia's brow:
The tempest darkens, blasts redoubled rave,
Smite the hoarse wood and lash the howling wave.

Il Padre Giove nel gran bujo intanto
De gli atri nembi assiso di la vibra
Le sibilanti folgori, onde scossa
Trema la terra, fuggono le fiere,
E per le vene de' mortali serpe
Freddo timor, che gli umilia, e confonde;
Egli poscia col fulmine temuto
Od Ato fere, o Rodope, o i scoscesi
Acroceraunj sassi. Il lor furore
Crescono gli austri e piu dirotta scende
La densa pioggia, e a lo spirar del vento
Ora gemono i boschi, ed ora i liti.

Dans cette nuit affreuse, environné d'éclairs,
Le roi des dieux s'assied sur le trône des airs:
La terre tremble au loin sous son maître qui tonne:
Les animaux ont fui; l'homme éperdu frissonne
L'univers ébranlé s'épouvante le dieu,
D'un bras étincelant dardant un trait de feu,
De ces monts si souvent mutilé par la foudre,
De Rhodope ou d'Athos met les rochers en poudre,
Et leur sommet brisé vole en éclats fumants:
Le vent croît, l'air frémit d'horribles sifflements:
En torrens redoublés les vastes cieux se fondent;
La rive au loin gémit, et les bois lui répondent.

Eine sonderbare Erscheinung ist es, daß die mit der Sprache des Urtextes am nächsten verwandten romanischen Sprachen sich am weitesten davon entfernen, während die beiden germanischen ihm weit näher stehn, obwohl sie ganz anderer Herkunft sind. Wie schwer es indeß sein mag, den eigenthümlichen Geist der einen Sprache in der andern wiederzugeben, zeigt sich oft in Kleinigkeiten; so hier. Das einfache und dennoch sehr bezeichnende „*Ipse Pater*" Virgils hat keinem der Uebersetzer genügt; der Spanier übersetzt es durch: „Der höchste Vater"; der Deutsche durch: „Selbst der ewige Vater" wo noch dazu das „Selbst" einen unrichtigen Sinn giebt, da es statt „er selbst" steht. Der Engländer macht aus dem Vater einen Donnerer; der Italiener sagt: „Vater Jupiter;" der Franzos: „der König der Götter." —

Correspondenz.

(Wien im März. Fortsetzung.)

Das Stück beginnt mit einem Geisterthee und Conzert; Feen und Zauberer aus allen Weltgegenden, sind zu demselben durch ein Zirkular berufen, befinden sich im Augenblick der Eröffnung im Himmel; daselbst ist zu ihrem Empfang ein Conzertsaal eingerichtet, man hört ein interessantes Quartett aufführen — um die Zuhörer auf dem Theater zu beschäftigen werden sie mit Eis bedient, im Publicum thut man dasselbe, mehrere Bediente laufen umher und bieten Punsch, Glace, Limonade Bavaroise, Mandelmilch ꝛc. an, wovon ein jeder so viel nehmen kann, als er will (gegen Bezahlung.) Hierauf erzählt die Fee Lacrimosa eine weinerliche Geschichte — der Neid hat sie heirathen wollen — glaub ich, — sie hat sich bedankt, und dadurch ihn und des Neides Bruder, den Haß, zu ihren Feinden gemacht, beide, Neid und Haß kochen Rache gegen sie, beim Neid hält sie sich langsam, sie sprudelt und quillt über beim thätigen Haß. Eine Tochter von ihr, ist bei einem Holzhauer in Pension, an der Verheirathung derselben mit einem jungen Menschen den sie liebt, hängt die Erlösung der niedlichen Mama. Um diese zu hintertreiben, läßt der Neid dem Bauer einen Schatz finden, wodurch er zum Millionair wird (daher der Titel, der Bauer als Millionair.)

Jetzt ist an die Heirath zwischen dem Mädchen und ihrem geliebten Fischer nicht mehr zu denken, die Erlösung der Mutter hängt an einem Haar, (Seiden Haar, andre Haare hat man hier nicht mehr) — das Geisterconzert verwandelt sich in ein Geisterconsilium, in welchem ein dummer Ungar und ein kluger Schwab die Köpfe in Ordnung halten — sonst würde es zu einer Geisterniederlage*) kommen; nun aber versprechen die übrigen Geister Beistand und Schutz.

Die Scene versetzt uns in das Haus des Millionairs, wo sich uns die schöne Tochter der Fee Lacrimosa zeigt, welche von dem Bedienten bemitleidet, von dem Vater *mal tractiret* wird, (*NB.* sie weiß nicht daß der Papa nicht ihr Papa ist), er verlangt, sie solle einen reichen Mann heirathen, sie frägt was sie arme Närrin wohl mit einem reichen Manne anfangen solle, — aber weil du eine arme Närrin bist, sollst du eine Millionärrin werden — für den Fischer soll sie lieber eine Schnecke heirathen, dann hat sie doch einen Hausherren; er selbst trinkt täglich eine Flasche mit einer Mixtur welche 100 Dukaten kostet, wodurch sein Verstand erhellet werden soll — wenn er dies ein paar Jahre so getrieben, wird er erst sehn was er für ein dummer Kerl war: er lernt schreiben, da kann er sich's selbst zuschreiben, wenn ihm etwas Böses paßirt — solcher Späße — davon die angeführten, die Besten sind — erscheinen gar viele.

Berliner Chronik.

Königsstädtische Fehden. Diese dauern noch immer fort zum Besten der Armen, der Abgebrannten, des treuen Gesindes und der Griechen (?) für welche die Fehdeschriften, selbst ohne Abzug der Kosten verkauft werden. Daß immer neue Gründe zu Anklagen sich finden, daß auf jede Beschuldigung eine Vertheidigung folgt, daß jeder der Streitenden das letzte Wort behalten will, ist in der Ordnung; daß aber diese Streitschriften, welche bereits eine kleine Bibliothek ausmachen, noch ein Publicum finden, ist das Wunderbare. Auflagen von tausend Exemplaren sind in wenigen Stunden vergriffen. Sollte nicht das Königsstädtische Theater unmittelbarer daran zu profitiren suchen und die Sache auf die Breter selbst bringen, oder doch die Pamphlets mit den Arienbücherln davor verkaufen lassen? Jemehr ehrenwerthe Namen in diesen Hader hineingezogen werden, um so unangenehmer wird dieser kleinliche Zwist für den Unbefangenen. In der neuesten Schrift wird wieder ein geachteter, anerkannt rechtlicher Mann stark verunglimpft, der in den bisherigen Controversen unerwähnt geblieben. Es wäre zu wünschen, daß die Königsstadt durch etwas Großes — ohne daß dies gerade ein Ungeheuer zu sein brauchte — die Aufmerksamkeit von diesen Adiaphoris ab, auf die Hauptsache, das Theater und die Kunst wieder zurück wendete.

Der hinkende Teufel ist eine eigends für Berlin geschriebene Zeitschrift, welche schon um deswillen alle Aufmerksamkeit verdient, weil ihr Autor es gegen alle Usancen unserer Tage gewagt, ein Zeitblatt in der Form eines Buches (wenn auch nur Büchelchen) erscheinen zu lassen. So etwas verträgt nun einmal die Zeit nicht, welche auf Blätter basirt ist. Da überdies in gedachtem Teufel das Gemeinnützliche mehr als das Frivole und Interessante bedacht ist und man noch dazu die Mühe des Aufschneidens hat, ohne die Hoffnung auf sarkastische Hiebe und bittere Pillen für einzelne Personen zu stoßen, so bedarf eine solche Zeitschrift des Aufmerksammachens, und wäre sie mit der Gediegenheit des Spectator für seine Zeit geschrieben. Unter den mancherlei gemeinnützigen Desideraten stoßen wir auch auf die einer Berliner Fußbotenpost. Und dieser Wunsch allein schon stimmt uns günstig für die andern des Verfassers. Wie schnell wollten wir dann den geehrten Zusendern von Beiträgen, mit denen wir täglich in Fülle beschenkt werden, unsern Dank und die letztern zugleich mit zustellen.

Der beliebte Dichter und Redacteur der Dresdener Abendzeitung **Theodor Hell** (Winkler in der Vespertina genannt) soll sich incognito während der vorigen Woche in unserer Residenz aufgehalten haben. Nach einigen Nachrichten hat er jedoch nur in der Waldeinsamkeit des Thiergartens mehrere Tage verlebt, und wir dürfen den Früchten seiner Mußestunden dort entgegensehen. Nur wenigen ist es gelungen, den Sänger bei einsamen Spatziergängen oder flüchtigen Besuchen in unserer geräuschvollen Stadt zu sehen. *a.*

*) Diesen Wiener Witz kannst du nur verstehn, wenn du weißt, daß Brandtewein hier Geist (Spiritus) genannt wird, daher Geisterbrennerey, Geisterniederlage, veredelte Geister, abgezogene Geister (d. h. von dem irdischen abgezogene nicht mehr phlegmatische) ꝛc.

(Redigirt von Dr. Fr. Förster und W. Häring (W. Alexis.)

Im Verlage der Schlesingerschen Buch- und Musikhandlung, in Berlin unter den Linden Nr. 34.

Berliner

Conversations-Blatt

für

Poesie, Literatur und Kritik.

Montag, — Nro. 71. — den 9. April 1827.

Das Spanische Theater.*)

Das Schauspielhaus in Sevilla ist ein Gebäude von bedeutendem Umfang, ohne besondere Schönheit und Bequemlichkeit. Das Madrider ist unstreitig diesem vorzuziehen. Nur von wenigen Logen aus hat man einen Ueberblick der Bühne, wie man ihn in einer interessanten Vorstellung wünscht; in den meisten hört man vom Dialoge kaum das siebente Wort, und glaubt, wie beim Anblick des singenden Engelchors von Johann van Eyck, taub zu seyn. Wer aber seine Lust an Rheumatismen hat, der kann sie hier eben so wohlfeil als schnell kaufen. Ein Spanisches Theater unterscheidet sich indessen von einem Deutschen sehr merklich in seiner Einrichtung. Im Parterre, welches sie den Patio nennen, vermißt man durchaus zwei Punkte, Stühle und — im Fall du nichts gegen die Zusammenstellung hast — Damen. Nun, Damen sehen die Franzosen auch im Parterre nicht gern; das schöne Geschlecht, sagen sie, ist zu erhaben, um einem öffentlichen Vergnügen im Erdgeschoß beizuwohnen. Die Leute denken galant, und folglich müssen wir ihnen Recht geben. Die Herren aber den ganzen Abend hindurch stehen zu sehen, könnte eine nervenzarte Seele ordentlich quälen; Du mußt indessen wissen, daß die Spanier eben so beharrlich im Stehen als die Morgenländer im Sitzen sind. Vor dem Parterre reiht sich die Luneta, welche sich mit unsern Sperrsitzen vergleichen läßt; dort pflanzt sich die vornehmste Gravität hin, die Seitengewölke der lockenreichsten Perücken berühren einander, mit den neuesten Lorgnetten von Gold bewaffnen sich die ältesten Augen, breite Hemdkrausen umflattern die geachtetsten Hälse, und nirgend sieht man so kostbare Tabacksdosen zwischen den Fingern funkeln als hier. Um das Parterre ziehen sich ein Paar Stufen, mit Leuten von Stande besetzt, die aber nicht Lust haben, ihr dramatisches Vergnügen um den theuren Preis der Luneta

*) Jede Nachricht über diese terra incognita, muß dem Deutschen Leser, welcher kaum den Calderon lieb gewonnen, von Moreto eine pikante Galanterie gekostet, und einigen Blüthenduft aus Lope de Vegas Sträußern eingesogen, dann aber fast Jahrhunderte lang im Dunkeln umhertappt, bis Martinez de la Rosa: la madre en bayle y la ninna en casa genannt und kaum durch eine Pariser Bearbeitung etwas bekannt wird, so dürftig sie auch ausfalle, willkommen sein. Unter allen Reisen, mit denen unsere Literatur überschwemmt wurde, blieben die durch Spanien die seltensten. Die Politiker berichten nichts über das Theater. Einige Theaterhelden wurden Politiker und als solche gefeiert oder geächtet. Das ist aber Alles, was wir wissen. Calderons Dramen, angefeindet von den Spanischen Aesthetikern, sollen vom Volke noch gern gesehen werden; wie sie sich aber jetzt auf dem Theater mit der Französischen Literatur, welche, d. h. vor der Scribe-Zeit, das Spanische Theater überschwemmt hat, vertragen, darüber wäre es wohl wünschenswerth näheres zu erfahren. Wenn auch in vorliegendem Briefe (aus einem nächstens über Südspanien erscheinenden Werke: „Luise von Halling,“ von Dan. Leßmann) mehr über den äußern Zustand der Spanischen Bühne Nachricht gegeben wird, als über ihren geistigen Gehalt oder Nichtgehalt, so gewähren diese Notizen doch immer treffende Lichtblicke, durch die man auf das innere Wesen schließen kann, und für den Beobachter sind sie von Werth, weil ihnen das Gepräge einer wirklichen Anschauung nicht fehlt und sie aus nicht unechten Quellen geschöpft scheinen.

D. R.

zu erkaufen. Hinter diesen Stufen, der Bühne gegenüber, erhebt sich die Cazuela, ein System von Stühlen, für das schöne Geschlecht bestimmt; eine Dame aber, die sich nicht für etwas Alltägliches hält, und für ihren guten Namen fast eben so sehr als für ihren Teint besorgt ist, trägt Bedenken, sich dort niederzulassen — denn obgleich sich kein Mann daselbst ertappen lassen darf, hat sich dennoch der Platz längst um seinen unbescholtenen Ruf gebracht. Ueber der Cazuela zieht sich die Tertulia hin — die Abendgesellschaften, welche denselben Namen führen, sind bekannt, hier aber versteht man eine Gallerie darunter, welche jedermann, er sey weß Standes er wolle, zu seinem Schausitz wählen kann; vor Zeiten saßen hier die Mönche, wenn sie ihre frommen Gefühle an den Zuckungen eines brennenden Ketzers weideten. Endlich reihen sich die Aposentos, die Logen, in dreifacher Ordnung über einander. Von einem Berliner Amphitheater, wo sich dem Himmel näher dasjenige Publikum zusammendrängt, welches für den kleinsten Preis die größte Menge des Dargestellten verlangt, weiß man hier nichts. Die geehrtesten Plätze aber sind die beiden Ecklogen am Theater, die Aloseros, in deren einer sich jedesmal ein Alcade de Corte, ein Polizeiaufseher, befindet.

Die Spanischen Lustspiele verlieren sich oft in die drolligsten Verwickelungen, vor allen die eingeschobenen Entremeses, in welchen die Sitten des niedren Volkes, aber mit komischer Kraft und ansprechender Wahrheit, sich spiegeln, und die Schauspieler ein unvergleichliches Talent entwickeln. Ich bin schon mit nassem Taschentuche nach Hause gekommen; nirgends aber übermannte mich die Lachlust so gewaltsam als einmal in Saragossa, wo ein possierliches Ereigniß selbst die Spanische Gravität außer Fassung brachte. Man gab ein Türkisches Stück, in welchem unter andern drei Paschas sich gegen den Sultan verschwören, bald aber ihre Treulosigkeit mit dem Verluste ihres Kopfes büßen müssen. Mit dem dritten Akte sollten auf einem Tische die drei Köpfe der Hingerichteten zu sehen seyn, und ihnen zur Seite der Sultan in einer pathetischen Rede seine Gefahr und seine glückliche Errettung besprechen. Um die Täuschung recht lebhaft zu machen, hatte man einen seitwärts verhängten Tisch hingestellt, dessen Tafel drei Löcher hatte; durch diese sollten die Paschas selbst ihre Köpfe stecken, und durch verzerrte Leichengesichter die Herzen der Zuschauer mit Entsetzen füllen. Alles war in Ordnung, als ein Spaßvogel in aller Schnelligkeit gerade vor den Oeffnungen des Tisches feinen Schnupftaback streute. Es klingelt, die Paschas stecken ihre Köpfe durch, der Vorhang geht in die Höhe, und der Sultan beginnt seinen kraftvollen Monolog. Er preist seine Sterne, er wirft den Enthaupteten ihren Undank vor, und frägt sie, ob seine Vatersorgfalt wohl je einen so verrätherischen Schurkensinn verdient habe? Einer der Paschas schneidet plötzlich ein seltsames Gesicht, und niest. Der erschrockene Sultan wiederholt in der Verlegenheit seine Frage; da niest der zweite, und bald auch der dritte, und auf dem Tische scheint eine niesende Auferstehung der Todten im Werke zu seyn. Der Sultan ist außer sich, die Zuschauer brechen in ein lautes Gelächter aus, alle Winkel des Gebäudes hallen wieder, den Souffleur rührt der Schlag, der Lampenputzer tritt, wie aus den Wolken gefallen, zwischen den Coulissen hervor, die Favoritin des Harems zeigt sich neugierig im taktlosesten Negligee, die Flüche des Direktors dröhnen durch das lärmende Gelächter, und die Paschas tauchen beschämt mit ihren Köpfen unter. Man mußte ein anderes Stück hervorsuchen, aber kein Mensch sahe mehr nach der Bühne hin.

So abentheuerlich auch ein dramatischer Stoff unter den Händen eines Spanischen Dichters sich gestaltet, dennoch wär es eben so einseitig als ungerecht, ihnen eine reiche Erfindsamkeit absprechen zu wollen. Nur wird es einem Fremden oft schwer, dem labyrinthischen Faden zu folgen, während der gemeinste Spanier die Intrigue mit allen ihren Verwickelungen ohne Mühe auffaßt und überblickt. Ich konnte mich anfangs durchaus nicht darein finden, und gerieth vorzüglich aus dem Geleise, wenn ich ein Zwischenspiel für die Fortsetzung des Hauptstückes hielt, und den gepanzerten Theseus mit einem Mal in der schmutzigen Tracht eines Fischhändlers auftreten sah. Sonderbar genug geht es bei diesen Umkleidungen zu; die Heldenrüstung blickt nicht selten unter dem abgeschabten Handwerksmantel hervor, wie auf einem alten Pergamente der Text einer ciceronischen Rede unter den erlöschenden Buchstaben einer Mönchschronik. Wundern muß sich ein Deutscher! Er kann es nicht begreifen, daß der gemeine Haufe, der in Spanien sich sonst geduldig so vieles gefallen läßt, im Parterre mit so tumultuarischem Uebermuthe den Ton angiebt; er erstaunt, bei den sittenlosesten Vorstellungen junge bescheidene Leute und Diener der Kirche gegenwärtig zu finden, wie im Blindenkafé zu Paris der redliche Bürger mit seinen Töchtern im Gewühle der unzüchtigsten Dirnen sitzt; er kann sich an den stimmfähigen Souffleur nicht gewöhnen, der ihm den Vers Sylbe für Sylbe zu hören giebt, noch ehe ihn der Schauspieler gesprochen; er muß sich über die Männer ärgern, welche in weiblichen Rollen sein Auge wie sein Ohr beleidigen, und weiß nicht, was er sagen soll, wenn sich das Publikum durch die stegreiflichen Witze des Spaßmachers unterhalten läßt, weil Ines de Castro oder Oktavia — mit dem Rasiren noch nicht zu Ende. Nimmt man die Verkehrtheit der Dekorationen und der Garderobe, die jeden Augenblick gegen Zeit und Ort die gröbsten Sünden begehen, nimmt man die Nachlässigkeit der Schauspieler im Anzuge überhaupt dazu, indem man Leute in ihrem Wohnzimmer bisweilen zu sehen glaubt, so gehört ein empfänglicher Sinn für die spanische Komik dazu, um solche Gebrechen mit schonender Nachsicht zu entschuldigen.

(Beschluß folgt.)

Correspondenz.

(Wien im März. Der Millionär.)

(Beschluß.)

Nun tritt der kluge Schwabe herein, er muß also schon über vierzig Jahre zählen, dieser rührt den Brei recht durcheinander — er veranlaßt eine Liebesscene zwischen dem Fischer und seinem Mädchen. Der Vater kömmt — findet den schwäbischen Bauern, will ihn fortjagen, erhält einige Maledictionen, — schwört dagegen seine Tochter solle den Fischer nicht heirathen, bevor sein Haar so weis wie Schnee, (nicht der von Auber, sondern der, welcher noch auf unsern Bergen liegt, — denke ich an ihn und an die liebliche Sontag so wird in meinem Herzen ein Feiertag begangen, und mir wird warm trotz des Winters und meiner ungeheizten Stube). Bei dieser vermessenen Rede steigt ein komisches Duodeztenfelchen aus dem Boden, welches seinen Fluch auf einer wohlgeschwärzten Tafel notirt, der Herr Vater jagt aber im Grimm und Zorn seine Tochter zum Hause hinaus, sie entflieht.

Sie langt auf der Straße an, der Millionair wirft ihr durch das Fenster noch ein Päckchen mit Kleidern nach, in einem Melodram erklärt sie uns daß sie sich in den Schutz der Nacht begeben will — welche nun hernieder sinkt — Dieser Gedanke ist wirklich poetisch — das Theater verfinstert sich, dunkle Wolken bedecken die Coulissen um den Hintergrund, alles hüllt die Nacht in ihren schwarzen Schleier, endlich sieht man sie selbst, tief im Hintergrund, ungewiß, in den Umrißen mit den Decorationen verschwimmend, herabschweben mit dem Finger auf dem Mund. Die Nebel zerstreuen sich, in bläulicher Mondlicht-Beleuchtung liegt die Straße — — und — ich weiß nicht, wo die arme Närrin bleibt, im Schutz der Nacht jedenfalls, denn diese ist ja dazu vom Himmel herab gekommen.

Nach einem Zwischenraum sieht man die holde Jungfrau einsam in einer Gegend wandeln, deren Hintergrund durch die Tempel des Ruhmes und der Tugend auf sonnigen Höhen in tiefer Ferne, geschmückt ist; hier findet sie die aschgraue Zufriedenheit (ein Berliner würde gleich sagen, das ist die aschgraue Möglichkeit) welche aus ihrer Hütte kömmt, sich für eine Königin ausgiebt und eine so pathetische Rede hält, als hätte sie seit Jahren im englischen Parlament die Declamationen der Demostene jener Insel nachgeschrieben. Das Mädchen ist entzückt über diese *ars eloquentiae*, macht sich nichts mehr aus der Nacht, vermuthlich weil es unterdessen Tag geworden ist, und wirft sich der Zufriedenheit in die Arme. —

Jetzt sehn wir auch den Herrn Millionair in seinem Wohlleben, er schmaust, trinkt, ist lustig und guter Dinge — entläßt im Champagner-Rausch ganz seelig seine Gäste, behält sich selbst noch ein Fläschchen vor, da kommt die Jugend, Demoiselle Krones in Tricot, in einem rosa Atlas-Jäckchen — wirklich so reizend, wie es eine fünfundzwanzigjährige Blondine nur auf dem Theater sein kann, mit ihr kommen acht oder zehn Paare ähnlicher Jugenden — sie nimmt Abschied von dem Millionair und singt das bekannte Lied:

Brüderlein fein, Brüderlein fein
'S muß geschieden sein.

Sie trennt sich von ihm, jetzt kommt das Alter, ein Mann, eisgrau, gebückt, auf einem Wagen, von abscheulichen papiernen Schimmeln gezogen — dieser setzt dem armen Millionair sehr zu, verwandelt seine schwarzen Haare in weiße und macht ihn zu einem Greis — jetzt erscheint auch das Zipperlein, Podagra und Rückenweh rc. er setzt sich voll Verzweiflung nieder und wünscht ein Bauer zu sein wie früher — da fallen ihm die Kleider vom Leibe — die Säulenhalle verwandelt sich in eine ländliche Gegend, er sitzt auf einem großen, gemüthlich wiederkäuenden Ochsen, vor seiner verfallenen Hütte. Sein Bedienter macht ihm viel Aerger, weil er ihn nicht mehr betrügen kann, und alles was er ihm bereits gestohlen hat, bei dieser fatalen Verwandlung verliert, also ganz umsonst zum Dieb geworden ist.

Neid und Haß fürchten, daß ihr Racheplan scheitert; das Mädchen ist nicht mehr bei dem Pflegevater; und wenn sie heut mit dem armen Fischer vereinigt wird, so sind alle ihre Aussichten dahin; allein der Fischer weiß noch nichts von der Veränderung der Glücksumstände des Vaters, er hat bei ihrer letzten Zusammenkunft geschworen, als reicher Mann zurück zu kehren — hierauf bauen Neid und Haß weiter, denn wenn der Fischer seine Geliebte auch heirathet, er aber nur reich ist, so bleibt die Fee zeitlebens in ihrer Verbannung und das ist sehr lange, da dir nicht wird haben unbekannt bleiben können, daß Feen ihr Alter nicht nach Jahren, sondern nach Jahrtausenden zählen. Nun höre die Spitzbüberei, bewundre die Feinheit der Entwickelung! Der Fischer wird von einem schönen Vogel in die Nähe eines Zaubergartens geführt, in welchem ein Ring zu erobern ist, der dem Besitzer unermeßne Reichthümer sichert; — er steht durch einen Kegelschub zu gewinnen, doch muß man alle neune umwerfen, sonst ist man ein Kind des Todes. — Ein Tempel verbirgt den Schatz, vor demselben ist die Kegelbahn — von dem Kegelbuben hört er, was hier zu erobern ist, läßt sich durch die, rings umher liegenden Grabsteine, welche diejenigen, so die Opfer ihres Geizes geworden sind, bezeichnen, nicht abschrecken — er nimmt die Kugel auf. — Da sinkt der Tempel und neun Harpuniere haben ihre Speere auf sein Herz gerichtet — doch wirft er — trifft alle neun, die Lanciers fallen um, der Schatz ist sein. Jetzt macht er den Haß zu seinem Haushofmeister, verschiedene rothköpfige Domestiquen nimmt er in seinen Dienst — der Haß baut ihm einen prächtigen Pallast, alles ist ihm gelungen, es kommt nun nur darauf an, die Liebenden zu vereinen, welches keine schwere Aufgabe mehr sein kann.

Das Mädchen erscheint, allein sie kommt in Gesellschaft der Zufriedenheit — und der Haß hat keine Macht mehr über sie — auch der verbauerte Millionair tritt auf, jedoch ganz degradirt, zum Aschenmann herab gesunken; er besingt in nachfolgendem Liede den Lauf der Welt.

Wie mancher geht herum,
Der Hochmuth bringt ihn um,
Hat einen schönen Rock,
Ist dummer wie ein Stock.
Von Stolz ganz aufgebläht,
O Freundchen, das ist öd;
Wie lange steht's noch an
Bist du ein Aschenmann.
An Aschen, an Aschen.

Ein Mädchen kommt daher,
Von Brüßler Spitzen schwer;
Ich frag gleich wer sie wär —
Die Köchin vom Tracteur!
Pack mit der Schönheit ein,
Marsch in die Kuchel nein,
Ist denn die Welt verkehrt?
Die Köchin g'hört zum Heerd!
An Aschen, an Aschen.

Die Zufriedenheit verspricht ihm Asche zu verkaufen und weist ihn unterdessen zu einem Rosenhügel hin, auf den er sich setzen, und wo er sie erwarten soll.

Der Bräutigam erscheint, die Zufriedenheit verlangt, er soll den Ring von sich legen — er verweigert es, da berührt die Zufriedenheit die Stirn des Mädchens — und siehe die Geliebte kann ihren Geliebten nicht mehr leiden — wie es wohl zu gehn pflegt, allein es bringt den jungen Herrn zur Raison, der Haß will zwar die kluge Jungfrau beim Arm nehmen und davon führen, doch sie entdeckt ihm, daß sie die Zufriedenheit sei, worauf er sich ihr zu geneigtem Andenken empfiehlt, ihr überläßt das Werk zu vollenden, welches denn auch zur allgemeinen Zufriedenheit geschieht, indem der Bräutigam den Ring nebst seinem Reichthum von sich wirft und als armer Fischer das Mädchen aus der Feenwelt bekömmt. Mit verschiedenen Verwandlungen, wird auch noch der Aschenmann hergezaubert und entzaubert — ill sagen zu einem veritablen Bauern, wie er es früher gewesen ist, gemacht — man singt schließlich verschiedene Allegorieen. Der Bauer will die Zufriedenheit in seine Hütte führen, besinnt sich jedoch eines Besseren — und giebt sie dem Publicum, welches schon anfängt unruhig zu werden, weil es Morgenluft wittert, als *sauve garde* mit nach Hause, dieses verläßt das Theater innigst zufrieden, besucht es zum 25 und 50sten mal, und hat seit lange kein so schönes Stück gesehn.

Dies ist der magre Inhalt einer Piece, welche den ganzen Abend ausfüllt, die ein höchst miserables Product genannt, und selbst hier nicht angesehn werden würde, wenn sie nicht ein erkleckliches an platten Wiener-Späßen — an Decorationen, an so genannten Maschienerien enthielte, welche wir aber blos Verwandlungen nennen würden, denn es geschieht eben nichts, als daß andere Coulissen oder Setzstücke an die Stelle der vorhandenen treten; das *non plus ultra* ist, daß hier oder dort sich ein Loch im Podium befindet, durch welches die Kleider der zu verwandelnden Personen, herabgezogen werden. Dies und der Mord des Abbé Plank sind die berühmtesten Ereignisse Wiens.

(Redigirt von Dr. Fr. Förster und W. Häring (W. Alexis.)

Im Verlage der Schlesingerschen Buch- und Musikhandlung, in Berlin unter den Linden Nr. 34.

Berliner Conversations-Blatt

für

Poesie, Literatur und Kritik.

Dienstag, — Nro. 72. — den 10. April 1827.

Das Spanische Theater.

(Beschluß.)

Die Beleuchtung ist brillant kärglich; man schmeichelt ihr ein wenig, wenn man sie eine Beleuchtung nennt, und mag wohl Mühe haben, vom Parterre aus die Menschen in den Logen zu erkennen. Um so ungestörter führt man in diesen sein Gespräch, und nimmt Besuche an. So arg indessen, wie in Italien hin und wieder, wo die Familienloge zum Gesellschaftssaal und die Bühne zum mimischen Nebenzimmer wird, ist es hier nicht; der Spanier wendet Aug' und Ohr der Bühne zu, und die vornehme Gleichgültigkeit, welche bei den rührendsten Auftritten und den trefflichsten Leistungen der Schauspieler zerstreut nach irgend einer Gegend des Parterres hinblickt, und die Vorstellung gleichsam nur besucht, um zu zeigen, daß sie nicht der Vorstellung wegen gekommen, hat die feine Welt hier noch nicht bethört; wie denn der Spanier überhaupt, ich darf es nicht verschweigen, bei all seiner Grandezza, bei all seiner abgemessenen Steifheit, doch mehr vernünftige Natürlichkeit, als manche andere Nation in Europa, besitzt. — Kein Herr behält seinen Hut auf; da sie es aber mit der bösen Zugluft nicht gern aushalten mögen, so setzen sie ein schwarzes Mützchen auf den Kopf, welches man oft bei dem dunkelfarbigen Haar durchaus nicht bemerkt. Erfrischungshändler hört man nicht, wie in mehreren andern Ländern, ihre Waare ausschreien; was die Damen gewöhnlich zu genießen wünschen, führen die aufmerksamen Cortejos in den Taschen, und Bonbons mit einem Heiligenbilde drauf sind der Hauptartikel einer Galanterie, welche die Santo's nicht aussterben lassen. Dem Orchester thut man die passendste Ehre an, wenn man nicht davon spricht; merkwürdig aber ist's, daß der Beifall, welcher bei uns die Hände so leicht in Bewegung setzt, und den Schauspieler oder Sänger oft mitten in seiner Begeisterung hemmt, bis er vor Verlegenheit kaum weiß, wie er sich gebehrden soll, in Spanien sich gar sehr einsylbig macht; man erkennt etwas Unanständiges darin, in Gegenwart einer Menge Menschen sein Gefühl so klatschend werden zu lassen. Eben so seltsam befremdete mich anfangs die langsame Aussprache der Schauspieler, welche indessen beim Pathos der Tragödie, die leider oft zwischen Uebertreibung und Fadheit schwankt, sich ungemein feierlich macht.

Die Intrigue des Lustspiels hatte ganz meinen Beifall; nur war sie, wie hier jeder dramatische Stoff, durch eine wildphantastische Romantik entstellt. Ein reicher Graf hat eine schöne Tochter, welche das Herz eines jungen, aber armen Edelmannes bezaubert. Man giebt dem Vater Winke, und dieser überrascht die Liebenden in dem Augenblicke, wo der junge Mann vor seiner Angebeteten kniet. Die Verlegenheit des Jünglings geht über alle Beschreibung, und der Gracioso, der improvisatorische Spaßmacher, ohne welchen ein spanisches Stück so wenig als ein grönländisches Dorf ohne Seehunde fertig werden kann, hat hier die reichhaltigste Gelegenheit, das buntschimmernde Gefieder seines Witzes zu entfalten. Des Grafen Tochter aber weiß sich bald zu fassen; sie erklärt dem Alten, der junge Edelmann sei bis über die Ohren in ihre Kammerjungfer verliebt, und habe sie sich so eben knieend zur Braut erbeten. Dagegen hat der Graf nicht das Geringste. Die Kammerjungfer kommt. Im Bewußtsein der körperlichen Reize, mit welchen die Natur sie zu schmücken vergessen, fühlt sie sich glücklich, so schnell und ehrenvoll unter die Haube zu kommen, und willigt ohne langes Sträuben ihrer Jungfräulichkeit in die Verbindung. Der Grazioso aber bemerkt, daß heut Freitag sey, und folglich die Ceremonie verschoben werden müsse.

Die Gräfin warnt ihre Kammerjungfer vor dem jungen Edelmann; sie schildert ihr seine furchtbare Eifersucht und seine Wildheit mit den schreckensten Farben, und schüchtert sie so glücklich ein, daß sie ihm gern entsagt. Indessen setzt der Graf die Vermählung auf den folgenden Tag fest. Sie geschieht, und der Alte sieht den Zug von seinem Fenster aus mit an. Er wird aber nicht gewahr, daß statt der Zofe seine Tochter in bürgerlichem Brautputz zur Kirche geleitet wird. Der Grazioso tritt zum Fenster, und frägt ihn noch einmal, ob er nichts dawider habe? Der Graf schwört bei der ganzen Reihe seiner Ahnen, die er namentlich dabei aufzählt, es sey sein vollkommener Wille, daß die beiden Verlobten, welche so eben vorüberschreiten, durch den Segen des Priesters für alle künftigen Tage verbunden werden. Die Trauung geschieht. Der Gracioso bittet den Grafen um eine Mitgift; der Alte zeigt sich ziemlich freigebig, erstaunt aber nicht wenig, da man eine große Summe Geldes, und die Verschreibung seines ganzen Vermögens als Erbschaft fordert. Die Scene ist wirklich mit komischer Mannigfaltigkeit durchgeführt. Endlich erscheinen Braut und Bräutigam, der Graf erkennt seinen Irrthum, nennt sich, mit Erlaubniß seiner Ahnen, einen Esel, und willigt am Ende in eine Sache, die er nicht mehr ändern kann.

Was würdest Du aber dazu sagen, wenn im Laufe des spannensten Auftrittes eine Stimme plötzlich *El Sennor!* — der Herr! ruft, der Dialog mit einem Mal stockt, die Schauspieler sämmtlich sich auf's Knie niederlassen, und über alle Zuschauer plötzlich der Ernst der Andacht sich verbreitet? Du würdest fragen, welch eine Zauberruthe hat mit Einem Streich alle diese Gesichter, alle diese Herzen verwandelt? Die Hostie war's welche ein Priester draußen zu einem sterbenden Kranken vorübertrug; er hat um eine Ecke gebogen, die Versammlung belebt sich wieder, und wie nach einem Starrkrampfe geht das Spiel weiter.

Nach dem eigentlichen Stücke erfolgte ein Zwischenspiel, eine Saynete, wie sie's nennen, nicht selten eine unanständige Enthüllung der Geheimnisse, welche mit dem gesellschaftlichen Leben verbunden. Majos und Gitanos, Zigeuner, sind die beliebtesten Charaktere darin. Man könnte dem meisterhaften Spiel seinen Beifall nicht versagen, wenn der Bolero nicht mit eingeflochten würde, ein üppiger Tanz, die sinnliche Liebe mit der größten Rücksichtslosigkeit darstellend. Ein Franzose folgte allen Bewegungen dieses Tanzes mit neugierigem Wohlgefallen, und beurtheilte ihn mit dem Leichtsinn eines pariser Sittenrichters; *voilà des attitudes charmantes*, sagte er, *qui offrent un tableau continuel de jouissances!* Die Spanier sehen ihn entzückt mit an, es regt sich kein Laut, jedes Auge funkelt, und jedes Herz schlägt lauter vor glühender Theilnahme — eine Deutsche erröthet und sieht zur Erde.

Besser sprechen mich die Tonadillas an, Gesänge von munterem Takte, die zwischen dem eigentlichen Stück und dem Mittelspiel gesungen werden; noch mehr Behagen aber find' ich an der Zarzuela Burleska, einem possenartigen Singspiel, mit welchem viele Vorstellungen schließen. Dichter und Komponisten suchen hier sich in den Ruhm zu theilen, und ein billiger Zuschauer, dessen Trommelfell nicht zu kunstgerecht gespannt, muß ihnen für den Genuß, den sie gewähren, von Herzen danken.

Achtung genießen die Schauspieler in Spanien eben nicht; man betrachtet sie als Miethlinge, und kümmert sich wenig um sie. Man hält sie aber nicht für unehrlich, man untersagt ihnen nicht, in die Messe zu gehen, und wirft sie nicht, wie die schöne Lecouvreur in Frankreich, auf offenen Anger zur Verwesung hin; zwischen Carl dem zweiten und Marlborough, wie die Oldfield, werden sie freilich auch nicht begraben.

Chamisso's Schlemihl.

Peter Schlemihl, die geistreiche Novelle Adalbert von Chamisso's, erscheint, nachdem sie ins Französische mehreremal übersetzt und im Englischen mehrere Auflagen schnell hinter einander erlebt, jetzt auch in Deutschland in einer zweiten Ausgabe bei Leonhard Schrag in Nürnberg, und zwar mit Nachstichen der Cruickshankschen Kupfer der englischen Uebersetzung geziert, so wie mit einem Anhang von Liedern und Balladen.

Die Cruickshankschen Kupfer haben in England, und in den Amerikanischen Freistaaten, wo zu Boston erschienene Nachdrucke sie ebenfalls vervielfältigt haben, großes Glück gemacht. — Uebrigens wird in dieser englischen Uebersetzung der Schlemihl Fouqué zugeschrieben, wie er auch sogar in einer süddeutschen Theaterbearbeitung als Dichtung unsers Heldensängers bezeichnet worden.

Blicke auf die Welt.

(Von einem Diplomaten)

Der Körper des Menschen soll nach sieben Jahren ein andrer sein, wenn nun auch die Seele ihre Stufenjahre hätte, wenn diese vielleicht weit häufiger einträten, würden wir dann wohl seltener einen vor langen Jahren begangenen Fehler oder aufgestellten falschen Satz noch heute wüthend vertheidigen? —

Warum geschieht es doch nur nach einem Treffen, worin wenigstens einige tausend Menschen geblieben sind, daß beide Gegner Gott danken? —

Es giebt Menschen, die nie Unglück genug haben, und sollten sie's von Paris und London verschreiben.

Um mit seinen Mitmenschen in Frieden zu leben, muß man ihre Eitelkeit an Kindesstatt annehmen — und ihr eine schlechte Erziehung geben. —

Wie viele große Pläne bleiben **liegen**? Ihre Zahl ist wohl größer, als die der Regenschirme, die man stehen läßt. —

Warum ist doch die Rache das Bataillen-Pferd aller schlechten Dichter? —

Es ist eine rührend schöne, ächt menschliche Seite des Krieges, daß, nach einer Schlacht, auch Leute **vermißt** werden, die man bei keiner andern Gelegenheit **vermißt** haben würde.

Wie schlimm müßte es mit uns stehen, wenn der Himmel nicht so gütig wäre, uns für arme, arme, Narren zu halten — Halleluja!

Tadel ist nur dann nicht hart, wenn er ein Rath ist! —

Wie viel edle Menschen halten es für ihren Sonntagsschmuck, hart, leichtsinnig und sinnlich zu scheinen.

Falsch — politisch — freundlich!

Der Mann ist der Sohn des Schmetterlings und der Schlafmütze. —

Der Selbstmord ist eine fürchterliche Frucht, die Jahre lang über dem Abgrund der Verzweiflung hängen kann. Aber wehe dem, der den morschen Zweig schüttelt, an dem sie hängt. —

Die einzige wolkenlose Zuneigung hienieden ist die eines gelehrten Auslegers für seinen Schriftsteller.

Berliner Chronik.

Concert der Mad. Catalani. Freitag den 6. April. Auf besonderes Verlangen der Mad. Catalani waren die so genannten bewußten hohen Opernpreise verdoppelt worden, so daß man für 2 Thlr. 20 Sgr. einen Platz im ersten Range, wo man nichts sieht, und für zwei Thaler einen in den Parquetlogen, wo man nichts sieht und nichts hört und an dem drückenden Gebälk sich den Kopf einzustoßen das Vergnügen hat, erhalten konnte. Glücklich wer sich aus Pflichtgefühl oder Begeisterung zeitig genug mit einem Sperrsitze versehen hatte. Saumselige Seelen, die dem Gerücht trauten, daß das Haus leer bleiben werde, hatten sich verrechnet und fanden ihr Unterkommen mit knapper Noth; denn das Haus war zum Erdrücken voll und, wie bei solchen Preisen zu erwarten stand, von dem elegantesten Publikum. Nicht nur in dem ersten Range, auch in dem zweiten und dritten wehten Straußenfedern, und da oben in jenen hohen Regionen, wohin sich sonst nur das Volk aus den niedern Ständen mit gesunden Augen und richtigem Blick versteigt, erkannte man an den Brillen und Wiener Doppel-Opern-Gukern, daß heut sich Leute mit kranken Augen und getrübtem Blick, mithin aus den vornehmen Ständen eingefunden hatten und in dem Amphitheater, wo man sonst nur den Schnee des Weißbieres gewahr wird und die Damen ihr Schnäpschen aus dem Strickbeutelfutteral nehmen, wurde heute Eis und Limonade servirt.

Das Vorlegeschloß, Posse in 2 Abtheilungen von Adalbert vom Thale, welches man vor Madame Catalani gelegt, mußte gerade heute, wo das Publikum so sehr gespannt war, mehr als sonst langweilen; nur das vortreffliche Spiel des Hrn. Devrient als alter Polak, konnte einigermaaßen die Aufmerksamkeit fesseln. Nachdem hierauf eine etwas monotone Ouvertüre aus Faniska von Cherubini überwunden war, erschien endlich die gefeierte Königin des Gesanges, von dem Publikum mit rauschendem Beifall begrüßt. — Die Sängerin begann mit einer großen Arie von Cordella: *O là t'arresta!* Verhängnißvolle Worte für eine **Sängerin**, die bald ihr **funfzigstes** Jahr antreten wird. Als ich diese große Sängerin 1815 in Paris hörte, war sie schon nicht mehr in der Blüthe ihrer Jahre, aber ihre Stimme übte damals noch einen mächtigen Zauber aus. Vielleicht erinnern sich andere mit mir eines Concerts in dem Theater Favard, in welchem bei ihrem *„O dolce concento"* ein langer, schwarzgekleideter Mylord sich aus dem ersten Range herab zu ihren Füßen stürzen wollte, wovon er nur mit Gewalt abgehalten werden konnte. — Für uns, die wir sie damals hörten, und denen sie damals eine Erinnerung für das ganze Leben mitgab, ja selbst für diejenigen, welche sie noch bei ihrer vorletzten Anwesenheit 1817 in Berlin hörten, kann sie diesen früheren Zauber nicht mehr ausüben; allein noch immer gewaltig und grandios, überragt sie, wie eine egyptische Pyramide alle die kleinen chinesischen Gartenhäuschen, die sich zierlich zu ihren Füßen angesiedelt haben und räthselhaft, wie die noch immer kolossale Sphynx zu Memphis, erscheint was sich neben sie stellt, wie Zuckerpüppchen aus dem Conditorladen. — Nur bei gewaltsamer Anstrengung hört man, daß es nicht mehr die jugendliche Stimme ist; allein in kleineren Räumen, wo es dieser Anstrengung nicht bedarf, bei kleineren Liedern und Buffo-Arietten, ist der Sängerin, wie in der äußeren Erscheinung, so auch in der Stimme der ganze Zauber früher Schönheit und Jugend geblieben.

Die zweite Arie: *Se mai turbo* von Cianchettini, welche Hr. Musikdirektor Möser mit obligater Violine begleitete, lag bei weitem mehr in dem jetzigen Umfang der Stimme der Mad. Catalani, als die erste und in einigen Stellen hörte man den Wiederklang der schönen Tage der Vergangenheit. Der Bolero „*Al mesto cuor*“ schien an uns gerichtet, die wir allerdings mit betrübtem Herzen bedachten; wie vergänglich solche Schönheit und Anmuth sind; allein eben ihre Vergänglichkeit ist es auch wieder, die ihnen den höchsten Reiz verleiht. Aus diesen Betrachtungen wurden wir durch das auf allgemeines Verlangen angestimmte *God save the King* gerissen, in welchem Mad. Catalani noch einmal wie eine untergehende Sonne sich selbst und den ganzen Horizont umher verklärte. Und als sie mit allem Zauber der Huld u. Anmuth sich gegen die Königl. Seitenloge verneigte und dadurch, daß sie „*Frederic William*“ und „*our king*“ (unsern König) sang und sich als Preußin erklärte, gewann sie sich zum Schluß den ungemessensten und an dieser Stelle wohl verdienten Beifall und auf dem Heimwege hörte man noch manchen für sich: „Heil dir im Siegerkranze“ nachcatalanisiren. —

Nicht unerwähnt dürfen wir lassen, daß der Königl. Kammermusikus Hr. Ganz schwedische Nationallieder auf dem Violoncell mit großem Beifall vortrug. Auch die Leistungen der Gebrüder Schunke auf zwei Waldhörnern und der Herren Müller und Eichhorst auf den Clarinetten wurden gebührend ausgezeichnet.

Sontag den 8ten April. — **Einweihung des Sing-Akademie-Gebäudes** —

Die hiesige Sing-Akademie, die seit vierzig Jahren schon als eine Akademie des geistlichen Gesanges besteht, wurde aus dem Akademie-Gebäude der Künste und Wissenschaften bei dessen Umbau delogirt und hat, nachdem sie zuerst in einer Kirche, dann in einem Logenhause, dann in dem Jagorschen Saale ihre Versammlungen gehalten, sich aus eigenen Mitteln ein Prachtgebäude aufgeführt, mit einem Saal, der von dem Herzogl. Braunschweigischen Hofbaumeister Hrn. **Ottmer** in dem Style des Concertsaales im Königl. Schauspielhause gebaut ist, nur mit dem Unterschiede, daß er nicht ganz so hoch und etwas breiter ist, mithin für Musikaufführungen geeigneter zu sein scheint.*) Eine solche Anstalt ist für unsere Zeit und für die Kunst überhaupt von großer Bedeutung, da sie in Beziehung auf die Musik das leistet, was das Museum für die Bildhauerei und Mahlerei leisten soll. Wie man aus den Kirchen die vortrefflichsten Bilder der alten, berühmten Meister entfernt und sie durch Aufstellung in den Gallerien gerettet hat, so bedarf es auch eines Museums des Gesanges, in welchem die geistlichen Werke der großen italienischen und deutschen Meister aufbewahrt werden. Denn obwohl der Gesang, in so fern er der Träger des im Worte ausgesprochenen und geoffenbarten Gedankens ist, der Gottesverehrung im Geiste und in der Wahrheit näher steht, als die Mahlerei, deren Sprache nicht so vernehmbar ist und deren Element, die Farbe, nicht so unmittelbar, wie der Ton, auf das Gemüth wirkt, so ist doch nicht nur in der evangelischen, sondern auch in der katholischen Kirche der Kirchengesang mehr oder weniger zu Grunde gegangen und außer der Rotonda in Rom, hört man anstatt der Messen von Pergolese und Palestrina, Boleros von Rossini. Bis nun der Kirchengesang in seine frühere Würde und Wirksamkeit wiederhergestellt sein wird, verdient eine solche Verwahrerinn seiner Heiligthümer, wie unsere Singakademie, die Aufmerksamkeit und Theilnahme aller Gebildeten, so wie der würdige Vorsteher und Direktor derselben, Hr. **Professor Zelter**, sich längst eine allgemeine Achtung und einen Namen durch ganz Deutschland erworben hat. Zu der gestrigen Einweihung wurde von ihm ein Choral und dann ein Kyrie und Gloria in vier Chören, ein Meisterwerk des seel. **Fasch**, des Stifters der Singakademie gesungen. Die Gesellschaft zählt gegen dreihundert Mitglieder; daher machten die Chöre einen imposanten Eindruck. Der Hof beehrte die Feier mit seiner Gegenwart in den geschmackvoll dekorirten Seitenlogen und der Saal und die Vorsäle waren mit einer zahlreichen Versammlung gefüllt. Ein neuer Genuß steht uns zum Freitag bevor, wo in demselben Saal der Tod Jesu, Oratorium von Graun gesungen werden wird. — F. F.

*) Folgendes sind die Verhältnisse der Berliner Concertsäle. Der Concertsaal im Opernhause ist 88 Fuß lang (im Lichten), 49 Fuß breit, $35\frac{1}{2}$ Fuß hoch; er faßt 1200 Zuhörer. Der Concertsaal im Schauspielhause ist $73\frac{1}{2}$ F lang, 42 F. breit, $41\frac{1}{2}$ F hoch und faßt mit den Nebensälen gegen 1500 Zuhörer. Der Saal der Singakademie ist 83 F 6 Z. lang, 41 F. breit, $31\frac{1}{2}$ F. hoch und faßt mit den Logen und Nebensälen 1200 Zuhörer. Der Saal des Hoftraiteur Jagor ist 60 F. lang 43 F. breit, 32 F. hoch und faßt 700 Zuhörer.

(Redigirt von Dr. Fr. Förster und W. Häring (W. Alexis.)

Im Verlage der Schlesingerschen Buch- und Musikhandlung, in Berlin unter den Linden Nr. 34.

Berliner
Conversations-Blatt
für
Poesie, Literatur und Kritik.

Donnerstag, — Nro. 73. — den 12. April 1827.

Die Johannisnacht auf dem Awajasax.

Es giebt Länder, von denen man fast allgemein annimmt, daß die Natur sie mehr als stiefmütterlich behandelt habe; und die gleichsam zum Sprüchwort geworden, wenn man eine schrecklich öde, von allen Reizen entblößte Gegend schildern will. Zu diesen wenig gekannten, aber sehr verkannten Ländern, gehört der nördliche Theil Schwedens, und doch giebt es wenige Länder, wie Hesje dalen, Jämte land und Norike an großen und erhabenen Schönheiten der Natur übertreffen. Zwar ist die Natur hier nicht so lieblich wie im Süden, sie erwecket nicht die süßen glühenden Bilder der Phantasie, sie wiegt uns nicht ein in lieblichen Träumen, ihr fehlt die südliche Ueppigkeit und Frische; aber ernst und erhaben sprechen die donnernden Wasserfälle, die uralten Eichen und Tannenwälder zu uns und mahnen uns an Odins Helden!

Man denke sich ein Land, bewässert von unzähligen Seeen, Bächen, Strömen, von denen die meisten so beträchtlich, wie Deutschlands Hauptströme sind, deren Lauf oft von einer steilen Felswand gehemmet wird, von der sie donnernd und in Staub aufgelößt herabstürzen, man denke sich diese Gewässer umkränzt von den Schatten uralter Bäume, vermischt mit dem Grün der herrlichsten Wiesen, welche der hier zwar nur kurze, aber heiße Sommer mit dem glänzendsten Farbenschmelz schmücket, man denke sich ein solches Land bewohnt von einem biedern, gastfreien lebhaften Volke, und ich frage, ob ein solches Land stiefmütterlich ausgestattet ist?

Schwedens Regenten haben seit Gustav Wasa große Sorge für die Cultur ihres Volkes getragen, und sie fanden keinen undankbaren Boden. Der National-Schwede ist von der Natur mit den, allen germanischen Völkerstämmen eigenen Tugenden ausgestattet, als Tapferkeit, Gastfreiheit, Freiheitsliebe und Rechtlichkeit; hiermit verbindet er eine lebhafte Einbildungskraft, Liebe zur Kunst (wie mehrere Naturmahler unter den Bauern in Upland beweisen, von denen recht kräftige Altargemälde vorhanden sind) und einen tief religiösen Sinn. Die Prediger in diesen nördlichen Gegenden sind die Rathgeber und Väter ihrer Gemeinden; sie bereisen fleißig ihre weiten Kirchsprengel, halten Schule, prüfen die Lehrer, theilen Preise unter die Lehrenden und Lernenden aus, und stehen ihrer hohen Einfachheit und ihres reinen, sittlichen, frommen Wandels wegen, in großer Achtung. Selbst die Lappen sind keinesweges mehr Heiden, wie man wohl glaubt, sie schicken ihre Kinder fleißig zur Schule und sind überhaupt ein kindliches, gutmüthiges Völkchen.

Ein großes Freudenfest gewährt der Johannistag, wo die Sonne zum erstenmal in diesen nördlichen Gegenden auch noch um Mitternacht am Horizonte steht. Um dieses Schauspiel zu genießen, reisen viele Bewohner Schwedens und des angrenzenden Russischen Finnlands nach dem Awajasax, einem beträchtlichen Berge in der Torneå Lappmark, eine Meile von der Stadt gleiches Nahmens, gelegen. Da Sie vielleicht noch keinen Correspondenten in Torneå für Ihr Conversationsblatt gefunden, erlauben Sie mir Ihnen den kurzen Auszug aus dem Tagebuch einer Freundin, welche im Sommer 1824 auf einer größern Reise einen Abstecher hierher machte, mitzutheilen. Das Tagebuch ward durchaus nicht für das Publikum geschrieben. Beschreibungen selten besuchter Naturmerkwürdigkeiten, sind indessen ja unter jeder Form von Interesse.

„Am 23sten Juny Abends 5 Uhr, kam ich in Torneå an; der beträchtliche Torneå-Elf, der sich in den Bothnischen Meerbusen ergießt, theilt die Stadt und bildet die Gränze zwischen Rußland und Schweden. Seit Ystadt hatte ich vielfältig Gelegenheit gehabt, die Gastfreiheit und Gemüthlichkeit der schwedischen Nation zu erproben und auch in dieser nördlichen Stadt ward mir eine sehr freundliche Aufnahme bei dem dortigen Landshofding, dem ich von Upsala aus empfohlen war. Wir gingen in der Stadt umher, besuchten einige Bekannte, besprachen uns mit mehreren Reisenden, Studierenden aus Upsala und Russischen Beamten, der morgenden Fahrt wegen, und brachten einen sehr vergnügten Abend bei dem ersten Prediger der Stadt zu. Am andern Morgen um 5 Uhr begann unsere Fahrt in kleinen Booten, worin sich die Gesellschaft vertheilt hatte; das unsrige ward von einem Paar Lappen geführt, deren Physiognomie mir Stoff zu mancherlei Betrachtungen gab und mich in die Zeiten der Völkerwanderung zurückversetzte. Es gehörte Geschicklichkeit dazu, den kleinen Nachen durch die vielfachen Strudel, kleinen Fälle und reißenden Strömungen des Flusses zu bringen, aber unsere Lappen arbeiteten mit Muth und Gewandheit diesen Hindernissen entgegen, und brachten uns glücklich eine Meile stromaufwärts, von wo unser Weg zu Lande gehen mußte, weil größere Fälle die weiterere Wasserreise hemmten. Wir lagerten am Fuße des Awajasax, den ich seiner isolirten Lage nach beinah mit unserm lieben Zobten vergleichen möchte, nur ist er höher und steiler. Gegen Abend stiegen wir ihn durch Gesträuch und lose Steine völlig hinan und nun eröffnete sich unsern Blicken eine wirklich reizende Landschaft. Vor uns der Torneå mit seiner Mündung, der Bothnische Meerbusen, und die Stadt Torneå; hinter uns die grünen Wiesen der Torneå Lappmark mit ihren Hügeln, die mit den schönsten grünen Birken bekränzt sind; seitwärts nach Norwegen der Kiolen mit seinen Alpen und Gletschern, deren Gipfel von der Sonne mit dem schönsten Purpur gefärbt wurden. Das herrlichste Wetter begünstigte unsre Reise, der Himmel war rein und heiter und versprach einen wahren Hochgenuß! Unter freundlichen Gesprächen, wozu ein jeder sein Scherflein beitrug, die jedoch fast ausschließlich das Land betrafen, welches zu unsern Füßen lag, rückte die ersehnte Mitternacht heran, und mit der Uhr in der Hand, sahen wir, wie die Sonne immer tiefer sank und endlich, wie eine Feuerkugel um Mitternacht noch am nördlichen Himmel stand. Die ganze Natur um uns her ruhte in tiefer Stille als feire sie ihren Sabbath; und nur die unzähligen Flämmchen, die auf jedem Hügel, auf allen Wiesen und Feldern loderten, waren Beweise, daß außer uns noch lebende Wesen in dieser Gegend hauseten. Diese Johannisfeuer sollen noch Ueberreste des alten Heidenthums seyn; ich erinnere mich indeß im Schlesischen Riesengebürge diese Sitte an vielen Orten auch noch getroffen zu haben, wo man den Glauben damit verbindet, daß je mehr Feuer, je mehr Garben das Feld geben würde, und man den Kienstöckchen die Gestalt eines Kreuzes giebt. Gegen Morgen stieg die Sonne wieder höher und wir verließen den Gipfel des Awajasax mit dem Gefühl, welches ein erhabenes Schauspiel der Natur in der Brust jedes fühlenden Menschen zurück läßt, und kamen gegen Mittag in Torneå an, von wo uns leider sogleich der Wagen zur Rückreise nach Stockholm aufnahm."

Kunstreise eines Malers.

Ueberall wirkt die Natur, doch Blüthen entfaltet das Licht nur: Sonne der Liebe, du leihst Farbe lebendiger Welt!

Stuttgart d. 7. August.

Es ist eine große Freude um dies Schwabenvolk: Wo eint sich so, wie hier, Gemüth und Kraft? Unter Andern lernte ich den Maler D..., einen ausgezeichneten jungen deutschen Künstler kennen, der aus Rom zurückgekehrt ist, um für den König einige Deckengemälde *al fresco* auszuführen. Bei ihm sah ich noch mehrere Zeichnungen, von denen mich besonders zwei durch Eigenthümlichkeit der Erfindung und Tiefe und Reinheit der Empfindung ansprachen. Die kleinere ist in Oel ausgeführt und im Besitz des Baron Kniestädt in Carlsruhe, aus dessen Familiengeschichte sie entnommen. Zur Zeit der Religionsverfolgungen im südlichen Deutschland wurde nämlich Pfortzheim — es war protestantisch geworden — von den Päpstlichen wieder eingenommen, und seine Einwohner mit Gewalt in den Zwang der Römischen Kirche zurückgetrieben. Da nahm der edle, aber arme Bürgersmann, der Aeltervater der Frau v. Kniestädt, Namens Bader seine einzige fahrende Habe, einen Karren, setzte seine alte Mutter darauf und einige Habseligkeiten, gürtete sich mit einem Strick und zog in Ermangelung eines Pferdes das Fuhrwerk selbst. Drei Töchter und ein Knabe folgten ihm (die Gattin lebte nicht mehr), und so gelang es ihnen unter Gottes Schutz, der wüthenden Verfolgung der Pfaffen zu entgehen. Dies hat der junge Künstler gar schön dargestellt. — Die kleinste Tochter geht neben dem Vater; ihr guter Blick zu ihm hinauf sieht schon wie eine Hülfleistung aus; oder sie zieht gar mit am Karren — ein treues Kind; die beiden andern, von denen die Aeltere wieder am tiefsten die Gegenwart, die jüngere schmerzlicher die Vergangenheit zu empfinden scheint, gehen auf der andern Seite, der Bub aber hinter dem Wagen, worauf die Großmutter betend sitzt, und hilft fleißig schieben. Der Vater, ein schöner, kräftiger Mann, in der einen Hand die Bibel, die andre an der Deichsel, schreitet ernst und muthig vorwärts, in Haltung, Geberde und Gang, wie in seinem ganzen Wesen spricht sich jene Kraft aus, die uns durch Glauben und Gottvertrauen wird. Ueber der Gruppe schwebt ein Engel, welcher die Verfolgung der Pfäffischen abwehrt, Stadt und Landschaft bilden den schönsten Hintergrund. —

Die zweite Zeichnung hat mich wunderbar ergriffen, sie ist aus früherer Zeit und ein Denkmal der Völkerschlacht bei Leipzig. D. hat das Motto aus dem alten Testament gewählt: „Rosse waren am Streittage bereitet, aber der Sieg kam vom Herrn.“ Das Bild nun zerfällt in drei Theile. In der Mitte nach vorn knieen die drei Herrscher, denen Gott diesen Sieg schenkte und danken ihm. Im Hintergrunde sieht man noch Flucht und Verfolgung; hoch oben erscheint der Herr, die himmlischen Heerschaaren und die Auserwählten des Herrn; ein Engel mit dem Racheschwert, ein Engel mit dem Siegeskranz fliegen hernieder zu den getheilten Heeren. Es ist das Amen des Schlachtgesanges. Links im getrennten Raume, wie rechts thut sich uns das Wirken der Frauen zur Zeit der Vaterlandsnoth kund und manche alte Erinnerung stieg mit einer Thräne im Auge in mir auf. Wir sehen sie vor und nach der Schlacht, links ein Zimmer, darin Frauen und Kinder mit Werken der Barmherzigkeit beschäftigt. — Eine Mutter schneidet Binden, das Töchterchen hält ihr das Linnen, eine kleinere sitzt daneben und strickt Strümpfe; eine Gruppe gar herziger Kleinen sitzt mehr nach der Tiefe, mit rührender Emsigkeit zupfen sie Charpie, in der Mitte sitzt eine Königin, die mit andern Frauen das Siegeszeichen bereitet, die Fahne stickt. Auf diese und ähnliche Weise sind noch mehrere Frauen zum Troste, zur Freude für die Krieger beschäftigt; über dem Gemach sieht man als Relief einen Baum, den Engel begießen, und der die sieben Werke der Barmherzigkeit als Früchte trägt. — Rechts um sieht man das Innere einer Kirche, die zugleich jetzt Hospital ist. Auf den Altar im Hintergrund legen Einige ihren Schmuck als Opfer für's Vaterland; Andre sind beschäftigt, Kranke und Verwundete zu pflegen. Da unterstützt eine gute Tochter einen alten Soldaten, der zum ersten Male mit der Krücke zu gehen versucht; da salben u. verbinden zwei Jungfrauen mit zartester Güte und Schonung das schwer verwundete Haupt eines kräftigen Mannes; überall sitzen und liegen Leidende, überall nahen sich ihnen gebend und pflegend die engelguten Frauen. —

Bei dem hiesigen Postmeister, der ein schöner, freundlicher und kunstliebender Mann ist, sah ich mehrere Sachen von Werth, namentlich einige Gemälde von Wächter, der sich von je durch Reinheit der Fantasie und Einfachheit der Darstellung, nicht so durch Zeichnung und Technik des Malens ausgezeichnet. — Ein Bild gefiel mir vorzüglich seines dichterischen Gedankens wegen, es war das Schiff des Lebens, das freilich ganz verschiedene Passagiere über den Engpaß zwischen Wiege und Grab führte. —

Auf dem Schlosse war mir in zwei Bildern ein schöner Genuß bereitet. Das Opfer Noah's vom leider zu früh verstorbenen Schick (sein anderes Bild: Apoll unter den Hirten sah ich früher, jetzt war es nicht zu sehen) der sich wie wenige durch eine Großartigkeit und Einfachheit auszeichnet, die uns zunächst an Michel Angelo erinnert. — Das zweite Bild war von D. Abraham begrüßt das Land der Verheißung. Hatte ich diesen wackern Künstler jetzt schon lieb gewonnen, nun bekam ich volle Achtung vor ihm. Es ist ein großes und reiches Bild, die vordern Figuren sind halbe Lebensgröße, über 60 ist ihre Zahl; in aller Weise und mit allem Rechte verdient es eine Stelle unter den bedeutendsten Erzeugnissen neudeutscher Kunst.

Correspondenz.

London im Februar 1827

Der Winter, der hier diesesmal trockener und schärfer als seit lange ist, hat die Armuth vom Lande herein; und aus den schlechten Zimmern, die sie nicht bezahlen kann, herausgedrängt, und grade in der Zeit, in welcher nun jede Familie ihre Anzahl von Bällen und Gastereien abmacht, sieht man in den Straßen ganze Familien entblößt und zitternd auf der Erde um Allmosen flehen; gleichviel ob diese wirklich des Obdachs und Brotes so ganz beraubt sind, oder ob sie es lügen; denn wie ihr Zustand in dem Falle ein gränzenloses Elend anzeigt, so würde es im andern eine schmerzliche Entsittung und Verworfenheit dieser Klasse bekunden. — Ich habe Ursach zu glauben, daß allerdings viele dieser Unglücklichen auch nicht das Nothwendigste haben, daß sich aber auch Leute unter sie mischen, die lieber auf kalten Steinen in Regen und Wetter liegend sich mit Betteln einige Pence mehr erwerben, als sie's durch mühseligen Tagelohn im Stande wären.

Von Weihnachten bis Mitte Februars ist die Zeit der Feste, wenn man steife englische Gesellschaften Feste nennen will. Jede Familie bittet jetzt alle noch so ferne Bekannte die Reihe nach durch, und wird natürlich wieder gebeten, so daß ich, wo ich nur hinkomme, nichts als klagen und seufzen über die große Anstrengung höre.

Während diese gesellschaftlichen Abfütterungen statt finden, sieht man die Gärtner zu fünf und sechs mit einer Stange, an der, ein Kohlblatt gebunden, schreiend die Straßen durchziehen: Arme eingefrorne Gärtner! Erbarmt euch der armen Gärtner! Gebt den Eingefrornen ein Almosen! — Da alle schreien, so hat der Aufzug etwas Erschütterndes. Ich muß immer an heulende Wölfe denken. —

Die Gelegenheit über das Boxen zu reden bietet ein jüngst bei Royston vorgefallenes Boxgefecht, von welchem ich eine kleine Beschreibung geben will; denn da selbst in England dergleichen nicht oft, und dann auch von nicht vielen gesehen wird, und da das Ganze sehr viel Interessantes bietet, so glaub' ich mit dieser Beschreibung kein Ueberflüssiges zu thun.

Es nimmt diese Kunst in England ab, wie alle Leibesübungen in der gebildeten Welt, worüber die große Masse der Liebhaber *„of old englist sport“* laut klagt; denn sie sagen, daß mit dem Abnehmen der Lust an Jagd, Boxen und anderem rüstigen Tummeln, der alte englische Muth und Trotz gegen Gefahren, die in der That John Bull von jeher eigen sind, ersterben würde, und sie hatten daher eine große Freude an dem letzten Boxgefecht zu Royston, weil es nach ihrem Urtheil so vorzüglich war, wie nur je eines hat seyn können. Die Zeitschriften, welche dergleichen genau berichten, wie z. B. Bell's *Life in London*, das *Magazine of Sport* oder *Weekly Dispatch* verweilten bei dem Berichte dieses letzten Gefechts lange und erzählten es mit einer Genauigkeit, die in Erstaunen setzt. Sie fangen an den Stand der Wetten auf die einzelnen Fechter zu nennen, beschreiben den Platz, die Kämpfer, ihr Benehmen vor dem Gefecht, während desselben, und nachher; vergessen keinen bedeutenden Stoß, bis zu Ende.

Obschon ich wußte, daß es bei den Boxgefechten scharf zugeht, machte ich mich doch nach Royston auf. Ich fand auf dem Grunde eines Baronets einen abgesteckten Platz, der von vielen Wagen und Gerüsten umgeben war; auf einigen von diesen kostete ein Platz eine halbe Guinee. Gegen ein Uhr warf Ward, der bis jetzt Champion von England war, d. h. niemand konnte es ihm im Boxen gleich thun, seinen Hut in die Schranken, das Zeichen der Herausforderung. — Ein gewisser Peter Crawley ließ ihn von seinen Beiständen aufnehmen, und nun treten die beiden Kämpfer in die Schranken. Ich erinnre mich nie zwei so schöne männliche Körper gesehen zu haben; recht zum kämpfen geschaffen; gedrungen, stark an Knochen und Muskeln, und alle Glieder im besten Verhältnisse; der Nacken in herkulischer Weise voll; der eine, der alte Champion mit ruhiger, fast lächelnder Miene, der andre gespannt und aufmerksam wie ein Fuchs. Die Farben beider wurden an den Schranken aufgesteckt. Jeder hatte einen Freund bei sich mit einer Flasche, worin Wasser und Brantwein gemischt war, um in den Zwischenräumen den Mund auszuspülen. — Der Kampf begann, und beide maßen sich lange Arm gegen Arm. Endlich bekam Cravley einen Stoß, daß er scharf blutete, und alle Wetten auf das erste Blut waren entschieden. Kurz darauf bekam er einen Stoß, daß er zur Erde sank. Die Wetten auf den Gegner stiegen um 2 und 3 gegen 1. Die Beistände eilten herzu, knieeten auf einem Kniee nieder und ließen ihren Fechter auf dem andern eine halbe Minute ruhen. So viel Zeit wird immer gegeben, wenn einer nicht mehr fechten kann oder niedergestoßen wird, und hat er sich in dieser Zeit nicht erholt, so hat der Gegner gewonnen. — Der Kampf begann von neuem und beide zeigten eine außerordentliche Geschicklichkeit, so wie Geistesgegenwart. Das Blut rann bereits stark, viele Gänge waren schon gemacht, die Wetten waren gestiegen und gefallen, 29 Minuten hatte der Kampf gedauert, beide waren schon so erschöpft, daß sie im Vergleich zu ihren früheren Stößen nur matt fochten, als Ward besinnungslos niedergestoßen ward. Nun stand sein Gegner Crawley, ihn mit Augen ansehend, die alle Furcht, er möchte vor der vergönnten halben Minute aufstehen, und das Gefühl eigner Ermattung zeigten; er selbst zitterte sehr; aber Ward blieb liegen und mußte besinnungslos vom Platze getragen werden. Crawley ward als Champion ausgerufen und erhielt vom Gegner 200 Pfund Sterling. So wie der Sieg für ihn entschieden war, und die Kraftanstrengung sich zu halten nicht mehr nöthig, sank auch er zusammen, und mußte zu seinem Wagen geführt werden. — Er konnte schon am Abend wieder gehen, dagegen kam sein Gegner erst nach 2 Stunden und starkem Aderlasse zu sich und mußte lang das Bett hüten. Fortwährende Stöße gegen den Kopf hatten ihn betäubt; das ganze Gefecht geschah in der größten Ordnung; es waren gewählte Marschälle, Beistände, Aufseher ꝛc. da. — Der Sieger selbst eröffnete eine Unterschrift für den Besiegten, dem es allerdings schwer wird, 200 Pfund zu zahlen, und in London wurde einige Tage nachher ein Boxen mit Handschuhen, zu drei Schilling Eintritt für den Ueberwundenen gehalten. Crawley ist nun Champion von England, bis er einst wieder niedergestoßen wird. Viele Städte haben wieder ihre eigne Champions.

(Redigirt von Dr. Fr. Förster und W. Häring (W. Alexis.)

Im Verlage der Schlesingerschen Buch- und Musikhandlung, in Berlin unter den Linden Nr. 34.

Berliner
Conversations-Blatt
für
Poesie, Literatur und Kritik.

Sonnabend, — Nro. 74. — den 14. April 1827.

Blicke auf die Englische Literatur.

Der Reichthum neuer, wenn auch nicht eben bedeutender literarischer Erscheinungen ist in der Literatur Großbrittaniens nicht minder wie in der von Deutschland jetzt so groß, daß man Mühe hat, sich durch alle die Kleinigkeiten hin den Blick auf die wahrhaft bedeutenden Erzeugnisse des Geistes frei zu halten. Am besten thäte man freilich vielleicht, erst das richtende Urtheil des Publikums und der Kunstrichter abzuwarten und wo beide verwerfen, sich weiter gar nicht mehr um das also Verdammte zu kümmern, wo sie uneinig sind, nach Liebhaberei zu wählen und nur wo sie einig loben, ganz zu lesen. Indessen die alte und immer wieder aufgefrischte Frage: Was giebt's Neues? will auch ihre Antwort haben und es geht vielleicht mehreren Lesern, wie uns, daß wir vor Neugierde brennen, alle neuen Bücher wenigstens zu sehen. Da wir sie nun nicht in *corpore* können aufmarschiren lassen, so wollen wir einen flüchtigen Blick in den Zuwachs der Englischen Bibliotheken seit dem Anfang vorigen Jahres werfen und sagen, was wir gesehen haben; wie Glück und Laune uns mitspielen, so wollen wir den Lesern mitspielen und sie mögen, wenn sie wollen, es mit denen noch ärger machen, mit denen sie über dieß und das in Kunst und Literatur verkehren.

Wir sehen uns um und nichts zieht schneller unsre Aufmerksamkeit auf sich, als das kleine allerliebste

Literärische Souvenir für 1827 von Alarich Watts. 3 *Vol.* mit seinen Brüdern:

Vergißmeinnicht, dem Amulet und der freundschaftlichen Gabe.

Das Aeußere ist sehr elegant und legt vom gegenwärtigen Zustande der Kunst ein sehr rühmliches Zeugniß ab. Papier von Seidenglanz und Rahmfarbe; Einband und Futteral von der zartesten Schattirung; der Schnitt glänzend vergoldet; das Format gerade angenehm, um es in der Tasche zu tragen. — kurz, das Ensemble ist so zierlich, daß es den bittersten Kritiker entwaffnet und so leicht einzuschmutzen, daß es billig von seinen tintenbeklecksten Händen gar nicht angefaßt werden sollte. Darf man unter den genannten einem den Vorzug hinsichtlich der schönen Ausstattung geben, so verdient ihn das Souvenir. Es hat mehrere Kupfer, die, wenn auch nicht besser ausgeführt, doch besser gewählt sind. Es zählt unter denen, welche Beiträge dazu geliefert, manche bedeutende Namen; die Beiträge selbst aber erheben es nicht über seine Nebenbuhler. Man darf es ihm indessen nicht absprechen, daß es, in der Poesie wenigstens, eine ehrwürdige Mittelstraße eingeschlagen hat: Alles ist nüchtern und setzt nicht im mindesten das Gefühl in Bewegung. Keine kräftige Gedanken erheben den Geist; keine schmelzenden Gefühle rühren die Seele, keine glänzenden Bilder blenden die Phantasie; nichts erhebt, bewegt, reißt hin oder erzwingt sich stürmend Aufmerksamkeit. — Die Prosa steht unbedenklich hoch über der Poesie. Unter andern ist eine recht hübsche dramatisirte Charade von Miß Mary Russel Mitford darin.

Da in allen drei Bänden dieselben Mitarbeiter erscheinen entsteht eine unerträgliche Einförmigkeit, für den Kritiker, weil sich nichts in bestimmte Partien scheidet, für den Leser, weil ihn der ewig gleiche Wechsel ermüdet.

Freundschaftliche Gabe. Ein literarisches Album, herausg. von T. K. Hervey. Dem vorigen, wie gesagt, sehr ähnlich: ob besser, ob schlechter?

Non nostrum — tantas componere lites.

Auch hier die Poesie unter der Prosa; doch ein paar Gedichte nicht ohne Werth. In der Einleitung sagt der Herausgeber: „Wir sind Nebenbuhler in friedlichem Wetteifer ohne Neid." Und woher sollte der Neid auch kommen? — Die Kupferstecher — meist dieselben, wie zum Theil selbst ihre Stiche; der Druck aus derselben Gießerei; das Papier aus derselben Mühle; die Sammler scheinen eng verbunden zu seyn und die Verfasser sind meist dieselben Personen.

Facies non omnibus una
Nec diversa tamen, quales decet esse sororum.

Nachrichten über die Andern schenken die Leser uns oder wir ihnen.

Unser Dorf. Skizzen in ländlichem Charakter und ländlichem Schauplatz. 2 *Vol.*

Miß Mitfords Skizzen sind so unvergleichlich, daß wir hoffen, daß sie nie breiter werden mögen. Keine drei Bände! Sie malt mit leichtem und farbenreichem Pinsel und doch dabei kräftiger, als irgend ein andrer uns bekannter Schriftsteller. Jeder Zug ist bedeutsam; jede Sylbe sprechend; jeder neue Strich ist glücklicher, wie der vorhergehende. Die Ausführung ist überall meisterhaft, wenn auch der Gegenstand mitunter von minderem Interesse ist. Der Stempel der Natur und Wahrheit ist allen ihren Scenen und Charakteren aufgedrückt. Der Leser kann sich kaum vorstellen, daß, was sie schildert, nur Bilder der Phantasie sind und wir zweifeln nicht, daß lebende Originale zu ihren Gemälden gesessen haben — nur nach Umständen gefärbt, um die beabsichtigte Wirkung hervorzubringen. Dabei hat Miß Mitford einen geheimen Hang zur Satire. Sie muß sich in Acht nehmen. Aber sie wird nie über die Grenzen gehen.

Die Foscaris, Trauerspiel von Maria Russel Mitford tritt uns als ein ganz anderes Produkt derselben, auch durch zierliche kleine Gedichte bekannten Schriftstellerinn, entgegen. Nach dem vorigen nehmen wir es nicht ohne Theilnahme, oder wenigstens nicht ohne Neugierde in die Hand, um so mehr, da diese Trägödie das seltne Glück gehabt hat, auf der Bühne so zu gefallen, daß sie schon oft und mit immer wiederholtem Beifall ist gegeben worden, und sie hat, wie sogar englische Kunstfreunde und Richter meinen, das noch seltnere Glück, diesen Beifall zu verdienen. Die Fabel des Stücks versetzt uns nach Venedig. Erizza, ein angesehener Senator, strebt nach der Dogenwürde und sucht eine Partei gegen den Dogen, den älteren Foscari zu gewinnen. Er wendet nun, diesen Zweck zu erreichen, allerlei Kunstgriffe an, sucht besonders einen genauen Freund des Dogen Donato durch Verläumdungen so gegen ihn aufzubringen, daß er ihn die Heirath seiner Tochter Camilla mit des Dogen Sohn, dem jüngern Foscari zu verhindern bewegt. Eine Reihe von Verräthereien führt zum Tode beider Liebenden, dabei werden aber Erizzos Pläne entdeckt und er wird der Gerechtigkeit überliefert. — Die Charactere, besonders der des alten Dogen, sind sehr gut gehalten. Es fehlt nicht an poetischen Situationen und schönen Stellen, denen eine leichte Versification noch mehr Reiz giebt, wenn sich auch manchmal verrätherischer Weise etwas Prosa mit eingeschlichen hat. Aber wer wollte nicht, vorzüglich bei denen, lieber loben, als tadeln? — Wir blicken uns wieder um: was sollten wir, da wir einmal bei der Bühne sind, unter Allem, was vor uns liegt, eher nehmen als

Erinnerung aus dem Leben John O'Keans von ihm selbst beschrieben. 2 *Vol.*

Wir werden hier mit den Schicksalen eines viel genannten Schauspielers und vergessenen Lustspieldichters bekannt gemacht, der 1747 geboren, im Laufe eines langen Lebens 68 meist vom Lethe weggespülte Komödien geschrieben und viele Personen im Leben, wie auf den Brettern, welche die Welt bedeuten, gerade so genau gesehen hat, um ihr Aeußeres richtig zu beschreiben (selten mehr!); der im Alter unglücklicherweise blind geworden, aber glücklicherweise eine Pension vom Könige bekommen. Hätte er nur geschrieben, da er noch bekannter war. Um jedoch etwas Bemerkenswerthes von ihm anzuführen, so kann man von ihm sagen, daß er durch seine ewigen patriotischen Tiraden und Gefühle viel zum Verderbniß des guten Geschmacks auf der Bühne beigetragen. — Zu etwas Neuem! —

Der Tor-Hügel, vom Verfasser v. Brambletye-House. 3 *Vol.* 12.

läßt sein Schiffchen oder vielmehr seine Flotte in dasselbe Fahrwasser vom Stapel laufen, wie W. Scott. Wie dieser aber Anfangs sorgfältig schrieb und erst nach und nach flüchtiger geworden, so bleibt uns hier keine andre Hoffnung, als daß der Verfasser vielleicht die Absicht haben möge, es umgekehrt zu machen. Wenigstens ist sein Anfang so unglaublich flüchtig, daß man seine ersten Werke nur für leidige Manufaktur- und hoffentlich bald Maculaturwaaren erklären kann. Im Einzelnen sind zwar kräftige Züge und lebendige Schilderungen: aber was hilft das, da nichts sich gruppirt, Alles vielmehr breiartig auseinander fließt. Alles ist schwankend und nicht einmal die Hauptfiguren treten recht hervor. Die Erzählung beginnt in Calais mit gewaltigem Lärm; dann reißt der Held nach England hinüber, nimmt aber die Geschichte nicht mit, die unentwickelt stecken bleibt, so daß der ganze Anfang entbehrlich war — wie überhaupt der ganze Roman, dessen eigentliche Hauptperson nachher ein mondsüchtig geglaubter junger Mensch wird: die Geschichte spinnt sich durch viele Albernheiten bis zu einer Heirath desselben mit einer reichen Erbinn fort u. s. w. —

Um sich die Falten auszupletten, die das letzte Buch in der Stirn erzeugt hat, und zugleich den asthenischen Gähnkrampf in einen sthenischen Lachkrampf zu verwandeln, kann man nichts Besseres zur Hand nehmen, als

Schnurren und Schwänke (*Whines and Oddities*) in Prosa und Versen, nebst vier Originalzeichnungen von Thomas Hood.

Dies Büchlein ist so voll von komischen und originellen Zügen, daß es das Zwergfell des finstersten Hypochondristen erschüttern muß. — Nicht gemein ist Thomas Hoods Feder, mag er nun Carrikaturen oder Skizzen hinwerfen, oder komische Hymnen schreiben. Er ist schon vortheilhaft bekannt durch seine „Oden ans große Volk," und andere Werke. Vorliegendes Bändchen wird seinen Ruhm gewiß zehnfach vermehren. Die besten Stücke sind: „Sally Brown," „das Meerfräulein von Margate" u. a. die keinen Auszug leiden und zu lang sind, um ganz mitgetheilt zu werden. 10.

Fragmente über Musik — Deutschland — England — Shakspeare.

(Mitgetheilt von Franz Horn).

Klopstock, Lessing, Fichte und ähnliche treffliche Männer haben die überbescheidenen Deutschen so oft beschworen, ein wenig edelstolz zu sein, daß es endlich etwas geholfen zu haben scheint. — Wir leben bereits in den glücklichen Zeiten, wo wir mit Erfolg wagen dürfen, zu behaupten, daß kein seit Shakspeares Tode geborner Dichter unserm Göthe gleich komme. Seit etwa dreißig Jahren hat man ferner den Deutschen vorerzählt, daß sie ehedem auch die allerruhmwürdigsten Maler gehabt haben, und es giebt jetzt schon manche, die nicht bloß wie in früheren Jahrzehnten um einen Dürer und Cranach wissen, sondern auch von einer Köllnischen Schule, einem Johann v. Eyck, Hemling, Schwarz u. s. w. viel Gutes gehört oder wol gar, wenn auch nur im Steindruck, gesehn haben. Dreißig Jahre sind indessen, wenn man Jahrhunderte versäumt hat, zu wenig, um sich in so manches vergessene Vortreffliche zu finden; es ist jedoch Hoffnung vorhanden, daß man sich bald entschließen werde, an das Herrliche zu glauben; einige vielleicht schon um deswillen, weil die höchst ehrenwerthen Männer, welche jene unschätzbare Sammlung altdeutscher Bilder zusammengebracht haben, bei ihrer würdigen deutschen Bildung doch auch einen in's Gewicht fallenden — französischen Namen haben, der bei Manchen seine Wirkung auch heut zu Tage noch nicht verfehlt.

Ist endlich von Musik die Rede, so darf ein Deutscher in einer Gesellschaft von Deutschen — in Paris versteht es sich ohnehin von selbst — beinahe auf Beistimmung rechnen, wenn er die ächte deutsche Musik, wie sie bei Händel, Graun, den Bachen, Gluck, Haydn, Mozart u. a. waltet, gebührend preist. Es ist zu häufig in ganz Europa rühmlich davon gesprochen worden, als daß man sich nicht endlich hätte entschließen müssen zu glauben, es sei wirklich herrlich damit bestellt. Betrachten wir deshalb unser liebes Deutschland als das eigentliche Vaterland der Musik, so wollen wir dabei, mit gewohnter Mäßigung, das Treffliche, was vom Auslande kommt, keinesweges verkennen, doch im Besitz von nicht drei, sondern dreimal drei musikalischen Horatiern die Curiatier nicht scheuen, die man uns etwa zur Bestehung des künstlerischen Ehrenkampfes entgegen schicken könnte. —

Anders steht es mit England. Hier fehlt es nicht bloß an solchen producirenden Meistern, die sich mit den älteren Italienischen und Deutschen messen könnten, sondern es scheint auch an der Fülle von Liebe für diese Kunst zu fehlen, die allein uns ihre Bedeutung erkennen lehrt. Was aber das Schlimmste ist, wir treffen bei ihnen eine Anzahl von Urtheilen einzelner sehr berühmter Männer über die Musik und deren Idee, die von einem so entschieden antimusikalischem Gemüthe der Urheber zeugen, daß wir uns davor — entsetzen möchten. Freilich wenn Samuel Johnson ärgerlich Shakspeares Liebe für die Musik misbilliget, und Steevens Lorenzos Ausspruch (im

„Kaufmann von Venedig") über dieselbe ein *capricious sentiment* zu nennen wagt, so soll darauf kein sonderliches Gewicht gelegt werden, denn wir kennen diese Männer bereits in ihrer kühlen Abgeschlossenheit. Auch Addisson soll uns mit seiner Abneigung gegen die Tonkunst wenig kümmern, und er mag dafür als Lohn hinnehmen, daß schon Lessing seinen „Cato" im eigentlichsten Sinn um das Leben gebracht hat, welches ihm freilich leicht genug werden mußte, da es nur ein Scheinleben war. Noch weniger kann hier die Ungunst des Lord Chesterfield gelten, der, gar nicht begreifend und deshalb zürnend, wie man Sinn haben könne für „Pfeifen und Fiedeln" gerechten Anspruch auf unser Mitleid hat, schon um deswillen, weil er, wenn von dem Wesen der Musik die Rede ist, an Fiedeln und Pfeifen denken kann. Wichtiger ist schon, daß Pope — wie bekannt genug ist — geradezu gestand, er habe niemals Vergnügen an der Tonkunst gefunden, und es könnte diese Nachricht sogar befremden, wenn wir bei dem Wohllaut seiner Verse mit einigem Genuß verweilen. — Allein jener Wohllaut ist oft nur ein scheinbarer, sie sind höchstens leicht melodisch, es fehlt aber die tiefere Harmonie, deren Mangel ein ächter Musikfreund bald erkennen und stets schmerzlich vermissen wird. (Forts. folgt.)

C h a r a d e.

Von meinem Ersten singt ein großer Dichter:
Sein finstres Aeußre dürfe niemand schrekken
Ob öfters auch, die Schelmerei zu dekken,
Sich ihm gesellen seine Bösewichter,
Zu Last und Lust dem vielgeplagten Richter,
Dem dennoch ihre Thaten sich verstekken,
Will hinterlaßne Spur sie nicht entdekken,
Und andre Spur als die der Angesichter! —
Mein Erstes und mein Zweites, wie mein Ganzes,
Sind einzeln oft besungen wie im Ganzen,
Mein Zweites ist den Frauen sehr willkommen,
Doch wirds dem Manne Tod des Ehrenkranzes,
Soll jemals er nach seinen Tackten tanzen, —
Drum rath ich: friedlich dies in dem genommen!

S e n g e b u s c h.

Vaterländische Geschichte.

Der Professor *Dr.* Valentin Heinrich Schmidt, Director des Kölnischen Gymnasiums hier, hat in vergangener Woche in Programmenform eine kleine Schrift, betitelt: **Mittheilungen aus der Geschichte der Mark Brandenburg** herausgegeben, in welcher sich, außer einer angefügten Aufgabe an die Forscher folgende Aufsätze der kritischen Historiker befinden, deren Titel auch den Freund der Sagen des Alterthums zum Nachlesen einladen möchte: **Der Schatz in Angermünde; das Wahrzeichen in Werneuchen und Die Glocke mit der weissagenden Schrift.** Ersteres ist eine Untersuchung über den, zur Auslösung des bei Frose von den Magdeburgern gefangenen Markgrafen Otto *IV.* von dem Geheimenrath von Buch 1278 aus der Angermünder Kirche, hervorgeholten Schatz. — Die Glocke mit der weissagenden Schrift befindet sich zu Eickerhöfe in der Altmark. Gegossen 1718 verkündet sie, daß von Anno 1811 bis 1861 eine böse Zeit sein werde, welche für das Dorf schon 1813 in der Art eintraf, daß die Franzosen sich hier verschanzten und mit den Särgen der ehemaligen Besitzer, einer Familie von Puttlitz, sehr übel umsprangen.

Der zweite Aufsatz behandelt folgende mit diplomatischer Genauigkeit aus dem Kirchenbuche von Werneuchen abgeschriebene Notiz, über die es durchaus an Aufklärung gebricht, die aber in ihrem Dunkel für den Novellisten von größerem Interesse sein möchte, als sie aufgeklärt es jemals für den Historiker werden dürfte. —

„*Ao.* 1653 ist allhier in *Werneuchen* eine Weibesperson gekommen, hat sich nennen lassen Anna Maria, ohngefähr 25 Jahr alt, hat bey sich gehabt eine Dienerinn, selbe hat sich bey denen Herren Bürgermeisteren gemeldet und sehr gebethen, man möchte ihr doch ein Jahr lassen die Schweine hüten, und da selbe wol gekleidet und von schönem Ansehen, haben die Bürgermeister sie befragt, wer sie sey, woher sie komme und warum Sie die *Schweine* zu hüten verlange, darauf sie aber keine genaue Antwort hat geben wollen, sondern bey ihrem *petito* geblieben, man möchte ihr *concediren*, ein Jahr um das damals gewöhnl. Lohn 30 Schfl. Rocken; die Schweine zu hüten, worin auch die Bürgermeister gewilliget. Sobald nun die Zeit Schweine außzujagen herankommen, hat selbe ein Pferd gekauft und einen Quersattel, ist des Morgends herumgeritten und gerufen: Jaget die Schweine ab. Ihre Magd hat müssen helfen die Schweine außtreiben, welche sie auch bis ins Feld zu Pferde begleitet, die Magd allein bei den Schweinen gelassen, sie aber wieder nach ihrer Wohnung geritten, da sie des Tages die *Zeit* mit Knöppeln und Nähen, welches sie gar schön gekonnt, *verpassiret*. Bisweilen ist sie nacher Frankfurt, Beerwalde, *Bernau* und anderen Orten geritten, hat auch wol Manns Kleider angezogen, einen Federbusch auf dem Hut gehabt. — Wenn sie aber hier gewesen, hat sie alle Morgen ihren Dienst zu Pferde verrichtet, bis ihr Jahr auß gewesen, da sie nicht eher wollen weggehen, bevor ihr der Abschied schriftlich ertheilet. Ohngefähr nach 1 Jahre ist *selbe* allhier gesuchet. Nach 5 Jahren ist sie wieder hier durch *passiret* und hat sich in sehr schönen kostbaren Kleidern sehen lassen, man hat zu der Zeit *vermeinet*, es sei diese Persohn eine vornehme *Dame* von Adel aus einem Closter, welcher die *Schweine* zu hüten zur *Poenitenz* auferleget."

(Redigirt von Dr. Fr. Förster und W. Häring (W. Alexis.)

Im Verlage der Schlesingerschen Buch- und Musikhandlung, in Berlin unter den Linden Nr. 34.

Berliner Conversations-Blatt

für

Poesie, Literatur und Kritik.

Montag, — Nro. 75. — den 16. April 1827.

Der Truthahn.

Novelle von Appollonius von M. *)

Es war in den letzten Tagen des auch in anderer Hinsicht verhängnißvollen Jahres 1789, daß ein mit Hafer beladener Karren des Morgens, kurz nach Sonnenanfgang, auf der Landstraße an einem nicht weit von ihr entlegenen Meierhof vorbeifuhr. Wahrscheinlich hatte die durch so manchen Stein verursachte Erschütterung auf einen der den Karren belastenden Säcke in so fern gewirkt, daß die Schnur, welche seine Mündung verschloß, sanft und allmählig sich löste. So viel ist gewiß, daß eine beträchtliche Menge Körner verloren ging, (wenn etwas in der Natur verloren gehen kann) und die unfruchtbare Straße, gleich einer langen Furche, damit bestreut war. Aber dabei sollte es nicht bleiben.

Der Karren war schon hinter einem Hügel verschwunden, als aus dem Thore gedachten Meierhofes ein muthiger Truthahn trat, der seinen Morgenspaziergang beginnen wollte, und sich, gewiß nicht zufällig, nach derselben Seite richtete, wo der bewußte Karren verschwunden war. — Der Truthahn war in einer der Stimmungen, die man ahnungsvoll nennt und die sehr selten etwas Besonderem vorausgehen. Er erblickte mit Kennerblick das erste Haferkorn, welches in den Sand gefallen war, genoß es, so das zweite, dritte und so weiter, daß wohl der berühmte indianische Schachspiel-Erfinder zuletzt in Verlegenheit gekommen wäre, sie zu zählen. Kurzum, indem er so seinen Gedanken und Ahnungen nachzugehen glaubte, aß unser Truthahn Alles, was er auf seinem Wege fand. Möchte doch jeder so ämsig die Veilchen pflükken, die an seinem Pfade blühen sollen! —

Aber auch dabei sollte es nicht sein Bewenden haben. Eine große Stunde im Leben des Truthahns hatte geschlagen und die gebildete Lesewelt soll sogleich erfahren, wie es dabei zuging.

Es kam dem Truthahn ein Weiser entgegen geschritten, der eben in der benachbarten Stadt einen Hofmeisterdienst aufgegeben hatte und nun zu Fuße ein Unterkommen suchte, das nie dem fehlen kann, welcher rechtschaffen handelt und denkt und etwas gelernt hat. Taugenichtse, die gewöhnlich an einem Orte festsitzen und sich mästen, kommen selten in den Fall, diese heitere Erfahrung zu bekräftigen. — Bald

*) Da unser Blatt sich Leser erworben zu haben und noch zu erwerben hofft, welche auch Gegenstände ausserhalb der gewöhnlichen Conversation darin erwarten, glauben wir unserer Redactorenpflicht zu genügen, indem wir eine Erzählung aufnehmen, die anderen Geistes Kind ist, als welche man gewöhnlich in den Tagesblättern erwartet. Wer nur nach Begebenheiten, spannenden Situationen blättert, wer leichten Humor, verständlich passend wie der Champaguerkork, oder zu Tage liegende Rührung verlangt, der blättere einmal über die nächsten Blätter weg, bis wieder eine Geschichte kommt. Aber wer den geistreichen Verfasser der „Bekenntnisse eines Rappen“ auch auf einem andern Felde mit seiner scharfen Feder und doch diplomatisch glatten Reden kennen lernen will, wird mit Vergnügen die erstaunenswerthen Begebenheiten in dieser Hühnerhofgeschichte verfolgen. Dem vom Autor selbst ihr gegebenen Namen: Die Ueberzeugung nebst Folgen haben wir lieber für das Auge poetischer Leser, die ein sinnliches Bild statt des abstracten Begriffs verlangen, den Namen des Helden substituirt. D. Red.

waren der Weise und der Truthahn nur durch wenige Schritte getrennt, und indem der Weise dem Truthahn gehörig auswich, konnte sich dieser eines Lächelns über die Haltung des Gelehrten nicht erwehren. Letzterer aber, dessen Blick gewiß nicht zufällig auf den bedeutenden, längst bei uns eingebürgerten Ausländer fiel, brach in die sanften Worte aus, in die sich jedoch eine bittere Rückerinnerung zu mischen schien; „Welch ein köstlicher Braten!" und nachdem er sie ausgesprochen, war er verschwunden, oder doch wenigstens 4 — 5 Schritte weiter gegangen.

Wir sind nicht beredt genug, um zu schildern, wie diese Worte auf die Seele des Truthahns wirkten! Er stand fürs erste still. Es war ihm, als ob ein Schleier von einer Menge von Räthseln sänke, die bis jetzt an seinem Innern, wie die Berge vor Sonnenaufgang gelegen. Er mußte recht herzlich weinen und es war ihm wunderlieb wohl. Lange wiegte er sein Köpfchen, indem er bald mit dem rechten, bald mit dem linken Auge himmelwärts schaute. „Du bist ein köstlicher Braten" wiederholte er dann leise, als müßte er fürchten, die Worte zu vergessen, die bereits in sein Innerstes tiefer, als seine erste Liebe eingegraben waren, und als müsse er noch ein Mal sie seinen Sinnen anvertrauen. Seine Kralle grub zu gleicher Zeit in den Staub der Kunststraße, die tröstliche Versicherung, „du bist ein köstlicher Braten." Selten mag sich ein Geschichtschreiber so gränzenlos über die Erfindung der Buchdruckerkunst gefreut haben.

Aber der Zephyr verwehte die gekritzelten Züge und der Truthahn sah sie nicht ohne Wehmuth verschwinden. „Geh' heim, rief ihm sein besseres Selbst nun zu, und halte dich ruhig. Bringst du doch Trost für den Rest deines Lebens nach Hause." Der Truthahn folgte dieser höhern Stimme, so lockend ihn auch die immer reichlicher ausgefallenen Haferkörner in einer magischen Ferne einladen mochten.

Als der Truthahn am Thor der Meierei eintraf, war er ein ganz anderer Vogel geworden. — Sonst pflegte er wie eine Harpye auf den Freßtrog loszufahren und nicht auf die feinste Weise die Herumstehenden zum Rückzuge zu bewegen. Nun aber erschien ihm alles in einem andern Lichte. Er drängte sich zwar, wie die Vernunft gebietet und ewig gebieten wird, nach dem Futter, doch mit Beobachtung etlicher Rücksichten. Er war sogar bei dieser Gelegenheit einer blinden Henne behülflich ein Gerstenkorn zu finden, welches dem Scharfblick der guten Dame in den Augen Aller ungewöhnliche Ehre machte.

Lassen Sie uns aber, bessere Menschen, den Truthahn in den Hühnerstall verfolgen, wohin er sich so bald als möglich, wie alle, die stilles Nachdenken lieben, zurückzog.

„Was hast du nun eigentlich vernommen, Vogel," fragte er sich, als er beide Flügel auf die Erde hatte hängen lassen und den einen Fuß in eine Seitentasche der Federn gesteckt, was früher die Gegenwart der Damen nicht erlaubt hatte. „Du bist ein köstlicher Braten — Was ist ein Braten? Ist es mehr als ein Huhn, als eine Ente, als eine Gans oder als ein Truthahn? — Oder warum sollte es nicht auch auf einen Schwan, ein Kalb, ein Schwein, ja, warum sollte es sich nicht auch auf den Menschen anwenden lassen? Warum sollten wir unter Millionen von Wesen allein dieses Vorrecht haben?" — „Ich denke zu scharf, unterbrach sich hier der Truthahn, den Kopf ermüdet gegen eine Latte stützend — ich muß mehr zu fühlen suchen — Ja, ich bin ein köstlicher Braten. Warum Grübeln, wenn ich hierin eine Befriedigung finde, die monatlange Studien und Nachforschungen mir nicht gewährten? Vor Allem muß ich mir das Wort so einprägen, daß ich nicht in Gefahr komme, es zu vergessen und in meinen alten Zweifel zurück zu verfallen."

Es wurde Nacht. Der Truthahn bestieg, zum größten Schrecken der respectiven Einwohner den Taubenschlag, den er schon als Kind als den höchsten Punkt in der Gegend geliebt hatte. Er richtete seine runden Augen auf die erleuchteten Fenster des zweiten Stocks der Meierei, wo an jenem Abend eine Hochzeit gefeiert wurde. — Schon damals hatten es die Truthühner in der ihnen eigenen Sternkunde sehr weit gebracht und mathematisch bewiesen, um welche Zeit diese sonderbaren Lichter angezündet würden und wenn sie auszulöschen pflegten. Vieles richtete sich dabei nach den Jahreszeiten.

Der Truthahn hörte diesen Abend eine magische, etwas starke Musik, die eines Galoppwalzers — die übrige Natur war blos Zuhörerin — „Ihr seltsamen Braten, fing er leise und heimlich an, was flimmert und leuchtet ihr so sehnend, kam von dorther das Wort, was diesen Morgen so seltsam aus Sinnengenuß mich aufrief:

„Lichterloh,
Brenne so:
Feu'r, in das ich bin gerathen,
Das mich ewig macht zum Braten."

Hier schien eine dunkle Macht den Truthahn von dem Taubenschlage hinunter schieben zu wollen. Da diese Erzählung keine Geistergeschichte seyn soll, deren Zeit nicht unter zehn Jahren wiederkommen kann, so will ich gleich hier gestehen, daß dem scharfen Auge der Hofmagd der würdige Beobachter im Taubenschlag nicht hatte entgehen können, und sie vermittelst eines Besen ihn aus dem Reich seiner Sehnsucht in die Wirklichkeit zurückversetzt hatte. —

Der übrige Theil der Nacht verfloß, wie seit Jahrhunderten, ruhig im Hühnerstall — Drei Tage ging der Truthahn ein wenig träumend umher, um mit sich selbst ins Reine zu kommen. Am vierten ungefähr um halb acht, war er damit völlig zu Stande gekommen. Er winkte seiner Gattin mit den Augen in dem Moment, wo die Gesellschaft sich gerade um eine türkische Ente versammelt hatte, die einige gegen ihr Vaterland obwaltende Vorurtheile zu zerstreuen suchte. —

Wir sind nicht verheirathet, überlassen es daher denjenigen, welche dieses Glückes theilhaft worden, die wonnige Scene auszumalen, wo ein zärtlicher Gatte einer liebenden Gattin eine tröstliche und unbestreitbare Wahrheit mittheilen kann. Nur die letzten Worte erlaube ich mir hier, als ein Ungeweihter, zu wiederholen, obgleich ich alles mit angesehen und angehört habe. —

„Genug, mein Herrlicher," sprach die seelengute Truthenne, nach einer Unterhaltung von zwei Stunden, „genug, daß die Sache aus deinem Schnabel kommt, um Wahrheit für mich zu seyn. Ich kann zwar nicht die ganze Größe der riesenhaften Gedanken fassen, ich fühle aber, daß viel und unendlich viel Liebe darin liegt und daß es ein neues Gebot für mich ist, dich zu lieben — und ich nehme es jubelnd an. Für unsere Kinder ist die Sache von der höchsten Wichtigkeit, in meiner Lebensweise wird sie wenig ändern." — „Liebe ist die Weisheit der Henne!" — sprach der Truthahn gerührt.

„Suche nur, fügte die sorgende Gattin hinzu — so viel als möglich, nicht allenthalben damit heraus zu platzen — du kennst den Geist, der auf unserm Hofe herrscht — Ach, wenn du Verfolgungen erführest! — „Sie sollen mich als Braten kennen lernen! Indeß sei ruhig! Meine Ueberzeugung bringt in Essen und Trinken keinen Unterschied hervor. Diese Dinge müssen Jedem, er lehre Altes oder Neues, heilig bleiben. „Du weißt aber doch, mein Freund, daß vom Morgen bis an den Abend, Zank und Streit auf dem Hof und auf dem Mist ist. — Ja, du selbst —"

„Es giebt viele Eiferer zwischen uns, die das Vorhandenseyn des Rothen, das heißt des Bösen, das doch in dieser Welt weit nothwendiger ist, als das Gute, nicht dulden wollen: diese hohe Rechtlichkeit ist uns beinahe ausschließlich von der Natur eingeflößt und nur einige Ochsen theilen sie mit uns. Ich selbst bin etwas heftig, und habe über das rothe Halsband des Mopses schon oft vor Aerger platzen mögen. — Freilich übersehen unsere Strafprediger, daß ihnen selbst die rothe Farbe angeboren ist, und nur durch Mäßigung in eine weißlichrosenfarbene verwandelt werden kann."

„So ist denn endlich die Stunde gekommen, mein Unvergeßlicher, wo ich dir sagen darf, daß du selbst einen rothen Lappen unter und über dem Schnabel und einen rothen Hals hast, der ganz veilchenblau wird, wenn du deine Ansichten entwickelst, oder gar deine Ueberzeugung aussprichst!" —

Hier nahm der Truthahn die Stellung an, in der die Maler ihn am liebsten zeichnen und darstellen, doch besann er sich bald und sprach mit einiger Ueberwindung: „Du hast recht, meine Theure, auch ich bin in meinem Eifer zu weit gegangen. Ich sehe ein, wie schädlich es ist, bei Tage zusammen zu kommen und wie groß der Vorzug der schwach erleuchteten Abendgesellschaften ist. Du wirst auch bemerkt haben, daß es bei den letztern immer am stillsten und ruhigsten zugeht." — Sie kehrten zur Gesellschaft zurück, unnennbaren Frieden in der Seele, den sie aber nicht in dem Kreise der Ihrigen fanden. — Die türkische Ente stand ganz betäubt in der Mitte von vier bis fünf Truthühnern, die sie mit den empörendsten Grobheiten über die rothe Einfassung ihrer Augen überschütteten. Alle Augenblicke drängte sich ein neuer Redner hinzu, der ihr immer etwas Empfindliches oder Kränkendes zu sagen hatte. Die Ente wandte sich zuletzt empört an unsern Truthahn oder Helden, der mit sich selbst beim Anblick der rothen Wangen der Fremden in einen heftigen Selbstkampf gerieth, doch ward er Sieger. Er erhob die Stimme, und da sein gebietendes Aeußere ihm die allgemeine Achtung zusicherte, war er so glücklich, ein ziemlich tiefes Stillschweigen zu bewirken.

„Meine Herren, rief er, schämen Sie sich, Sie sind Braten, führen Sie sich so auf, wie es Ihrer würdig ist, und lernen Sie vor Allem, das Rothe an sich selbst bekämpfen. Dieses ist die Aufgabe unsrer Aller, wohl dem, der sie lößt." —

Hiemit führte er die türkische Ente, die von Genugthuung zu sprechen anfing, zu einem Kreise von ordinären Enten, die längst ihre Bekanntschaft gewünscht hatten, wo sie den ganzen Tag drohend über die erlittenen Grobheiten schnatterte, und die Schritte besprach, die sie hätte thun sollen und die sie thun würde, im Falle sich solche erneuerten. — (Forts. folgt.)

Fragmente über Musik — Deutschland — England — Shakspeare.

(Mitgetheilt von Franz Horn).

(Fortsetzung.)

Am bedeutsamsten aber und schmerzlichsten ist jedoch des tieferen Swift gänzliche Unkenntniß und Abneigung für die Musik, denn er hat sie am theuersten gebüßt. Sie fehlt dafür auch allen seinen Werken, und wie uns auch die Fülle seiner Talente geeignet scheinen mag, um ihn zu einem wahrhaft großen Schriftsteller zu erheben; stets wird die Unbefriedigtheit seines Gemüths, die sich nie ganz verbergen läßt, und die der redliche Mann auch nie verbergen wollte, uns nach jedem Lächeln, das sein Witz hervorruft, in eine trübe Stimmung versetzen. Konnte er wirklich an dem jammervollen Spaß:

— — *Strange! all this difference should be*
Twixt Tweedle Dum and Tweedle Dee!

Vergnügen finden, und den großen Händel so hoffärthig kalt behandeln, als er ihn — nach Burney's Bericht *) — wirklich behandelte, so wird selbst das Mitleid mit seiner kranken Stimmung durch gerechten Unwillen sehr geschwächt. Wie anders unser geliebter Jean Paul, der Swiften überschätzend und in dieser Ueberschätzung selbst liebenswürdig, ihn so weit überragt! Wie liebte er die Musik und wie viel Treffliches hat er über diese Kunst ausgesprochen!

Ist es deshalb wirklich als ein öffentliches Unglück anzusehn, daß in dem werthen, an Kunst, Wissenschaft und Kraft so reichen England so manches widrige Wort gegen die Musik laut und berühmt geworden, so soll doch die Hoffnung fest gehalten werden, daß das Volk selbst nie Theil an jenem Unfug genommen, sondern nach Maaßgabe seines geistigen und gemüthlichen Vermögens sich die Liebe für eine Kunst erhalten habe, ohne die so manche schöne Lebensblüthe gar nicht gedeihen kann. Dafür hat es auch einen Sprecher, dessen Worte nie verhallen können, einen Sprecher, der überall vor den Riß tritt und gleichsam mit einem unermeßlichen Purpurmantel die Schwächen seiner Mit- und Nachwelt liebend verhüllt. Es ist William Shakspeare. — Wie hat er die reiche Bedeutung der Musik aufgefaßt! wie ihre mannigfaltigen Wirkungen so einfach und deutlich geschildert, und nach Maaßgabe der verschiedenen Charaktere, auf die sie ihren Einfluß äußert, zur Erscheinung gebracht. — Mögen darüber folgende Andeutungen der Prüfung werth gefunden werden:

Es giebt Schmerzen, vor denen der Mensch stumm bleibt, weil überhaupt die Rede sich nicht mehr heranwagt, wenn das Medusenhaupt des Geschickes sich zu plötzlich und gewaltsam nahet. So hat Perikles, Fürst von Tyrus, nachdem er sein einziges Glück, Gattin und Tochter todt glauben muß, die Sprache verloren, denn es giebt überhaupt nichts Wichtiges mehr für ihn zu besprechen, und nur durch Musik kann er wieder zum neuen Leben und zur Rede geweckt werden. Als er endlich vom höchsten Elend zum höchsten Entzücken geführt wird, erfolgt körperliche Ermattung, die abermals durch Musik gehoben wird, ja es hört dieser treffliche Dulder späterhin die Musik auch innerlich, während der brave aber geistig nüchterne Helicanus nichts davon vernimmt. So wendet auch in demselben Drama zur Erweckung und Heilung der scheintodten Theisa Lord Cerimon nebst den gewöhnlichen ärztlichen Mitteln auch die Musik an, und zwar mit dem günstigsten Erfolge (Art. *III.* Sc. 3.) Selbst der Wohlklang einer Demosthenischen Rede würde hier natürlich nichts helfen; aber die Tonkunst ist von so reicher Bedeutung, daß selbst die reichste Sprache früher erschöpft wird als sie.

Romeo und Julia ist so ganz und gar in sich selbst Musik, daß eine von außen hinzukommende nicht bloß überflüssig, sondern lästig sein könnte. Wer hört nicht in jener zauberischen Liebesnacht die Nachtigall auf dem Granatbaum, und die Verkünderin des Tages, die wirbelnde, Morgenluft athmende Lerche? Ja wenn jemand die härteste Satyre gegen das traurige Allzubequemmachen für die Phantasie durch unmäßige Decorationspracht *) und Maschinenkünste verfertigen wollte, so müßte er in jener Scene eine wirkliche Nachtigall erscheinen und nach Möglichkeit singen lassen. —

Uebrigens findet sich in Romeo allerdings auch etwas weniges äußere Musik, aber gewissermaaßen nur als Gegenwicht gegen die zarte innere, ich meine die rauschende Tanzmusik bei dem Maskenfest. Bloß der trefflich närrische, ehrlich beschränkte Witzbold Peter verlangt in seiner wunderlichen Naivität noch mehr Musik und da sie nicht zu erreichen ist, so will er, der Gründliche, wenigstens auf das Reine kommen, weshalb man die bedenkliche und schwierige Rede führe: „Musik mit ihrem Silberklang.“

---

*) S. dessen musikalische Reisen, die heut zu Tage vergessen sind. Guten Willen und gute Kenntnisse mannigfaltiger Art hat der Mann, weiß sich aber in Deutschland nicht zu finden, und sollte sich billig mit der Poesie nichts zu schaffen gemacht haben, da sie ihm nur Kreuz und Leiden gewährt. Emilie Galotti, die er aufführen sieht, findet er gottlos, weil so viel darin gesucht werde!!!!

*) Daß hier von der echten reinen Dekorationspracht, da wo sie hingehört, nicht die Rede ist, versteht sich von selbst.

(Redigirt von Dr. Fr. Förster und W. Häring (W. Alexis.)

Im Verlage der Schlesingerschen Buch- und Musikhandlung, in Berlin unter den Linden Nr. 34.

Berliner Conversations-Blatt

für

Poesie, Literatur und Kritik.

Dienstag, — Nro. 76. — den 17. April 1827.

Nachtwächter-Lied.

Eteignons les lumières
et ralumons le feu. Beranger.

Hört, ihr Herrn, und laßt euch sagen,
Was die Glocke hat geschlagen:
Geht nach Haus und wahrt das Licht,
Daß dem Staat kein Schaden geschicht.
Lobt die Jesuiten!

Hört, ihr Herrn, wir brauchen heute
Gute, nicht gelehrte, Leute,
Seid ihr einmal doch gelehrt,
Sorgt, daß keiner es erfährt.
Lobt die Jesuiten!

Seid, ihr Herrn, es wird euch frommen,
Von den gutgesinnten Frommen,
Blase jeder, was er kann.
Lichter aus, und Feuer an.
Lobt die Jesuiten!

Feuer, ja, zu Gottes Ehren,
Um die Ketzer zu bekehren,
Und die Philosophen auch,
Nach dem alten, guten Brauch.
Lobt die Jesuiten!

Hört, ihr Herrn, ihr seid geborgen,
Geht nach Haus und ohne Sorgen
Schlaft die lange liebe Nacht.
Denn wir halten gute Wacht.
Lobt die Jesuiten!

Der Truthahn.

(Novelle von Apollonius von M. Fortsetzung)

Diese Scene hatte einen großartigen Eindruck hinterlassen, der mehrere Tage lang fortwirkte. Keiner unter den Anwesenden war nicht mit der Frage beschäftigt, was unser Held oder unser Truthahn doch wohl mit der Benennung Braten gemeint habe; die Gelehrten waren vielleicht die Verlegensten von Allen, denn sie wurden von Allen befragt, und schämten sich, Jemanden zu befragen. Sie halfen sich aus aller Angst, indem sie das Wort Braten längst zu kennen vorgaben und meinten, daß es hier nur auf eine neue Bedeutung ankommen müsse, die unser Truthahn, als ein scharfer Denker bekannt, willkürlich hineingelegt habe. Sie hielten für das Geeignetste um 9 Uhr des Abends, wo alle Ungelehrte schliefen, eine Deputation an den Neologen abzusenden, und ihn im Namen aller Wörterbücher um ein Glaubensbekenntniß anzusprechen. —

Wir wissen nur, daß sie sich mit ihm in einen ganz dunkeln Winkel, zur Vermeidung aller Heftigkeiten, einschlossen und ihn vor Sonnenaufgang, wahrscheinlich um derselben Ursache willen verließen. Was in jener wichtigen Nacht des 4. Augusts abgethan worden, muß daher das vollkommene Gepräge der Unpartheilichkeit, der Mäßigung und der Ruhe tragen. Zwei der Abgesandten sprachen seit dieser Zeit nie ohne Rührung und Dank von dem Truthahn, der dritte nannte ihn aber einen Schwärmer, aus dessen Worten man nicht klug werden könne. Die Sprache ward indessen mit dem Worte Braten bereichert, das auch gar bald in die Dichtkunst überging und als ein neuer Reim nicht unwillkommen seyn konnte.

Aber der böse Zweifler, der wie immer, auch ein gar böser Spötter war, schloß sich nun, so weh' es mir auch thut, es einzugestehen, allmählich fester und fester an den Hauskater an, der, ohne alle Grundsätze, nur dem Lebensgenuß, auf eine, man kann es nicht läugnen, keinesweges unangenehme Art nachging. — Außer den, diesen Wesen von Natur anhängenden verrätherischen Eigenschaften, stand dieses Exemplar in einem verbrecherischen Einverständnisse mit dem Fuchse, der durch seine, ich kann es nicht in Abrede stellen, geistreichen Berichte von Allem, was auf dem Hofe vorfiel, wie auch von allen daselbst herrschenden Meinungen und Ansichten, genaue Kenntniß hatte. Truthühner streiten gern und da der Kater grau war, so konnte die rothe Farbe keine Störung in das Gespräch bringen, indem der Falsche fast immer der Meinung seines Gegners war, oder was für Letzteren noch viel schmeichelhafter ausfiel, sich nach einem Viertelstündchen für bezwungen erklärte. War es denn wohl zu verwundern, wenn junge, kaum ausgewachsene Truthühner willig die Spaziergänge in's Myrtenwäldchen annahmen, die das häusliche Ungeheuer, zu freier Entwickelung gegenseitiger Meinungen und Ansichten vorschlug? Wenige kehrten von diesen Lustwandlungen zurück und erst einige Jahre später wurde der Unfug durch den getreuen Hofhund entdeckt, der sich auf eine höchst mißliche Weise aus diesem bösen Handel zog.

Unser Truthahn hatte bis jetzt den Kater seiner Meinungen wegen bedauert, seinen Umgang aber mehr aufgesucht, als gemieden, weil er die Lebendigkeit seines Geistes wohl leiden mochte. Weit minder günstig und weit richtiger beurtheilte das häusliche Raubthier die Truthenne, die ihr Gatte oft mit dem seltsamen Widerwillen neckte, den ihr Hinz, der Name des Katers, eingeflößt hatte. Kamen sie in ihrem kleinen Zwist auf den eigentlichen Grund dieser Abneigung, so gestand die Henne, daß sie zu Allem ihn für fähig hielte, nachdem was sie auf dem Dache von ihm gesehen. „Was dies aber gewesen sey," wollte sie nie eingestehen und ihr Gatte konnte kaum recht herzlich lachen. Uebrigens hatte er ihr versprechen müssen, nie ihre Söhne und Töchter mit ihm allein zu lassen, welches unser Truthahn auch gern zugestand, da des Katers Meinungen und Scherze leicht nachtheilig auf die jungen Gemüther hätten wirken können. Wir setzen hinzu, daß er sie vermuthlich erdrosselt haben würde. Indem nun der Kater und der abspenstige Truthahn auf der einen Seite die Schritte und Reden unsers Helden hämisch beobachteten und oft über die Letzteren sich krank lachten, gewann er auf der andern Seite und vorzüglich durch das neue Licht, das ihm aufgegangen war, einen schätzbaren Freund. Es war dieses der Mops, dessen rothes Halsband der Truthahn nun mit ganz andern Augen anzusehen und zu ertragen gelernt hatte, früher hatten sich alle ihre Unterredungen damit geschlossen, daß der Truthahn dem Schooßhündchen wüthend ins Gesicht fuhr, während er jetzt gerecht genug war, einzusehen, daß das Rothe oder Böse, was er an ihr bemerkte, ihm nicht eigentlich anklebte, sondern ihm nur durch seinen, übrigens achtungswerthen Stand, als Schooßhund, aufgebürdet war. Dreimal war es bereits dem Kater gelungen, den Truthahn ins Myrtenwäldchen zu führen, aber immer hatte sich der Mops, der keine üblen Zähne hatte und gern vom Braten sprechen hörte, nebst einem Pudel, als Gesellschafter, hinzugesellt. Der Verräther war daher durch eine sehr langweilige Unterredung beinahe hinlänglich gestraft, drei Mal unverrichteter Sache, oder besser unverrichteten Frevels, nach Hause zurückgekehrt. Da das Ungeheuer nun einsah, daß er den Gerechten seines Lebens nicht berauben könne, wollte er ihm wenigstens seine Ueberzeugung entreißen und begann folgendes Gespräch:

Der Kater. Werden Sie mir erlauben, geehrtester Freund, wiederum auf das Eine zurück zu kommen, was Sie das nennen, was noth thut?

Der Truthahn. Wenn es mit dem gehörigen Ernste geschieht — warum nicht? — Wohl Ihnen, je öfter Sie daran denken.

Der Kater. Was verstehen Sie unter Braten?

Der Truth. Immer die alte sophistische Frage. Was ist der Wind, der jetzt eben ihr Fell zu Berge sträubt — was verstehen Sie darunter?

Kater. Eine Macht, eine Kraft und Gewalt, die eine bestimmte Wirkung hervorbringt.

Truth. Und wenn ich nun auch eine gewisse Kraft, Macht und Gewalt Braten nennen will! —

Kater. Aber dann müssen Sie doch mir bestimmte Wirkungen dieser Kraft angeben.

Truth. Diese Wirkungen sind die, daß es mich besser, ruhiger macht, und mich über mich selbst erhöhe! —

Kater. Gestehen Sie doch, daß Sie gar nicht daran gedacht haben, ehe Sie dem grauen Mann auf der Landstraße begegneten!,,

Truth. Ich habe es geahnet.

Kater. Ungläubiger Truthahn! Aber Sie wißsen ja nicht ein Mal, ob der Mann, aus dessen Munde Sie es wissen, nicht besoffen war?

Truth. Dieser Einwurf ist kindisch!

Kater. Aber was glauben Sie zu seyn, indem Sie ein köstlicher Braten sind!

Truth. Es geht daraus hervor, daß ich, wenn ich als Truthahn aufgehört haben werde, ich noch was Anderes als ein Truthahn sein werde.

Mops. Es ist gewiß, daß ich ohne Braten nicht leben möchte.

Truth. (mit Wärme) Sie sind selbst Einer.

Mops. (erschrickt) Sie wissen nicht, was Sie sagen, Freund! —

Kater. (lacht.)

Truth. So ist alles, was lebt, (zum Kater) so sind auch Sie — ein köstlicher Braten.

Kater. (ergrimmt) Wenn ich Sie nicht für einen Narren hielte, so sollte diese verdammte Stichelei —

Truth. Das, was Sie sagen, soll unserer Freundschaft keinen Abbruch thun.

Kater. Wissen Sie denn auch, was ein Braten ist, ich will es Ihnen auseinandersetzen.

Truth. Sie sind sehr vermessen!

Kater. Ein Braten ist weder ein Stern, noch eine Blume, noch ein Bach, es ist nichts anders, als ein Stück Fleisch, das an einen Spieß gesteckt und so lange umgedreht wird, bis es zum Essen für die Menschen und unser Eins tauglich geworden ist — Mein Kollege Mops erwartet, bis man es ihm giebt, wir aber springen auf den Heerd und holen es uns, wie der Sperling die Kirschen vom Baume.

Truth. Sie sind ein unglückliches Wesen — ich vergienge, wenn ich eine Minute Sie wäre!

Mops. Mein College Hinz berührt eine Menge Thatsachen, die ich bezeugen muß, und die ich schon längst Ihnen weit schonender, als er, mitgetheilt haben würde, wenn ich mir nicht ein Gewissen daraus gemacht hätte, Ihnen eine süße Täuschung zu rauben.

Truth. Abscheulich — So war denn nur Heuchelei der Enthusiasmus, mit dem Sie meinen Reden zuhörten?

Mops. Er war aufrichtig, oft lief mir das Wasser ins Maul, wenn Sie Tage lang von Braten sprachen.

Pudel. Ich bin kein Gelehrter und gehe nur etwas auf drei Beinen, aber was der Mops und der Kater sagen, ist so wahr, als daß ich ins Wasser gehe.

Kater. (höhnisch) Ich denke, die Sache ist so ziemlich aufgeklärt.

Truth. Ja, aufgeklärt — aufklären und erklären — Ihr seid gerade so weit, als man mit Aufklären und Erklären kommen kann, das heißt, ihr seid in einem schauderhaften Materialismus begriffen. Ich bedauere Euch sämmtlich. Der Boden wankt unter Euern Schritten — ihr lebt über einem Erdbeben.

Kater. (teuflisch lachend) Giebt es doch heute Mittag Braten.

Mops. Was mag die Uhr sein?

Pudel. Man wird uns suchen!

(Fortsetzung folgt.)

Berliner Chronik.

Donnerstag, den 12. Im Opernhause Geistliche Musik. Madam Catalani.

Wenn wir in unserm ersten Berichte andeuteten, daß die Stimme der Madam Catalani jetzt mehr für die kleineren Räume geeignet scheine, wo es keiner allzugroßen Kraftanstrengung bedarf, so kann dies nur in Beziehung auf den figurirten Gesang gesagt werden; ihr heutiger Vortrag großer Arien aus dem Messias von Händel hat uns überzeugt, daß kein Raum für diese Stimme zu groß ist; man sollte glauben, daß sie das ganze Himmelsgewölbe ausfüllen würde, wenn sie den Ton anschwellen läßt und ihn dann mit einer Stärke und Sicherheit aushält, daß Felsen erbeben müßten. Dies soll jedoch nicht der Maaßstab sein, womit wir den Werth ihrer Stimme messen wollen; daß Mauern einstürzen können vom Schall, haben uns die Trompeter vor Jericho bewiesen; ein weit Höheres ist es, über menschliche Herzen eine solche Gewalt zu üben und die Gemüther bald zur Begeisterung mit sich fortzureißen, bald in tiefster Wehmuth zu erschüttern. Und diese Gewalt hat Mad. Catalani diesmal auf eine Weise ausgeübt, die selbst diejenigen noch überraschte, die schon im ersten Concert erkannt hatten, daß der Sängerinn die himmlischen Mächte, die sonst nur die Jugend begünstigen, ihr jetzt noch treu geblieben sind. — Es ist aber nicht ihr Gesang allein, der so mächtig ergreift, sondern zugleich der seelenvolle Ausdruck im Vortrage und wir dürfen überzeugt sein, daß wenn Mad. Catalani die Arie: „Ich weiß, daß mein Erlöser lebt" auch nur gesprochen hätte, es würde uns alle bis in das Innerste gerührt und ergriffen haben. Um so mächtiger mußte der Eindruck sein, da bei ihr noch der Zauber des Gesanges hinzukam, den sie mit der größten Bescheidenheit, ja, man kann sagen, mit frommer Scheu ausübte, da sie die Arie ohne alle Verzierung vortrug, so daß sich darin um so mehr die Zuverlässigkeit des Glaubens aussprach. Wenn die Thränen im Theater nicht die sichersten Beweismittel für den Werth dessen sind, was sie hervorrief, so sind sie doch oft Zeugen einer tieferen Rührung und dies waren sie heute bei dieser Arie, in welcher wir wie in einer großen Tragödie, zwar in die Entzweiung des Schmerzes hinausgerissen, aber doch zuletzt wieder mit uns und der Welt versöhnt wurden. — Ohne Zweifel war diese Arie die größte Leistung an diesem Abend, obwohl sich dergleichen Leistungen nicht nebeneinander abwägen lassen, da man in jeder, wenn gleich auf eigenthümliche Weise ergriffen wird. So riß in der Arie: „Tröstet Zion" ebenfalls aus Händels Messias, die Stelle: „Alle Thale macht hoch und erhaben" welche Mad. Catalani in viel rascherem Tempo nimmt, als wir es zu hören gewohnt sind, unwiederstehlich mit sich fort. Von den beiden Italienischen Gesangstücken schien das „*Gratias agimus tibi*" von Guglielmo, durch seine Einfachheit und Innigkeit den Händelschen Arien näher zu stehn, als das Opfer Abrahams von Cimarosa, in welchem man den genialen Opern-Componisten mehr hörte, als den Kirchenstil. Madam Catalani erschien heut ganz einfach in einem weißen Kleide, ohne alles Geschmeide, um durch weltliche Pracht die geistliche Feier nicht zu stören. Eben so bewies sie ihre liebenswürdige Bescheidenheit dadurch, daß sie sich mit dem für sie vorgerückten Sessel in die Reihe der Chorsängerinnen zurückzog, während der Chöre stand und sogar das Hallelujа mitsang. — Die Anwesenheit Sr. Majestät des Königs war Veranlassung auch heute *God save the king!* zu verlangen. Mad. Catalani war bereit und die Umgebung des ganzen Theater-Chors bildete diesmal eine festere Unterlage, als die sonst im Theater vereinzelten Stimmen. Madame Catalani deklamirt diesen Gesang mit einem Anstand und einem Ausdruck, der sie uns als eine der größten Schauspielerinnen kennen lehrt. Welcher Genuß könnte uns bereitet werden, wenn wir sie in einigen Scenen in ihren Hauptrollen auftreten sähen. Hier wo wir so viele Sänger und Sängerinnen besitzen, denen die italienische Sprache nicht fremd ist, scheint die Erfüllung eines solchen Wunsches nicht zu fern zu liegen. — An demselben Abende hörten wir noch das Requiem von Mozart, ausgeführt von den Mitgliedern der Königl. Oper. Wir vermißten an diesem Abende den wegen Krankheit abwesenden Hrn. **Spontini** an seiner Stelle; jedoch führte Hr. Möser, dem heut der musikalische Marschalstab anvertraut worden war, den Oberbefehl sicher und rühmlich. —

Freitag den 13. April. **Der Tod Jesu, Oratorium von Ramler und Graun in der Sing-Akademie.** Wie es Kunstfreunde giebt, die vor einem schmachtend weichen Christusbilde von Carlo Dolce mit gerührterer Seele stehen, als vor einem *Ecce homo!* von Hemling, so giebt es auch welche, die ihre ganze Andacht in die Graunsche, leichter und zarter gehaltene Musik legen können, und bei einem Crucifixus von Leo, von der Mark und Bein durchdringenden Passion nichts fühlen. Wenn man sich hierbei mit dem gewöhnlichen: „es ist nun einmal Geschmackssache" wollte zur Ruhe verweisen lassen, so müßte man zuletzt auch noch zugeben, daß Ramlers Text, in so fern er den Anforderungen, den die frommen Gemüther seiner Zeit an ihn machen, entspricht, auf gleiche Höhe mit Dantes göttlicher Comödie zu stellen sei. — Nicht aber auf die Rührung überhaupt, sondern auf den Inhalt derselben kömmt es an, und daß die Thränen in Menschenhaß und Reue, und wenn sie in Strömen fließen, nicht so viel bedeuten, als ein einziges leises Ach! in Romeo und Julie, wird wohl niemand in Abrede stellen wollen. Lesen wir Ramlers Gedicht aufmerksam durch, so werden wir ganz in die religiöse Anschauung jener Zeit, die sich selbst den Namen der Aufklärung gab, versetzt und daß diese Aufklärung sich nicht allein etwa auf die Religion, sondern auf jede andere Richtung des Geistes und im vorliegenden Falle auch auf die Musik erstreckt hat, kann nicht befremden. Eben so wenig aber kann es befremden, daß in Berlin, wo diese Aufklärung ihren Heerd hatte, der Nachklang davon noch so stark ist, daß man im Allgemeinen ganz einverstanden damit scheint, daß in dem ganzen Oratorium nicht von dem Sohne Gottes und Heiland der Welt, sondern, wie in dem Koran, nur von einem göttlichen Propheten, einem **Freunde** Gottes und der Menschenkinder, einem Weisen die Rede ist. Bis zu solchem Grade der Aufklärung ist die Musik nur in einigen Arien, die in jeder Oper ebenfalls von guter Wirkung sein würden, fortgegangen, sie hält jedoch in den Choralen mit edler Würde an der Zuversicht im Glauben, die den Charakter der evangelischen Kirche ausmacht, fest. —

Die diesmalige Aufführung unter der Direktion des Hrn. Prof. Zelter, Direktors der Academie, war ganz dieser gerühmten Gesellschaft würdig; das Piano in dem Choral: „wie herrlich ist die neue Welt" war von einer ergreifenden Wirkung. Die Solopartieen wurden von Mad. Milder, Dem. Goronzy aus Danzig, einer talentvollen Schülerin des Herrn Professor Zelter und den Herren Stümer und Devrient sehr gelungen ausgeführt. Wir hörten die anwesende Mad. Catalani sich sehr günstig über dieses ihr noch unbekannte Oratorium aussprechen. — Sr. Maj. der König beehrte die Akademie zum ersten Mal in dem neuen Saal mit Seiner Allerhöchsten Gegenwart. —

Druckfehler.

In No. 65, in dem ersten der 2 aus dem **Spanischen** übersetzten **Gedichte** finden sich folgende Druckfehler:

Vers 1 Zeile 9. sah, lies: „sah"
— 2 — 8. erwartet, lies: „erwecket"
— 4. ist die ganze Zeile 9 ausgelassen, welche so heißt:
„Sind' eine wilde Gluth, die mich verzehret."

In No. 72. In dem Artikel über das Concert der Mad. **Catalani**, anstatt Favard l. Favart.

(Redigirt von Dr. Fr. Förster und W. Häring (W. Alexis.)

Im Verlage der **Schlesingerschen** Buch- und Musikhandlung, in **Berlin** unter den Linden Nr. 34.

Berliner Conversations-Blatt für Poesie, Literatur und Kritik.

Donnerstag, — Nro. 77. — den 19. April 1827.

Lord Byron. *)

Dir hauchte glühendes Verlangen
   Natur in die bewegte Brust,
Die Welt im Sturme zu umfangen,
   Schien dir verwegne Götterlust!
Vom Himmel riefst du dir die Sterne
   Mit ihrem stillen Zauberlicht,
Zogst mit dem Mond in nächt'ger Ferne,
   Der durch zerriss'ne Wolken bricht.

Du trankst der Himmelswittrung Odem,
   Daß dir die Brust in Wollust schwoll,
Berauscht vom frischen Frühlings-Brodem,
   Der aus der Erde dampfend quoll.
Da drücktest du mit raschem Triebe
   Die junge Rose wild an's Herz,
Ach! mit der ersten Lust der Liebe
   Ward dir des Lebens erster Schmerz.

Nun ströhmtest du in Gluthgesängen
   Die tiefvergrabnen Seufzer aus,
Da ward die Heimath dir zu enge,
   Fahr wohl! riefst Du, mein Vaterhaus.
Du stürmtest fort durch fremde Lande,
   Einsam, verlassen, unbehaus't,
Zu dir gesellt am jähen Rande
   Stand Goethes unversöhnter Faust.

Und als du, ungestüm vor vielen,
   An schönen Augen dich gesonnt,
Da stürzest du das Blut zu kühlen
   Dich in den offnen Hellespont.
Den Fluthen will es nicht gelingen
   Die Gluth zu löschen, die dich zehrt;
Die Elemente kannst du zwingen,
   Vom eignen Herz wirst du bethört.

Und so von Wahn zu Wahn getrieben,
   Ziehst du zum schönen Griechenland,
Ein Heldenherz ist dir geblieben,
   Ob auch die Heimath dir entschwand.
Sie heißen jubelnd dich willkommen,
   Ein ganzes Volk begrüßt dich laut,
In ihre Schaaren aufgenommen,
   Wird dir das Banner anvertraut.

Mit Schrecken hören's die Barbaren,
   Sie fürchten England sei erwacht
Und zieh', verbündet mit dem Zaaren,
   Heran zu brechen ihre Macht. —
Ach! da erscholl betrübte Kunde
   Zu uns herüber über's Meer,
Und bang ertönt's von Mund zu Munde:
   Der Heldensänger ist nicht mehr.

Durch Hellas klagt das Grabgeläute,
   Kannonendonner ruft dazu;
Still senkt ein trauerndes Geleite
   Den jugendlichen Freund zur Ruh.
Es schwillt, es wächst der Glocken Rufen,
   Zum Sturmschlag wird das Grabgetön,
Bis an des Sarkophages Stufen
   Der Freiheit Siegesfahnen wehn.

F. Förster.

*) Der 19te April sein Sterbetag.

Der Truthahn.

(Novelle von Apollonius von M. Fortsetzung)

Mit Schmerzen sah der Truthahn ihnen nach. So, rief er aus, werden auch die bessern Exemplare von einer zu sinnlichen Ansicht fortgerissen und müssen untergehen — Braten — nur Fleisch — Meine Seele und mein Herz empört sich, ja, noch mehr, meine Vernunft, sogar mein Verstand. Wäre denn unsere einzige Bestimmung nur fett zu werden und in die Küche einzugehen?" —

Der letzte Ausdruck verlangt eine Erklärung. Die Truthühner wissen nicht das Mindeste von dem, was in der Küche vorgeht. Sie sehen aber, daß der Koch oder die Köchin, von Zeit zu Zeit Einen und den Andern von ihnen bei Seite nimmt und mit ihm verschwindet. Sie nennen das in die Küche eingehen, ohne sich irgend eine bestimmte Vorstellung von dem machen zu können, was darauf erfolgt. Sehr viele unter ihnen glauben, daß es damit abgethan sey — der edler Theile glaubt aber, daß es nun erst recht angehe! Wir haben gesehen, daß unser Held zu diesen gehörte und neue, unwiderlegbare Gründe für diese Hoffnung, für diese Ueberzeugung aufzufinden, das Glück gehabt hatte. „Erhebe dich, du bist ein köstlicher Braten im höchsten Sinne des Wortes," sprach er, als er wieder in den Hühnerstall eintrat, „laß dich nicht irre führen, *Gallus indianicus*, und bekämpfe die trostlose Lehre!" — Schon den andern Morgen, als die Aufwallung des Gesprächs sich ganz gelegt hatte, konnte er über die von seinen Gegnern angewandten Gründe und ihre Erklärungen lächeln. Gern hätte er den Mops bekehrt, doch dieser bestand hartnäckig und selbst zähnefletschend darauf, daß Braten ein herrliches Essen sey und er lieber sterben, als dieser Ueberzeugung entsagen wolle. Der Truthahn gab ihn seufzend auf. Seitdem hatte er die Wonne, seine Meinung sich immer weiter ausbreiten zu sehen. Die Truthühner lernten ihre Wuth verbeißen — das ewige Kollern und Gegenkollern im Hof verstummte. Man zerhackte sich nur ganz im Stillen und mußte sich im Vorbeigehen sehr in Acht nehmen, nicht durch einen plötzlichen Seitenhieb einen Schnabel voll Federn zu verlieren. Bei dieser großen Stille verlor aber die Gemeinschaft ihre Eßlust. — Der stille Aerger warf sich auf den Magen zurück, und wer die Truthähne mit gesenktem Gefieder und träumendem gesenktem Kopfe stehen sah, mußte sie für krank halten, wenn er nicht wußte, was tief in ihrem Innern vorging. Und hier können wir, als rechtschaffene Biographen, unserm Helden nicht recht geben. Es scheint uns, daß er eine große Wahrheit aus dem Auge verlor. Die Natur will, daß der Schwan träume und im Tode singe, sie will aber auch, daß der Truthahn im Leben kollere und im Tode schweige. Unglücklicherweise fiel es zu derselben Zeit dem jungen unerfahrenen Besitzer der Meyerei ein, seinen Knechten sämtlich rothe Jacken und seinen Mägden rothe Schürzen machen zu lassen. Auch dieses war gefehlt und kann nur aus dem damaligen Zustande der Landwirthschaft erklärt werden. Bald ward der Hof mit Märtyren erfüllt, die vor Aerger berstend, sich kaum von einer Stelle zur andern schleppen konnten, und leise wiederholten: „Wir sind köstliche Braten," was auch bald ihre letzten Worte waren. Es ist wahr, daß vielen die Galle überlief und sie sich gegen die rothe Farbe in eine wahre catilinarische Strafpredigt ergossen, diese genasen, so viele Vorwürfe sie sich auch selbst hierüber machten. — Der Truthahn hatte das Glück, keinen der Seinigen der Selbstverläugnung ungetreu werden zu sehen, aber den Schmerz, die mehresten seiner heranwachsenden Söhnlein zu verlieren. In einem Alter, wo es ein so großes Bedürfniß ist, sich auszusprechen, besaßen diese zarten Blüthen nicht Stärke genug, um dem großen Beispiel Ihres Herrn Vaters siegreich nachzuringen, dazu schlug sich der Pips, eine Krankheit, die man zu der Zeit noch nicht einimpfte. Sie unterlagen. Lebt wohl, ihr sanften Engelsbraten, seufzten weinend der Truthahn und seine Gattin, als sie ihrer Brut die Augen zudrückten. Aber sie blieben ruhig, denn sie konnten ja, als redliche Eltern, sich selbst das Zeugniß geben, Alles zum Besten ihrer Kinder gethan, ja ihnen jegliches Opfer gebracht zu haben.

Hier fängt unsere Aufgabe an sehr schmerzlich zu werden, aber im Leben des Schriftstellers ist mehr Wermuth, als Honig. O, möchten wir allen jungen angehenden Schriftgelehrten zurufen, o, wendet Euch, so lange es noch Zeit ist, von einem Handwerk, das alle Dornen einer Vormundschaft trägt. Es ist keine Kleinigkeit, einem Menschen oder einem Helden, wie ein Hofmeister, 100 bis 1000 Seiten lang, allenthalben nachzusteigen und zuletzt noch für sein ehrliches Begräbniß sorgen zu müssen. Wir haben uns in gegenwärtiger Erzählung erlaubt, die ersten Jugendjahre des Truthahns zu übergehen, es ist daher um so mehr eine heilige Pflicht, dem Leser zu berichten, wie er vollendete, denn eher abbrechen, hieße die Leser und ihn auf der Landstraße stehen lassen, von wo wir ausgingen. Die große Stille, die seit einiger Zeit auf dem Hühnerhofe herrschte, hatte dem Koche auffallen müssen. Anfänglich schrieb er dieselbe der Witterung zu, als aber diese sich immer mehr aufklärte und die Truthühner kopfhängend unter dem Holzstoße zu sitzen fortfuhren, wurde er nachdenkend. „Ist denn das Federvieh krank?“ sagte er bekümmert, und hielt sogleich, wie große Regenten zu thun pflegen, eine strenge Musterung der Freßtröge, kostete und bezeugte seine Zufriedenheit. Als aber nichts das Federvieh erheitern konnte, hielt er für seine Pflicht, die Traurigsten zu schlachten, wodurch er freilich die Anzahl der Gebeugten, aber nicht die Niedergeschlagenheit verminderte. Der Koch fluchte, um doch zu wissen, was er zu sagen habe. —

Aber dem Kater Hinz entging nichts, wie denn die Gottlosen gar pfiffigen Gemüths sind. Exemplare wie er, vergeben die Langweile nicht und solche verursachte ihm in der That unser Truthahn täglich, so wohl durch Ermahnungen, als durch Erbauungsübungen. Er hatte aufgeben müssen, ihn in die Klauen des Fuchses zu liefern, weil den Versammlungen, die auf seinen Rath ins Myrthenwäldchen verlegt worden waren, der Mops und der Pudel beiwohnten. Noch weniger hatte er ihn in seiner Ueberzeugung irre machen können. Es blieb ihm daher nur ein drittes — ich schaudere, indem ich es ausspreche — Der Bericht an die höhern Behörden. —

Der Koch, dem die trübe Stimmung des Federviehs immer mehr im Kopfe herumgieng, sah nachdenkend in die siedenden Töpfe hinein und verlor sich in ein Meer von Betrachtungen, als Hinz feierlich ihn um Gehör ersuchte und die ganze Geschichte von des Truthahns neuer und fester Ueberzeugung auf eine Weise vortrug, daß man wohl darüber lachen konnte. Der Koch war ein vernünftiger, noch mehr ein ehrlicher Mann und wir nehmen hier im voraus alle starken Ausdrücke zurück, die das immer steigende Interesse unserer Erzählung uns in der Folge gegen ihn eingeben könnte. Er konnte nicht leicht anders handeln, als er verfuhr, und erinnert uns lebhaft an so manchen höchst schätzbaren energischen feindlichen Commandanten, der, nachdem die Stadt, die er ihren heißesten Wünschen zuwider, vertheidigte, zum Schlachtopfer geworden, von der Dankbarkeit der sämtlichen oder vielmehr ehemaligen Einwohner, einen prächtigen Ehrendegen erhielt *). Die Erzählung des Katers war ihm in zwei Hinsichten merkwürdig: 1) ward er dadurch auf das wahre Mittel geleitet, die unter den Truthühnern einreißende Krankheit oder Sekte zu heben. 2) schien ihm hierdurch der fette Braten für den Geburtstag seines Herrn angedeutet, welcher ihm bei dem betrübten Zustand des ihm anvertrauten Federviehs mehr als eine bekümmerte Stunde verursacht hatte. Er war ein zu einsichtsvoller Mann, um nicht zu erkennen, daß an der ganzen Sache durchaus Etwas seyn müsse. Sein Entschluß war sogleich gefaßt.

„Hinz,“ sagte er zu dem hämisch-lachenden Kater, in einem würdigen fast verweisenden Tone, — „die Sache ist ernsthafter, als du meinst — der Truthahn mag ein Schwärmer seyn, ein Lügner ist „er aber gewiß nicht, und meiner Achtung in jedem „Fall nicht unwerth. Ich werde mich gegen ihn so „benehmen, daß er mir auch die seinige nicht wird „versagen können. Sollte ich ihn aber, wider mein „Vermuthen mager befinden, so werde ich freilich „meine Meinung über ihn ändern und zu noch schärfern Maaßregeln schreiten müssen.“ — Für jetzt ist folgendes zu thun.

„Um mich zu überzeugen, daß gegenwärtiger Fall einer von den seltenen ist, wo du nicht lügst.“ Hier schwur der Kater, er wolle das naschhafteste Exemplar seyn, wenn er nicht die lauterste Wahrheit gesagt. — Was er gesprochen, sey so gegründet, als daß er die Mäuse hasse, ihren Umgang aber liebe.

(Beschluß folgt.)

*) In der That ward auch dem Koche, bei Niederlegung seines Amtes, von Seiten des Federviehs, ein prächtiges mit Demanten besetztes Küchenmesser überreicht.

Fragmente über Musik — Deutschland — England — Shakspeare.

(Mitgetheilt von Franz Horn).

(Fortsetzung.)

Im Hamlet tritt die Musik nicht selten wirksam ein; spottend bei: „O weh, o weh das Steckenpferd!“ bei: „Doch dir mein Dämon ist bekannt“ u. s. w. — tief rührend und wehmüthig, aber auch verrätherisch und tragisch ironisch in Beziehung auf die Leidenschaft der Sängerin selbst, in den Liedesfragmenten der wahnsinnigen Ophelia — schauerlich lustig und die ganze Welt verlachend beim Todtengräber. — Der grelle Trompetenstoß bei des Königs schwelgerischem Mahl in den obern Zimmern des Schlosses, dies wilde Tongewirbel, welches der Erscheinung des Geistes, als er Hamlet das Verständniß öffnen will, vorangeht, gehört ebenfalls hierher. — (Auch in Schillers Räubern, dem oft verkannten, trotz aller Fehler höchst wichtigen Jugendwerk, gehen der furchtbaren Scene am Thurm Hörnertöne voran, die das Gemüth vorbereiten, die mitternächtlichen Schauer besser aufzunehmen.)

Ueberhaupt gehört die Musik völlig der Geisterwelt an. Die Hexen in Macbeth haben unter Shakspeares Leitung gewiß gesungen, und die Königsreihe aus Banco's Stamme ist nicht ohne Musik vorüber gegangen. Wenn bei einem Dichter in die helle Welt des Wirklichen die geheimnißvolle Geisterwelt einschreitet, würde sie oft kaum als denkbar erscheinen, wenn nicht Musik sie einleitete, z. B. im Julius Cäsar, wo, nachdem der liebe Knabe Lucius bei seiner Flöte und mit der Flöte eingeschlummert ist, der Geist des getödteten Julius dem größeren Brutus erscheint.

Timon mißbraucht die Musik als Zugabe zur Tafelkunst; und wir können hier leider das überaus widerliche Wort brauchen, was man zum Unglück so oft hören muß: Er giebt seinen Gästen einen „Ohrenschmauß.“ *) Die Musik rächt sich und weicht gerade dann von ihm, wenn er ihrer am meisten bedürfte. Als er vom ungeheuersten Menschenhaß zerrissen wird, bleibt ihm auch kein einziger reiner Accord getreu, und nur die Sprache verläßt ihn nicht, um in ihr in ganzer Kraft und Ueberkraft auf das verabscheute Menschengeschlecht fluchen zu können. — Hier hätten wir also den Gegensatz des obigen Gedankens, daß die Musik eintritt, wo die Sprache aufhört. Die großartige, alles umfassende, eben so ernsthaft und erhabene, als leichte und flüchtige Satire auf das gesammte Thun und Treiben der gewöhnlichen Welt, in dem fast immer mißverstandenen Schauspiel „Troilus und Cressida“ verträgt keine Musik und die Lüsternheit und Treulosigkeit in dem Verhältnisse der Liebenden, so wie die Ruchlosigkeit des Pandarus sind gewissermaßen als Spott aller höhern Harmonie zu betrachten.

In König Lear ist der Gesang des Narren von nicht geringer Wirkung und ohne ihn würden wir vielleicht die entsetzlichen Scenen mit den entarteten Töchtern kaum ertragen. Dieser freilich nur fragmentarische Gesang, so wie überhaupt jede äußere Musik muß jedoch scheu zurück weichen, als endlich der Fluch, der ewig lasten soll, ausgesprochen wird. Hier aber erscheint die Natur selbst wie eine lebendige Person, denn da kein Mensch mächtig genug ist und den Muth hat, sich des verlassenen Greisenkönigs anzunehmen, so schlägt sie selbst die Sturmglocke des Ungewitters an, und giebt durch das Rollen des Donners und Zischen des Blitzes die einzige **Musik**, die hieher gehört. Späterhin bei dem Erwachen aus dem Wahnsinns-Schlummer waltet in der köstlichen Scene mit Cordelia wieder die Musik kühlend und heilend vor.

(Fortsetzung folgt.)

*) Schon **Kant**, der sonst leider die Musik nicht sonderlich liebte, worüber er sich unumwunden erklärte, zürnt doch über jenes herabwürdigende und ekelhafte Wort. (S. seine Anthropologie.)

Trost für Stotternde.

Demosthenes ist einst am Strauch,
Im Heldeneifer hängen blieben,
So darf ich mich nicht mehr betrüben,
Geschieht mir das in **Worten** auch.

A. v. M.

Berliner Chronik.

Sonnabend den 14. Apr. Der Tod Jesu von Graun, in der Garnisonkirche von der Hansmannschen Singe-Gesellschaft. Dem. H. Sontag als Kirchensängerin.

Wenn sich in Berlin mehr als anderwärts, Italien selbst nicht ausgenommen, Sinn für ächte Musik erhalten, oder vielmehr in neuester Zeit erst ausgebildet hat, so ist dies vornehmlich ein Verdienst der Singakademie und der aus derselben hervorgegangenen, oder neben derselben entstandenen Musik-Vereine, in denen die Musik nicht als bloße Liebhaberei der Dilettanten getrieben wird, sondern wo unter der Leitung von tüchtigen und gründlichen Musikern die anderwärts vergessenen Werke berühmter Meister eingeübt werden. *)

Daß es an reger Theilnahme für solche Unternehmungen nicht fehle, können wir daran ermessen, daß sich neben einer Gesellschaft von 300 Mitgliedern, wie die Singakademie ist, eine fast eben so starke Gesellschaft unter der Leitung des Herrn Organisten Hansmann gebildet hat, der schon seit mehreren Jahren öfter große Musikaufführungen veranstaltete, die immer entschiedenen Beifall gefunden haben. Diesmal hatte die Aufführung des Graun'schen Oratoriums einen großen Reiz dadurch erhalten, daß **Dem. Sontag** zwei große Arien mit den dazugehörigen Recitativen übernommen hatte. Es waren die Arien: „So steht ein Fels Gottes“ und „Singt den göttlichen Propheten“; der höchst gelungene Vortrag derselben bestätigte uns aufs neue, was wir über den Charakter dieser Musik in einem vorhergehenden Artikel gesagt haben. Außerdem zeigte uns **Dem. Sontag** eine Kraft und Fülle des Gesanges, wie wir noch nicht Gelegenheit hatten es von ihr zu hören; es schien als wolle sie uns sagen: *anch' io sono cantatrice!* — Der Beifall, dessen sie sich fortwährend in dem höchsten Grade erfreut, kam diesmal den Armen zu Gute, zu deren Besten die Aufführung statt fand. Die Garnisonkirche, welche über 4000 Menschen faßt, war so gedrängt voll, daß es Zuhörer *extra muros* gab. —

*) Vor andern zeichnet sich unter ähnlichen Gesellschaften die des Hrn. **Musik-Director Rex** aus, der sich außerdem durch die Herausgabe Händelscher und Mozartscher Werke, so wie durch eigne Compositionen der musikalischen Welt bekannt gemacht hat.

(Redigirt von Dr. Fr. Förster und W. Häring (W. Alexis.)

Im Verlage der Schlesingerschen Buch- und Musikhandlung, in **Berlin** unter den Linden Nr. 34.

Berliner

Conversations-Blatt

für

Poesie, Literatur und Kritik.

Freitag, — Nro. 78. — den 20. April 1827.

Der Truthahn.

(Novelle von Apollonius von M. Beschluß.)

Der Koch fuhr fort: „Sage lieber, wenn du Zutrauen einflößen willst, so wahr du die Peitsche fürchtest! — Das wird sich Alles zeigen und bewähren. Jetzt rath' ich dir im Namen dieser selben Peitsche mich aussprechen zu lassen." —

„Aus dem schon angegebenen Grunde und um alle Verzweigungen dieser seltsamen Erscheinung unter dem Federvieh kennen zu lernen, befehle ich dir, bei der bretternen Gartenwand eine Versammlung sämtlicher angesteckten Truthühner zu veranstalten. Ich werde dort, gleichsam *sub rosa* mit meinem Schlachtmesser in der Hand, horchen und meine Maßregeln nach dem Gehörten einrichten."

Der Kater betheuerte unter Vergießung mancher Krocodillsthräne, daß er noch heute Abend, als das treuste und redlichste Thier im reinsten Glanze vor seinem theuern Küchenherrn stehen werde, berief sich auch, wie er gleich anfangs gethan hatte, auf das Zeugniß des Mopses und des Pudels, deren Biederkeit und Rechtlichkeit man vielleicht Etwas überschätze. —

Kaum hatte sich das Unthier entfernt, so berief der Koch, wie ich nicht oft genug wiederholen kann, ein Mann von sehr hellem Verstande und achtungswürdigsten Charakter, beide Exemplare zu sich, die sich nicht gern von der Küchenthüre weit entfernten. Er stellte ihnen vor, wie wichtig die Sache sey und daß, wenn sie auch nicht unmittelbar von ihm abhingen, indem der Mops der Schwiegermutter, der Pudel aber dem Jäger des gnädigen Herrn gehöre, sie dennoch verpflichtet wären, Alles, was sie in dieser Angelegenheit wüßten, ihm frei und ohne Hehle mitzutheilen. Beide standen auch nicht an, ein unumwundenes Zeugniß abzulegen, das, als der Wahrheit streng gemäß, unserm Helden nicht nachtheilig seyn konnte. Hastig fragte der Koch, in welchem Sinne der Truthahn und seine Anhänger von ihm zu sprechen pflegten. — Er erfuhr, daß dieses nie auf eine unziemende Weise geschehen und überhaupt man sich jedes Urtheils über Dinge aus dem Bereich der Küche enthalten. — „Wenn aber immer die Rede von Braten gewesen ist, sprach der Koch, so muß dieses natürlich weiter geführt haben?" — Hier erklärten ihm die beiden Freunde nochmals, was der Truthahn unter Braten verstehen wollte, und der Mann, der in der Küche aufgewachsen war, mußte sich die Fäuste auf die Rippen stützen, um nicht das Opfer eines convulsivischen Lachens zu werden. — Der Mops erklärte, in dieses Lachen nie einstimmen zu können, weil er aus dem Schnabel des Truthahns nichts als Gutes und Liebes gehört und kein Wesen vollkommen und immer unterhaltend sey. Der Meinung war auch der Pudel, der übrigens gestand, daß eine Wasserparthie ihm lieber sey, als die Abendunterhaltungen im Myrtenwäldchen — Beide Freunde erhielten vom Koch den Auftrag, der heutigen Sitzung beizuwohnen, und den Truthahn nicht aus den Augen zu lassen.

Der Verräther Hinz war unterdessen mit nichten unthätig gewesen. Sein Freund, der, um unsern ganzen Abscheu gegen das Laster noch ein Mal und gewiß nicht zum letzten Mal auszusprechen, sein

Helfershelfer, der abgefallene Truthahn, gieng schon aus einem Winkel des Hofes und des Hühnerstalls in den anderen, um den Brüdern zu vertrauen, ein harter Schlag des Schicksals habe den Kater getroffen und seine Seele sey so zerknirscht, daß er ihn für sein Theil nicht mehr erkenne. — Dieß erfuhr der Truthahn durch die dritte oder vierte Kralle. „Sieh' da, sprach er zu seiner Gattin, der Augenblick — unsern geistreichen v. Hinz zu gewinnen! Bis jetzt schlug ich ihn immer mit meinem Verstande, *darum* gelang es nicht. — Nun aber, da es ihm grundschlecht gehn soll, meine ich fast, es wäre Zeit, ihn zahm zu kriegen. — Erwarte mich diesen Abend nicht, du Gute, sollte man nach mir fragen, so bin ich im Myrtenwäldchen.“ Leider ward es auch diesen Tag Abend — der Kater saß trostlos dem Abendroth gegenüber, als der Truthahn an der Spitze der Bessern unter dem Federvieh erschien. Bei diesem Anblick suchte Hinz in sein falsches Gesicht so viel Frieden und Entsagung zu legen, als nur hineingehen wollte, seine Vorderpfoten breiteten sich nach unserm Helden aus und eine lange Umarmung, während der Hinz fast Lust bekam, den Dulder zu erdrosseln, eröffnete diese Zusammenkunft mit *der* Rührung, die gewöhnlich nur bei ihrem Abschlusse einzutreten pflegte. Hier wird wiederum die dramatische Form die passendste seyn.

Truthahn. Nun, mein Bester, haben Sie eingesehen, was bei dem Lebensgenusse heraus kommt.

Kater. Es ist mir fürchterlich bekommen.

Truth. Wohl Ihnen. (Mit einem Blick auf die öfters berührte Landstraße) Ich danke dir. — Nun sind wir bald fertig. Nur noch diesen Einen und dann etwa den Koch! (zum Kater) Aber lassen Sie hören, was sich mit Ihnen zugetragen, wir wollen schon das Wunderbare herausfinden.

Ich hatte zwar geglaubt, meine Leser hätten zu viel Achtung für mich, um mir die Erzählung eines verruchten Lügners nicht zu erlassen, da aber der Zusammenhang und die Deutlichkeit es zu fordern scheinen, (die einzigen Dinge, die ich höher schätze, als meine Leser) so will ich denn auch *dieses* Opfer bringen. „Um mit Ihnen, mein theurer Freund, sprach der Kater, ernstlich von den, zu meiner Besserung und Beruhigung zu treffenden Maaßregeln zu sprechen, muß ich die Ehre haben, auf einige meiner Vergehungen zurück zu kommen. Es war leider seit vielen Jahren mein größtes Vergnügen, jungen und sogar alten Vögeln, den Hals abzubeißen. Eine vernachläßigte Erziehung, böse Beispiele, die zu große Freiheit, der ich leider mich schon sehr frühe zu erfreuen hatte, die Ungebundenheit, die auf unsern Dächern herrscht.“

„Wir kennen das,“ bemerkte der Truthahn, den Kopf behaglich einsichtsvoll nachdenkend wiegend und beinahe lächelnd. — „Kurz um — ich überließ mich dieser Leidenschaft so sehr, daß ich schon seit einigen Jahren vergessen habe, wie viele Opfer eigentlich auf meiner Seele lasten. Ich sank von Abgrund zu Abgrund und stieg von Baum zu Baum; bald waren selbst die Käfige meines geliebten Herrn vor mir nicht sicher. Er besitzt eine Nachtigall, deren Wohnungsbehälter das geehrte Hofpersonal bei schönem Wetter gewiß wird am Fenster haben hangen sehen und deren Gesang ausgezeichnet genannt werden kann. Mich ergriff bald eine unendliche Sehnsucht, nach ihrer näheren Bekanntschaft. Es war, wie ich recht gut einsehe, nur der teuflische Wunsch, das schöne Wesen zu verderben, nicht aber der Wunsch, in ihrer Nähe glücklich zu seyn. — Mein Plan ward schnell gefaßt, aber dem Himmel sey Dank, er scheiterte. Es gelang mir, der Lieblichen eine nicht ungünstige Meinung von mir beizubringen. — Ich schenkte in ihrer Gegenwart einer Maus das Leben, die ich unter ihren Augen entwaffnet hatte. Sie kam bereits bis an die Thüre ihres Wohnungsbehälters mir entgegengehüpft.“

„Du armer, schuldloser Braten,“ seufzte der Truthahn. —

„Gestern, fuhr Hinz fort, gelang es mir, in einem Augenblick, wo mein Herr ausgegangen war, mich in sein Cabinet zu stehlen. Ich schwang mich auf einen Stuhl, von dem Stuhle aufs Fensterbrett, vom Fensterbrett auf den Vorhang.“ —

„Der leibhafte Hinz, lachte der Mops, es ist mir als ob ich ihn sähe.“

„Nur weiter, ermunterte der Truthahn, im Laster ist kein Stillstand.“ —

„So ging es auch hier — die eine Vorderpfote auf das Käfig gelegt, die andere gegen die Thüre der Wohnung gestützt, suchte ich die Gitter zu zerbrechen, als ich auf einmal einen so heftigen Peitschenhieb erhielt, daß ich wie vom Blitz getroffen, auf den Fußboden fiel und lautlos eine Stunde wenigstens dagelegen haben muß.“ —

Die letzten Worte enthielten Wahrheit, nur war dem Verräther sehr wohl bewußt, daß die vergeltende Hand keine andere, als die seines eigenen Herrn gewesen war. Er hatte von der Wahrheit, die in dieser Welt so vielfach *bearbeitet, umgeschmolzen* und *umgegossen* wird, mit nicht zu läugnender Geschicklichkeit, Alles benutzt, was in seinen Kram, wie er seine Verbrechen zu nennen pflegte, taugte und passen konnte. Nach einer langen Pause fragte der Truthahn, ob irgend jemand aus der Gesellschaft, sich den Peitschenhieb, den wir aus der Erzählung des Katers kennen, zu erklären wisse? —

Die Antwort wäre durchgängig verneinend ausgefallen, wenn nicht der Mops etwas kleinlaut gefragt, ob nicht der Herr, dem Verbrecher unvermerkt in den Rücken fallend, die nächste Ursache der betäubenden Hiebe habe seyn können? —

Der Truth. (bitter) Schade, daß die Geißel des Lächerlichen Sie noch nicht getroffen hat, mein Bester! Zeit wäre es, diese Waffe gegen die unermüdlichen Grübler anzuwenden, die es gleichsam für ihre Amtspflicht halten, jede große Erscheinung —

Mops (ihn bei Seite nehmend). So empfindlich mir auch ihr Zorn ist, bester Freund, ich muß ihn dieses Mal wagen. Man hat Sie zum Narren, oder vielmehr zum Besten. Noch vor einer halben Stunde habe ich gesehen, wie der Heuchler eine Unschuld mordete.

Truth. In wie fern?

Mops. Was sage ich. — Ein ganzes Sperlingsnest.

Truth. Habe ich doch lieber mit einem ausgemachten Lästerer und Sünder, als mit einem ungläubigen Tugendhaften zu thun. Diese Geschöpfe wollen durchaus, daß der Uebergang vom Bösen zum Guten halsbrechend und mühsam sey, während es doch nur eines glücklichen Augenblicks dazu bedarf.

Der Mops wollte den Mund zu einer Entschuldigung, keinesweges zu einer Widerlegung öffnen. —

Truth. Jedes Aber ist unpassend und nicht an seiner Stelle. Ich bitte Sie, meine Herren, zu schweigen, denn ich sehe mit Bedauern, daß seit vielen Jahren und durch die Heftigkeit, womit Sie ihre Meinungen durchführen wollen, mir der Kamm wieder roth und der Hals blau zu werden anfängt! —

Während dieses Gesprächs war der Kater in Thränen zerflossen, die einem Krokodill würden Ehre gemacht haben. Was nun weiter verhandelt und besprochen wurde, kann ich zu meiner größten Freude meinen Lesern und mir erlassen. Es bestand in einer langen Erzählung aller Seelenzustände, durch die der Truthahn bis zu dem heutigen Tage gegangen war und die der Kater nun alle regelmäßig mitmachen sollte. Enthaltung der Fleischspeisen, des Nachtschwärmens, frühes Schlafengehen, seltene Dachbesuche ꝛc. waren die ersten Bedingungen *sine quibus non*, unter denen der Truthahn die Leitung des After-Neuligen übernahm. — „Und dann, mein armer Guter, schloß er seine Rede, dann wird die Zeit nicht mehr weit seyn, wo Sie sich werden sagen können: „Ja auch ich bin ein köstlicher Braten.“

Bei diesen Worten verlor der Koch die Geduld — wie jeder seines Handwerks sie verloren haben würde. Er sprang hervor, faßte den Dulder am Fittich, ergründete mit wenig Griffen, was eigentlich an der Sache sey und trug seinen Raub in die Küche, bis an deren Thüre die sämmtliche Versammlung sehr gespannt folgte. Hier fällt mir die Feder aus der Hand, wäre doch auch dem Koch so das Messer entsunken, was er das Schwert der Gerechtigkeit nannte. Unser Held verlor den Muth nicht, deutlich und freudig, wie in seinem Leben, sprach er, „ich bin ein köstlicher Braten.“

Das will ich meinen, versetzte der Koch, mit einem Lachen, das nur aus seiner frühern Erziehung erklärt und entschuldigt werden kann — und der Dulder war nicht mehr. Diese entsetzliche Scene fiel in der Gegenwart des Katers, des Mopses und des Pudels vor, an das Zeugniß welcher letzteren wir uns, bei der gar nicht mißlungenen Schilderung derselben, in allen Punkten gehalten haben. Sie waren es auch, die des Katers Treulosigkeit einsehend und von ihr empört, das Andenken ihres Freundes durch ein unerträgliches Gebell ehrten.

Als aber des Dulders Reste und Fett auf die Tafel des gnädigen Herrn kommen sollten, riß der Koch ein Küchenfenster auf, zeigte die Schüssel hinaus und schrie — „da seht, ihr dummes Volk, das ist euer Hahn, das kommt in den Magen des gnädigen Herrn, das nennt man einen Braten, und das werdet ihr alle auch werden. Haltet Euch bis dahin ruhig, freßt, sauft, schlaft, kollert, so viel ihr wollt, werdet fett, und sagt dasselbe Euern Kindern. Das übrige ist lauter dummes Zeug.“ —

Er schlug das Fenster zu. —

Seine Rede wirkte sehr verschiedenartig. Viele von dem indianischen Federvieh fingen noch denselben Tag an, wiederum zu kollern und mehr als je Weizen und Gerste zu fressen. — Andere verwarfen in allen Punkten den Erlaß des Koches, besonders da die Wittwen und die Hinterlassenen nicht aufhörten, zu betheuern, daß die gebratenen Ueberreste nicht einen Zug von dem gehabt hätten, den sie ewig beweinen würden. So verfehlte der Koch, wie alle bloß geistreiche Menschen, die auf die Gemüther bezweckte Wirkung, die Meinungen des Truthahns leben fort bis auf diesen Tag und ihre Bekenner unterscheiden sich von dem übrigen Federvieh durch ein ganz eigenes

Gepräge, wenigstens getraut sich Schreiber dieses unter 100 Stück diejenigen herauszufinden, die das Gedächtniß eines Dulders verehren, der unsern Lesern lange Weile mag verursacht haben, dem aber gewiß keiner, bei mehr Geduld, eine Thräne verweigert hätte.

Deutsche Literatur.

Gotthold Ephraim Lessings sämmtliche Schriften. Berlin in der Vossischen Buchhandlung.

Sechszehn Bände dieser neuen und vollständigen Ausgabe der Schriften eines der reichsten Genies der Deutschen Literatur, liegen schon seit Beginn des Jahres vor uns und mahnen uns ernstlich ihrer eingedenk zu sein, da nun auch bereits für die Ostermesse die 6 folgenden Bände mit den poetischen Werken angekündigt sind und wir darauf rechnen dürfen, daß es damit nicht wie einst mit Cotta's Schiller und jetzt mit Reimers Shakespeare bei der hinschlendernden Ankündigung bleiben wird, so wollen wir ebenfalls nicht säumen, auf dies Unternehmen, mit Vorbehalt einer ausführlicheren Kritik, aufmerksam zu machen.

Daß wir in unsern Tagen die wahren klassischen Schriftsteller unserer Literatur in neuen, durch Wohlfeilheit auf ein großes Publikum berechneten Ausgaben kennen lernen, ist eine Erscheinung, die nach einer Seite hin etwas Erfreuendes, nach einer andern hin etwas Betrübendes haben könnte. Das Erfreuliche dabei wär, daß wir diese Heroen in das Pantheon des Volksgeistes aufgenommen sehen, wo ihnen Unsterblichkeit und der höchste Ruhm gesichert sind, wodurch zugleich die Nation sich selbst ehrt, indem sie beweist, wie sie sich an diesen großen Geistern heraufgebildet hat, deren Werke nicht mehr unter die Reihe der bloßen Modelektüre gestellt werden. Das Betrübende aber bei dieser Erscheinung wäre, daß sie ein Zeichen sein dürfte, daß unsere Literatur vollendet und abgeschlossen sei und daß wir nicht eine neue Entwickelung derselben nach irgend einer Richtung, so wie es bei dem Auftreten eines Lessing, Klopstock, Schiller, Goethe u. and. der Fall war, zu erwarten haben.

Keinesweges ist dies so gemeint, daß nicht in allen Gattungen der Literatur noch klassische Werke zu erwarten stehen sollten, und hierdurch mag die Betrübniß der jungen und angehenden Schriftsteller, wenn sie es zu streng mit jenem Fertigsein nehmen sollten, etwas gemildert werden. — Wollte man aber entgegnen, daß, wenn dieses Vollendetsein der Kunst endlich zur allgemeinen Ueberzeugung würde, kein Talent es mehr der Mühe werth halten werde, zu dichten, da man ja schon zum voraus wüßte, daß man nach dem Homer keine Ilias schreiben nnd eben so kein zweiter Schiller und Goethe werden könne, so ist theils durch den göttlichen Trieb der Poesie, theils durch die Eitelkeit genugsam dafür gesorgt, daß es den Leihbibliotheken Taschenbüchern und Theatern niemals an guten, und wir wollen hoffen, besseren Vorrath als seither, gebrechen werde.

Es ist schon eine geraume Zeit, daß die Bildhauer wissen, daß sie keine höheren Ideale, als die Griechische Götterwelt bilden werden und eben so haben bescheidene Maler gegen Raffael, Tizian, Coreggio eine Verehrung, als gegen ihre Meister, deren Werke sie nie erreichen, vielweniger überbieten werden; warum sollten nicht endlich auch die Dichter an eine vollendete Poesie glauben?

Während wir somit eine, nach allen Richtungen hin fertige Kunst vor uns haben, ist die Wissenschaft noch im Werden und Sichgestalten begriffen und da die Kritik keinesweges auf der Seite der Kunst, so wenig wie die Dialectik steht, so eröffnet sie ein reiches Feld für den, der sich mit ihr ernstlich beschäftigen und durch sie das Kriterium der Wahrheit zu gewinnen bemüht ist. Daß die Kritik einen von der Kunst verschiedenen Weg gemacht hat, ist nicht zu verkennen; eben so wenig wird man es in Abrede stellen, daß sie weit hinter der Kunst zurückgeblieben ist. Wer daran zweifeln wollte, den würde man nur daran zu erinnern haben, daß bei den neuen Auflagen der Deutschen Klassiker es so leicht keinem Verleger einfallen dürfte, auch eine zweite Auflage der Recensionen, die zu gleicher Zeit mit jenen Werken etwa in dem Merkur, der deutschen Bibliothek, oder was es sonst für kritische Blätter gegeben haben mag, erschienen sind, zu veranstalten. Diese Beurtheilung und Würdigung ist die Aufgabe einer späteren Zeit und das Erscheinen unserer Klassiker in neuen Auflagen könnte Veranlassung sein, sie überhaupt als Unbekannte zu grüßen und ihnen ihr Urtheil zukommen zu lassen. —

Allerdings liegt dies in dem Plane der Redaction des kritischen Theils dieser Blätter, und sofern wir nur hoffen dürfen, daß es unsere Leser uns erlauben werden, auf Kosten der Eintagsfliegen der heutigen Literatur uns mit der verklärten Psyche jener großen Geister zu beschäftigen, so sollen in unsern Blättern Kritiken über die Werke Lessings, Herders, Goethes, Schillers, J. Pauls u. a. niedergelegt werden, deren Ziel ist: eine vollständige Kenntniß und Würdigung derselben und somit einen nicht unwillkommenen Beitrag zur Geschichte der deutschen Literatur zu geben.

F. F.

(Redigirt von Dr. Fr. Förster und W. Häring (W. Alexis.)

Im Verlage der Schlesingerschen Buch- und Musikhandlung, in Berlin unter den Linden Nr. 34.

Berliner Conversations-Blatt für Poesie, Literatur und Kritik.

Sonnabend, — Nro. 79. — den 21. April 1827.

Die Familien Walseth und Leith.

Novellencyklus von Heinrich Steffens. 3 B. Bresl. May., 1827.

Eine zu merkwürdige Erscheinung in der neuen Romanen-Literatur und zu vielfältig in allen Kreisen geselliger Unterhaltung besprochen und verschiedenartig beurtheilt, um nicht auch in unserm Blatte, welches, seinem Titel nach, jener angehören, oder sie in sich aufnehmen soll, wenn auch erst spät, betrachtet zu werden. Das Werk an sich und sein Autor macht diesen Anspruch geltend, wäre es auch nur, weil es in einer friedlichen, nicht eben vom Enthusiasmus allzubefangenen Zeit diesen unter seinen Bewunderern und Anfechtern hervorruft. Man preist diese Schöpfungen hier mit Sicherheit und Selbstzufriedenheit als den Inbegriff alles Vollkommenen und Schönen, als die Normal-Novellen, an welchen der durstige Sinn der bessern, der „eingeweihten" Leser sich endlich laben und volle Befriedigung finden könne. Andererseits will man, auch nicht ohne Leidenschaftlichkeit urtheilend, gar nichts Künstlerisches, nichts Vollendetes, keine Dichtung, sondern nur unharmonisch zusammen gewürfelte Stoffe, und eine ungelöste Aufgabe finden, weil die Kräfte zur Ausführung nicht mit ihrer Größe gestimmt hätten. Deshalb, weil das Ziel nicht erreicht ist, spricht man auch zu streng über das Geleistete ab. Daß sich hier Partheiungen, religiöse und andere, wenigstens letzte Reste derselben, einmischen, möchte nicht zu bestreiten sein.

Wir betrachten das Werk als Novellisten, frei von jeder andern Rücksicht, und glauben aufmerksam machen zu dürfen, wie wir schon in unserm Vorwort auf dies Buch, als auf eine erfreuliche Erscheinung in unserer Literatur hingewiesen, wenn wir uns hier bei der specielleren Prüfung einer herberen Ansicht hinzuneigen scheinen.

Seit Steffens geniale Thätigkeit in den mannigfachen Feldern, wo er gewirkt, bekannter ward, sprach sich die Meinung aus, wie schade es sei, daß er kein Dichter geworden. Bei diesen Kräften, bei diesen Kenntnissen, in dieser Phantasie, spräche Anlage und Beruf dazu sich unverkennbar aus. Er selbst soll, wenn er solche Stimme vernahm, geantwortet haben, wenn das der Fall wäre, würde er auch wohl einer geworden sein. Jetzt nachdem er in so manchem Gebiete sich einen bedeutenden Namen erworben und als ausgezeichneter Gelehrter in voller Wirksamkeit ist, tritt er plötzlich als Dichter mit einem umfassenden Werke und zwar in einer Gattung auf, für die man seine poetischen Kräfte sonst nicht in Anspruch nehmen wollte. Man staunt die Kraft des genialen Mannes an, die sich überall Bahn, und eine eigenthümliche, zu brechen weiß, man bewundert seine Phantasie, man freut sich, wenn er uns auf den erhabenen Standpunkt heraufhebt, von welchem aus uns die Dinge in einem andern bedeutungsvolleren Lichte erscheinen, wir springen gern an seiner Hand, oder uns an seinem Rockschoß haltend, von einem geschichtlichen Momente zum andern, wir ahnen mit ihm, genießen auch hier und dort, aber eine Dichtung, deren ewiges Gesetz eine harmonische Ruhe ist, finden wir nicht. Es möchte auch an Wunder gränzen, wenn ein Mann, wie Steffens, ohne Vorarbeiten, ohne

Uebung, mit einem Male einen Wilhelm Meister oder Tiecksche Novellen schreiben wollte. Welche Perioden mußte Göthe und Tieck durcharbeiten bis dahin, und es genügte nicht mit dem Geiste thätig zu sein; auch das Mechanische, wenn man will, das Fabrikmäßige, muß durch lange Uebung erlernt werden.

Steffens Poesie, wie sie sich ausgebildet hat, ist oratorischer Art. Seine geistvollen Schilderungen, weit entfernt von der todten Englischen *descriptive poesie*, reißen mit sich fort, man folgt in seinen Vorträgen dem glänzenden Auge in die fernen Regionen, der Natur in ihre Schrecken oder in ihre Ueppigkeit, man sieht die Schätze in der Tiefe leuchten und hört die geheimnisvollen Gesänge der Geister. Er versteht es, wie wenige, seine Vorträge abzurunden, jede Stunde liefert ein eigenes Tableau, und der Zuhörer geht mit einem Eindruck fort, der zum Nachdenken und Weiterbilden anregt.

Diese oratorische Kunst liegt aber unseres Erachtens am entgegengesetzten Pole von der novellistischen. Eine ruhige klare Entwickelung des Factums ist hier die erste Bedingung; zuerst wollen wir die Thatsachen sehen und zum Glauben gebracht werden, daß sie wirklich sind, dann erst mag der Romandichter nach so gewonnener Grundlage übergehen zur Reflexion und Lyrik der Schilderungen und der Gefühle. Steffens hat seine ganze oratorische Kraft in diese Dichtungen mitgebracht, er bestürmt Gefühl und Phantasie seiner Leser, sie zu überreden und zu überzeugen, ehe er ihnen den festen Boden gegeben, auf dem sie stehen können, um ihm mit Andacht zuzuhören. Je weiter er vorschreitet, um so mehr reißt ihn diese rednerische Ungeduld mit sich fort, wir galloppiren vom Bedeutenden zum Bedeutenden; das aber geschieht, besonders im letzten Bande, mit solcher Hastigkeit, daß aller Grund und Boden, den der aufmerksame Leser gewonnen glaubt, wieder verloren geht, und man am Ende nicht weiß, wo man gewesen, was man erlebt hat. Der minder Aufmerksame wird sich schon mitten im Lesen verirren.

Einzelne Novellen sollen es nicht sein, das sagt schon der Titel. Es ist ein Cyklus von Novellen. Und doch hätte man von dem Redner Steffens, der jeden einzelnen Vortrag auf dem Katheder zu einem abgeschlossenen Ganzen auszubilden versteht, erwarten sollen, daß er auch diesen einzelnen Novellen einen Centralpunkt, Anfang und Ausgang, geben werde, damit man sie einzeln genießen könne. Nur die erste „Der Schloßbrand" möchte, wenn man ihm wenige Worte vom Schluß des dritten Bandes hinzufügte, als einzelne interessante Novelle gelten. Doch dies war einmal nicht die Absicht des Verfassers, der Cyklus von Novellen sollte zusammen genommen ein Gemälde bilden.

Was aber war hier die dichterische Absicht? — Ein großes Familiengemälde, mehrere Generotionen hindurch, zu geben? „Lebensläufe in absteigender Linie"? Steffens wollte mehr, und ein Geist wie Steffens, mußte mehr wollen. — Ein Bild des ganzen Europäischen Lebens im vergangenen achtzehnten Jahrhundert sagen uns Einige. Freilich ein wahrhaft großes Thema, wie es nur eines hochbegabten dichterischen Geistes würdig ist. Eine furchtbar nüchterne Zeit, bei deren Anschauung das Bedürfnis nach einer Veränderung, das Verlangen nach einem geistigen Umschwung klar wird. Wird uns dies aber in dem Novellen-Cyklus klar? Dem Dichter mag dies vielleicht geworden sein, er setzte aber zu viel Einsicht bei seinen Lesern voraus, es leuchtet und blitzt, aber es wird keine Tageshelle, die doch durchaus nöthig ist, um solch ein ungeheures Bild aufzufassen. — Galt es ein solches Gemälde hinstellen, war es auch die Aufgabe, die characteristischen Momente des Jahrhunderts hervorzuheben, wobei freilich, wenn die ganze Zeit nüchtern ist, auch die Repräsentanten nur nüchtern sein, mithin es nur Bilder der Nüchternheit geben kann. Aber sollte es nicht eben eine lockende Aufgabe des echten Romanendichters sein, grade diesen Scenen Reiz durch die Darstellung abzugewinnen? Anders freilich ist es mit dem Epiker im engern Sinne, mit dem Dramatiker und Lyriker. Steffens hat mehr die pikanten Momente, die wenigen romantischen Oasen in der großen Wüste hervorgesucht, ohne auch hier, wie es scheint, einem bestimmten Plane gefolgt zu sein.

In historischer Folge beginnt er mit dem Auftreten der Herrnhuter, im Gegensatz zu der gränzenlos verderbten Hofwelt, ohne daß es hier zu einem Resultate käme, und indem wir von der Bedeutung dieser Secte mehr durch den Mund des erzählenden Gelehrten, als durch die in der Novelle auftretenden Gestalten erfahren. — Wäre es hier nicht der Ort gewesen, den ganzen Hof August von Sachsens, der doch eine wahrhaft großartige Bedeutung hatte, zu schildern? Dann gehn wir nach Corsika und sehen den Kampf des kräftigen Naturvolkes, unterstützt von Abentheurern, gegen die engherzige Politik einer Krämerrepublik. Die Winke über die Verbündung dieser Abentheurer, dem nothwendigen Auswuchs einer Zeit ohne Glauben, die aber doch einen romantisch abentheuerlichen Drang nicht unterdrücken kann, der nun einen seltsamen, ruchlosen Weg findet, gehören zu den interessantesten und geistreichsten Partieen. Dann machen wir einen Abstecher nach Norwegen, erfahren etwas vom Leben seiner Strandbewohner, ohne daß hier etwas geschichtlich Bedeutendes aufträte als leise Erinnerungen an die normannische Vorzeit. Möchte der Verfasser doch hier bald etwas Mehreres geben, die Andeutungen sind schon so lockend. Nun kommt Friedrich *II.* Zeit, Paris nach der Schlacht bei Rosbach, Friedrich bei Hochstädt, Lessing in Breslau, noch einmal sehen wir die letzten, reineren Anstrengungen der unterliegenden Corsen unter Paoli, die Familie Buonaparte, eine wichtige Zeit in Dänemark wird verträumt, wir blicken in die Gräuel der Französischen Revolution, und der zufällige Schloßbrand zu Copenhagen (um gleich *in medias res* zu führen, voran gestellt) beschließt das Ganze, welches in stürmischer Eil zu Ende geführt wird.

Als historisches Bild etwas Vollständiges zu finden, scheint uns unmöglich. Es fehlt zu viel — wer hätte nicht in der Schilderung des sogenannten philosophischen Jahrhunderts, wer nicht von dem Norweger Steffens, vor allem Struensee's Katastrophe ausführlich behandelt erwartet? Was hat für den Beschauer von dem höheren Standpunkte herab der Copenhagener Schloßbrand für ein Interesse gegen diese Revolution, so außerordentlich in der Weltgeschichte, wie die von 1666 in demselben Königreiche? — Hätte nicht die französische Revolution, wenn es ein solches historisches Gemälde galt, bedeutender aufgefaßt werden können? Auch das Wirken des großen Friedrich im Frieden, hätte es nicht der Verf. lebendiger darstellen sollen, als durch einige Gespräche? War endlich Corsika's Kampf so bedeutend, um ihn als Achse des Gemäldes eines Jahrhunderts hin zu stellen?

Doch vielleicht wird dem Verfasser jene Absicht ein Bild des Europäischen Lebens im 18ten Jahrhundert zu liefern nur imputirt. Es galt ihm vielleicht nur, seinen germanischen Norden im Gegensatz mit dem Süden, sein urkräftiges Norwegisches Naturvolk im Vergleich mit dem gleichfalls im Naturzustande lebenden Corsischen Bergvolke hinzustellen. Was dazwischen lag, ward nur angedeutet. Er braucht und will nicht Rechenschaft dafür ablegen.

Aber dann werden auch die Anforderungen an das Novellistische Ganze bedeutender. Es hält sehr schwer hier den rothen Faden zu finden, der uns durch die verschlungenen Wege hindurch leitet. Der Schmerz, das undeutliche Verlangen nach etwas Höherem, was sich denn doch mitten in der Selbstgefälligkeit des Jahrhunderts aussprach, soll vielleicht im Schmerz und Wahnsinn der Familien Walseth und Leith, besonders in der ersteren, repräsentirt erscheinen. Aber es bleibt undeutlich, hie und da klare schöne Blicke; dann aber wieder eine dunkle Wüste. Technisch betrachtet, so sind alle bedeutenden Partieen, wo die Phantasie des Autors angeregt war, mit hinreißendem Feuer gemalt, es giebt Schilderungen, die das Beste übertreffen, was wir bisher in der Art in unserer Literatur besessen; die Uebergänge dagegen, die Sandflächen, die man nothwendig in jeder Erzählung, in jeder Geschichte durchwaden muß, hat der Autor nicht gewußt anmuthig zu machen. Entweder rasches Ueberspringen von Meilen und Jahren, mehr als es sich je ein Novellist erlaubt und so häufig, daß es ermüdet, oder nicht glückliche Ausspinnung. Doch ist letzteres nur selten und überhaupt ein kleiner Fehler, da man durchaus nur durch Uebung hier die technische Fertigkeit erlangen kann. Bedeutender wäre die Rüge, daß der Autor den Dichter zu oft gehen läßt und als der geistreiche Gelehrte redet, oft sogar durch den Mund von Personen, welchen man nachweisen kann, daß ihre Bildung und ihr Geist solche scharfsinnigen Entwickelungen nicht erlauben.

Nach dem Epilog, einem für Deutsche nur zu speciellen Gespräche, um ganz in der Verständniß zu folgen, gehalten in der Norwegischen Gesellschaft zu Kopenhagen, werden wir in der ersten Erzählung, der Schloßbrand, nach den Norwegischen Hochgebirgen geführt. Erlebtes und durchaus Wahrheit spricht uns hier von jeder Seite an. Wir bewundern den Naturmaler, wir erkennen den Psychologen, und haben ein vollständiges Bild von Norwegen, wenn wir die letzte Seite umschlagen. Nur wenige Züge noch und es wäre etwas Vollendetes. Wir möchten überall Proben geben, wissen aber nicht, wo anfangen, wo enden.

Dann Walseth und Leith die Väter. Fängt mit künstlerischer Exactität an, wir erwarten Viel, die Gräfin, der Baron sind trefflich entworfene Gestalten, Löghs Muth und Entschlossenheit beim Gastmahl sehr gut gezeichnet, aber die Geschichte läuft aus ohne Ende, wie der majestätische Rhein im Sande.

Walseth und Leith die Väter *II.* So meisterhaft der glühende Boden von Tunis geschildert ist, so ergreifend das Gemälde des zerrissenen Zustandes von Corsika, physisch und psychisch, mit wie kecken Strichen König Theodors Landung entworfen ist, bleibt doch auch hier nicht das Interesse. Ein buntes Gewirr, aus dem nur hier und dort Lichtblicke, wie z. B. die

Erstürmung des Thurmes, hervorbrechen. Aus der Sünderin und nachmaligen Magdalene hätte mehr gemacht werden können.

Walseth und Leith die Väter *III.* führt uns wieder nach Norwegen hinauf. Als Novelle ist es gar nichts, doch sind hier wieder die köstlichsten Schilderungen, wie die Irrfahrt der Schiffer, die Rückkehr des entmasteten Grönlandsfahres, nebst so manchen hellen und freundlichen Scenen des Stilllebens auf der Insel. Ließe sich aber hier nicht noch weiter fortbauen? —

In den beiden Novellen des dritten Bandes, Walseth und Leith die Söhne, wird es endlich so bunt, daß selbst ein Novellist sich nicht zurecht finden kann. Personen treten auf und verschwinden, man weiß nicht weshalb? Fäden spinnen sich an und nicht aus; man muß glauben, daß es dem Verfasser selbst lieb gewesen ist, als er glücklich in diesem bewegten Meer der Intrigue den Ausgang erreicht hat. Keine Ruhe, also auch keine Anschauung, gepeitscht vom Norden nach Süden, Bastia, Aleria, Drontheim, Lessing, General Tauentzien, Amerika und Frankreich. Anecdoten von geringer Bedeutung neben die Welt erschütternder Begebenheiten. — Daß ein von einem Kinde versteckter Schmuck Wahnsinn, Trennung vom Ehegatten, Zersplitterung von Familien hervorbringen kann, soll diese ausführlich geschilderte Begebenheit symbolisch mit Amerikas Befreiung und der Französischen Revolution Hand in Hand gehen? Am widernatürlichsten bleibt die Rache der Corsen. Selbst historisch belegt gingen diese Facta über die Wahrheit der Poesie. Ein Schiff, ausgerüstet vom Stamme der Grimaldi in Corsika, steuert nach Norwegen, ankert in einer Felsbucht, und die Mörder lauern dem spatzierengehenden Norwegischen Kaufmann auf, weil er einst vor langen Jahren einem Freunde behülflich war, seine Braut aus dem Hause Grimaldi zu entführen. „Die Rache der Corsen schläft nicht," heißt es, aber die Begebenheiten hängen so zusammen, als fielen sie zur Zeit des Fouque'schen Thiodulf des Isländers — und nicht während Friedrich des Großen Regierung vor.

Wir haben den Novellen den Charakter eines Kunstwerkes abgesprochen, den einer großen, bedeutenden Dichtung darf ihnen Niemand streitig machen. Unter allen neuern Erzählungen, Tiecks Cevennen ausgenommen, wüßte ich keine, die so anregend wirkt, so mit einer höheren Anschauung der geschichtlichen Begebenheiten, die in den Compendien klein erscheinen, den Geist erfüllte, so zum Studium aufmunterte. Es sind nicht gehörig verarbeitete Elemente, aber welche Elemente! Kein loses Steingeröll, sondern mächtige Felsblöcke, die der Wanderer mit ahnender Scheu umwandelt. Es ist nichts Ganzes, aber auch nichts Zusammengeleimtes; mit scharfem Messer ist kühn aus dem Frischen, Vollen geschnitten und groß stehn diese Bruchstücke gegen so manche vollendete Kleinigkeiten da.

W. A.

Englische Naivetät.

Es war das erste mal, daß ich einer englischen Hinrichtung zusah. Drei Menschen bestiegen zugleich das Brett, das unter ihren Füßen schwinden sollte; der Platz kostete drei Schilling. Ich hätte in dem Moment eben so viel Guineen geben mögen um wieder fortzukommen, so empörten mich diese Ceremonien, das Gebet des Methodistenpredigers, die fürchterliche Ruchlosigkeit des einen Candidaten, der Widerstand, den der Dritte in der letzten Todesangst dem Henker entgegensetzte. „Sie sind ein Fremder, und ein Deutscher, das merke ich," sagte mein wohlbeleibter Nachbar, als ich meinem Unwillen in Worten Luft gemacht hatte, und er erkundigte sich angelegentlichst, wie man bei uns die armen Sünder in die andere Welt sende? Aufmerksam hörte er zu und sagte dann ruhig mit dem Kopf nickend: *Ah that's the way as we kill our kings and queens!* Und man würde sehr geirrt haben, hätte man sich schaudernd von dem Manne, als einem Spießgesellen Ravaillacs, einem Marat oder Vane, abgewandt. Auch dachte er an keine Pulververschwörung, er war vielmehr der ehrlichste loyalste John Bull, den ich bald darauf bei der Bowle aus voller frischer Kehle sein *God save the King* anstimmen hörte. —

Blicke auf die Welt.

(Von einem Diplomaten)

Wie so manche redliche Katze hat in der verzeihlichen Meinung, das Mäuschen rege sich in der Gurgel des schlafenden Kindes ganze Familien unglücklich und erbenlos gemacht. Wie leicht kann man doch mit den reinsten, wohlthätigsten Absichten Böses stiften. —

Wissen wie Abwesenheit wirkt — heißt Altern.

Sich unglücklich bekennen — heißt noch nicht um Mitleid flehen.

(Redigirt von Dr. Fr. Förster und W. Häring (W. Alexis.)

Im Verlage der Schlesingerschen Buch- und Musikhandlung, in Berlin unter den Linden Nr. 34.

Berliner
Conversations-Blatt
für
Poesie, Literatur und Kritik.

Montag, — Nro. 80. — den 23. April 1827.

Aus einem noch ungedruckten Gedanken-Buche Jean Pauls.

(Angefangen im Jahre 1794.)

Jeder Jüngling sucht eine Form, unter welche er alle seine Kräfte auf einmal anbringen könnte — so Novalis. Sie b e t e n ihrem Meister Göthe, öfter nach, als sie ihn n a c h a h m e n; so in der Menschenkenntnis, die sie nicht haben.

Die jetzigen Autoren sind nur von der poetischen Regel (aus Eitelkeit) ergriffen, nicht von Objektivität.

Wie der kathegorische Imperativ noch keine Handlung bestimmt, so die beste ästhetische Einsicht, kein Geschöpf, das durchaus, die allgemeine Form ausgenommen, ein Abkömmling der innern heiligen Individualität ist. Keine Form kann ein Nichts fassen und machen. In jedem Gedicht offenbart sich das Gemüth des Verf., seine Kraft, seine Erhebung, sein Welt-Zorn, seine Vergangenheit und Zukunft auf einmal.

Diderot: in den ersten Akten mehr reden als handeln. — Ich: gerade umgekehrt.

Jean Paul, macht nicht die Wirklichkeit idealisch, sondern das Ideal wirklich, wodurch das Ungestüme des Lebens uns wieder erfasset.

Mancher Autor sollte wie Maria, nur ein Meisterstück, Einen Sohn Gattes haben.

Blos Humoristen erfahren die schlimmsten Urtheile, Sterne, Rabelais, Montaigne.

Rousseau war ganz Göthe's Tasso.

Schon in den Teufels-Papieren der Unterschied der launigen, ironischen Zusätze.

Das Schöne bildet für das zweite Schöne. Wenn aber dies nicht erscheint? — O warum kann uns ein Shakesspeare nicht Shakesspeare's bilden? Warum kommt kein Zweiter — anstatt diesen zu wiederholen, damit man ihn inniger fasse.

Je weniger das Leben Werth hat und behält, desto mehr legt man sich auf das Schaffen des Innern, da man doch von außen wenig vollbringt oder genießt.

Jeder Rezensent meiner Romane glaubt auch einer meiner Aesthetik sein zu können; es ist aber etwas Anderes ein Kunstwerk, und eine Aesthetik zu beurtheilen.

Alles glaubt der Mensch eher, das ihm fehle — z. B. Philosophie, Mathematik, poetische Kraft — als Geschmack; er sagt bloß, die Sache ist nicht schön, nicht: sie scheint nicht schön. Hier sagt er nie, scheinen.

Reise eines Malers.

Stuttgart d. 7. August.

Daß ich noch immer diese Ueberschrift habe, kann Dich nicht mehr wundern, als mich's verdrießt. Paß- und Pestübel sind nicht verschiedener von einander, als der Klang ihrer Namen. Ich bedurfte der **schen Visa; der Gesandte wohnte in einem benachbarten Städtchen, ich fuhr dahin; der Gesandte ist verreist, sein Jäger, der sonst die Pässe visirt, ist nachgereist, der **sche Gesandte, der in Stuttgart wohnt, hat die Geschäfte übernommen; diesen erfrag ich endlich, auch er ist verreist, hat aber dem **schen Gesandten Vollmacht gegeben; dieser endlich ist — auf die Jagd. Es wäre wohl ziemlich natürlich, auch etwas über die Boissereesche Sammlung mitzutheilen; aber noch natürlicher, wenn ich davon schweige; denn nicht nur, daß Folianten das über sie Geschriebene kaum fassen, sie ist auch in vortrefflich lithographirten Blättern in aller Welt Händen. Nur meine Ansicht über die drei Korypheen der niederländisch-teutschen Schule, wie sie von neuem sich mir bestätigt, theile ich Dir mit, da ich darüber mit wenigen meiner Freunde übereinstimme. Diejenigen, denen Religion und Kirche ein und derselbe Begriff ist, die also nur durch letztere die Stimme der ersten vernehmen, stellen Van Eyk oben an; es herrscht in seinen Werken jener heilige Ton alter Kirchenmusiken. Jede Figur, und jede Bewegung an ihr, jedes Fältchen auf Stirn und Gewand in der Nähe des Menschgewordenen Gottes trägt jenen Heiligenschein, der dem Leben fremd, ein Geschenk frommer Fantasie ist; ja auch wo die Natur unmittelbar, wie mit den eingeschalteten Bildnissen, dient, muß sie jenes feierliche Gewaud umnehmen. — So wird heiliger Ernst Van Eyks unwandelbares Gepräge. Aber der engen Schranken nächste Folge ist eine gewisse Einförmigkeit; jene Heiligkeit der Darstellung fürchtet das Leben mit seinen kräftigen Formen, seiner frischen Farbe; daher das Hinneigen zu Magerkeit, Kälte des Colorits, und strenger Gemessenheit jedweder Bewegung.

Diesen Cyklus heilig gesprochner Motive überschritt dagegen Schorel mit großer Freiheit, der ganze Reichthum des bewegten Lebens liegt ihm als reine Quelle da, nicht der Priestermeinung und der durch sie geleiteten überläßt er die Wahl, nein seinem eignen Zartgefühl und Geschmack. Leicht auch gleitet sein Pinsel über die Tafel, es verschwindet jene Spur ängstlicher Ausführung; seinen Gestalten haucht er lebensfrischere Färbung auf, wie eine freiere Bewegung ein. Im großen Garten der Natur wandelt er, wie von der Wahrheit und Lieblichkeit geleitet, welche letztere ihm besonders beim Abbilden schöner Frauen beistand. Denke nur an die heil. Katharina und die heil. Gutula von Brabant. Denke nur an die heilige Jungfrau, die er im Sterben noch mit allem Lebenszauber übergießt. So wird die Frage, die er sich vor Erschaffung eines Werkes gethan haben mag „Wie kann sich die Sache zugetragen haben?" entscheidender und unterscheidender Charakterzug für ihn: er verließ die symbolische Darstellweise und wandte sich mehr der natürlichen zu.

Zwischen jenen beiden nun steht Hemling durch sein poetisches Gemüth der Symbolik, durch seine Wahrheitliebe der natürlichen Darstellweise zugewandt; so tragen seine Werke das doppelte Gepräge: Die wandelnde Gottheit sieht man mitten im bunten Wirken des Lebens und der Natur. So wird er jener vollendete Landschaftmaler, so zeichnet seine heiligen Gestalten jene hohe Würde aus, die sie uns heilig macht, so spielt mannigfaltig selbst der Humor durch seine großen Gedichte; denn das ists, das ihm vor Allen verliehen war, die Gabe malerischer Dichtkunst mit welcher er die engen Schranken brach, die seine hohe Göttin fesselten. Ihn beengt es nicht mehr, daß er nur eine Tafel hat, für viele Bilder; faßt doch die große Tafel, die Erde — tausend und wieder tausend Bilder in einen Rahmen. So greift auch bei ihm z. B. in dem großen Bilde, das Leben und Leiden Christi vorstellend) Bild in Bild, vom Stern am Himmel entwickelt sich aus fernster Ferne ein ganzes reiches Leben, bis es durch Tod und Auferstehung in die alte Heimath zurückkehrt. — Danneckers Werkstatt, die freundlich jedem Fremden geöffnet wird, besuchte ich heute. Das erste, was ich sah, war eine Figur, die man mir als Johannes den Evangelisten bezeichnete. Ist nun schon sein Christus überweich, so ist dieser freilich gar zerflossen und als ich die Deutung der wunderlichsten Fingerbewegung vernahm, hatte ich genug für immer. Die eine Hand produzirt einen Finger, die andre drei; und dieß ist nicht das italienische Volkspiel, sondern: Eins ist drei und drei sind eins! — Hohes, würdiges Motiv, unergründliche Tiefe der Auffassung. Zu solcher Prosa sieht man das höchste Geheimniß herabgezogen!

Nun mußt' ich auch am Heiland vorüber — daß Er doch noch täglich ans Kreuz geschlagen wird! — Diese weiche, formlose Gesichtbildung, diese Schwächlichkeit der Gestalt, das nasse anschließende Gewand, — was wol einer Nymphe oder Nereide gut stehen möchte. — Wie wohl wurde mir, als ich den Blick seitwärts wandte und unsern großen Schiller erblickte; von demselben Meister, obschon aus andrer Zeit; wie dankt ichs ihm, daß er, der mich verletzte, auch mich wieder versöhnte. Schiller ist das früheste Werk von Dannecker, das ich kenne, es trägt die Farbe der Jugendkraft, des hellen Blickes und des Genies, es ist so groß gedacht, als ausgeführt, ja es wiegt die äußre colossale Größe die inwohnende bei Weitem nicht auf, „es rankt die Form sich an dem Geist empor.

Zum 23. April.

Dem Geburt- und Sterbetage Shakespeares.

Gegeben hat ein Tag dich und genommen,
Wie Leben du gewiesen uns und Sterben,
Da zeitlich Gut den deinen zu vererben
Hat schwach die Hand und zitternd unternommen.*)

Doch was im Herzen dir und Geist entglommen
Sich mochte festre Unterschrift erwerben,
In Tinten, die nicht bleichen und verfärben
Die Welt hat dein Vermächtniß überkommen.

Wohlan, so laßt die Theilung uns beginnen!
Nichts sei, was dein, dir England vorenthalten;
So wolle du was unser uns gewähren.

Der Geist allein mag Geistiges gewinnen!
Vorlängst begriffen wir des Meisters Walten;
Laß uns als unser lieben ihn und ehren.

M—s.

Fragmente über Musik — Deutschland — England — Shakspeare.

(Mitgetheilt von Franz Horn).

(Fortsetzung.)

In der herbsten und furchtbarsten aller Tragödien, Othello, erhöht die Musik den witzigen Schauder (ich habe nicht gleich ein andres Wort dafür) der uns in der Scene auf der Wache erfaßt, als der sonst stattliche Cassio durch ein kleines Vergehen in ein fremdes feindliches Element gerissen wird, dem „Teufel des Weins“ gehorchend; und die lustigen Töne des Liedes vom alten „König Steffen“ wirken in solchen Verhältnissen und in diesem geistigen Wirrwarr nur tragisch. Seltsam ist, daß eben dieser Cassio dem beim Wein die Musik so übel bekommen, doch nüchtern zu ihr seine Zuflucht nimmt, um den beleidigten General zu versöhnen. Leider aber hat er zu der Morgenmusik, die er dem Othello bringt, nicht Musiker, sondern Musikanten gewählt, so daß auch der sonst nicht gesprächige (und schon um deswillen sehr seltsame) Narr alsbald aus dem Schlosse herbeiläuft und um Gottes willen bittet aufzuhören. Wenn sie aber eine Musik haben, die man „nicht hören“ kann, die sollen sie spielen; — doch führen leider diese einseitigen Leute dergleichen stumme Musik nicht. — Dieser drollige Einfall hat auch seine ernste Seite. Ein schlechtes Gedicht ist vielleicht nie so schlecht als eine schlechte musikalische Composition; es erregt auch wohl Lachen und reizt zur Satyre, wobei der Gereizte sich nicht übel befindet; bei einer schlechten Musik aber ist auf keine Weise und selbst nicht der kleinste Genuß möglich, auch kein satyrischer. Es entsteht ein entschiedener Unwille und Widerwille, indem die ätherischste Kunst zur buhlerischen Caricatur geworden, sich frech aufdrängt, und die Sehnsucht nach einer Musik, die man nicht hören kann, kommt dann allerdings zur Sprache. —

In dem Lustspiel „Was ihr wollt“ erscheint die Musik in den mannigfaltigsten Beziehungen. Für den poetisch-trunkenen Herzog ist sie ein tiefer, kühler, honigsüßer Strom, in dem er mit allen seinen phantastischen Freuden und Leiden, Gefühlen und Träumen fortschwimmt, — für die beiden Junker eine derbe Ergötzlichkeit, bei welcher der Wein und der Spaß noch besser schmeckt — für den Narren ein muthwilliges Spiel, das für eine weniger robuste Natur leicht etwas gefährliches haben könnte. Es ist derselbe Narr, der, mit dem betrunkenen Tobias und Christoph den Canon singend, die ganze Nachbarschaft zur Verzweiflung bringt, während er bald darauf den in süßer Schwermuth melodisch seufzenden Herzog durch den Gesang des herrlichen Liedes:

„Komm herbei, komm herbei, komm herbei, Tod,“ rc.

bis in das tiefste Innere tragisch zu treffen vermag. Es ist außer Zweifel, daß er, der weder von Liebes-Gesundheit noch Liebeskrankheit etwas weiß, mit dem süßen Herzoge Scherz treibt; aber wahrlich nicht mit jenem Liede und dessen innerlich bedingter musikalischer Composition.

In dem unvergleichlichen Lustspiel: „Wie es euch gefällt“ ist die Musik völlig heimisch und hört nicht

---

*) Das Facsimile Shakespeare's ist wie bekannt nach der Unterschrift seines Testaments genommen.

auf zu tönen, außer am Hofe des armen nüchternen Usurpators. Dafür ist sie aber in der grünen Nacht des Waldes und auf den luftigen Höhen des heitern Gebirges, wo der edle rechtmäßige Herzog sich überall die anmuthigsten Throne errichtet hat, ganz zu Hause, und man kann in dieser zauberischen Komödie keinen Schritt gehen, ohne durch die mannigfaltigste innere und äußere Musik angeregt zu werden. Bald sind es zarte Liebesklänge, bald witzige romantische Parodieen der Romantik selber, bald fröhliche Hörnetöne und muntre Jägerlieder, die hier erschallen; so daß wir sagen möchten, es zeige sich das Ganze wie der heiterste Tempel der Poesie und Liebe, des Witzes und der Musik. Alles ist in diesen Schattengängen erquicklich kühl, und die Sonne beleuchtet die Wipfel so fröhlich, der Ernst ist so tiefsinnig und doch so kindlich, der Scherz so muthwillig und doch so unbefangen, daß wir wohl fühlen müssen, hier sei der innigste Verein der Musik und Poesie glücklich vollendet.

Aehnliches gilt vom „Sturm" und vom „Sommernachtstraum." Hier ist alles so zauberisch duftig, so harmonisch bewegt, daß wir jene „unaussprechliche" Freude empfinden — die wir um deswillen so nennen dürfen, wie wir sie oben bezeichnet haben, weil sie am liebsten uns in süßen Tönen sich kund geben mag, wenigstens nicht so gern in einer Rede — die man seltsamerweise die „ungebundene" nennt, da sie doch nicht weniger durch das ewige Gesetz der Schönheit und Zweckmäßigkeit gebunden ist, wie Ton- und Dichtkunst.

In Richard *II.* wird die Musik nicht bloß als Besänftigungsmittel für die Leiden des gefangenen Königs angewandt, sondern auch als dessen wirksamste Lehrerin. Was er so lange verkannt hat, „das Maaß" wird ihm gerade jetzt, wo eine gute musikalische Composition, schlecht gespielt, sein Ohr berührt, vielleicht zum erstenmale ganz deutlich. Dem weisen Rath der besseren Freunde wie dem furchtbaren Ernst des sterbenden Gaunt hat er trotzig widerstanden, aber der einfachsten Betrachtung, die sich ihm aufdrängt bei der mishandelten Musik, widersteht er nicht, und in dem verletzten Verhältniß des Maaßes der Töne, findet er sein eignes Leben angedeutet.

Heinrich *IV.* ist für die Musik zu trocken, klug und zu finster gestimmt, Heinrich *V.* noch als Prinz, zu muthwillig und fast ausschließlich nach dem Witz sich sehnend, als daß die Musik bei ihm recht aufkommen könnte; späterhin als König zu beschäftigt. Als er in der Nacht vor der entscheidenden Schlacht die höchste Staffel der Bildung erreicht hat, die ihm zu erreichen möglich ist, ist sein Monolog „Auf den König!" und sein Gebet bei Sonnenaufgang wie die herrlichste Musik zu betrachten.

Falstaff vermag eben so wenig im höhern Sinne des Worts zu lieben, als Freude an der Musik zu finden. Sein Witz ist pikanter als aller Sect, mit dem er ihm zu Hülfe kommt; aber die Musik an sich ist nicht witzig und nicht Sect-artig. Eher gleicht sie dem Nectar, der zu sehr nach dem Himmel schmeckt, als daß der Ritter darnach verlangen sollte. Den „Kalk" im Sect schmeckt er scheltend leicht heraus; aber der Kalk der Erde und des Erdenlebens giebt ihm Witz, der nichts zu schaffen haben mag mit musikalischer Sehnsucht.

Enobarbus (im Antonius und Cleopatra) versucht die verstimmten Herren der Erde durch ein Lied zu erheitern; doch kann es ihm nicht gelingen, da jene Verstimmung zu sehr mit sündiger Verworrenheit vereint ist, und selbst das Verlangen nach reiner Erheiterung fehlt.

Auch ist er selbst in dieser Stunde zu sehr zum witzigen Spott geneigt, als daß die Musik sich ihm günstig zeigen könnte. Der schöne vollwangig blühende fröhliche Bacchus wird hier zwar besungen; erscheint aber nicht, sondern schickt an seine Stelle nur einen taumelnden Faun. Zweckmäßiger handelt der Wallisische Priester in den lustigen Frauen von Windsor, der die Musik als Furchtvertreiberin benutzt, ein Amt, das sie bekanntlich oft mit Glück verwaltet.

(Beschluß folgt.)

Berliner Chronik.

Wilhelm Müller (Hofrath in Dessau) der beliebte Dichter der Griechenlieder u. s. w., welcher sich auch neuerdings in dem Gebiet der Novellendichtung mit Glück versucht, und *Dr.* Fr. Kuhn (Advocat in Dresden) als Dichter (namentlich als erster Uebersetzer der Lusiade) ehrenwerth bekannt, halten sich als Gäste seit einigen Tagen hier in unsern Mauern auf. Der erste Frühling, wo die Lustbarkeiten des Winters ausstarben und die erste Sonne lockend über die Dächer blickt, ohne zwischen den Staub und Sandfluren unsere wenigen Oasen schon mit frischem Grün bekleidet zu haben, ist eigentlich die am mindesten günstige Zeit, wenn Fremde Berlins Vorzüge und Reize wollen kennen lernen; und doch sehen wir, wenigstens die fremden Gelehrten, meistens um diese Jahreszeit eintreffen.

Ein Berliner Literat aus der ältern Zeit und Schule, nicht ungeachtet in den Tagen seines Wirkens, W. C. S. Mylius ist in den vergangenen Wochen, nachdem er das traurigste Loos eines Schriftstellers, die Vergessenheit, erfahren, hier gestorben.

a.

(Redigirt von Dr. Fr. Förster und W. Häring (W. Alexis.)

Im Verlage der Schlesingerschen Buch- und Musikhandlung, in Berlin unter den Linden Nr. 34.

Berliner

Conversations-Blatt

für

Poesie, Literatur und Kritik.

Dienstag, — Nro. 81. — den 24. April 1827.

Tachechana.

Der von uns in No. 69. dieser Blätter angekündigte neueste Roman Coopers ist jetzt im Erscheinen*). Der Verfasser ruft selbst die Kritik durch das Motto an:

Schau seine Art und Thun; und sag mir dann
Ob dies ein Bruder sei!

Die Brüderschaft wird Niemand bestreiten, er theilt die Vorzüge und Nachtheile der bekannten Romane, provocirt außer der Brüderschaft aber noch auf eine gewisse Art Kindschaft, indem die Prairie sich dem letzten der Mohicans in der Art anschließt, daß eine der Hauptpersonen dieses Romanes nach einem Zwischenraum von ungefähr 50 Jahren wieder als Hauptheld hier in der Prairie auftritt. Auch dadurch, daß in dem vorliegenden die Sittenschilderung Indianischer Stämme einen praktischen Hauptheil bildet, schließt er sich dem Mohicaner an. Amerikas Wachsthum, das Fortrücken der Cultur, das Verschwinden der Ur-Einwohner bildet ein Thema, welches wohl zu Auftritten ernst wehmüthiger Betrachtung Anlaß giebt, und so hatte auch wohl der Verf. einen höhern Gesichtspunkt im Sinn, als er beide Romane durch ein zufällig scheinendes Band verknüpfte.

Da wir es Europäischen und vielleicht auch Amerikanischen Journalen hierin vorausthun können, theilen wir den Lesern unseres Blattes ein episodisches Bild, für die Charakteristik des Lebens unter den Wilden von Interesse, mit. Mahtoree, ein verschlagener und ehrgeiziger Häupling der Tetons, eines Stammes der räuberischen Sioux, (auch Dahcotah genannt) hat bei einem Streifzuge einige Europäische Flüchtlinge und Auswanderer zu Gefangenen gemacht. Unter ihnen zwei Bräute Inez und Ellen, so wie deren Geliebte Middleton und Paul Hover. In leidenschaftlicher Liebe für die Schönheit der ersteren entbrennend, nimmt er den gleichfalls gefangenen alten Wildsteller (Träpper im Amerikanischen Dialect) den 87jährigen Helden des Romans, als Dollmetscher mit sich und schreitet in das Zelt, wo beide Schönen trauernd über ihre Lage sitzen.

* * *

Das Innere der Wohnung entsprach ihrem Aeußern. Sie war größer, als die meisten anderen, sorgfältiger ausgebaut und von feineren Stoffen, aber damit hörten die Vorzüge dieser Wohnung auf. Nichts konnte einfacher und republicanischer seyn, als die Lebensweise, welche der ehrgeizige und mächtige Teton vor den Augen seines Volkes aus eigner Wahl führte. Eine tüchtige Auswahl von Waffen für die Jagd, etwa drei oder vier Medaillen, die ihm die Krämer oder politischen Agenten der Canadas, entweder als Huldigungszeichen oder auch nur als Anerkennung seines Ranges gegeben, mit wenigen der allernöthigsten Gegenstände zu persönlichen Bequemlichkeiten, bildeten die ganze Ausschmückung. Weder Wildprett noch Bisonfleisch aus der Prairie war im Ueberfluß hier vorhanden, indem der kräftige Herr des Hauses wohl berechnet hatte, daß die Freigebigkeit des Ein-

*) Die Prairie. Ein Roman von Cooper, Verfasser des Spions, des Letzten der Mohicans ꝛc. Aus dem Englischen übersetzt. 3 Bände. Berlin, Dunker und Humblot.

zelnen reichlich durch die täglichen Gaben der ganzen Bande würde vergolten werden. Obgleich er in der Jagd eben so ausgezeichnet war als im Kriege, kam doch weder Hirsch noch Büffel jemals ganz in seine Hütte. Dagegen ward aber auch selten ein Thier in das Lager gebracht, wovon nicht Mahtoree's Familie ihr gutes Theil erhielt. Aber die Politik des Häuptlings erlaubte ihm selten, mehr zu behalten, als gerade für den Tag nöthig war, indem er vollkommen überzeugt war, daß Alle zusammen leiden müßten, ehe der Hunger — der Fluch des Lebens bei den Wilden — sich an ein so wichtiges Opfer machen dürfe.

Unmittelbar unter dem Lieblingsbogen des Häuptlings und umschlossen von einer Art magischen Ringes von Speeren, Schilden, Lanzen und Bogen, die insgesammt zu ihrer Zeit gute Dienste gethan, hing der geheimnißvolle und geheiligte Zauber-Beutel. Er war in einen Wampumgürtel sorgsam eingewirkt und überflüssig mit Perlen, Knöpfen und Stachelschweinhaaren mit aller Indianischen Erfindungskraft ausgeschmückt. Mahtoree's Freigeisterei in religiösen Angelegenheiten war nicht selten zur Sprache gekommen, und es schien, als habe er in seltsamem Geiste des Widerspruchs seine ganze Aufmerksamkeit auf dieses Symbol übernatürlicher Einwirkungen, seiner innersten Ueberzeugung ganz entgegen, verwandt. Ahmte doch der Sioux hier dem Treiben der Pharisäer nach: „auf daß sie von den Leuten gesehen würden."

Indessen war das Zelt von dessen Eigenthümer seit seiner Rückkehr vom letzten Streifzuge nicht betreten worden. Wie der Leser schon geahnet haben wird — war es zu Inez und Ellen's Gefängniß umgewandelt worden. Middleton's Braut saß auf einem einfachem Lager von süßduftenden Kräutern, worüber Felle gedeckt waren. Sie hatte schon während der kurzen Zeit ihrer Gefangenschaft so viel gelitten, und war Zeugin so mancher wilden, unerwarteten Begebenheiten gewesen, das jedes Unglück, was noch hinzu kam, nur mit immer verminderter Kraft auf ihr scheinbar dem Mißgeschick geweihtes Haupt traf. Ihre Wangen waren ohne Blut; ihr dunkeles und gewöhnlich sehr lebhaftes Auge drückte jetzt den tief liegenden Kummer aus, und ihre ganze Gestalt schien immer mehr zu schwinden und zu verkommen. Aber mitten unter diesen Anzeichen natürlicher Schwäche glänzte ihr Auge zuweilen in frommer Ergebung, und Strahlen einer schwachen aber heiligen Hoffnung leuchteten auf, so daß es zweifelhaft blieb, ob die unglückliche Gefangene mehr ein Gegenstand des Mitleids oder der Bewunderung sey. Alle Vorschriften des Pater Ignatius kamen ihr zurück ins Gedächtniß, und nicht weniger lebten seine frommen Visionen in ihrer erhitzten Einbildungskraft wieder auf. Von solchen heiligen Entschließungen aufrecht erhalten, beugte das milde geduldige und vertrauende Mädchen ihr Haupt diesem neuen Schlage der Vorsehung, mit derselben Sanftmuth, mit der sie jeder andern Strafe für ihre Sünden sich würde unterworfen haben, obgleich die Natur zuweilen mächtig gegen eine solche erzwungene Demuth ankämpfte.

Ellen dagegen bewies sich weit mehr als Weib, und verrieth demnach auch weit mehr weltliche Gefühle. Sie hatte geweint, bis ihre Augen roth angeschwollen waren. Ihre Wangen glühten vor Aerger, und Kränkung und Unmuth athmeten im ganzen Ausdruck ihres Gesichtes, worin sich aber zugleich Furcht und Besorgniß für die Zukunft abspiegelten. Mit einem Worte, das ganze Wesen von Paul's Braut verrieth, daß wenn glücklichere Zeiten kämen und die Treue des Bienenjägers einst ihren Lohn fände, er in ihr eine Lebensgefährtin erhalten würde, die in jeder Art für seine leichte, muthwillige Sinnesweise sich eignete.

Es gab indessen noch eine dritte Gestalt in diesem kleinen weiblichen Kreise. Es war dies die jüngste, die allerbegabteste und bis dahin die geliebteste unter den Frauen des Teton. Ihre Reize hatten mächtig auf die Augen ihres Gatten gewirkt, bis diese ganz unerwartet sich noch weiter öffneten vor der Lieblichkeit eines Weibes unter den Bleichen-Gesichtern. — Von diesem unglücklichen Momente an konnten Anmuth, Zuneigung und Treue der jungen Indianerin ihn nicht länger fesseln. Tachechana's Gestalt und Wesen, obgleich freilich weniger blendend als das ihrer Nebenbuhlerin, war für Eine ihres Stammes frisch und anmuthig. Ihr nußbraunes Auge war so sanft und beweglich wie das der Antilope; ihre Stimme war sanft und munter wie der Gesang des Zaunkönigs, und ihr frohes Gelächter schallte lustig durch die Wälder. Von allen Sioux-Mädchen war Tachechana (die Hindin benannt) die beglückteste und beneidetste. Ihr Vater war ein ausgezeichneter Krieger gewesen, und ihre Brüder hatten ihre Gebeine bereits auf einem fernen, schrecklichen Kriegszuge zurückgelassen. Zahllos waren die Krieger, welche Geschenke gesandt in die Wohnung ihrer Eltern, aber auf keinen achtete man, bis ein Bothe vom großen Mahtoree kam. Freilich war sie schon sein drittes Weib, gewiß aber die begünstigtste von allen. Nur zwei kurze Jahre hatte ihre Verbindung gedauert, deren Früchte jetzt schlafend zu ihren Füßen lagen, eingehüllt in die herkömmlichen Riemen von Fellen und Rinde, welche die Windeln eines Indianischen Kindes ausmachen.

Als Mahtoree und der Trapper in die Thüröffnung traten, saß das junge Siouxweib eben auf einem einfachen Stuhle, indem sie ihre sanften Augen, mit Blicken, die zwischen den Regungen der Liebe und Bewunderung getheilt waren, von dem unschuldigen Kinde zu beiden seltenen Geschöpfen hinwandte, die ihr jugendliches Gemüth mit solcher staunenden Verwunderung erfüllt hatten. Obgleich sie Inez und Ellen schon einen ganzen Tag betrachtet, schien es doch, als wachse ihre Neugier, so oft sie wieder zu ihr hinblicke. Sie betrachtete sie als Wesen von ganz verschiedener Natur und Beschaffenheit, als alle Weiber in der Prairie. Sogar das Geheimnißvolle ihres zusammengesetzten Anzuges übte einen großen Einfluß aus auf ihren einfachen Geist, wiewol es doch eigentlich der Reiz und die Anmuth, die auf Jedermann und jedes Volk wirken, war, welche auch hier vor allem ihre Aufmerksamkeit gefesselt hielt. Doch während ihr offenes Gemüth willig die Vorzüge der Fremden über die minderen Reize der Dahcotahmädchen anerkannte, hatte sie keinen Grund gefunden, ihnen diese Vorzüge zu mißgönnen. Der Besuch, welchen sie jetzt empfangen sollte, war der erste, welchen ihr Gatte seit der Rückkehr vom letzten Streifzuge in dem Zelte machte, und er schwebte ihr noch immer als der glückliche Krieger vor, der zu Zeiten der Ruhe sich nicht scheute, den sanfteren Gefühlen eines Vaters und Gatten Lust zu machen. (Fortsetzung folgt.)

Fragmente über Musik — Deutschland — England — Shakspeare.

(Mitgetheilt von Franz Horn). (Fortsetzung.)

Ob Cäsars Versicherung, daß Cassius die Musik hasse, völlig gegründet sei, bezweifle ich, doch muß er sie freilich in seiner jetzigen Lage und Stimmung fliehen; sie könnte ihn wol gar rühren, und er bedarf jetzt zur Ausführung seines Plans nicht bloß der höchsten Kraft, sondern sogar der Härte. Da er aber bei dieser ungeheuren Stärke doch auch wieder die Gefühlstiefe und Sanftheit besitzt; daß er in der bloßen Furcht vor dem Verlust von Brutus Freundschaft seine Seele aus seinen Augen weinen möchte," so kann Cäsars Bemerkung über ihn nicht vollständig gelten. — Was Shakespeare Cäsarn sagen laßt, unterschreibt er, der Dichter, darum noch nicht.

Ich übergehe hier mehrere andere Dramen des Dichters, in ihrer Beziehung auf die Musik, um noch ein wenig bei dem allberühmten Kaufmann von Venedig zu verweilen. In Shakspears Schauspielen ist die Bildung und der Ton der Sprache bei jedem einzelnen Individuum stets charakteristisch, und nie wird z. B. ein edler erhabener Charakter in nachlässiger, zerrissener oder unmusikalischer Sprache sich vernehmen lassen, es müßte denn in solchen Momenten sein, wo der Dichter zeigen will, daß auch die innere Musik jene Person verlassen habe. Diese charakterisirende Tonart zeigt sich ganz besonders in dem zuletzt genannten Werk, wo die verschiedenartigen Sprachen gegen einander anringen oder zusammenwirken, und am Schluß sich in die schönste Harmonie auflösen. Antonio's Sprache ist melodisch sanft und einfach wie sein Leben, Graziano's Muthwill zeigt sich selbst in buntfarbigen und wild flatternden Tönen, während Bassanios kühner Lebensstolz sich in reiner muthiger Sprachmusik darlegt. Shylok liebt die Dissonanzen in jeder Hinsicht, er hascht nach rauhen, dornigen, widrig klingenden, scharf zischenden Worten, und das „Gequäk der quergehalsten Pfeifer," (der Zapfenstreich,) das er seiner Tochter als Zeichen angiebt, wann es Zeit sei, die Thüren und Fenster zuzuschließen, scheint seine eigene Lieblingsmusik gewesen zu sein. — Wahrlich der unliebenswürdige Mann würde in einigen nicht unberühmten großen Opern ein ungemeines Vergnügen genießen, denn wir können noch mit ganz andern musikalischen Zapfenstreichen aufwarten, als er in Venedig mag zu hören bekommen haben! — Bei Bassanio's bedenklicher alles entscheidender Wahl unter den Kästchen, tritt abermals die Musik ein, denn der edle Dichter, wie sein herrliches Geschöpf, Portia, will, daß Musik diese Entscheidung, sei es zu unerschöpflichem Schmerze oder zu steter liebender Freude, magisch herbei führe, oder gleichsam umgebe. Der ganze letzte Act des Stückes ist wie aus Musik und Blumenduft, Mondlicht und heiterm Scherze gewoben, und wer ihn überflüssig nennt, müßte wol die Blüthe des Lebens selbst überflüssig nennen.

(Beschluß folgt.)

Mittheilungen aus Paris. Die Italienische Oper.

Der Prozeß der Madam Mainvielle Fodor.

Sie können sich in Berlin noch immer mit der Hoffnung schmeicheln, Ihre Sontag zu behalten, denn wer das hiesige Italienische Theater in der Nähe sieht, darf glauben, daß es seiner Auflösung nahe sei; wenigstens spricht man von einer Veränderung der Verwaltung und schon will man wissen, daß man mit Barbaja unterhandle, der die Truppen in Neapel, Mailand, Wien, Venedig commandirt, und, eben so wie Wellington Feldmarschall in zehn Reichen ist, auch den

Commandostab der Pariser Italienischen Oper erhalten werde. Vielleicht glaubt er sich nicht an die von der gegenwärtigen Verwaltung abgeschlossenen Contracte gebunden und so hätte Dem. Sontag dann eine freie Hand. Sollte sie indeß dieselbe auch wirklich als vergeben ansehn, so ist ihr doch noch immer große Vorsicht vor ihrem ersten Auftreten anzurathen. Mehrere glänzende Beispiele liegen jetzt vor, die den Künstlern, welche bei der italienischen Oper in Paris sich engagiren, großes Mißtrauen einflößen müssen. Um nicht blos bei allgemeinen Versicherungen stehn zu bleiben, so theiln wir folgende Thatsachen mit. — Der Madame Pasta wurde in ihrem Contracte versprochen, daß Rossini bis zu ihrer Benefiz-Vorstellung eine neue Oper vollendet haben sollte, die ihr eine bedeutende Einnahme gesichert haben würde. Im Fall die Oper nicht fertig würde, war eine Summe festgesetzt, welche die Verwaltung der Mad. Pasta als Entschädigung versprach. Rossini, der anfängt etwas faul zu werden, hat, wie man voraussah, die Oper nicht geschrieben; allein von der Entschädigung will die Verwaltung nichts wissen. — Noch schlimmer erging es einer deutschen Künstlerin, der Mad. Schütz. Sie war an den Minister der Theater, Hrn. Vicomte de Larochefoucauld empfohlen, sie sang in mehreren Gesellschaften der vornehmen Welt, man war entzückt und schloß vielleicht zu voreilig mit ihr einen Contract auf drei Jahre ab, worin ihr für die zwei letzten Jahre noch günstigere Bedingungen, als für das erste zugestanden wurden. Mad. Schütz war so unvorsichtig, sich keine unterzeichnete Abschrift des Contracts einhändigen zu lassen. Als sie nun nach dem ersten Debüt in welchem sie keine brillante Aufnahme fand, ihren Contract verlangte, stellte man sich, als wisse man durchaus von keinem Contract und sie mußte es sich gefallen lassen, daß man sie in einem neuen Contracte nur auf ein Jahr und unter, für sie weniger vortheilhaften, Bedingungen engagirte. — Am meisten aber beschäftigt gegenwärtig das Publicum der Prozeß, welchen Madame Fodor mit dem Hrn. Vicomte Sosthenes de Larochefoucauld führt. Der Hergang der Sache ist dieser.

Als Hr. de Larochefoucauld zum Minister des Departements der Künste ernannt wurde, kündigte er sogleich an, daß die italienische Oper von Paris die erste in der ganzen Welt werden solle. Einen gefährlichen Nebenbuhler hatte er an Hrn. Barbaja, der damals alle großen Talente in seinem Sold hatte. Vor allen andern aber ragte Mad. Fodor als große Sängerin unter dieser „goldenen Truppe," die abwechselnd in Neapel und Wien sang, hervor. Es war nicht leicht eine solche Heldin zur Desertion zu verleiten; alle Künste und aller Einfluß der Diplomatie und der auswärtigen Gesandtschaft wurden lange vergeblich versucht. Das erste Hinderniß war, daß man Mad. Fodor, die in Neapel 80,000 Fr. jährlich erhielt, nicht mehr als 50,000 Fr. bieten konnte. Dennoch ging sie zuletzt auf die ihr von Paris aus gemachten Anträge ein, da man ihr die Bedingung zugestand, daß ihr aus keiner Ursache, weß Art sie auch sein könne, das Gehalt zurückbehalten werden solle *). Als sie in Paris ankam, war sie vortrefflich bei Stimme, wie ihr alle bezeugen, die sie in den Proben der Semiramis hörten, allein nichts war vorbereitet zu ihrem Debüt, kaum waren die Stimmen ausgeschrieben, zwei schöne Monate, wo sie hätte singen können, gingen hin, ohne daß sie auf der Bühne erschien, der Winter kam, Mad. Fodor wurde krank. Nun dringt die Direktion in sie, daß sie singen soll, sie bittet, daß man sie ihres Contracts entbinde, oder ihr Zeit gönne, bis sie wieder hergestellt sei; vergebens! Man zwingt sie aufzutreten, sie strengt sich über ihre Kräfte an und aus der bloßen Heiserkeit wird eine Entzündung der Stimmritze, so daß die Aerzte sogar Halsschwindsucht fürchten. Mad. Fodor erneut ihre Bitte, den mit ihr geschlossenen Vertrag zu lösen, weil sie nur in Italien zu genesen hoffen darf, man läßt sie durchaus nicht fort. In den öffentlichen Blättern wird von Zeit zu Zeit die baldige Wiederherstellung der kranken Sängerin angekündigt und man macht den Abonnenten fortwährend Hoffnung, sie bald zu hören. Die warme Jahreszeit wirkte wohlthätig, Madame Fodor erhielt ihre Stimme wieder; Dem. Sontag war die Erste, der sie bei einem Besuche einige Arien vorsang. Da ihr indeß das Athmen noch immer beschwerlich fiel, erlaubten ihr die Aerzte durchaus nicht aufzutreten. Der Vicomte de Larochefoucauld hoffte noch immer auf völlige Wiedergenesung und da er vom Anfang der Krankheit an ihr Gehalt zurück behielt, meinte er nichts verlieren zu können. Der Winter kam, die Sängerin wurde wieder kränker und nun endlich erklärte der Hr. Vicomte aus eigner Machtvollkommenheit, den Contract mit Mad. Fodor für nicht vollzogen. „Sie haben," schrieb er ihr, „durchaus keine Forderungen an die Verwaltung zu machen, allein in Betracht Ihres Talentes und des Aufwandes, den Ihnen die Reise nach Paris verursacht hat, sollen Sie die Hälfte Ihres Gehaltes erhalten." Mad. Fodor bat, man möge diese Angelegenheit Schiedsrichtern vorlegen. Der Vicomte antwortete: *„Madame, je ne crains pas le procès! C'est à l'Administration à plaider, et ensuite c'est à moi à décider* *). Vergeblich that Mad. Fodor noch einige Schritte im Wege der Güte; sie hat sich nun unter den Schutz der Themis gestellt und sie darf die Entscheidung der Gerichtshöfe nicht fürchten. —

*) Die eignen Worte des Contracts, der sehr pathetisch anfängt: — „Nous aide de camp du roi etc. avons arrêté et arrêtons ce qui suit etc. heißen: que pour quelque cause que ce fut le paiement n'en pourrait être suspendu."

*) Dies sind die eignen Worte des Schreibens des Hrn. Vicomte, welches der Adv. der Mad. Fodor, Hr. Barthe, in seinem Memoire über diesen Prozeß hat drucken lassen.

(Redigirt von Dr. Fr. Förster und W. Häring (W. Alexis.)

Im Verlage der Schlesingerschen Buch- und Musikhandlung, in Berlin unter den Linden Nr. 34.

Berliner Conversations-Blatt

für

Poesie, Literatur und Kritik.

Donnerstag, — Nro. 82. — den 26. April 1827.

Aus einem noch ungedruckten Gedanken-Buche Jean Pauls.

(Angefangen im Jahre 1794)

* * *

Der Gelehrte achtet am Ende doch nur fremde Gelehrsamkeit, nicht Genie; so umgekehrt.

* * *

Nichts elender als das Gelehrten-Volk bei einigem Ruhm. Durchaus richtet sich jeder im öffentlichen Urtheil nach seiner Partei und Rolle, und über ein Buch, das ihm ein Anderes diktirte, schweigt er lieber.

* * *

Wäre Wutz, Fixlein, Siebenkäs, in England herausgekommen: ich wüßte ein andres Schicksal für sie, nicht allein in England, sondern auch in Deutschland.

* * *

Bis jetzt hat mich niemand ganz verstanden, nicht einmal die Lobredner. Nur Einen erträglichen Rezensenten kenn' ich — der mehr in die Sache sehen könnte, und der vielleicht schreibt —; aber leider ist er der Selbstrezensent, und ich trau' ihm kaum, geschweige jeder Andere.

* * *

Göthe's Epigramme und sein Geist — Nie war die Stärke, gefälliger — (ein Raphael) Gott als ein Kind, gleich dem Amor, alles bezwingend, aber unter Tändeln; tief, indem er es vergißt. Je älter er wird, desto älter mag man werden, um ihn jung zu finden.

* * *

Alles Wissen und Kennen veraltet in uns, aber alle Empfindung — die für das Schöne — ist ewig unerschöpflich und neu.

* * *

Man findet in mir Wiederholungen; aber blos weil ich in Einem Werke so gut ich konnte und nicht durfte alle Unähnlichkeiten der Kräfte in Keimen hineinlegte. Hätt' ich jeden Keim allein ausblühen lassen — jeden auf seinem Papiere — so hätte man die Mannigfaltigkeit gelobt. Ich wollt' im Saamenkorn den Baum zeigen, seine Zweige, seine Wurzeln, seine Blüthen, Blätter.

* * *

Vorschule der Aesthetik: Was fünfmal geschrieben, 100 mal gedacht, sollte wenn nicht einmal doch zweimal gelesen zu werden, verlangt werden dürfen. Der „Vorschule Kürze, beweiset blos, daß man eine Sache tausendmal gedacht."

Tachechana.

(Von Cooper Fortsetzung)

Wir haben uns überall bemüht zu zeigen, wie Mahtoree, obgleich in allen wesentlichen Stücken ein echter Krieger der Prairien, doch seinem Volke in allen Künsten und Fertigkeiten, welche man als das Morgengrauen der Civilisation ansehen kann, weit voraus war. Häufig war er mit den Krämern und Streifparthien aus den Canadas zusammengekommen, und sein Verkehr mit diesen hatte manche jener wilden und rohen Ansichten, die ihm von Geburt angestammt waren, entwurzelt, ohne dafür eben andere von bestimmterem Werthe einzupflanzen. Im Argumentiren war er eher spitzfindig als wahr, und seine philosophischen Schlüsse konnte man eher verwegen, als tief eindringend nennen. Wie bei tausend erleuchteteren Wesen, die sich einbilden, durch alle Prüfungen des menschlichen Lebens ohne andere Stütze, als ihre eigenen Gefühle dringen zu können, war auch seine Sittenlehre den Umständen angepaßt, und das Triebrad seiner Handlungen war die Selbstsucht. Alles, was wir hier gesagt, muß man durchaus nur auf die Indianischen Verhältnisse beziehen, obgleich es uns eben nicht schwer fallen sollte, Vergleichungen mit Leuten anzustellen, welche in der That dieselben natürlichen Anlagen besitzen, wie auch die verschiedenen Verhältnisse sie anders gestaltet haben mögen.

Trotz Inez' und Ellen's Gegenwart trat der Tetonhäuptling doch in die Wohnung seines Lieblingsweibes mit dem stolzen Schritt und der Miene eines Herrn. Geräuschlos war zwar der Tritt seiner Moccasins, aber das Rasseln seiner Armbänder und der Silberzierrath seiner Schenkel genügte seine Nähe zu verkünden, als er den Vorhang aus Fellen, der vor der Thüre hing, bei Seite schob, und nun vor den Inwohnern dastand. Ein sanfter Schrei der Lust brach von Tachechana's Lippen, aber die Aufwallung der freudigen Ueberraschung wurde sogleich unterdrückt, und in das bemüthige Wesen umgewandelt, welches einer Matrone ihres Stammes zukam. Statt den verstohlenen Blick seines jugendlichen, innerlich entzückten Weibes zu erwiedern, nahte sich Mahtoree dem Lager der Gefangenen und stellte sich vor sie hin, in der hochaufgerichteten stolzen Stellung eines Indianischen Häuptlings. Der alte Mann war hinter ihm hereingekommen, und hatte ebenfalls eine Stellung eingenommen, welche sich mit dem zu verrichtenden Dienste am besten vertrug.

Schweigend, fast athemlos, blieben die Frauen für den ersten Augenblick. Obgleich an dem Anblick der wilden Krieger in ihrem vollen schrecklichen Waffenschmuck gewöhnt, lag doch etwas so entsetzliches in dem Eintritt, und etwas so verwegenes in dem Blicke des Siegers, daß Beider Augen unter den Gefühlen des Schreckens und der Verwirrung zu Boden sanken. Inez erholte sich zuerst, und fragte den Trapper mit der Würde einer beleidigten Edeldame, und doch ohne ihre natürliche Anmuth zu verleugnen, welchem Umstande sie diesen außerordentlichen und unerwarteten Besuch zuzuschreiben habe. Der alte Mann stockte, aber indem er sich räusperte, wie Jemand, der sich zu einer Anstrengung, an die er nicht gewöhnt war, vorbereitete, fing er folgendergestalt an:

„Lady," sagte er, „ein Wilder ist ein Wilder, und Ihr könnt in einer traurigen vom Sturm durchfegten Prairie Euch nicht nach den Gebräuchen und Sitten der Niederlassungen umsehen. Diese Indianer würden sagen, Mode und Höflichkeit seyen so leichte Dinge, daß sie einen selbst fortwehen könnten. Was mich betrifft, obgleich ich ein Mann des Waldes bin, habe ich zu meiner Zeit die Wege der Großen auch gesehen, und ich brauche nicht erst zu lernen, daß sie abweichen von den Wegen der Niedrigen. Lange habe ich in meiner Jugend gedient, nicht etwa wie eure dienstthuenden Geschöpfe in den Hauswirthschaften, sondern als Dienstmann unter meinem Oberen im Walde, und wohl weiß ich, wie man sich dem Weibe eines Capitäns zu nähern hat. Wäre mir die ganze Anordnung dieses Besuchs übertragen worden, ich würde zuerst laut an der Thüre mich geräuspert haben, damit Ihr erführet, daß Fremde sich näherten; dann hätte ich . . ."

Die Art und Weise ist gleichgültig — unterbrach ihn Inez, viel zu gespannt, um die weitschweifigen Erklärungen des Alten anhören zu können. — Was bezweckt der Besuch?

„Das wird der Wilde selbst sagen. — (Indianisch:) Die Töchter der Bleichen-Gesichter wünschen zu wissen, weshalb der große Teton in ihre Wohnung gekommen?"

Mahtoree blickte den Fragenden mit einem Erstaunen an, das verrieth, wie seltsam ihm die Frage überhaupt dünke. Dann antwortete er, eine gefälligere Stellung einnehmend, nach kurzem Besinnen:

„Sing in die Ohren des Schwarz-Auges. Sage ihr, Mahtoree's Wohnung ist sehr groß, und sie ist nicht voll. Sie wird Raum darin finden, und Keine soll größer seyn als sie selbst. Sage der Blonden, daß auch sie in der Wohnung eines Tapfern sitzen könne und von seinem Wildprett essen. Mahtoree ist ein großer Häuptling. Seine Hand ist niemals verschlossen."

Teton — erwiederte der Trapper, indem er als Zeichen des Unwillens, mit welchem er diese Sprache hörte, den Kopf schüttelte — die Sprache einer Rothhaut muß erst weiß gefärbt werden, ehe sie Musik wird in den Ohren eines Bleichen-Gesichtes. Spräche ich eure Worte nach, würde meine Tochter ihre Ohren schließen, und Mahtoree würde in ihren Augen ein Handelsmann scheinen. Höre nun, was von einem grauen Haupte ausgeht, und dann sprich deine Meinung aus. Mein Volk ist ein mächtiges Volk. Die

Sonne geht auf an ihrer östlichen, und geht unter an ihrer westlichen Grenze. Das Land ist angefüllt mit schönäugigen und lachenden Mädchen, gleich denen, welche Du hier siehst — nein Teton, ich sage keine Lüge (indem er einen mißtrauischen Blick bei seinem Zuhörer bemerkte) schönäugig und lustig anzublicken, wie diese vor Dir.

„Hat mein Vater ein Hundert Weiber?“ unterbrach ihn der Wilde und legte seinen Finger auf die Schulter des Trappers, indem er seine Neugier verrieth.

Nein, Dahcotah. Der Herr des Lebens hat zu mir gesagt: Lebe allein! deine Wohnung soll der Wald seyn, das Dach deiner Hütte die Wolken. Doch obgleich ich niemals von den geheimen Banden der Treue gefesselt war, welche in unserm Volke einen Mann an ein Weib knüpfen, war ich doch oft Zeuge, wie die Neigung Beide zusammenbrachte. Gehe in die Gauen meines Volkes; Du wirst die Töchter des Landes sehen, hüpfend durch die Städte, wie eben so viel bunte und muntere Vögel zur Blüthezeit. Du wirst sie treffen, singend und froh an den großen Straßen des Landes, und Du wirst hören ihr schallendes Gelächter in den Wäldern. Es ist eine Pracht sie anzusehen, und die jungen Männer finden eine wahre Lust d'ran.

„Ha!“ rief der aufmerksame Mahtoree aus.

Wahrhaftig, Du magst es mir glauben, was Du hörst, denn es ist keine Lüge. Aber wenn ein Jüngling ein junges Mädchen gefunden, das ihm gefällt, spricht er zu ihr mit einer so sanften Stimme, daß es Niemand sonst hören kann. Er sagt nicht, meine Wohnung ist weit, und darin noch Raum für Jemand, sondern: Soll ich bauen, und will die Jungfrau mir zeigen bei welcher Quelle sie wohnen möchte? Seine Stimme ist süßer als der Honig von der Johannisstaude, und trillert so sanft in's Ohr, wie der Gesang des Zaunkönigs. Wenn deshalb mein Bruder wünscht, daß seine Worte gehört werden, muß er mit einer weißen Zunge reden.

Mahtoree versank in tiefes Sinnen, und, was noch wunderbarer war, er versuchte nicht, dies zu verbergen. Es war gegen alle Ordnung der Geselligkeit, und nach seinen ererbten Grundsätzen ganz der Würde eines Häuptlings entgegen, daß ein Krieger sich vor einem Weibe erniedrigen solle. Aber als Inez so vor ihm saß, in würdiger Ruhe, völlig unkundig und ganz ohne Argwohn, was wohl diesen Besuch könne veranlaßt haben, fühlte doch der Wilde den Einfluß einer Sitte, an die er ganz und gar nicht gewöhnt war. Den Kopf beugend, als erkenne er seinen Irrthum an, trat er ein wenig zurück, und indem er sich mit anmuthiger Würde hinstellte, begann er mit solcher Sicherheit zu reden, wie wenn er sich durch seine Beredsamkeit bisher nicht minder ausgezeichnet hätte, als durch seine Waffenthaten. Die Augen auf Middleton's Braut gerichtet, begann er abermals in folgenden Worten:

„Ich bin ein Mann mit rother Haut, aber meine Augen sind schwarz. Sie waren offen seit manchem Schnee. Sie haben manche Dinge geschaut, und wissen einen Braven von einem Schurken zu unterscheiden. Als ich noch ein Knabe war, sah ich nichts als den Bison und den Hirsch. Nun kam ich auf die Jagd und sah den Kuguar und den Bären. Das machte Mahtoree zum Manne. Er sprach nicht mehr mit seiner Mutter. Seine Ohren waren offen für die Weisheit der alten Leute. Sie erzählten ihm Alles, sie sagten ihm auch von den Langen-Messern. Nun zog er mit in die Kriege. Damals war er der Letzte; jetzt ist er der Erste. Welcher Dahcotah wagt es zu sagen, er wolle vor Mahtoree in die Jagdgründe des Pawnees ziehen! Die Häuptlinge kamen ihm vor ihren Thüren entgegen, und sie sagten: meine Sohn ist ohne eigen Haus. Sie gaben ihm ihre Wohnung, sie gaben ihm ihre Reichthümer, und sie gaben ihm ihre Töchter. Da wurde Mahtoree ein Häuptling, wie es auch sein Vater gewesen. Er schlug die Krieger aller Völker, und auswählen konnte er sich Weiber von den Pawnees, den Omahaws und den Konzas; aber er sah auf die Jagdgründe, und nicht auf sein Dorf. Er hielt ein Pferd für angenehmer als ein Dahcotahmädchen. Aber er fand eine Blume in der Prairie und er pflückte sie und brachte sie in seine Wohnung. Er vergißt nun, daß ihm auch nur ein einziges Pferd gehört; er giebt sie alle den Fremden, denn Mahtoree ist kein Dieb; er will nur die Blumen behalten, die er auf der Prairie fand. Ihre Füße sind sehr zart. Sie kann nicht bis zur Thüre ihres Vaters gehen, sie wird in der Wohnung eines Kriegers für immer bleiben.“

Als er diese seltsame Anrede geendet, erwartete der Teton die Uebersetzung derselben mit der Miene eines Bewerbers, der keine entmuthigenden Zweifel über den glücklichen Ausgang hegt. Der Trapper hatte keine Sylbe der Rede verloren, und bereitete sich nun, sie auf eine Weise in's Englische zu übertragen, welche den Hauptgedanken wo möglich noch dunkler als in der Ursprache ließe. Aber als seine widerstrebenden Lippen sich öffnen wollten, hob Ellen einen Finger auf und unterbrach ihn, indem sie mit einem raschen Blick auf die noch immer aufmerksame Inez deutete:

„Schone deine Lunge,“ sagte sie; „alles was ein Wilder sagt, darf nicht vor einer christlichen Frau wiederholt werden.“ (Schluß folgt.)

Berliner Chronik.

Sonntag den 22. April. Drittes Concert der Mad. Catalani. — Fast möchten wir glauben, daß die Erscheinung dieses Riesengeistes zu gewaltig war, um bei der ersten Begegnung von allen verstanden zu werden, denn je vertrauter wir das Publikum mit der großen Sängerin werden sehn, desto mehr wird allen der Sinn für das, was sie ist und was sie vermag, aufgeschlossen. Auch die Sängerin hat ihrer Seits dafür gesorgt, uns näher zu treten; mit Ausnahme der Arie „*Se mai turbo*“ von Cianchettini, hatte sie diesmal keine so genannten Bravour-Arien gewählt, sondern nur solche, wo sie die Macht ihrer Stimme kann frei vorwalten lassen, ohne sie durch Verzierungen erhöhn zu wollen, bei denen Absicht und Anstrengung nicht verborgen werden können. Rein und schön entfaltete sie jene Macht in der Arie von Zingarelli: „*Ombra adorata aspetta,*“ wo sie die sparsamen Figuren mit halber Stimme machte, was bei ihr von um so größerer Wirkung ist, da sie neben diese leicht hingehauchten Töne zugleich auch die gewaltig anschwellenden, gehaltenen stellen kann. — Von ihrem **Humor**, dieser glücklichen Gemüthsstimmung, der unserer Sängerin in so schönem Maaße zu Theil ward, daß sie ihn zu der heitern Liebenswürdigkeit gestaltet hat, die sie, auch wenn ihr die Gabe des Gesanges versagt wäre, über alle Erdennoth erheben würde, um mit jedem Schicksal, wie mit leichten Federbällen zu spielen, von diesem Humor gab sie in der Arie Figaro's von Mozart: „*Non più andrai,*“ (für ihre Stimme gesetzt,) eine glänzende Probe. Ohne daß der junge Cherubino neben ihr stand, hatte man die ganze Scene vor sich; so bezeichnend war ihre Deklamation, so lebendig ihr Spiel. Die Kriegsmusik und der Kanonendonner ertönten auf ihren heroischen Ruf, den sie nicht überbieten konnten und die Fermate, die sie bei dem „*poco contante*“ anbrachte, war von der ergötzlichsten Wirkung. — Schon nach dieser Arie war der Beifall so rauschend, daß man nicht glauben durfte, er könne noch überboten werden und er wurde es dennoch. — Auf Verlangen sang Mad. Catalani den Brittischen Volksgesang: „*Rule Britannia.*“ Zu jeder Zeit würde dieser Triumph-Gesang einer freien Nation, deren Größe wir um so weniger zu beneiden haben, da wir ihren politischen und ihren religiösen Glauben mit ihr theilen, deren Herkunft germanisch ist, wie die unsre, deren Dichter längst unser Liebling ward, deren Königshaus, mit dem unsern nah verwandt, mit diesem in treuster Bundesgenossenschaft lebte, deren Feldherren und deren Heer mit unserm Feldmarschall und unserm Heer bei *la belle Alliance* den schönen Bund der Freundschaft auf blutigem Schlachtfelde schlossen, wo wir mit ihnen den Lorbeer theilten, den größten Eindruck gemacht haben; heut aber schien eine besondere Veranlassung diesen Eindruck noch zu erhöhn. Eben war die offizielle Bestätigung der Nachricht eingetroffen, daß Hr. **Canning** von Sr. Grbritt. Majestät zum Premierminister ernannt worden sei und somit einen großen Sieg über die ihm übelwollende Parthei, die auch wir vielleicht nicht als uns am freundlichsten gesinnt ansehn dürfen, erfochten habe. In den Logen sah man Briefe und Englische Blätter von Hand zu Hand gehn, in den Zwischen-Akten hörte man in den Corridors überall den Namen „Canning“ nennen; wie es schien, nicht ohne freudige Theilnahme an seiner Erhebung. So fand diesmal das *Rule Britannia* die Gemüther zur frohsten Einstimmung vorbereitet; ein „*Roule Mont-Rouge*“ würde sich keiner solchen Aufnahme zu erfreuen haben. — Um indeß nach dieser, der brittischen Nation erwiesenen, Aufmerksamkeit unser selbst bewußt zu werden, verlangte das Publikum „Heil dir im Siegerkranz“ und die gefällige Sängerin, welche heut schon **fünf** große Arien und das *Rule Britannia* gesungen hatte, stimmte sogleich das „*God save Frederic our King*“ an. Die Anwesenheit Sr. Maj. des Königs, die erhöhte Stimmung aller Anwesenden, versetzte die Sängerin in einen Grad der Begeisterung, den wir mit dem göttlichen Wahnsinn der Cassandra vergleichen dürfen, nur mit dem Unterschiede, daß die prophetischen Worte unserer Seherin schon in der sie umgebenden Gegenwart Glauben und Erfüllung finden.

Von den Vor- und Zwischen-Gerichten an der heutigen reichbesetzten Concerttafel haben wir zuerst eine Hymne von Mathisson, componirt von J. P. **Schmidt** zu erwähnen, welche als Chorgesang das Concert angemessen eröffnete. Hr. Kammermusikus H. Griebel trug ein von ihm selbst componirtes Concertino auf dem Oboe, Hr. Kammermusikus J. Griebel ein Adagio und Polonaise von **Romberg** (der Berlin diesmal nicht verlassen sollte, ohne uns ein Concert zu geben) auf dem Violoncello und der Hr. Kammermusikus **Belke**, der berühmte Meister auf der Posaune, ein Thema mit Variationen von C. Meyer auf dem chromatischen Tenorhorn vor, die wegen der Fertigkeit, mit der sie gespielt wurden und der Neuheit des Instrumentes, in welchem Trompete, Horn und Posaune vereinigt zu sein scheinen, besonders großen Beifall fanden.

Berichtigung.

In No. 77. d. Bl. sind die Anfangsworte der ersten Arie, welche Demoiselle Sontag sang, verwechselt worden. Anstatt: „So steht ein Berg Gottes“ ist zu lesen: Du Held, auf den die Köcher ꝛc.

In dem Gedicht: „Lord Byron“ muß es V. 6. Z. 3. heißen: „Und zieh' verbündet mit dem Zaaren.“

Statt *fareside* im vorigen Blatte *fascimile.*

(Redigirt von Dr. Fr. Förster und W. Häring (W. Alexis.)

Im Verlage der Schlesingerschen Buch- und Musikhandlung, in Berlin unter den Linden Nr. 34.

Berliner Conversations-Blatt

für

Poesie, Literatur und Kritik.

Freitag, — Nro. 83. — den 27. April 1827.

Tachechana.

(Von Cooper. Schluß)

Inez fuhr zusammen, wurde roth und neigte sich mit einer Art Zurückhaltung, indem sie kühl dem alten Mann für seine Absicht dankte, und bemerkte, daß sie jetzt wünsche allein zu seyn.

„Meine Töchter bedürfen der Ohren nicht, um zu verstehen, was ein großer Daheotah sagt,“ erwiederte der Trapper, zu dem erwartungsvoll horchenden Mahtoree gewandt. Sein Blick und seine Zeichen genügen schon. Sie verstehen ihn, sie wünschen über seine Worte nachzudenken; denn die Kinder wackerer Väter, und das sind sie, thun nichts ohne Ueberlegung.“

Mit dieser für den energischen Ausdruck seiner Beredsamkeit so schmeichelhaften, und seinen Hoffnungen so zusagenden Erklärung war der Teton durchaus zufrieden. Er drückte seine Zustimmung durch den herkömmlichen Laut aus, und schickte sich an umzukehren. Die Frauen grüßend in der kalten aber würdigen Weise seines Volkes, schlug er sein Kleid um sich, und trat von dem Flecke ab, wo er den triumphirenden Stolz kaum zu verbergen vermochte.

Aber es hatte noch Jemand; obgleich bewegungslos und unbemerkt, dem vorigen Auftritt zugehört, deren Gefühle dabei in ganz verschiedener Art angeregt wurden. Keine Sylbe war von den Lippen des lange und ängstlich erwarteten Gatten gefallen, die nicht seinem harmlosen Weibe tief in's Herz gedrungen wäre. Grade auf dieselbe Weise hatte er um sie, in der Wohnung ihres Vaters gefreit, und um ähnliche Schilderungen von dem Ruhme und den Thaten des Tapfersten ihres Stammes anzuhören, hatte sie die Ohren vor den sanfteren Erzählungen so manchen Siouxjünglings geschlossen.

Als der Teton auf die eben erwähnte Art sich umkehrte, die Wohnung zu verlassen, bemerkte er erst dieses unerwartete und halb vergessene Wesen. Sie stand so demüthig und verschämt, wie es die Art der Indianischen Mädchen ist, das Pfand ihrer ersten Liebe im Arme, ihm grade im Wege. Einen Augenblick fuhr er zusammen; gleich darauf gewann er aber wieder den marmorartigen Gleichmuth, welcher, sey es von Natur oder durch Kunst, in seinen Gesichtszügen lag, und deutete ihr gebieterisch an, Platz zu machen.

„Ist nicht Tachechana die Tochter eines Häuptlings?“ fragte sie mit unterdrückter Stimme, in welcher der Stolz gewaltig mit der Furcht kämpfte. „Waren nicht ihre Brüder Helden?“

Geh! Die Männer rufen ihr Oberhaupt. Er hat kein Ohr für ein Weib.

„Nein,“ erwiederte die Flehende, „es ist nicht Tachechana's Stimme, die Du hörst; dieser Knabe hier spricht durch die Zunge seiner Mutter. Er ist der Sohn eines Häuptlings und seine Worte werden hinaufschallen zu den Ohren seines Vaters. Höre was er spricht. Wann war Mahtoree hungrig, und Tachechana hatte keine Nahrung für ihn? Wann ging er der Spur der Pawnees nach und fand Alles leer, — und meine Mutter hätte nicht geweint? Wann kehrte er heim mit Zeichen der Schlacht, und sie hätte nicht gesungen? Welches Siouxmädchen schenkte einem Helden einen Sohn wie ich? Sieh mich gut an, daß Du mich auch kennen mögest. Meine Augen sind Adleraugen. Ich blicke in die Sonne und lache. Ein wenig Zeit, und die Dahcotahs werden mir zur Jagd folgen und in den Krieg. Weshalb wendet mein Vater die Augen ab von dem Weibe, das mir Milch giebt? Warum hat er sobald die Tochter eines mächtigen Sioux vergessen?"

Es war ein kurzer Moment, wo das kalte Auge des Vaters mit Lust auf dem Antlitz des lachenden Buben verweilte und des Tetons storrer Sinn gerührt schien. Doch schnell überwand er diese edlere Regung, weil sie zugleich peinvoll für ihn war, faßte ruhig den Arm seines Weibes, und führte sie grade vor Inez hin. Hinweisend auf das liebliche Gesicht der Dame, welche grade mit zärtlichem Mitleiden das der Indianerin anblickte, hielt er inne, und überließ es seinem Weibe, eine Schönheit zu betrachten, die ihrem eigenen Geiste eben so ausgezeichnet dünkte, als sie für den Charakter ihres treulosen Gatten gefährlich geworden. Als er dafür hielt, daß sie ihre Nebenbuhlerin, damit der Gegensatz recht schlagend wirke, lange genug angesehen, zog er plötzlich einen kleinen Spiegel hervor, der an ihrer Brust hing, ein Schmuck, den er ihr selbst, in einer zärtlichen Stunde, ihrer Schönheit schmeichelnd geschenkt, und zeigte der Armen darin ihr eigenes dunkeles Gesicht. Dann winkte der Teton, sein Kleid fester anziehend, dem Trapper ihm zu folgen. Während er mit stolzem Schritt hinaustrat, murmelte er bei sich:

„Mahtoree ist sehr weise! Welche Nation hat einen so großen Häuptling als die Dahcotahs?"

Tachechana stand einen Augenblick lang, als wäre sie zu einer Statue der Demuth eingefroren. Drinnen in dem milden und sonst so fröhlichen Wesen arbeitete es, als solle das Band zwischen ihrer Seele und der Hälfte, deren Häßlichkeit ihr jetzt zur unerträglichen Bürde geworden, auf immer getrennt werden. Inez und Ellen wußten durchaus nicht, was zwischen ihr und ihrem Gatten vorgefallen, wenn auch der Scharfblick der Letztern zu einem Verdacht führte, dessen Inez unschuldige Seele ganz unfähig war. Beide wollten der jungen Indianerin indessen ihre zärtliche Theilnahme zu erkennen geben, wie es die weibliche schöne Seele überall mit sich bringt, als mit einemmale alle Ursache dazu verschwunden schien. Die krampfhaften Bewegungen im Gesichte der jungen Frau hörten plötzlich auf, ihr Gesicht wurde ruhig und starr, wie ein gemeißelter Stein. Nichts blieb, als ein Ausdruck unterdrückter Angst, und das auf einem Gesichte, welches selten zuvor etwas vom Kummer wußte. Und dieser Ausdruck blieb, trotz dem Wechsel in langen Jahren von Hitze und Kälte, Glück und Unglück, den sie bei der Unbeständigkeit des traurigen Zustandes aller Weiber unter den Wilden von nun an zu erdulden vom Schicksal verurtheilt war. Ist es nicht aber eben so bei der Pflanze? Wie sie auch nachher wachse und gedeihe, wo der Mehlthau einmal und früher gewesen, bleiben die Spuren in Ewigkeit.

Zuerst beraubte sich Tachechana aller der rohen, doch hoch geschätzten Zierrathe, mit welchen einst ihres Gatten Freigebigkeit sie überhäuft hatte; und das geschah nicht mit Ungestüm, ja selbst ohne Murren, als gelte es nur um Inez' Ueberlegenheit anzuerkennen. Sie zog die Armbänder von ihren Handgelenken, die verschlungenen Kugelkränze von ihren Schenkeln, und das breite Silberband von der Stirn. Dann hielt sie lange und schmerzlich inne. — Ja es schien, daß der einmal genommene Entschluß von keinem zartern Gefühle, und sey es noch so natürlich und dringend, könne überwunden werden; denn den Knaben selbst legte sie ihrer muthmaßlichen Nebenbuhlerin zu Füßen, und wohl konnte die so durch sich selbst erniedrigte Tetonfrau mit Recht glauben, nun sey ihr Opfer ganz vollbracht.

Während Inez und Ellen mit verwunderten Augen diese seltsamen Bewegungen betrachteten, sprach eine leise, sanfte musikalische Stimme in einer für sie unverständlichen Sprache:

„Eine fremde Zunge wird meinen Knaben lehren, wie er ein Mann werden soll. Er wird neue Laute hören, aber er wird sie lernen und die Stimme seiner Mutter vergessen. Es ist der Wille des Wahcondah, und ein Siouxmädchen soll nicht klagen. Sprich sacht zu ihm, denn seine Ohren sind sehr klein; wenn er groß seyn wird, dann kannst Du lauter reden. — Laß ihn ja nicht ein Mädchen seyn, denn das Leben der Frauen ist sehr traurig. Lehre ihn Acht haben auf die Männer. Zeige ihm, wie er Die strafen muß, die ihm unrecht thun, und laß ihn nie vergessen, Schlag um Schlag zu versetzen. Wenn er zur Jagd geht, so muß ihm die Blume der Bleichen-Gesichter" — hier benutzte sie, den bittern Gefühlen nachgebend, das von ihrem Gatten vorhin gebrauchte Bild — „sanft in die Ohren flüstern, daß die Haut seiner Mutter roth war und daß sie einst die „Hindin" der Dahcotahs gewesen."

Tachechana drückte einen Kuß auf die Lippen ihres Sohnes, und ging dann tiefer in die Wohnung hinein. Hier zog sie ihr leichtes Calicokleid über den

Kopf, und setzte sich, um ihre Demuth anzuzeigen, auf die nackte Erde nieder. Alle Bemühungen der beiden Anderen, ihre Aufmerksamkeit zu fesseln, waren fruchtlos. Sie hörte weder auf ihre Vorstellungen, noch fühlte sie ihre zarte Berührung. Ein oder zweimal erhob sich ihre Stimme in einer Art Klagegesang unter ihrem zitternden Gewande, nie aber ging sie über in die eigenthümliche Wildheit der Musik ihres Volkes. So blieb sie mehrere Stunden verdeckt, indessen draußen Dinge vorgingen, die nicht allein in ihr eigenes Schicksal bedeutend einwirkten, sondern auch auf die künftigen Bewegungen dieses wandernden Siouxstammes vom größten Einfluß waren.

Fragmente über Musik — Deutschland — England — Shakspeare.

(Mitgetheilt von Franz Horn. Schluß.)

Was Lorenzo über die Musik spricht, während das Mondlicht auf dem Hügel schimmert, hat zu der ganzen gebildeten Welt geredet, und sein „*The man that hat no musik in himself*" (der Mann, der nicht Musik hat in ihm selbst) ist im Zusammenhang der ganzen Scene so deutlich, aber auch so gewichtvoll, daß es nur die beunruhigen kann, die einer solchen Beunruhigung — bedürfen. Sind sie einmal, auf diese oder ähnliche Weise angeregt, zur Einsicht in ihre bisherige Verworrenheit gekommen, so werden sie auch auf Abhülfe denken, wobei dann die frühere Beunruhigung heilsam mitwirken mag. Wer den Dichter einer Härte gegen jene unglücklichen innerlich Musiklosen anklagen wollte, würde nur zeigen, er habe ihn nicht verstanden, und vergessen, daß bekanntlich auch Platon ähnlich urtheilt. Dabei wollen wir auch bedenken, daß unser edler Luther gar manches Tiefgedachte und Empfundene über das innere Wesen und die Wirkungen der Musik ausgesprochen hat, das ganz hieher gehört. Möchte es nur recht gelesen werden! Zu haben ist es. Vergessen wir endlich nicht, daß vielleicht unter allen Künstlern keiner dem größten Dramendichter so nahe steht, als unser guter, geliebter Mozart, an den zu erinnern hier wol an der rechten Stelle ist.

Wer fühlt nicht eine ähnliche Luft wehen in Belmont, wie in Romeo? wer freut sich nicht der Kühnheit mit der die ächteste Ironie in *Cosi fan tutte* musikalisch und dichterisch ausgesprochen ist? z.B. bei dem in den Worten sehr ernsthaft und nüchtern gehaltenen Schwur.) Wer empfindet nicht in Figaro die sinnliche Gluth des Südens? und das im Text freilich sehr frivole, doch in der Musik so zart gehaltene Geheimniß? das süße Gift gefährlicher Leidenschaft? wer erfreut sich nicht in der Zauberflöte der grandiosen Mystik im Verein mit harmloser Fröhlichkeit, und wer erinnert sich nicht dabei ähnlicher Auffassungen solcher Momente im Shakspeare? Die tragische Pracht, und jene Schönheit, die auf dem eigenen Siegstolz einherschreitet, wie ich sie im Idomeneo finden möchte, ist auch in manchen Scenen der historischen Dramen unseres Dichters sichtbar, z. B. in Coriolan und Cäsar. — „*Tuba mirum spargens sonum*" findet sich nicht selten im Shakespeare, und wer sich in die tiefste Tiefe des Hamlet glücklich wagt, wird auch in Don Juan Heimath finden, und diesen vollendeten und eben deshalb nahen Gegensatz jenes Welt-Dramas mit immer neuer Freude, mit immer neuem Entzücken, erfassen.

Genug davon, denn das Unerschöpfliche soll man auch nicht erschöpfen wollen.

Mittheilungen aus Paris.

Pariser Theater. — Das Théater français, sonst der Stolz der Nation und durch die Begünstigung des Hofes die tonangebende Bühne für Paris und wie man dort gern glaubt, für die ganze Welt, soll, wenn man den, von liberalen Blättern ausgestreuten, Gerüchten Glauben beimessen darf, seit zehn Jahren schon heimlich unterminirt werden. Besonders verderblich für dies Theater soll die Vorgunst sein, welche die Regierung den kleinen Theatern zuwendet. So sonderbar es klingt, daß die Regierung die kleinen Theater, wo sie gewöhnlich die meisten Ausfälle und treffendsten Anspielungen hört, in ihren Schutz genommen habe, um das weit mehr von der Gewalt abhängige Theater français zu Grunde zu richten, so scheint es doch nicht ganz ohne zu sein. Die Herren von der Theater-Polizei haben eine feine Nase. Sie haben bemerkt, daß die Anspielungen, welche das Publikum in den Stücken der Boulevards auszeichnet, keine weiteren Folgen haben. Die Frivolität der Stücke entfernen jede ernsthafte Beachtung; man ist eben so bereit den Witz wieder zu vergessen, als man bereit war, ihn zu belachen; jeder Tag bringt etwas Neues, was gestern Effect machte, ist heut schon wieder verdrängt. So ist es nicht im Theater français; hier hat jeder ausgesprochene Gedanke Gewicht, jede Anspielung wird viel ernster genommen und die Censur ist deshalb viel strenger. Nicht den zehnten Theil von dem, was auf den kleinen Theatern passiren würde, läßt sie hier durch. Ein Vaudeville, eine komische Oper, ein Melodrama haben nur einen einzigen Examinateur; dagegen werden die dem Theater français übergebenen Stücke gewöhnlich dem ganzen Censurcollegium vorgelegt; außerdem giebt es noch eine geheime Contre-Censur und größere Stücke wie z. B. Regulus und Leonidas sind sogar dem Minister-Rathe vorgelegt worden.

In den unschuldigsten Stücken macht es sich der Censor zur Gewissenssache wenigstens einige Verse zu streichen, es würde ihm bei der Polizei-Controlle nicht vergeben werden, wenn er nicht wenigstens einige Mal sich durch seine rothe Tinte bemerkbar gemacht hat. Es war noch kürzlich der Fall, daß ein Censor einem jungen Dichter auf inständiges Bitten ein Paar bereits gestrichene Verse zurückgab; allein Blut muß durchaus auch in jedem Lustspiel fließen und deshalb wurden einige andere, übrigens ganz unverfängliche Verse geschlachtet. So übel man von dieser Seite mit dem Theater français umgeht, so ist auf der andern Seite durch ein vortreffliches Personale für die Ehre der Bühne gesorgt, so unersetzlich auch der Verlust Talmas bleiben wird.

Schon wieder sind zwei neue Trauerspiele über unsere Bühnen gegangen. Das Theater Fr. gab: *„Julien dans les Gaules“* Trauerspiel in 5 Akt. v. Hr. Gouy und das Odeon: *„Francoise de Rimini,“* Trauerspiel in 5 Akt. von Hrn. Const. Berrier. — Hr. Gouy hat die Scene seines Trauerspiels nach Paris, dem damaligen Lutetia, verlegt. Julian der von dem Kaiser Constantius zum Cäsar und Statthalter von Gallien ernannt worden ist, führt den Krieg mit Glück gegen die Barbaren, als der Kaiser, dem dieser Sieger gefährlich zu werden droht, durch einen Konsul, Namens Leonas, ihm den Befehl zuschickt, seine Truppen nach Syrien zu führen. Leonas ist ein Feind Julians, den er zu verderben sucht; das kürzeste Mittel scheint ihm, den Cäsar ermorden zu lassen. Zwei gallische Fürsten, Bellovesus und Clodomir lassen sich in diese Verschwörung ein und eine junge Sklavin Theora, für die Julian etwas lebhafter fühlt, als es einem Philosophen, wie er, wohl ansteht, wird ebenfalls mit in die Intrigue gezogen. Theora indeß verstellt sich nur, um die Absichten der Verschworenen genau kennen zu lernen, sie liebt Julian und unterrichtet ihn von dem, was man gegen ihn vor hat.

Der Cäsar könnte die Verschworenen auf der Stelle hinrichten lassen, allein er will sich selbst von ihren verbrecherischen Absichten überzeugen, um sich das Vergnügen zu machen, sie begnadigen zu können. Er begiebt sich allein an den Ort, wo er sie versammelt weiß und seine Kühnheit und Festigkeit imponirt den Verräthern so sehr, daß sie ihm knieend um Gnade anflehen. Nur Leonas wird durch solchen Edelmuth nicht gewonnen; er wiegelt die Truppen auf und belagert Julian in seinem Pallast. Nach einem Treffen, in welchem die Pariser eine ehrenvolle Rolle spielen und Leonas besiegt wird, rufen die Soldaten Julian zum Kaiser aus. Während er im 5. Akt eine Rede an das Volk hält, kömmt Theora an, um zu den Füßen Julians zu sterben; sie ist durch Leonas vergiftet worden. So schließt das Stück, ohne daß man eine eigentliche tragische Handlung in demselben durchgeführt oder einen wahrhaft tragischen Charakter an die Spitze desselben gestellt findet. Herr Gouy hatte die Rolle des Julian für Talma geschrieben und glaubte, daß dieser durch seine Darstellung ersetzen würde, was dem Stück an poetischem Gehalt abgeht. Gegenwärtig hat Lafon diese Rolle erhalten, der sich gerade dadurch am meisten schadet, daß er in vielen unwesentlichen Aeußerlichkeiten Talma zu kopiren bemüht ist. —

Das zweite Trauerspiel, Franziska de Rimini, spielt in der Romantischen Zeit des Mittelalters und zwar in Italien, wo eben die beiden Partheien der Guelfen und Ghibellinen nicht nur im öffentlichen Leben des Staats, sondern auch in den häuslichen Verhältnissen der Familien einander feindlich gegenüberstehen. Der Dichter hat es nicht an gräßlichen Situationen fehlen lassen, und so machte das Stück gute Wirkung. Wir werden Gelegenheit nehmen darauf wieder zurück zu kommen.

Blicke auf die Welt.

(Von einem Diplomaten)

Giebt es einen größern Don Quixotismus als den Patriotismus, wo sich ein einziger anheischig macht, die Sache von Millionen zu führen und zu vertheidigen. —

Selbst der größte Mann ist nicht mehr der Held des Tages an dem er beerdigt wird. *) —

Es giebt keine unversöhnlichere Zwietracht, als die zwischen dem Aeußern und dem Innern vieler Menschen, dann wird Einsamkeit zur Wohlthat. —

Der Schatten ist der beste Karrikatur-Zeichner. —

Es giebt etwas Süßeres als den ersten Kuß — der erste Druck — der Schriften eines jungen Dichters. Wie ihm die Bahn schon gebrochen scheint, wie er sich schon in allen Gliedern in Erz gegossen fühlt, bis Kränkung und Galle in den Adern der vermeinten Statue zu gähren anfangen. —

Raphael, Guido Reni und wie sie alle heißen, die Maler der Verklärung und der Demuth, sind in unbegreiflicher Kurzsichtigkeit an dem ausdrucksvollsten Bilde der Hingebung vorüber gegangen. Solches ist aber kein anderes, als das eines Mannes, der sich rasiren läßt. Der Nakken ist lammartig zurückgebogen, die Nase in fremder Hand, die Augen nach einer bessern Welt gerichtet, die Hände fromm gefaltet, die Kehle dem schärfsten der Messer hingegeben. In der Seele selbst ist Frieden. —

*) Talma? ꝛc. ꝛc.? a. d. R.

(Redigirt von Dr. Fr. Förster und W. Häring (W. Alexis.)

Im Verlage der Schlesingerschen Buch- und Musikhandlung, in Berlin unter den Linden Nr. 34.

Berliner Conversations-Blatt

für Poesie, Literatur und Kritik.

Sonnabend, — Nro. 84. — den 28. April 1827.

Die Sprache und Literatur der Neugriechen.

Das Interesse, welches der noch fortdauernde Kampf der Griechen um Unabhängigkeit und Selbstständigkeit seit 1821 in verschiedenen Ländern Europa's erregte, theilte sich nach und nach, in geringerem Grade freilich, auch ihrer Sprache und Literatur mit, und allerdings ist auch die Kenntniß dessen, was die Griechen, trotz der Tyranney, die auf ihnen lastete, in wissenschaftlicher Hinsicht zu leisten sich bemühten, an und für sich und in ihren Folgerungen betrachtet, im Stande, jenes Interesse noch zu erhöhen. So wahr ist es, daß das in politischer Sklaverey und moralischer Entartung lebende Griechenland, mit seinem Festhalten an der Religion und die Sprache der Väter, mit seinen Bestrebungen nach wissenschaftlicher Ausbildung und nach moralischer Veredlung, als ein Gegenstand der Betrachtung, Beachtung und Bewunderung sich darstellt. — Was die Literatur der Neugriechen und ihr Streben, sich dem unthätigen Türkenvolke thätig entgegenzustellen, überhaupt anlangt, so ist das durch die neuesten politischen Begebenheiten in Griechenland hervorgerufene, in Deutschland erschienene, Hauptwerk hierüber die „*Leukothea* vom *Dr.* Karl Iken (in Bremen). Zwei Theile. Leipzig bei Hartmann. 1825.", aus der über das lange Zeit verkannte und schief beurtheilte Griechenland, viel zu lernen ist, und das, läßt es gleich manche Berichtigung und Ergänzung zu, dennoch als wichtige Materialiensammlung zu einer Geschichte der neugriechischen Literatur auch für den Literator Werth hat. Als Fehler, in dessen Folge der Genuß des Gegebenen nicht selten erspart wird, muß man es betrachten, daß der Verfasser oft zu viel giebt und sich seines Zweckes nicht immer klar bewußt gewesen zu seyn scheint. Aber sein Verdienst und die Wichtigkeit des Buches selbst bleibt dem ungeachtet nicht unbedeutend. Von Frankreich aus ist uns, die Literatur des neuen Griechenlands und unsere Kenntniß derselben vermehrend, die höchst wichtige Sammlung Fauriel's: „*Chants populaires de la Grèce moderne. T.* 1. 2. 1824. 1825." zugekommen, aus der wir, in Verbindung mit dem *discours préliminaire*, besonders einzelne Seiten des Volkslebens der Neugriechen und das in der Nation liegende poetische Talent kennen lernen. Von den zwey in Deutschland erschienenen Verdeutschungen dieses Werks von Fauvire verdient die im Einzelnen abkürzende Uebersetzung Wilh. Müller's unbedingt den Vorzug. Schade nur, daß dieselbe das neugriechische Original gleichfalls mit der schlechten Orthographie, wie auch Fauriel, giebt! Auch schon darum ist das Unternehmen des Prof. Friedr. Schultze in Liegnitz, den neugriechischen Theil Fauriels, verbessert nnd zugleich mit neuen Volksliedern vermehrt, (bei Teubner in Leipzig) im Laufe dieses Jahres herauszugeben, recht verdienstlich. Die Verbesserung muß freilich mit Vorsicht unternommen werden, damit nicht, wenn das wahrhaft Eigenthümliche der Sprache genommen wird, die Erreichung des Zweckes des Herausgebers, die Kenntniß des Neugriechischen zu verbreiten, erschwert werde. Manche Volkslieder übrigens, welche der Franzose nicht vollständig mittheilen konnte, werden da zugleich vollständig gegeben werden. Andererseits haben wir ein neues Werk des schon genannten *Dr.* Iken „über die neuere griechische Literatur und Poesie“ in diesem Jahre (bei Göschen in Grimma) zu erwarten, das, neben eigenthümlichen Mittheilungen, auch Uebersezzungen aus dem Englischen (des *Leake*) und Französischen (z. B. des *discours sur l'origine de la langue grecque vulgaire* von Hase in Paris, aus dem *Magasin encyclopédique* von *Millin* 1816.) enthalten wird. Es ist zu wünschen, daß dabei der im Jahre 1826 in Genf erschienene „*Cours de littérature grecque moderne*“ von dem gelehrten und unterrichteten Griechen *Jacobakis Rizos Nerulos*, der, früher Minister einzelner Fürsten der Wallachey und Moldau, und als Dichter der neugriechischen Trauerspiele Ἀσπασία und Πολύξενα, auch Verf. einer Satire auf Korais, wegen seiner Ansichten über die Bildung der neugriechischen Sprache (Κορακιστικά), bekannt und geschätzt, sich gegenwärtig abwechselnd in der Schweiz und Oberitalien aufhält, nicht unbenutzt bleibe. Was noch die Literatur der Neugriechen anlangt, so macht Ref. hier gelegentlich auf dasjenige aufmerksam, was unter der Ueberschrift: „Blicke auf die Literatur der Neugriechen“ in den Blättern für literarische Unterhaltung über die Erscheinungen im Gebiete der neugriechischen Literatur (Ausgaben alter Klassiker durch Neugriechen, Uebersetzungen in das Neugriechische und Originalarbeiten einzelner Neugriechen) gesagt wird. — Auch mit der Sprache der Neugriechen scheint man sich jetzt in Deutschland mehr, als früher, zu beschäftigen und wenigstens hat sich eine richtigere Ansicht davon hier und da bereits geltend gemacht. Aber Alles kommt gerade jetzt auf die Resultate an, zu denen die Krisis, welcher die Sprache selbst gegenwärtig unterworfen zu seyn scheint, führen wird: erst dann, wenn diese Krisis vorüber ist, läßt sich auch von einer Schriftsprache der Neugriechen, als von einem bestimmten Ganzen, sprechen. Möge dabei die Ansicht des ehrwürdigen Korais in Paris, welcher die gesprochene Sprache durch größte, mögliche — vorsichtige, nicht gewaltsame — Annäherung an das Altgriechische zur Schriftsprache erheben will, allgemeine Geltung und Verwirklichung erhalten! — Zur Kenntniß der vorzüglichsten Abweichungen der neugriechischen Sprache von der altgriechischen dient die, wie es scheint, wenig bekannt gewordene Schulschrift von Poppo: „Andeutungen über das Verhältniß des Neugriechischen zum Altgriechischen“ (Frankf. a. d. Oder, 1824.); Grammatiken der neugriechischen Sprache aber sind in den letzten zwei Jahren drei in Deutschland erschienen, eine anonyme (Braunschweig, bei Lucius 1825.) und eine dritte von Wilh. v. Lüdemann (Leipzig bei Brockhaus 1826.) Möchte uns doch ein mit dem Altgriechischen eben so, wie mit der in den einzelnen Theilen Griechenlands gesprochenen neugriechischen Sprache vertrauter Neugrieche eine Grammatik, wie sie nach den Eigenthümlichkeiten der Volkssprache und dem Vorbilde des Altgriechischen sich darstellt, geben! Konstantinos Kumas, der Uebersetzer des Griechisch-Deutschen Wörterbuchs von Riemer, wäre der Mann, der sie liefern könnte.

K.

Anerkennung der Deutschen Sprache in Paris.

Während wir in Deutschland nur zu oft darüber klagen hören, daß die deutsche Sprache, sich zum Sprechen nur nothdürftig, zum Singen aber durchaus nicht eigene, findet unsere Sprache in Frankreich immer mehr Beifall. So überrascht es allerdings, in einem Pariser Theater-Berichte, bei Gelegenheit der Aufführung des Freischützen zum Benefiz der Familie Weber, wo Mad. Schütz, eine Deutsche, die Rolle der Anna sang, über die Sängerin folgende Bemerkung zu finden. „Als geborene Deutsche konnte sie frühzeitig, wie die Sängerinnen anderer europäischen Länder, sich in der Italienischen Aussprache bilden; die Sprache Ausoniens ist die musikalische Gemeinsprache und die deutsche Mundart, welche die Unwissenheit in den sehr ungerechten Ruf der Härte gebracht hat, ist vielleicht von allen diejenige, die sich am leichtesten zu den Formen und accentuirten Biegungen, nicht nur der Musik, sondern auch des italienischen Recitativs schickt *). — Nehmen wir nun noch dazu, daß der dereinstige Thronerbe Frankreichs, der junge Herzog von Bordeaux in der Deutschen Sprache Unterricht erhält, und dasselbe nicht nur gut spricht, sondern auch gut ausspricht, so dürfte Friedrichs des Großen Vorhersagungen, mit welcher er seine Abhandlung über die deutsche Literatur schließt, einst noch in Erfüllung gehen. Nachdem er hier die verschiedenen

*) Née Allemande, elle a pu de bonne heure, comme les cantatrices des autres pays de l'Europe se former à la prononciation italienne; la langue de l'Ausonie est la langue commune de tous les musiciens, et l'idiome germanique, auquel l'ignorance a fait une reputation très injuste de dureté, est peut-être celui de tous qui se prête le plus facilement aux formes et aux inflexions fortement accentuées non seulement de la Musique, mais encore du recitatif italien.“

Ursachen auseinandergesetzt, welche die deutsche Literatur in ihre Entwickelung hinter der der anderen Europäischen Nationonen zurückgehalten hat, sagt er: „Erst seit kurzem haben die gebildeten Männer den Muth gewonnen, in ihrer Muttersprache zu schreiben und erröthen nicht mehr darüber, daß sie Deutsche sind. — Man sieht, daß in den Geistern sich eine Umwandlung vorbereitet, man hört wieder von einem Ruhme des Deutschen Volkes reden, man bestrebt sich die Nachbaren zu erreichen, man will sich den Weg zum Parnassus, wie zu dem Tempel der Unsterblichkeit bahnen; diejenigen, welche ein feines Gefühl haben, wittern es schon. — — Immer haben die, die zuletzt kommen, ihre Vorgänger übertroffen; dies kann bei uns schneller, als man glaubt, geschehen, wenn die Fürsten Geschmack an Wissenschaften gewinnen, wenn sie die, die sich damit beschäftigen, ermuntern und diejenigen loben und belohnen, die das Bessere leisten; sobald wir Mediceer haben, werden wir Talente sehen. Wir werden unsere classischen Schriftsteller haben, jeder wird sie lesen, um sich daran zu bilden, unsere Nachbarn werden Deutsch lernen, an den Höfen wird man es sehr gern (*avec délice*) sprechen, und es kann geschehen, daß unsere Sprache, wenn sie vollkommen gebildet ist, sich durch die Gunst unserer guten Schriftsteller von einem Ende Europa's zu dem andern verbreitet.

Diese schönen Tage unserer Literatur sind noch nicht gekommen, aber sie nähern sich. Ich kündige sie euch an, sie erscheinen schon; ich werde sie nicht mehr sehen, mein Alter versagt mir diese Hoffnung. Ich stehe wie Moses und sehe von fern das gelobte Land, ich werd' es nicht betreten.

Erlauben Sie mir diesen Vergleich. — Ich lasse Moses für sich, und will mich durchaus nicht mit ihm vergleichen und was die schönen Tage der Literatur betrifft, die wir erwarten, so sind sie mehr werth, als die kahlen und heißen Felsen des unfruchtbaren Idumäa's." 9.

Blicke auf die Welt.
(Von einem Diplomaten.)

Die Schlachten sind die ähnlichsten Schwestern, daher muß auch der größte Maler unter ihre Bildnisse schreiben, welche dieser Damen er eigentlich gemeint hat. —

Die Undankbarkeit ist deswegen so scheußlich, weil sie die Folgen einer guten That unterbricht, die vielleicht ohnehin ein ganzes Geschlecht beglückt hätte. —

Wie viele Menschen haben Phrasen, statt Knochen. Man sieht es erst recht, wenn man ihnen die Hand drückt. —

Es giebt nur Jubelgreise — keine Jubelmänner! —

Wir betrügen Andere halb und uns selbst ganz. —

Man könnte die Menschen am bequemsten in 2 Classen theilen, in solche die Trinkgelder annehmen und solche die keine annehmen. —

Kein Mensch ist noch unbeweint und ungeliebt gestorben, an den sich vielfache Schicksale anknüpfen. Solches gilt vorzüglich von Regenten, welche ihre Stellung beinahe zwingt irgend Jemand zu bereichern oder zu beschützen. —

Berliner Chronik.

Königstädter Theater. Mittwoch den 25. Der Zauber und das Ungethüm. Melodrama in 3. Akten. Man erzählt sich, daß die Direction drei Tausend Thlr., (nach anderen nur 1800 Thlr.) darauf gewendet habe, dies Stück auf die Bühne zu bringen. Der Maschinenmeister soll mit dem Dichter nicht zum besten getheilt haben; die Takelage des Schiffes allein kostet mehrere Hundert Thaler und für die bronzirte Perücke des Ungethüms, so wie für das, was an Pulver, Roth- und Weiß-Feuer verpufft wird, wären fünf verwunschene Schneidergesellen zu beschaffen gewesen. — Wir haben in Berlin, nicht so wie in London, ein blos schaulustiges Publikum, hier fragen die Leute, wenn auch nicht zuerst, doch gewiß zuletzt danach: was denn eigentlich damit gemeint sei, sie verlangen so gewissermaaßen, daß sich alles vor ihrer Einsicht rechtfertige und wollen wissen, was denn der Sinn und Verstand des Stücks sei. Bei Possen nehmen sie es damit allerdings leichter, allein, wo die Sache tragisch wird, da müssen die Geister Rede stehn und wenn sie dann im Examen so schlecht bestehn, wie das Ungethüm, so ist's kein Wunder, wenn sie durchfallen. Wäre unser Publikum mit Maschinerie, Dekorationen, Geistererscheinungen und Verwandlungen zufrieden zu stellen, so hätte dies Stück sein Glück machen müssen, denn es leistet in dieser Hinsicht das *Non plus ultra:* die Eule des Freischützen muß sich dagegen verstecken und gegen das Linienschiff, das mit dem Borgspriet über das Souffleurloch bis zur Baßgeige im Orchester hinanreicht, erscheint der Elephant in Olympia wie eine Spitzmaus. Indeß fehlt dem Zaubrer bei allen seinen Künsten die erste und wesentlichste: die Kunst die Kasse zu füllen; da hätte nur der Poet helfen können. — Das Stück ist Englischen Ursprungs, wo es nach dem, vor einigen Jahren in London erschienenen Roman: *Frankenstein or the modern Prometheus* bearbeitet wurde. Auf die hiesige Bühne ist es nach der Französischen Bearbeitung gekommen, die im vorigen Jahre in Paris Glück machte. Ein Zauberer Namens Zametti läßt sich durch seinen Freund und zukünftigen Schwager, einen Räuber- und Zigeunerhauptmann durchaus nicht auf bessere Wege bringen; wie hoch er ihm geschworen hat, die Zauberei zu lassen, beginnt er doch, so wie jener den Rücken gewendet hat, den Spuk. Er citirt die Feuer-Luft und Wassergeister und nimmt zuletzt aus der Hand eines aus dem Grabe auferstandenen Greises, eine steinerne Urne, in welcher die geheimen Kräfte verschlossen sind, um einer ehernen Gestalt, die er geformt hat, Leben zu geben. Obwohl nun der Zauberer bis zur Raserei verliebt ist und den andern Tag Hochzeit machen will, so kann er es doch nicht lassen, zuvor noch sein Ungethüm anzufertigen. Kaum hat er sein Werk vollendet, so sieht er, welches Unglück er sich bereitet hat. Das Ungethüm debütirt damit, daß es bei dem Austritt aus dem Laboratorium eine hölzerne Treppe eintritt und ohne zu sprechen die Zeichen der gräßlichsten Drohungen gegen seinen Schöpfer macht. So ganz verwahrlost ist jedoch das Ungeheuer nicht; es wird durch Musik gerührt, besonders scheint die Flöte einen süßen Eindruck auf dasselbe zu machen und als er die Braut Zamettis sieht, bekömmt es sogar einen leisen Anflug von Schwärmerei. Alle diese Rührung weist es jedoch von sich, es verjagt die Hochzeitgäste, raubt ein Kind und zündet mit einem prächtigen Feuerwerke das Hochzeithaus an. Der Bräutigam findet nun für gut mit seiner Braut auf einem großen Dreimaster zu entfliehen. Das Ungethüm kömmt auf einem Boote nachgesegelt, klettert auf das Verdeck, wird aber hier vom Blitz erschlagen und sinkt in das Meer. Im Roman machte das Ungethüm mehr Glück, weil hier der Phantasie eines Jeden es überlassen bleibt, sich beliebig das Gräßliche weiter auszuführen, als es in der Wirklichkeit vor die Vorstellung gebracht werden kann. — Das Ungeheuer, was wir auf der Bühne sehn, ist gar so uneben nicht, es hat die schönsten menschlichen Verhältnisse, eine edle Gesichtsbildung, Augen wie wir, in allem einen geistigen Ausdruck und da es nicht spricht, weiß es sich durch Pantomimen verständlich zu machen; zumal spart es nicht, die Hand fleißig auf's Herz zu legen, das ihm in eherner Brust schlägt. Fast möcht' ich behaupten, daß wenn man dem Ungethüm einen Schweine-Rüssel, oder sonstige Mißgestalt gegeben hätte, so würde es sich weit besser empfohlen haben. Dadurch, daß es sich blos durch seinen bronzenen Anstrich von uns unterscheidet, steht es gar nicht so fern von uns, da es eigentlich einen noch weit bessern Teint hat, als ein Neger, oder kupferfarbener Menschenfresser. Bei seinen außerdem günstigen Anlagen ist alle Hoffnung vorhanden, daß es noch Raison annehmen werde. — Eben so ist es gegen alles Herkommen, daß der Zauberer ein junger Mann ist, der eine geliebte Braut hat und am andern Tage Hochzeit machen will; da scheint der Moment nicht günstig gewählt, um so ein Ungeheuer durch Zauberkünste zu Stande zu bringen. Mit Recht verlangen wir in einem Zauberer nur einen alten Mann zu sehn; der Jugend stehn ganz andere Mittel zu Gebot, als Schmelztiegel und Wünschelruthen, und wenn so ein junger Mann zumal Hochzeit machen will, so sucht er sein Glück anderwärts, als in dem Laboratorium. Um uns ferner für den Zauberer zu interessiren, müßte es ein Mann von Ruf sein; vor einem Doctor Faust hat das Publikum ganz andern Respect, als vor so einem Herrn Zametti, der noch dazu so modernisirt ist, daß er alle Tage im Caffé Royal als Taschenspieler sich anmelden könnte. Durch nichts wird man daran erinnert, daß das Stück in einer Zeit spielt, wo man sich noch mit Zauberei abgiebt; die Leute scheinen alle viel zu aufgeklärt und die Verliebten haben sicher schon Kotzebue und Lafontaine gelesen. — Vor allen aber fehlt dem Stück die komische Person; diese darf ein Theater, welches Talente wie Spitzeder und Schmelka besitzt und wo das Publikum ergötzt sein will, nicht zu Hause lassen; Trauerspiele werden hier immer verunglücken. —

Die Musik vom Hrn. Dorn ist so gelungen, daß wir wünschten, er hätte diese Arbeit auf eine Oper verwenden können. Die Fuge zur Einleitung des dritten Aktes ist meisterhaft gesetzt; allein für das Haus war sie keine *Fuga vacui*. — F.

Königliches Theater.

Gastspiele des Hrn. Julius. Hr. Julius vom Königl. Theater in Dresden ist bereits in mehreren Rollen aufgetreten und die Erscheinung eines solchen Künstlers ist bei der jetzigen Armuth an Schauspielern, die sich ihre Kunst zu einem ernsten Studium machen, nicht zu übersehen. Wir hatten nur Gelegenheit ihn als Don Caesar in Donna Diana zu sehn, allein diese Darstellung reichte hin, um den günstigen Ruf, den Hr. Julius sich durch seine früheren Gastspiele auf der hiesigen Bühne und durch manches Empfehlende, was Hr. Tieck in seinen dramaturgischen Blättern über ihn gemeldet hat, zu rechtfertigen. —

Hr. Lemm ist nachdem ihn über ein Jahr lang Krankheit von der Bühne entfernt gehalten hat, Dienstag den 24. in Nathan der Weise zum ersten Mal wieder als Nathan aufgetreten. Er wurde mit Beifall empfangen und durch sein Wiedererscheinen ist das Repertoir um manches Stück reicher geworden. —

(Redigirt von Dr. Fr. Förster und W. Häring (W. Alexis.)

Im Verlage der Schlesingerschen Buch- und Musikhandlung, in Berlin unter den Linden Nr. 34.

Berliner
Conversations-Blatt
für
Poesie, Literatur und Kritik.

Montag, — Nro. 85. — den 30. April 1827.

Schill.

Eine Vision, von W. Alexis.

Schon hatte rings um mich die Nacht ihr Siegel
Des dumpfen Schweigens allem aufgedrückt,
Was lebt und Leben heuchelt; auf dem Heerde
Erstickte graue Asche glühnde Kohlen;
Das letzte Licht erlosch; ein frommer Spruch,
Sinnlos gemurmelt, starb in meiner Nähe
Mit des Bewußtseins wachen Kräften hin.
Der Schlaf trat in das Haus, sein altes Recht,
So vielfach im Geräusch der Stadt verkürzt,
Zu üben; Thür um Thüre drückt er auf
Und küßte wer auf Stroh und Pfühlen ruhte,
Doch nur auf wen'ger Lagerstätte beugte
Sich seine Schwester, neben ihm — die Ruhe.

Mich flohn sie beide; in die Kissen drückt ich
Das heiße Antlitz; Nacht-Gespenster traten
Vor die geschloßnen Augen. Rad um Rad,
Wie's durch die todte Straße rasselte,
Verfolgt der aufgeregte Sinn. Ich sehe
Im Fackelschein, der magisch kommt und schwindet,
Die matten Blicke übersatter Lust,
Skelette, fratzenhaft mit Tand behangen,
Und hohle Schläfrigkeit und nirgends Ruhe.
Um die Gerippe gaukeln leere Träume;
Ins Ohr der Schönen summt noch die Musik
Der süße Wortkram, sinnlos hingelispelt,
Das Spiel der Augen ohne Seele, Hände
Verstohlen zugedrückt, wo kein Gefühl war;
Und die erlogne Lust verfolgt gespenstisch
Die Selbstgetäuschten in den Schlaf hinüber,
Indeß die bleiche Wange, schon vorm Hauch
Der kalten Morgenluft zusammenfährt.

Da rief ich heim den Sinn und sprach zu mir:
„Was folgst du noch dem Treiben, das du flohest?
Ist's, daß der Geist noch wie magnetisch haftet
An der Verkehrtheit? Ists die Eitelkeit?
Hast du im Kampf die Hydra nicht bezwungen?
Liegt an der Leerheit noch der Geist gefesselt?
Hinweg!" sprach ich und schlug die Augen auf.

'S war todtenstill, des Wächters Ruf erstarb.
Verschleiert schien der Horizont. Kaum blickte
Des Himmels Wagen durch den Flor von Dunst.
Doch um mich Helle. — Auf dem Tische brannte
Ein Licht, und vor dem aufgeschlagnen Buche
Saß, mir den Rücken zugewandt, der Eine.

Ich kannte die Gestalt, obschon ich ihn
Niemals gesehn. Es war ein Held. Noch klebte
An seinem Körper Blut; er hatte viel
Geduldet, und der Schmerz, wenn anders Schmerzen
Noch in das Jenseits den Geschiednen folgen,
War läuternd über sein Gesicht gezogen,
Die Furchen glättend, so die letzte Qual
Eindrückt in unglückseelger Scheidestunde.
Er las — gern hätt' ich ihm das Buch entrückt
Und ausgelöscht der Seiten schwarze Lettern —
Ernst blieb sein Blick, wie runzelten die Brauen!
Zur Kühnheit trieb die namenlose Angst:

„Ich kenne dich Gespenst. Ich sah dein Grab,
Wo du vom Pferd verblutend sankst, den Brunnen.
Sind denn so leicht des Grabes ehrne Riegel?
Verlangst du Rechenschaft, Alp oder Vampyr? —
Ich drückte nicht auf dich die Büchse los,
Nichts that ich dir.“ Da wandt er streng sich um,
Die hohlen Augen glänzten edlen Zorn,
Und strafend hob er seinen Finger auf:

„Als Kläger bin ich aus der Gruft gestiegen
Das rein zu fordern, was du mir befleckt.
Von allen Gütern bleibt nur eins dem Todten,
Und viele setzen drum das Leben ein!
Nach diesem letzten Gut, dem Rest des Staubes,
Nach meinem Namen streckest du die Hand.“ —

„So trotzig, Geist, noch auf dein altes Recht,
Rief ich verwegen, wo schon abgestimmt ist?
Wie unter nassem Schwamm der Staub verschwindet,
So Freundes Lob, so der Partheien Weihrauch,
Wenn die Geschichte ernst die Thaten wägt.“ —
„Gab sie in deine Hand, rief er, die Wage?“ —
„Trugbild, so ich — flieh vor dem Geist der Wahrheit!
Er zeigte deiner Tritte blutge Spuren,
Den Vorhang rollte er dem Dichter auf,
Der treu das Bildnis deines Wahnsinns mahlte.“ —

Er schüttelte das Haupt: „Wer hieß dich mahlen
Von Berg und Wald die tiefen Abend-Schatten
Und mahlen nicht, wie tief die Sonne stand?
Der Pöbel richtet und der Weise forscht,
Hättst du geforscht, du hättest nicht gerichtet.“

Nicht länger trug ich seines Blickes Druck:
„Ging ich denn Geist, hier mit dir zu Gericht?
Wird denn am Thor des Lichts das Recht des Dichters
So misverstanden, wie am lauten Markt?“

Die Züge wurden milder als er sprach:
„Nennst du sein Recht, nenn ich des Dichters Pflichten.
Hättst du gesehn, wie ich in traurgen Nächten,
Das Auge glühend, mit dem Zweifel rang,
Gesehn, wie Alle auf den Einen blickten,
Europas Wage schien in meiner Hand —
Wer schwindelte auf Helios Wagen nicht! —
Hättst du gesehn, wie sie sich von mir wandten,
Als falsch die trügerischen Würfel fielen,
Wie sie fortschlichen, die die laut'sten waren,
Und wie sie vornehm kalt gerichtet haben,
Die früher mich des Zauderns angeklagt,
Du hättest menschlich Menschliches gerichtet. —
Fand, was dem Staub an meiner That gehört,
Im dunkeln Ausgang nicht sein Urtheil schon?
Hat nicht genug gestraft der trübe Tod,
Des Pöbels Zunge und der Freunde Kaltsinn,
Nicht die vergessene Erinnerung
Des Tropfen Ruhms in jener Fluth von Thaten?
Was musstest du des Helden blut'gen Geist
Vor's Volk noch einmal auf den Marktplatz schleifen,
Das, wie Hyänen an dem Fleisch der Särge,
Gern an geschiedner Helden Ehre nagt.
Der Hingegangnen bessres Theil zu retten
War, seit Homeros sang, des Dichters Pflicht.

„Wohlan! rief ich, und richtete mich auf,
Erzürnter Geist, ich folge dir zum Richter.
Dort stehn die Tausend auf dem Markt geschaart,
Vor ihnen sprich, die sich am Urtheil freuen;
Schon manche Stimme dumpf genährten Grolls
Der Freunde, die dich, blutend, überlebten,
Klang mir entgegen — günstge Richter dir —“

Er lächelte versöhnt: „Des Helden Geist
Verlangt nicht wieder nach dem lauten Markt.
Sie mögen schrein; die Geister werden schweigen.
Die Todten reden durch der Dichter Mund.
Dies Strafgericht verkünden sei dir Strafe,
Dann singe . . .“ es verklangen seine Worte
Und gingen über in das Hahngeschrei.
Zusammen sank er und das Licht erlosch —
Das Morgenroth bot mir des Friedens Gruß.

Einige Züge zur Charakteristik Ludwigs XI. von Frankreich *).

Durch Walter Scott's Quentin Durward ist das Andenken an König Ludwig XI. so manchem in das Gedächtniß gerufen worden, der ihn vielleicht nur dem Namen nach kannte; zugleich aber wird durch die historische Treue, mit der der Dichter diesen bizarren Charakter gezeichnet hat, der Wunsch erregt, noch mehr von ihm zu erfahren. — Genügende Auskunft finden

*) Aus de Barante histoire des Ducs de Bourgogne, wovon so eben die letzte Lieferung erschienen ist.

wir in dem genannten Werke; wir müssen uns jedoch nur auf Einzelnes beschränken. Vornehmlich zeigt es sich in den Briefen des Königs, welch heimtückisches, kaltblütig schadenfrohes Gemüth er hatte. Kein Todesurtheil schreibt er, ohne dabei einen Witz zu machen. „Geben Sie mir, schreibt er an Hrn. de Bressuire, unter der Hand Nachricht, damit ich die Vorkehrungen zur Hochzeit des bewußten Liebhabers mit einem Galgen besorgen kann.“ — Es gilt dies einem armen Teufel, den er in Verdacht hat, einen Auftrag nicht gut besorgt zu haben. — Ein andres Mal meldet er demselben Vertrauten, wie er mit einer Deputation der Stadt Arras umgegangen ist: Allen ist der Kopf abgehauen worden. . . Unter ihnen befand sich Herr Oudart de Büssi, dem ich eine Seigneurie im Parlament gegeben hatte; damit man seinen Kopf gut erkenne, hab' ich ihm eine schöne Pelzmütze aufsetzen lassen.“ Besonders treu, und deshalb um so ergreifender, ist die Schilderung, die Hr. Barante von Heinrichs letzten Augenblicken giebt. Einsam hat er sich in seinem Schlosse du Plessis eingeschlossen, nur wenige Diener hat er um sich, die er nach kurzer Frist immer wieder verabschiedet und durch neue ersetzt, sobald ihm irgend ein Gesicht nicht mehr gefällt. Man irrt jedoch sehr, wenn man ihn von Gewissensbissen genagt glaubt. Er beichtet in jeder Woche und lebt mit dem Herrgott im besten Vernehmen; nicht um das Seelenheil, nur um eine heile Haut ist es ihm zu thun. Mit ängstlicher Genauigkeit beobachtete er, was ihm die Pfaffen vorschreiben, ja er that noch ein übriges, indem er die heilige Jungfrau in den Grafenstand erhob und allen Heiligen, die er in besonderer Gunst bei dem lieben Gott glaubte, monatlich regelmäßige Pensionen auszahlte, welche sein Beichtvater mit geistlicher Gewissenhaftigkeit besorgte. — Was ihn vornehmlich beschäftigt, ist: wie er es anzufangen habe, um nicht zu sterben. Er fragt die Umstehenden, ob es kein Mittel gegen den Tod gebe und da sie es verneinen, fährt sie der zum Tode kranke Mann noch hart an und sagt ihnen: Ich bin gar nicht so krank, als ihr es glaubt. — Er nimmt sich zusammen; und in demselben Augenblick, wo alle glauben müssen, daß er den Tod mit Schrecken nahen sehe, macht er ganz gelassen Anordnungen zu seinem Begräbniß, unterhält sich über die Angelegenheiten des Königreichs und ertheilt seinem Sohn eine rührende Vermahnung. Nicht eine Klage hört man von ihm, er zeigt keine Schwachheit, mit voller Besinnung ohne Aufhören sprechend und Gebete und Psalme hersagend, verscheidet er. —

---

3. Reise eines Malers.

Hechingen, Mittwoch den .. Aug.

Hier hat das Leben schon so ein südliches Ansehen, daß man kaum noch an den kalten Norden denken mag, hätte man nicht so gar viel Liebes dort. Wie lustig sehen die Mädchen aus mit ihren hochgefüllten Blumenkörben, die sie auf dem Kopfe, wie schwebende Gärten der Semiramis zu Markte tragen; wie lachen die Pyramiden und Häuser von bunten Früchten aufgebaut Einen an! Nur an die hölzernen Häuser konnt ich mich nicht gewöhnen, die für gar zu kurze Dauer ein nettes Aussehn haben und die ältern Theile der Stadt zu einer alten Rumpelkammer umgestalten. — Noch einmal übersah ich Stuttgart von einem hohen Berge, der mich aus dem schönen Neckarthale trug gen Tübingen. Der Weg zwischen beiden Städten geht unerträglich hügelauf, hügelab, aber die Umgebung und Lage letzterer Stadt ist anmuthig und schön und erinnert an Heidelberg, selbst durch das alte Schloß, das gewissermaaßen Mittelpunkt der Stadt wird. — Sonnenuntergang feierte ich noch auf den Wällen desselben und auch des Mondes bleichen Schein begrüßt ich wie einen treuen Hüter der einschlummernden Landschaft. Der Verlauf des Weges ist reich an Schönheit; vor mir die schwäbische Alp; das Stammschloß der Könige von Preußen, das alte Hohenzollern, das zu meiner größten Freude wieder hergestellt worden; ringsum reiche Frucht- und Getreide-Ebnen, vor Allen aber ein erfreuliches Geschlecht der Menschen. — Schon in Tübingen und nun immer mehr fiel mir die besonders schöne Körper- und Gesichtbildung der Kinder auf, man kann auf zehn Kinder kaum ein nichtschönes, auf funfzig vielleicht ein häßliches rechnen. Frauen und Mädchen haben einen Riesenbau, der durch ihre gerade Haltung und das Kopftragen sehr erhöht wird. Die Männer sind nicht gleich schön, haben aber ein kühnes und wenigstens ein kräftiges Ansehn. Die Stirnen der Kinder sind hochgewölbt, die Form des Kopfes im schönsten Rund, alle Verhältnisse edel; ich habe kein mageres gesehen. Betteljugend ist das Aushängeschild katholischer Dörfer, und ein so großes, wenigstens eben so lästiges Reise-Uebel als die unverschämten Fliegen. In der Schweiz mehr davon.

Engen, Donnerstag den .. August.

Am „Jo Frilli“ erkannte ich meine Leute. Ich bin in der Schweiz, obschon es hier noch nicht anders aussieht, als bei uns. Doch sehe ich durch's Fenster hinaus auf eine schöne Landschaft, der nur heut, bei etwas bewölktem Himmel Beleuchtung fehlt; fantastisch ist die Wirthstube ausgeschmückt; die Reben haben sich durch Wand und Fenster gedrängt, durchranken die ganze Kajüte und die schönsten Traubenfestons schweben über Deinem Freund, der sich nebenher der Fliegen kaum erwehren kann. Die schwärmerischen Bestien verderben Einem alle guten Gedanken und Bilder und man kann sich mit nichts trösten, als daß sie es mit den schlechten nicht besser machen. Das Klima, das bei Tuttlingen schon wieder rauher zu werden angefangen, ist hier wieder angenehm milde und Menschenschönheit hält mit ihm gleichen Schritt; wie es an Rauhheit wächst, nimmt diese ab. — Adel in wenigen Stunden bin ich am Rheinfall.

Schaffausen. Abends.

Hier sitz ich nun schon, von einem Schweizer Löwen aufgenommen und wundre mich nur darüber, daß ich wirklich in der Schweiz bin. — Um 2 Uhr Nachmittags kam ich an und trotz dem Regen lief ich doch hinaus vor die Stadt, in seinem Jünglingsalter den zu sehen, den ich so oft als Vater Rhein begrüßt. So gern führt der Mensch das Leben und Wirken der Natur in das eigne bildend herein, daß ich sonst für jene ein gleiches Recht in Anspruch nehmen möchte und so zieht mir der frische jugendliche Rhein, das Haupt mit Reben bekränzt daher, Lust und Kraft leuchtet aus der smaragdenen Welle, die an Klarheit das schönste Auge übertrifft. Wie Bachus einst auf seinem Siegeszuge nur der Freudebringer schien, aber bei jedem Widerstande als der tapferste Held sich zeigte, so der Deutsche Rebenbringer in seinem tanzenden Lauf, wie stürzt er mit furchtbarem Donner in die Tiefe und seine ganze künftige Größe scheint er schon hier im kühnsten Wagniß zu verkünden.

Ich fasse die Kühnheit der Maler nicht, die es unternehmen, solch erhabne, solche ungeheure Schöpfung bildend nachzuahmen; allein, wie sich mir gern alles zum Bilde gestaltet, konnt' ich der Phantasie ihren Lauf nicht hemmen, verfolgend den einmal eingeschlagenen Gang der Gedanken. So bildete sich mir im wechselnden, spiegelnden Wellengetriebe sogleich ein Cyclus von Bildern, ich sah im Geiste schon in einem Schloß am Rhein „des Rheines Leben" dargestellt, Bild drängte sich an Bild, durch alle seine frohen und trüben Tage von seiner Geburt an begleitete ihn die Phantasie, ich sah, wie ihn die Schweizer taufen, die Holländer verleugnen, wie im Rheingau er sein Götter-Freudenfest begeht, wie ihn die Völker alle ehren und heilig halten und vieles Andre; vor Allen aber malte seinen Siegessturz bei Schaffhausen ich mir aus, wie Muth und Uebermuth ihn begleiten und wie ungemeßner Jubel aus tausend Kehlen die Luft durchdringt; jede Woge brachte eine neue Erscheinung, auf jeder überschlagenden Welle tanzte ein muthwilliger Bube, im Nu wimmelte das große Theater fröhlicher Gestalten, das Braußen der ungeheuren Wasserwogen, die ihren Dampf in die Lüfte jagten, — daß darauf das Siegesthor ruhen könne, was der Sonne leuchtende Hand erbaut und mit Himmelsfarben geschmückt hat — führte das Bild meines jugendlichen Helden mir vor. Ich konnte mich kaum trennen vom quillenden Brunnen voll schöner Bilder und vergaß ganz, daß ich nun den Wasserfall auch, wie andre vernünftige Menschen sehen müsse. Ich nahm also ganz die Miene eines Weltmannes, fand Alles schön, vorzüglich brauchbar, was mich die angebauten Eisenhammer lehrten; und die lange Reihe Fischfänger, welche mit gutem Erfolg ihre Angeln auswarfen gegen die armen Thiere, welche der Fall in seinen Zauberkreis gebannt hält.

Doch es ist spät, vier Grazien neben mir an der Wirthtafel (was an Schönheit fehlte, ersetzte die Ueberzahl) heben eben diese Nachbarschaft auf, der Nachtwächter ruft uns allen eine gute Nacht. Gute Nacht!

Berliner Chronik.

Freitag den 27. Apr. „Geistliches Concert zum Besten der Armen gegeben von Mad. Catalani in der Garnisonkirche."

Diejenigen, welche die Stimme der Mad. Catalani in der Allgewalt ihrer Töne mehr bewundern, als in ihrer Kunstfertigkeit, werden ihr gewiß immer den Kranz reichen, wenn sie als Caecilia neben der Orgel erscheint und sich auf den Schwingen ihres Gesanges über das Brausen aller Register und des vollen Chors zum Himmel erhebt. Die Hymne „Großer Gott" von Martin Luther und Händel, welche sie heute mit Orgel, Trompeten und Chor-Begleitung sang, war für die Kirche eine eben so großartige Leistung, als das „*God save the King*" für das Opernhaus; wenigstens für die, die in der Kirche eben so fromm, als in dem Opernhaus patriotisch sind. Ueber die beiden Arien aus Händels Messias, welche Mad. Catalani schon im Opernhaus sang, haben wir uns bei jener früheren Gelegenheit ausgesprochen und bemerken nur in Beziehung auf den Vorwurf, der ihr darüber gemacht worden ist, daß sie die Arie: „Alle Thale macht hoch und erhaben" in viel zu raschem Tempo nehme, daß sie hierbei sich auf diejenige Autorität, die allein entscheiden kann, auf Händel selbst berufen darf, da sich in London, wo sie diese Arie oft sang, durch seine Schüler die Tradition erhalten hat, wie der Meister selbst dies Tempo genommen wissen wollte. Daß übrigens der Gesangweise der Italienischen Sängerin Compositionen Italienischer Meister mehr zusagen, als die des strengen Deutschen zeigte sich auch heut wieder bei dem „Benedictus" von Cingarelli und dem „Domine" von Guglielmi.

Hr. Musikdirector und Organist Bach spielte eine von ihm gesetzte Toccate und eine Fuge von Sebastian Bach auf der Orgel mit seiner längst anerkannten Fertigkeit. — Die Kirche war nur zum dritten Theil gefüllt. Es scheint als ob die Vorsteher der vier Armen-Anstalten, für welche die Einnahme bestimmt war, sich auf die Kunst, ein volles Haus zu haben, nicht so gut verstehn, als ein einzelner Concertgeber, oder es an den gewöhnlichen Einladungen fehlen ließen. — Die Eintrittskarte kostete 1 Rthlr.

(Redigirt von Dr. Fr. Förster und W. Häring (W. Alexis.)

Im Verlage der Schlesingerschen Buch- und Musikhandlung, in Berlin unter den Linden Nr. 34.

Berliner
Conversations-Blatt
für
Poesie, Literatur und Kritik.

Redigirt
von
Dr. Fr. Förster und W. Häring (Willibald Alexis).

Erster Jahrgang.
Fünftes Heft. Mai 1827.

Berlin.
Im Verlage der Schlesinger'schen Buch- und Musikhandlung.
(Unter den Linden Nr. 34.)

Inhalts-Verzeichniß.

Mai 1827.

Von diesem Journal erscheinen wöchentlich 5 Blätter (und zwar Montags, Dienstags, Donnerstags, Freitags und Sonnabends) außerdem literarisch-musikalisch-artistische Anzeiger. Der Preis des ganzen Jahrganges ist 9 Thaler, halbjährlich 5 Thaler. Alle Buchhandlungen des In- und Auslandes, das Königl. Preuß. Post-Zeitungs-Comptoir in Berlin, und die Königl. Sächsische Zeitungs-Expedition in Leipzig, nehmen Bestellungen darauf an.

Im Verlage der Schlesingerschen Buch- und Musikhandlung, in Berlin unter den Linden Nr. 34.

Erster
Viertel-Jahres Bericht über das
Berliner Conversations-Blatt
für Poesie, Literatur und Kritik
redigirt von
Dr. Fr. Förster und Willibald Alexis.

So günstig man auch in öffentlichen Blättern über das seit Januar 1827 in unserm Verlage erscheinende Berliner Conversationsblatt geurtheilt hat, so glauben wir doch dem Publikum kein zuverlässigeres Mittel der Beurtheilung dieser Zeitschrift geben zu können, als wenn wir dasjenige namhaft machen, was über die Richtung, den Inhalt und die Mannigfaltigkeit des Blattes, so wie über die bereits gewonnenen Herren Mitarbeiter die erwünschte Auskunft geben kann. Im folgenden Monat werden wir den Bericht über das zweite Viertel-Jahr (April, Mai, Juni) geben. —

Von den poetischen Arbeiten nennen wir:

Im Januarheft:

1. Auch ich war dort. Novelle von Willibald Alexis. (In Nr. 5 — 18).
2. Aus einem noch ungedruckten Gedankenbuche Jean Pauls vom J. 1794. (Die Verlagshandlung bemerkt hierbei, daß ihr aus dem Nachlaß Jean Pauls bedeutende Manuscripte zur Benutzung für das Conversationsblatt überlassen worden sind.)
3. Der zufriedene Mann von Washington Irving.
4. Die Runde des großen Kurfürsten. Zwei Berliner Legenden von Friedrich Förster.
5. An Mozarts Geburtstagsfeier. Gedicht von Fr. Förster.

Im Februarheft:

6. Der Dichter und der Trinker, vom Baron v. Nordeck. —
7. Der Herzog von York, biographische Skizze von Walter Scott.
8. Seebilder von Heine.
9. Knebels neuestes Gedicht.
10. Der Februar, ein Gedicht von Imanuel Kant.
11. Jean Pauls Anrede an Goethe.
12. Die Hochzeit in Baireuth. Lustspiel von F. F.
13. Erinnerungen an Portugal vom Prof. Link.

Im Märzheft:

14. Meine letzte Nacht in Berlin. Novelle von Willibald Alexis. (Nr. 43 — 58).
15. Frühlingsfeier. Allegorische Vorstellung von J. Paul.
16. Webers Gedächtnißfeier von Stieglitz.
17. Georgis, Neugriech. Ballade von Adelb. v. Chamisso.
18. Seebilder von Heine.
19. Bibliothek des Königs von Indien. Erzählung aus dem Arabischen.

Von den kritischen Beiträgen erwähnen wir:

Im Januar:

1. Adelgis, Tragödie von Alexander Manzoni; von Streckfuß.
2. Goethe über Calderons Tochter der Luft.
3. Fouqué über die Räuberbraut von Robert.
4. Die Kunstausstellung in München von C. F.
5. Rauchs Denkmale in Berlin von F. F.

Im Februar.

6. Der Aufruhr in den Cevennen von L. Tiek; von Willibald Alexis.
7. Friedrich der Große oder die Schlacht bei Kunersdorf von J. Gründler; von Fr. F.
8. Bericht über die Naturhistor. Reisen der Herren Ehrenberg und Hemperich von A. v. Humboldt.
9. Solgers nachgelassene Schriften; vom Prof. v. Henning.
10. Tieck's dramaturgische Blätter; vom Prof. Gans;

Im März.

11. Dante's lyrische Gedichte herausgegeben von Kannegießer; von Streckfuß.
12. Tieck's dramaturgische Blätter vom Prof. Gans, zweiter Artikel.
13. Daru histoire de la Bretagne.
14. Die verhängnißvolle Gabel, Lustspiel vom Grafen von Platen.
15. Dramaturgische Blätter von Tieck; dritter Artikel.
16. Spanische Literatur, vom Doktor Bellermann.
17. Ueber Charakteristik der Landschaften vom Professor Link.
18. Dr. E. Müller über Johann Baptista Vico's Urtheil über Dante.

An Correspondenzen wurden bereits aus London, Paris, München, Dresden, Wien und Rom interessante Berichte gegeben und über die Leistungen der Berliner Königlichen und Königstädter Bühnen, über alles was im Gebiete der Kunst und Literatur von Bedeutung erschien, so wie über öffentliche Feste in einer fortlaufenden Chronik theils kritisch, theils blos erzählend referirt.

Schlesinger'sche Buch- und Musikhandlung in Berlin.

Im Verlage der Schlesinger'schen Buch- und Musikhandlung in Berlin, unter den Linden Nr. 34, ist zur Ostermesse 1827 erschienen:

Blesson, L., Uebersicht der Befestigungskunst. Als Leitfaden zur Ausarbeitung von Heften und Ersparung aller Dictate. 1s Heft: Feldbefestigung. 8. 12½ Sgr. (10 Gr. Cour.)

Conversationsblatt, Berliner, für Poesie, Literatur und Kritik. Redigirt von Dr. Fr. Förster und W. Häring (Willibald Alexis). 1r Jahrgang. 1827. Januar — Juni. 4to. Nr. 1 — 130. Preis des halben Jahrgangs 5 Rthlr., des ganzen Jahrgangs 9 Rthlr.

Dorow, Dr., römische Alterthümer in und um Neuwied am Rhein; mit Grundrissen, Aufrissen und Durchschnitten des daselbst ausgegrabenen Kastells, und Darstellungen der darin gefundenen Gegenstände. Auch unter dem Titel: Die Denkmale germanischer und römischer Zeit in den Rheinisch-Westfälischen Provinzen. 2r Bd. Mit 31 Steindrucktafeln und 1 Kpfr. in Fol. Text in 4to. Druckpapier 12 Rthlr. Velinp. 18 Rthlr.

Freimüthige, der, oder Unterhaltungsblatt für gebildete unbefangene Leser; herausgegeben von Dr. August Kuhn. 24r Jahrgang. 1827. Januar — Juni. Nr. 1 — 130. in 4to. Preis vierteljährlich 2 Rthlr. 20 Sgr., (2 Rthlr. 16 Gr. Cour.) halbjährlich 5 Rthlr. Für's ganze Jahr 8 Rthlr.

Kayserlingk, Dr., Anthropologie, oder Hauptpunkte zu einer wissenschaftlichen Begründung der Menschenkenntniß. 8. 22½ Sgr. (18 Gr. Cour.)

Schmidt, C. W., neue Ansichten und Erfahrungen beim Brandweinbrennen und Bierbrauen. In 3 Abtheilungen, mit Hinsicht auf das preuß. Beimischungs-System. Mit einem Grundriß. gr. 8.

Voß, J. v., neuere Lustspiele. 6r Bd. enthält: 10,000 Mark Banco. — Wolkenbrüche und Teufel. — Die Nasen. 8. 1 Rthlr. 10 Sgr. (1 Rthlr. 8 Gr. Cour.)

— — derselben 7r Bd. enthält: Schnellpost und Schnelldichter. — Das Versehen. — Wiedersehen in der Ferne. 8. 1 Rthlr. 10 Sgr. (1 Rthlr. 8 Gr. Cour.)

Zeitung, Berliner allgemeine musikalische, herausgegeben von A. B. Marx. 4r Jahrgang. 1827. Januar bis Juni. No. 1 — 26. in 4to. Preis des Jahrgangs 5 Rthlr. 10 Sgr. (5 Rthlr. 8 Gr. Cour.)

Im Laufe dieses Sommers erscheinen:

Blesson, L., Befestigungskunst für alle Waffen. 2r Th. die sogenannte große Befestigungskunst. 8.

Förster, Dr., Friedrich, Lehrbuch der Geschichte des Preußischen Staats, zum Gebrauch bei öffentlichen Vorlesungen und zum Privatstudium. 2 Bände. 8.

Jost, J. M., Geschichte der Israeliten seit der Zeit der Maccabäer bis auf unsere Tage, nach den Quellen bearbeitet. 8r Theil. gr. 8.

Scott, Walter, the life of Napoleon. 5 vol. 8.

Im Jahre 1826 ist daselbst erschienen:

Fouqué, Carol., Baronin de la Motte. Die Frauen in der großen Welt. Bildungsbuch bei'm Eintritt in das gesellige Leben. 8. geh. 1 Rthlr. 10 Sgr. (1 Rt. 8 Gr. Courant.)

Fr. **Fouqué**. Erdmann und Fiammetta. Novelle. 8. 1 Rthlr. 20 Sgr. (1 Rthlr. 16 Gr. Cour.)

Freimüthige, der, oder Unterhaltungsblatt für gebildete, unbefangene Leser; herausgegeben von Dr. A. Kuhn. Drei und zwanzigster Jahrgang. 1826. 4to. Jährlich 8 Thlr. Halbjährlich 5 Thlr. Vierteljährlich 2 Thlr. 20 Sgr. (2 Thlr. 16 Gr. Cour.)

Galetti, J. G. A., Anschauliche Erdbeschreibung der leichten und gründlichen Erlernung der Erdkunde gewidmet. Nach einem neuen Plan bearbeitet. 3r Theil gr. 8. 1 Thl. 20 Sgr. (1 Thlr. 16 Gr. Cour.) (Die beiden ersten Theile kosten 3 Thlr. 10 Sgr. (3 Thlr. 8 Gr. Courant.)

Geschichte der Jungfrau von Orleans, nach authentischen Urkunden und nach dem französischen Werke des Hrn. Lebrun de Charmettes; von Friedrich Baron de la Motte Fouqué. 2 Theile. 8. 3 Thlr. 15 Sgr. (3 Thlr 12 Gr. Cour.)

Jost, J. M. Geschichte der Israeliten seit der Zeit der Maccabäer bis auf unsere Tage, nach den Quellen bearbeitet. 7r Theil. 8. 1 Thlr. 25 Sgr. (1 Thlr. 20 Gr. Cour.)

Lichtenstern, J. M. Freiherr von. Ueber Domainenwesen und dessen vortheilhafteste Benutzung durch eigene Verwaltung und mittelst zweckmäßiger Einrichtung eines, dieser Zielerreichung entsprechenden, neuen Comptabilitätssystems. gr. 8. 25 Sgr. (20 Gr. Cour.)

Oltmanns, J. Hülfstafeln zur Berechnung der Längen- und Breiten-Unterschiede, ausgemessenen Meridian- und Perpendicul-Abständen, nach rheinländischem Maaße in der Erdabplattung $\frac{1}{310}$ für die Breiten-Parallele der Preuß. Monarchie. Zur Beförderung geogr. Ortsbestimmungen entworfen. 4to. 10 Sgr. (8 Gr. Cr.)

Scott, Walter, Lives of the Novelists. 2 vol. 8. 2 Thlr. 10 Sgr. (2 Thlr. 8 Gr. Courant.) Cartonirt 2 Thlr. 15 Sgr. (2 Thlr. 12 Gr. Courant.)

— Tales of the Crusaders, 4 vol., containing: The Betrothed. 2 vol. 2 Thlr. Cart. 2 Thlr. 5 Sgr. (2 Thlr. 4 Gr. Courant.) — The Talismann. 2 vol. 2 Thlr. Cart. 2 Thlr. 5 Sgr. (2 Thlr 4 Gr. Cour.)

J. v. **Voß**. Neuere Lustspiele 4r. Bd, enthält: Die Wittwe aus Polen, Posse in 4 Aufzügen, mit einigem Gesang. (Zum Theil nach Meisl.) — Das Fräulein von Boren, Lustspiel in 1 Aufzuge. — Die kleine Erinnerung, Lustspiel in 2 Aufzügen. — Das Versehen, Lustspiel in 3 Aufzügen 8. 1 Thlr. 7½ Sgr. 1 Thlr. 6 Gr. Courant.)

— — derselben 5r Bd., enthält: Das kluge Städtchen, Lustspiel in 5 Aufzügen. — Zur Hochschule, Lustspiel in 2 Aufzügen. — Von der Hochschule, Lustspiel in 1 Aufzuge. 1 Thlr. 7½ Sgr. (1 Thlr. 6 Gr. Courant).

Zeitung, Berliner allgemeine musikalische. **Dritter Jahrgang**. Herausgegeben von A. B. Marx. 4. 5 Thlr. 10 Sgr. (5 Thlr 8 Gr. Courant.)

Ferner erscheinen noch daselbst im **Original alle Romane von Walter Scott**, gleich nach dem Erscheinen der englischen Ausgabe.

Berliner Conversations-Blatt

für

Poesie, Literatur und Kritik.

Dienstag, — Nro. 86. — den 1. Mai 1827.

An Dora.

Zum Dank für das reizende Bild meiner Julie.

Ein Gedicht von Novalis *)

Soll dieser Blick voll Huld und Güte
Ein schnellverglommner Funken seyn?
Webt keiner diese Mädchenblüthe
In einen ew'gen Schleier ein?
Bleibt dies Gesicht der Treu und Milde
Zum Trost der Nachwelt nicht zurück?
Verklärt das himmlische Gebilde
Nur einen Ort und Augenblick?

*) Dieses schöne Gedicht des frühvollendeten Novalis (von Hardenberg) verdanken wir der gefälligen Mittheilung der Künstlerin, an die es gerichtet ist. Geschrieben wurde es im Jahr 1798 in Dresden, wo sich damals der schon bedenklich kranke Dichter aufhielt. Julie von Charpentier war seine verlobte Braut, die neben dem hinschwindenden Jüngling in vollster Jugendfülle und Schönheit stand. So viele Schwierigkeiten sich auch der Verbindung entgegenstellten, so hielt die Liebenden eine zu innige Neigung verbunden, als daß sie nicht alles überwunden hätten; nur der Tod konnte dies Band lösen. Eine sonderbare Erscheinung, von der sich auch in dem Gedichte Spuren finden, war es, daß Novalis, während schon die Blüthe seines Lebens geknickt war, davon keine Ahnung hatte, vielmehr immer das frühe Hinscheiden seiner geliebten Julie fürchtete, obwohl diese frisch und gesund war. Sein höchster Wunsch war, die theuren Züge der Geliebten durch ein Bild festgehalten zu sehn. Dieser Wunsch wurde ihm als der schönste Trost seiner letzten Tage erfüllt und seinen Dank hat er in diesem Gedichte ausgesprochen, das hier zum erstenmal abgedruckt erscheint. Daß uns aber so werthvolle Gaben anvertraut werden, muß uns dafür bürgen, daß man unserm Blatt die freundlichste Aufmerksamkeit und Theilnahme schenkt.
F. F.

Die Wehmuth fließt in tiefen Tönen
Ins frohe Lied der Zärtlichkeit.
Niemals wird sich ein Herz gewöhnen
An die Mysterien der Zeit.
O! diese Knospe süßer Stunden,
Dies edle Bild im Heiligenschein,
Dies soll auf immer bald verschwunden,
Bald ausgelöscht auf ewig seyn?

Der Dichter klagt, und die Geliebte
Naht der Zypresse, wo er liegt.
Kaum birgt die Thränen der Betrübte,
Wie sie sich innig an ihn schmiegt.
Er heftet unverwandte Blicke
Auf diese liebliche Gestalt,
Daß er in sein Gemüth sie drücke,
Eh' sie zur Nacht hinüberwallt.

Wie, spricht die Holde, Du in Thränen?
Sag, welche Sorge flog Dich an?
Du bist so gut, ich darf nicht wähnen,
Daß meine Hand dir weh gethan.
Sey heiter, denn es komme so eben
Ein Mädchen, wie die gute Zeit.
Sie wird ein seltsam Blatt dir geben,
Ein Blatt, was Dich vielleicht erfreut.

Wie, ruft der Dichter, halb erschrocken,
Wie wohl mir jetzt zu Muthe ward!
Den Puls des Trübsinns fühl' ich stocken
Und eine schöne Gegenwart.

Die Muse tritt ihm schon entgegen,
Als hätte sie ein Gott gesandt,
Und reicht, wie alte Freunde pflegen,
Das Blatt ihm und die Lilienhand.

Du kannst nun Deine Klagen sparen,
Dein innrer Wunsch ist Dir gewährt.
Die Kunst vermag das zu bewahren,
Was einmal die Natur verklärt.
Nimm hier die festgehaltne Blüthe,
Sieh ewig die Geliebte jung.
Einst Erd' und Himmel, Frucht und Blüthe,
In reizender Vereinigung.

Wirst Du gerührt vor diesen Zügen
Im späten Herbst noch stille stehn,
So wirst Du leicht die Zeit besiegen
Und einst das ew'ge Urbild sehn.
Die Kunst in ihrem Zauberspiegel
Hat treu den Schatten aufgefaßt,
Nur ist der Schimmer seiner Flügel,
Und auch der Strahlenkranz erblaßt.

Kann jetzt der Liebende wohl danken?
Er sieht die Braut, er sieht das Blatt.
Voll überschwenglicher Gedanken
Sieht er sich ewig hier nicht satt.
Sie schlüpft hinweg und hört vom weiten
Noch freundlich seinen Nachgesang;
Doch bleibt ihr wohl zu allen Zeiten
Der Freundin Glück der liebste Dank.

Friedrich von Hardenberg.

4. Reise eines Malers.

Zürich, Sonnabend den 6. August.

Da sitz' ich, wie in einem Zauberschlosse, die Wacht hält ein schwarzer Rabe auf eiserner Stange am Eck des Hauses, vor meinem Fenster thut sich eine Welt auf, unter mir die klaren Wogen der Limmat; vor mir weit gezogen der hügelbekränzte lachende See; weiter und höher thürmen die Berge sich, bis die schneeigen Alpen die Kette schließen; über das ganze hehre Gotteshaus wölbt sich der Himmel mit seinem reinen Blau, ja er ruht darauf, wie das Gottesauge allerfreuender reiner Liebe.

Das Liebste, was ich aus Zürich mitnehme, ist die Bekanntschaft des Maler B. Ich traf ihn im Vorhaus seines Gartens; mit freudiger Erhebung trat ich in seine Werkstatt; — sein ganzes Leben und Streben leitet der Gedanke der Schweizer-Freiheit; so wird er eigentlicher Volks-Maler; denn nur vaterländischer Geschichte scheint seine Phantasie sich gewidmet zu haben. Auf der Staffelei stand ein angefangenes Bild: Tell, wie er nach seinem glücklichen Schuß den zweiten Pfeil dem Tyrannen Geßler drohend entgegenhält. — Kraft und Charakteristik der Schweizernaturen ist der Grundzug dieses, wie eines jeden seiner Werke. — In demselben Geist ist ein andres Bild von ihm: Zwingli's Abschied von Frau und Freunden, als er selbst, der Streiter des Herrn im Wort, das Schwert ergriffen und zu dem leider! unglücklichen Kampfe auf Leben und Tod auszog, wo er den letzten fand. —

Zug, den ....

Zwei Stunden war ich am rechten Ufer des Züricher Sees gegangen, als mich mein Weg rechts über das Gebirge führte. Wenn ich aufsteigend rückwärts schaute, welch erquicklicher Anblick, durch Tannenwipfel den freundlichen See erglänzend im Wiederschein des abendlichen Himmels, die Berge, wie müde Wandrer daran gelagert, tragend der Menschen vielfache Lust und Last, die bereits im Dämmerlichte verschmolzen.

Wie ich so im Gehen die kürzlich verflossenen Tage überdachte, drängte sich mir ein Vergleich der Schweizer und Holländer unmittelbar auf. Gewiß sind sie die Pole der deutschen Welt, auf das wunderbarste in Sitten, Tracht, Speise, Sprache, Charakter übereinstimmend, aber in demselben eben so contrastirend. Sind die Deutschen im Mannes-, so sind jene beiden im Kindesalter, doch so, daß die Männer in Holland noch Kinder scheinen, während die Kinder in der Schweiz schon Männer sind. So haben die Holländer die Kindheit der Kinder, die Schweizer die der Bauern. Damit aber nehme ich jene Karikatur nicht in Schutz, die mich der Zufall in Schaffhausen auf dem Marktplatz sehen ließ, wo die hoffnungsvolle Knospe des Vaterlandes, das künftige Bollwerk schweizerischer Freiheit, kleine Buben von 6 bis 12 Jahren in militairischen Exercitien geübt wurden von einem verschrumpelten Feldhauptmann Corporal, der mit der Rechten den Säbel, mit der Linken den blaukattunenen Regenschirm über seinem sieggekrönten Haupte schwang. Von dort freilich bis Zürich spürt man noch wenig Schweiz, außer an der wandelnden Natur, an Schaafen und Rindvieh — erquicklicher Anblick!

Altdorf, den .....

Eben als ich dieß schrieb, trat mein freundlicher Wirth (zum Hirsch in Zug) zu mir und davon unterrichtet, daß ich über den See wolle, frug er mich, ob ich nicht mit den Damen fahren möchte, die wirklich (d. h. eben) abreisten. Das that ich mit Freuden. — Der See gehört zu den lieblichsten in der ganzen Schweiz; die Ufer grenzen an ziemlich hohe Berge, sind üppig grün und lachen Einem ins Herz. Gegen Arth hin tritt der Rigi hervor und rechts von ihm erblickten wir eine Zeitlang den zackigen Pilatus, den aber endlich die Wolkenflocken ganz einhüllten; aber der Gipfel des Rigi erhielt sich blau und hell in reiner Luft, nur in der Mitte mit einem Wolkensaum gegürtet.

Bis Goldau war unser Weg noch derselbe; die Damen bestiegen Saumrosse, und ich trollte unter dem Schirme meines Sonnen-*paraplue* neben her. In einem fruchtreichen Thale steigt man langsam auf ins Land der Verwüstung. Du hast von dem fürchterlichen Bergsturz bei Goldau (im J. 1806) gehört. Die Zeit, die so manche Wunde heilt, hat auch hier schon über manches Todtenmal Gras wachsen lassen; dennoch ist und bleibt es ein erschütternder Anblick, und die Füße beben bei dem Gedanken, daß sie über ein großes Grab schreiten, dessen Urbestimmung goldnes, frisches Leben war und das die haltungslose Masse des sonst schirmenden Berges in einer Minute für viele Hunderte gegraben. Chaotisch liegen die Trümmer über- und durcheinander, getrennt sind alle Bande, die sie ehedem gehalten, so grub der Todtengräber sich selbst sein Grab. Auf einem aufgeworfenen Hügel machten wir Halt, um noch einmal die Schöpfung und Zerstörung zu übersehen. Links erglänzte im Dufte des Mittags der Zuger See — rechts erhoben sich ernst und steil die Schwyzerhaken und schlossen das friedliche, feierliche Thal mit dem stillen Lorwerzer See, der wie der Geist der Versöhnung umschattet von hohen drohenden Massen heiter lächelte. Hier trennte ich mich von meiner Gesellschaft. Aber die Schweiz ist wirklich der große Garten der Erde, in welchem die Stadtbewohner Europas spatzieren gehen, was Wunder, wenn man da Bekannte trifft und fast nur Bekannte. — Indeß wendete ich mich von den Berlinern, (denn dies waren die eben Herabgekommenen) zu einem alten ehrlichen Schweizer, der mir den seidnen Schirm beim Zeichnen hielt, und ließ mir manch hübsches Histörchen erzählen; wie es sich am nächsten aus der Gegenwart entspann. Vorübergehend grüßte uns eine junge Dame. „Die war auch schon in ihrem sechsten Jahre begraben, sagte er, jetzt lebt sie in der Schwizz und ist glücklich verheirathet.“ Wie so? fragte ich. „Dort aus der Schlucht, wo die Steine so klaffen, haben wir sie herausgeholt. Nicht weit davon hat ihre Base, die ist freilich jetzt schon zum zweiten Male begraben, drei Tage unter der Erde gelebt, bis wir endlich dazu konnten.“ — Aber mein Gott, sagte ich, wie hat die Frau das aushalten können? — „Das hat uns, sagte mein Alter, auch wol gewundert, aber wenn man sie heut noch fragen könnte, was sie im Loche angefangen hätte, sie würde nicht anders antworten, als damals, da wir sie ausgruben: sie sagte, sie hätte eben gewartet.“ — Indeß setzte ich meine Reise fort ins schöne Thal: immer großartiger ward der Zug der Gebirge, immer höher thürmten die Massen sich, entzückt schweifte mein Auge auf den scharfen Kanten und sprang von Spitze zu Spitze.

Doch von meiner Fahrt über den Vierwaldstätter See Morgen; es ist spät in der Nacht; der Mond lacht freundlich zum Fenster herein, gewiß hat er einen Gruß von Dir, aber er wünscht mit sanftem Abendlied mir sanften Schlaf aufs Augenlied und — Gute Nacht. —

Blicke auf die Französische Literatur.

Histoire générale du Moyen age, par M. Demichels, professeur au Collége royal de Henry IV. Tome premier. 1 *Vol.* in 8vo.

Von demselben Verf. erschien vor einiger Zeit ein *Manuel d'histoire du moyen âge*, welchem Pariser Critiker das Lob ertheilten, daß es den besten Deutschen Werken dieser Art verglichen werden könne. In der Vorrede zu diesem größeren Werke erklärt Hr. Desmicheis, daß er sein ganzes Leben dieser Arbeit gewidmet habe und es scheint ihm in der That Ernst mit dieser Versicherung zu sein. Dieser erste Theil umfaßt den Zeitraum von dem Fall des Abendländischen Kaiser-Reichs bis auf Karl den Großen. Bei der Erzählung der politischen Geschichte fällt der Verf. oft in den Ton einer leeren Deklamation, was ein gemeinsamer Fehler aller Französ. Geschichtschreiber ist; einfacher ist die Darstellung des Zustandes der Wissenschaften und Künste in dem Zeitraum von Theodosius bis zu Karl dem Großen. Da er sich schon bei diesem Zeitraume als einen eifrigen Römischen Katholiken zeigt und gegen die damaligen Ketzer loszieht, so dürfen wir nicht erwarten, daß er die spätere Entwickelung des Christenthums zur freien evangelischen Kirche als eine nothwendige begriffen haben wird. Solche Historiker bleiben dann bei der vergeblichen Klage über den Untergang des schönen Mittelalters stehn und können uns auf die Frage, was denn nun eigentlich jene gerühmte Zeit uns für ein bleibendes Vermächtniß hinterlassen habe? keine Antwort geben. Daß aus diesem gährenden Zeitalter die freie Verfassung der modernen Staaten hervorging, von welchen die, von dem römischen Joche befreite, Kirche als wesentliches Element aufgenommen wurde, haben sie in ihrer Trostlosigkeit nicht begriffen. —

Histoire de la Fronde; par M. le Conte de Saint-Aulaire. Trois Vol. in 8vo. A Paris chez Baudouin frères.

Die Geschichte einer Parthei, die so weit sich ausbildete, daß es zum revolutionairen Ausbruch kam, ist allerdings von großem Interesse, nur dürfen wir nicht erwarten, daß ein entschiedener Partheimann, wie der Verf., seine Stimmungen und Neigungen nicht in sein Werk übertragen sollte. Immer bleibt jedoch diese Arbeit eine erwünschte Ergänzung dessen, was der Cardinal de Retz in seinen Memoiren bereits über die Fronde gesagt hat und da Herr de Saint Aulaire, außer den galanten Verwicklungen auch einige Aktenstücke beibringt, welche für das Benehmen des Parlaments von Bedeutung sind, so erhebt sich sein Werk allerdings über die bloßen Memoiren aus jener Zeit, mit denen wir reichlich versehn worden sind.

Caristas 1 *Vol.* in 12.

Während die Deutschen Novellendichter sich seither damit begnügt haben, in den Roman ihre Ansichten über Kunst und Kritik einzuflechten, sind die Franzosen einen Schritt weiter gegangen und benutzen bereits die Form des Romans um Kantische Philosophie einzuschwärzen. Hätte der verstorbene Solger, dieser edle und tiefe Denker, den wir so vielfach in seinen Briefen an Tieck darüber klagen hören, daß sein Erwin und seine philosophischen Gespräche keinen Eingang bei dem Publikum fanden, ebenfalls diesen Schritt gethan, seine Einleitungen etwas mehr im romantischen Stil gehalten, einige Frauen mit redend eingeführt, so hätte er vielleicht seinen Zweck, mehr gelesen zu werden, erreicht. Sein großer, indeß immer edler, Irthum war aber: das Publikum, was just von Walter Scott, Müllner, Kotzebue, Clauren und anderen in Anspruch genommen war, für sich und die Philosophie zu gewinnen. In dem vorliegenden französischen Roman finden wir es auch nur darauf abgesehn, durch eine interessante Einleitung die Leser unvermerkt in die Irrgänge der Philosophie zu locken, ein Kunstgriff, den man sogar dem Platon bei einigen seiner Gespräche nachweisen könnte. Eben so finden wir in dem Caritsas eine Abhandlung über die Seele, welcher das Wahre, Rechte und Schöne als drei Haupteigenschaften zugetheilt werden, woraus denn der Verf. Gelegenheit nimmt von der Wissenschaft, der Moral und der Poesie zu sprechen. Für diejenigen, die sich mit dem was die Franzosen Philosophie und philosophiren nennen bekannt machen wollen, ist dieser Roman nicht ohne Interesse; zu Toilettengeschenken dürfte er sich jedoch nicht eignen.

Yajnultabada ou la mort d'Yadjnadalta épisode extrait du Ramagana, poeme épique sanscrit, donné avec le texte gravé, une analyse grammaticale très détaillée, une traduction française et des notes par A. L. Chezy; de l'Académie des Inscriptions et belles lettres etc. etc. Vingt-deux feuilles un quart in 4to. Quatorze planches gravées et un alphabet bengali lithographié. Prix 15 Fr.

Hr. de Chezy gehört zu den Ersten, die sich in unserer Zeit das Verdienst erwarben, die orientalische Literatur und namentlich die Indische Poesie uns zugänglich zu machen. Zwar sind die glänzenden Versprechungen, die Hr. Friedrich v. Schlegel schon vor zwanzig Jahren machte, indem er uns in seinem Buch über die Weisheit der Indier versicherte, daß diese Indische Literatur auf unsere gegenwärtige Bildung einen eben so großen Einfluß ausüben werde, als die classische Literatur der Griechen und Römer, welche die Barbarei des Mittelalters brach, noch nicht in Erfüllung gegangen, allein durch ihn und mehr noch durch August Wilhelm v. Schlegel ist doch selbst im Auslande und namentlich in Paris der Eifer für jene Poesie geweckt worden, so daß sich dann bei andern die Lust einfand, die schwerere Arbeit der Sprachforschung zu übernehmen. Darin gingen freilich allen anderen die Engländer voraus, doch hat auch auf diesem Felde ein deutscher Gelehrter, Hr. Professor Bopp in Berlin den Preis davon getragen, dessen Conjugationssystem, Uebersetzung des Nalas, Ardschuna's Himmelfahrt und andere Episoden des Maha-Bharata in Frankreich eben so anerkannt worden sind, als die Arbeiten von Colebroke, Carey und Wilkins. — Nur dadurch, daß viele Kräfte sich vereinigen, kann es endlich dahin gefördert werden, eine vollständige Uebersicht jener, dem Umfange, wenn auch nicht dem Inhalte nach, reichsten Dichtungen der Indier zu erhalten. Denn ein Epos, wie den Maha-Bharata, welches hundderttausend Verse, jeder zu zwei Zeilen, hat, zu übersetzen, ist nicht die Arbeit eines Einzelnen, sondern vielmehr eine Europäische Arbeit geworden. — Hr. de Chezy hat zu der von ihm gewählten Episode, aus dem Naniagma außer der Französisch. Uebersetzung auch noch eine wörtlich treue lateinische Uebersetzung hinzugefügt die Hr. Burnouf gemacht hat.

Bei seiner Vergleichung des Sanscrit mit dem Griechischen und Lateinischen ist Hr. de Chezy der Arbeit des Hrn. Bopp gefolgt. Die den Text begleitenden Anmerkungen sind schätzbare Beiträge zur Erläuterung der Indischen Mythologie. Ueber den Inhalt des Gedichtes behalten wir uns eine ausführlichere Mittheilung vor. — 12.

(Redigirt von Dr. Fr. Förster und W. Häring (W. Alexis.)

Im Verlage der Schlesingerschen Buch- und Musikhandlung, in Berlin unter den Linden Nr. 34.

Berliner Conversations-Blatt

für

Poesie, Literatur und Kritik.

Donnerstag, — Nro. 87. — den 3. Mai 1827.

Englische Seeleute auf dem Lande. *)

Des gemeinen Matrosen erster Gedanke, so bald er das feste Land betreten, ist, wie er sein Geld verthun könne; allein noch früher macht ihm das wunderliche Gefühl zu schaffen, wie sonderbar fest die Erde sei, die er mit einer eigenen schwerfälligen Leichtigkeit, mit dem Schritt eines Fuhrmanns und eines Tanzmeisters zugleich betritt, die Schultern hin und her wankend, und mit dem Fuß immer erst zufühlend ganz so, als wenn er sich noch auf dem Verdeck befände, und gegen die unsicheren Bewegungen des Schiffes auf seiner Hut sein müsse. Man wird bei dem Matrosen immer diese Leichtigkeit der Füße bei großer Schwerfälligkeit der obern Theile bemerken. Auch fühlt er dies selbst. Er läßt seine Jacke offen umherfliegen, schlendert mit den Schultern, und zieht die langwachsenden Haare in einen schweren Zopf zusammen; ist er aber ganz festlich angezogen, so weiß er sich viel mit einer gewissen Zierlichkeit des Fußes; auch auf seine weißen Strümpfe und blanken Schuhe, die aus den blauen Hosen prächtig hervorsehen, thut er sich viel zu gute. Seine Arme bewegen sich immer in einer Curve gegen einander, die Hände halb geöffnet, als ob er so eben am Schiffsseil gezogen, und auf der Welt weiter nichts zu thun hätte, als wieder daran zu ziehen. Er ist stolz darauf in einem neuen Hut und Pumphosen zu erscheinen, mit einem Taschentuch, das er lose um den Hals geknüpft; und einem andern, wovon ein Zipfel aus seiner Tasche hängt.

So ausstaffirt, mit tombacknen Schnallen an den Schuhen (die er für goldne gekauft), nimmt er ein wenig Taback in den Mund, nicht um ihn gleich zu verbrauchen, er steckt ihn vielmehr graziös genug in eine Seitentasche des Mauls, zu späterm Bedarf, wie der Pelican es mit den gefangenen Fischen macht, und so zieht er, Betty Monson an seiner Seite, und vielleicht noch einen Stock unter dem andern Arm, fröhlich aus, um ganz Schlaraffenland in Besitz zu nehmen. Was ihm in den Weg kommt kauft er, Nüsse, Pfefferkuchen, Aepfel, Schuhbänder, Bier, Brandtwein, Schnallen, Messer, eine Uhr, (zwei, wenn er Geld genug hat,) Schürzen und Tücher für Betty, seine Mutter und Schwestern, ganze Dutzende superfeiner, eleganter baumwollner Mannsstrümpfe, desgleichen süperfein elegante Frauenstrümpfe, bestes Leinen zu Hemden, (obgleich er schon zu viel hat,) eine unendliche Menge Nadeln und Zwirn, (seine Hosen einst damit zu nähen,) einen Lakaienhut mit Borten, Bärenfett das Haar wachsen zu machen (er thuts ja nur zum Spaß), mehrere Stöcke und andere Judenartikel, eine Flöte, (die er nicht spielt und auch nie zu spielen denkt,) eine Hammelkeule, die er sich irgendwo rösten läßt, und wovon ein Stück ihm beim Schiffsküchenmeister zweimal so theuer als der ganze Braten zu stehn käme; kurz alles, worin man Geld verthun kann, ja er würde selbst darauf bestehn, die Arzenei zu be-

*) Die Seemänner bilden unter sich eine entschieden abgesonderte Gemeine, die ihren festländischen Mitbrüdern wenig anders als durch Bücher bekannt sind. Smollet hat hiezu viel beigetragen, und aus Herrn Leigh Hunts „Indicator" der nicht leicht in Jedermanns Hände kommen mag, ziehen wir in ähnlichem Sinne folgende vortreffliche Schilderung aus die den besten Englischen und Deutschen Stücken dieser Art an die Seite zu setzen ist.

zahlen, die ihm gratis gereicht wird. Er möchte lieber alle gemalte Papagaien, die der Gypsfigurenhändler auf dem Kopf trägt, kaufen, um sie zu zerbrechen, als sein Geld nicht verschleudern. — Er hat Fiedeln am Bord, um zum Tanz aufzuspielen, und einen Ocean von Grog und Flip *), er gibt dem blinden Violinspieler Taback als Douceur und eine halbe Krone, weil er ihm auf den Fuß getreten. Er erkundigt sich bei der Wirthin mit einem Seufzer nach ihrer Tochter Nanny, die zuerst sein Herz entzündete mit ihren seidenen Strümpfen, und da er hört, daß sie verheirathet und in Kindesnöthen sei, läßt er fünf Kronen für sie zurück. Er geht mit Betty Monson nach einem Hafenschauspielhaus, ein großes rothes Taschentuch voll Aepfel, Pfefferkuchen, Nüsse und Rindfleisch, fordert er die Fiedler zum *Rule Brittania* auf, und vergleicht Othello mit dem schwarzen Schiffskoth in seiner weißen Nachtmütze. Wenn er nach London kommt, nimmt er mit einigen seiner Cameraden sich eine Miethskutsche, die voll von Betty Monsons und Tabackspfeifen ist, so fahren sie rauchend und mit den Köpfen aus dem Kutschenfenster hängend durch die Straßen. Zu reiten trug er immer großes Bedenken, und unter seinen andern Beobachtungen fremder Sitten, erzählt er immer mit unverstelltem Erstaunen, wie er die Türken reiten gesehen. Sie haben bloß Sattelkissen, — sagt er, sorgfältig bemüht dem Unglauben seiner Zuhörer zu wehren — die sie vorn und hinten einschließen und eine Art von Schaufeln statt der Steigbügel. Er erzählt auch, wie die Chinesen trinken, wie die Neger tanzen, und die Affen auch mit Cocosnüssen werfen, und wie ein Negerkönig ihm eine Lehmhütte bauen, und ihn zum Pair des Reichs machen wollen, wenn er bei ihm bleiben, und ihn lehren wollte, Hasen zu machen.

Er hat eine Schwester in einer „Erziehungsanstalt für weibliche Zöglinge", die mit einer Mischung von Vergnügen und Schaam bei seinem Erscheinen erröthet, und deren Verwirrung er vollkommen macht, da er ihr vier Pence in die Hand drückt und laut hinzufügt, daß er „nicht mehr Kupfergeld bei sich habe." Seine Mutter und ältern Schwestern zu Hause verehren alles, was er sagt und thut, sind aber so kühn ihm zu gestehn, daß er ein großer Kerl und Seemann geworden und immer ein wilder Bursche gewesen sei, wie er noch nicht größer als so groß war. Er sagt seiner Mutter, sie würde zu Paraaboo eine Herzogin vorstellen, worüber die gute alte stattliche Frau lacht und eine frohstolze Miene annimmt. Da seine Schwestern sich über sein Herumrammeln beklagen, sagt er, sie wären bloß böse darüber, daß er nicht Bäcker sei. Er erschreckt sie mit einer Maske nach Neuseeländischer Art gemacht, und erhält um seiner Industrie willen, Verzeihung. Ihre Taschen füllt er mit Muscheln und Hayfischzähnen, und wie er wieder zur See geht, ist der Thränen und des Lebewohls und selbstgemachten Kuchens gar kein Ende.

(Beschluß folgt.)

*) Ein Getränk, das aus Bier, Zucker und Brandwein bereitet wird.

Berliner Chronik.

Sonntag den 29. „Die Hochzeit des Gamacho. Komische Oper in 2 Abtheilungen mit Ballet nach dem bekannten Roman des Cervantes; Don Quixote de la Mancha zur beibehaltenen (?) Musik von Felix Mendelsahn Bartholdi für die Königliche Bühne umgearbeitet von dem Freiherrn von Lichtenstein." Ein recht ausstudirter Titel, und dennoch kömmt man nicht dahinter, wer eigentlich der Poet des Textes ist, denn wenn der Freiherr von Lichtenstein die Oper zur beibehaltenen Musik von Felix Mendelsohn umarbeitete, so mußte doch schon Text vorhanden sein, bevor diese Umarbeitung begann; wir verdanken mithin die poetische Gestalt dieser Oper einem Cervantes, einem oder mehreren unbekannten Bearbeitern und einem bekannten Umarbeiter und müssen uns daher wundern, daß Sancho Pansa, dem man so viele Sprüchwörter hersagen läßt, selbst in der Küche des Camacho das so nahe liegende „viele Köche verderben den Brei" vergessen hat. Allein das Erfreuliche hat dennoch den Titel, daß wir den Namen eines hiesigen jungen Künstlers darauf genannt finden, dem es einmal gelungen ist, seine Arbeit auf die Bühne zu bringen, was nicht nur für ihn, sondern auch für andere Talente eine Aufmunterung sein wird und vielleicht auch die Direktion darauf aufmerksam machen wird, daß es gar nicht gegen ihren Vortheil ist, zuweilen gelungene Arbeiten hiesiger Künstler zuzulassen. Auch scheint es für die Kasse keine so üble Spekulation zu sein, die Opern Berliner Componisten auf die Bretter zu bringen. — Ein solches Landeskind wird außer seinen nähern Bekannten und Freunden, immer einen noch größeren Kreis von Musikfreunden und Neugierigen anziehen und selbst wenn einiger Partheigeist für und wider sich einmischt, so wird die Direktion dabei nur um so mehr ihre Rechnung finden. Mangel an gutem Vorrath ist nicht zu fürchten. Wenn man an die in Berlin wohnenden Componisten eine Aufforderung erließ, eine Anzeige von ihren fertigen, jedoch unbekannten Opern einzusenden, so würde gewiß eine nahmhafte Summe herauskommen, denn von zwanzig der besseren Componisten hat gewiß ein jeder außer einer Opera seria auch noch einige komische Opern in seinem Pult liegen; allein es fehlen die „darauf Reflektirenden." — Nochmals also gratuliren wir Hrn. Mendelsohn, daß er in seinen Bemühungen auf das Repertoir zu kommen, nicht ermüdet ist. —

Um nun zuerst den Total-Eindruck zu erwähnen, den die erste Aufführung seiner Oper machte, so muß man gestehn, daß der Total-Eindruck der war, daß man keinen Total-Eindruck hatte, sondern schöne Einzelnheiten sich vorherrschend geltend machten, und in sofern war die Ouvertüre, von der dasselbe gilt, ein treues Vorbild der ganzen Oper. Allein die einzelnen gelungenen und sogar brillanten Musikstücke konnten der mislungenen Dichtung und Darstellung nicht das Gegengewicht halten. Als daher die Freunde des Hrn. Mendelsohn, ohne Unterschied jedes Recitativ, jedes Lied, jedes Musikstück, selbst wenn der Vortrag verletzte, durch Beifall auszeichneten, so mußte dies natürlich eine Parthei hervorrufen, die einen zischenden Dämpfer aufsetzten, was jedoch gewiß weit weniger dem Componisten als den Ausführenden galt, die solche Ehrenbezeugungen für sich allein in Anspruch zu nehmen haben. Am wenigsten jedoch konnte man sich mit der poetischen Bearbeitung einverstanden erklären. So glücklich der Stoff, der früher schon zu einem französischen Lustspiele benutzt wurde, gewählt ist, so sehen wir doch hier eine der schönsten Episoden des berühmten Romans so be- und verarbeitet, und das seidene Gewebe des zarten spanischen Netzes mit grobem, inländischen Hanf so durchwirkt, daß man damit auf den Stralauer Fischzug gehn könnte, und in diesem Sinne hatten es denn auch die Vorsteller mehr oder weniger aufgefaßt. —

Der Gang der Handlung und die Eintheilung der Musikstücke sind folgende. — Quitteria, (Madam Seidler) Tochter des Pächters Carrasco, (Herr Devrient d. J.) der sie an einen reichen Grundeigenthümer, Gamacho, (Hrn. Schneider) verlobt hat, wird von dem von ihr begünstigten Liebhaber, Basilio (Hr. Bader) einem jungen Bakalaureus und Liederdichter aufgesucht und gefunden. Dies giebt zur Einleitung ein hübsches Duett, in welchem die Liebenden sich ewige Treue schwören. Wie sie darauf kommen, indem sie sich fest umarmt halten, zu singen: „Wir tragen muthig der Sehnsucht Schmerzen" sieht man nicht recht ein, allein der Vater, der eben dazu kömmt, sieht es auch nicht ein und der erzürnte Mann giebt sehr geschickt die dritte Person ab, um ein Terzett zu Stande zu bringen, worauf er die Tochter mit sich fortnimmt. Nichts ist natürlicher, als daß der zurückgelassene Basilio eine Arie singt, in welcher er den besten Muth und die vollkommne Ueberzeugung, daß die Geliebte ihm treu bleiben werde, ausspricht. Unterdessen findet sich ein Studiengenosse Basilios, Vivaldo, (Hr. Stümer) Bakalaureus und Dichter, wie er, ein, ein heitrer, unternehmender Freund, der nie um guten Rath verlegen ist und der in so fern die Hauptrolle zu spielen hat, als er alle Verwicklungen einleitet und ausgleicht. Nebenbei hat auch er sich bestens mit einem Liebchen bedacht. Ein hübsches Bauernmädchen, Lucinde (Dem. Hoffmann), Quitterias Freundin, kömmt ihm wie gerufen, um ein muntres Duett mit ihm zu singen, worauf er noch ein lustiges Lied setzt. — Der Zug der Verlobten nähert sich und Vivaldo beschwört Basil sich jetzt zu verbergen. Kaum aber hört dieser den Chor, der seine Braut als die Verlobte eines andern begrüßt, und die Arie, die Quitteria an eine Laube „die stille Vertraute der fröhlichsten Zeit" singt, stürzt er heraus und es kömmt nun zu einem Sextett mit Chor, in welchem die Bauern schwören, den Basilio todt zu schlagen, als auf seinem Grauchen Sancho Pansa (Hr. Wauer) erscheint und die siebente Stimme übernimmt. — Daß Vivaldo, der so kühn sich seines Schwertes und seiner Lieder gerühmt hat, sogleich diesen hasenfüßigen Schildknappen als „einen Beschützer in der Noth" begrüßt, gehört zu den Verstößen, an denen die Bearbeitung stark laborirt.

Sancho meldet nun die Ankunft seines Herren „des Löwenritters von der traurigen Gestalt," der die Höhle des Riesen Montesinos, die sich in der Nähe des Dorfes befindet, aufsucht, um hier ein Abenteuer zu bestehn. Vivaldo benutzt dies, um neue Verwicklungen in das Stück zu bringen. Er räth, Basilio sich in jene Höhle zu begeben, was dieser auch nach geendetem Recitativ und Arie thut. Eben so überredet er Quitterien dem Basil zu folgen, wozu sie sich auch in einer Arie, einem Recitativ und einer zweiten unmittelbar darauf folgenden Arie entschließt. Quitteria ist von dem Dichter am dürftigsten ausgestattet; obwohl von dem Componisten am reichsten beschenkt. Dadurch, daß sie in einem ewigen Lamento bleibt und den Refrain „Ach vor Schmerz bricht mein Herz." „Scheiden und meiden bringt Leiden" zu oft wiederholt, wird sie langweilig. Daß sie aber jetzt schon erklärt: daß sie zu ihrem entflohenen „Gatten," so nennt sie den Basil, fliehen will, verdanken wir wohl nur „des Waldes dunklen Schatten."

die ihren Reim haben wollten. Vivaldo hat unterdessen dem Gamacho ein Mährchen von einer reichen Erbschaft Basilios und von der Einwilligung Carrascos zur Verbindung seiner Tochter mit ihm aufgeschwatzt und der betrogne Liebhaber rottet sich nun mit seiner Vetterschaft zusammen, um den Schwiegerpapa aufzusuchen und das Pärchen nicht entkommen zu lassen. Während sie an der einen Thüre lauschen, kömmt Carrasco mit seinen Leuten an und hier hat der Componist in einem Doppelchor sich als Schüler des gründlichen Zelter erwiesen, und durch die Weise, wie er diese Scene behandelt hat, seine glücklichen Humor in der Musik — in jetziger Zeit eine seltene Gabe — uns gezeigt. Besonders guten Effect machte das „angeführt", womit die Bauern zuletzt abziehn. An dieser Stelle erkannten wir ganz den genialen Componisten wieder, der es unternehmen durfte eine Ouvertüre zu Shakespeares Sommernachtstraum zu schreiben. — Aus dem Lärm dieses Chors werden wir in die Waldeinsamkeit geführt, wo Basilio sich trauernd einen Kranz windet und kaum hat er seine Arie vollendet, so hört er Quitteria nach ihm rufen, allein er läuft davon und überläßt die Geliebte ihrem Schicksal, die uns aufs neue ihre Leiden klagt. — Don Quixote (Hr. Blume) tritt nun hervor und begrüßt Quitterien singend unter Posaunen-Begleitung als seine Dulcinea von Toboso. Die Erscheinung des Don Quixote war nicht von der Wirkung, die man sich davon versprochen hatte. Von dem Componisten scheint es verfehlt zu sein, erstens: daß er hier die Posaune, die durchaus keinen Spas verträgt, anwendet, als ob Sarrastro oder der steinerne Gast ankäme; zweitens daß er überhaupt den Ritter singen läßt. Dieses Verweilen im Gesange liegt nicht in seinem raschen Charakter, er pflegt gleich zu handeln und eben so wenig ist er geneigt sich durch Gesang aufhalten zu lassen. Obwohl eines der höchsten Meisterwerke der romantischen Poesie, ist er selbst dennoch eine prosaische Person; die äußeren Erscheinungen, so wie seine inneren Gefühle sind ihm klar, überall ist er seiner Sache gewiß und dies sind Eigenschaften, die ihn über das Pathos der Musik erheben, sie ist durchaus nicht der Zauberkreis, in welchen er gebannt stehen kann. Der Componist hätte in jedem Falle besser gethan, Don Quixote nicht singen zu lassen und der Dichter hätte dann diese Rolle für Hrn. Devrient einrichten können, an dem wir gewiß einen Ritter von der traurigen Gestalt gehabt haben würden, wie ihn nur Chodowiecky gezeichnet hat. — Doch nun zur Erzählung zurück. Basilio erscheint auf Quitterias Hülferuf auf einer über einen See hängenden Felsenspitze mit einer Fackel in der Hand; er ruft Don Quixote zu: „Wage nicht sie zu verfolgen, jeder Schritt bringt dir den Tod!" kümmert sich jedoch nicht weiter um die Geliebte, sondern bleibt nur so lange auf dem Felsen, bis Donquixote gegen das Spiegelbild Basilios, welches er für den Riesen Montesinos nimmt, mit seiner Lanze gestoßen hat, worauf er verschwindet, damit der Ritter sich seines Sieges rühmen kann. Jetzt nahen Carrasco und Gamacho mit ihren Bauern, Don Quixote fordert sie auf sich mit ihm zu schlagen, da indeß Vivaldo mit sämmtlichen Jungfrauen des Dorfes eintrifft, stellt sich der Ritter an die Spitze der Bauern und fordert die Mädchen auf, das Gewehr zu strecken. Auch dieser Streit wird unter anmuthigem Chorgesang ausgeglichen, wodurch das Finale des ersten Aktes eingeleitet wird. Da erscheint Basilio als Geist, doch so daß man Fleisch und Bein nicht verkennen kann und bedroht den Gamacho mit fürchterlichem Wehe. Als dieser dennoch zuletzt der Braut nacheilen will, wirft ihn der Ritter zu Boden. — Der Vorhang fällt.

(Beschluß folgt.)

Montag den 30. Apr. Mösers Concert.

Die ehrenvollste und belohnendste Anerkennung seiner vielfachen Bemühungen und Verdienste um die Concerte der Mad. Catalani erhielt der Hr. Musik-Direktor Möser dadurch, daß die gefällige Sängerin ihm ein Concert gab. Eben so wie vor zehn Jahren, als Mad. Catalani zum ersten Mal in Berlin sang, war auch diesmal schon zwei Stunden vor der Eröffnung das Gedränge groß, und was wir seit ihrem Hiersein nicht wieder gesehen hatten, selbst auf der Straße mußte eine Queue gebildet werden, wo man die elegantesten Damen in der Colonne aufgestellt sah. Mehrere Tage vorher war schon kein Billet mehr zu haben und man sagt, daß mehr als 1400 ausgegeben wurden. Saal und Vorsäle waren so überfüllt, daß der Genuß dadurch gestört wurde, die Reihen saßen und standen so dicht gedrängt, daß sie die Arme kaum rühren konnten, weshalb das Applaudiren etwas beschwerlich wurde. Selbst Mad. Catalani schien um ihren Platz besorgt gewesen zu sein, denn schon vor 6 Uhr hatte sie sich mit ihrer langjährigen Freundin, der Mad. Beer, eingefunden und ihren Platz unter dem Publikum eingenommen, was allerdings beschwerlicher, aber doch immer angemessener scheint, als sich, wie unsere Sängerinnen pflegen, hinter einen Ofenschirm am Fenster zu verstecken. Leider ist von dem Baumeister für ein Nebenzimmer nicht gesorgt worden, was ein großer Uebelstand ist.

Die übermäßige Hitze hatte die Sängerin erschöpft, bevor sie auftrat, die Luft war schwül und dick, und dies war Ursache genug, daß die Stimme der Mad. Catalani nicht den Klang haben konnte, den sie in dem Opernhause und noch mehr in der Kirche hatte. Die große Hitze war ferner Schuld, daß das Publikum an Kälte litt und nur das *God save the King* drang den gewohnten stürmischen Beifall ab. — Hrn. Mösers Spiel war vortrefflich in der Barcarole mit Variationen von Mazas. Hrn. Kammermusikus Ganz schien das *vis a vis* der Mad. Catalani heut besonders zu begeistern; er spielte ein von ihm selbst gesetztes Concertino auf dem Violoncell so vortrefflich, daß man ihn bald unter den erstern Meistern auf diesem Instrumente nennen wird. Er trägt, eben so wie Romberg, frei vor, ohne die Noten vor sich zu heben. —

(Redigirt von Dr. Fr. Förster und W. Häring (W. Alexis.)

Im Verlage der Schlesingerschen Buch- und Musikhandlung, in Berlin unter den Linden Nr. 34.

// Berliner
Conversations-Blatt
für
Poesie, Literatur und Kritik.

Freitag, — Nro. 88. — den 4. Mai 1827.

Laß reiten!

Es ritt ein Reiter die Straße hinaus,
Die Spur verwehte der Wind. —
Ein Mädchen zerpflückt' einen Rosenstrauß
Und weinte die Augen sich blind.

Du warst mir so rosigt und wohlgemuth,
Wie bist du geworden so bleich?
Was heimlich im Herzen dir wehe thut,
Mein Kind, vertraue mir gleich.

Ich weine ja nicht um heimlichen Schmerz,
Weiß nicht, wie in Leiden ich steh',
Es thut mir, o Mutter, nicht bloß das Herz,
Es thut mir gar manches noch weh.

Herr Doctor, Herr Doctor, die Tochter ist krank,
O hilft doch dem Kinde mein.
Wohl mischte der Doctor 'nen bittern Trank,
Doch konnt's nicht geholfen mehr sein.

'nen bittern Trank, den hab' ich still
Getrunken, es ist nun vorbei.
Laß reiten, laß reiten, wer mag und will,
Ihr kommt doch der Wunde nicht bei.

Adelbert v Chamisso.

Englische Seeleute auf dem Lande.

(Beschluß.)

Sein Officier thut am Land beinah das Nämliche, nur in einem etwas feinern Geschmack. So wie er gelandet, kauft er eine Menge Kleinodien und andere Sachen von Werth für alle Damen seiner Bekanntschaft, und wird bei jedem Stück, das er kauft, betrogen. Er schickt einen Karrn voll' frischem Fleisch an Bord, obgleich er den Tag darauf nach der Stadt gehen will; und da er bei einem Lichtgießer, einige Lichte zu kaufen, einkehren muß, läßt er sich bereden ein Dutzend grüner Wachskerzen mitzunehmen, womit er am Abend das Schiff erleuchtet, und dabei bedauert, daß das schöne Mondlicht die Wirkung der grünen Farbe störe. Ein Mann mit einem Bündel unter dem Arm, redet ihn in einem demüthigen Ton an, und mit einem Blick, worin sich Ehrfurcht vor seiner Einsicht, und aufrichtiger Eifer für das eigne Interesse vermischen, fragt er ihn, ob Se. Herrlichkeit eben unter die Colonnade treten will, um einige echte Indische Shawls anzusehen. Der würdige Lieutenant sagt zu sich selbst „dieser Bursche, sieht es den Leuten am Gesichte an, ob sie was sind" und sogleich beweist er dies dadurch, daß er sich prellen läßt. Wie er die Shawls nach Hause bringt, sagt er zu seiner Schwester mit einer triumphirenden Miene: „Hier Polly ist was für Dich, kostet mich bloß zwölfe, und ist zwanzig werth." Sie wird bleich: „Zwanzig, was, lieber George, ich hoffe doch, du hast keine zwanzig Thaler dafür gegeben." Ich nicht, fürwahr. — „Das ist nur gut, denn siehst du, lieber

Georg, alles zusammen ist keine 15 Schillinge werth." „Funfzehn — was, es ist doch echt Indisch, ist's nicht?". Der Kerl sagte es ja; oder ich möchte eben so gern (hier sucht er seine Verlegenheit durch Poltern zu verbergen) ich möchte ihm eben so gern zwölf Puffe in die Zähne gegeben haben als zwölf Guineen." „Zwölf Guineen," schreit die Schwester, und mit lang gedehntem Ton „Wie, mein lieber Georg" hervorziehend, schickt sie sich an ihm zu beweisen, was die Sachen ihn bei Condell gekostet hätten, als er sie unterbricht und sie bittet zu gehen, um selbst für sich ein Theeservice auszusuchen. Dann entschlüpft er zu einigen Tischgenossen in ein Kaffehaus, und ertränkt seine Shawlreminiscenzen in bestem Wein und Erörterungen über die verschiedenen Verdienste der Englischen und Westindischen Schönen. Im Theater, wo er zuvor nie gewesen, nimmt er ein Frauenzimmer in einer hintern Loge für eine Dame vom Stande, und da sie, nachdem sie seinen langen ehrfurchtsvollen Blick mit einem Lächeln erwiedert, sich zur Seite kehrt, und das Tuch vor den Mund nimmt, glaubt er, es geschehe ihn zu verspotten, bis ein Freund ihn widerlegt. Er wird bei der Dame eingeführt, und späterhin erwartet er immer beim ersten Anblick einer Dame von Stande (mit aller Achtung vor diesen reizenden Personen sei es gesagt) daß sie ihm gleichfalls zulächle. Er hält die andern Frauenzimmer für viel besser als man sie gewöhnlich nimmt, und ihrerseits gestehn sie ihm, wenn alle Männer wie er wären, würden sie dem Geschlecht der Männer wieder trauen, woran sie, so viel wir wissen, die Wahrheit sagten. Er hat in der That, wie er meint, eine sehr freie Ansicht über die Frauen im Allgemeinen, da er sie alle, so zu sagen, mit den Augen einer Seemanns-Erfahrung beurtheilt. Dennoch glaubt er an die „treue Liebe" jedes Mädchens, um deren Hand er sich etwa bewerben möchte, mag er übrigens noch so lange um sie herumgehen und sich so entfernt als möglich halten. Er sieht die Beständigkeit der Frauen für eine Art von Heldenthat an, die denen gleicht, die er zur See verrichtet, auch hat er nicht vergessen, was er in frühern Zeiten in Liedern und Gedichten davon gelesen. — In seinen Uhren und seiner Wäsche ist er sehr sorgfältig. Er schenkt auch Carniole, Gemmen, in Silber eingefaßte Kokosnüsse und andere Kostbarkeiten. Wenn er euch die Hand schüttelt, ist es, als geriethet ihr zwischen die Tane einer Schiffswinde. Um alles in der Welt möchte er nicht in seiner Uniform durch die Straßen schwärmen. Er ist gewöhnlich bescheiden in Gesellschaft, doch leicht zu reizen durch das, was er für unfeines Benehmen hält. Auch Krankheit Anderer kann ihn aufbringen, zum Theil, weil er gewohnt ist, Andern zu befehlen, und mit aller möglichen Achtsamkeit bedient zu werden, dann auch weil die Idee eines Leidens, wobei gar keine Ehre oder Vortheil zu gewinnen ist, ihm unziemlich, unanständig dünkt, und ganz ungewohnt vorkommt. Talente, die mit den seinigen nichts Aehnliches haben, behandelt er mit großer Ehrfurcht. Er sieht oft das seinige so wenig bemerkt, daß ihn dies zur Anerkennung Anderer führt. Ueberdies bewundert er die Menge von Kenntnissen, die Leute erwerben können, ohne wie er gereist zu sein; besonders wenn er sieht, wie sehr Jene von den seinigen angezogen werden. Wenn er eine Geschichte erzählt, besonders wenn sie Wunderbares enthält, ist er sehr bemüht, ihr das Gepräge der Wahrheit und Einfachheit zu erhalten, indem er sie mit allen möglichen Vorbehalten, Einräumungen und Verwahrungen umschreibt, z. B. „im Fall daß" „so zu sagen" „gleichsam" „wenigstens" „in jedem Fall" u. s. w. Er bedient sich selten seemännischer Ausdrücke, und nur wenn etwas seiner Lebensweise entgegenstrebendes ihn zum Scherz aufregt; z. B. wenn er euch immer zu Pferde reitend trifft, fragt er, ob ihr denn nie wieder aufs Deck wollt, oder wenn er euch täglich studirend findet, sagt er: ihr säßet immer über eurem Schiffbruch. Er macht mehr neue Bekanntschaften und vergißt die alten weniger als irgend ein Mensch in der Welt; denn er findet so viele Aufforderung sich in allen Orten und Landen heimisch zu machen, erinnert sich an seine wirkliche Heimath überall so sehr als des glücklichsten und vergnüglichsten Ortes, hegt das Andenken an freundschaftliche Verhältnisse mit so vieler Innigkeit während seines Seelebens, und hat, wenn er wiederkehrt, so viel zu hören und zu erzählen, daß Wechsel und Trennung bei ihm die Macht verlieren, mit der sie sonst die Empfindungen abzustumpfen pflegen; auch geht eine so große Mannigfaltigkeit von Sitten und Gewohnheiten seinem Blick vorüber, daß er dadurch in seinen Ansichten mild und schonend gegen Alle wird, und das **Wohlwollen, das seiner Natur nach die Gefühle sanft verbreitet, hat dadurch eben ein Gedächtniß für die frühern.** *) Das Hauptgeheimniß des menschlichen Umgangs ist: Nachsicht gegeneinander zu üben. —

---

*) Eine der feinsten psychologischen Bemerkungen, so parador, oder gar nur rhetorisch angebracht sie scheine.

Wenn der Offizier zu alt für den Dienst wird, oder sich sonst zurückzieht, so wird er, bei gesunder Einsicht und Wißbegierde, einer der angenehmsten alten Männer, die man nur wünschen kann; den ruhigern Gesellschaftern durch sein Kartenspiel, wie den Gesprächigen durch seine seemännischen Mittheilungen hochwillkommen. Besonders liebt er astronomische Bücher und Reisebeschreibungen, und ist in den Augen aller derer, die ihn kennen, einer der Unsterblichen, weil er die Reise um die Welt mitgemacht, oder den Durchgang der Venus beobachtet, oder einen seiner Finger durch eine Neuseeländische Axt verloren, oder von einer Archantischen Schönheit ein Geschenk von Federn erhalten hat. Wenn nicht grade höhere Fähigkeiten ihn über die Neigungen seines Standes erheben, sitzt er im Winkel eines Caffeehauses, seine Kokosnüsse bei der Punschbole behaglich vor sich haltend, läßt vor seinem Sommerhaus hölzerne Kanonen aufpflanzen, und stellt die Figur seines alten Schiffes, etwa die Brittania oder die Lovely Nancy statt einer Statue in seinem Garten auf; wo das Bild für ewige Zeiten mit rothen Backen und runden schwarzen Augen prangt, als ob es sich über seine Lage nicht genug verwundern könnte. — B.

5. Reise eines Malers.

Geschenen, den 14. Aug.

Noch immer am Fuß des Gotthard! Sind die andern Glieder im Verhältniß, so muß man auf der Nasenspitze des alten Berggottes mehr vom Mond mit bloßen Augen sehen, als durch ein Gruithuisensches Fernrohr auf der Münchner Sternwarte. Indeß muß so Einer wol festen Fuß fassen an der Grenze von Welschland.

Mit welchem Entzücken grüßte ich gestern den herrlichen Vierwaldstädter See mit seinen Felsenhecken — wenn es nicht verwegen ist, die himmelhohen Alpen so zu schelten, denen statt der Blüthen des Weißdorns ein ewiger Schnee die Spitzen deckt. Ich war schon im Begriff, mit einem Schiffer über die Ueberfahrt zu akkordiren, als ein Alpenführer angehetzt kam und ein großes Schiff mit drei Ruderern bestellte; bald folgten ihm zwei Wagen, die schon von fern durch Strohhüte und bunte Tücher einen erfreulichen Anblick gewährten. Die Freude wurde erhöht, als die leibhafte Jugend aus dem Wagen stieg, vier allerliebste Mädchen und zwei rüstige junge Männer. Mit Vergnügen nahmen sie mich in ihren Kreis, und bald zeigte sich, daß wir recht gut zusammenpaßten; es waren Schweizer sammt und sonders, heiter, wie die Flur, die sie geboren, offen und vertraulich, im Guten lebend, kein Unschickliches oder gar Böses ahnend. — Unter Scherzen und Liedern schwommen wir über die Wellen, besuchten die jedem Schweizer und wol jedem Menschen heiligen Plätze: Das Grütli und Tells Platte, und zwischen ungeheuren senkrecht in den See tretenden Felsenwänden leiteten die Schiffer das Fahrzeug, bis wir in Fluelen landeten. In Altdorf hast Du mich schon im Schimmer des Mondlichts unter den schweren sich senkenden Flügeln der Nacht entschlummern gesehen. — Heut habe ich mit meiner frohen Gesellschaft den Weg nach dem Gotthard begonnen, und werde ihn eben fortsetzen; seine Beschreibung aber erst in Andermatt.

Berliner Chronik.

Die Hochzeit des Gamacho. (Beschluß.)

Obwohl das Ende des ersten Aktes uns eben keine günstige Aussicht auf ein Hochzeitfest eröffnete, sehn wir den zweiten Akt dennoch damit beginnen, daß in der Küche Carrascos von mehr als zwanzig Köchen und Köchinnen der Hochzeitschmaus zubereitet wird. Sancho findet sich auch ein und als man ihn versichert, er könne nach Gefallen zulangen, da Carrasco es liebe, wenn man zugreife, wird er, was ihm selten kömmt, witzig und meint: Carrasco sei wohl ein Liberaler. Die Personage des Sancho ist von den Nach-Dichtern und Zurichtern ebenfalls gar nicht im Geiste des Cervantes gehalten, denn damit, daß man ihm bei jeder Gelegenheit den Mund voll Sprüchwörter giebt, ist's noch nicht abgemacht; diese Sprüchwörter müssen auch treffen, was sie hier selten thun; daß man ihm grobe Unschicklichkeiten sagen läßt, scheint nur darauf berechnet zu sein, sich einiger Ausbrüche der Gallerie zu versichern. Zwar unterschied Hr. Wauer sehr gut seine Rolle von der des Leporello, in die er leicht hätte verfallen können, allein man konnte ihn doch eher für den Wirth von Stegelitz oder Stimming (zwischen Berlin und Potsdam) nehmen, als für einen Schildknappen aus der Sierra Morena. — Deshalb würde ihn das Lied, was er auf dem Weinfasse reitend singt, gewiß weit besser kleiden, wenn er es zu einem Glase Weißbier sänge; auch sind fünf Verse zu viel für solch ein Lied. Daß das ganze zahlreiche Küchenpersonale mit einem Mal zwischen den Töpfen und Bratenwendern zu tanzen und zu toben anfängt, giebt zwar für das Orchester ein lebhaftes Intermezzo, allein die Wirthschaft wird doch etwas zu bunt für die Zuschauer, zumal da gleich darauf der Brautzug kömmt und in einem großen Ballet uns der Tanz in weit zierlicherer Form vorgeführt wird. Diese Tanzmusik, besonders der erste Bolero ist dem Componisten ganz vorzüglich gelungen, wie er sich überhaupt durch sein gründliches Studium dahin neigt, die Instrumental-Musik und die Harmonie mehr zu begünstigen, als die Vocal-Musik und die Melodie. — Daß wir aber, anstatt eines Fandango mit Castagnetten, diesen ausdruckvollen Tanz, (der bei der Spanischen Bauernhochzeit so wenig fehlen darf, als bei der Märkischen Milchreis und Schweinebraten,) in welchem der wahrhafte Tänzer seine Kunst als Pantomime zu zeigen die schönste Gelegenheit hat, einen Amor und einen andern beflitterten und beschmelzten Genius in blonden Perücken herumhüpfen sehn, die das, was ihnen an Ausdruck und Grazie im Minen- und Gebehrdenspiel gebricht durch das Geschlenker der Füße, mit dem sich nun einmal nichts sagen und bedeuten läßt, ersetzen zu können glauben, dies beweist nur, daß der bessere Geschmack, den eine Tänzerin wie Mad. Desargus Lemière und ein so schöpferisches Genie wie Hr. Hoguet zu uns brachten, auf die Arrangements der Ballette noch immer nicht entschiedenen Einfluß geübt haben. Das Fechterspiel mit Stoßrappieren würde sich besser ausnehmen, wenn die Tänzer zu fechten verständen; der Witz, daß Don Quixote dazwischen springt, wird zu oft wiederholt. Sein Anrennen gegen den Thurm, hinter dessen papiernen Mauern die Göttin der Unschuld mit nicht mehr und nicht weniger als ihren vier Kinderchen steckt, die er sämtlich befreit, machte mehr einen lächerlichen, als einen komischen Effect, zumal da diese ganze Scene unklar eingeleitet wird. Ein Doppelchor tritt jetzt wieder auf, von dem die eine Hälfte das Lob des Reichthums, die andre das der Liebe besingt. Daß die Entwicklung der Handlung gerade da, wo es sich zur Entscheidung drängt, durch ein so langes Ballet und allegorische Vorstellung, die Vivaldo als seine Erfindung rühmt, unterbrochen wird, schadet mehr, als es unterhält. — So guten Trost auch Quitteria durch Vivaldo erhält, fängt sie dennoch aufs Neue zu lamentiren an und singt zum zehntenmal von Herz und Schmerz und von leiden und meiden. Die Monotonie der Worte geht auf die Musik über, die jedoch in dem folgenden Terzett durch das Hinzutreten der Lucinde und des Sancho wieder heiter wird. Mit der Hochzeit wird nun immer mehr Ernst gemacht, der Notarius legt den Contract zur Unterschrift vor und die Brautjungfern bringen den Brautkranz in einem sehr gelungenen Chor, der jedoch für diese Dorfmädchen zu gelehrt sein dürfte. Herr Mendelsohn hätte, eben so wie Weber im Freischützen zu dem „schönen grünen Jungfernkranz" ein böhmisches Volkslied benutzte, zu seinem Chor eine spanische Volksmelodie benutzen können. Ueberhaupt geht der Musik der Spanische Duft südlicher Blüthen, der darin wehen sollte, ab; alles hat einen viel zu ernsten, nördlichen Charakter. Eine neue Störung verursacht der als wahnsinnig erscheinende Basilio, alles geräth in Aufruhr, der sich in einem Septett mit Chor Luft macht. Die Katastrophe naht; Basilio erklärt auf die Braut Verzicht zu leisten, entsagt ihr und sticht sich einen Dolch in die Brust. Sterbend verlangt er, daß ihm die Hand der Geliebten gereicht und ein Protokoll darüber aufgenommen werde. So sehr Camacho sich dagegen sträubt, setzt er es endlich durch und kaum hat er die Unterschrift des Vaters und der Braut, so springt er frisch und gesund auf und das stürmisch eingeleitete Finale schließt endlich mit allgemeiner Versöhnung und Freude. —

Sollen wir noch eine Schlußbemerkung hinzufügen, so ist es die, daß, wenn auch die erste Oper eines Componisten von 18 Jahren kein Don Juan Mozarts sein kann, es doch alle Anerkennung verdient, daß Hr. Mendelsohn, dessen musikalisches Talent sich schon so früh entwickelte, daß an seinem neunten Geburtstage eine Oper von ihm in seinem elterlichen Hause, aufgeführt wurde, sich nicht von dem Modegeschmack hat imponiren lassen, sondern zu Ehren der Kunst, frei von Effectmacherei und Buhlerei mit dem Publicum, frei von der Eitelkeit, seinen Namen sogleich von Petersburg bis Lissabon fliegen zu sehn, so componirt, wie er es vor sich selbst verantworten kann. Die Ursachen, weshalb einiges Mißbehagen fühlbar wurde, sind bereits angegeben worden, sie fallen mehrentheils den Textfabrikanten zur Last. Wenn aber diese des Guten zu wenig, so hat der Componist des Guten zu **viel** gethan. Der erste Akt zählt 15 Musikstücke, wobei einige für zwei und drei Stücke gelten können. Es hätte die Hälfte genügt, wenn eine Eintheilung in drei Akte nicht thunlich gewesen wär; nur im Don Juan hat Mozart so viel Musikstücke gehäuft, sonst überschreitet er die Zahl zehn nicht gern in einem Akte. — Darauf, daß ein und das andere Stück *da Capo* verlangt wird, muß der Componist auch rechnen; allein dafür war durchaus nicht gesorgt. — Der zweite Akt der Oper des Herrn Mendelsohn hat zwar nur 8 Musikstücke, allein das Ballet dehnt sich sehr und das Finale zerfällt in vier einzelne Stücke. Am Schluß wurde **Hr. Mendelsohn** gerufen; es wäre ein günstigeres Zeichen für die Oper gewesen, wenn sich die Neigung des Publikums sogleich für eine der Hauptrollen erklärt hätte. **Mad. Seidler** verdiente diese Auszeichnung vor allen andern. Statt dessen riefen Einige, da Hr. Mendelsohn nicht erschien, Herrn Blume, wahrscheinlich nur des Rozinante wegen; andere hatten ihre stille Neigung Sancho Pansa und seinem Grauen zugewendet. — Was nun das Gefallen- und Nichtgefallenhaben betrifft, mag sich Hr. Mendelsohn mit Mozart trösten. Als Titus zum ersten Mal in Prag gegeben wurde, trat nach der Aufführung der Direktor zu Mozart, der selbst dirigirt hatte, heran und sagte: Da haben wir's nun, Herr Mozart; hätten Sie mir gefolgt und mehr Rücksicht auf das Publikum genommen; nun sehn sie doch selbst, daß ihre Oper nicht gefallen hat. — „Wie so? nicht gefallen?" frug Mozart verwundert: „mir hat sie recht gut gefallen!" —

(Redigirt von Dr. Fr. Förster und W. Häring (W. Alexis.)

Im Verlage der Schlesingerschen Buch- und Musikhandlung, in Berlin unter den Linden Nr. 34.

Berliner
Conversations-Blatt
für
Poesie, Literatur und Kritik.

Sonnabend, — Nro. 89. — den 5. Mai 1827.

Die Mächte des Mittelalters.

Eine kritische Abhandlung über Konradins Tod. Tragödie von K. Grafen Dyhrn. — Oels. 1827.

(Mitgetheilt von dem Dr. von der Hagen.)

Es ist für die Kritik eine willkommene Aufgabe, wenn sie — befreit von der gewöhnlichen Arbeit, die Nichtigkeit eines Werkes von falschem Schmucke zu entladen — sich einzig und allein damit beschäftigen kann, dem an und für sich wahren Gehalt einer poetischen Produktion in die Sprache des Gedankens zu übertragen, und die geahnte Nothwendigkeit, welche in dem Spiele anscheinender Zufälligkeit von Verhältnissen und freier schöner Willkür von Individualitäten sich verbirgt, in selbstbewußter Klarheit des Begriffes zu erfassen. Die Kunstbetrachtung, die so auf ihrem wahrhaften Standpunkte sich befindet, hört damit auf eine fremde und dem Werke äußerliche Reflexion zu sein; sie und die poetische Gestaltung sind zwei Spiegel, die, obwohl auf einem verschiedenen Grunde, denselben Inhalt wiedergeben.

Die Tragödie, die wir hier in diesem Sinne betrachten wollen, bietet uns, indem sie den bedeutenden Moment dichterisch reproducirt, wo das Mittelalter sich gleichsam in sich selbst bricht, und der Weltgeist schwankend zwischen demselben und der neueren Zeit steht, einen an sich reichen Gehalt dar, der sich in einem Reichthum von Individualitäten und Interessen vor unsern Augen bewegt und entfaltet. Dieser Moment wird durch den Untergang des hohenstaufischen Fürstenhauses bezeichnet, unter dessen Herrschaft die Christenheit sich zum letztenmale äußerlich als Ein weltliches Reich, und das römisch-deutsche Kaiserthum sich als ein wirkliches Ganze angesehen hat; es ist die Zeit, wo der vieljährige Kampf dieses Reiches mit der Kirche zum Vortheile dieser entschieden scheint, wo das Mittelalter in den Kreuzzügen sein Leben nach Asien zu Grabe getragen hat, aus welchem eine neue Auferstehung, nicht im Fleische, sondern im Geiste beginnen soll. Die Auflösung des weltlichen Reichs, dessen Lebensprincip sich verloren hat, offenbart sich in der Trennung der Elemente, die seinen unmittelbaren Körper constituirten; Deutschland und Italien zerfallen jedes für sich in eine Menge von Atomen, die im wilden Gewühle roher Leidenschaften sich untereinander bekämpfen, und eines wahrhaften Zusammenhaltes entbehren. Indem der Dichter die Zeit jenes Wendepunktes sich zum Boden für seine Tragödie erwählt hat, so kommen in derselben die Interessen und Mächte des Mittelalters mit den Ahnungen der neueren Zeit, die in den Trümmern der alten als Keime verborgen liegen, in eine Berührung, welche die in der Tragödie auftretenden Personen in Bewegung und Handlung bringt, und in dem Character des Helden sich reflectirt, der dem durch sie angefachten Streite erliegt. Der Gehalt dieser Zeit, wie er sich hier im Lichte der Poesie verklärt, ist deshalb kein schlechthin vergangener, vielmehr — was eine unerläßliche Forderung ist, die wir an jede Dichtung zu machen berechtigt sind — auch unser Geist findet sich in demselben wieder; denn das Princip der Freiheit des Geistes, welches hier im Kampfe mit der Autorität der Kirche in der Welt auftritt, ist die Wurzel unserer Zeit.

Der Kampf der weltlichen und geistlichen Macht im Mittelalter hat überhaupt die Bedeutung, daß die ewige, in der Kirche vorhandene Wahrheit, welche aber zunächst allein noch auf der Autorität einer empfangenen Religion beruht, den gegenwärtigen Geist des Menschen durchdringe, von ihm als das Seinige gewußt werde, und sich in der Welt desselben zur Vernünftigkeit des Staats realisire. Weil jedoch dies erst die Aufgabe des Mittelalters ist, und der eigene Geist des Menschen deshalb weder die Wahrheit durchdrungen hat, noch auch von derselben bereits durchdrungen ist, so erscheint er der Kirche gegenüber als das Unheilige und Rohe. Die widersprechenden Elemente, die so in der Aufgabe des Mittelalters zusammenkommen, müssen daher einander bekämpfen; aber der Streit kann nicht den Ausgang nehmen, daß die Kirche von der weltlichen Macht besiegt würde, denn so unterläge sie, die die Bedeutung und den Inhalt des Göttlichen hat, dem Menschlichen; auf der andern Seite konnte aber auch die Kirche, da ihrem wahrhaften Gehalte die Gegenwart des eigenen Geistes fehlte, für sich allein den Zweck des Weltgeistes nicht erfüllen, der in der Lehre des Christenthums, daß Gott Mensch geworden, bereits ausgesprochen liegt. Beide Seiten des Kampfes müssen sich daher an einander zu ergänzen streben, aber den Sieg in demselben muß die Kirche davontragen, und das, was in ihr dem Plane des Weltgeistes nicht entspricht, muß in Folge dieses Sieges zu Grunde gehen. In der That aber ist dies schon selbst in ihrem Siege enthalten, denn der Sieg über das Weltliche kann nur in der Welt errungen werden; und indem so die Kirche das ihr feindliche Princip in sich aufnimmt, und von dem Verderben der Welt angesteckt wird, kämpft sie jenen früheren äußeren Kampf von da an in sich selbst, bis sich hiedurch am Ende ihr wahrhafter Inhalt in der Reformation läutert und reinigt, damit aber zugleich aufhört ein nur der Kirche ausschließlich angehöriges Eigenthum zu sein, sondern die Bedeutung der gegenwärtigen und selbstbewußten Wahrheit erhält. Ebendarum aber läßt sie, nach dem errungenen Siege in sich selbst beschäftigt, das weltliche von ihren Banden frei, das nun für sich sein Wesen zu treiben scheint, bis, in dem angedeuteten Zeitpunkte der Reformation, beide wiederum auf einem Boden zusammentreffen, und von da aus die Gestaltung der neueren Zeit beginnt.

Wenn nun die Kirche, um zum Siege zu gelangen, selbst schon in die Welt hinüber getreten und vom Unheiligen angesteckt sein muß, so liegt es auf der andern Seite bereits in dem Kampfe, wo dieser seinen höchsten Punkt erreicht hat, daß die weltliche Macht, der Kirche gegenübertretend und sie befreiend, sich außerhalb derselben und selbstständig zu gestalten strebt, und daß sie demnach selbst einen wahrhaftigen Inhalt aus sich hervorbringen muß, den sie jener gegenüberstellen kann. Diese Wahrheit, die dem eigenen Geiste des Menschen angehört, kann keine andere sein, als die vernünftige Organisation desselben in der Welt und im Staate, und der Gedanke derselben beginnt in den schwäbischen Kaisern, besonders in Barbarossa und Friedrich *II.* aufzugehen. Wie nun das Ziel des Weltgeistes dahin geht, daß die Wahrheit in dem Geiste des Menschen Dasein habe und gewußt werde, so liegt in diesem Streben bereits eine Vorahnung der neueren Zeit; zugleich aber ist dasselbe noch nicht aus dem freien Bewußtsein der absoluten Wahrheit hervorgegangen, und muß daher, als eine unzeitige Geburt, vergehen, und in dem Kampfe gegen die Kirche dieser erliegen.

Daß nun der Sieg der Kirche zunächst in der Bestimmung der Zeit liegt; daß sie, die für jene Zeit noch die substantielle Macht der Welt ist, in diesem Kampfe verletzt wird, — dies muß auch in einem Individuum jener Zeit, in welchem das freie Princip lebt, das aber zugleich die Totalität des Zeitgeistes in sich darstellt, offenbar werden, was nicht anders geschehen kann, als daß der Widerspruch eines freien Bewußtsein erscheint, das zugleich die Macht der Kirche nicht aushalten kann, sondern, indem es derselben erliegt, gezwungen ist, dieselbe als Schranke in sich anzuerkennen. Dies ist das Pathos Konradins, des Helden der Tragödie; ihm gegenüber tritt Karl von Anjou auf, das Bewußtsein, das fest an der Autorität der Kirche hält, mit um so größerer Härte aber, durch sie berechtigt, seine weltlichen Interessen verfolgt, und so, auf der Seite der Kirche, ebenfalls die Totalität der Zeit in der einseitigen Vereinigung des Weltlichen und Ewigen darstellt.

Wenn nun dies die innerlichen und nothwendigen Elemente sind, die sich in der Aufgabe des Dichters vereinen, so kann die Frage nicht mehr sein, auf welche Weise er nun etwa diese Aufgabe gelöst habe? sondern wie er, wenn er sie überhaupt gelöst hat, dieselbe lösen mußte? Denn die Aufgabe lösen heißt nichts anderes, als sie in ihrer Bestimmtheit auffassen, was in ihr bereits vorhanden ist, entwickeln, was in ihr verhüllt und im Keime liegt gestalten. In wie fern dies also geschehen sei, muß sich von selbst ergeben, wenn wir die Momente des gegebenen Stoffes auseinanderlegen und dabei auf die poetische Darstellung hinweisen. Wir wollen hierbei sogleich im Voraus bemerken, daß der Dichter den Grundzügen nach der Geschichte gefolgt ist, und daß er dies thun konnte und mußte, denn die der Sache nach nothwendigen Grundlagen, müssen uns auch aus ihr entgegentreten; weil aber in ihr zugleich auch die Zufälligkeit ihr Spiel treibt, mit ihrem bunten Gewühle jene nothwendigen Momente umhüllt und die freie Entfaltung der Persönlichkeiten verkümmert, so hat er mit Recht im Einzelnen jenes entfernt, und diese in ihrer Reinheit durch die schöpferische Thätigkeit des Geistes wiedergeboren, dasjenige aber was in der Geschichte nur angedeutet liegt ergänzt und zur Erscheinung gebracht.

(Fortsetzung folgt.)

Correspondenz.

Paris, den 24. April 1827.

„Diese Tage über haben wir kein Theater," hieß es am Dienstage. „O!" meinte ein anderer," am Theater fehlt es doch nicht, Zeit und Ort sind nur verändert." „Wie so?" fragte ich. „I, wissen Sie denn nicht, daß morgen Longchamps ist!" — Ich mußte noch eine viel gröbere Unwissenheit eingestehen, denn ich wußte nicht einmal, was der Ausdruck Longchamps, wenigstens in dieser Verbindung gebraucht, sagen wolle. Indem ich es als möglich voraussetze, daß auch Sie, werther Freund, nicht ganz *au fait* mit der Bedeutung dieses Wortes sind, welches man hier diese Tage über so oft hat hören müssen, so will ich Ihnen mittheilen, was man mir darüber sagte, und was ich später zum Theil mit eignen Augen zu sehen Gelegenheit hatte.

Es ist Ihnen wahrscheinlich aus der französischen Geschichte bekannt, daß vor Zeiten etwa eine Stunde von Paris hinter dem *Bois de Boulogne* ein Kloster, Namens Longchamps stand. Hierher pflegte der Hof am stillen Freitage zu gehen, um zu communiciren. Das Kloster wurde später aufgehoben und die Gebäude abgebrochen, der Hof communicirte also auch dort nicht mehr, blieb aber noch der Gewohnheit treu, eine Spazierfahrt ins Gehölz von Boulogne zu machen. Die Minister, die hohen Hof- und Staatsbeamten mit ihren Frauen und Töchtern, kurz die ganze *beau monde*, alles was Vornehmes in Paris war und für faschionable gelten wollte, schloß sich nach und nach dem Hofe an, und fuhr auch dorthin spazieren. War das Wetter am Tage vorher schön, so nahm man das Gewisse für's Ungewisse; war dann der Freitag auch schön, so blieb es natürlich noch jedermann unbenommen an diesem Tage die Fahrt zu wiederholen. — Später nahm man Mittwoch auch noch zu Hülfe, und so enstand allmählig das Fest, welches man jetzt geradezu das Pariser Modefest nennen kann, obgleich ja eigentlich alles beim Alten blieb, nur daß man die Communion wegließ, und sich dafür etwas geschmackvoller kleidete, wie es die Fortschritte in der Civilisation erforderten. Ich fürchte nicht, daß es in unserer Zeit jemand, der diese schöne historische Begründung kennt, anstößig finden wird, daß man gerade den grünen Donnerstag und stillen Freitag zu einem solchen Feste gewählt hat. Wie sollten die Menschen, und wären es auch die gebildetsten im Staate, sich wol so ganz von der Geschichte befreien können, daß sie aus blossen innern Gründen eine Veränderung veranlassen sollten, die sich an nichts Bestehendes anknüpfen läßt? Auch zeigten sich der Hof und die Minister dieses Jahr, wie gewöhnlich, bei dem wichtigen Feste, und niemand wird ihnen doch Mangel an Frömmigkeit vorwerfen wollen. Freilich will man bemerkt haben, daß viele Leute von Distinction, die unter der kaiserlichen Regierung nicht gefehlt haben würden, schon mehrere Jahre nicht mehr erschienen sind; aber es wäre doch wohl eine zu gewagte Muthmaßung, den Grund hiervon in ihrer Ueberzeugung oder etwas dem ähnlichen, suchen zu wollen. Ich stimme wenigstens ganz denen bei, die uns sagen: die Mode hat abgenommen, und sich weiter auf kein Raisonnement einlassen. Und es wird auch wol niemand verlangen, daß man den Grund oder die Ursache vom Abkommen der Moden, vorzüglich hier zu Lande, aufsuchen solle. — Doch wohin gerathe ich? Erzählen sollte ich, erzählen! Allgemeine Betrachtungen anstellen, das kann ein jeder, aber

Non cuivis contigit adire Corinthum.

An dem Mittwoche, dem Donnerstage und Freitage der stillen Woche also findet man den ganzen Weg von dem *Place Louis XVI, ci-devant Louis XV*. an, durch die *Champs Elisées* und die *Avenue de Neuilly* bis an das Gehölz von Boulogne mit Gensd'armes besetzt, die unter den Tausenden von geschmackvollen Wagen Ordnung halten sollen, worin größtentheils Damen ersten Rangs im höchsten Staat, von vielen Bedienten in reicher Livree begleitet, — sich bewundern lassen. Der innere Raum des Weges wird für vierspännige Wagen und die Equipagen der auswärtigen Gesandten freigehalten; die übrigen zwei- und einspännigen Chaisen und Cabriolets, sind in zwei

Reihen zu beiden Seiten verwiesen, von denen die eine für die aus der Stadt Hinausfahrenden, die andere für die Hineinfahrenden bestimmt ist. Die Promenaden der *Champs Elisées* sind neben der Chaussee her mit mehreren Reihen Stühlen besetzt, die von Zuschauern eingenommen werden, und hinter diesen gehen andere auf und ab. Noch weiter im Hintergrunde sind Buden aufgeschlagen, worin das gemeine Volk zur Abwechslung andere Comödien und Puppenspiele, freilich nicht umsonst, aber doch für seine ein oder zwei baare Sous sieht. So ist auf das vollkommenste für alle Klassen und Stände gesorgt. — Wer reich genug ist, um sich in seiner schönen Equipage aufs eleganteste und neueste zeigen zu können, oder wer zu Pferde sich und seiner Kunst aus schönem Munde Lob zu erwerben hofft, spielt das große Schauspiel mit, und hat die Freude, von seiner hohen Bühne herab über die Köpfe des niederen Volks hinweg zu blicken; wer zuschauen muß, hat daran seine Freude; auch fällt auf ihn vielleicht ein Blick, — wie manche Schöne spielt nicht ohne Gage mit?

So ist es jedes Jahr; wie war es denn nun aber dieses Jahr? Ja, da muß ich leider bekennen, daß meine Organe viel zu grob sind, um die feinen Nuancen wahrzunehmen, die sich hier dem Kennerblicke zeigen mögen. Uns wird es schwer, das Unterscheidende von zwei Eiern wahrzunehmen, aber die Mutterhenne erkennt sogleich das ihre. So geht es auch hier; wer niemals mitgewirkt hat, um eine Mode ins Leben zu rufen, der wird ewig ein Stümper bleiben, dieselben zu erkennen. Es geht hier nicht wie bei dem Büchermachen, daß der eine blos schafft, der andere blos kritisirt; es ist ein anerkanntes Gesetz der Modischen, daß man die Kritik keines Menschen hört, als wer im Fache selbst schon was geleistet. Und so muß ich mich alles Urtheils denn enthalten. Zum Trost nur für Ihre Freundinnen füge ich bei, daß ich aus guter Quelle weiß, es sei fast gar nichts Neues vorkommen; so steht es noch einer jeden frei, ihren Geschmack zu dem der Welt zu machen, Paris hat diesmal ihr nicht vorgegriffen. (Fortsetzung folgt.)

Berliner Chronik.

Die Berliner Societät für wissenschaftliche Kritik erfreute sich in ihrer Sitzung am Mittwoch der Gegenwart Aug. Wilh. Schlegel's, Königl. Professors an der Universität zu Bonn, der eben so wie Göthe, kürzlich dieser Gesellschaft beigetreten ist. — Bei dem Festmahle, welches dem hochverehrten Gaste gegeben wurde, war der Königl. Würtembergische Hofrath und Bibliothekar Haug, der wohlbekannte Epigrammendichter, der ebenfalls kürzlich hier eingetroffen ist, anwesend. —

Königl. Theater. — Die Gastspiele des Herrn Julius aus Dresden gehörten zu den bedeutenden Ereignissen auf unserm Königl. Theater in den vergangenen Wochen. Die umfassendste Beurtheilung seiner Leistungen finden wir in der Haude- und Spenerschen Zeitung von dem Veteranen unser Theaterkritiker. „Die Ausführung seines Tellheim, sagt dieser, war der sicherste Beweis seines Talentes und noch mehr der Bildungsstufe, auf die Verstand und Fleiß es erhoben haben. In diesem Betracht hat Herr Julius gerechte Ansprüche auf Künstlerrang, und ohne Zweifel wird ihm eben darum die Anerkenntniß des allerdings an Zahl kleinern Theils des Publicums, der eine durchdachte, gehaltene Behandlung einer Rolle mehr als ein reges, auf gut Glück umhertappendes Naturalisiren eines noch so reichen Talents zu schätzen weiß, nicht gleichgültig und ein gültiger Ersatz für den Mangel des lauten Beifalls sein." Daß Herrn J. Sphäre beschränkt ist, daß seine Mittel ihn auf das feiner Lustspiel, welches ein getreues Spiegelbild des conventionellen Lebens liefert, beschränken, daß ihm jene Weihe der Natur abgeht, wo die Gefühle die Schranken sprengen und der Mensch außerhalb des Conventionellen nach einer höheren Wahrheit ringt, wird Niemand bestreiten, dennoch hätte man die wärmere Aufnahme eines Schauspielers erwarten sollen, der jedenfalls zu den besten und gebildetsten in Deutschland gehört. Bildung, die edelste Haltung, Anstand, feine Nüancen, eine wohllautende Sprache, so lange sie im ruhigen Geleise des Conversationstons bleibt, bei durchaus intellectueller Auffassung, sind Gaben, die freilich jetzt auf unsern Theatern ihr Recht nicht immer geltend zu machen wissen, doch aber von den Theaterfreunden über Mängel nicht übersehen werden dürften, welche zu beseitigen über die Naturkräfte hinausgeht. Als zwei Gegensätze möchten wir Hrn. Julius und Hrn. Rebenstein nennen. Beider Gaben vereinigt, und wir hätten einen Schauspieler, welcher sich mit den besten messen könnte. Ein besserer Tellheim als Hr. Julius möchte in Deutschland schwer zu finden sein, wer dagegen z. B. Rebenstein als Darius gesehen, dem genügen alle Künste und alle Wahrheit der Auffassung im Einzelnen an Julius Spiel nicht mehr. Hier überwältigt die Macht des Gefühls, die lyrische Begeisterung, die höhere Wahrheit in Rebensteins Perserkönig alles was Herr Julius mit vielem Verstande entwickelt. Als Beaumarchais trat der Gast zweimal mit Beifall auf, sein Don Cäsar liegt in der romantischen Sphäre, also außerhalb der seinigen, sein Spieler, sein Templer trugen Vorzüge der Auffassung und Ausführung, die bei ruhigerer Stimmung auch eine ernstere Würdigung verdient hätten, wobei die Kürze zwar ihr Recht behalten, aber nicht allein und nicht vorherrschen darf. *a.*

(Redigirt von Dr. Fr. Förster und W. Häring (W. Alexis.)

Im Verlage der Schlesingerschen Buch- und Musikhandlung, in Berlin unter den Linden Nr. 34.

Berliner
Conversations-Blatt
für
Poesie, Literatur und Kritik.

Montag, — Nro. 90. — den 7. Mai 1827.

Phantasien im Bremer Rathskeller.

Novelle von Wilhelm Hauff.

„Mit dem Menschen ist nicht auszukommen,“ sagten sie, als sie in meinem Gasthof die Treppe hinabstiegen, und ich konnte es noch deutlich hören. „Jetzt will er wieder schlafen von neun Uhr an, und leben wie ein Murmelthier. Wer hätte das gedacht vor vier Jahren!“

Sie hatten nicht Unrecht, die Freunde, daß sie mich im Unmuth verließen. Gab es doch heute Abend eines der glänzendsten musikalischen, tanzenden und declamirenden Butterbrode in der Stadt, und hatten sie sich nicht alle mögliche Mühe gegeben, mir, dem Landfremden, einen angenehmen Abend dort zu verschaffen? Aber es war wahrhaftig unmöglich, ich konnte nicht gehen. Warum sollte ich einen tanzenden Thee besuchen, wo sie nicht tanzte, warum ein singendes Butterbrod, wo ich, (ich wußte es zum voraus) hätte singen müssen, ohne von ihr gehört zu werden; warum einen trauten Kreis von Freunden durch Trübsinn und finsteres Wesen stören, die ich nun heute nicht verbannen konnte. O Gott! Ich wollte ja lieber, daß sie mir auf der Treppe einige Sekunden lang fluchten, als daß sie sich von neun Uhr bis ein Uhr langweilten, wenn sie nur mit meinem Körper sich unterhielten und bei der Seele umsonst anfragten, die einige Straßen weiter auf U. L. F. Kirchhof nachtwandelte!

Aber das that mir wehe, daß mich die guten Gesellen für ein Murmelthier hielten und dem Drang nach Schlaf zuschrieben, was aus Freude am Wachen geschah. O nur du, ehrlicher Herrmann, wußtest es mehr zu würdigen. Hörte ich denn nicht, wie du unten auf dem Domshof sagtest: „Schlaf ist es nicht, denn seine Augen leuchten. Aber entweder hat er wieder zu viel oder zu wenig Wein getrunken, das heißt, er trinkt noch welchen und — alleine.“

Wer verlieh dir denn diese prophetische Kraft? oder konntest du ahnen, daß meine Augen wacker waren, weil sie heute Nacht alten Rheinwein schauen sollten, konntest du wissen, daß ich gerade heute von dem Patent und Erlaubnißschein, vom Rathe auf meine Person ausgestellt, Gebrauch machen werde, um die Rose und eure zwölf Apostel zu begrüßen? Und überdieß, war denn heute nicht mein Schalttag?

Meines Erachtens ist es keine üble Gewohnheit, die ich von meinem Großvater angenommen, nämlich hie und da Einschnitte zu machen in den Baum des Jahres und sinnend dabei zu verweilen. Wenn der Mensch nur Neujahr und Ostern, nur Christfest oder Pfingsten feiert, so kommen ihm endlich diese Ruhepunkte in der Geschichte seines Lebens so alltäglich vor, daß er darüber hinweg gleitet ohne Erinnerung. Und doch ist es gut, wenn die Seele sanft immer nach außen gerichtet auch einmal auf ein Paar Stunden einkehrt, im eigenen Gasthof ihrer Brust sich bewirthet, an der langen Table d'Hote der Erinnerung und nachher gewissenhaft die Rechnung *ad notam* schreibt, wie Frau Hurtig dem Ritter. Der Großvater nannte solche Tage seine Schalttage. Nicht daß er etwa ein Panquet veranstaltete mit seinen Freunden, oder den Tag lustig und in Freuden lebte, in Saus und Brauß; nein, er kehrte ein bei sich, und seine Seele schmaußte in der Kammer, die sie seit siebzig Jahren kannte. Noch jetzt, da er längst im kühlen Friedhof ruht, noch jetzt kann ich es seinem holländischen Horaz ansehen, welche Stellen er an solchen Tagen gelesen; noch jetzt, als wäre es gestern geschehen, sehe ich sein großes blaues Auge sinnend auf den vergelbten Blättern seines Stammbuchs weilen, und wie deutlich sehe ich, wie dieses Auge sich nach und nach füllt, wie eine Thräne in den grauen Wimpern zittert, wie der gebietende Mund sich zusammenpreßt, wie der alte Herr langsam und zögernd die Feder ergreift und „einem seiner Brüder, der geschieden" das schwarze Kreuz unter den Namen malt.

„Der Herr hält seinen Schalttag" pflegten die Diener uns zuzuwispern, wenn wir Enkel laut und fröhlich wie gewöhnlich die Treppe hinanstürmten; „der Großvater hält seinen Schalttag" flüsterten wir uns zu, und glaubten nicht anders, als er bescheere sich selbst den heiligen Geist, weil er ja doch niemand habe, der ihm den Christbaum anzündete. Und war es nicht so, wie wir in kindischer Einfalt glaubten? Zündete er nicht den Christbaum seiner Erinnerung an, flammten nicht tausend flimmernde Kerzen auf, die Lieblingsstunden eines langen Lebens, und schien er nicht, wenn er am Abend des Schalttags still und ruhig im Seßel saß, sich kindlich zu freuen an den Gaben der Vergangenheit?

Es war sein Schalttag wieder eingetreten, als sie ihn hinaustrugen. Ich mußte weinen, als ich dachte, daß der alte Mann seit langer Zeit zum erstenmal wieder in die freie Luft komme. Sie führten ihn den Weg, auf dem ich so oft an seiner Seite gegangen war. Aber nicht lange, so beugten sie ab über die schwarze Brücke und legten ihn tief in die Erde. „Nun hält er seinen rechten Schalttag" dachte ich, „aber wundern soll es mich doch, wie der alte Herr wieder da heraufkommen will, denn sie haben doch viele Steine und Rasen auf ihn hinabgeworfen." Er kam nicht wieder. Aber sein Bild blieb in meinem Gedächtniß und als ich herangewachsen war, gehörte es zu meinen liebsten Beschäftigungen, seine freie, offene Stirne, das klare Auge, den gebietenden und doch so freundlichen Mund mir vorzumalen. Mit seinem Bilde stiegen tausend Erinnerungen auf, und seine Schalttage waren mir die Lieblingsstücke in der langen Bilder-Gallerie.

Und ist denn heute nicht der 1ste September, den auch ich mir zum Schalttag erwählte? Und ich sollte Butterbrod verzehren in feiner Gesellschaft, und allerley Arien absingen hören mit beigefügtem Applaus und Gezwitscher? Nein! Heraus mit dir köstliches Rezept, das kein Arzt der Erde so köstlich mischt! Hinab zu dir, alte, wahrhaftige Apotheke, um „nach Vorschrift, jedesmal einen Römer voll zu nehmen."

(Fortsetzung folgt.)

Die Mächte des Mittelalters.

Eine kritische Abhandlung über Konradins Tod. Tragödie von K. Grafen Dyhrn. — Oels. 1827.

(Mitgetheilt von dem Dr. von der Hagen.)

(Fortsetzung.)

Hat sich uns bisher das die beiden Hauptpersonen regierende Pathos im Allgemeinen als ein nothwendiges ergeben, so muß dasselbe nun auch in ihren Persönlichkeiten, und in den Verhältnissen, die zu ihrem Dasein gehören, sich darstellen, und dieselben von sich aus nach einer inneren Nothwendigkeit gestalten. — Jenes freie Princip des eigenen Geistes und des Menschlichen überhaupt, das sich uns als das Pathos Konradins gezeigt hat, erscheint nach der angegebenen Bedeutung jener Zeit, und vermöge seiner Stellung in ihr gegen die Kirche, die substantielle Macht der Welt, als das Unwirkliche, zunächst nur in dem Geiste besonderer Individuen aufgegangene, noch ganz Subjective; es ist in so fern ein Ideal, dessen Realisirung wahrhaft zu bewerkstelligen erst einer späteren Zeit übertragen ist. Wie aber die Zeit der Ideale überhaupt die Jugend ist, und es sich in dem Erwachen jenes Princips zeigt, daß der Weltgeist schwankend zwischen dem Mittelalter und der neueren Zeit steht, so kann auch dieses Pathos seine angemessene Stellung nur in dem heranreifenden Jünglinge Konradin finden, und bedeutend für das Verhältniß selbst und für den Ausgang, den dasselbe nehmen wird, ist es daher, daß er, als solcher, dem gereiften Manne, Anjou, gegenübersteht, der in der Kirche, als dem festen Boden der Zeit wurzelnd, mit männlicher Kraft die Verhältnisse der Wirklichkeit durchschauend und ihnen gebietend, die Selbstsucht und Härte seiner eigenen Handlungen und Zwecke mit dem Schleier jener heiligen Autorität umgiebt. Aber das Ideal muß nicht nur dem Konradin als Jünglinge angehören, sondern, daß es ihm angehört, muß auch in seiner Individualität sich offenbaren, und in derselben einen Grund und Halt haben. Konradin erscheint so als Minnesänger und Dichter, und legt dies in seiner Weltanschauung und Sprache dar, die in dieser Beziehung ebenfalls seinen Gegensatz gegen Anjou bezeichnen.

Dies betrifft zunächst den Charakter des Helden, als eines Individuums, aber dasselbe muß auch in seiner übrigen Lage und in den Verhältnissen, an die seine Berechtigung sich äußerlich knüpft, offenbar werden. Das ideale Pathos Konradins ist nämlich, als das zunächst der Wirklichkeit gegenüberstehende und nur subjective, seiner Natur nach ein Unentwickeltes und Unbestimmtes, zugleich aber kann es, weil es in Conflict mit der Wirklichkeit gerathend, in Handlung übergehen muß, der Bestimmtheit nicht entbehren. — Diese kann nun, in so fern sie in dem Ideale selbst nicht enthalten ist, nicht in der Zukunft gesucht werden, denn das Ideal ist eben das Jenseitsliegende und Zukünftige, und ebendarum unentwickelt und unbestimmt; sie kann daher nur in der Vergangenheit vorhanden sein, und zwar, weil das Ideal zu seinem Inhalte das Princip des gegenwärtigen Geistes hat, kann es seine Bestimmtheit in der Vergangenheit nur auf der weltlichen Seite, deren Repräsentant das Kaiserthum ist, finden. Die Berechtigung Konradins knüpft sich daher äußerlich an den hohenstaufischen Kaiserstam̃, dem er angehört, und an dessen Recht auf Neapel, und indem das, was so an sich nothwendig ist, auch in seinem Bewußtsein sich reflectiren muß, so wird ihm die Realität des Ideals, die in der That vorwärts liegt, zu einem Rückwärts und erscheint ihm als die vergangene Herrschaft seines Stammes, von deren Bedeutung und Größe er durchdrungen ist, so wie die Verpflichtung zur Vollführung des Princips der Freiheit des Geistes, sich in seiner Vorstellung als die Pflicht den Glanz seiner Väter zu erneuen, darstellt. Während also auf diese Weise das Ideal die zum Eintreten in die Welt des äußeren Daseins erforderliche Bestimmtheit angenommen hat, und so das Princip der Wirklichkeit erlangt zu haben scheint, hat sich diese wiederum in ein Unwirkliches verkehrt, denn für die Gegenwart kommt so wenig der Vergangenheit als der Zukunft Wirklichkeit zu. Ist also die Sache Konradins an sich oder durch den Geist der Zeit besiegt zu werden bestimmt, so ist sie dies eben so wohl durch seine persönliche Stellung, weil der Jüngling Konradin mit dem Manne Anjou den Kampf nicht wird bestehen können, so wie auch durch seine Berechtigung in der Wirklichkeit, die sich auf ein Vergangenes und Unwirkliches gründet.

Diese Bestimmung, die zunächst nur an sich ist, oder die sich erst auf das bezieht, was Konradin ist, noch nicht auf das, was er thut, muß nun um in Handlung überzugehen, zuvörderst ihre concrete Gestaltung vollenden; sie muß das, was sie ist, in den Individuen, die Konradin umgeben und ihn zur Ausführung seiner Zwecke behülflich sind, und in seinem Verhältnisse zu ihnen, zeigen. Zugleich liegt hierin selbst schon der Anfang der Handlung, und diese Beziehungen entwickeln sich daher im ersten Acte der Tragödie.

Weil das Princip Konradins, Anjou gegenüber, das Freie und Menschliche ist, so erscheint auch auf seiner Seite und mit ihm befreundet, die freiste und reichste Entwicklung der Individualitäten, und es muß, in seinem Verhältnisse zu denselben, die Totalität rein menschlicher Gestalten und Beziehungen gleichsam einen Kreis um ihn schließen. Wie nun die Momente des Geistes, der in Konradin lebt, in seiner Umgebung sich entfalten müssen, damit die Vermittlung, durch welche derselbe in Handlung tritt, als von ihm ausgehend sich erweise, so tritt dem Konradin zunächst seine eigene Persönlichkeit, als in einem anderen Individuum sich wiederholend, in F r i e d r. v. O e s t r e i c h entgegen. Weil er nämlich das Freie ist, kommt es dem Konradin wesentlich zu, sich gegenständlich zu sein und sich zu wissen, was in seiner reinsten und höchsten Form vorhanden wäre, wenn er das Wesen seiner Verhältnisse und sich selbst in bewußter Thätigkeit des Geistes vor sich brächte. Dies kann jedoch hier, wo er erst unmittelbar auftritt, noch nicht der Fall sein, vielmehr kann er hierzu nur gelangen, wenn er im Kampfe gegen das ihm feindliche Princip erliegend, auf sich selbst zurückgewiesen wird. Sich selbst also, und was ihn bewegt, kann er hier erst auf unmittelbare Weise, in einem anderen Individuum, anschauen, welches, indem es ihm gegenüber sein Selbst darstellt, durch das Band der engsten Freundschaft mit ihm verknüpft ist. Hierin liegt aber sogleich, daß dies Individuum nicht mit einseitiger Anhänglichkeit und Ergebenheit ihm zugethan ist, sondern daß dasselbe sein Selbst ebensosehr von ihm zurückempfängt, und daß, wenn auch Konradin, seiner Stellung und äußerlichen Berechtigung nach, als der Herrscher dasteht, jene innere Einheit dennoch diese Schranke durchbricht, und beide so in einem Verhältnisse der Gleichheit zu einander stehen. Allein Konradin ist, wie wir früher sahen, nicht nur das Freie, sondern er ist, als dieses, selbst noch nicht völlig von der Kirche, welche die allgemeine Substanz der Zeit ist, gelöst. Er darf jedoch hier, wo er erst unmittelbar auftritt, diese Seite seines Wesens, daß die Macht der Kirche als Schranke in ihm vorhanden ist, noch nicht in sich selbst finden, und kann erst später zu diesem Bewußtsein gelangen. Gleichwohl aber muß dies, als eine wesentliche Seite seines Pathos, auch hier schon offenbar werden, und es kann dies wiederum auf keine andere Weise, als daß es ihm in seinem anderen Selbst, in Friedrich entgegentritt, und als dessen Ermahnung und Warnung äußerlich an ihn kommt. Weil jedoch dies innerhalb des freien Princips nur die Bedeutung einer Schranke hat, so muß zugleich über dieselbe hinausgegangen werden, und die ahnende Vorsicht Friedrichs muß dem Drange nach Handlung, der die Parthei beseelt, um so mehr sich fügen, als das Pathos, welches Konradin und die Uebrigen zum Kampfe forttreibt, auch in seinem Freunde lebendig ist, weshalb dieser, wenn der Augenblick des Kampfes da ist, selbst kräftig und anregend auftreten muß. Indem so den innern Elementen nach der Character Friedrichs die Individualität Konradins zurückgiebt, so wird auch die Identität beider in ihren äußerlichen Verhältnissen als Aehnlichkeit sich spiegeln. — Friedrich ist daher nicht nur mit Konradin gebildet und aufgewachsen, auch sein übriges Schicksal ist das gleiche, er ist wie jener „ein armer Sohn des reichen Fürstenhauses."

(Fortsetzung folgt.)

Correspondenz.

Paris, den 17. April 1827.

Ich habe Ihnen neulich Einiges über die Vergnügungen der stillen Woche erzählt; aber von der Kunst war eigentlich nicht die Rede. Sie werden daher vielleicht glauben, es sei hier nichts vorgefallen, was einen Kunstfreund interessirt, denn Theater durfte ja nicht sein; aber Sie irren Sich, ich wollte nur profanes und heiliges nicht unter einander mengen. In der Kirche wäre geistliche Musik gewesen, werden Sie vermuthen; ja es war geistliche Musik, aber nicht blos in der Kirche, auch in der großen Oper waren geistliche Concerte. — Zürnen Sie nicht, es ist kein Spott, es ist die lautere Wahrheit. Man glaubt hier, man könne allenthalben andächtig sein, es sei nicht allein die Kirche ein Gotteshaus, sondern ein jedes Gebäude könne dazu werden. Ob man hierin Recht oder Unrecht habe, darüber will ich mein Urtheil hier nicht aussprechen. Ich weiß auch nicht, wie Sie darüber denken, doch daß im allgemeinen der deutsche Geschmack nicht mit dem französischen in dieser Hinsicht übereinstimmt, glaube ich zu wissen. Indessen werden Sie mir auf jeden Fall erlauben, einige Worte in künstlerischer Hinsicht über diese *Concerts spirituels* zu sagen. —

Im ersten wurde nach einigen Solos auf dem Hautbois, der Violine, der Flöte und dem Piano das *Stabat mater* von Pergolese gegeben, in welchem Mlle. Albini sehr schlecht sang. Hätte nicht Mlle. Mori sich durch ihre schöne Stimme und ihren gefühlvollen Vortrag ausgezeichnet, so würde diese an sich schon wenig beliebte Composition entschiedenes Mißfallen erregt haben. Doch wurde der unangenehme Eindruck, den dieselbe gemacht hatte, bald durch das Gebet des *Crociato* von Mayerbeer verwischt, welches Donzelli mit seiner weichen Stimme sehr ausgezeichnet sang. Es war das erste Mal, daß dieses herrliche Stück auf einer französischen Bühne gegeben wurde, und es erntete so viel Beifall ein, als der berühmte Meister, der jetzt, wie es heißt, für die hiesige Oper arbeitet, und ein ausgezeichneter Sänger es verdienen. Den Schluß machte ein großes Finalchor aus einem Oratorium von Bethoven.

Im zweiten Concert hatten wir das Vergnügen eine von Cherubini's Compositionen zu hören. Mad. Dabadie sang diese sanfte Arie sehr gut, und das Accompagnement dazu war köstlich. Vielleicht ist das englische Horn das Instrument, welches am besten mit der menschlichen Stimme verschmilzt, vorzüglich wenn Hr. Vaty demselben einen eigenthümlichen Reiz verleiht. Nach einigen unbedeutenderen Stücken, worunter eine Arie aus der Donna del Lago von Rossini, der auch in einem geistlichen Concerte nicht fehlen darf, erschien Hr. Vaubaron mit seiner fürchterlichen Trombonne, schmetterte manchen aus seinem sanften Schlummer auf und schien das ganze Orchester zu vernichten. Nach und nach wurde aber die Musik immer sanfter, man glaubte ein Horn zu hören, und die Romanze von Nina wurde mit einer Reinheit gegeben, wie man sie nur von Vogt auf dem Hautbois zu hören gewohnt ist. Die Musik hatte etwas wunderbares und barokks, was hier nicht leicht seine Wirkung verfehlt; nichts im ganzen Concerte wurde so mit Beifall überhäuft, als dieses Stück. Battu's Violine und Tulou's Flöte gefielen nicht mehr, und als zum Schluß ein Fragment aus der Schöpfung gegeben werden sollte, hatte schon der größte Theil des Publikums das Haus verlassen, denn was konnte wohl nach der Trombonne noch Reiz haben?

Das dritte geistliche Concert — — Aber haben Sie wohl eher dreien geistlichen Concerten an drei Tagen nach einander beigewohnt? Ich finde, daß dies eine Kasteiung ist, so gut, als Eine. Die *Ave Maria* und *Stabat mater* klingen einem den ganzen Tag über in den Ohren, und hört man am Abende wieder neue, so versichere ich, daß man nicht weiß wo einem der Kopf steht, wenn man nicht wenigstens ein Dilettant vom ersten Grade ist. Vom dritten Concerte also habe ich nichts gesehn, aber nach dem, was ich darüber höre und lese, habe ich so sehr viel nicht verloren. Nun hätte ich doch gewünscht ein Rossinisches *Cantique* zu hören, welches eigentlich für die neue Partitur des Moses bestimmt gewesen sein soll. Ich will damit nicht sagen, daß man hier nicht genug Musik von Rossini hört, der Himmel behüte mich, daß ich der Pariser Operndirection diesen Vorwurf mache! aber dieses Stück soll sich doch sehr auszeichnen, und da Moses ohne Zweifel eins der besten Werke des beliebten Meisters ist, so hätte ich doch auch dieses zurückgesetzte Kind seines fruchtbaren Genies gern kennen gelernt. —

(Redigirt von Dr. Fr. Förster und W. Häring (W. Alexis.)

Im Verlage der Schlesingerschen Buch- und Musikhandlung, in Berlin unter den Linden Nr. 34.

Berliner Conversations-Blatt

für

Poesie, Literatur und Kritik.

Dienstag, — Nro. 91. — den 8. Mai 1827.

Phantasien im Bremer Rathskeller.

Novelle von Wilhelm Hauff. (Fortsetzung.)

Es schlug zehn Uhr, als ich die breiten Stufen des Rathkellers hinabstieg; ich durfte hoffen, keine Zecher mehr zu finden, denn es war Werktag bei andern Leuten und draußen heulte der Sturm, die Windfahnen stimmten wunderbare Weisen an und der Regen rauschte auf das Pflaster des Domhofs. Aber der Rathsdiener maß mich mit fragenden Blicken vom Kopf bis zum Fuß, als ich ihm die Anweisung auf einigen Wein darreichte.

„So spät noch, und heute in dieser Nacht?“ rief er.

„Mir ist es vor zwölf Uhr nie zu spät,“ entgegnete ich, „und nachher ist es wohl frühe genug am Tage.“

„Aber muß es denn — “ wollte er eben fragen, doch Sigill und Handschrift seiner Obern fielen ihm wieder in's Auge, und schweigend, aber nicht ohne Zögern schritt er voraus durch die Hallen. Welch' herzerquickender Anblick, wenn sein Windlicht über die lange Reihe der Fässer hinstreifte, welch' sonderbare Formen und Schatten, wenn es an den Schwibbogen des Kellers zitterte und die Säulen im dunkeln Hintergrund wie geschäftige Küper um die Fässer schwebten! Er wollte mir eines jener kleineren Gemächer aufschließen, wo höchstens 6 — 8 Freunde eng zusammen gerückt, den Becher kreisen lassen können. Doch nur mit trauten Gesellen liebe ich ein solches heimliches Pläzchen; der enge Raum drängt Mann an Mann, und die Töne, die hier nicht verhallen können, klingen traulicher. Aber allein und einsam liebe ich freiere Räume, wo der Gedanke gleich den Athemzügen, sich freier ausdehnt. Ich wählte einen alten gewölbten Saal, den größten in diesen unterirdischen Räumen zu meinem einsamen Gelage.

„Erwarten Sie Gesellschaft?“ fragte der Mann an meiner Seite.

„Ich bin allein.“

„Sie könnten ungebeten welche haben“ setzte er hinzu, indem er sich scheu nach den Schatten umsah, die seine Lampe warf.

„Wie meint Ihr das?“ fragte ich verwundert.

„Ich meinte nur so;“ antwortete er, indem er einige Kerzen anzündete und einen großen Römer vor mich hinsetzte. „Man spricht mancherlei vom 1sten September. Der Herr Senator D. waren übrigens schon vor zwei Stunden da und ich erwartete Sie nicht mehr.“

„Der Herr Senator D...? warum fragte er nach mir?“

„Nein, er hieß mich nur die Proben herausnehmen.“

„Welche Proben, mein Freund?

„Nun, die von den Zwölfen und der Rose,“ erwiederte der alte Mann, indem er anfing, einige niedliche Fläschchen mit langen Papiersteifen an den Hälsen hervorzuziehen.

„Wie!“ rief ich, „man sagte mir ja, ich könnte den Wein von den Fässern selbst trinken?“

„Ja, aber nur im Beiseyn eines Herrn vom Senat. Darum hieß mich der Herr Doctor die Züngenpröbchen ausnehmen, und so will ich sie Ihnen einschenken, wenn's gefällig."

„Nicht einen Tropfen," unterbrach ich ihn, „hier kein Glas voll, nein, das ist der ächte Genuß vom Faß zu trinken, und ist es mir nicht mehr möglich, so will ich doch am Faße trinken. Kommt Alter, nehmet die Proben mit, ich will das Licht tragen!"

Ich stand schon einige Minuten, und sah dem wunderlichen Treiben des alten Dieners zu. Bald stand er still, sah auf mich und räusperte sich, als wollte er sprechen, bald nahm er die Proben vom Tische und packte sie in seine weite Taschen, bald nahm er sie zögernd wieder heraus, um sie auf den Tisch zu setzen. Es ermüdete mich. „Nun! sollen wir bald gehen?" rief ich, voll Sehnsucht nach dem Apostelkeller; „wie lange wollt Ihr noch an Euren Gläschen hier, aus- und einpacken?"

Der ernste Ton, in welchem ich dies sagte, schien ihm Muth zu machen. Ziemlich bestimmt antwortete er: „es geht nicht, nein heute geht es nicht mehr, Herr!"

Ich glaubte hierin einen jener gewöhnlichen Kniffe zu sehen, womit Hausverwalter, Castellane oder Kellermeister dem Fremden Geld abzuzwacken suchen, drückte ihm ein hinlängliches Geldstück in die Hand, und nahm ihn bei'm Arm, ihn fortzuziehen.

„Nein, so war es nicht gemeint, entgegnete er, indem er das Geldstück zurück zu schieben suchte; so nicht, fremder Herr! ich will es nur grade heraussagen; mich bringt man nicht mehr in den Apostelkeller in dieser Nacht, denn wir schreiben heut den 1sten September.

„Und welche Thorheit wollt Ihr daraus folgern?"

„Nun in Gottes Namen, Sie können denken davon, was Sie wollen, es ist dort nicht geheuer in dieser Nacht, das macht es ist der Jahrestag der Rose."

Ich lachte, daß die Halle dröhnte. „Nein! in meinem Leben habe ich doch so manchen Spuk erzählen gehört, aber einen Wein-Spuk nie! Schämt Ihr Euch nicht mit Euren weißen Haaren, noch solches Zeug zu schwatzen? Doch hier ist nicht lange zu spaßen. Hier ist die Vollmacht des Senats, im Keller darf ich trinken heute Nacht, ohne nach Zeit und Raum zu fragen. Darum im Namen des Rathes heiß ich Euch folgen. Schließe den Keller des Bacchus auf."

Dies wirkte; unwillig, aber ohne etwas zu entgegnen, nahm er die Kerzen und winkte mir zu folgen. Es gieng zuerst wieder durch den großen Keller, dann durch kleinere, bis der Weg in einem engen, schmalen Gang zusammenlief; dumpf tönten unsere Schritte in diesem Hohlweg, und unsere Athemzüge tönten, wenn sie an den Mauern sich brachen, wie fernes Geflüster. Endlich standen wir vor einer Thüre. Die Schlüssel rasselten, sie gähnte ächzend auf, der Schein der Lichter fiel in das Gewölbe, mir gegenüber saß Freund Bacchus auf einem mächtigen Weinfaß. Erquickender Anblick! Sie hatten ihn nicht zart und fein dargestellt die alten Bremer Künstler, nicht zierlich als einen griechischen Jüngling, sie hatten ihn nicht alt und trunken sich gedacht, mit gräßlichem Bauch, verdrehten Augen und hängender Zunge, wie ihn die gemein gewordene Mythe hin und wieder gotteslästerlich abconterfeyt. — Schändlicher Antropomorphismus; blinde Thorheit der Menschen; weil einige seiner — im Dienst ergrauten Priester also einhergehen, weil ihnen voll guten Muthes der Leib anschwoll, die Nase von dem brennenden Wiederschein der dunkelrothen Fluth sich färbte, das in stummer Wonne aufwärts gerichtete Auge stehen blieb — so legten sie dem Gott bei, was seine Diener an sich tragen.

Anders die Männer von Bremen! Wie fröhlich und munter reitet der alte Knabe auf dem Faß! Das runde, blühende Gesicht, die kleinen muntern Weinäuglein, die so klug und neckend herabsehen, der breite, lächelnde Mund, der sich an mancher Kanne schon versuchte! Der kurze, kräftige Hals, das ganze Körperchen, von behaglichem, gutem Leben strotzend! ganz besondere Kunst hat aber der Meister, der dich geschaffen, auf Arme und Bein'chen gelegt. — Meint man nicht, dein kräftiges Aermlein werde sich bewegen, du werdest mit den runden Fingerchen ein Schnippchen schlagen, und der breite, lächelnde Mund werde sich aufthun zu einem muntern Juchheißa, heißa, he!" — Ist man nicht versucht zu glauben, du werdest im tollen Weinmuth die runden Kniee beugen, den Waden anlegen, mit dem Fersen stauchen und das alte Mutterfaß in Gallopp setzen, daß alle Rosen, Apostel und andere gemeinere Fässer mit Hußa und Halloh dir nachjagen durch den Keller?" —

„Herr des Himmels! rief der Rathsdiener, indem er sich an mir festklammerte, seht Ihr nicht, wie er die Augen verdreht und mit dem Füßchen taumelt?"

„Alter, Ihr seyd verrückt! erwiederte ich, einen scheuen Blick nach dem hölzernen Weingott werfend; es ist der Schein der Kerzen, der an ihm hin und her flackert." Dennoch war mir wunderlich zu Muthe, ich folgte dem Alten aus dem Bachus-Keller. Und war es denn auch der Schein der Kerzen, war es auch Täuschung, als ich mich umsah. Nickte er mir nicht mit dem runden Köpfchen, streckte er mir nicht das eine seiner Beinchen nach und schüttelte und krümmte sich vor heimlichem Lachen? Ich rannte unwillkürlich dem Alten nach und schloß mich dicht hinter ihm an.

„Jetzt zu den zwölf Aposteln, sprach ich zu ihm, wie sollen uns dort die Proben munden!"

Er antwortete nichts; kopfschüttelnd ging er weiter. Man steigt vom Keller einige Stufen aufwärts, zum kleinen Kellerlein, zum unterirdischen Himmels-Gewölbe, zum Sitz der Seeligkeit, wo die Zwölfe hausen. Was seyd Ihr Trauergewölbe und Grüfte alter Königshäuser gegen diese Catacomben?! Pflanzet Särge neben Särge, rühmt auf schwarzem Marmor die Verdienste des Mannes, der hier einer fröhlichen Urständ entgegen schläft, stellt einen schwazhaften Cicerone an, im Trauermantel und Flor um Haupt und Hut, laßt ihn die absonderliche Herrlichkeit dieses oder jenes Staubes rühmen, laßt ihn erzählen von den trefflichen Tugenden eines Prinzen, der in der Bataille so und so gefallen, von der holden Schönheit einer Fürstin, auf deren Sarge die jungfräuliche Myrthe sich um die kaum erblühte Rosenknospe schlingt — es wird euch an die Sterblichkeit mahnen, es wird euch vielleicht eine Thräne kosten; aber kann es euch also rühren, wie der Anblick dieser Schlafkammer eines Jahrhunderts, dieser Ruhestätte eines herrlichen Geschlechtes? Da liegen sie in ihren dunkelbraunen Särgen, schmucklos, ohne Glanz und Flittern. Kein Marmor rühmt ihr stilles Verdienst, ihre anspruchlose Tugend, ihren vortrefflichen Charakter; aber welcher Mann von einigem Gefühl für Tugenden dieser Art fühlt sich nicht innig bewegt, wenn der alte Rathsdiener, dieser Aufwärter in den Catacomben, dieser Küster der unterirdischen Kirche, die Kerzen auf die Särge stellt, wenn dann das Licht auf die erhabenen Namen der großen Todten fällt! — Wie regierende Häupter führen auch sie keine lange Titel und Zunamen; einfach und groß stehen die Namen auf ihre braunen Särge geschrieben. Dort Andreas, hier Johannes, in jener Ecke Judas, in dieser Petrus. Wen rührt es nicht, wenn er dann hört: dort liegt der Edle von Nierenstein, geboren 1718, hier der von Rüdesheim, geboren 1726. Rechts Paulus, links Jakob, der gute Jakob!

Und ihre Verdienste? Ihr fraget? Seht Ihr denn nicht, wie er schon die Thränen-Krüglein zurecht setzt auf den Särgen, der alte Todtengräber, wie er eingießt in den grünen Römer, wie er das herrliche Blut des Apostels mir darreicht? Gleich dunkelrothem Golde blinkt es im Glase; als ihn die Sonne aufzog auf den Hügeln von St. Johannes, da war er blond und helle; ein Jahrhundert hat ihn gefärbt. Welche Würze des Geruches! welche Namen leg' ich dir bei, du lieblicher Duft, der aus dem Römer aufsteigt? — Nehmt alle Blüthen von den Bäumen, pflücket alle Blumen in den Fluren, führt Indiens Gewürz herbei, besprengt mit Ambra diese kühlen Keller, löset den Bernstein in bläuliche Wölkchen auf — mischet aus ihnen allen die feuchten Düfte, wie die Biene ihren Honig aus den Blüthen saugt, wie schlecht, wie gemein, wie unwürdig gegen die zarte Blume deines Kelches — mein Bingen und Laubenheim, gegen deine Düfte Johannes und Nierenstein von 1718!

(Fortsetzung folgt.)

---

6. Reise eines Malers.

Andermatte. Abends.

Der Morgen war schön, — meine Worte erfassen die Größe der Eindrücke nicht, welche diese wunderbaren Gebirgmassen auf mich machen; zum Zeichnen fehlt mir vollends aller Muth und ich habe mir nie mehr eine Dichter-Natur gewünscht, als in dieser. — Die Reise ging zwar heut nicht in meinem gewöhnlichen Schritt, allein doch so, daß ich alle Achtung vor meinen Schweizerinnen habe und leise Zweifel hegte, ob meine Deutschen Freundinnen so leicht mit fortgekommen wären. —

Ich habe noch nie einen Menschen sterben gesehen, aber meine Phantasie sagt es mir, daß es nur mit diesen Gefühlen sein kann, welche heut meine Brust einengten, als ich aus einem lebensgrünen, fruchtbaren Thal, das mehr und mehr sich einengte, in eine unwirthliche Höhe aufstieg, bis nichts als kahle Felsenleiber mit ihren Todtenarmen uns umschlossen, deren finstres Schweigen durch das tosende Geheul der Wasserstürze fürchterlich unterbrochen wurde. Mit kühnem Stolz hat der Mensch diese rauhen Elemente gebändigt und leicht schwingt sich der schmale Brückenbogen über die schauerlichen Abgründe. Nie bis jetzt sah ich die Natur so in ihrer abschreckenden Wildheit, die Wasser all von allen Bergen, und die Berge selbst schienen ihrer Bestimmung Hohn sprechend im wilden Uebermuthe durcheinanderstürzen zu wollen, so daß das Gefühl der Bewohner hier einigermaßen gerechtfertigt wird, die es in diesem Chaos an Teufelssteinen, Teufelshölen, Teufelssprüngen nicht fehlen lassen, bis sie endlich auch ihr eignes Werk, erstaunend über die

Ausführung des unmöglich Scheinenden dem Teufel verschreiben und so führt längs einer steilen Felsenwand, dann über den gräßlichsten Wassersturz, den ich je gesehen, den christlichen Wandrer — die Teufelsbrücke, und eine Schußweite höher in den Felsen selbst hinein, aus dem uns wie aus einem Feenschlosse auf's Ueberraschendste der Blick ins friedlichste Thal geöffnet ward. Ich mag die Gefühle nicht alle wieder heraufrufen, die mir die Brust zuschnürten — hier hätte Dante die abschreckendsten Bilder seiner Hölle in fürchterlicher Wirklichkeit gefunden — und erweiterten, als ich auf einmal in die grüne Matte trat und ins freundliche Dorf im Grunde. Morgen hoffe ich erfreulichere Bilder vorführen zu können, als jene, die in der Wirklichkeit mich betäuben, in der Erinnerung meiner Phantasie unerreichbar bleiben. Ich bin nicht geeignet, die Eindrücke des Schauerlich-Erhabenen in mich aufzunehmen, es preßt, wie Angst, mir das Herz, ich lobe mir grüne Wälder und volle frische Wangen und dankte heimlich dem lieben Gott, daß ich an der Teufelsbrücke in ein Paar fromme, lebensfrohe Augen sehen konnte.

An eine verehrliche Redaction des „Berliner Conversations-Blattes."

Ew. Wohlgeboren geben in Ihrer Nr. 70 die Verse 328 bis 334 des ersten Buches der Virgil'schen Georgica, in einer Spanischen, Englischen, Italiänischen, Französischen und in der Deutschen Uebersetzung von Voß.

Meine Uebersetzung dieses Virgil'schen Gedichtes ist vor zwei Jahren, in Danzig, bei Botzon, erschienen, und jene Verse lauten in derselben folgendermaßen:

Und Vater Zeus Er weist, mit Flammen-rothen Händen,
Dem zackgen Blitz den Schlangen-gleichen Lauf.
Der Ocean erschrickt, der Erde Vesten beben,
Das Thier sucht Zuflucht sich in Höhl' und Wald;
Demüthig fleht der Mensch um's Blitz-bedrohte Leben; —
Jetzt fällt der Strahl mit schmetternder Gewalt
Auf's Haupt der Rhodope, des hehren Athos nieder,
Der Donner kracht, der wüthge Auster heult,
Und, wie bangklagend, hallt's den Hain, das Ufer wieder,
Indeß der Sturm die schweren Lüfte theilt. —

Da diese Uebersetzung den Vergleich mit den Ausländern erträgt, so glaube ich, mein Herr Redacteur! daß Sie als Deutscher dem Deutschen die Ehre der nachträglichen Aufnahme schuldig sind.

Hochachtungsvoll

Sorau, den 25. April 1827.

Dr. Nürnberger.

Französische Literatur.

Clement XIV. et Carlo Bertinazzi. Ein Band in 12. *Paris* bei *Mongier et Baudouin.* *)

Wir erhalten in diesem Buche einen der merkwürdigsten Briefwechsel aus einer nicht uninteressanten Zeit. Im Jahre 1720. befanden sich in einem Seminarium zu Rimini zwei Knaben, welche eine enge Freundschaft schlossen. Der eine war der Sohn eines Tagelöhners aus der Umgegend von *Santo Angelo*, der andere das einzige Kind eines Officiers im Dienst des Königs von Sardinien. Beide Knaben gaben einander das Versprechen, daß, wie verschieden auch ihr Schicksaal sie führen möge, sie niemals 2 Jahre vorüber lassen wollten, ohne an einander zu schreiben, oder einander zu sehen. Der eine dieser Knaben *Laurent Ganganelli* wurde Professor der Philosophie in Pesaro, Franziskaner Mönch, Beisitzer der Inquisition, Cardinal und endlich Pabst unter dem Namen Clemens *XIV.* — Der andere, Carlo Bertinazzi ging nach dem Tode seines Vaters nach Frankreich und wurde, mehr bekannt unter dem Namen Carlin, einer der besten Arlequinos der italienischen Komödie. Der Briefwechsel dieser beiden durch ihre Verhältnisse so sehr verschiedenen Personen wird gegenwärtig mitgetheilt.

Theater-Anekdote.

Mad. Cortesi, erste Sängerin auf dem großen Theater in Madrid, welche einst das Publikum dadurch beleidigt hatte, daß sie mit einer anderen, im Range unter ihr stehenden Sängerin, ein *Duo* nicht singen wollte, wurde mehrere male nach einander ausgepocht. Die Polizei erhielt Befehl bei der nächsten Vorstellung die Ruhestörer zu verhaften; man erfuhr dies im Publikum zeitig genug und strafte die Sängerin nun dadurch, daß man die größte Stille beobachtete, wenn sie sang, dagegen die andere Sängerin, die ihr den Rang keinesweges streitig machte, sehr lebhaft applaudirte, was auf die Gesundheit der Mad. Cortesi einen tiefern Eindruck machte, als das frühere Auspochen.

*) In Berlin bei Schlesinger.

(Redigirt von Dr. Fr. Förster und W. Häring (W. Alexis.)
Im Verlage der Schlesingerschen Buch- und Musikhandlung, in Berlin unter den Linden Nr. 34.

Berliner Conversations-Blatt

für

Poesie, Literatur und Kritik.

Donnerstag, — Nro. 92. — den 10. Mai 1827.

Phantasien im Bremer Rathskeller.

Novelle von Wilhelm Hauff. (Fortsetzung.)

Ihr schüttelt den Kopf, Alter! tadelt Ihr meine Freude an Euren alten Gesellen? Da, nimm diesen Römer, alter Mensch, trink auf das Wohlseyn dieser Zwölfe! Kommt, stoßt an, sie sollen Leben!

„Gott soll mich bewahren, daß ich einen Tropfen trinke in dieser Nacht;" erwiederte er; „man soll mit dem Teufel kein Spiel treiben. Aber nun Ihr sie alle durchgekostet, wollen wir weiter gehen. Mir graut in diesem Keller."

„Gute Nacht denn Ihr alten Herren vom Rheine, gute Nacht und herzlichen Dank für Euer Labsal. Und wenn ich dir, sanfter, lieblicher Andreas, dir mein Johannes dienen kann, so kommet, kommt zu mir —"

„Herr des Himmels!" unterbrach mich der Alte, schlug die Thüre zu und drehte hastig die Schlüssel um, seyd Ihr von den paar Tropfen betrunken, daß Ihr den Teufel herauf schwört? Wißt Ihr denn nicht, daß die Weingeister aufstehen diese Nacht, und einander besuchen, wie immer am 1sten September? Und sollt ich meinen Dienst verlieren, ich laufe davon, wenn Ihr noch solche Worte sprecht. Noch ist es nicht zwölf Uhr, aber kann denn nicht alle Augenblicke einer aus dem Faß kriechen mit gräulichem Gesicht, und uns zu Tode schrecken?"

„Alter, du faselst! doch sey ruhig; ich will kein Wort mehr sprechen, daß deine Weingespenster nicht wach werden. Doch jetzt führe mich zur Rose." Wir gingen weiter, wir traten ein in das Gewölbe, in das Rosen-Gärtlein von Bremen. Da lag sie, die alte Rose; groß, ungeheuer, mit einer Art von gebietender Hoheit. Welch ungeheures Faß, und jeder Römer ein Stück Goldes werth! Anno 1618! wo sind die Hände, die dich pflanzten! wo die Augen, die sich an deiner Blüthe erfreuten? wo die fröhlichen Menschen alle, die dir zujauchzten, edle Traube, als man dich abschnitt auf den Höhen des Rheingau's, als man deine Hüllen abstreifte und du als goldner Born in die Kufe strömtest. Sie sind dahin, wie die Wellen des Stroms, der an deinem Rebenhügel hinabzog. Wo sind sie, jene alten Herren der Hansa, jene würdigen Senatoren dieser alten Stadt, die dich pflückten duftende Rose, dich verpflanzten in diese kühlen Räume zum Labsal ihrer Enkel? Gehet hinaus auf Angarii Friedhof, gehet hinauf zur Kirche unserer lieben Frauen, und gießet Wein auf ihre Grabsteine. Sie sind hinunter und zwei Jahrhunderte mit ihnen!

„Nun, auf Euer Wohlseyn alte Herren von Anno 1618 und auf das Wohl Eurer würdigen Enkel, die so gastfreundlich dem Fremdling dieses Labsal bieten!"

Ja! Und jetzt gute Nacht, Frau Rose, setzte der alte Diener freundlicher hinzu, indem er sein Geschirr in ein Körbchen zusammen räumte, jetzt gute Nacht und Gott befohlen; hier heraus, nicht dort um die Ecke, hier heraus geht der Weg aus dem Keller, werthgeschätzter Herr. Kommt, stoßet Euch nicht hier an die Fässer, ich will Euch leuchten."

„Mit nichten, Alter, erwiederte ich, jetzt geht das Leben erst recht an. Das Alles war nur der Vorschmack. Gieb mir zwei und zwanz'ger Ausstich, so etwa zwei — drei Flaschen in das große Gemach dort hinten. Ich hab' ihn grünen sehen diesen Wein, und war dabei, als sie ihn kelterten; hab' ich das Alter bewundert, so muß ich meiner Zeit nicht minder ihr Recht anthun."

Er stand da mit weitgeöffneten Augen, der Jammermensch, er schien seinen Ohren nicht zu trauen. „Herr," sprach er dann feierlich, „sprechet nicht solch gottlosen Scherz. Heute Nacht wird nun und nimmermehr was daraus; ich bleibe um keine Seeligkeit —"

„Und wer sagt denn, daß du bleiben sollst? Dort setze den Wein hinein und dann mach in Gottes Namen, daß du fort kommst, ich will nun einmal diese Gedächtniß-Nacht hier feiern und habe mir deinen Keller auserſehen; dich habe ich nicht von Nöthen."

„Aber ich darf Euch nicht allein im Keller lassen," entgegnete er; „ich weis wohl, nehmt mir nicht ungütig, daß Ihr den Keller nicht bestehlet, aber es ist einmal gegen die Ordnung."

„Nun so schließe mich ein in jenes Gemach, hänge ein Schloß davor, so schwer als du willst, daß ich nimmer heraus kann, und morgen früh um sechs Uhr kannst du mich aufwecken und dein Schlafgeld holen."

Der Mann des Kellers versuchte noch mancherlei Einreden, doch umsonst; er setzte endlich drei Flaschen und neue Kerzen vor mich hin, wischte den Römer aus, schenkte mir den 22ger Ausstich ein, und wünschte mir, wie es schien mit schwerem Herzen, gute Nacht.

Richtig schloß er auch die Thüre zweimal ab, und hängte wie es mir schien, mehr aus zärtlicher Angst für mich, als aus Vorliebe für seinen Keller, noch ein Hängschloß vor.

Eben schlug die Glocke halb zwölf. Ich hörte ihn ein Gebet sprechen und davon eilen. Seine Schritte hallten immer ferner und ferner im Gewölbe; doch als er oben das Außenthor des Kellers zuschlug, hallte es wie Kanonendonner durch die Gänge und Hallen.

(Fortsetzung folgt.)

Dem Balladen-Componisten Hrn. Löwe, Musikdirektor zu Stettin.

(Eingesandt.)

Dein Spiel verrauscht? — o! jub'le noch fort,
Durchwand'le Wolken und Fluthen,
Und brause in tobende Gluten! —
Dir fröhnen Himmel und Meer im Gesang;
Ich horche, und staune dem Donnergang,
Dem Jauchzen, und seligem Klingen,
Wo Deine Töne sich schwingen.

Doch schweigst Du beharrend; so schweige auch ich;
Nur mag ein Bild Dir es sagen,
Wohin mich Dein Flügel getragen. —
An Islands Ufer, in nächtlichem Meer,
Dort lagert die Norne am Brandungswehr,
Gebietet in's Rauschen der Wogen,
Ein Schwan kommt singend gezogen.

Und wie auch im Sturme der Urbaum stürzt
Des Eisberg's Zinken zerspalten;
Hier ist harmonisches Walten! — —
Schon dringt der Mond aus Wolken der Nacht,
Sie flieh'n, es funkelt der Himmel in Pracht,
Das Meer strahlt wallend ihn wieder;
Es säuseln entzückende Lieder.

v. K-E...,n.

Die Mächte des Mittelalters.

Eine kritische Abhandlung über Konradins Tod. Tragödie von K. Grafen Dyhrn. — Oels. 1827.

(Mitgetheilt von dem Dr. von der Hagen.)

(Fortsetzung.)

Wenden wir unsern Blick jetzt dem Individuum zu, das nächst Friedrich auf der Seite Konradins am bedeutendsten hervorragt, so sehen wir in dem Senatore Heinrich v. Castilien die Freiheit in ihrem Extreme sich darstellen. Das Princip des eigenen Geistes, das in Konradin, bei der feindlichen Stellung selbst, nicht alle Beziehung auf die Substanz und den Gehalt der Kirche aufgehoben hat, sondern dieselbe als Schranke in sich trägt, hat sich in Heinrich in einseitiger, Alles auf diesen einen Punkt zusammendrängender, Richtung auf sich allein gestellt, und erscheint sowohl der Kirche, wie allem Substantiellen überhaupt entfremdet. Diese Freiheit, die alles Geltende und Allgemeine von sich ausschließt, und die, indem sie es sich aufopfert, die Selbstständigkeit des Individuums zu gewinnen und zu erhalten strebt, ist daher die für sich leere Willkür, welche aber, weil sie als solche wesentlich von außen, und auf zufällige Weise ihren Inhalt empfängt, um so mehr auf dieses Zufällige angewiesen ist, damit um so fester in den Interessen der besonderen Persönlichkeit verharrt, und sich so zwar als der gegenwärtige, aber als der nur im Endlichen gegenwärtige, Geist erweist. Die Kraft Heinrichs besteht daher in jener abstracten Unendlichkeit, mit der er gewaltsam von dem Sittlichen und Religiösen, das das Individuum umfangen hält, sich losreißt, es als Vorurtheil von sich weist, und diesem einzig und allein seine Person, seinen Willen, und seine Freiheit gegenüberstellt. Dieser ganz abstracten, und darum particularen, Freiheit hat er das sittliche Verhältniß der Familie und des Vaterlandes aufgeopfert, er hat gegen seinen Bruder sich empört, Castilien den Rücken gewandt, und um seine Selbstständigkeit zu behaupten und sich eine unabhängige Lage zu begründen, hat er dem Erbfeinde der Christenheit sich angeschlossen. Bei dieser abstracten Reflexion in sich kann ihm auch das Bewußtsein über das was er ist, nicht abgehen, was er thut, thut er aus eigener Berechtigung und im vollkommenen Bewußtsein seiner, und er spricht dieses sein Wesen selbst aus, indem er sagt:

„Mich engt nicht finstrer Pfaffenglaube ein
„Und übers Kreuz und die dreifache Krone
„Stell' ich mit eigner Kraft die starke Seele."

Indem aber diese abstracte und inhaltlose Unendlichkeit des Individuums selbst das Endliche ist, so kann er auch den Genuß und die Bewährung derselben nur im rein Weltlichen und Endlichen, in Besitz und unumschränkter Herrschaft finden; aber wenn er hier auf demselben Boden mit Anjou steht, so bedarf er dagegen zur Rechtfertigung dieser weltlichen Interessen nicht, wie jener, des Scheins einer substantiellen Macht, vielmehr genügt ihm sein Wille, über dem er nichts Höheres anerkennt. Um dieses Gegensatzes willen müssen nun Beide auf demselben Boden, auf dem sie sich finden, mit unversöhnlichem und tödlichem Hasse zusammentreffen; denn wie die Freiheit Heinrichs nur in dem negativen Verhalten gegen das Substantielle und Geltende besteht, und somit schlechthin ausschließend ist, so kann noch weniger Anjou, der für seine Stellung in der Wirklichkeit die Autorität des Heiligen selbst entlehnt, einen solchen sich gleichstellenden Anspruch neben sich dulden. Weil indeß ihre Feindschaft an etwas Bestimmtes in der äußerlichen Wirklichkeit sich knüpfen muß, so kann dieses nur im Bereiche der weltlichen Interessen sich finden, und sie hat daher einen Streit über Besitz und Herrschaft zum Inhalte und äußerlichen Ausgangspunkte. Scheint demgemäß der ausschließende Charakter Heinrichs auch seiner Gemeinschaft mit Konradin zu widerstreben, und hat daher dessen Recht, wie es sich in der Wirklichkeit bestimmt, in der That für ihn keine Bedeutung, so wird er dennoch äußerlich durch seine Feindschaft gegen Anjou und durch sein Interesse auf die Seite jenes hingezogen, der er innerlich dadurch angehört, daß in ihm das Prinzip des eigenen Geistes in seiner letzten Abstraction sich darstellt.

Es muß jedoch diese innere, und nur dem Begriffe nach vorhandene Identität in einem Dritten zwischen ihnen Beiden als vermittelt erscheinen, damit es offenbar werde, wie die, einen substantiellen Inhalt enthaltende Freiheit, mit der Willkür sich befreunden könne. Hiemit ist zugleich der Boden der Welt bezeichnet, auf dem die Handlung sich begiebt; denn die Freiheit der italiänischen Städte, welche dieselben, gegen das Ende und während der Auflösung der kaiserlichen Macht in diesem Lande, sich errungen haben, besteht eben in dieser Vereinigung der substantiellen Freiheit mit der Willkür besonderer Interessen, und in dem Umschlagen beider in einander. — In dem Streben, der allgemeinen Obermacht des Kaisers sich zu entziehen ist nämlich die Richtung der einzelnen Städte auf eine organische Gestaltung von sich aus, so wie auf die Unabhängigkeit des gemeinsamen Vaterlandes von fremder Herrschaft, vorhanden, andererseits aber verkehrt sich diese in Willkür, und in den Streit wilder und zerstörender Leidenschaften. Das Individuum, das nun auf Seiten Konradins diese Vereinigung in sich darstellt, ist Donoratiko, Bürger einer dieser Städte, und indem dies in seinem Bewußtsein erscheint, so ist das Land zwischen ihm und Konradin einerseits das Bedürfniß nach der Herstellung einer allgemeinen Ordnung und Gesetzlichkeit, welche ihm unter dem Bilde des Kaiserthums sich darstellt, andererseits ist dieser Wunsch für ihn durch die Erwartung vermittelt, daß hierdurch seiner Stadt neue Vortheile und Freiheiten zuwachsen werden. Er steht so zwischen Heinrich und Konradin, und behauptet gegen jenen die Nothwendigkeit eines allgemeinen und substantiellen Bandes und der Hintenansetzung der eigenen Zwecke; aber wie jene widersprechenden Elemente auf ganz unbefangene Weise in ihm vereinigt sind, und er ihr wahrhaftes Verhalten gegeneinander nicht erkennt, so kann dasselbe dagegen dem durchdringenden Blicke Heinrichs nicht entgehen, der ihm daher treffend das particuläre Interesse im eigenen Streben aufzeigt.

Ist aber in Konradin die Ahnung einer neuen Welt mit der Vergangenheit verbunden, will er, um den Inhalt jener zu realisiren diese wieder herstellen, und wiederholen sich so in ihm, aus einem neuen Geiste wiedergeboren, die Elemente des sterbenden Mittelalters, und erfüllen ihn, so muß auch dieser sein Zusammenhang mit der Vergangenheit noch in seiner Umgebung sich darstellen. Es ist dies in den beiden Lancias, in Galvan und Galeotto vorhanden, in denen die Vasallentreue des Lehndienstes, auf deren Geist die Monarchie des Mittelalters gegründet war, erscheint. Dieser Dienst, der im Mittelalter einestheils in jenem innerlichen Principe der Treue seine Ehre findet, anderentheils zugleich wesentlich durch einen äußerlichen Besitz vermittelt ist, ist hier, auf der Seite des freien Geistes, selbst von demselben durchdrungen. Das Verhältniß, durch welches Konradin, als Nachkomme des Lehnsherrn, den vermittelnden Besitz gewähren kann, ist bereits gebrochen, und es ist die freie Anhänglichkeit des Vasallen, der seine Hülfe leiht, um dasselbe erst zu begründen. Tritt damit jene äußerliche Vermittlung durch Besitz in den Hintergrund zurück, so muß doch andererseits diese Anhänglichkeit, weil sie die gegen einen Freien ist, selbst eine freie, und eben so sehr eine empfangende, als eine gebende sein. Dies ist hier selbst auf eine geistige Weise vorhanden, indem die Lancias mit Konradin verwandt, um dieser Identität willen, in dem Dienste, den sie ihm als Lehnsherrn erweisen, zugleich sich selbst und ihrer eigenen Ehre dienen, und so, in Erfüllung ihrer Pflicht, zugleich ein Recht ausüben. —

(Fortsetzung folgt.)

Herr Canning in Paris.

Londoner Blätter theilen folgenden, angeblich von Hrn. Canning während seines letzten Aufenthaltes in Paris an einen Freund in London geschriebenen Brief mit. „Mein theurer Lord! Sie können sich keine Idee von meiner hiesigen Lage machen. Da das Wetter schön und die Trauben süß sind, würde ich der glücklichste Mann von der Welt seyn, wenn die Leute mich nicht für so wichtig hielten und nicht meinten, daß ich sogar in die Wahl der Weine und Gerichte über Tische Politik mische. Die Franzosen, die nun einmal an angenommene Schauspieler-Manieren gewöhnt sind, bestehen darauf, daß ich bei allen Dingen und an jedem Ort Minister seyn soll. Sie können sich nicht überzeugen, daß, wenn ich zu Bette gehe, ich so gut wie jeder andere ehrliche Bürger eine Schlafmütze über den Kopf ziehe. Sie können sich nicht vorstellen, mein theurer Lord, wie mich dies alles langweilt. Ueberall werde ich wie ein Schauspieler auf den Brettern betrachtet und während die Journale den hiesigen Minister des Innern die Natur des Siebenschläfers andichten, so will man mich zwingen, über meine Kräfte wach zu seyn und zu arbeiten. Ich bin genöthigt beständig auf meiner Hut zu seyn, denn in allem, was ich thue, will man etwas Außerordentliches sehen. Gestern aß bei Hrn. v. Villele zu Mittag. Ich setzte mich mit recht gutem Appetit zu Tische und hörte von zwei kleinen Herren, die nicht weit von mir saßen und sich auf meine geringe Kenntniß des Französischen verließen, folgende Bemerkungen: „Sehen Sie, er langt noch mehr von dem Putenbraten zu. Wäre es möglich, daß ihn die Jesuiten gewonnen hätten? denn dies ist ja der eigentliche Jesuitenvogel und nur den Schülern Loyolas verdankt Europa die Einführung desselben nach Europa." — Beruhigen Sie sich, sagte der andere, Sie legen die Sache unrecht aus. Sehen Sie nur zu, er hat zwei Flügel gegessen und dies bedeutet nichts anders als: „wenn die Jesuiten auch in Frankreich Fuß fassen, so sollen sie dennoch nicht nach England überfliegen." —. Ein Weilchen ließen mir die beiden Nachbarn Ruhe, allein sobald die Schüsseln wechselten, machten sie neue Bemerkungen. „Er ißt, sagte der eine, Macedoine (eine Art Gemüse) ich wette er ist ein Griechenfreund! — Nicht doch, antwortete der andere, ich sah ihn kurz vorher von dem Reiß *à la Turque* zulangen; das ist ächter englischer Machiavelism. — O weh! flüsterte bald darauf der Erste seinem Nachbar zu, er ißt Russische Chalotte; es ist klar, er will es mit keiner Parthei verderben. Kaum waren wir vom Tisch aufgestanden und hatten uns nach den Salons zurückgezogen, als ich die Folge meines guten Appetits erfuhr. Einer aus der Gesellschaft trat zu mir und sagte: „Der Abbé de la Mennais und der Mont-Rouge werden sich sehr darüber freuen, daß Ihnen der Putenbraten so gut geschmeckt hat." — Er wurde durch Hr. v. Villele unterbrochen, der lächelnd zu mir sagte: „Ist es wahr, was ich eben gehört habe? Denkt England im Ernst an eine Besetzung Macedoniens?" Hätte ich das Gespräch meiner Tischnachbaren nicht belauscht, so würden diese Fragen für mich lauter Räthsel gewesen seyn. Ach mein theurer Lord, wie freue ich mich darauf nach Alt-England zurückzukehren, wo ich nach Gefallen über Tisch zulangen kann, ohne dergleichen symbolische Auslegungen fürchten zu müssen.

10.

(Redigirt von Dr. Fr. Förster und W. Häring (W. Alexis.)

Im Verlage der Schlesingerschen Buch- und Musikhandlung, in Berlin unter den Linden Nr. 34.

Berliner Conversations-Blatt für Poesie, Literatur und Kritik.

Freitag, — Nro. 93. — den 11. Mai 1827.

Phantasien im Bremer Rathskeller.

Novelle von Wilhelm Hauff. (Fortsetzung.)

So wäre ich denn allein mit dir, meine Seele, tief unten im Schooße der Erde? Oben auf der Erde schlafen sie jetzt und träumen, und auch hier unten, rings um mich her, schlummern sie in ihren Särgen, die Geister des Weines. Ob sie wohl träumen, von ihrer kurzen Kindheit träumen, und der fernen Berge der Heimath gedenken, wo sie groß wurden, und des Stromes, des alten Vaters Rhein, der ihnen allmälig freundlich ein Wiegenlied murmelte?

Gedenket ihr der wonnigen Tage, da die milde Mutter, die Sonne, euch aus dem Schlummer küßte, da ihr in klarer Frühlingsluft die Aeuglein öffnetet zum erstenmal, und hinabschautet in's herrliche Rheingau? Und als der Mai einzog in sein deutsches Paradies, gedenket ihr noch, wie euch die Mutter anthat mit grünen Kleidchen von Laubwerk, und wie der alte Vater baß sich dessen freute, herauflugte aus seinem grünen Beete, und euch zuwinkte und munter rauschte am Lurlei?

Und gedenkst denn auch du der Rosen-Tage deiner Kindheit, o Seele? Der sanften Rebenhügel der Heimath, des blauen Stromes und der blühenden Thäler des Schwabenlandes? O Wonne-Zeit voll holder Träume! Wie reich bist du behängt mit Bilder-Büchern, Christbäumen, Mutterliebe, Osterwochen und Ostereiern, mit Blumen und Vögeln, Armeen aus Blei und Papier und den ersten Hös'chen und Colletchen, in welche sich deine kleine sterbliche Hülle stolz auf seine Größe kleiden ließ. Und wie dich der seelige Vater auf den Knieen schaukelte, und der Großvater gerne das lange Meerrohr mit dem goldenen Knopf abtrat, um es dir als Reitpferd zu leihen!

Und rücke mit dem nächsten Glase um einige Jahre vorwärts! Erinnerst du dich des Morgens, als sie dich heimführten zu einem wohlbekannten Mann, dessen Gesicht so blaß geworden war, dessen Hand du weinend küßtest, weinend, ohne zu wissen warum. Denn konntest du glauben, daß die harten Männer, die ihn in einen Schrank legten und mit schwarzen Tüchern zudeckten, konntest du glauben, daß sie ihn nicht mehr zurückbringen würden? Sey ruhig, auch er schlummert nur ein Weilchen. — Und gedenkst du des geheimnißvollen Freudenlebens in Großvaters Büchersaal? Ach damals kanntest du noch keine Bücher als den schnöden kleinen Bröder, deinen ärgsten Feind; wußtest nicht, daß jene Folianten noch zu etwas Anderem in Leder gebunden seyen, als um Hütten und Ställe daraus zu erbauen für dich und dein Vieh?

Gedenkst du noch des Frevels, wie roh du mit der deutschen Literatur, in kleinerem Format, umgingst? Hast du nicht deinem Bruder den Lessing an den Kopf geworfen, wofür er dich freilich mit Sophiens Reisen von Memel nach Sachsen erbärmlich zudeckte? Damals dachtest du freilich nicht daran, daß du einst selbst Bücher machen werdest. Tauchet auch ihr auf, aus dem Nebel verschwundener Jahre, ihr Mauern des alten Schlosses. Wie oft dienten deine halbverfallenen Gänge, dein Keller, dein Zwinger, deine Verließe der fröhlichen Schaar zum Tummelplatz ihrer Spiele, Soldaten und Räuber, Romaden und Karavanen! Wie wohl war uns oft in der untergeordneten Rolle eines Kosaken, während Andere Generale, Platows, Blüchers, Napoleon und dergleichen vorstellten und sich prügelten? Ja, waren wir nicht zu Zeiten sogar ein Pferd, dem Freunde zu Gefallen? O Himmel, wie schön ließ es sich dort spielen!

Wo sind sie hin, die Gespielen deiner Kindheit, die Genossen jener goldnen Tage, wo kein Rang, kein Stand, kein Ansehn gilt; Grafen und Barone machen wohl jetzt die große Tour, oder dienen an Höfen als Kammerherren; arme Teufel pilgern als Handwerkspursche durchs Reich, den schweren Bündel auf dem Rücken, ohne Schuhe an den Füßen, haschen nach Pfenningen aus dem Kutschenschlag, die sie mit dem vom Regen gebräunten Hut künstlich aufzufangen wissen; und die Liebe drückt sie oft noch schwerer als das Bündel auf dem Rücken. Andere Kameraden, Seelen, die sich in der Schule durch geordneten Fleiß in *humanioribus* hervorgethan, sitzen jetzt schon auf einer Pfarre, im Schlaf- oder Chorrocke bei der Frau Liebsten. Andere sind Amtleute, wieder andere Apotheker, einige Referendäre und dergleichen, und nur wir Beide ausschweifend aus dem gewöhnlichen Gang der Dinge, sitzen hier im Bremer Rathskeller und thun uns gütlich im Weine. Und was sind denn wir absonderliches geworden? Doctor? Das kann jeder werden, der vernünftig genug ist, eine Dissertation zu schreiben.

Wie schön ist die vierte Lebensperiode, die wir mit dem vierten Glas beginnen wollen. Du bist vierzehn Jahre alt, o Seele! Aber was ist mit dir vorgegangen in der kurzen Zeit? Du spielst keine Knabenspiele mehr. Soldaten und alles dieses Gezeuge liegt hinter dir, und du scheinst mir viel zu lesen? Du bist hinter Göthe und Schiller gerathen, und verschlingst sie, ohne Alles zu verstehen? Oder wie? du verstehst j e t z t s c h o n Alles? Du willst meinen, du könnest Liebe verstehen, weil du im letzten Sonntags-Klubb Elvire hinter der Commode im Dunkeln geküßt, und Emmas Zärtlichkeit zurückgewiesen hast! Barbar! ahnest du nicht, daß dieses 13jährige Herz auch den Werther und sogar etwas von C l a u r e n gelesen hat, und Liebe für dich fühlt? Aber die Scene ändert sich, Seele! Sey mir gegrüßt, du Felsenthal der Alp! du blauer Strom, an welchem ich drei lange Jahre hauste, die Jahre lebte, die den Knaben zum Jüngling machen. Sey mir gegrüßt, du klösterliches Dach, du Kreuzgang mit den Bildern verstorbener Aebte, du Kirche mit dem wundervollen Hochaltar, ihr Bilder alle in schönes Gold des Abendroths getaucht. Seyd mir gegrüßt ihr Schlösser auf den Felsen, ihr Höhlen, ihr Thäler, ihr grünen Wälder. Jene Thäler, jene Klostermauern waren das enge Nest, das uns aufzog, bis wir flügge waren, und ihrer rauhen Alpluft danken wir es, daß wir nicht verweichlichten.

Ich komme in's f ü n f t e Glas, in's fünfte Seculum unsers Lebens. Ich schlürfe euch ein, liebliche Erinnerungen, wie ich dieß Glas edeln Rheinweins schlürfe, ihr duftet auf in herrlicher Schöne, Jahre meiner Jugend, wie das Aroma aufsteigt aus dem Römer; mein Auge wird wacker, o Seele, denn sie sind um mich, die Freunde meiner Jugend! Wie soll ich dich nennen, du hohes, edles, rohes, barbarisches, liebliches, unharmonisches, gesangvolles, zurückstoßendes und doch so mild erquickendes Leben der Burschen-Jahre? Wie soll ich euch beschreiben, ihr goldenen Stunden, ihr Feierklänge der Bruderliebe? Welche Töne soll ich euch geben, um mich verständlich zu machen? Welche Farben dir du n i e begriffenes Chaos! Ich soll dich beschreiben? Nein! deine lächerliche Außenseite liegt offen, die sieht der Laye, die kann man ihm beschreiben, aber deinen inneren, lieblichen Schmelz kennt nur der Bergmann, der singend mit seinen Brüdern hinabfuhr in die tiefe Schacht. Gold bringt er herauf, reines, lauteres Gold, viel oder wenig gilt gleich viel. Aber dieß ist nicht seine ganze Ausbeute. Was er geschaut, mag er dem Layen nicht beschreiben, es wäre allzusonderbar und doch zu köstlich für sein Ohr. Es leben Geister in der Tiefe, die sonst kein Ohr erfaßt, kein Auge schaut. Musik ertönt in jenen Hallen, die jedem nüchternen Ohr leer und bedeutungslos ertönt. Doch dem, der m i t gefühlt und m i t gesungen, giebt sie eine eigene Weihe, wenn er auch über das Loch in seiner Mütze lächelt, das er als Symbolum zurückgebracht. Alter Großvater! jetzt weiß ich, was du vornahmst, wenn „der Herr seinen Schalttag feierte." Auch du hattest deine trauten Gesellen seit den Tagen deiner Jugend, und das Wasser stand dir in den grauen Wimpern, wenn du einen beisetztest im Stammbuch. Sie leben!

Wirf die Flasche weg, Mensch, steche eine neue an zu neuer Freude. Das sechste! wer kann dich berechnen, o Liebe? Es gieng uns, wie es so manchem Erdensohn ergeht. Wir lasen von Liebe und glaubten zu lieben. Das Wunderbarste und doch Natürlichste an der Sache war, daß die Perioden oder Grade dieser Art Liebe sich nach unserer Lektüre richteten. — Haben wir nicht Vergißmeinnicht und Ranunkeln gebrochen und des Doktors Tochter in B. verschämt überreicht und uns einige Thränen ausgepreßt, weil wir lasen: „das Schönste sucht er auf den Fluren, womit er seine Liebe schmückt“ und „aus seinen Augen fließen Thränen?“ Haben wir nicht oft *à la* Wilhelm Meister geliebt, d. h. wir wußten nicht recht, war es Cousine Eveline, oder Dekans Sophie, oder Emilie die Zarte, oder gar Mathilde? Haben nicht alle vier in zierlichen Schlafmützen hinter den Jalousien hervorgeschaut, wenn wir Ständchen brachten im Winter, und die Guitarre weidlich schlugen, obgleich uns der Frost die Finger krumm bog? Und nachher, als es sich zeigte, wie sie alle vier nur schnöde Coquetten seyen, haben wir da nicht die Liebe thörichter Weise verschworen und uns vorgenommen, erst dann zu heirathen, wenn die Schwaben klug werden, d. h. im vierzigsten?

Wer kann dich berechnen, verschwören o Liebe? Du tauchst nieder aus dem Auge der Geliebten und schlüpfest durch unser Auge verstohlen in das Herz; und dennoch so kalt konntest du bleiben, wenn ich meine Lieder sang, wolltest den Blick nicht erwiedern, den ich so oft nach dir aussandte? Ich möchte ein General seyn, nur daß sie meinen Namen in der Zeitung läse, daß es ihr bange würde, wenn sie läse: „der General Hauff hat sich in der letzten Schlacht bedeutend hervorgethan und acht Kugeln in's Herz bekommen, — woran er aber nicht gestorben.“ Ich möchte ein Tambour seyn, nur daß ich vor ihrem Hause meinen Schmerz auslassen und fürchterlich trommeln könnte, und fährt sie dann erschrocken mit dem Köpfchen durch's Fenster, so will ich gerade das Gegentheil russischer Fellraßler machen und vom *fortissimo* abwärts trommeln in's *piano* und im leisen *adagio* Wirbel ihr zuflüstern: „ich liebe dich.“ Ein berühmter Mensch möchte ich sein, nur daß sie von mir hörte und stolz zu sich sagte: „Der hat dich geliebt!“ aber leider reden die Leute nicht von mir, höchstens wird man ihr morgen sagen: „gestern Nacht hat er auch wieder bis Mitternacht im Weinkeller gelegen!“ Und wenn ich vollends ein Schuster oder Schneider wäre! Doch dies ist ein gemeiner Gedanke und Deiner unwürdig! —

Schon Mitternacht? Diese Stunde trägt eigene, geheimnißvolle Schauer in sich; es ist als zittere die Erde leise, wenn sich die schlummernden Menschen unter ihr auf die andere Seite legen, die schwere Decke schütteln und den Nachbar im Kämmerlein nebenan fragen: „ist's noch nicht morgen?“ Wie so ganz anders zittert der Ton dieser Mitternachtsglocke zu mir hernieder, als wenn er am Mittag durch die hellen, klaren Lüfte schallt. Horch! ging da nicht im Keller eine Thüre? Sonderbar, wenn ich nicht so ganz allein hier unten wäre, wenn ich nicht wüßte, daß die Menschen nur oben wandeln, ich würde glauben, es tönen Schritte durch diese Hallen. — Ha! es ist so; es kömmt näher, es tappt an der Thüre hin und her, es tastet an der Klinke; doch die Thüre ist verschlossen und mit Riegeln verhängt, mich stört heute Nacht kein Sterblicher mehr. Ha, was ist das? die Thüre springt auf? Entsetzen!

(Fortsetzung folgt.)

Die Mächte des Mittelalters.

Eine kritische Abhandlung über Konradins Tod. Tragödie von K. Grafen Dyhrn. — Oels. 1827.

(Mitgetheilt von dem Dr. von der Hagen.)

(Fortsetzung.)

Indem nun überhaupt auf der Seite Konradins die freie Entfaltung der Individualitäten Statt findet, und jedes Individuum, in der Vereinigung mit ihm, doch zugleich seine Selbstständigkeit bewahrt, so erscheint dies noch darin, daß Konradin seine ganze äußere Macht, als Anführer und Herrscher über seine Umgebung, dieser verdankt, und daß er nur an der Spitze steht, weil sie sich ihm frei, oder durch eigene Zwecke bewogen, unterordnen. Seine Stellung in der Wirklichkeit, als Herrscher, ist daher auch hier wieder das Unwirkliche, und auch hierin wird sein Gegensatz gegen Anjou offenbar, in dessen Lager wir jetzt vom Dichter geführt werden.

Seinem Gehalte nach hat sich uns der Character Anjou's als die weltlich gewordene Macht der Kirche ergeben, und wir haben nur zu betrachten, wie dies in seinen persönlichen Verhältnissen erscheint, oder wie aus diesem nothwendigen Gehalte das Individuum sich bildet. Wie die Kirche bereits wesentlich in die Welt hinübergetreten, und die allgemeine Macht der Zeit ist, von der Alles, was in derselben wahrhaft wirklich ist, nur Bestehen und Gelten empfangen kann, so knüpft er auch unmittelbar seine Berechtigung an sie, und wie sie die höchste und allein geltende ist, so bedarf er auch keiner anderen. Er trägt deshalb von ihr sein Königreich Neapel zu Lehen, und gründet auf dieses schlechthin gegenwärtige Verhältniß, nicht, wie Konradin, auf eine glänzende Vergangenheit sein Recht; ihm genügt daher, daß er dasselbe der Form nach mit dem Heiligen und Substantiellen in Verbindung bringen kann; über den rechtlichen und sittlichen Inhalt dieser Form, über die Berechtigung der Kirche, ihm dasselbe zu übertragen, ist er unbekümmert, denn in diesem Absoluten und Heiligen verschwindet aller weitere Inhalt, und wie ihm selbst die wahrhafte Freiheit des eigenen Geistes entsteht, so ist er sich hierüber keine Rechenschaft schuldig, sondern wirft dieselbe auf die Kirche, dahingegen aus der Berechtigung Konradins, als des Freien und Menschlichen, das sittliche Moment der Familie hervorscheint. Dafür aber liegt die Berechtigung Konradins in der Vergangenheit, die Anjous dagegen in der Gegenwart, denn indem das Heilige, als solches, weltlich ist, so sind die rein menschlichen und sittlichen Verhältnisse gegen die Macht und das Interesse der Kirche, und in Collision mit dieser, noch als das Unwirkliche bestimmt. Der Mann Anjou steht daher gegen den Jüngling Konradin auf festen Füßen in der Welt, er erkennt und übersieht alle ihre Verhältnisse, und, indem er den Kampf mit ihnen nicht scheut, weiß er sie mit Umsicht zu benutzen. Deshalb durchschaut er auch von Anfang an die Lage Konradins, und das Unwirkliche in dessen Stellung in der Welt, er hat die bestimmte Einsicht, daß dieser gegen ihn nichts vermögen werde, und daß nur das, was er selbst will, an der Zeit ist. Zugleich aber weiß er sich von aller allgemein menschlichen und sittlichen Rücksicht befreit, denn wie das Heilige selbst ihm seine Autorität leiht, so ist auch er sich bewußt, daß er durch die Verfolgung seiner selbstsüchtigen Zwecke das Wohl der Kirche und des Heiligen befördert. Indem so sein Eigennutz und seine Herrschbegierde und die selbstsüchtige Härte seiner weltlichen Zwecke zum Heiligen wird, hat sich das Heilige selbst in ein schlechthin Endliches und Unsittliches verkehrt, und diese innere Lüge, die der Charakter der Zeit ist, ist auch die Basis des seinigen. Ist so das ganze Dasein des Anjou eine objective Heuchelei, so ist er doch nicht ein Heuchler in dem Sinne, daß er seine eigensüchtigen Interessen und Handlungen, in der Ueberzeugung, daß dem nicht so wäre, für andere als das Heilige und Berechtigte behauptete; hierzu würde gehören, daß sich sein Bewußtsein schon von der Autorität der Kirche im Weltlichen abgelöst hätte, und er würde damit vielmehr auf die entgegengesetzte Seite hinübertreten, — so aber ist der an sich seyende Widerspruch und der Abgrund der Lüge in seiner Natur, eben weil er des Princips der Subjectivität ermangelt, nicht für ihn selbst, und eben dadurch steht er fest und unerschütterlich in seiner Zeit, und giebt ihr Bild vollkommen wieder.

Weil die Herrschaft Anjou's in seiner Welt unmittelbar das Ansehen der Kirche für sich hat, so ist sie das schlechthin Ausschließende, und kann in den ihr Untergebenen keine Selbstständigkeit aufkommen lassen, sondern, indem durch sie jede Entwicklung der Individualitäten erdrückt wird, sind diese ganz seinem Willen hingegeben und von seinem Winke abhängig. Diese Hingebung tritt in ihrer Reinheit in dem Marschall Heinrich von Cousanoe hervor, aber sie ist nicht jene Treue, die wir auf Seiten Konradins in den Lancias sahen, welche im Dienste ihres Herren sich selbst dienen, und so ihre Freiheit und Selbstständigkeit bewahren, vielmehr ist sie eine einseitige Anhänglichkeit, die nicht zurückempfängt, und Cousanoe's Individualität — schlechthin umfangen von der starren Nothwendigkeit einer überlegenen Macht, die er zwar anerkennt, aber nicht begreift — geht gänzlich in diesem Dienste auf; dahingegen in L'Etendart die Particularität des Individuums erscheint, die nur von dem herrschenden Ansehen jenes starken Willens gebändigt, nicht, wie Donoratiko, von dem freien Bewußtsein einer allgemeinen Macht geleitet wird.

(Fortsetzung folgt.)

H. Heine's Reisebilder *).

Von H. Heines Reisebildern hat der zweite Theil vor kurzem die Presse verlassen, eine der merkwürdigsten Gestalten, welche eine Leipziger Messe zu Tage förderte. Das Buch zu recensiren ist eine mißliche Aufgabe, für die sich vor der Hand bei uns kein Paladin gefunden. Der Recensent muß beide Rockschöße aufnehmen und auf den Schuhspitzen gehen, will er nicht in diesen Irrgängen des Witzes überall anstoßen und auftreten, was Flecke giebt, Schmerzen und ärgerliche Berührungen. Es möchten nur wenige sein, mit denen der Verfasser nicht versucht es zu verderben, und daher kann man dem eleganten Buche das Prognostikon stellen, daß es viel gelesen werden wird. Von dem Talente des Dichters finden sich auch hier leuchtende Spuren; aus den Seebildern (Nordsee) welche einladend dem Bande voranstehen, haben wir in unserm Blatte bereits einige der besten nach dem Manuscripte mitgetheilt; den Meergruß, der den Reigen führt, geben wir gern noch einmal als Probe zum Weiterlesen. Aber dann kommt es wild und bunt. Auch Immermann hat sich zu Heine gesellt um kritisch auszuschlagen, als geschähe dies in dem nicht allzu voluminösen Buche nicht schon genug. Sollte aber die Zeit der Xenien nicht schon wieder vorüber seyn, nachdem sie zahm und wild, als Raketen und Schwärmer, endlich sogar mit ihren neu aufgelegten Eltervätern an unsern Ohren, in schnellerm und matterem Fluge, vorausgesaust sind? Man könnte immer, dünkt mich, wieder ein zehn Jahr vorübergehen lassen. Daß der Dichter zum Schluß seine Correspondenz aus Berlin mit abdrucken lassen, geht, nach Berliner Redensart, über den Spaß. *a.*

*) Reisebilder von H. Heine. Zweiter Theil. Hamburg, Hoffmann et Comp. 1827.

(Redigirt von Dr. Fr. Förster und W. Häring (W. Alexis.)

Im Verlage der Schlesingerschen Buch- und Musikhandlung, in Berlin unter den Linden Nr. 34.

Berliner Conversations-Blatt

für

Poesie, Literatur und Kritik.

Sonnabend, — Nro. 94. — den 12. Mai 1827.

Die Mächte des Mittelalters.

Eine kritische Abhandlung über Konradins Tod. Tragödie von K. Grafen Dyhrn. — Oels. 1827.

(Mitgetheilt von dem Dr. von der Hagen.)

(Fortsetzung.)

Stellt sich nur in Anjou das weltlich gewordene Heilige als die herrschende Macht dar, die in diesem Individuum selbst in der Welt steht, und die, indem sie sich selbst in jener, und dem Irdischen durch sich, ein Dasein giebt, einen endlichen Inhalt hat, — so kann doch auf der anderen Seite die Kirche sich nur dadurch vollständig als die Macht der Welt erweisen, daß das Weltliche in ihr sich aufzehrt, und daß die Interessen des Endlichen in dem Bewußtsein des Heiligen verschwinden. Weil jedoch das Weltliche andererseits von der Kirche gehalten, und mit derselben geeinigt, ebensosehr bestehen bleibt, so ist dieses Verschwinden des Irdischen nur eine Flucht aus der Welt. Das Individuum, in welchem dies auftritt, ist Erard von Valery, ein französischer Kreuzfahrer, der deshalb, im ungetrübten Bewußtsein des Heiligen, einerseits dem, in endlichen und selbstsüchtigen Interessen befangenen, Anjou gegenübersteht, andererseits aber durch das höhere Band der Kirche mit ihm vereinigt ist, und so eine Vermittlung zwischen beiden bildet. — Valery ist daher das Individuum, welches am Grabe des Heilandes die Nichtigkeit des Irdischen erkennt, dort alle Interesse der Besonderheit abgeworfen hat, und nur dem Dienste des Ewigen sich weiht. Weil er aber doch als Individuum noch in der Welt steht, und gerade die Idealität des Weltlichen sich in ihm darstellt, so muß auch in seinem Bewußtsein noch ein Anklang an dasselbe vorhanden sein. In ein Bewußtsein dieser Art kann nun das Weltliche nicht in der Form particulärer Zwecke eintreten, vielmehr, weil es darin nur die Bedeutung hat, in das Ewige und an und für sich Allgemeine zurückzugehen, muß es selbst in diese Allgemeinheit aufgenommen und von derselben geläutert sein. Es ist daher nothwendig eine allgemeine sittliche Macht, die ihn an die Welt bindet, und deren Zwecke er befördert. Die Macht nun, die von dem Selbstsüchtigen am meisten gereinigt ist, ist das Vaterland, dessen Ehre und Ruhm er daher neben dem Wohle der Kirche allein dient. Weil er daher diese Vermittlung in sich darstellt, nur der inneren Berechtigung nach dem Anjou gleichsteht, und durch seine Freiheit von selbstsüchtigen Zwecken sich über ihn erhebt, so ist er auch dessen Herrschaft nicht unterworfen, sondern, als Bevollmächtigter der Kirche, die einzige selbstständige Gestalt neben Anjou, dem er sich freiwillig, nur im Dienste dieser Macht und um der Ehre Frankreichs willen, anschließt. Er ficht deshalb auch nicht für Anjou's Zwecke, und nimmt auf diese Weise gegen ihn dieselbe Stellung ein, wie Heinrich von Castilien gegen Konradin; auf der andern Seite aber bildet er den vollkommensten Gegensatz gegen Heinrich; denn gerade wie diesem in seiner abstracten Persönlichkeit alles Substantielle verschwindet, so geht Valerys ganze Besonderheit in dem Bewußtsein des Heiligen auf.

Hiemit haben sich nun die allgemeinen, und in der Zeit nothwendigen Mächte in sich organisirt, und jede für sich einen Kreis von Individuen gebildet, durch deren Bethätigung sie sich in Bewegung gegen einander setzen; was im Allgemeinen mit dem ersten Acte der Tragödie zusammenfällt. Es hat jedoch diese Entwicklung für unsere Darstellung ein anderes Verhältniß, als der erste Act zum Ganzen der Tragödie. Weil nämlich in der dramatischen Darstellung die Individuen im ersten Acte erst unmittelbar auftreten, so kann sich auch in demselben ihr Inneres und ihre Stellung gegen einander erst ganz im Allgemeinen zeigen, bestimmter aber kann sich ihr Pathos und das, was sie für sich und in Beziehung auf einander sind, erst im Verlaufe der Handlung, durch das, was sie thun, offenbaren. Wir dagegen, die wir in dem Falle sind, den Inhalt in seiner Nothwendigkeit zu begreifen, hatten sogleich jenen Inhalt, und die Individuen an die er sich vertheilt, in ihrer völligen Bestimmtheit aufzufassen, und indem darin die Art und Weise der Bewegung und Handlung bereits an sich enthalten ist, wird für uns der weitere Verlauf kürzer und einfacher.

Indem nun jede der entgegengesetzten Mächte zu zeigen hat, was sie an sich ist, so kann sie dies nur in der Bethätigung ihres Gegensatzes, und das unmittelbare Zusammentreffen beider macht daher den Inhalt des zweiten Actes aus. Weil aber dies inmittelst ihres bestimmten Daseins in der Welt geschieht, so wird Konradin durch dasselbe die Unwirklichkeit seiner Stellung in derselben erfahren, Anjou dagegen die Festigkeit der seinigen bewährt finden. Zunächst muß sich nun der Unterschied beider in der verschiedenen Weise offenbaren, wie sie zum Kampfe fortgehen. Für Konradin als den Freien wird daher die Vorbereitung zum Kampfe darin bestehen, daß er sich in die Beschauung seiner selbst versenkt, und die Lage seiner Verhältnisse an seinem Inneren vorübergehen läßt. — Weil er aber hier noch unmittelbar auftritt und ihm sein Wesen noch nicht durch den Conflict mit der entgegenstehenden Macht objectiv geworden ist, so kann auch diese Selbstbeschauung nicht in einem klaren Bewußtsein über sich bestehen, sondern er gelangt zu ihr erst auf unmittelbare Weise, in der Form des Gefühls und der poetischen Anschauung. Indem er so beim Anblicke seines Reiches in lyrischem Entzücken dasselbe begrüßt, und uns in der Erinnerung seiner unglücklichen Jugend aus der gegenwärtigen Wirklichkeit in die Vergangenheit hinüberführt, so schwebt über jener Freude, und der Verheißung, die ihm das Anschaun Neapels gewährt, das traurige Bild der einsam zurückgelassenen bekümmerten Mutter; und erfüllt ihn mit einer dunklen Ahnung seines Unterganges. — In diese versunken muß er nun die Gewißheit seiner Selbst und der Gegenwart in Friedrich finden, und durch dessen Vermittlung aus der Beschaulichkeit zum Handeln fortgehen. Anjou dagegen, in fester unveränderlicher Richtung auf die Wirklichkeit, und durch die bindende Autorität der Kirche der Selbstbeschauung weder fähig noch bedürftig, kann für das Handeln nur im Handeln selbst die Vorbereitung finden, und hat dadurch schon in ihr dem Konradin den Vortheil abgewonnen. —

Wie nun das unmittelbare Zusammentreffen beider entgegengesetzten Mächte auf dem Boden der Welt statt findet, und das Pathos Konradins, nach dieser Seite, darin besteht, in der Wirklichkeit das Unwirkliche zu sein; so muß dies auch im Kampfe, als solchem offenbar werden; denn es kann dem Konradin in diesem Kampfe das Bewußtsein seiner Unwirklichkeit nur dadurch werden, daß sich ihm die Wirklichkeit, die hier der Sieg ist, in Schein und in Täuschung verkehrt. Anjou dagegen, als das Bewußtsein des Wirklichen, erkennt die Nichtigkeit dieses Scheins, und ist es selbst, der vermittelst desselben das Unterliegen Konradins hervorbringt. Weil aber das Weltliche, in dessen Interesse Anjou befangen ist, nur durch die Kirche Maaß und Haltung empfängt, so offenbart sich hierbei die Bedeutung Valerys, der, von selbstischem Antheil frei, und im Dienste jener allgemeinen Macht handelnd, die Thatkraft Anjou's regelt und lenkt.

In jenem scheinbaren Siege muß sich nun der Inhalt dessen, was Konradin ist, offenbaren, und indem darin die vergangene Herrschaft seines Stammes momentan wiederauflebt, muß er sich zugleich hierin, als das freie beweisen. Das Dasein des Freien besteht aber darin, daß er sich selbst, oder daß ihm seine Freiheit, in Anderen gegenständlich ist. Indem also Konradin das Glück seines Sieges, und die Ehre, die er durch denselben gewonnen hat, seinen Gefährten hingiebt, und in ihrer Freude dieselben genießt und zurückempfängt, so muß darin doch schon die Andeutung vorhanden sein, daß dies Dasein nur ein unwirkliches sei, und weil dies in der Individualität Konradins selbst seinen Grund haben muß, so kann es nur dadurch erscheinen, daß er sich in jugendlicher Unbefangenheit, ohne Haltung und Vorsicht der Siegesfreude und dem Augenblicke hingiebt. Weil demnach dieses Dasein, um der Nichtigkeit willen, die es in sich trägt, gleich einer flüchtigen Blüthe eben so rasch vergeht, als es sich entfaltet, so wird es auf seinem höchsten Punkte, und der Bewährung, die es durch den vermeinten Tod des Feindes erhält, unmittelbar verschwinden, und sich dem Konradin und seinen Gefährten als Schein und Täuschung erweisen. Der Augenblick also, wo sie in dem todten Anjou den Leichnam Cousances — der sein Wesen, ganz in der Persönlichkeit Anjous aufzugehen, auch im Tode bewährt hat — erkennen, ist derselbe, wo der lebende Anjou den Sieg Konradins in eine Niederlage verwandelt. Wird auf diese Weise Konradin in dem Verschwinden seines Sieges auf sich und die Individuen, die sich unmittelbar an ihn anschließen, zurückgewiesen, so wird sich in dem Zusammentreffen mit der entgegengesetzten Macht, die Nichtigkeit der abstracten Willkür in Heinrich offenbaren, und er wird, wie er seinem Innern nach für sich allein, und isolirt von der substantielleren Gemeinschaft seiner Gefährten dasteht, auch einsam und getrennt von den Uebrigen seinen Untergang finden. Weil nun die Willkür dem Substantiellen gegenüber das sich selbst Zerstörende ist, und Heinrich das, was er ist, ganz auf seine abstracte Freiheit und Selbstständigkeit gründet, so muß er durch seine eigene Hand fallen, und dies kann nur geschehen, wenn die Nichtigkeit seines Daseins, durch den unvermeidlichen Verlust seiner Selbstständigkeit, für ihn geworden ist. Wenn demnach der Dichter bei dem Tode Heinrichs das, was ihm die Geschichte darbot, verändert hat, so hat er dies in dem richtigen Bewußtsein gethan, daß sich nur auf diese Weise die Persönlichkeit Heinrichs, ihrem inneren Principe gemäß, rein abschließt.

Durch das Verschwinden des Daseins, zu dem seine Entwürfe mittelst des Sieges gelangt waren, hat Konradin die Unwirklichkeit desselben, so wie die Macht der Kirche in ihrem weltlichen Vertreter, Anjou, erfahren, und indem er nunmehr in sich zurückkehrt, und den Grund seines Unterliegens in sich selbst findet, so nimmt er als das Freie denselben, der in der That an sich schon in seiner ganzen Stellung in der Zeit liegt, als seine Schuld auf sich. Diese Schuld, die darin besteht, daß er das Glück mit Besonnenheit zu ertragen, und der Wirklichkeit ihr Recht zu geben, nicht vermogt hat, kann nur dadurch gebüßt werden, daß er, dem Glücke gänzlich entsagend, selbst seine Unwirklichkeit, als solche, bethätigt, und in dieser absoluten Negation, in dem Daransetzen seines Lebens, die Wirklichkeit versöhnt und sich wiedergewinnt. Weil er aber jene Unwirklichkeit in sich nur nach der Seite der Nothwendigkeit erfaßt und versöhnt hat, so ist diese Versöhnung und dies Wiedergewinnen der Wirklichkeit zunächst gleichfalls nur für ihn vorhanden und nur subjectiv und hat die Bedeutung, daß er sich darin als das Freie und Kräftige bewährt hat, und auf einen neuen Schauplatz der Handlung zu treten beschließt. Diese neue Wirklichkeit, die ihm aufgeht, ist aber aus der Berührung mit dem Negativen seiner erwachsen, sie ist daher von dem Bewußtsein jener Negativität begleitet, und ihre Entwicklung, die von der unversöhnten Nothwendigkeit untergraben ist, muß das Resultat haben, daß er jenes Negative als Schranke in sich selbst erkennt.

(Fortsetzung folgt.)

Christianismus und Muhamedanismus.

Die Schicksale der christlichen — oder vielmehr nur der christlich-katholischen Religion und des Muhamedanismus haben unläugbar manche auffallende Aehnlichkeit mit einander, wenn wir auf ihre beiderseitigen Quellen und Grundlagen — die Bibel und der Koran — zurückgehen, und nun untersuchen, welchen Antheil beide, an dem Gebäude, dem sie zur Grundlage dienen sollen, wirklich auch haben. Wie die Bibel durch falsche Auslegungen von Seiten der Geistlichkeit in der katholischen Kirche wahrhaft entstellt worden ist, indem man in dieselbe trug, was nicht in ihr liegt, so daß dasjenige, was wir christliche Religion und Kirche nennen, in Betreff einer gewissen Kirche auf Nichts weniger als auf der Bibel beruht (Papat, Coelibat, Ablaß, Fegefeuer u. s. w.); eben so hat sich die bei den Türken mit dem Namen: Ulema's benannte Kaste der Geistlichkeit zwischen den Koran und das Volk gestellt, so daß nach den Aussprüchen und Erklärungen der Ulema's diesem Manches ge- und verboten ist, was der Koran selbst weder ge- noch verbietet. Es ist daher, so wie in der christlich-katholischen Kirche die reine Religion nach der Bibel durchaus von derjenigen, die ein Machwerk der Päbste und Geistlichkeit ist, unterschieden werden muß, auch eine gleiche Rücksicht Behufs einer Würdigung der reinen und ächten muhamedanischen Religion bei den Türken zu nehmen. Wie z. B. nicht die Bibel das Verbot, die Wissenschaften zu betreiben, ausspricht, wol aber die Geistlichkeit in Spanien, dem Kirchenstaate u. s. w. die Aufklärung zu unterdrücken sucht, um das Volk desto besser in der Abhängigkeit zu erhalten; so verbietet auch der Koran weder direkt noch indirect die Betreibung der Kunst und Wissenschaften, und er sagt nicht, daß der Besitz des Koran alle andern Bücher und Kenntnisse entbehrlich mache, wol aber spiegeln die

Ulema's dies dem Volke vor. Wie ferner die katholische Kirche manche ihrer Dogmen durchaus nicht auf die einfachen Worte der Bibel zu gründen vermag, sondern diese nur auf künstlichen Erklärungen derselben beruhen; eben so gründet sich z. B. der bekannte Fatalismus der Türken nicht etwa auf ein ausdrückliches Verbot irgend einer Maaßregel bei einem den Menschen von der Vorsehung zugesandten Uebel, wie der Pest u. s. w., sondern nur auf eine falsche Erklärung einer Stelle des Korans, und es wird sogar ausdrücklich behauptet, daß die unmittelbaren Nachfolger Muhameds jener Vorurtheile durchaus frei gewesen seyen.

K.

Maigruß.

An * * *

Reiche, volle Blüthen
Bringt der schöne Mai
Und ich mein' es wären
Erd' und Himmel neu.

Aber mehr als Blüthen
Hat er uns gebracht,
Denn zwei holde Augen
Sind mit ihm erwacht.

Und die Blumen alle
Sind mit dir bekannt,
Haben dich im Stillen
Liebes Kind genannt.

Stehst du in Gedanken,
Veilchen sieht dich an,
Frägt so gut und traulich,
Was man dir gethan.

Klingen Maienglöckchen
Lustig dann darein;
Wirst du gleich so heiter,
Wie der Sonnenschein.

Und mit dieser Blumen
Leisgehauchtem Kuß,
Kömmt wol aus der Ferne
Treuer Liebe Gruß.

Und wir grüßen wieder
Fröhlich heut zurück,
Denn Gedanken fliegen
Weiter als der Blick.

F. F.

Berliner Chronik.

Die Direction des Königstädtischen Theaters hat, sobald sie von der Ankunft August Wilhelm von Schlegels erfahren, demselben offiziell eine Loge angezeigt, in welcher er jeden Abend einen Ehrenplatz für sich offen finde. — Es ist dies eine geringe Aufmerksamkeit, die sich eigentlich so von selbst versteht, daß sie nicht der Anführung bedürfte, indem jedes Theater es sich zur Ehre rechnen muß, von dem zweiten Begründer einer deutschen Dramaturgie, von unserem ausgezeichnetsten und wirkungsreichsten Kritiker und dem unübertroffenen Uebersetzer des Shakspeare und Calderon besucht zu werden. Wenn auf andern deutschen Theatern Anstand und Sitte diese Achtung ausgezeichneter Schriftsteller noch nicht zum Gesetz gemacht haben, dürfen wir den Grund wohl nur in dem Wunsche: nicht inconsequent zu handeln, suchen. Wo man die Rechte der Dichter und Schriftsteller noch nicht anerkannt hat, will man ihnen nicht Artigkeit vor der Gerechtigkeit widerfahren lassen. Dies als besondere Höflichkeit zu erwähnen, würde in Frankreich, England und — Rußland für eine Sottise gelten. *a.*

Mittwoch den 9. im Königl. Opernhause *Concert spirituel.* In diesem geistlichen Concert ging es sehr weltlich zu; denn obwol sich nicht läugnen läßt, daß in der Ouvertüre zur Iphigenie von Gluck ein göttlicher Spiritus weht, so gehört sie doch eben so wenig, wie Spontini's Russiche Krönungs-Hymne in ein *Concert spirituel;* eben so gut hätte man auch ein *ballet spirituel* zur Abwechslung können tanzen lassen. — Daß übrigens das Theater-Publikum ein solches Concert, wo ein *Ragoût* von 18 Musikstücken aufgetragen wird, schmackhafter findet, als die Aufführung eines großen Oratorius, hat die Erfahrung bereits gelehrt, da die Aufführungen des Samson, Messias, der Schöpfung — wenn sie nicht in der Kirche zu acht Groschen statt fanden, nie ein volles Haus machten. Diesmal war freilich noch ein andrer Magnet vorhanden. Mad. Catalani hatte sich bereitwillig erklärt, drei große Arien zu singen, und wenn auch die Erwartung, die Mad. Milder neben ihr zu hören, vereitelt wurde, so füllte sich dennoch das Haus. Mad. Schulz hatte die Genugthuung, daß — ebenfalls ein Zeichen der Weltlichkeit des Concerts — die Arie: „singt dem göttlichen Propheten" *da capo* begehrt wurde. Eher vergeben wir den Ruf nach *God save the King!* Der Gesang, der dem gilt, der die Krone trägt, wurde auch diesmal wieder die Krone des ganzen Musikfestes. —

(Redigirt von Dr. Fr. Förster und W. Häring (W. Alexis.)

Im Verlage der Schlesingerschen Buch- und Musikhandlung, in Berlin unter den Linden Nr. 34.

Berliner
Conversations-Blatt
für
Poesie, Literatur und Kritik.

Montag, — Nro. 95. — den 14. Mai 1827.

Phantasien im Bremer Rathskeller.

Novelle von Wilhelm Hauff. (Fortsetzung.)

Vor der Thüre standen zwei Männer und machten gegenseitig Complimente über den Vortritt; der eine war ein langer, hagerer Mensch, trug eine große schwarze Locken-Perücke, einen dunkelrothen Rock nach altfränkischem Schnitt, überall mit goldenen Tressen und goldgesponnenen Knöpfen besetzt; seine ungeheuer langen und dünnen Beine staken in engen Beinkleidern von schwarzem Sammt mit goldenen Schnallen am Knie; daran schloßen sich rothe Strümpfe, und auf den Schuhen trug er goldene Schnallen. Den Degen mit einem Griff von Porzellan, hatte er durch die Hosentasche gesteckt; er schwenkte, wenn er ein Compliment machte, einen dreispitzigen, kleinen Hut von Seide, und die Lockenschwänze seiner Perücke rauschten dann wie Wasserfälle über die Schultern herab. Der Mann hatte ein bleiches, abgehärmtes Gesicht, tiefliegende Augen und eine große feuerrothe Nase. Ganz anders war der kleinere Geselle anzuschauen, dem jener den Vortritt gönnen wollte. Seine Haare waren fest an den Kopf geklebt mit Eiweiß, und nur an den Seiten waren sie in zwei Rollen gleich Pistolenhalftern gewickelt; ein ellenlanger Zopf schlängelte sich über seinen Rücken: er trug ein stahlgraues Röcklein, roth aufgeschlagen, stak unten in großen Reuter-Stiefeln und oben in einer reichgestickten Bratenweste, die über sein wohlgenährtes Bäuchlein bis auf die Kniee herabfiel, und hatte einen ungeheuern Raufdegen umgeschnallt. Er hatte etwas Gutmüthiges in seinem feisten Gesicht, besonders in den Aeuglein, die ihm wie einem Hummer hervorstanden. Seine Maneuvres führte er mit einem ungeheuern Filzhut aus, der auf zwei Seiten aufgeklappt war.

Ich hatte, nachdem ich mich von dem ersten Schrekken erholt, Zeit genug, diese Bemerkungen zu machen, denn die beiden Herren machten wohl mehrere Minuten lang vor der Schwelle die zierlichsten *pas*. Endlich riß der Lange auch den zweiten Flügel der Thüre auf, nahm den Kleinen unter dem Arm und führte ihn in mein Gemach. Sie hingen ihre Hüte an die Wand, schnallten die Degen ab und setzten sich, ohne mich zu beachten, stillschweigend an den Tisch. „Ist denn heute Fastnacht in Bremen?" sprach ich zu mir, indem ich über die sonderbaren Gäste nachdachte, und doch kam mir ihre ganze Erscheinung so unheimlich vor, besonders wußte ich mich in ihre starren Blicke, in ihr Schweigen nicht zu finden, ich wollte mir eben ein Herz fassen und sie anreden, als ein neues Geräusch im Keller entstand. Schritte tönten näher, die Thüre ging auf, und vier andere Herren nach derselben alten Mode wie die ersten gekleidet, traten ein. Mir fiel besonders der eine auf, der wie ein Jäger gekleidet war, denn er trug Hetzpeitsche und Jagdhorn, und ungemein fröhlich um sich schaute.

„Gott grüß euch, Ihr Herren vom Rheine!" sprach der Lange im Rothenrock in tiefem Baß, indem er aufstand und sich verbeugte. „Gott grüß Euch" quikte der Kleine dazu, haben uns lange nicht gesehen, Herr Jacobus!"

„Frisch auf! Halloh und guten Morgen, Herr Matthäus, rief der Jäger dem Kleinen zu und auch Euch, guten Morgen, Herr Judas. Aber was ist das?

wo sind die Römer und Pfeifen und Tabak? ist der alte Mauresel noch nicht wach aus seinem Sündenschlaf?"

„Die Schlafmütze! erwiederte der Kleine; der schläfrige Bengel, oben liegt er noch, in unserem Lieb-Frauen Kirch-Hof, aber, das Donnerwetter, ich will ihn herausschellen!" Dabei ergriff er eine große Glocke, die auf dem Tische stand, und klingelte und lachte in grellen, schneidenden Tönen. Auch die drei andern Herren hatten Hüte, Stock und Degen in die Ecken gestellt, sich gegenseitig gegrüßt und an den Tisch gesetzt. Zwischen dem Jäger und dem rothen Judas saß einer, den sie Andreas nannten. Es war ein zierlicher und feiner Herr, auf seinen schönen, noch jugendlichen Zügen lag ein wehmüthiger Ernst und um die zarten Lippen schwebte ein mildes Lächeln; er trug eine blonde Perücke mit vielen Locken, was mit seinen großen, braunen Augen einen auffallenden, aber angenehmen Contrast bildete. Dem Jäger gegenüber saß ein großer, wohlgemästeter Mann mit roth ausgeschlagenem Gesicht und einer Purpur-Nase. Er hatte die Unterlippe weit herabhängen und trommelte mit den Fingern auf seinem dicken Bauch; sie hießen ihn Philippus.

Ein starkknochiger Mann, fast wie ein Krieger anzuschauen, saß neben ihm; ein muthiges Feuer brannte in seinen dunklen Augen, ein kräftiges Roth schmückte seine Wangen und ein dichter Bart umschattete den Mund. Er hieß Herr Petrus.

Wie unter ächten alten Trinkern, so wollte unter diesen Gästen das Gespräch nicht recht fortgehen ohne Wein; da erschien eine neue Gestalt in der Thüre. Es war ein kleines, altes Männlein mit schlotternden Beinen und grauem Haar; sein Kopf sah aus wie ein Todtenkopf, über den man eine dünne Haut gespannt und seine Augen lagen trübe in den tiefen Höhlen; er schleppte keuchend einen großen Korb herbei, und grüßte die Gäste demüthig.

„Ha! siehe da der alte Kellermeister, Balthasar, riefen die Gäste ihm entgegen; frisch heran Alter, setz' die Römer auf, und bring uns Pfeifen! Wo steckst du nur so lange, es ist längst zwölf vorüber?"

Der alte Mann gähnte einige mal etwas unanständig und sah überhaupt aus wie einer, der zu lange geschlafen. Hätte beinahe den 1ten September verschlafen, krächzte er, ich schlief so hart, und seitdem sie den Kirchhof gepflastert haben, höre ich auch ziemlich schlecht. Wo sind denn aber die andern Herren? fuhr er fort, indem er Pokale von wunderlicher Form und ansehnlicher Größe aus dem Korb nahm und auf den Tisch setzte, wo sind denn die andern? Ihr seid erst eurer sechs und die alte Rose fehlt auch noch."

„Setze nur die Flaschen her, rief Judas, daß wir endlich was zu trinken bekommen; und dann gehe hinüber, sie liegen noch im Faß; poch an mit deinen dürren Knochen und heiße sie aufstehen, sage, wir sitzen schon Alle hier."

Aber kaum hatte Herr Judas so gesprochen, als ein großes Geräusch und Gelächter entstand vor der Thüre. „Jungfer Rose hoch, hußa, hoch! und ihr Schatz, der Bacchus hoch! hörte man von mehreren Stimmen rufen; die Thüre flog auf, und die gespenstigen Gesellen am Tische sprangen in die Höhe und schrieen: sie ist's, sie ist's; Jungfer Rose und Bacchus und die Andern, hollah! jetzt geht das Freuden-Leben erst recht an; und dabei stießen sie die Römer zusammen, lachten, und der Dicke schlug sich auf den Bauch, und der blasse Kellermeister warf die Mütze geschickt zwischen den Beinen durch an die Decke und und stimmte ein in das Jucheisa, heißa ho! daß mir die Ohren gellten.

Welch' ein Anblick. Der hölzerne Bacchus, so auf dem Fasse im Keller geritten, war herabgestiegen, nackt wie er war; mit seinem breiten freundlichen Gesicht, mit den klaren Aeuglein grüßte er das Volk und trippelte auf kleinen Füßchen in das Zimmer; an der Hand führte er ganz ehrbarlich, wie seine Braut, eine alte Matrone von hoher Gestalt und weiblicher Dicke! Noch weiß ich nicht bis *dato*, wie es möglich war, daß dies Alles so geschehen, aber damals war es mir sogleich klar, daß diese Dame niemand anders sey, als die alte Rose, das große Faß im Rosenkeller.

Und wie hatte sie sich köstlich aufgeputzt, die alte Rheinländerin! — Sie mußte in der Jugend einmal recht schön gewesen seyn, denn wenn auch die Zeit einige Runzeln um Stirne und Mund gelegt hatte, wenn auch das frische Roth der Jugend von ihren Wangen verschwunden war, zwei Jahrhunderte konnten die edlen Züge des feinen Gesichtes nicht völlig verwischen.

Ihre Augenbraunen waren grau geworden, und einige unziemliche graue Barthaare wuchsen auf ihrem spitzen Kinn, aber die Haare, die um die Stirn schön geglättet lagen, waren nußbraun und nur etwas weniges mit silbergrau gemischt. Auf dem Kopf trug sie eine schwarze Sammtmütze, die sich enge an die Schläfe anschloß; dazu hatte sie ein Wamms vom feinsten, schwarzen Tuche an, und das Mieder von rothem Sammet, das darunter hervorschaute, war mit silbernen Haken und Ketten geschnürt. Um den Hals trug sie ein breites Halsband von blitzenden Granaten, woran eine goldene Schaumünze befestigt; ein weiter faltenreicher Rock von braunem Tuch fiel um ihre wohlbeleibte Gestalt, und ein kleines weißes Schürzchen mit feinen Spitzen besetzt, wollte sich recht schalkhaft ausnehmen. An der einen Seite hing eine große Tasche von Leder, an der andern ein Bündel gewaltiger Schlüssel — kurz sie war eine so ehrbare Frau, als je eine *Anno* 1618 in Cöln oder Mainz über die Straße ging. —

Aber hinter der Frau Rose kamen noch sechs jubelnde Gesellen, die dreispitzen Hüte schwingend, die Perücken schief auf den Kopf gesetzt, mit weitschößigen Röcken und langen reich gestickten Westen angethan. —

(Fortsetzung folgt.)

Mittheilungen aus Columbien.

Bolivar und Santander.

Bolivar's und Santander's freiwillige Abdankung, obgleich in ihren Motiven durchaus verschieden, werden dennoch beide, aus ebenso verschiedenen Ursachen, zum Wohl der jungen Republik beitragen. — Bolivar, dieser uneigennützige Befreier seiner Landsleute, sehnte sich seit Jahren nach dem Augenblicke, in welchem es ihm vergönnt sein möchte, ins Privatleben zurückzukehren. Mag auch immer persönliche Neigung diesem Wunsche zum Grunde liegen, tiefe Ueberzeugung, daß es zum Wohl seines Vaterlandes gereichen werde, brachte diesen Entschluß zur Reife. — Nie hatte gleich ihm ein durch Revolution zur Herrschaft gelangter Anführer es so in seiner Macht, einen monarchischen Staat zu gründen; seine Gegner wünschten es eben so sehr wie seine Anhänger, und zu wiederholten Malen ward er aufgefordert, die Bürgerkrone mit dem Diademe zu vertauschen; niemals hat er in der Wahl geschwankt und wenn er jetzt vom öffentlichen Schauplatz zurücktritt, so ist doch sein persönlicher Einfluß zu fest begründet, als daß sein Zurücktreten in den Privatstand denselben schwächen könnte. —

Nicht die entfernteste Aehnlichkeit besteht in dieser Hinsicht zwischen ihm und Santander; folgende kurze Notizen zur Unterstützung des Gesagten:

Mit seinen in Venezuela gesammelten Begleitern befreite Bolivar im Jahr 1819 Bogota, die Hauptstadt von Neu-Granada, und versammelte dort einen Congreß, welcher ihn einstimmig zum Präsidenten erwählte. Wenn auch hinsichtlich seiner der langgenährte Widerwille der Granadiner gegen die Venezolaner verstummte, so würde es doch unpolitisch gewesen sein, ihnen noch einen Venezolaner zum Vice-Präsidenten aufzudringen. Unter den wenigen ihn begleitenden Granadinern war das einzige hierzu taugliche Subject der General Santander, von dem Bolivar zu sagen pflegte: er sei der einzige, den er zum Schreiben (und auch nur dazu) gebrauchen könne. —

Als Militair hat er sich nur in der Schlacht von Boyaca ausgezeichnet, wo dieser Divisions-General hinter einem Gebäude stand, und im Schutze desselben, mit den Umständen angemessener Würde, die seiner Obhut anvertrauten Patronen unter die dem Gefechte sich entzogenen Füseliere vertheilte; wofür er sich den Orden *de los libertadores* erwarb. — Als Vice-Präsident hat er sich vielfältig ausgezeichnet; doch hier nur folgendes zur Probe:

Um dem Publikum ein Beispiel von Sittlichkeit zu geben, lebte er im öffentlichen Einverständnisse mit der Frau des Sekretairs beim gesetzgebenden Senat; — der durch diese Auszeichnung sich geschmeichelt fühlende Gatte machte so lange freiwillig Platz, bis Se. Exc. für gut befanden, ihm seine theuere Ehehälfte wieder zukommen zu lassen, und beim darauf erfolgenden Versöhnungs-Schmause präsidirte die Excellenz mit würdevollem Anstande. —

Um dem Volke einen Begriff von dem der ersten Magistratsperson geziemenden Betragen beizubringen, spielte er an großen Festtagen öffentlich Maskerade; zog in Begleitung einiger Hundert gleich ihm abentheuerlich vermummter Reuter mit wildem Jubel durch die Straßen, und zechte und schmauste mit Hinz und Kunz auf einem freien Platze, an einer dort bei solchen Gelegenheiten reich gedeckten Tafel.

Um augenscheinlich darzuthun, daß man nur borgen müsse, um recht viel auszugeben, schloß er gleich nach der in England gemachten Anleihe die unsinnigsten Contrakte für Dinge, die eben so kostspielig als unnütz waren. — Wer mit der Regierung einen Contrakt abzuschließen wünschte, gab Sr. Excz. unter andern Dingen ein glänzendes Gastgebot, und suchte die gehabten Kosten durch den Verkauf des Contrakts zu decken. —

So verkaufte ein gewisser Hamilton einen mit Santander im Namen der Regierung geschlossenen Contrakt über 20,000 zu liefernde Gewehre, mit großem Gewinn an einige Nordamerikanische Kaufleute; und ein gewisser Elbers den seinigen über zu lieferndes Tauwerk für die Flotte, an das Haus von Goldschmidt in London. — Referent sah neun- bis zehnzöllige kostbare Ankertaue durch die mit Koth gefüllten Straßen Cartagena's schleppen, und nutzlos im Arsenale aus Mangel an zweckmäßiger Behandlung verderben.

Noch mancher andern Auszeichnung Santanders könnte Referent erwähnen, doch glaubt er die angeführten hinreichend, um folgende Meinung über dessen Abdankung zu unterstützen:

„Santander benutzt den jetzigen Augenblick des Vergebens und Vergessens, um, ohne zur Verantwortung gezogen zu werden, sein geborgenes Schäfchen mit Ruhe und Würde verzehren zu können.“ —

Vaya Vmd con Dios! ruft der Spanier dem Scheidenden nach, und nur zu oft denkt er dabei: Scheer dich zum Henker! —

Vaya Vmd con Dios mi Sennor Francisco dè Paula Santander! —

A. Ewald B.

Frühlingslied.

1.

Der Lenz ist da, der Lenz ist da!
Die Wesen rufen's all,
Gekommen ist der schöne Lenz!
Ruft laut der Wiederhall.

Er grüßt mit warmem Lebenshauch,
Mit gold'nem Sonnenschein;
Die Luft durchkreischt der Störche Zug,
Das Wild erjauchzt im Hain.

Den stillgehegten Keim entläßt
Der Erd' entreißter Schoos,
Der Blumen holde Kinderschaar
Ringt lustig draus sich los.

Und emsig mit den Blumen sprießt
Der Dichter Schwarm empor,
Und gellt sein trunk'nes Jubellied
Dem zarten Lenz in's Ohr.

Der Lenz, der hört's betroffen an,
Und spricht vor Schreck kein Wort;
Er hält's nicht aus, er schwitzt vor Angst
Und sehnt beklemmt sich fort.

Doch fruchtbar wächst der Dichter Schwarm,
Und wogt um seinen Thron,
Und eh' der längste Tag genaht,
Ist schon der Lenz entflohn.

Drum eilt seit langen Zeiten schon
Der Lenz so schnell durch's Land,
Und stürb' die Zunft der Dichter aus,
So hielt' er länger Stand.

Dan. Leßmann.

Blicke auf die Welt.

(Von einem Diplomaten)

Freunde, es laufen gar abergläubische Gerüchte über den Schmerz. Man soll darin nie schlafen, nie lächeln können, ohnmächtig werden; immer blaß seyn! — Wie wenig ist doch die Eigenheit des merkwürdigsten aller Gifte erforscht! —

Wenn Leichenbegängnisse besser eingerichtet seyn könnten, als sie es schon sind, so würden wir folgenden Vorschlag wagen: Der Zug eröffnet sich mit mehreren prächtigen Kutschen, worin die Herren und Damen sitzen, welche Nägel zum Sarge des Verblichnen geliefert, dann folgen dessen Wohlthäter und Freunde zu Fuß, hierauf kömmt die größte Dummheit, die der Verblichene begangen, schwarz als Trauerpferd aufgeschirrt, von vier Stallknechten geführt, vier seiner ehemaligen Lehrer tragen die Schleppe, dann folgt zu Fuß seine erste Liebe **numerirt**, dann der Herr Todte selbst, ein Verzeichniß aller Bücher, die er von einem Ende bis zum andern gelesen in der Hand; hinter dem Sarge folgt in goldenem Harnisch die **höchste Prahlerei des Vollendeten**; ferner prächtig aufgeschirrt mit weißem Federbusche auf dem Kopfe von vier Stallknechten geführt als Freudenpferd die **Lieblings-Phrase des Verstorbenen**. (sie hat am Meisten verloren) dann auf rothsammtnem Kissen mit goldenen Troddeln getragen sämmtliche Verweise und Ermahnungen, die der Verstorbene in seiner langen, angenehmen und nützlichen Laufbahn von seinen Eltern und Obern erhalten hat. Dann die sämmtlichen Ansichten und Aussichten des Herrn Todten (alle wie sich versteht sehr betroffen.)

Seine innigste Ueberzeugung aus Rücksicht für die Hinterlassenen bis über die Augen verhüllt und verlarvt.

Sollten Erben vorhanden seyn, so könnten sie zwischen dem Trauerpferde und der ersten Liebe eingeschaltet werden.

Ueber den Sarg breite man noch den Mantel der Geduld, den der Verstorbene im Leben trug.

Die Grabschrift ist indessen schon vorausgefahren und harrt ungeduldig an der Gruft auf den Anfang und das Ende der Leichenpredigt.

(Redigirt von Dr. Fr. Förster und W. Häring (W. Alexis.)

Im Verlage der Schlesingerschen Buch- und Musikhandlung, in Berlin unter den Linden Nr. 34.

Berliner Conversations-Blatt

für

Poesie, Literatur und Kritik.

Dienstag, — Nro. 96. — den 15. Mai 1827.

Frühlingslied.

2.

Der Winter geht auf Reisen,
Das Fest der Blumen naht:
Die prangenden Wiesen lachen,
Und lustig grünt der Salat.

Da wird's in der Stadt lebendig,
Zu klein das größt: Haus,
Und alles sehnt sich poetisch
Zur freien Natur hinaus.

Die Armen, die gehn spazieren,
Die Reichen ziehn auf's Land,
Und belad'ne Wagen werden
Mit Meubeln vorausgesandt.

Sie ruh'n im Schatten der Wälder,
Sie lauschen dem Wasserfall,
Und sorgen in ländlicher Stille
Für den nächsten Carneval.

Es sind vortreffliche Leute,
Und haben sogar Verstand,
Ennuyiren sich auf dem Lande
Und ennuyiren das Land.

Dan. Leßmann.

Phantasien im Bremer Rathskeller.

Novelle von Wilhelm Hauff. (Fortsetzung.)

Ehrbarlich und sittsam führte unter dem allgemeinen Jubel Bacchus seine Rose oben an die Tafel; sie verbeugte sich mit großem Anstand gegen die Gesellschaft und ließ sich nieder; an ihrer Seite nahm der hölzerne Bacchus Platz, und Balthasar, der Kellermeister hatte ihm ein tüchtiges Polster untergeschoben, weil er sonst gar klein und niedrig da gesessen hätte. Auch die andern sechs Gesellen nahmen Platz, und ich merkte jetzt, daß es wohl die zwölf Apostel vom Rhein seyen, die hier um die Tafel saßen, sonst aber im Apostel-Keller in Bremen liegen.

„Da wären wir ja," sagte Petrus, nachdem der Jubel etwas nachgelassen, „da wären wir ja, wir junges muntres Volk von 1700, und alle noch wohl behalten wie sonst. Nun auf gutes Wohlsein, Jungfer Rose, auch Sie hat gar nicht gealtert und ist noch so stattlich und hübsch, wie vor funfzig Jahren; gutes Wohlsein, Sie soll leben, und Ihr Liebster, Herr Bacchus, daneben."

„Soll leben, die alte Rose soll leben!" riefen sie und stießen an und tranken; Herr Bacchus aber, der aus einem großen silbernen Humpen trank, schluckte zwei Maas rheinisch ohne viele Beschwerden hinunter, und er wurde zusehends dicker davon und größer, wie eine Schweinsblase, die man mit Luft füllt.

„Mich gehorsamst zu bedanken, werthgeschätzte Herrn Apostel und Vettern," antwortete Frau Rosalia, indem sie sich freundlich verneigte, „seyd Ihr noch immer solch ein loser Schäker, Herr Petrus? Ich weiß von keinem Schatz etwas und Ihr müßt ein sittsam Mägdlein nicht so in Verlegenheit setzen." Sie schlug die Augen nieder, als sie dies sagte, und trank ein mächtiges Paßglas aus.

„Schatz," erwiederte ihr Bacchus, indem er sie aus seinen Aeuglein zärtlich anblickte, und ihre Hand faßte, „Schatz, ziere dich doch nicht so; du weißt ja wohl, daß dir mein Herz zugethan schon seit zweihundert Herbsten und daß ich dich liebe vor allen andern. Sag an, wann wollen wir endlich feiern das Beilager?"

„Ach Ihr loser Schalk," antwortete die alte Jungfrau und wandte sich erröthend von ihm ab. „Man kann ja nicht neben Euch sitzen eine Viertelstunde, ohne daß Ihr anfanget mit Euren Karessen. Und ein ehrbares Mädchen muß sich ja schämen, wenn man Euch nur ansieht. Was laufet ihr denn also im Keller? Hättet wohl ein paar Beinkleider entlehnen können auf heute. Da Balthasar," rief sie, indem sie ihre weiße Schürze abband, „lege dem Herrn diesen Schurz um, es ist gar zu unanständig."

„Wenn du mir einen Kuß giebst, Röschen," rief Bacchus in verliebter Laune, „so laß ich mir den Fetzen um den Leib binden, obgleich es ein schlimmer Verstoß gegen mein Costüm ist; aber was läßt man sich nicht gefallen schöner Frauen wegen?"

Balthasar hatte ihm die Schürze umgebunden und er neigte sich zärtlich gegen die Rose; „wenn nur das junge Volk hier nicht dabei wäre," flüsterte sie beschämt, indem sie sich halb zu ihm neigte, — aber unter dem Jubeln und Jauchzen der Zwölfe hatte der Weingott sein Schürzen-Stipendium nebst Zinsen eingenommen. Dann leerte er seinen Humpen wieder, ward um zwei Fäuste breiter und größer, und hub an, mit einer rauhen Weinstimme zu singen:

Vor allen Schlössern dieser Zeit
lob' ich ein Schloß zu Bremen,
An seinen Hallen hoch und weit
darf sich kein Kaiser schämen. —
Gar seltsam ist es ausstaffirt
mit schmuckem Hausrath ausgeziert,
doch hat daselbst vor allen
eine Jungfrau mir gefallen.

Ihr Auge blinkt wie klarer Wein,
Ihre Wangen sind nicht bleiche,
Wie prächtig ihre Kleider seyn
von lauter schwerem Zeuge.
Von Eichenholz ist ihr Gewand'
von Birkenreifen ihre Band'
das Mieder, das sie zieret
mit Eisen ist geschnüret.

Doch ach, man hat ihr Schlaf-Closett
mit Riegeln wohl versehen,
dort schlummert sie im Rosenbett,
und ich muß draußen stehen.
Drum poch ich an die Kammerthür,
steh auf mein Schatz und komm herfür
damit ich mit dir kose,
mach auf herzliebste Rose.

So steig ich jede Mitternacht
zu ihrer Kammer nieder,
nur Einmal hat sie aufgemacht,
jetzt will sie nimmer wieder;
und seit ich einmal sie geküßt,
mein Herz vor Sehnsucht trunken ist;
Nur einmal, Rosamunde
küß mich, daß es gesunde.

„Ihr seyd ein Schäker, Herr Bacchus," sagte Rose, als er mit einem zärtlichen Triller geendet hatte. „Ihr wißt wohl, daß mich Bürgermeister und Rath unter gar strenger Clausur hält und nicht erlaubt, daß ich mit jedwedem mich einlasse."

„Aber mir könntest du doch zuweilen das Kämmerlein öffnen, lieb Röschen!" flüsterte Bacchus; „mich gelüstet nach der süßen Speise deines Mundes — "

„Ihr seyd ein Schelm," rief sie lachend, „Ihr seyd ein Türke und habt es mit vielen zugleich zu thun; meinet Ihr, ich wisse nicht, wie Ihr mit der leichtfertigen Französin scharmirt, mit dem Fräulein von Bordeaux, und mit dem Kreidengesicht der Champagnerin; geht, geht, Ihr habt einen schlechten Character und verstehet Euch nicht auf treue, deutsche Minne."

„Ja, das sag ich auch!" rief Judas, und fuhr mit der langen knöchernen Hand nach der Hand der Jungfer Rose, „das sag ich auch; drum nehmet mich zu Eurem Galan, liebwertheste Jungfer, und lasset den kleinen, nackten Kerl seiner Französin nachziehen!"

„Was?" schriee der hölzerne und trank im Zorn einige Maaße Wein, was? mit dem jungen Fant von 1726 willst du dich abgeben, Röschen? Pfui, schäme dich; was mein naktes Costüm betrifft, Herr Naseweis, so kann ich eben so gut wie Er, eine Perücke aufsetzen, einen Rock umhängen und einen Degen an die Seite stecken; aber ich trage mich so, weil ich Feuer im Leibe habe und mich nicht friert im Keller.

Und was sie da sagt, Jungfer Rose, mit den Französinnen, so ist das gänzlich erlogen. Besucht habe ich sie zuweilen und mich an ihrem Geiste erlustirt, aber weiter gar nichts; Dir bin ich treu, liebster Schatz, und dir gehört mein Herz."

„Eine schöne Treue, Gott erbarm's!" erwiederte die Dame; „was hört man nur aus Spanien für Geschichten, wie Ihr es dort mit dem Frauenzimmer gehalten habt. Von der süßlichen Metze der Xeres will ich gar nichts sagen, das ist eine bekannte Geschichte, aber wie ist es denn mit der Jungfer Dentilla di Rota, und mit der von San Lucas? Und dann mit der Sennora Pietro Ximenes?"

„Alle Teufel, Ihr treibt die Eifersucht auch gar zu weit, rief er ärgerlich; man kann doch alte Verbindungen nicht ganz aufgeben, und was die Sennora Pietro Ximenes betrifft, so seyd Ihr sehr ungerecht, ich besuche sie ja nur aus Freundschaft für Euch, weil sie Eure Verwandte ist."

„Was macht Ihr da für Fabeln, unsere Verwandte? murmelten Rose und die Zwölfe unter einander, wie das?"

„Wißt Ihr denn nicht, fuhr er fort, daß diese Sennora eigentlich eine Rheinländerin ist? Der ehrsame Don Pietro Ximenes hat sie heimgeführt als blutjunges Rebstöcklein aus dem Rheingau nach seiner Heimath Spanien und dort hat sie sich angesiedelt und seinen Familien-Namen angenommen. — Noch jetzt, obgleich sie den süßen, spanischen Charakter angenommen, noch jetzt hat sie große Aehnlichkeit mit Euch, wie die Grundzüge des Gesichtes sich in der Familie nicht ganz verlieren. Dieselbe Farbe und jener süße Duft, jenes feine Aroma ist ihr eigen und macht sie zu Eurer würdigen Base, werthgeschätzte Jungfer Rose." —

„Sie soll leben, soll leben, riefen die Apostel und stießen an, Base Ximenes in Hispania soll leben!" —

Jungfer Rose mochte ihrem Galan nicht recht trauen und stieß mit bittersüßer Miene an; doch schien sie nicht ferner mit ihm hadern zu wollen, sondern sprach weiter:

„Und auch ihr, meine lieben Vettern vom Rhein, seyd Ihr alle hier? Ja, da ist ja mein zarter, feiner Andreas, mein muthiger Judas, mein feuriger Petrus. Guten Abend Johannes, wische dir den Schlaf fein aus den Aeuglein, du siehst noch ganz trübselig aus. Barthalomäus; ei du bist unmäßig dick geworgen und scheinst träge zu sein. Ha, mein munterer Paulus, und wie fröhlich Jakobus um sich schaut, noch immer der Alte. Aber wie, Ihr seyd ja zu dreizehen am Tische, wer ist denn der dort in fremder Kleidung, wer hat ihn hieher gebracht?"

(Fortsetzung folgt.)

Die Mächte des Mittelalters.

Eine kritische Abhandlung über Konradins Tod. Tragödie von K. Grafen Dyhrn. — Oels. 1827.

(Mitgetheilt von dem Dr. von der Hagen.)

(Fortsetzung.)

Die unbefangene Entfaltung dieser neuen Wirklichkeit erscheint nun im dritten Akte der Tragödie.

In dem Kampfe mit Anjou hat nämlich Konradin zwar die Macht der Kirche in dem Weltlichen erfahren, bevor er jedoch dieselbe als Schranke in sich selbst finden kann, muß er zur Anschauung derselben als der absoluten Macht, vor der alle sonst geltenden und substantiellen Verhältnisse verschwinden, gelangen. In so fern nun die in der Todesgefahr wiedergewonnene Wirklichkeit zunächst eine rein innerliche und subjective ist, und in der Bekräftigung und dem Wiederfinden seiner selbst besteht, so ist dieselbe der Entschluß und die Hoffnung durch erneute Thätigkeit, und vermöge der ihm in Sicilien gebliebenen Macht, sein Reich wiederum zu gründen. Diesem innern subjectiven Princip muß nun ein neues Verhältniß entsprechen, Konradin muß in einem neuen Individuum sein wiedergewonnenes Selbst anschauen und bewährt finden. Das Wiederfinden seiner ist jedoch hier schon für ihn selbst aus der Negativität hervorgegangen, und wie es daher nothwendig subjectiv von dem Bewußtsein derselben begleitet und getrübt ist, so muß dieselbe auch in dem neuen Verhältniß, was sich hier ergiebt, vorhanden sein. Dieses kann deshalb nicht, wie das zu Friedrich von Oestreich, auf eine unmittelbare Identität sich gründen, und in Gleichheit der Erziehung, des Schicksals &c. sich kund geben, sondern die Identität muß eine vermittelte, wesentlich unterschiedene Individualitäten umschließende sein, deren Vermittlung jedoch, weil jedes Individuum in dem anderen sich selbst anschaut, und daher eben so sehr sein Selbst an das andere hingiebt, zur Unmittelbarkeit einer Empfindung sich aufhebt. Solche Empfindung ist nun die der Liebe des Mannes zu einem weiblichen Individuum, und indem Konradin, in dem Verhältnisse zu Angelika, die Gewißheit seiner selbst auf dieser weiteren Stufe seines Bewußtseins findet, so knüpft sich nun überhaupt an dasselbe die neue Wirklichkeit, die ihm aufgeht. Mit der Bewährung seiner, die ihm in der Todesgefahr geworden, ist nämlich auch das Vertrauen auf die Macht seiner Berechtigung wiedergekehrt, und dies ist es, was ihn innerlich mit Johannes Frangipani, dem Vater der Angelika, der seine Macht, so wie Fürsten- und Ritterwürde, den Hohenstaufen verdankt, in Berührung bringt, und ihn bewegt, sich den Dienern desselben, welche ihn auf Geheiß seines Herrn gefangen nehmen wollen, zu ergeben. —

Indem die neuen Verhältnisse, in die Konradin hier eintritt, an sich aus dem Conflict mit dem Negativen seiner hervorgegangen sind, so drängen sich in Frangipani und Angelica alle Momente des Inhalts, der das Ganze bewegt, zusammen. In seiner Stellung als römischer Fürst, muß nämlich Frangipani, um der Unabhängigkeit Italiens von deutscher Herrschaft willen, nothwendig dem hohenstaufischen Interesse entgegen sein, und überdies ist er als Lehensträger der Kirche verpflichtet, und in seinem Bewußtsein von der Autorität derselben umfangen und gebunden. — Weil jedoch hier die Gegensätze zusammenkommen, so wird er auf der andern Seite gleichfalls durch Vasallenpflicht und Dankbarkeit zum Beistande Konradins aufgefordert. Wenn nun in diesen streitenden Beziehungen die heilige Autorität der Kirche den Ausschlag zu geben verlangen kann, so ist dennoch, wie sie sich schon mit dem Weltlichen eingelassen hat, so auch sein Sinn gewinnsüchtigen und particulären Zwecken zugewandt, und wird nur dahin sich neigen, wo diese zugleich mit befriedigt werden. Steht Frangipani auf diese Weise an sich auf der dem Konradin feindlichen Seite, so ist dagegen Angelica durchdrungen von Dankbarkeit, und der Pflicht ihres Hauses gegen die Hohenstaufen, und erfüllt von dem Glanze und der Größe derselben, die der Freiheit und Stärke ihres eigenen Geistes entspricht, welcher zugleich das Bedürfniß ihres Vaterlandes nach einer freien und mächtigen Herrschaft erkannt hat. Alle diese Vermittlungen heben sich jedoch in dem unmittelbaren Anblicke Konradins, und dem Gefühle der Liebe auf, und gehen aus demselben, als aus ihrem Grunde hervor. Dieser Gegensatz zwischen Frangipani und Angelica ist jedoch hier erst auf unentwickelte und unbefangene Weise vorhanden, und beide sind daher durch die unmittelbare Identität der Familie vereinigt. Obwohl daher die äußerliche Weise, wie Konradin in diese Verhältnisse eintritt, schon ein Vorzeichen des Schicksals ist, das ihn erwartet, so sind doch die Zwecke der Individuen hier noch nicht in Differenz getreten; es ist daher noch ungewiß, wie sich die Verwicklung lösen wird, und der Act der Gefangennehmung erscheint in so fern selbst noch als die indifferente Mitte, in der sich die an sich verschiedenen Interessen vereinigen.

Da indeß das Verhältniß zwischen Konradin und Angelika von der Art ist, daß in ihm die gegenseitigen Vermittlungen des inneren Bedürfnisses sich zur Unmittelbarkeit einer Empfindung aufheben, so muß sein Erscheinen dasselbe schnell zur Reife bringen, und die neue Wirklichkeit, die sich ihm erschlossen hat, vollenden. Wie nun Konradin in diesem Verhältnisse auf der nunmehrigen Stufe seines Bewußtseins, sein Selbst anschaut und dieses Sichfinden aus der Negativität hervorgegangen ist, die sich in demselben aufgehoben hat, so ist in der Unmittelbarkeit dieser Empfindung überhaupt für ihn die Vorstellung der Versöhnung vorhanden. Auf dem höchsten Punkte der Entwicklung dieser neuen Wirklichkeit, den dieselbe hierin erreicht hat, geht daher das Bewußtsein der Negativität, welches sie bisher begleitete, völlig unter, und Konradin kann in freier Erhebung des Gemüthes sich dem Heiligen selbst zu nähern wagen. In dieser Versöhnung mit dem Ewigen und mit sich selbst tritt ihm nun auch die Welt versöhnt und heiter entgegen, und indem in seiner und Angelikas Vorstellung ihr Reichthum sich entfaltet, wird ihnen die Gewißheit, daß sie dem, was sie wollen, nicht widerstreben könne. Wie aber Konradin seine Unwirklichkeit und Negativität nur nach der Seite seiner Freiheit und Subjectivität, als Schuld, nicht nach der der Nothwendigkeit, erfaßt und gebüßt hat, so ist auch die ganze Wirklichkeit, zu der sich die ihm gewordene Versöhnung entfaltet hat, nur eine subjective, und jene Gewißheit wird daher der Wahrheit entbehren. Neben jener Versöhnung geht deshalb die unversöhnte Nothwendigkeit her, zu deren Anschauung wir, weil sie für Konradin noch verborgen ist, im Lager Anjous gelangen.

(Fortsetzung folgt.)

Zufällige Gedanken.

Von E. r,

1. Die Erfahrung gleicht der, vom Kinde in die Schachtel eingesperrten Spinne, die der Aberglaube durch die Zeit zum Diamanten umwandelt.

2. Bei kalten Menschen ist oft die Phantasie die galvanische Säule, die das erstorbene Gefühl zum Schein des Lebens aufregt, und das stillstehende Herz zu neuen Schlägen reizt. —

(Redigirt von Dr. Fr. Förster und W. Häring (W. Alexis.)

Im Verlage der Schlesingerschen Buch- und Musikhandlung, in Berlin unter den Linden Nr. 34.

Berliner Conversations-Blatt für Poesie, Literatur und Kritik.

Donnerstag, — Nro. 97. — den 17. Mai 1827.

Phantasien im Bremer Rathskeller.

Novelle von Wilhelm Hauff. (Fortsetzung.)

Gott, wie erschrak ich! Sie schauten Alle verwundert auf mich und schienen mit meiner Anwesenheit nicht ganz zufrieden. Aber ich faßte mir ein Herz und sagte: „Mich gehorsamst der werthen Gesellschaft zu empfehlen. Ich bin eigentlich nichts weiter, als ein zum Doktor der Philosophie graduirter Mensch, und halte mich gegenwärtig hiesigen Orts in dem Wirthshause zur Stadt Frankfurt auf."

„Wie wagst du es aber hierher zu kommen in dieser Stunde, graduirtes Menschenkind," sagte Petrus sehr ernst, indem er Blitze aus seinen Feuer-Augen auf mich sprühte. Du hättest wohl denken können, daß du nicht in diese noble Societät gehörst."

„Herr Apostel," antwortete ich und weiß noch heute nicht, woher ich den Muth bekam, wahrscheinlich aus dem Wein, „Herr Apostel, das Du verbitte ich mir vor's erste, bis wir weiter bekannt sind. Und was die noble Societät betrifft, in die ich gekommen seyn soll, so kam sie zu mir, nicht ich zu ihr, denn ich sitze schon seit drei Stunden in diesem Gemach, Herr!"

„Was thut Ihr aber noch so spät im Rathskeller, Herr Doctor?" fragte Bacchus etwas sanfter als der Apostel, um diese Zeit pflegt sonst das Erdenvolk zu schlafen."

„Euer Exzellenz," erwiederte ich, „das hat seinen guten Grund. Ich bin ein portirter Freund des edlen Getränkes, was man hier unten verzapft, habe auch durch die Vergünstigung eines speziellen Gönners im wohledlen Senat die Permission erhalten, denen Herren Aposteln, und der Jungfrau Rose meinen Besuch abzustatten, was ich auch geziemendst gethan."

„Also Ihr trinkt gerne Rheinwein?" fuhr Bacchus fort; und das ist eine gute Eigenschaft und sehr zu loben in dieser Zeit, wo die Menschen so kalt geworden sind gegen diese goldene Quelle."

„Ja der Teufel hole sie All!" rief Judas, „keiner will mehr einige Maas Rheinwein trinken, außer hie und da solch ein fahrender Doktor oder vacirender Magister und diese Hungerleider lassen sich ihn erst noch aufwichsen. — "

„Muß ganz gehorsamst deprezíren, Herr von Judas," unterbrach ich den schrecklichen Rothrock. „Nur einige kleine Versuche habe ich gethan mit Dero Rebenblut von 1700 und etlichen Jahren, was Sie aber hier sehen, ist etwas neuer und an baarer Münze von mir bezahlt."

„Doctor, ereifert Euch nicht," sagte Frau Rose, „er meints nicht so böse der Judas, und er ärgert sich nur und mit Recht, daß die Zeiten so lau geworden."

„Ja!" rief Andreas, der feine, schöne Andreas, „ich glaube dieses Geschlecht fühlt, daß es keines edlen Trankes mehr werth ist, drum brauen sie hier ein Getränk aus allerlei Schnaps und Syrup, heißen es Chateau Margot, Haut-Sautern, St. Julien und sonst nach allerlei pompösen Namen, und wenn sie es trinken, bekommen sie rothe Ringe um den Mund, dieweil der Wein gefärbt war, und Kopfweh den andern Tag, weil sie schnöden Schnaps getrunken."

„Ha, was war das ein anderes Leben," führte

Johannes die Rede fort, „als wir noch junge, blutjunge Gesellen waren Anno 1 und 26. Auch Anno 50 ging es noch hoch zu in diesen schönen Hallen. Jeden Abend, es mochte die Sonne scheinen im hellen Frühling, oder schneien und regnen im Winter, jeden Abend waren die Stübchen dort gefüllt mit frohen Gästen. Hier, wo wir jetzt sitzen, saß in Würde und Hoheit der Senat von Bremen. Stattliche Perücken auf dem Haupt, die Wehre an der Seite, Muth im Herzen und jeder einen Römer vor sich. Hier, hier, nicht oben auf der Erde, hier war ihr Rathhaus, hier die Halle des Senats; denn hier beim kühlen Weine beriethen sie sich über das Wohl der Stadt, über ihre Nachbarn und dergleichen. Wenn sie uneinig in der Meinung waren, so stritten sie sich nicht mit bösen Worten, sondern tranken einander wacker zu, und wenn der Wein ihre Herzen erwärmt hatte, da war der Beschluß schnell zur Reife gediehen, sie drückten sich die Hände, sie waren und blieben immer Freunde, weil sie Freunde waren des edlen Weines. Am andern Morgen aber war ihnen ihr Wort heilig, und was sie Abends ausgemacht im Keller, das führten sie oben im Gerichtssaal aus."

„Schöne, alte Zeiten!" rief Paulus; „daher kommt es auch, daß noch heut zu Tage jeder vom Rath ein eigenes Trinkbüchlein, eine jährliche Wein-Rechnung hat. Den Herren, die alle Abende hier saßen und tranken, war es nicht genehm, allemal in die Tasche zu fahren und ihr Geldsäcklein heraus zu kriegen. Auf's Kerbholz ließen sie es schreiben und am Neujahr ward Abrechnung gehalten."

„Ja, ja Kinder," sprach die alte Rose, „sonst war es anders, so vor funfzig, hundert, zweihundert Jahren. Da brachten sie Abends ihre Weiber und Mädchen mit in den Keller, und die schönen Bremer-Kinder tranken Rheinwein oder von unserm Nachbar Mosel, und waren weit und breit berühmt durch ihre blühenden Wangen, durch ihre purpurrothen Lippen, durch ihre herrlichen blitzenden Augen; jetzt trinken sie allerlei miserables Zeug, als Thee und dergleichen, was weit von hier bei den Sinesern wachsen soll und was zu meiner Zeit die Frauen tranken, wenn sie ein Hüstlein oder sonstige Beschwer hatten. Rheinwein, ächten, gerechten Rheinwein können sie gar nicht mehr vertragen; denkt Euch um's Himmel willen, sie gießen spanischen süßen darunter, daß er ihnen munde, sie sagen er sey zu sauer."

Die Apostel schlugen ein großes Gelächter auf, in das ich unwillkürlich einstimmen mußte, und Bacchus lachte so gräßlich, daß ihn der alte Balthasar halten mußte.

„Ja die guten alten Zeiten!" rief der dicke Bartholomäus; sonst trank ein Bürger seine zwei Maas und es war, als hätt' er Wasser getrunken, so nüchtern blieb er, jetzt wirft sie ein Römer um. Sie sind aus der Uebung gekommen."

„Da trug sich vor vielen Jahren eine schöne Geschichte zu," sagte Fräulein Rose, und lächelte vor sich hin.

„Erzähle, erzähle, Jungfer Rose, die Geschichte!" baten alle; sie trank bedeutend viel Wein, damit sie eine glatte Kehle bekam, und hub an:

Anno 1600. und einige zwanzig, dreißig Jahre, war ein großer Krieg in den deutschen Landen, von wegen des Glaubens; die einen wollten so und die andern anders, und statt daß sie bey einem Glase Wein die Sache vernünftig besprochen hätten, schlugen sie sich die Schädel ein.

Albrecht von Wallenstein, des Kaisers Generalfeldmarschall, hauste schrecklich in protestantischen Landen. Deß erbarmte sich der Schweden König Gustav Adolph, und kam mit vieler Mannschaft zu Roß und zu Fuß. Es wurden viele Bataillen geliefert, sie hezten sich herum am Rhein und an der Donau, geschah aber weiter nicht viel, weder vor- noch rückwärts. Zu der Zeit war Bremen und die anderen Hanseestädte neutral und wollten es mit keiner Parthei verderben. Dem Schweden lag aber daran, durch ihr Gebiet zu ziehen und sich freundlich mit ihnen einzulassen; darum wollte er einen Gesandten an sie schicken. Weil aber im Reich bekannt war, daß man in Bremen Alles im Weinkeller verhandle, und die Rathsherren und Bürgermeister einen guten Schluck hätten, so fürchtete sich der Schwedenkönig, sie möchten seinem Gesandten gar sehr zusetzen mit Wein, daß er endlich betrunken würde und schlechte Bedingungen einginge für die Schweden.

Nun befand sich aber im Schwedischen Lager ein Hauptmann vom gelben Regiment, der ganz erschreklich trinken konnte. Zwei, drei Maaß zum Frühstück war ihm ein Kleines, und oft hat er Abends zum Zuspitzen ein halb Imi getrunken und nachher gut geschlafen. Als nun der König voll Besorgniß war, sie möchten im Bremer Rathskeller seinem Gesandten allzusehr zusetzen, so erzählte ihm der Kanzler Oxenstierna von dem Hauptmann, Gutekunst hieß er, der so viel trinken könne. Deß freute sich der König und ließ ihn vor sich kommen.

Da brachten sie einen kleinen, hageren Mann,

der war ganz bleich im Gesicht, hatte aber eine große, kupferrothe Nase und hellblaue Lippen, was ganz wunderlich anzusehen war. Der König fragte ihn, wie viel er sich wohl zu trinken getraue, wenn es recht ernstlich zuginge.

„O Herr und König," antwortete er, „so ernstlich bin ich noch nie daran gekommen, habe mich bis dato auch noch nicht geeicht; der Wein ist nicht wohlfeil und man kann täglich nicht über sieben, acht Maas trinken, ohne in Schulden zu gerathen." — „Nun wie viel meinst du denn führen zu können?" fragte der König weiter. Er aber antwortete unerschrocken, „Wenn Euer Majestät bezahlen wollen, möchte ich wohl einmal zwölf Määschen trinken, mein Reitknecht, der Balthasar Ohne-Grund, kann es aber noch besser." Da schickte der König auch nach Balthasar Ohne-Grund, dem Knecht des Hauptmann Gutekunst, und war der Herr schon blaß gewesen und mager, so war es der Diener noch mehr, der ganz aschenfarb aussah, als hätt' er sein Lebenlang Wasser getrunken.

(Fortsetzung folgt.)

Die Mächte des Mittelalters.

Eine kritische Abhandlung über Konradins Tod. Tragödie von K. Grafen Dyhrn. — Oels. 1827.

(Mitgetheilt von dem Dr. von der Hagen.)

(Fortsetzung.)

Diese Nothwendigkeit, die darin besteht, daß die Kirche mit dem Weltlichen an sich zusammengebunden ist, muß also hier das Verhältniß dieser Momente gegeneinander offenbaren. In dem Siege über Konradin hat Anjou einerseits seine feste Stellung in der Wirklichkeit überhaupt und für sich bewährt, andererseits wird er durch diesen Erfolg zu dem Bewußtsein zurückgeführt, daß diese seine Wirklichkeit selbst ihm nur unter dem Schutze der Kirche und des Heiligen zukomme, und daß die feindliche Stellung gegen sie es ist, die Konradin besiegt hat. Indem so in Anjou die Macht der Kirche in dem Weltlichen offenbar geworden ist, so muß in dieser Vereinigung der Widerspruch des Heiligen und Weltlichen sich Kund geben. Denn die Kirche, obwohl der Welt zugewandt, kann doch, weil sie den göttlichen Inhalt enthält, die Rohheit des rein Weltlichen für sich nicht billigen, und indem sie die absolute Substanz der Zeit ist, verlangt sie, daß das weltliche Bewußtsein nur ihr diene, und die Zwecke seiner Particularität ihren Forderungen aufopfere. Wenn diese Forderung der Kirche der Seite in dem Bewußtsein des Anjou entspricht, daß er sich seiner Wirklichkeit nur unter dem Schutze des Heiligen bewußt wird, so weiß er sich andererseits eben hierdurch als den Streiter des Heiligen, der die Zwecke desselben in der Welt, die selbst weltliche Zwecke sind, ausführt und bethätigt. Weil Anjou auf diese Weise in den weltlichen Zwecken des Heiligen die Anschauung seiner eigenen Particularität hat, so ist diese dadurch berechtigt und geheiligt, und er kann fordern, daß die Kirche sie anerkenne; denn wenn ihm die Kirche die Berechtigung leiht, so giebt er derselben durch seine weltliche Thätigkeit die Erfüllung. Diese entgegengesetzten Ansprüche und dieses Umschlagen des Weltlichen und Heiligen geht aber aus der an sich seienden Vereinigung beider widersprechenden Momente hervor, und diese muß dadurch offenbar werden, daß die neuen Verhältnisse Konradins beide zu gemeinsamer Thätigkeit auffordern.

Mit dieser Nothwendigkeit, die bisher noch jenseits liegt, muß nun Konradin im vierten Acte der Tragödie die Berührung kommen, denn, indem er jetzt darauf ausgeht, die ihm gewordene Gewißheit zur Wahrheit zu erheben, wird dieselbe ihm entgegentreten.

(Beschluß folgt.)

Berliner Chronik.

Königliches Theater. — Zu erwähnen als Neuigkeit aus voriger Woche ist **Margot Stofflet**, historisch romantisches Gemälde aus dem Vendéekriege, in 4 Abtheilungen von Adalbert vom Thale. Es giebt Gegenstände, in denen der Stoff so poetisch ist, daß die Poesie bei keiner Bearbeitung sich ganz ersticken läßt. Der Vendéekrieg wird ein leuchtender Punkt in der Weltgeschichte bleiben, wenn auch die guten Vendéer Bauern und ihr Adel, eins mit ihnen in Treue und Einfalt der Sitten, nie zum Bewußtseyn ihrer Bedeutsamkeit gekommen sind; mithin auch ihre Boten (Hr. Weiß) nicht, am aller wenigsten im letzten Akt vorm Schluße und während draußen eine entscheidende Schlacht gestritten wird, weitschweifig über diesen „leuchtenden Punkt in der Weltgeschichte" zu Vendéer Bauerdirnen raisoniren konnten. Ein Stück, auf Lebensrettungen verfolgter Unschuld gebaut, wird nie seinen Zweck verfehlen. Ref. gesteht, daß ihm oft Thränen in die Augen traten, nicht aus Rührung über die Begebenheiten auf der Bühne, sondern was er sich dahinter auf einer größeren Bühne vorgehend dachte, besonders, wenn die gläubigen Häuflein unter der

Melodie des Henri *IV.* anzogen. Hätte nicht der Verf. die Achtung für dieses heldenmüthige Völkchen, die sich nicht verkennen läßt, so weit ausdehnen sollen, daß er die Vendée bei diesem romantischen Gemälde ganz aus dem Spiel gelassen und dafür beliebig Land und Krieg fingirt hätte! Denn das Romantische, der Sprung unserer Margot vom Kastell herab u. s. w. wird überall effectuiren, wogegen Vendéer und Republicaner, diese am meisten, Einspruch thun gegen die historische Treue ihres Gemäldes. Doch darauf kam es auch hier nicht an. Es ist hier weder der Platz auf die Vorzüge noch die Fehler des Stückes aufmerksam zu machen, da es nicht für die Kritik, sondern um gesehen zu werden geschrieben ward; doch stört beim Letzten zweierlei; die Verse und das Kostüm der Vendéer. Dies sind keine bunt phantastische Schaaren, in weiten blauen Hemden, Jacken, bewaffnet wie der Zufall es fügt, sondern in neuer schwarzer Streifleinewand eng und sehr ungeschickt uniformmirte Truppen! Alles romantisch Wilde geht dabei verloren. Der nächtliche Ueberfall wird ebensowenig durch Le Barre als durch Margots Liebe verrathen, vielmehr durch die Fackel, welche ihr der Vater aufdringt. Einen solchen Brigadier, der so wenig das Terrain kennt, um bei Fackelschein ins feindliche Lager durch seine Tochter sich führen zu lassen, mußten doch die Vendéer augenblicklich absetzen.

Mitwochs-Gesellschaft. — Montag am 14. feierte die literarische Mittwochs-Gesellschaft in zahlreicher Versammlung die Anwesenheit August Wilhelm von Schlegels. Zur Einleitung und vor dem Vortrage des Gastes über und aus dem Ramajana, sprach H. W. Häring als Secretair der Gesellschaft:

„Meine Herren!

Wenn unsere Gesellschaft etwas anderes bezweckte, als die Erleichterung eines freundlichen Verkehrs zwischen den hiesigen Dichtern, — wenn die Vereinigung dahin führen sollte, von zersplitterten oder sich widerstreitenden Bestrebungen den Gedanken an ein Ganzes zu gewöhnen, wenn sie die Blicke leiten wollte zur Vergleichung des Sonst mit dem Jetzt und Einst in dem was im nächsten Vaterländischen Kreise poetisch und kritisch gezeugt wurde, lebte und wieder gezeugt hat, — so müßte sie den heutigen Tag als einen feiern, der zu eben so bedeutenden als freudigen Erinnerungen aufregt. Wir sehen als Gast unter uns einen Mann noch in voller geistigen Kraft, dessen Thätigkeit doch schon den höchsten Triumph errungen, von dem nach gewöhnlichem Lauf der Dinge erst spätere Generationen Zeugen werden. Gewiß ein Triumph, wenn auch nicht so berauschend, doch erhebender als der des Helden, welchem das von der neuen Siegeskunde trunkene Volk den Wagen ausspannt, wenn ein Denker seine Gedanken ins Leben übergegangen erblickt, wenn er sich selbst unter den Kindern Derer lebendig findet, welche sein Wirken verdammten, welche die Lebenskraft seiner Ansichten bestritten. Was vor 30 Jahren ein übermüthiges Spiel jugendlicher Kräfte schien, was in den Augen der Mehrzahl, der Zunftmäßigen, der Legitimen von damals, ein revolutionaires Treiben dünkte gegen Regel und Herkommen, hat sich innerhalb dreier Decennien so gezeitigt, so bewährt, daß es ein Gemeingut geworden, dessen Ursprunges wir uns nicht einmal immer, den Pflichten der Dankbarkeit gemäß, erinnern.

Empfingen wir den edlen Gast auch schweigend, das schönste Willkommen für ihn wäre jene Popularität, die durch keine demagogischen Reden an das ästhetische Volk, durch keine Spendungen von Lob und Tadel, durch keinen Witz, durch keine Verbindungen errungen wird. Sie ist fester begründet durch das unvergängliche Wirken eines ursprünglichen Geistes, der sich ungeachtet aller Künste und allen Geschreies dagegen, spät oder früh, Bahn brechen muß. Der geniale Neuerer von damals, vor dessen verderblich-überspannten Ansichten die Väter ihre Söhne warnten, ist jetzt Autorität. Nach Lessings gigantischem Sturme gegen die glänzenden Verschanzungen einer nüchternen Poesie steht er da als erster dramaturgischer Held, welcher nicht allein gegen, sondern für einen Glauben die Fahne schwang. Seine echt wissenschaftliche Kritik, weil sie von keiner Speculation ausging, ragt leuchtend hervor über alles, was man nachher als aus der Schule hervorgehend bezeichnete. Shakspeare, durch ihn zum Deutschen Dichter geworden, trotz aller späteren Bestrebungen ihn wieder zurückzuübersetzen zum Engländer oder zum Prosaiker, Calderon, durch ihn in nie übertroffener Sprache der Innigkeit und Gluth zum Deutschen redend, stehn als ewige Schildhalter des Gedächtnisses seines Wirkens für Deutschland. So findet August Wilhelm von Schlegel Berlin wieder, den bedeutendsten frühern Schauplatz seiner Thätigkeit; er findet eine Anerkennung, für welche Worte zu schwach sind, weil sie mit Thatsachen, seinem Erfolge, rivalisiren müßten. Er bedürfte nicht des Ausdrucks derselben, wohl aber wir; denn der Deutsche kann nicht zu oft an die heilige Pflicht erinnert werden, seiner großen Männer zu gedenken. Uns, die wir vereinigt sind, aufmerksam zu bleiben auf die Schritte der jüngeren Poesie, ist es doppelte Pflicht, mit dankbarer Achtung uns oft des Geistes zu erinnern, der ihr so viel neue Bahnen eröffnete, um so mehr, als er selbst seine ruhmgekrönte Thätigkeit von dem Deutschen Vaterlande auf das ganze Europa übertragen, und nun in des fernen Orients Gruben, Schätze läuternd, hinabgestiegen ist." a.

Bei Tische wurde von einem der anwesenden Gäste Herr v. Schlegel durch das Distichon begrüßt, welches unsere folgende Nummer beginnen wird.

(Redigirt von Dr. Fr. Förster und W. Häring (W. Alexis.)

Im Verlage der Schlesingerschen Buch- und Musikhandlung, in Berlin unter den Linden Nr. 34.

Berliner Conversations-Blatt

für

Poesie, Literatur und Kritik.

Freitag, — Nro. 98. — den 18. Mai 1827.

An A. W. v. Schlegel.

Sei Du gegrüßt in Berlin! wir füllen den Becher mit Rheinwein
Dir, der herüber zu uns kam von dem Ufer des Rheins,
Wo Du den Alten noch jüngst in kristallener Grotte belauschtest,
Als mit den Wellen im Bund staunend Hephästos er sah,
Welcher mit glühendem Hauche das Schiff das sie trugen stromaufwärts
Trieb; von dem Felsen herab klang Dein mäonisches Lied.
Von dem Gesange gelockt nun erschien der Delphin des Arion,
Durch die smaragdene Fluth trug er Dich sicher hindurch.
Zwar nicht findest Du wieder die Hügel des Siebengebirges,
Deren geheiligte Zahl mahnt an das ewige Rom,
Welches noch ewiger ward, seit Du es besangest in Versen,
Wie es Properz nur versucht, wie es Virgil nur vermocht;
Aber Du findest bei uns der Kunstwelt herrliche Schätze,
Deren gewaltsamen Raub Du Deinem Goethe geklagt,
Als in dem Kampfe die Welt sich verwirrt und ein neues Verhängniß
Hellas geliebteres Kind wieder im Sturme bedroht.
Doch Victoria kehrte zurück und die anderen Götter,
Die der Prokonsul einst stolz in die Schiffe gehäuft.
Fest schon tragen die Säulen das schirmende Dach und die Hallen,
Wo zu dem neuen Olymp Schinkel gefügt das Gestein.
Und nicht stehen sie schweigend, die Marmorbilder und sprachlos,
Wenn Du erscheinst, wie belebt regt sich die himmlische Schaar;
Denn nicht dunkel geahnt und empfunden nur wollen die Götter,
Nein, sie wollen genannt sein und im Geiste verehrt.
Dem nur sind sie geneigt, der aus der kastalischen Quelle
Schöpfte wie Du und den Sinn göttlicher Schönheit begriff.
Aber nicht Götter allein, auch Menschengestalten erscheinen,
Bitten vertraulich und gut, daß Du verweilest bei uns.
Hörst Du die Nachtigall wohl? dort winkt mit flatterndem Schleier
Julia Dir und so schön sahst Du die reizende nie.
Sinnend folgt mit gesenketem Haupt der düstere Hamlet,
Aber mit heiterer Stirn blickt er herüber zu Dir.

Höflich credenzt mit Humor Sir John Dir das duftende Sektglas
Shylok sieht es und streicht schmunzelnd den schmutzigen Bart.
Aber mit leuchtender Fackel, wer ist wohl der himmlische Jüngling,
Der, ein verkläreter Geist, Dich, den Befreundeten, grüßt?
Ja, Du bist es Fernando, der standhaft starb in dem Glauben,
Wie auch barbarische Wuth frech ihn verletzt und verhöhnt.
Viele noch treten heran der geliebten und heitern Gestalten
Und im vertrauten Gespräch reden den Dichter sie an,
Der sie herüber zu uns vom brittischen Eiland gerufen,
Der aus Iberien sie fern nach dem Norden geführt.
Eng nun siehst Du und fest Dich gebannt in dem Kreise der Geister,
Die Du beschworen, wie gern hielten den Meister sie fest.

F. F.

Phantasien im Bremer Rathskeller.

Novelle von Wilhelm Hauff. (Fortsetzung.)

Da ließ nun der König den Hauptmann und Ohne-Grund den Reitknecht in ein Zelt setzen, und einige Fäßlein alten Hochheimer und Nierensteiner vorfahren, und wollte haben, die beiden sollten sich eichen lassen. Sie tranken von Morgens eilf Uhr bis Abends vier Uhr vier Imi Hochheimer und anderthalb Imi Nierensteiner, und der König ging voll Verwunderung zu ihnen ins Zelt, um zu sehen, wie es mit ihnen stehe. Die beiden Gesellen waren aber wohl auf und der Hauptmann sagte: „So, jetzt will ich einmal die Degenkuppel abschnallen, dann geht's besser." Ohne-Grund machte aber drei Knöpfe an seinem Koller auf.

Da entsetzten sich Alle, dies sahen, der König aber sprach: „kann ich bessere Gesandte finden nach der Stadt Bremen, als diese?" Und also bald ließ er dem Hauptmann prächtige Kleider und Waffen geben, wie auch Ohne-Grund, dem Reitknecht, denn dieser sollte den Schreiber des Gesandten vorstellen. Der König und der Kanzler unterrichteten den Hauptmann, was er zu sagen hätte bei der Unterhandlung und nahm beiden das Versprechen ab, daß sie auf der ganzen Reise nur Wasser trinken sollten, daß nachher das Treffen im Keller um so glorreicher würde; Gutekunst aber, der Hauptmann, mußte seine rothe Nase mit einer künstlichen Salbe anstreichen, damit sie weiß aussah, daß man nicht merke, welch ein Kunde er sey.

Ganz elendiglich vom vielen Wassertrinken kamen die Beiden nach der Stadt Bremen, und nachdem sie bei dem Bürgermeister gewesen, sagte dieser zum Senat: „O was hat uns der Schwede für zwei bleiche, magere Gesellen geschickt; heut Abend wollen wir sie in den Rathskeller führen, und zudecken. Ich nehme den Gesandten auf mich ganz allein und der Doctor Schnellpfeffer muß auf den Schreiber." So wurden sie den Abend nach der Betglocke feierlichst in den Rathskeller geführt, der Bürgermeister führte Gutekunsten, den Hauptmann, der Doctor Schnellpfeffer, was auch ein guter Trinker war, führte den Reitknecht am Arm, der als Schreiber angethan, sich recht züchtiglich geberdete; hinter ihnen gingen viele Rathsherren, die zur Verhandlung geladen waren.

Hier in diesem Gemach setzten sie sich um den Tisch, und verspeisten zuerst Hasenbraten und Schinken und Heringe, um sich zum Trinken zu rüsten. Dann wollte der Gesandte ganz ehrbar mit der Verhandlung anfangen, und sein Schreiber zog Feder und Pergament aus der Tasche, aber der Bürgermeister sprach: „mit nichten also, Ihr edlen Herren; so ist es nicht Gebrauch in Bremen, daß man die Sache also trocken abmacht; wollen einander vorerst auch zutrinken nach Sitte unserer Väter und Grosväter." Kann eigentlich nicht viel vertragen, antwortete der Hauptmann, dieweil es aber seiner Magnifizenz also gefällig, will ich ein Schlücklein zu mir nehmen." Nun tranken sie sich zu und hielten ein Gespräch über Krieg und Frieden, und über die Schlachten, so geliefert worden; die Rathsherren aber, um den Fremden mit gutem Beispiel voran zu gehen, tranken sich weidlich zu und bekamen rothe Köpfe. Bei jedem neuen Glase entschuldigten sich die Fremden, wie sie gar den Wein nicht gewohnt wären, und er ihnen zu Kopf steige; deß freute sich der Bürgermeister, trank in seiner Herzenslust ein Paßglas um das andere, so daß er nicht mehr recht wußte, was zu beginnen. Aber wie es zu gehen pflegt in diesem wunderbaren Zustand, er dachte: jetzt ist er betrunken der Gesandte und auch dem Schreiber hat der Doctor tüchtig zugesetzt, und sprach daher: „Nun wollen wir anfangen mit unserem Geschäft." Das waren die Fremden zufrieden, thaten wie wenn sie voll Weines wären und tranken auf ihrer Seite den Herren weidlich zu. Da wurde nun gesprochen und getrunken, gehandelt und wieder getrunken, bis der Bürgermeister mitten im Satz einschlief und der Doctor Schnellpfeffer unter dem Tische lag. Da kamen denn die andern Rathsherren, und tranken den Fremden zu und führten die Verhandlung fort, aber trank der Hauptmann lästerlich, so machte es sein Reitknecht nicht schlimmer; fünf Küper mußten immer hin und her laufen und einschenken, denn der Wein verschwand von dem Tisch, als wäre er in den Sand gegossen worden. So geschah es, daß die Gäste nach einander den ganzen Rath unter den Tisch tranken bis auf einen.

Dieser eine aber war ein großer, starker Mann, mit Namen Walther, von welchem man allerlei sprach in Bremen, und wäre er nicht im Rath gesessen, man hätte ihn längst böser Künste und Zauberei angeklagt. Herr Walther war seines Zeichens eigentlich ein Zirkelschmidt gewesen, hatte sich aber hervorgethan in seiner Gilde, war unter die Aeltermänner gekommen und nachher in den Senat. Dieser hielt aus bei den Gästen, trank zweimal so viel als beide, so daß ihnen ganz unheimlich wurde, denn er war so verständig wie zuvor, während der Hauptmann schön trübe Augen bekam, und glaubte, es gehe ihm ein Rad im Kopf herum. So oft der Senator Walther ein Paßglas getrunken, fuhr er mit der Hand unter den Huth, und dem Reitknecht kam es vor, als sehe er ein bläuliches Wölkchen, ganz fein wie Nebel aus seinem rabenschwarzen Haar hervorsteigen. Er trank wacker darauf los, bis der Hauptmann Gutekunst selig entschlief und sein Haupt ganz weich auf des Bürgermeisters Bauch legte.

(Fortsetzung folgt.)

Die Mächte des Mittelalters.

Eine kritische Abhandlung über **Konradins** Tod. Tragödie von K. Grafen Dyhrn. — Oels. 1827.

(Mitgetheilt von dem Dr. von der Hagen.)

(Beschluß.)

Das Individuum nun, an das er sich in dieser Absicht wendet, und in dem dieses geschieht, ist Frangipani, in welchem, wie schon erwähnt wurde, die streitenden Mächte, in Beziehung sind. Indem das Bewußtsein Frangipanis wesentlich in dieser Beziehung besteht, so treten in dem Streite derselben alle verschiedenen Momente neben und nach einander auf, und offenbaren ihre Stellung und Bedeutung gegen einander; denn wenn das Vasallenverhältniß gegen Konradin der Lehenspflicht gegen die Kirche, und die Dankbarkeit gegen die Hohenstaufen dem päbstlichen Banne und der Betrachtung weichen muß, daß sie, denen er unmittelbar verpflichtet ist nicht mehr der Gegenwart und Wirklichkeit, sondern der Vergangenheit angehören, so glaubt er sich in seinem Gewissen von jeder drückenden Verbindlichkeit gegen jenen befreit, und sich berechtigt sein Verhalten rein nach seinem Vortheil zu bestimmen. Dieser ist es also, in dem die qualitativen Gegensätze der streitenden Mächte sich zu quantitativen Unterschieden neutralisiren, nach denen er nunmehr die Kröne, die Konradin seiner Tochter, und die reichen Gaben, die er ihm selbst bietet, gegen die Belohnung abmißt, die er von Anjou für die Auslieferung des Gegners erwarten darf; und die Waage seines Interesses muß sich hier auf die Seite Anjous neigen, der, die wirkliche Macht in Händen haltend, seine Versprechungen in der Gegenwart zu realisiren im Stande ist; dahingegen das was Konradin bietet, erst mit eigener Gefahr von der Zukunft zu erlangen steht. Wenn nun so sein Vortheil zwischen jenen allgemeinen Pflichten den Ausschlag geben will, so wird dieser durch ein Band, welches, zugleich ein allgemeines und sittliches, auch seine Persönlichkeit berührt, zurückgehalten, denn derselbe Gewinn, den ihm die Auslieferung Konradins verspricht, droht ihm den Verlust der einzigen Tochter, und dieser Streit der Pflichten und Interessen, in sich und miteinander, läßt ihn aus sich selbst keinen letzten Entschluß gewinnen. In diesem Schwanken ist es nun, daß ihn die Nothwendigkeit erfaßt, denn sie ist es selbst, die jene manigfachen Pflichten und Interressen in ihm zusammendrängt, sie in Conflict bringt, und in ihrem Widerstreite sich offenbart. Wenn daher einerseits der Bann der Kirche ihn berechtigte, sich der Pflicht und Dankbarkeit gegen die Hohenstaufen zu entschlagen, so ist es jetzt, wo die Kirche mit ihren Forderungen ihm nahe tritt, gleichfalls ihr Bann, der, durch die Drohung sein zeitliches und ewiges Dasein zu vernichten, sein, in weltlichen Interressen und in der kirchlichen Autorität befangenes, Bewußtsein zwingt, das Band der Familienliebe zu brechen, und dem Feldherren Anjou's die Thore seines Schlosses zu öffnen, um sich Konradins und seiner Freunde zu bemächtigen. In diesem Bruche der unmittelbaren Identität, die Frangipani mit seiner Tochter vereinigt, tritt nun die ursprüngliche Differenz beider in Handlung, und Angelica, die in dem Verhältnisse zu Konradin die Gewißheit ihrer selbst hat, muß daher gleichfalls an ihrer Seite sich von ihrem Vater trennen, und den Geliebten zu retten und mit ihm zu entfliehen versuchen. Allein dieses Unternehmen muß an der starren Nothwendigkeit scheitern, und wie sie den Vater verläßt und dem Bande der Familie, in dem sie als Weib ihre Bestimmung hat, entsagt, so muß sie in ihrem Thun ihr Selbst verlieren, anstatt es zu gewinnen. Frangipani aber, dessen Bewußtsein die Nothwendigkeit zu ihrem Sitze erwählt und der in dem Streite ihrer Mychte seinen Vortheil zu finden dachte, wird von dieser zersprengt, und, indem der Bruch des Familienverhältnisses durch den Verlust seiner Tochter an ihm Rache nimmt, erliegt er den Folgen seines Thuns.

In diesem Zusammenstürzen der neuen Wirklichkeit, die sich ihm erschlossen hat, ist nun dem Konradin die Anschauung der Nothwendigkeit geworden, und wie er vor der Macht der Kirche, die sonst an und für sich geltenden und berechtigten Verhältnisse verschwinden sieht, so erkennt er in ihr jetzt die absolute Macht der Zeit, deren Nothwendigke t daher auch seine Individualität nicht widerstehen könnte, und durch deren Urtheil auch sein Thun und Streben schon in seinem Beginne gerichtet war.

Dieses Gericht der Nothwendigkeit beginnt nun, in der Wirklichkeit sich vorstellend, den fünften Act: Es ist deswegen hier nicht das Recht menschlicher Verhältnisse, welches entscheidet, vielmehr ist es das der Macht, vor der jene Verhältnisse verschwinden, und die, weil sie der unaufgeschlossenen Nothwendigkeit angehört, in diesem Spruche ihr Recht nur als diese Macht offenbart. Diese Nothwendigkeit, die in der an sich seienden Vereinigung des Heiligen und Weltlichen besteht, und deren Bethätigung sich in Anjou darstellt, hat sich hiemit als die Macht der Welt erwiesen und behauptet, indem sie die Wirklichkeit, die ihr in der Zeit an sich zukommt, durch ihre eigene Bewegung sich gegeben hat; und in dieser ihrer Kraft und Stärke weißt sie nun auch am Ziele jene Vermittlung von sich, die, das Weltliche in sich verflüchtigend, es zum Ewigen zurückzuführen hat. Die Kirche, nachdem sie ihren Feind in der Welt besiegt, ist nunmehr mit der Welt identifizirt, und Anjou, in dem Bewußtsein, daß er es ist, der diesen Sieg erkämpft hat, und daß ihre Zwecke jetzt mit den seinigen Eins sein müssen, bedarf daher einer Mittelsperson, wie früher Valery war, nicht mehr, sondern verbannt ihn, dessen Thätigkeit jetzt nur störend eintreten würde, aus dem Bereiche seiner Wirklichkeit, die jetzt ohnhin nicht mehr der Boden Valery's sein kann.

Konradin aber, der, in der Einsamkeit des Gefängnisses auf sich allein und den ihm unmittelbar verbundenen Friedrich von Oestreich zurückgewiesen, in dem Zusammensturze seiner Welt zur Anschauung der Nothwendigkeit gekommen ist, und die Macht der Kirche als Schranke in sich gefühlt hat, hat grade in diesem seinem Unterliegen die Freiheit gewonnen, denn diese besteht in Wahrheit nicht darin, der Nothwendigkeit entgegengesetzt und feindlich zu sein, sondern sie ist selbst ihrem Wesen nach nichts anderes, als die enthüllte Nothwendigkeit. Indem er also in dem Kampfe mit der Nothwennigkeit ihr unterlegen ist, so büßt er einerseits seine Schuld gegen sie, mit seinem Untergange, auf der andern Seite aber, indem er hierin die Nothwendigkeit erkannt hat, und in diesem Bewußtsein sich dem, was sie forderte, hingiebt, so schlägt sie eben auf diesem höchsten Punkte in Freiheit um, und er hat in seinem Untergange sowohl den Tod, als die Nothwendigkeit überwunden. Wie nun die Nothwendigkeit an sich dasselbe ist, als die Freiheit, so hat auch dem Konradin, dadurch, daß er sie erkannt hat, sein eigenes Wesen sich erschlossen, die ganze Zeit und seine eigene und seines Stammes Bedeutung in derselben liegt klar entfaltet vor seinen Augen, and im Lichte seines Geistes verklärt, geht Vergangenheit und Gegenwart an seinem Inneren vorüber. Wenn aber jene Nothwendigkeit darin besteht, daß das Ewige in das Menschliche umschlägt, das jenem entgegengesetzt, als das Weltliche erscheint, so hat die Freiheit, die Konradin durch die Erkenntniß derselben gewonnen hat, nothwendig die Bedeutung, daß das Ewige in ihn, als Menschen, eingekehrt ist, und da dieses Bewußtsein mit Gott versöhnt, geht er dem Tode frei und ohne Wiederstreben entgegen.

Hiemit haben wir die Hauptmomente des Inhaltes der Tragödie, und seiner Gestaltung, die er sich von Innen heraus giebt, im Allgemeinen darzulegen versucht; in ein weiteres Detail einzugehen, verbietet uns die Bestimmung dieses Aufsatzes. Hiezu gehört auch die äußere Form der Darstellung und Sprache, worüber wir nur kurz bemerken wollen, daß die bilderreiche Fülle derselben, die vielleicht sonst mitunter als Ueppigkeit erscheinen könnte, hier an dem Inhalte selbst ihre Berechtigung findet, und daß, in wiefern sich auch hierin die Gegensätze des Inhaltes offenbaren müssen, dieselbe in der verschiedenen Weise, wie die Hauptpersonen, Konradin und Anjou, sich aussprechen, symbolisirt sind.

Dr. v. d. Hagen.

Zufällige Gedanken.

Von E.r.

3. Wir gebrauchen das Du auf zweierlei Weise. Auf die erste der Liebe, und auf die zweite der Dienstbarkeit und Verachtung. —

4. Es gibt eine stille heimliche Rache, von welcher der, dem sie gilt, nichts empfindet. Wir sind zufrieden vor uns den Andern als Ursache unsrer Leiden anzuklagen, und sind ordentlich unwillig, wenn er uns Gutes erzeigt, weil wir dann das Recht zum Unrecht verlieren. —

(Redigirt von Dr. Fr. Förster und W. Häring (W. Alexis.)

Im Verlage der Schlesingerschen Buch- und Musikhandlung, in Berlin unter den Linden Nr. 34.

Berliner

Conversations-Blatt

für

Poesie, Literatur und Kritik.

Sonnabend, — Nro. 99. — den 19. Mai 1827.

Walter Scotts Lebensgeschichte Napoleons.

Ein Vorurtheil, von H. Heine.

Europa — oder warum nicht die ganze Welt, — blickt erwartungsvoll der Biographie des größten Mannes unserer Zeiten, aus der Feder des größten Romanendichters derselben entgegen. Der Ruf des Werkes hat schon so gewirkt, daß, weil die Lieferung um Jahre verzögert worden, verzweiflungsvolle Uebersetzer sich sollen entschlossen haben selbst zu dichten statt zu übersetzen. Nur die immer neu verkündete nahe Erscheinung des ächten Leibes hat die Phantome wieder zurückgescheucht. Doch fürchtet man mehr als man erwartet. Daß der Novellendichter die Geschichte zum Roman machen werde? Dagegen bürgt Scotts Name, Wird er die Facta verschönern, dichterisch ausschmücken? Nein. Er wird mit Klarheit und Unpartheilichkeit alle Thatsachen schildern, beim dichterischen Mahler wird man nie den getreuen Referenten vermissen. Dafür bürgen seine meisterhaften Skizzen der bürgerlichen Religions-Kriege Schottlands, vorausgeschickt den einzelnen Balladen seiner *Minstrelsy of the Scotish Border*. Aber ist ein Leben Napoleons abgethan mit Schilderung der Thatsachen? Liegt darin nicht ein Mehr, was durch keine Aneinanderreihung noch so gelungener Schilderungen zu erreichen ist? Wird, um diesen starren Heros in seiner ganzen mächtigen Gestalt aufzufassen, der schöne Geist der Mäßigung, Sittlichkeit, Gesetzlichkeit, welcher durch Scotts Dichtungen so anmuthig weht, ausreichen? Wir zweifeln. H. Heine hat in dem Theile seiner neuesten Reisebilder, den wir einen bunten nannten, bei einer treffenden Characteristik Scotts, Byrons und seiner eigenen Person, einige Worte über diesen Gegenstand gesprochen, welche, zu den gelungensten Kritiken gezählt werden dürfen, wenn sie auch eine Recension vor dem Werke, also ein Vorurtheil sind. Da sie zugleich zu den besten gehören, die Heine je geschrieben, kann es nur ein ihm und dem Publicum geleisteter Dienst sein zu ihrer Verbreitung beizutragen. *a*.

Es ist ein glückliches Zusammentreffen, daß Napoleon gerade zu einer Zeit gelebt hat, die ganz besonders viel Sinn hat für Geschichte, ihre Erforschung und Darstellung. Es werden uns daher, durch die Memoiren der Zeitgenossen, wenige Notizen über Napoleon vorenthalten werden, und täglich vergrößert sich die Zahl der Geschichtsbücher, die ihn mehr oder minder im Zusammenhang mit der übrigen Welt schildern wollen. Die Ankündigung eines solchen Buches aus Walter Scotts Feder erregt daher die neugierigste Erwartung.

Alle Verehrer Scotts müssen für ihn zittern; denn ein solches Buch kann leicht der russische Feldzug jenes Ruhmes werden, den er mühsam erworben durch eine Reihe historischer Romane, die mehr durch ihr Thema, als durch ihre poetische Kraft, alle Herzen Europas bewegt haben. Dieses Thema ist aber nicht bloß eine elegische Klage über Schottlands volksthümliche Herrlichkeit, die allmählig verdrängt wurde von fremder Sitte, Herrschaft und Denkweise; sondern es ist der große Schmerz über den Verlust der Nazional-Besonderheiten, die in der Allgemeinheit neuerer Cultur verloren gehen, ein Schmerz, der jetzt in den Herzen aller Völker zuckt. Denn Nationalerinnerungen liegen tiefer in der Menschen Brust, als man gewöhnlich glaubt. Man wage es nur, die alten Bilder wieder auszugraben, and über Nacht blüht hervor auch die alte Liebe mit ihren Blumen. Das ist nicht figürlich gesagt, sondern es ist eine Thatsache; als Bullock vor einigen Jahren ein altheidnisches Steinbild in Mexiko ausgegraben, fand er den andern Tag, daß es nächtlicher Weile mit Blumen bekränzt worden; und doch hatte Spanien mit Feuer und Schwert, den alten Glauben der Mexikaner zerstört, und seit drey Jahrhunderten ihre Gemüther gar stark umgewühlt und gepflügt und mit Christenthum besäet. Solche Blumen aber blühen auch in den Walter-Scott'schen Dichtungen, diese Dichtungen selbst wecken die alten Gefühle, und wie einst in Granada Männer und Weiber mit dem Geheul der Verzweiflung aus den Häusern stürzten, wenn das Lied vom Einzug des Maurenkönigs auf den Straßen erklang, dergestalt, daß bei Todesstrafe verboten wurde, es zu singen: so hat der Ton, der in den Scott'schen Dichtungen herrscht, eine ganze Welt schmerzhaft erschüttert. Dieser Ton klingt wieder in den Herzen des Bürgers, dem die behaglich enge Weise der Altvordern verdrängt ward durch weite, unerfreuliche Modernität; er klingt wieder in katholischen Domen, woraus der Glaube entflohen, und in rabinischen Synagogen, woraus sogar die Gläubigen fliehen; er klingt über die ganze Erde, bis in die Banianenwälder Hindostans, wo der seufzende Bramine das Absterben seiner Götter, die Zerstörung ihrer uralten Weltordnung, und den ganzen Sieg der Engländer voraussieht.

Dieser Ton, der gewaltigste, den der schottische Barde auf seiner Riesenharfe anzuschlagen weiß, paßt aber nicht zu dem Kaiserliede von dem Napoleon, dem neuen Manne, dem Manne der neuen Zeit, dem Manne, worin diese neue Zeit so leuchtend sich abspiegelt, daß wir dadurch fast geblendet werden, und unterdessen nimmermehr denken an die verschollene Vergangenheit und ihre verblichene Pracht. Es ist wohl zu vermuthen, daß Scott, einer Vorneigung gemäß, jenes angedeutete, stabile Element im Charakter Napoleons, die contrerevoluzionäre Seite seines Geistes vorzugsweise auffassen wird, statt daß andere Schriftsteller bloß das revoluzionäre Princip in ihm erkennen. Von dieser letzteren Seite würde ihn Byron geschildert haben, der in seinem ganzen Streben den Gegensatz zu Scott bildete, und statt, gleich diesem, den Untergang der alten Formen zu beklagen, sich sogar von denen, die noch stehen geblieben sind, verdrießlich beengt fühlt, sie, mit revoluzionärem Lachen und Zähnefletschen, niederreißen möchte, und in diesem Aerger die heiligsten Blumen des Lebens mit seinem melodischen Gifte beschädigt, und sich, wie ein wahnsinniger Harlekin den Dolch in's Herz stößt, um, mit dem hervorströmenden, schwarzen Blute, Herren und Damen neckisch zu bespritzen.

Wahrlich, in diesem Augenblicke fühle ich sehr lebhaft, daß ich kein Nachbeter, oder besser gesagt Nachfrevler Byrons bin, mein Blut ist nicht so spleenisch schwarz, meine Bitterkeit kömmt nur aus den Galläpfeln meiner Dinte, und wenn Gift in mir ist, so ist es doch nur Gegengift, Gegengift wider jene Schlangen, die im Schutte der alten Dome und Burgen so bedrohlich lauern. Von allen großen Schriftstellern ist Byron just derjenige, dessen Lectüre mich am unleidlichsten berührt; wohingegen Scott mir, in jedem seiner Werke, das Herz erfreut, beruhigt und erkräftigt. — — — — —

Aber keinem wahren Genius lassen sich bestimmte Bahnen vorzeichnen, diese liegen ausserhalb aller kritischen Berechnung, und so mag es auch als ein harmloses Gedankenspiel betrachtet werden, wenn ich über W. Scotts Kaisergeschichte mein Vorurtheil aussprach. „Vorurtheil" ist hier der umfassendste Ausdruck. Nur eins läßt sich mit Bestimmtheit sagen: das Buch wird gelesen werden vom Aufgang bis zum Niedergang und wir Deutschen werden es übersetzen.

Griechenland — keine Monarchie.

Der gelehrte Däne Bröndsted, der in der Vorrede zu dem ersten Buche seiner „Reisen und Untersuchungen in Griechenland" so richtig und unpartheiisch über die heutige griechische Nation spricht, macht im ersten Buche selbst (S. 76.) über die nach der Natur des Landes und Volkes in Griechenland am oesten sich eignende Verfassung folgende interessante, beherzigenswerthe Bemerkung.

„Das durch den peloponnesischen Krieg zerrüttete Griechenland hatte sich, wie alle geschwächte Foederativstaaten, immer mehr dem kranken Zustande genähert, welcher ihre Auflösung in eine Monarchie herbeiführen muß. Diese Staatsform aber, obschon sie für viele Völker und Länder vortrefflich und beglückend seyn kann *), paßte für Griechenland ganz und gar nicht; sie schickte sich nicht für die alte, und

*) Das beweist in Betreff der konstitutionellen Monarchie ganz neuerlich und einleuchtend de Pradt in seinem neuesten Werke über Griechenland (1826).

taugt gewiß eben so wenig für die heutige Hellas. Dem Character dieses Volkes geradezu entgegen, kann sie den guten und schönen Eigenschaften desselben nur hinderlich, den schlechten förderlich werden. Das lebhafte, aufgeweckte, thätige, eitele Volk der Griechen brauche, um seine schönsten Fähigkeiten ausbilden und benutzen zu können, sehr viele Centralpunkte, aus welchen in kurzen Radien Licht und Wärme, Ehre und Huldigung, vielfache Aufmunterung und Belohnung dem Talente und dem Verdienste leicht und oft zufließen mögen; es muß, was die öffentliche Thätigkeit der Individuen betrifft, seinen Bürgern viele und nicht zu ausgedehnte Wirkungskreise anbieten können, in welchen der Erfolg des Guten häufig, die Wirkung schnell, die Aufsicht immer nahe seyn kann; es brauchte, mit einem Worte, viele kleine, nach freien Formen verwaltete Gemeinwesen. Durch welche Bande alle diese kleinen Gemeinden zu einem Ganzen zu vereinigen wären, damit hinlängliche Sicherheit für innere Eintracht und Schutz nach außen entstehe, ist allerdings eine schwierige Frage, welche die großen Alten selbst und ihre Geschichte vielleicht nicht ganz befriedigend beantwortet haben. Aber folgendes wird keiner bezweifeln, der den Geist und die Geschichte dieses Volkes kennt: Bei einem großen Hofe, von welchem etwa die Regierung des ganzen Griechenlands ausgehen sollte, wird Griechische Feinheit immer in Ränke und Verschmiztheit ausarten, und ohne Oeffentlichkeit der Verwaltung und freie Erörterung, ohne Einfluß der Individuen durch Sprechen und Handeln auf die eigenen Angelegenheiten, wird in jenem Lande unfehlbar das Talent versiegen. Darum hat, bei allem Reichthum der Natur und bei aller individueller Kraft, das Volk der Hellenen weder unter den Römern noch unter den Türken irgend etwas von Bedeutung hervorgebracht!" (Die Ursache hiervon war aber wohl nur der Mangel freien und selbstständigen Lebens.) — So finden sich mitten unter geographischen und archäologischen Untersuchungen und Forschungen allgemeininteressante, für jeden Freund des neuen Griechenlands der Beachtung werthe, Bemerkungen. Mögen sie aber nur auch da, wo sie, wirklicher Beachtung bedürfend, ins Leben treten können, beachtet und verwirklicht werden! K.

Reise eines Malers. 7.

Bellinzona, den 18ten Aug.

Auf italienischem Gebiete! O wie schlägt das Herz vom Freudenfieber des heutigen Tages! Doch noch einmal zurück über den Gotthard, daß Licht und Schatten neben einander treten. Von der Einöde jenseit, von dem Fegefeuer, durch welches ich in dieses Paradies gedrungen, kannst Du Dir vielleicht eine Vorstellung machen, wenn Du hörst, daß jenes Andermatt, das auch mir einige Worte der Freude entlockt, die Reisenden zu Lobdichtern, die Fremdenbücher voll schlechter Verse macht, daß jenes Andermatt mit seinen kahlen Bergen, wo ein Paar Fichten vergebens ihr Fortkommen gesucht haben, mit seinen gelbgrünen Matten, auf denen kein Gras, nur Rasen wächst, mit seinen grauen fast fensterlosen Häusern, die wie verschüttete Gräber aussehen mit seinen Paar Kirchen, den Leichensteinen zu jenen, mit seinem lautlosen Frieden an jedem andern Ort für eine abschreckende Wüste gehalten werden würde.

Meine Schönen ruhten noch von der Last des vorigen Tages ermattet, und ihr Lebewohl schrieb ich in die Lüfte; mich zog es hinaus, hinauf! hinüber ins italienische Land. Mit Wandereifer stieg ich über den Gotthard, und sah von der Höhe schon hinein in den Zaubergarten, der mich jetzt mit seinen magischen Banden umschließt. Der Gotthard ist die große Wasserscheide Europas nach Nord und Süd; ins Vaterland strömt die Reuß, nach Italien der Tessino, ein schmaler Landstrich trennt auf der Höhe die Quellen, an denen Menschenliebe (eigne und fremde) einen ewigen Winterpallaſt für wandernden Frost und Hunger aufgeschlagen; ein *Hospitium*, in dem man für gutes Geld eine schlechte Ausgabe aller Sprachen doch gute Milch und Butter erhält.

Ich war des Tags fast immer über oder zwischen Schnee gegangen, hatte aber die Freude zu bemerken, daß auf der höchsten Spitze wieder eine erfreuliche Vegetation eintritt, während in der untern Region nur elende Weislinge auf Disteln und Giftblumen herumflatterten. So faßt die Krone ums eiskalte Haupt des Tyrannen noch Perlen und Edelsteine, zu seinen Füßen — doch du könntest mich für politisch oder gar für unpolitisch halten mit meinen unschuldigen Bildern, lieber pflücke ich Dir ein duftendes Vergißmeinnicht; denn diese Eigenschaft wird jener zarten Pflanze in dieser Höhe. — Und da soll' ich nicht wieder metaphorisch werden? und doch bin ich's, denn ich gedachte so mancher edlen weiblichen Seele in der Nähe der Fürstin, ich dachte: an Klothilde im Hesperus.

Berliner Chronik.

Königstädter Theater. Donnerstag den 17. Corradino, Oper in 2 Akten von Rossini. —

Was kann uns von Rossini Neues geboten werden, das wir nicht schon zur Gnüge kennen? Fast kommt man in Versuchung zu glauben: Rossini habe höchstens nur drei Opern componirt und dann an die Direktionen, die ihn um neue Opern ersuchten, das bekannte musikalische Würfelspiel geschickt, mit dem sich jeder aus jenen drei Partituren neue Opern ins Unendliche fort componiren kann. Nicht genug aber, daß er sich selbst bestiehlt, die Direktionen helfen auch noch mit und so hörten wir auch diesmal in dem Corradino die Italienerin, den Othello und die Semiramis, woran gewiß nicht allein Rossini schuld war, der indeß, was man auch sagen mag, ein genialer Taschenspieler bleibt. Mit dem nichtsnutzigsten Süjet von der Welt, mit der verkehrtesten Vertheilung der, sich in einem beschränkten Kreise ewig um sich selbst herumdrehenden, Musik, wirkt er Wunder. Sein Geheimniß ist einmal, daß er nicht der Macht des Gesanges, die nicht so leicht zu haben ist, sondern der Gefälligkeit und Lieblichkeit der Stimme seine Schöpfungen anvertraut; das andere Geheimniß seines Sieges liegt darin, daß er es dem Opernpublikum, was nicht kömmt um Harmonie und Fugensatz zu studiren, sondern um sich zu amüsiren, nicht zu schwer macht. Er weiß uns alle leichtsinnig zu stimmen und so sind wir am ersten geneigt, ihm seinen Leichtsinn und seine Frivolität zn vergeben. In der Wahl des Stoffs zu seinen Opern ist er nicht sehr ängstlich, allein er hat einen sehr richtigen Takt für den Inhalt und die Anordnung seiner Opern im Allgemeinen. Wie in dem alten italienischen Lustspiele die drei bis vier herkömmlichen Masken immer wieder auftraten und immer willkommen waren, so hat auch Rossini einige solche stereotypische Charaktere und diese vier bis fünf Leidenschaften sind ihm gerade genug. So sehen wir hier einen Menschenhasser und Weiberfeind in Corradino auftreten, dessen finsterer Trotz ein liebenswürdiges Fräulein, Mathilde von Schabron, durch Schönheit und Anmuth besiegt. Der Eifersucht der Gräfin von Arco gelingt es eine Zeit lang die Liebenden zu trennen, allein die Treue des Hausfreundes Aliprando bringt alles wieder ins Gleiche, und wo es zu ernsthaft werden will, sorgt der Hunger, der hier das Pathos eines armseligen Poeten ist, für allerhand komische Situationen. Chöre von Landleuten und Kriegern fehlen nicht und da keine Scene mit der andern zusammenhängt, treibt eine die andere rasch vorwärts, so daß man sich immer überrascht findet, obwohl man die einfache Intrigue vom Anfang an durchschaute. Wohl kein Componist hat sich jemals so wenig um den Dichter bekümmert, als Rossini; nach den Worten und nach dem Ausdruck fragt er selten, die Poesie erscheint ihm ganz untergeordnet, und die Poeten, die in seinen Opern als die armseligsten Schlukker erscheinen, sind gewiß von ihm selbst erdachte Figuren. So läßt hier der Dichter einen Menschenfeind auftreten, der uns von allen als ein Wütherich und sogar als ein Bär angekündigt wird und wer erscheint? ein mit den weichsten Melodien ausgestatteter Tenor, der die fürchterlichsten Drohungen in den zartverschlungensten Rouladen vorträgt; hat man je gehört, daß ein Bär das hohe *C* singt? — Ein Chor von Landleuten kömmt, um ihn zu belauschen, sie rufen sich zu: „leise! leise!" und dazu paukt die große Trommel sammt der ganzen Janitscharen-Musik. Mit dergleichen muß man es bei Rossini nicht so genau nehmen. —

Die Ausführung war sehr gelungen zu nennen und man erkannte darin die Wirksamkeit der Hrn. Stegemeier und Blume; die Chöre haben Leben bekommen und fangen an zu agiren. — Hr. Jäger sang die Partie des Conradin, die schwerste die jemals einem Tenor zugemuthet worden ist, mit der Geläufigkeit und Biegsamkeit eines Soprans; allein die zu große Anstrengung machte ihn heiser, und daher kam es, daß er die letzte Arie, die wir vom Hr. Haizinger so vortrefflich hörten (er legte sie in Othello ein) nicht mehr durchführen konnte. — Die brillanteste Partie im Spiel nnd Gesang hat Mathilde, Dem. Sontag. Sie gewinnt uns gleich bei dem ersten Auftreten für sich, wenn sie in dem ersten Duett das Geständniß macht:

„Ja von Launen und Caprisen,
Kleinen Thränen und Malisen,
Von beredtem und listigem Schweigen —
Kann ich manch ein Kunstück zeigen."

Und als sie nun selbst Revue über ihre Schönheit hält und dem Aliprando ihre Augen, Farbe, Stimme, Hände, Füßchen, Lächeln, Thränen vorführt und dieser zuletzt: „Ach! ein Engel!" ausruft, so war es kein Wunder, daß das Publicum mitrief. Solche Scenen naiver Coquetterie gehören zu denen, die nur bei einem so zarten und unbefangenen Spiel, wie wir es hier sehn, erlaubt sind. Die Rolle des Aliprando verlangt im Spiel und Gesang einen Meister und sie hat ihn in Hrn. Zschiesche, der Pesth mit Berlin vertauscht hat, gefunden. Sein Barritono hat einen bedeutenden Umfang, an Klang und Geläufigkeit fehlt es der Stimme nicht und in dem aus der Semiramis herüber genommenen großen Duett mit Dem. Sontag gewann Hr. Zschiesche den ungetheiltesten Beifall. — Hr. Spitzeder ergötzte als der arme Dichter Isidoro durch Tanz, Gesang und Spiel. Eine, wahrscheinlich von ihm selbst verfaßte, Travestie des Schlachtberichtes, den der Ritter Raoul in Schillers Jungfrau von Orleans dem Könige macht, war von der komischsten Wirkung; eben so eine Scene des Wahnsinns, wo er Talma copirt und mitten im Ausbruch des Wahnsinns den Souffleur nach dem Stichworte frägt. Daß er sich mit dem ehrnen Helm des Ungeheuers samt bronzirter Perücke bedeckt, als es zur Schlacht geht, läßt vermuthen, daß das berühmte Schiff auf den Strand gerathen, oder abgetakelt worden ist.

Das Haus war gedrängt voll und Alle wurden gerufen.

(Redigirt von Dr. Fr. Förster und W. Häring (W. Alexis.)

Im Verlage der Schlesingerschen Buch- und Musikhandlung, in Berlin unter den Linden Nr. 34.

Berliner Conversations-Blatt

für

Poesie, Literatur und Kritik.

Montag, — Nro. 100. — den 21. Mai 1827.

Phantasien im Bremer Rathskeller.

Novelle von Wilhelm Hauff. (Fortsetzung.)

Da sprach der Senator Walther mit sonderbarem Lächeln zu dem Schreiber des Gesandten: „Lieber Geselle, du führst einen mächtigen Zug, ich vermeine aber, daß du mit dem Roßstriegel besser fortkommst, als mit der Feder.“ Da erschrak der Schreiber und sprach: „Wie meinet Ihr dieß, Herr! ich will nicht hoffen, daß Ihr mir Hohn sprechen wollt; bedenket, daß ich Sr. Majestät Gesandschafts-Schreiber bin.“

„Hoho!“ rief der andere mit schrecklichem Lachen, „seit wann haben denn ordentliche Gesandschafts-Schreiber solche Kittel an; und führen solche Federn bei der Sitzung?“ Da sah der Reitknecht auf sein Kleid und bemerkte mit großem Schrecken, daß er seinen gewöhnlichen Stallkittel anhabe, er sah auf seine Hand, und siehe da, statt der Feder hielt er eine ganz gemeine Kratzbürste. Da entsetzte er sich und sah sich verrathen und wußte nicht, wie ihm geschah. Herr Walther aber lächelte seltsam und höhnisch, und trank ihm einen Humpen von anderthalb Maas zu auf einen Zug, fuhr dann mit der Hand hinter die Ohren und der Reitknecht sah ganz deutlich, wie ein feiner Nebel aus seinem Kopf kam. „Gott soll mich bewahren, Herr! daß ich fürder mit Euch trinke, rief er, Ihr seyd ein Schwarzkünstler, wie ich nun vermerke, und könnt mehr als Brod essen.“

„Darüber wäre noch Vielerlei zu sagen, antwortete Walther ganz ruhig und freundlich, aber es würde dir auch nicht viel helfen, werthgeschätzter Stallknecht und Roßkamm, wenn du mir fürder zusetztest mit Trinken, mich trinkst du nicht unter den Tisch, was maaßen ich einen kleinen Hahnen in mein Gehirn geschraubt habe, durch welchen der Weindunst wieder herausfährt. Schau zu.“ Dabei trank er ein großes Paßglas aus, wandte seinen Kopf herüber zu dem Reitknecht-Ohne Grund, strich sein Haar zurück, und siehe da, in seinem Kopf steckte ein kleiner silberner Hahn, wie an einem Faß; da drehte er den Zapfen um und ein bläulicher Dunst strömte hervor, so daß ihm der Weingeist keine Beschwerden machte in der Hirnkammer.

Da schlug der Reitknecht vor Verwunderung die Hände zusammen und rief: „daß ist einmal eine schöne Erfindung, Herr Zauberer! könnet Ihr mir nicht auch so ein Ding an den Kopf schrauben um Geld und gute Worte?“ „Nein, das geht nicht,“ antwortete jener bedächtig, da seyd Ihr nicht erfahren genug in geheimer Wissenschaft; aber ich habe Euch liebgewonnen wegen Eurer absonderlichen Kunst im Trinken, drum möcht' ich Euch gerne dienen wo ich kann. Zum Beispiel es ist gegenwärtig die Stelle des Kellermeisters vakant, allhier. Balthasar Ohne-Grund, verlaß den Dienst dieser Schweden, wo es doch mehr Wasser als Wein giebt, und diene dem wohledlen Rath dieser Stadt, wenn wir auch einige Lasten Wein mehr brauchen des Jahres, die du heimlich säufst, das thut nichts; ein solcher Kapital-Kerl hat uns längst gefehlt; Balthasar Ohne-Grund, ich mach dich morgen zum Kellermeister, wenn du willst. Willst du nicht, so ist's auch gut; dann weiß aber morgen die ganze Stadt, daß uns der Schwede einen Reitknecht als Schreiber geschickt." Dieser Vorschlag mundete dem Balthasar, wie edler Wein; er that einen Blick in dieses unermeßliche Weinreich, schlug sich auf den Magen und sagte: „ich will's thun."

Nachher machten sie noch allerhand Punkte aus, wie es gehalten werden solle nach Ohne-Grunds zeitlichem Hinscheiden mit seiner armen Seele! Er wurde Kellermeister, der Hauptmann Gutekunst aber zog mit zweideutigen Bedingungen ab ins Schwedische Lager, und als nachher die Kaiserlichen in die Stadt kamen, war der Bürgermeister und Senat froh, daß sie sich mit dem Schweden nicht zu tief eingelassen, obgleich keiner recht wußte, wie es so gekommen war."

So erzählte Rose; die Apostel und ich dankten ihr, und lachten sehr über die beiden Gesandten, Paulus aber fragte: „und Balthasar Ohne-Grund, der wackere Kunde, was ist aus ihm geworden, blieb er Kellermeister? Die Rose aber wandte sich um mit Lächeln, deutete auf eine Ecke des Gemachs und sagte: „dort sitzt er ja noch, wie vor zweihundert Jahren, der wakkere Zecher. „Mir graute, als ich hinsah, eine bleiche, abgehärmte Gestalt saß in der Ecke, schluchzte und weinte sehr, und trank dazu sehr viel Rheinwein; aber es war niemand anders, als eben der Kellermeister Balthasar, der aus Unser lieben Frauen-Kirchhof herabgekommen war, nachdem ihn Jacobus aus dem Schlaf geschellt.

„Nun alter Balthasar, rief ihm Jacobus zu, du hast also als Reitknecht gedient bei'm Hauptmann Gutekunst und warst sogar Gesandtschaftsschreiber oder Secretarius, ehe du Kellermeister wurdest? was machte denn der Herr, so den Hahnen im Hirnkasten hatte, für Bedingnisse?"

„O Herr!" stöhnte der alte Kellermeister aus tiefer Seele, und es war, als ob ihn der ewige Tod auf dem Fagott begleitete, so gräulich tönte es aus seiner Brust, „o Herr, fordert nicht von mir, daß ich es sage."

„Heraus damit," schrien die Apostel, „was wollte der mit dem Spiritus-Ableiter, dem Weingeistschröpfer, was wollte er?"

„Meine Seele."

„Armer Kerl," sagte Petrus ernst, „und um was deine arme Seele?"

„Um Wein," murmelte er dumpf, und mir war es, als ob eine Stimme ohne Hoffnung spräche.

„Rede deutlicher Alter, wie hat er es gemacht mit deiner Seele?"

Er schwieg lange; endlich sprach er: „warum dieß erzählen, Ihr Herren? Es ist grausig und Ihr versteht doch nicht, was es heißt, eine Seele verlieren."

„Wohl wahr," sprach Paulus, „wir sind fröhliche Geister und schlummern im Wein und freuen uns ewiger, ungetrübter Herrlichkeit und Freude; darum kann uns aber auch kein Grauen anwandeln, denn wer hat Macht über uns, daß er uns elend mache oder uns schrekke? Darum erzähle."

„Aber es sitzt ein Mensch am Tisch, der kann es nicht ertragen," sprach der Todte; „vor ihm darf ich es nicht sagen."

„Nur zu, immer zu," erwiederte ich an allen Gliedern schauernd, ich kann eine hinlängliche Dosis Schauerliches ertragen, und was ist es am Ende, als daß Euch der Teufel geholt?"

„Herr, es wäre Euch besser, daß Ihr betet, murmelte der Alte, aber Ihr wollt es so haben, so höret: „Der Mensch, der in jener Nacht in diesem Zimmer bei mir saß, es war ein böses Ding mit ihm, der hatte seine Seele dem Bösen verhandelt und es war dabei bedingt, daß er sich loskaufen könnte durch eine andere Seele. Schon viele hatte er auf dem Korn gehabt, aber allemal waren sie ihm wieder entgangen. Mich faßte er besser. Ich war wild aufgewachsen ohne Unterricht, und das Leben im Kriege ließ mich nicht viel nachdenken. Wenn ich so über ein Schlachtfeld ritt und der Mondschein fiel herab, und Freund und Feind niedergemähet dalagen, da dachte ich: sie sind jetzt halt todt, und leben nicht mehr; von der Seele hielt ich nicht viel, und von Himmel und Hölle noch weniger. Aber weil man so kurz lebt, wollt ich's Leben recht genießen und Wein und Spiel war mein Element. Das hatte mir der Höllenknecht abgemerkt und sprach zu mir in jener Nacht: „So zwanzig, dreißig Jahr zu leben in diesem Kellerreich, in diesem Weinhimmel, zu trinken nach Herzenslust, nicht wahr Balthasar, das müßt' ein Leben seyn?" „Ja Herr," sprach ich, „aber wie könnte ich dieß verdienen?" „An was liegt dir mehr," fuhr er fort, „hier recht zu leben nach Herzenslust auf der Erde, hier im Keller, oder an den Geschichten, die sich nachher begeben, wo man gar nicht weiß, ob man nur noch lebt und Wein trinkt?" Ich that einen gräßlichen Schwur und sagte: „Meine Gebeine werden dahin fahren, wo die Gebeine meiner Gesellen liegen; ist der Mensch todt, so fühlt er nicht und denkt nicht; hab es an manchem Cameraden erlebt, dem die Kugel das Hirn zerschmettert, drum will ich leben und lustig seyn." Er aber sprach zu mir: „wenn du Verzicht leisten willst auf das, was nachher kommt, so ist es ein Leichtes, dich hier zum Kellerwächter zu machen, schreib mir deinen Namen in dieß Büchlein und thue einen recht tüchtigen Schwur dazu!" „Was nachher mit mir geschieht, das kümmert mich nicht," sprach ich; „Kellermeister will ich hier seyn immerdar und ewiglich so lang ich bin, und der Teufel oder wer will, kann das andere haben alles, wenn sie mich nicht einscharren."

Als ich so gesprochen, waren wir nicht mehr zu zwei, sondern einer saß neben mir, und hielt mir das Büchlein hin zum Unterschreiben, der aber, der dieß that, war nicht der Zirkelschmidt, sondern ein anderer.

„Wer war es denn? Sag an!" riefen die Apostel ungeduldig.

Die Augen des alten Kellermeisters funkelten gräulich und seine bleichen Lippen bebten, er setzte mehreremal an, um zu sprechen, aber ein Krampf schien ihm die Kehle zuzuschnüren. Da blickte er auf einmal fest und muthig in eine dunkle Ecke, trank sein Glas aus und warf es an die Erde. „Was hilft alle Reue, alter Balthasar," sprach er, indem große Thränen in seinen Wimpern hiengen; der bei mir saß, war der Teufel."

Es war bei diesen Worten unheimlich, bis zur Verzweiflung unheimlich in dem Gemach; die Apostel schauten ernst und schweigend in ihre Römer, Bacchus hatte das Gesicht in die Hände gedrückt und die Rose war bleich und stille. Kein Athemzug rührte sich, man hörte nur, wie in dem Todtenkopf des Alten die Zähne schaudernd an einander klapperten.

„Mein Vater hatte mich gelehrt meinen Namen schreiben, als ich noch ein kleiner frommer Knabe war, ich unterschrieb ihn ins Buch, das mir der Andere mit seinen Krallen vorhielt."

„Von da an ging mir ein Leben auf in Saus und Braus; in ganz Bremen gab es keinen Mann so fröhlich als den Kellermeister Balthasar, und getrunken hab ich, was der Keller Gutes und Köstliches hatte. Zur Kirche ging ich nie, sondern wenn sie zusammen läuteten, schritt ich hinab zum besten Faß und schenkte mir ein nach Herzenslust.

Als ich alt wurde, kam oft ein Grauen über mich und es fröstelte mir durch die Glieder, wenn ich an's Sterben dachte; hatte zwar kein Weib, das um mich jammerte, aber auch keine Kinder, die mich trösteten, da trank ich denn, wenn die Todes-Gedanken über mich kamen, bis ich von Sinnen war und schlief. So trieb ichs lange Jahre, mein Haar ward grau, meine Glieder schwach, und ich sehnte mich zu schlafen im Grabe. Da war mir eines Tages, als sey ich erwacht und könne doch nicht recht erwachen; die Augen wollten sich nicht aufthun, die Finger waren steif, als ich mich aus dem Bette heben wollte, und die Beine lagen starr wie ein Stück Holz. An mein Bett aber traten Leute, betasteten mich und sprachen, „der alte Balthasar ist todt."

Todt dachte ich und erschrak, todt und nicht schlafen? Todt bin ich und denke? Mich erfaßte eine unnennbare Angst, ich fühlte wie mein Herz stille stand und wie sich doch etwas in mir regte und in sich zusammen zog und bange, bange war; das war mein Körper nicht, denn der lag steif und todt, was war es denn?

„Deine Seele!" sprach Petrus dumpf, „Seine Seele," flüsterten die andern ihm nach.

„Da maßen sie meine Länge und Breite, um die sechs Brettlein fertig zu machen, und legten mich hinein, und ein hartes Kissen von Hobelspähnen unter meinen Schädel, und nagelten die Bahre zu und meine Seele wurde immer ängstlicher, weil sie nicht schlafen konnte.

Dann hörte ich die Todtenglocke läuten auf der Domkirche, sie hoben mich auf und keine Seele weinte um mich. Sie trugen mich auf unser lieben Frauen Kirchhof, dort hatten sie mein Grab gegraben, noch höre ich die Seile schwirren, die sie heraufgezogen, als ich unten lag, dann warfen sie Steine und Erde herab und es war stille um mich her.

Aber meine Seele zitterte heftiger als es Abend wurde, als es zehn Uhr, eilf Uhr schlug auf allen Glocken. Wie wird es dir gehen, wie wird es dir gehen? dachte ich bei mir, Ich wußte noch ein Gebetlein aus alter Zeit, das wollte ich sprechen, aber meine Lippen standen still. — Da schlug es zwölf Uhr und mit einem Ruck war die schwere Grabes-Decke abgerissen und auf meinen Sarg geschah ein schreklicher Schlag —"

Ein Schlag, daß die Hallen dröhnten, sprengte jetzt eben die Thüre des Gemaches auf, und eine große, weiße Gestalt erschien auf der Schwelle. Ich war durch Wein und die Schreknisse dieser Nacht so exaltirt und außer mir selbst gebracht, daß ich nicht aufschrie, nicht aufsprang, wie wohl sonst geschehen wäre, sondern geduldig das Schrekliche anstarrte, das jetzt kommen sollte; mein erster Gedanke war nämlich, „jetzt kommt der Teufel."

Habt Ihr je im Don Juan jenen langen Moment geschaut, wo Tritte dumpf und immer näher tönen, wo Leporello schreiend zurück kömmt und die Statue des Gouverneurs ihrem Streitroß auf dem Grabmahl entstiegen, zum Grabmahl kömmt? Riesengroß, mit abgemessenem, dröhnendem Schritt, ein ungeheures Schwerdt in der Hand, gepanzert aber ohne Helm, trat die Gestalt ins Gemach. Sie war von Stein, das Gesicht steif und seelenlos; aber dennoch that sich der steinerne Mund auf und sprach: „Gott grüß euch, vielliebe Reben am Rheine; Muß doch das schöne Nachbarskind besuchen an ihrem Jahrestag. Gott grüß Euch, Jungfrau Rose! darf ich auch Platz nehmen in Eurem Gelaggaden?“

Sie schauten alle verwundert nach der riesigen Statur, Frau Rose aber brach das Stillschweigen, schlug vor Freude die Hände zusammen und schrie: „Ei du meine Güte! s'ist ja der steinerne Roland, so seit vielen hundert Jahren auf dem Marktplatz in der lieben Stadt Bremen steht. Ei das ist schön, daß Ihr uns die Ehre anthut, Herr Ritter, leget doch Schild und Schwerdt ab und machet es Euch bequem; wollet Ihr Euch nicht hier oben ansetzen an meine Seite? O Gott wie mich das freut.“

(Fortsetzung folgt.)

Das Englische Boxen.

Unser Correspondent in London, der uns bereits eine Beschreibung des großen Kampfes in Royston lieferte, hat uns folgende artistisch-historische Bemerkungen über das Boxen mitgetheilt, welche als zur Erlangung der Sachkenntniß in einer bei uns kaum mehr als dem Namen nach bekannten Kunst, dienend, für die Leser nicht ohne Interesse sein durften.

Das Boxen ist die Kunst mit der einfachsten Waffe, die der Mensch immer mit sich führt, der Faust, zu fechten. Jeder Arm ist Deck- und Angriffswaffe zugleich, und wer nie Boxen gesehn, hat gewiß keinen Begriff, wie weit die Kunst mit diesen einfachen Waffen ausgebildet werden konnte, so daß dabei eben so viele Kunstnamen wie beim Stoß- oder Hieb-Fechten vorkommen. Aller Angriff ist hier auf den Stoß zurückgeführt, und der Arm erhält eine solche Gewalt im Stoßen, daß ich selbst einen jungen Mann, der erst 8 Wochen im Boxen Unterricht genommen hatte, aber freilich von Natur stark war, ein ¾ Zoll dickes, eichenes Brett mit **einem** Stoße habe durchstoßen sehen. Es ist zu bemerken, daß kein Thier zur Vertheidigung schlägt, sondern immer stößt, selbst das Schlagen des Pferdes ist ein Stoß. Der Mensch allein, der in allem von der Natur am ärmsten mit positiven Fertigkeiten versehen ist, und sich alles, auch Vertheidigung und Angriff, erst durch Bildung verschaffen muß, schlägt von Natur, was bei jedem Kinde, jedem Bauer zu sehen ist; aber der Schlag ist lange nicht so gefährlich als der Stoß; jener trifft den harten Schädel und die Schultern, dieser das Gesicht, Brust und Magen, die ungedecktesten und zartesten Theile; so daß auch der Mensch, wenn er sein Kämpfen kunstgemäß ausbildet, von den Schlagwaffen, dem Schwert und der Streitaxt zum Degen und der Lanze übergeht, und das feine Stoßfechten steht als Kunst weit höher als das gröbere Hiebfechten.

So bildete nun auch das Boxen die Faust, die von Natur nichts als einen selten erfolgreichen Schlag zu führen versteht, zu einer gewaltigen Stoßwaffe, daß, wer diese Kunst erlernt hat, in unvergleichlichem Vortheile steht gegen jeden Unkundigen, und wäre er auch von der Natur mit der größesten menschlichen Stärke begabt; selbst der geübteste Schweizer oder Tiroler Ringer, vermöchte gegen einen Festen und ruhigen Boxer nichts, da sie nicht an ihn kommen könnten. Zum guten Boxen gehört vollkommen die Ruhe, das schnelle Urtheil und gewandte Verbindung von Deckung und Angriff wie zum Stoßfechten, nur erlaubt dieses mehr Spiel und Schein und ist im Scherz gefahrloser, ward deswegen das Lieblingsfechten der Franzosen, jenes aber wurde vom ruhigen, festen und herzhaften Engländer ausgebildet.

Es nimmt diese Kunst in England ab, wie alle Leibesübungen in der gebildeten Welt, worüber die große Masse der Liebhaber *„of old english sport“* (alter Englischer Lustigkeit) laut klagt, denn sie sagen, daß mit dem Abnehmen der Lust an Jagd, Boxen und anderem rüstigen Tummeln, der alte englische Muth und Trotz gegen Gefahren, die in der That John Bull'n von je eigen sind, ersterben würden, und sie hatten daher eine große Freude, an dem letzten Boxgefecht zu Royston, weil es nach ihrem Urtheil so vorzüglich war, wie nur je eines hat sein können. Die Zeitschriften, welche dergleichen genau berichten, wie z. B. Bell's *Life in London*, das *Magazine of Sport* oder *Weekly Dispatch* verweilten bei dem Berichte dieses letzten Gefechts überaus lange und erzählten es mit einer Genauigkeit, die in Erstaunen setzt. Sie fangen damit an den Stand der Wetten auf die einzelnen Fechter zu nennen, beschreiben den Platz, die Kämpfer, ihr Benehmen vor dem Gefecht, während desselben und nachher, ja sie vergessen keinen einzigen bedeutenden Stoß, bis zu Ende.

Zufällige Gedanken.

Von E. r.

5. Der Mensch verwandelt sich hundertmal vor seinem Gewissen, wie Proteus sich vor Herkules, ehe dieses ihn bindet und er wahrsagt. —

6. Man gesteht leicht einen Kindheitsfehler, aber schwer und schwerlich einen, der einen spätern Charakterzug andeutet. Der klingt wie Ohrenbeichte. —

(Redigirt von Dr. Fr. Förster und W. Häring (W. Alexis.)

Im Verlage der Schlesingerschen Buch- und Musikhandlung, in Berlin unter den Linden Nr. 34.

Berliner Conversations-Blatt

für

Poesie, Literatur und Kritik.

Dienstag, — Nro. 101. — den 22. Mai 1827.

Phantasien im Bremer Rathskeller.

Novelle von Wilhelm Hauff. (Fortsetzung.)

Der hölzerne Weingott, so indessen wieder um ein Erkleckliches gewachsen, warf mürrische Blicke bald auf den steinernen Roland, bald auf die naive Dame seines Herzens, die ihre Freude so laut und unverholen ausgelassen. Er murmelte etwas von ungebetenen Gästen und zappelte ungeduldig mit den Beinen. Aber Rose drückte ihm unter dem Tische die Hand und beschwichtigte ihn durch süße Blicke. Die Apostel waren näher zusammengerückt und hatten dem steinernen Gast einen Stuhl neben dem alten Fräulein eingeräumt. Er legte Schwerdt und Schild in die Ecke, und setzte sich ziemlich ungalant auf das Stühllein; aber ach, dieß war für ehrsame Bremer-Stadtkinder, und nicht für einen steinernen Riesen gemacht, es knackte, als er sich setzte, morsch zusammen, und so lang er war, lag er im Gemach.

„Schnödes Geschlecht, das solche Hitschen zimmert, wo zu meiner Zeit nicht einmal ein zartes Fräulein hätte sitzen können, ohne durchzubrechen, sagte der Heros und stand langsam auf; der Kellermeister Balthasar aber rollte ein halb Eimer Faß herbei an den Tisch, und lud den Ritter ein, Platz zu nehmen. Es knakten nur ein paar Dauben, als er sich setzte, aber das Faß hielt aus. Dann bot ihm der Kellermeister ein großes Römerglas mit Wein, er faßte es mit der breiten steinernen Faust, aber krach war es entzwei, daß ihm der Wein über die Finger lief. „Ei, Ihr hättet auch die Handschuh von Stein füglich ablegen können,“ sprach Balthasar ärgerlich und kredenzte ihm einen silbernen Becher, so ein Maas hielt und in früherer Zeit Tummler genannt wurde. Der Ritter faßte ihn, drückte nur einige unbedeutende Buckeln in den Becher, sperrte das steinerne Maul auf, und goß den Wein hinab.

„Wie mundet Euch der Wein?“ fragte Bacchus den Gast; Ihr habt wohl lange keinen getrunken?“

„Er ist gut, bei meinem Schwerdt! sehr gut! „was ist es für Gewächs?“

„Rother Engelheimer, gestrenger Herr!“ antwortete der Kellermeister.

Das steinerne Auge des Ritters bekam Leben und Glanz, als er dieß hörte, die gemeißelten Zügen verschönerte ein sanftes Lächeln, und vergnüglich schaute er in den Becher. „Engelheim! du süßer, trauter Name! sprach er. „Du edle Burg meines ritterlichen Kaisers; so nennt man also noch in dieser Zeit deinen Namen und die Reben blühen noch, die Karl einst pflanzte in seinem Engelheim? Weiß man denn auch von Roland noch etwas auf der Welt, und von dem großen Carolus, seinem Meister?“

„Das müßt Ihr den Menschen dort fragen,“ erwiederte Judas, „wir geben uns mit der Erde nicht mehr ab. Er nennt sich Doctor und Magister und muß Euch Bescheid geben können über sein Geschlecht.“

Der Riese richtete sein Auge fragend auf mich und ich antwortete: „Edler Paladin! Zwar ist die Menschheit in dieser Zeit lau und schlecht geworden, ist mit dem hohlen Schädel an die Gegenwart genagelt, und blickt nicht vor- nicht rückwärts, aber so elend sind wir doch nicht geworden, daß wir nicht der großen, herrlichen Gestalten gedächten, die einst über unsere Vatererde gingen und ihren Schatten werfen noch bis zu uns herab. Noch giebt es Herzen, die sich hinüber retten in die Vergangenheit, wenn die Gegenwart zu schaal und trübe wird, die höher schlagen bei dem Klang großer Namen und mit Achtung durch die Ruinen wandeln, wo einst der große Kaiser saß in seiner Zelle, wo seine Ritter um ihn standen, wo Eginhard bedeutungsvolle Worte sprach und die traute Emma dem treuesten seiner Paladine den Becher kredenzte. Wo man den Namen Eures großen Kaisers ausspricht, da ist auch Roland unvergessen und wie Ihr ihm nahe standet im Leben, so enge seyd Ihr mit ihm verbunden in Lied und Sage und in den Bildern der Erinnerung. Der letzte Ton Eures Hifthorns tönt noch immer durch die Erde und wird tönen, bis er sich in die Klänge der letzten Posaune mischt."

„So haben wir nicht vergebens gelebt, alter Karl!" sprach der Ritter; „die Nachwelt feiert unsere Namen."

„Ha!" rief Johannes feurigen Muthes; „diese Menschen wären auch werth, Wasser aus dem Rhein zu trinken statt dem Rebenblut seiner Hügel, wenn sie den Namen des Mannes vergessen hätten, der zuerst die Rebe pflanzte im Rheingau. Auf, ihr trauten Gesellen und Apostel, stoßet an, unser herrlicher Stammvater lebe, es lebe Kaiser Karl der Große!"

Die Römer klangen, aber Bacchus sprach: „Ja es war eine schöne, herrliche Zeit und ich freue mich ihrer, wie vor tausend Jahre. Wo jetzt die herrlichen Weingärten stehen vom Ufer bis hinauf an die Rücken der Berge, und hinauf und hinab im Rheinthal Traube an Traube sich schlingt, da lag sonst wüster, düsterer Wald, da schaute einst Karl aus seiner Burg in Engelheim an den Bergen hin, er sah, wie die Sonne schon im März so warm diese Hügel begrüße, den Schnee hinabrolle in den Rhein, wie so früh die Bäume dort sich belauben und das junge Gras dem Frühling voraneile aus der Erde. Da erwachte in ihm der Gedanke Wein zu pflanzen, wo der Wald lag.

Und ein geschäftiges Leben regte sich im Rheingau bei Engelheim, der Wald verschwand und die Erde war bereit, den Weinstock anzunehmen. Da schickte er Männer nach Ungarn und Spanien, nach Italien und Burgund, nach der Champagne und nach Lothringen, und ließ Reben herbei bringen und senkte die Reiser in der Erde Schoos.

Da freute sich mein Herz, daß er mein Reich ausbreite im Deutschen Lande, und als dort die ersten Reben blühten, zog ich ein im Rheingau mit glänzendem Gefolge, wir lagerten auf den Hügeln und schafften in der Erde und schafften in den Lüften, und meine Diener breiteten die zarten Netze aus und fingen den Frühlingsthau auf, daß er den Reben nicht schade, sie stiegen hinauf und brachten warme Sonnenstrahlen nieder, die sie sorgsam um die kleinen Beerlein gossen, schöpften Wasser im grünen Rhein und tränkten die zarten Wurzeln und Blätter. Und als im Herbst das erste zarte Kind des Rheingaues in der Wiege lag, da hielten wir ein großes Fest und luden alle Elemente zur Feier ein. Und sie brachten köstliche Geschenke und legten sie dem Kindlein als Angebinde in die Wiege. Das Feuer legte seine Hand auf des Kindes Augen und sprach: „Du sollst mein Zeichen an dir tragen ewiglich; ein reines, mildes Feuer soll in dir wohnen und dich werth machen vor allen andern." Und die Luft in zartem, goldenem Gewande kam heran, legte ihre Hand auf des Kindes Haupt und sprach: „Zart und licht sei deine Farbe, wie der goldene Saum des Morgens auf den Hügeln, wie das goldene Haar der schönen Frauen im Rheingau." Und das Wasser rauschte heran in silbernen Kleidern, bückte sich nieder auf das Kind nnd sprach: „Ich will deinen Wurzeln immer nahe sein, daß dein Geschlecht ewig grüne und blühe und sich ausbreite so weit mein Rheinstrom reicht." Aber die Erde kam und küßte das Kindlein auf den Mund und wehte es an mit süßem Athem. „Die Wohlgerüche meiner Kräuter sprach sie, die herrlichsten Düfte meiner Blumen habe ich für dich gesammelt zum Angebinde. Die köstlichsten Salben aus Ambra und Myrrhen werden gering seyn gegen deine Düfte und deine lieblichsten Töchter wird man nach der Königin der Blumen heißen, — die Rosen."

„So sprachen die Elemente; wir aber jubelten über die herrlichen Gaben, schmückten das Kindlein mit frischem Weinlaub und schickten es dem Kaiser in die Burg. Und er erstaunte über des Rebenkindes Herrlichkeit, hat es fortan gehegt und gepflegt, und die Rebe am Rhein seinen herrlichsten Schätzen gleich geachtet."

(Fortsetzung folgt.)

Reise eines Malers. 8.

Bellinzona, den 16ten Aug.

Der Tessino hat einen ungleich stärkern Fall als die Reuß, der Weg hinab ist sehr steil, und anfänglich noch wenig von dem jenseitigen verschieden. Bald aber zeigten sich dunkel gefärbte Blumen und fremde Schmetterlinge in brennend bunter Farbenpracht. Allein hinter Airolo entschied sich nun sehr schnell der Charakter des Thales. Freilich die Menschen sind ohne alles Gepräge, als das der Charakter- und Theilnahmlosigkeit. Das Thal ist eng und hat ein sehr bedeutendes Gefäll, so daß der Fluß ein großer Wasserfall scheint; nichts desto weniger übertreffen die einzelnen Fälle alles Aehnliche an Zauber und Mannigfaltigkeit der Bewegung. Oft stürzt das Wasser in die Tiefe, um in ungeheuren Bogen wieder in die Höhe zu steigen, bald sammeln sich kochend alle Massen in einem großen Kessel und das Sieden der Wogen höhlt ganze Felsen aus, so wie höher, der Wiege näher, an den weichern Massen der über ihn zusammengestürzten Lawinen, der Fluß seine Macht auf gleiche Weise schon erprobt, und diese sich zu seinen Siegesthoren geformt hat.

Gegen Faido wird das Thal immer schöner, der Wuchs der Kastanien gewinnt an Ueppigkeit, die Felsenwände bekommen ein freundlicheres Ansehen, nur die Tiefe behält noch ihr Grauen, aber auch ihren unendlichen Reiz in der Perlenschnur von Wasserfällen, die der Tessino bildet, und andere die von allen Bergen herabstürzen. Einer von Allen wird mir ewig denkwürdig bleiben, deran Gewalt der Wassermassen alle bisherigen übertraf: einen Riesenfelsen hat er durchbrochen zu seiner Bahn, die Menschen folgten seinem Beispiele zu gleichem Zweck bei dem gegenüberstehenden; so steht man unter einem halbgeschlossenen Thor auf schauerlicher Bühne, und sieht unter sich das grause Spiel der Wogen, die ihre Natur verläugnend, wie Wolken vom Wirbelwind gegeneinander getrieben erscheinen würden, wär ihrem ewigen Werden und Vernichten nicht eine Sprache verliehen, die den Donner an Stärke, an Grausen den fürchterlichsten Schlachtgesang überbietet: Aber ein Sonnenblick — und himmlischer Friede ruht auf der Schreckenszene gegeneinander aufgebrachter Gewalten, ein Sonnenblick ruft den Genius der Milde — der selbst in der zügellosen Empörung schlummert, hervor; bunte Schmetterlingsflügel heben ihn aus der furchtbaren Tiefe, er schwebt mit seinem Hauch der Versöhnung über dem Kampfe, und begleitet es von Anfang zu Ende, von Ende zu Anfang, ist immer nur an einem Orte und doch überall — vorüber ging ich, aber mir war als hätte ich den Geist der Tragödie erscheinen gesehen im aufgeschlagenen Buche der Natur. Dieß bunte Spiel des von Wogen getragenen Regenbogens bewegte noch lange meine Seele, als schon ganz fremdartige Dinge mich umgaben. —

Häuser und ihre Bewohner, jeder des andern werth, zogen meine Blicke auf sich, ohne daß ich diesen hätte folgen mögen; denn einladend war keines Aussehn. Die Dächer sind nicht nur mit Steinen belegt, sondern wirklich gepflastert; es geht Alles so ins Massive, daß man es kaum passend gefunden, Fenster in die Hütten zu bauen. Am Wege erscheint nun auch schon Wein, der aber wild an Geländern und Bäumen sich hinrankt, ohne das er je die Cultur des Rebenmessers erfahren, was seinen Anblick freilich einem Maler-Auge höchst reizend erscheinen läßt, aber das Unerträgliche seines Geschmacks, wenn nicht erzeugt, doch fördert. Allein etwas von dem was Menschenhände in diesem Thal gethan, ist wohl des lautesten Lobes werth, es ist die vortreffliche Straße, die mit unglaublicher Kühnheit oft an und durch den Felsen gebaut ist, deren Anblick die doppelte Ansicht des Schönen und Haltbaren gewährt, da man es kaum abmerkt, daß die armen Bewohner des Tessino sie aus eignen Mitteln aufgeführt. So gelangte ich nach Bellinzona, wie im Taumel von den mannigfaltigen Freuden des Tags; die Lage der Stadt erwarb ihr ihren Namen mit Recht, sie ist reizend und schön; schon von fern zeigen sich die drei Castelle, die zum Schirm der Stadt die nahen Hügel besetzt halten, ringsum erheben sich hohe Gebirge, die jetzt wie die ehrwürdigen Antlitze der Heiligen in alten Bildern auf dem Goldgrunde des Sonnenunterganges hervortraten. Es war Festtag, das Volk lief und saß spatziren vor den Thoren und ich mischte mich unter das wandelnde Unkraut. Häßlicher und geschmackloser sah ich die Menschheit kaum vorher und wenn in Deutschland, namentlich in Schwaben mit der Milde und Schönheit der Gegenden auch die ihrer Bewohner steigt und fällt, so scheinen hier sich äußere Natur und Menschengeschlecht in verschiedene Wagschaalen gelegt zu haben, und höher steigt die Eine beim Uebergewicht der Andern. Endlich stieg der Mond aus dem Gebirge, wie aus seiner Burg empor, um Duft auf die Flur, Schlaf über die Welt zu streuen. Ich weiß nicht, wer mir es vorgeschrieben, daß ichs ihm jetzt nachschreibe: Wer nie die Freude auf einem schönen Antlitz sah, der sah die Freude nie! und so sag ich, wer nie den Himmel über solcher Landschaft sah, der sah den Himmel nie; aber auch wer nie eine solche Nacht in Bellinzona erlebte, der sah die Hölle nie. Mein Sommernachtstraum war die Wanderung des Dante durch Uebelsäcken in veränderter Gestalt. Ich will nicht von den Geistern sprechen, den schwarzen Koboldeu, welche aus der Tiefe aufspringen, aber von den Menschen muß ich reden, die den Festtag zur nacht fortführten und mit ihrem Geplärr und rohem Geschrei die ruhige Nacht aus ihrem Gleise brachten, mich aber gar nicht hineinkommen ließen. So eines jeden Gedankens von Schlaf beraubt lag ich nur mit sehnsüchtigen Gedanken an ihn, und war schon im Begriff am ruhiger werdenden Morgen dem theuren Nachtfreund in die Arme zu sinken, als mich das unerträgliche Glockengeläute der Stadt und mehrerer nahen Kloster, das hier mit gellender Stimme eine Art Melodie hervormartert, unbarmherzig von ihm riß.

Berliner Chronik.

Königliches Theater. — Freitag am 18ten fand die durch die Gnade Sr. Majestät des Königs dem pensionirten Hof-Schauspieler Hrn. Mattausch bewilligte Benefiz-Vorstellung der Jäger von Iffland statt. Die Liebe für einen verdienten Veteranen unserer Bühne uud der Umstand, daß die ersten Talente und Schauspieler bis in den untersten Nebenrollen aus Achtung für den Beneficiaten auftraten, hatte ein zahlreiches Publicum in das große Opernhaus, troß des Spiels in beiden andern Häusern und des schönsten Frühlingswetters, gelockt, welches in diesem merkwürdigen Zusammenwirken reicher Kräfte einen eigenen Genuß fand. Herr Mattausch war zu seiner Zeit einer der beliebtesten Liebhaber und Helden, wie wir seitdem kein Beispiel einer ähnlichen Vergötterung (z. B. seines Max) gehabt. Es giebt welche meinen, er sei in Momenten auf der Stufe gewesen, mit Fleck zu rivalisiren. Eine seiner bedeutendsten Heldenrollen war die des Götz von Berlichingen; er war der letzte Repräsentant des eisernen Helden auf unserem Theater. Auch nachdem Undeutlichkeit der Sprache ihn, ehe das Alter es unumgänglich nöthig machte, allmälig an den Rücktritt erinnerte, verrieth häufig Spiel und Anstand eine alte gute Schule. Er verdiente vollkommen die ihm gewordene Auszeichnung.

Unter den Zuschauern befand sich auch Mad. Schröder aus Wien, auf einer Durchreise in Berlin jetzt anwesend.

Eben ist hier der dritte und letzte Band der Memoiren des Grafen Alexander von T — *) erschienen. Der Zweifel, wer ihn hegen können, daß es ein Deutsches Machwerk sei, ist durch die biographische Notiz im Anhange widerlegt. Es sind die Memoiren des berühmten und berüchtigten Französischen Emigranten, hier des Grafen Alexander von Tilly, der in zwei Welttheilen und auch in Berlin eine Rolle gespielt, deren trübe Erinnerungen hier noch leben, und der sich nach der *Biographie Universelle T. XLVI. p. 67. et suiv.* von Michaud, dem Jüngeren, am 23. December 1816. in Brüssel das Leben genommen. Ein seltenes Leben voll sittlicher Verruchtheit und verkehrter Anstrengungen geistiger und körperlicher Kraft, wie es nur aus den bis in die innerste Wurzel wurmstichigen Verhältnissen des Französischen Hofadels vor der Revolution sich entwikkeln kann. Welche Wonne nach solchen Bekenntnissen, die, ohne es zu wollen, die absolute Nothwendigkeit der Französichen Revolution mit allen ihren Gräueln darthun, die Memoiren einer La Roche Jacquelin zu lesen! Standen nicht die beiden Stände: Hofadel und Landadel, gegen welche der Jacobinismus gleich unerbittlich wüthete, feindlicher dem Princip nach gegenüber als Democraten und Aristocraten? Bekenntnisse, wie die des Grafen Tilly können nicht erfunden werden. Neuerdings hat sich im „Allgemeinen Anzeiger der Deutschen" eine Stimme gegen die Unsittlichkeit des Werkes erhobeh, deren Anklage nicht in Betracht kommen kann, da es kein Roman, kein Lesebuch für die Jugend sein soll, sondern historische Memoiren, überdies nicht lüsterne Schilderungen, sondern der sträfliche Geist des Indifferentismus gegen alles Sittliche, das Verwerfliche ausmachen. Für den Freund der Geschichte sind sie aber keineswegs werthlos, da sie, abgesehen von einzelnen Notizen über wichtige Begebenheiten und Männer, uns ein schauderhaftes Gemälde des Geistes liefern, welcher in der entnervten Französischen Chevalerie lebte. Wie sollte das Gebäude des Königthums und der Religion getragen werden, wo die Basis des Sittlichen so untergraben war, daß man die Vorstellung davon für ein Phantom hielt? Wie läßt sich ein Adel denken ohne Heiligkeit des Familien-Bandes, wie dieses ohne Anerkennung der Sitte? — Die Verlagshandlung hat sich in No. 113. desselben Blattes gegen die Anschuldigung glücklich vertheidigt. Der dritte Band ist anziehender als die vorigen, weil er uns von ermüdenden Liebeshändeln zu Thaten und Handlungen in die wirkliche Revolution führt, und der Geist des Verfassers aus dem frivolen Tändeln, zu welchem er sich, wie es scheint durch seine conventionellen Verhältnisse verpflichtet hielt, erwacht. Im Verlauf der nächsten Wochen heben wir vielleicht noch einige treffende Schilderungen und Bemerkungen heraus. *a.*

---

*) Memoiren des Grafen Alexander von T — Aus der Französischen Handschrift übersetzt. Berlin, verlegt bei Dunker und Humblot. 1827.

(Redigirt von Dr. Fr. Förster und W. Häring (W. Alexis.)

Im Verlage der Schlesingerschen Buch- und Musikhandlung, in Berlin unter den Linden Nr. 34.

Berliner Conversations-Blatt für Poesie, Literatur und Kritik.

Donnerstag, — Nro. 102. — den 24. Mai 1827.

Frühlingslied.

3.

Der Lenz ist ein holder Engel
Und beseelt des Menschen Herz;
Die Trägen macht er lebendig,
Die Traur'gen ruft er zum Scherz.

Er schenkt den Versen Reime
Und weckt der Begeist'rung Glut,
Und beschwingt mit süßer Sehnsucht
Der Jugend frohes Blut.

Mein süßes Liebchen empfindet's
Und hat's mir kosend gesagt:
„Die Welt ersteht vom Schlummer,
Wenn der holde Frühling tagt.

Man genießt am Arm des Liebsten
Die Natur im Sonntagsstaat,
Und kann den Leuten zeigen,
Was man im Kasten hat."

Dan. Leßmann.

Phantasien im Bremer Rathskeller.

Novelle von Wilhelm Hauff. (Fortsetzung.)

„Andreas!" rief Jungfrau Rose, „lieber Vetter, du hast solch eine schöne, zarte Stimme, willst du nicht singen zum Ruhm des Rheingaues und seiner Weine?"

„Wenn es Euch erheitert, edle Jungfrau und Euch nicht Beschwer macht, edler Bacchus, wie auch Euch nicht unangenehm ist, mein Herr und Ritter Roland, so will ich eines singen." Und er sang eine schöne Weise voll zarter Töne und Worte klangvoll und zierlich gefüget, so daß man wohl merken konnte, es sei ein Lied eines alten Meisters von 14 oder 1500. Verflogen sind seine Worte aus meinem Gedächtniß, aber seine Weise möchte ich doch wohl finden, denn sie war einfach und schön, und Petrus begleitete ihn mit einem sonoren herrlichen Secund. Die Lust des Gesanges schien über Alle herabzukommen, denn als Andreas geendet, sang Judas unaufgefordert ein Lied und ihm folgten die übrigen. Selbst Rose, so sehr sie sich zierte, mußte ein Lied von 1615 singen, was sie mit angenehmer, etwas zitternder Stimme vortrug. Mit dröhnendem Baß sang Roland eine Kriegs-Hymne der Franken, von welcher ich nur einige Worte verstand, und endlich, als sie Alle gesungen, schauten sie auf mich und Rose nickte mir zu, etwas zu singen. Da hub ich denn an:

Am Rhein, am Rhein, da wachsen unsre Reben,
Da wächst ein Deutscher Wein,
Da wachsen sie am Ufer hin und geben
uns diesen Labewein.

Sie lauschten als sie diese Worte hörten, sie nickten sich zu und rückten näher zusammen, und die entfernteren streckten die Köpfe vor, als wollten sie kein Wort verlieren. Muthiger erhob ich meine Stimme, lauter und immer lauter war mein Gesang, denn es wogte in mir wie Begeisterung, vor solchem Publikum zu singen. Die alte Rose nickte den Tackt mit dem Kopfe und summte den Chorus leise, leise mit, und Freude und Stolz blickte aus den Augen der

Apostel. Und als ich geendet, drängten sie sich zu, drückten mir die Hände und Andreas hauchte einen Kuß auf meine Lippen.

„Doktor!“ rief Bacchus; „Doktor, welch ein Lied! wie geht einem da das Herz auf! Herzens-Doktor, hast du das Lied gedichtet in deinem eigenen graduirten Gehirn?“

„Nein, Euer Exzellenz! solch ein Meister des Gesanges bin ich nicht. Aber den, der es gedichtet, haben sie längst begraben; er hieß Mathias Claudius.“

„Sie haben — einen guten Mann begraben;“ sagte Paulus. Wie klar und munter ist dieß Lied, so klar und helle, wie ächter Wein, so munter wie der Geist, der im Weine wohnt, und gewürzt mit Scherz und Laune, die wie ein würziger Duft aus dem Römer steigen. Der Mann hat gewiß verstanden, welch gutes Ding es um ein Glas lautern Weines ist.“

„Herr er ist lange todt, das weiß ich nicht; aber ein anderer großer Sterblicher hat gesagt, guter Wein ist ein gutes Ding und man kann sich von ihm wohl einmal begeistern lassen! Und ich denke, der alte Matthias hat auch so gedacht unter guten Freunden, hätte ja sonst solch ein schönes Lied nicht machen können, das noch heute alle fröhliche Menschen singen, die im Rheingau wandeln oder edlen Rheinwein trinken.“

„Singen sie das?“ rief Bachus, „nun seht Doktor, das freut mich, und so gar miserabel muß Euer Geschlecht doch nicht geworden seyn, wenn sie so klare, schöne Lieder haben und singen.“

„Ach Herr!“ sprach ich bekümmert; „es giebt der Ueberschwenglichen gar viele, das sind die Pietisten in der Poesie und wollen solch ein Lied gar nicht für ein Gedicht gelten lassen, wie manchen Frömmlern das Vaterunser nicht mystisch genug zum Beten ist.“

„Es hat zu jeder Zeit Narren gegeben, Herr,“ erwiederte mir Petrus, und jeder fegt am besten vor seiner eigenen Thür. Aber weil wir gerade bei seinem Geschlecht sind, erzähl er uns doch, wie es auf der Erde ging im letzten Jahr?“

„Wenn es die Herren und Damen interessirt,“ sprach ich zögernd —

„Immer zu,“ rief Roland, „wegen meiner könnet Ihr die letzten fünf hundert Jahre erzählen, denn auf meinem Markt sehe ich nichts als Zigarrenmacher, Weinbräuer, Pastoren und alte Weiber.“ Auch die übrigen stimmten ein, ich hub also an:

„Was zuerst die Deutsche Literatur betrifft —“

„Halt, *manum de tabula!*“ rief Paulus; „was scheeren wir uns um euer miserables Geschmier, und eure kleinlichen, ekelhaften Gassenstreite und Kneipenraufereien, um eure Poetaster, Afterpropheten und —“

Ich erschrak, wenn diesen Leuten nicht einmal unsere wunderherrliche, *magnifique* Literatur interessant war, was konnte ich ihnen denn sagen? Ich besann mich und fuhr fort: „Offenbar hat Joco im letzten Jahre, was das Theater anbelangt —“

„Theater? geht mir weg!“ unterbrach Andreas, „was wollen wir von euren Puppenspielen, Marionetten Komödien und sonstigen Thorheiten hören? Meinet Ihr etwa, uns komme viel darauf an, ob einer eurer Lustspieldichter ausgepfiffen werde oder nicht? Habt Ihr denn dermalen gar nichts Interessantes, nichts Welthistorisches, das Ihr etwa erzählen könntet?“

„Ach daß Gott erbarm,“ erwiederte ich, „bey uns ist die Welthistorie ausgegangen, wir haben in diesem Fach nur noch den Bundestag in Frankfurt. Bei unsern Nachbarn höchstens gibt es noch hin und wieder etwas; zum Beispiel in Frankreich haben die Jesuiten wieder Macht gewonnen und das Scepter an sich gerissen und in Rußland sollte es eine Revolution geben.“

„Ihr verwechselt die Namen, Freund!“ sagte Judas, „Ihr wolltet sagen, in Rußland sind die Jesuiten wieder eingezogen und in Frankreich sollte es eine Revolution geben?“

„Mit nichten, Herr Judas von Ischarioth,“ antwortete ich, „so ist es, wie ich gesagt.“

„Ei der tausend!“ murmelten sie nachdenklich, „das ist ja ganz sonderbar und verkehrt!“ Und, fragte Petrus, einen Krieg giebt es nicht?“

„Ein klein wenig, wird aber bald vollends zu Ende seyn, in Griechenland, gegen die Türken.“

„Ha das ist schön,“ rief der Paladin, und schlug mit der steinernen Faust auf den Tisch; hat mich schon vor vielen Jahren geärgert, daß die Christenheit so schnöde zuschaute, wie der Muselman dieß herrliche Volk in Banden hielt; das ist schön, wahrlich Ihr lebet in einer schönen Zeit und Euer Geschlecht ist edler als ich dachte. Also die Ritter von Deutschland und Frankreich, von Italien, Spanien und England sind ausgezogen, wie einst unter Richard Löwenherz, die Ungläubigen zu bekämpfen? Die Genueser-Flotte schifft im Archipel, die Tausende der Streiter überzusetzen, die Oriflamme naht sich Stambuls Küsten und

Oestreichs Banner weht im ersten Reihen? Ha! zu solchem Kampfe möcht ich auch einmal mein Roß Bayard besteigen, mein gutes Schwerdt Durindarte ziehen und in mein Hifthorn stoßen, daß alle Helden, die da schlafen, aufständen aus den Gräbern und mit mir zögen in die Türkenschlacht.“

„Edler Ritter, antwortete ich und erröthete vor meiner Zeit, die Zeiten haben sich geändert. Ihr würdet wahrscheinlich als Demagoge verhaftet werden bei sothanen Umständen und Verhältnissen, denn weder Habsburgs Banner, noch die Oriflamme, weder Englands Harfe nach Hispaniens Löwen sieht man in jenen Gefechten.

„Wer ist es denn, der gegen den Halbmond schlägt, wenn es nicht diese sind?“

„Die Griechen selbst.“

„Die Griechen? Ist es möglich? rief Johannes; und die andern Staaten, wo sind denn diese beschäftigt?“

„Sie haben Gesandte bei der Pforte und ignoriren die ganze Sache.“

„Mensch, was sagst du, sprach Roland starr vor Staunen, kann man es ignoriren, wenn ein Volk um seine Freiheit kämpft? Heilige Jungfrau was ist dieß für eine Welt! Wahrlich, das möchte einen Stein-erbarmen!“ Er quetschte im Zorn, während er die letzten Worte sprach, den silbernen Becher wie dünnes Zinn zusammen, daß der Wein darin hoch an die Decke sprützte, fuhr rasselnd auf vom Tisch, nahm seine Tartsche und sein langes Schwerdt, und schritt düster grüßend mit dröhnenden Schritten aus dem Gemach.

(Beschluß folgt.)

Ueber Talmas Nachlaß.

Aus einem freundschaftlichen Schreiben des Pariser *courrier de malle.*

Sie werden vermuthlich wissen, daß ich, einer neuen Paßordonanz zufolge, die mich hindernden Fuhrwerke mir aus dem Wege blasen muß, nehmlich mit dem mir zugetheilten Horn. Demnach habe ich nun mit den andern Leuten vom guten Ton das Hotel-Talma besucht. Es soll am 22. März versteigert werden; und die Mutter unserer beiderseitigen Berufswissenschaft (und anderer), die edle Neugierde führt, eine Unzahl ihrer großen Kinder herbei, um tausend und tausend Dinge zu sehen, die wohl, mehr als so manche beschriebene, beschrieben zu werden verdienten, die aber zu beschreiben ein Kurier keine Zeit hat. Großen — wollt' ich sagen: grandiosen Styls ist weder Gebäude, noch Einrichtung: aber niedlich und voll allerlei artiger Bequemlichkeiten und Schnurrpfeifereien, wie sich ein Hagestolz, oder eine Nicht-Hagestolze mit fünfzigtausend Franks Renten eine Wohnung zu wünschen vermag; und unser Hittorf, oder Ihr Schinkel sie aus dem Stegreif bauen und einrichten würden. Ausgewählte Bibliothek, treffliche Kupferstiche und Schafte mit meisterhaften Büsten der männlichen und weiblichen Buonapartiden und einiger Autoren, als z. B. Arnault und Jouy. Die ausgestellten Kostüme endlich verdienen die Aufmerksamkeit der Liebhaber dieses dramatischen Kunstzweiges, oder Astes, oder auch Schling- und Parasit-Gewächses. Am weichsten und geschmackvollsten ist das Ameublement; lauter *bois de frêne*, bekanntermaßen theurer noch als *Akajou.* Alles das wird zu ungeheuern Preisen weggehen; jeder Schauspieler, jede Schauspielerin, jeder Freund der Kunst, ja sogar jeder Rezensent will eine Reliquie von Talma besitzen. Haben sie mir etwa für sich, oder für Ihre Berliner Gunstrichter Aufträge zu geben? Unter den Theatergewanden befinden sich kostbare türkische Decken und seltenes Pelzwerk: Geschenke die der berühmte Reisende und Orientalist, *chévalier de Jaubert*, bei seiner Rückkehr aus Persien, dem Künstler verehrt hat. Außer dem städtischen Besitz, hinterläßt Talma ein Landgut, an welchem er Millionen verschwendet hat, indem er bald einen Teich an die Stelle des Hügels, bald einen Hügel an die Stelle des Teiches versetzte; und einriß, um aufzubauen, aufbauete, um einzureißen. Es besaß neunzig bis hunderttausend Franks jährlicher Einkünfte, war fast immer ohne Geld und ist zuverlässig nicht ohne bedeutende Schulden aus der Welt gegangen. Bei dem Anblicke der Schönheiten seines Hotels sagte eine vornehme und neusinnige Dame: *Voyez donc ce qu'un baladin peut se procurer avec des gestes et des grimaces!* „Seh' 'mal Einer, was so ein Faxenmacher, mit Hände-Bewegen und Gesichter-Schneiden sich alles anschaffen kann!“ Die Dame sägte, bei diesen Worten, mit einer sehr unschönen Hand heftig durch die Luft und schnitt ein äußerst stolzes und unzufriedenes Gesicht. Eine andere Dame, die nicht weit davon neben einem ältlichen, aber noch sehr munter aussehenden Herren stand, war toleranter; sie begnügte sich zu sagen: *Qu'on est à plaindre de mourir quand on est si bien logé!* „Wie beklagenswerth ist es doch sterben zu müssen, wenn man so allerliebst eingerichtet ist!“ worauf ihr der alte Herr lächelnd erwiederte: *Vous êtes bien bonne, Madame, vous ne tuez que les malheureux.*

„Sie sind sehr gütig, Madam, sie tödten nur die Unglücklichen." — Apropos von Tödten! Unsere Journale .... Ja die muß ich ja besorgen. Mein Postillion knallt. Leben Sie wohl, verehrtester. Herr! Künftig mehr von Ihrem

anfänglich ergebenen
Allons.
courrier de malle.

Meine schwache Seite.

In einer Gesellschaft, in welcher sich der berühmte Gelehrte, Geh. Rath und Professor Aug. Wolf sehr lebhaft über die poetischen Schöpfungen seines Freundes Göthe äußerte, unterbrach ihn eine sentimental-frömmelnde Dame mit den Worten: „Verzeihen Sie, Göthe war immer meine schwache Seite." — „Ei, da haben Sie ja, erwiederte Wolf, eine recht starke schwache Seite. —

Zufällige Gedanken.

Von C. r.

7. Der rechte Dank ist fast so schwer, als das rechte Geben. Der gemeine Mann kleidet oft seinen in das Hervorrufen des fremden vergangnen Schmerzes, um durch Mitgefühl Dankbarkeit zu zeigen; oder er nimmt die Gabe nur als Darlehn. Und das thun auch Höhere. —

8. Bei kalten Menschen gleicht die Phantasie dem Südlichte am Südpole, das dort anstatt der Sonne, als weiße kommende und schwindende Säule in Wechselfarben leuchtet. —

9. Egoismus, damit sind auch unsere besten Eigenschaften legiert, und er ist uns vielleicht eben so nothwendig, als die Fliehkraft den Weltkörpern, die sie in ihren Bahnen erhält. —

10. Es giebt Menschen, die blos der Verstand zu tugendhaften macht, aber ihre Tugend ist dann nur Kopf- nicht Bruststimme. —

Berliner Chronik.

Eröffnung der Vorlesungen des Hrn. von Schlegel.

A. W. von Schlegel eröffnete am 21 d. M. die von ihm angekündigten Vorlesungen über die allgemeine Theorie und Geschichte der bildenden Künste in dem kleineren Saale der Singakademie vor einem zahlreichen und glänzenden Auditorium. Die ersten Sitz-Reihen waren von Frauen eingenommen, denn auch an das schöne Geschlecht war die Einladung ergangen, und wem dürfte wohl mehr daran gelegen sein, über das Reich des Schönen, in dem sie das *Corps législatif*, die gesetzgebende und vollziehende Gewalt bilden, Bescheid zu wissen, als den Frauen? Auch die Künstler haben an den Vorlesungen den lebhaftesten Antheil genommen und dieser rechtfertigt sich um so mehr, da schon in der ersten Vorlesung Hrn. v. Schlegel ankündigte, daß er auch des Zustandes der bildenden Künste in der neueren und neusten Zeit gedenken werde. — In einer kurzen Einleitung erinnerte Hr. v. Schlegel an die günstige Aufnahme, die er vor 25 Jahren in Berlin gefunden, als er sich noch nicht zu den Unsern zählte und freute sich unter den Zuhörern noch manchen aus jener Zeit ihm Befreundeten wiederzufinden. Er gedachte dann des kunstsinnigen Königs, der eben so sehr dafür Sorge trage, daß reiche Sammlungen von Kunstwerken früherer Zeit angelegt werden, als dafür, daß Künstler hier ein schönes Feld ihrer Thätigkeit finden, und durch ihre Werke zugleich sich selbst und denen, die um das Vaterland sich in der Zeit der Gefahr Verdienst erwarben, ein ehrenvolles Andenken sichern. — Die Vorlesung selbst begann mit einer Darstellung der Ansichten der Philosophen über das Schöne, wobei Hr. v. Schlegel vor allen der Philosophie überhaupt das Recht, das ihr in neuster Zeit so oft abgesprochen wird, vindizirte, den Begriff des Schönen, als das Allgemeine der Kunst auszusprechen. —

Er theilte hierauf die Ansichten der Philosophen über das Schöne von Plato bis Kant, bei welchem letzteren er, als dem Wiederhersteller der Philosophie mit besonderer Ausführlichkeit verweilte, mit. Was den Inhalt dieser ersten Vorlesung betrifft, so dürfte schwerlich ein Anderer bei solcher Gelegenheit so die glückliche Mitte zwischen Gelehrsamkeit und Spekulation auf der einen Seite, und der bloßen Conversation auf der andern zu halten wissen, als Herr von Schlegel, weshalb gewiß auch den Anwesenden nichts Dunkles und Unklares selbst da, wo er von Kant und Plato sprach, geblieben ist. Was aber die Form betrifft, so bedarf es keiner weiteren Erinnerung, da er hierin von jeher und in jeder Weise, in dem kleinsten Sonett, wie in der größten akademischen Abhandlung Meister und Muster war. —

(Redigirt von Dr. Fr. Förster und W. Häring (W. Alexis.)

Im Verlage der Schlesingerschen Buch- und Musikhandlung, in Berlin unter den Linden Nr. 34.

Berliner
Conversations-Blatt
für
Poesie, Literatur und Kritik.

Freitag, — Nro. 103. — den 25. Mai 1827.

Phantasien im Bremer Rathskeller.

Novelle von Wilhelm Hauff. (Beschluß.)

„Ei, was ist der steinerne Roland für ein zorniger Kumpan," murmelte Rose, nachdem er die Pforte klirrend zugeworfen, indem sie etliche Weintropfen, die sie benetzten, vom Busentuch abschüttelte; „will der steinerne Narr auf seine alten Tage noch zu Felde ziehen! Wenn er sich sehen ließe, sie steckten ihn gleich ohne Barmherzigkeit als Flügelmann unter die Grenadiere, denn die Größe hat er."

„Jungfer Rose," erwiederte ihr Petrus, „zornig ist er, das ist wahr und er hätte können auf andere Weise davon gehen, aber bedenket, daß er einst *furioso*, wahnsinnig war und noch ganz andere Sachen gethan, als silberne Becher zerquetscht und Frauenzimmer mit Wein besudelt. Und genau beim Lichte besehen, kann ich ihm seinen Unmuth auch einst verdenken; war er doch auch einmal ein Mensch und dazu ein herrlicher Paladin des großen Kaisers, ein tapferer Ritter, der — wenn es Karl gewollt hätte, allein gegen tausend Muselmannen zu Felde gezogen wäre. Da hat er sich denn geschämt und ist unmuthig geworden."

„Laßt ihn laufen, den steinernen Recken!" rief Bacchus, „hat mich genirt, der Bursche, hat mich genirt. Er paßt nicht unter uns der steinerne Riese! Er sah höhnisch auf mich herab. Die ganze Freudigkeit und mein Vergnügen hätt' er gestört. Wir wären nicht zum Tanzen gekommen, nur weil er mit seinen steifen, steinernen Beinen keinen tüchtigen Hopser hätte risquiren können, ohne elend umzustürzen."

„Ja tanzen, heisa, tanzen!" riefen die Apostel; „Balthasar spiel auf!"

Judas stand auf, zog ungeheure Stülphandschuhe an, die ihm beinahe bis zum Ellbogen reichten, trat zierlich an die Jungfrau heran und sagte: „Ehrenfeste und allerschönste Jungfer Rose, dürfte ich mir die absonderliche Ehre ausbitten, mit Ihr den Ersten —"

„*Manum de!*" — unterbrach ihn Bacchus pathetisch. „Ich bin es, der den Ball arrangirt hat, und ich muß ihn eröffnen. Tanze Er mit wem er will, Meister Judas, mein Röschen tanzt mit mir. „Nicht wahr Schäzerl?"

Sie machte erröthend einen Knix zur Bejahung, und die Apostel lachten den Judas aus und verhöhnten ihn. Mir aber winkte der Weingott herrisch zu: „Versteht Er Musik, Doctor?" fragte er.

„Ein wenig."

„Taktfest?"

„O ja, taktfest wohl."

„Nun so nehme er dieß Fäßlein da, setze er sich neben Balthasar Ohne-Grund, unsern Kellermeister und Zinkenisten, nehm Er diese hölzernen Küperhämmer zur Hand und begleite jenen mit der Trommel."

Ich staunte und bequemte mich; war aber schon meine Trommel etwas außergewöhnlich, so war Balthasars Instrument noch auffallender. Er hielt nämlich einen eisernen Hahnen von einem achtfuderigen Faß am Mund, wie ein Klarinet. Neben mich setzten sich noch Bartholomäus und Jakobus mit ungeheuren Weintrichtern, die sie als Trompeten handhabten und warteten des Zeichens. Der Tisch wurde auf die

Seite gerückt, Rose und Bacchus stellten sich zum Tanze. Er winkte, und eine schreckliche, quiekende, mißtönende Janitscharen-Musik brach los, zu der ich im sechsachtel Takt auf mein Faß als Tambour aufschlegelte. Der Hahnen, den Balthasar blies, tönte wie eine Nachtwächter-Tute, und wechselte nur zwischen zwei Tönen, Grundton und abscheulich hohem Falsett. Die beiden Trichter-Trompeter bliesen die Backen auf und lockten aus ihren Instrumenten Angst- und Klage-Laute so herzdurchschneidend, wie die Töne der Tritonen, wenn sie die Meermuscheln blasen.

Der Tanz, den die beiden aufführten, mochte wohl vor ein paar hundert Jahren üblich gewesen seyn. Jungfer Rose hatte mit beiden Händen ihren Rock ergriffen und solchen an den Seiten weit ausgespannt, daß sie anzusehen war, wie ein großes, weites Faß. Sie bewegte sich nicht sehr weit von der Stelle, sondern trippelte hin und her, indem sie bald auf, bald nieder tauchte und knickte. Lebendiger war dagegen ihr Tänzer, der wie ein Kreisel um sie her fuhr, allerlei kühne Sprünge machte, mit den Fingern knallte und Heysa, Juche! schrie. Wunderlich war es anzusehen, wie das kleine Schürzlein der Jungfer Rose, das ihm Balthasar umgethan, hin und her flatterte in der Luft, wie seine Beinchen umherbaumelten, wie sein dickes Gesicht lächelte vor inniger Herzenslust und Freunde.

Endlich schien er ermüdet, er winkte Judas und Paulus herbei, und flüsterte ihnen etwas zu; sie banden ihm die Schürze ab, faßten solche an beiden Enden und zogen und zogen, so daß sie plötzlich so groß wurde, wie ein Bettuch; dann riefen sie die andern herbei, stellten sie ringsum das Tuch, und ließen es anfassen. „Ha, dachte ich, jetzt wird wahrscheinlich der alte Balthasar ein wenig geprellt, zu allgemeiner Ergötzung; wenn nur das Gewölbe nicht so nieder wäre, da kann er leicht den Schädel einstoßen. Da kam Judas und der starke Bartholomäus auf uns zu und und faßten — mich; Balthasar Ohne-Grund lachte hämisch; ich bebte, ich wehrte mich; es half nichts, Judas faßte mich fest an der Kehle und drohte mich zu erwürgen, wenn ich mich ferner sträube. Die Sinne wollten mir vergehen, als sie mich unter allgemeinem Jauchzen und Geschrei auf das Tuch legten; noch einmal raffte ich mich zusammen: „Nur nicht zu hoch, meine werthen Gönner, ich renne mir sonst das Hirn ein am Gewölbe," rief ich in der Angst meines Herzens; aber sie lachten und überschrieen mich. Jetzt fingen sie an, das Tuch hin und her zu wiegen. Balthasar blies den Trichter dazu; jetzt ging es auf- und abwärts, zuerst drei, vier, fünf Schuh hoch, auf einmal schnellten sie stärker, ich flog hinauf und — wie eine Wolke that sich die Decke des Gewölbes auseinander, ich flog immer aufwärts zum Rathhaus-Dach hinaus, höher, höher als der Thurm der Domkirche. Ha, dachte ich, im Fliegen, jetzt ist es um dich geschehen, wenn du jetzt niederfällst, brichst du das Genik oder zum allerwenigsten ein paar Arme oder Beine! O Himmel und ich weis ja, was sie von einem Mann mit gebrochenen Gliedmaßen denkt! Ade, Ade, mein Leben, meine Liebe!"

Jetzt hatte ich den höchsten Punkt meines Steigens erreicht und eben so pfeilschnell fiel ich abwärts; krach! ging es durchs Rathhausdach und hinab durch die Decke des Gewölbes, aber ich fiel nicht auf das Tuch zurück, sondern gerade auf einen Stuhl, mit dem ich rücklings über auf den Boden schlug.

Ich lag einige Zeit betäubt vom Fall. Ein Schmerz am Kopfe und die Kälte des Bodens weckten mich endlich. Ich wußte anfangs nicht, war ich zu Hause aus dem Bette gefallen oder lag ich sonst wo? Endlich besann ich mich, daß ich irgendwo weit herabgestürzt sey. Ich untersuchte ängstlich meine Glieder, es war nichts gebrochen, nur das Haupt that mir weh vom Fall. Ich raffte mich auf, sah um mich: da war ich in einem gewölbten Zimmer. Der Tag schien matt durch ein Kellerloch herab, auf dem Tische sprühte ein Licht in seinem letzten Leben, umher standen Gläser und Flaschen, und rings um die Tafel vor jedem Stuhl ein kleines Fläschchen mit langem Zettel am Halse; — ha! Jetzt fiel mir nach und nach Alles wieder ein; ich war zu Bremen im Rathskeller; gestern Nacht war ich herein gegangen, hatte getrunken, hatte mich einschließen lassen, da war —; voll Grauen schaute ich um mich, denn alle, alle Erinnerungen erwachten mit einem mal. Wenn der gespenstige Balthasar noch in der Ecke säße, wenn die Weingeister noch um mich schwebten?! Ich wagte verstohlene Blicke in die Ecken des düstern Zimmers, es war leer. Oder wie? Hätte mir dieß Alles nur geträumt?

Sinnend ging ich um die lange Tafel; die Probefläschchen standen, wie jeder gesessen hatte. Obenan die Rose, dann Judas — Jakobus — Johannes, sie alle an der Stelle, wo ich sie leiblich geschaut hatte diese Nacht. „Nein, so lebhaft träumt man nicht, sprach ich zu mir, dieß Alles, was ich gehört, geschaut, ist wirklich geschehen!" Doch nicht lange hatte ich Zeit zu diesen Reflexionen; ich hörte Schlüssel rasseln an der Thüre, sie ging langsam auf und der alte Rathsdiener trat grüßend ein.

„Sechs Uhr hat es eben geschlagen, sprach er, und wie Sie befohlen, bin ich da, Sie herauszulassen, Nun — fuhr er fort, als ich mich schweigend anschickte, ihm zu folgen, nun und wie haben Sie geschlafen diese Nacht?"

„So gut es sich auf einem Stuhl thun läßt, ziemlich gut."

„Herr," rief er ängstlich und betrachtete mich genauer, Ihnen ist etwas Unheimliches passirt diese Nacht. Sie sehen so verstört und bleich aus und Ihre Stimme zittert!"

„Alter, was wird mir passirt seyn!" erwiederte ich, mich zum Lachen zwingend; „wenn ich bleich aussehe und verstört, so kömmt es vom langen Wachen und weil ich nicht im Bette geschlafen" —

„Ich sehe was ich sehe," sagte er kopfschüttelnd; und der Nachtwächter war heute früh auch schon bei mir und erzählte, wie er am Kellerloch vorübergegangen zwischen Zwölf und Ein Uhr, habe er allerley wunderlichen Gesang und Gemurmel vieler Stimmen vernommen aus dem Keller."

„Einbildungen, Possen! ich habe ein wenig für mich gesungen zur Unterhaltung, und vielleicht im Schlaf gesprochen, das ist Alles."

„Dießmal Einen im Keller gelassen in solcher Nacht und von nun an nie wieder, murmelte er, indem er mich die Treppe hinauf begleitete; „Gott weis, was der Herr Gräuliches hat hören und schauen müssen! Wünsche gehorsamst guten Morgen."

„Doch hat daselbst vor Allen
eine Jungfrau mir gefallen."

Der Worte des fröhlichen Bachus eingedenk und von Sehnsucht der Liebe getrieben, ging ich, nachdem ich einige Stunden geschlummert, der Holden guten Morgen zu sagen. Aber kalt und zurückhaltend empfing sie mich, und als ich ihr einige innige Worte zuflüsterte, wandte sie mir laut lachend den Rücken und sprach: „Gehen Sie und schlafen Sie erst fein aus, mein Herr."

Ich nahm den Hut und ging, den so schnöde, so feindlich war sie nie gewesen. Ein Freund, der in einer andern Ecke des Zimmers am Klavier gesessen, ging mir nach und sagte, indem er wehmüthig meine Hand ergriff: „Herzensbruder, mit deiner Liebe ist es rein aus auf immerdar, schlage dir nur gleich alle Gedanken aus dem Sinn."

„So viel ungefähr konnte ich selbst merken," antwortete ich; „der Teufel hole alle schönen Augen, jeden rosigen Mund und den thörichten Glauben an das, was Blicke sagen, was Mädchen Lippen aussprechen."

„Tobe nicht so arg, sie hören es oben" flüsterte er; „aber sag mir um Gotteswillen, ist es denn wahr, daß du heute die ganze Nacht im Weinkeller gelegen und getrunken hast?

„Nun ja und wen kümmert es denn?"

„Weiß der Himmel, wie sie es gleich erfahren hat. sie hat den ganzen Morgen geweint und nachher gesagt, vor einem solchen Trunkenbold, der ganze Nächte bei'm Wein sitze und aus schnöder Trinklust ganz allein trinke, solle sie Gott behüten, du seyest ein ganz gemeiner Mensch, von dem sie nichts mehr hören wolle."

„So?" erwiederte ich ganz gelassen und hatte innig Mitleiden mit mir selbst. „Nun gut, geliebt hat sie mich nie, sonst würde sie auch mich darüber hören; ich lasse sie schön grüßen. Lebe wohl."

Ich rannte nach Hause und packte schnell zusammen und fuhr noch denselben Abend von dannen. Als ich an der Rolandsäule vorüber kam, grüßt ich den alten Recken recht freundlich und zum Entsetzen meines Postillions nickte er mit dem steinernen Haupt einen Abschiedsgruß. Dem alten Rathhaus und seinen Kellerhallen warf ich noch einen Kuß zu, drückte mich dann in die Ecke meines Wagens und ließ die Phantasieen dieser Nacht noch einmal vor meinem Auge vorüber gleiten.

Berliner Chronik.

Königliches Theater. — Wer einigen der letzten Vorstellungen beigewohnt, könnte zur Annahme verführt werden, unsere Bühne habe nicht allein große reiche Kräfte, sondern auch die Absicht sie zu benutzen. Wenigstens wer Sonnabend am 19. **Maria Stuart** und Montag am 21sten den **Kaufmann von Venedig** gesehen, sollte nicht denken, daß so außerordentliche Leistungen, so gerundete Darstellungen ein bloßes Spiel des Zufalls wären. Hörte ich doch wirklich um mich her die Worte „Nationaltheater" und „Kunst" auch „Kunstschule!" Man hätte meinen sollen, wenn man das Leben oben, das begeisterte Zusammenwirken ausgezeichneter Talente und die lebendige Anerkennung unten sah, es regiere wirklich ein Kunstgeist, dem ein lebendiges Princip mehr gelte als eine Controlle, — Regie bedeute noch etwas anderes als ein Repertoir entwerfen, Abänderungen wegen Hindernisse bekannt machen, und herausrechnen, ob Jocko oder Schiller mehr einbringt, — Direktion wolle noch etwas anderes besagen, als die Aufnahme solcher Stücke, deren Verfasser es verstehen, am meisten mit Besuchen zu drängen. Ja man sprach von classischem Bestreben, was sich nach Einigen nicht allein auf die Kenntnis beschränken soll, ob König Johanns Bart lang genug für das Jahrhundert war, sondern sogar auf die Intention des Dichters, die er nicht einmal ausgesprochen hat! Ja auch Wahl nach dem ästhetischen Werthe der Stücke, nach der Ehre, die sie einen Deutschen Theater bringen können, rechnete man gewiß mit Unrecht hierher. Das waren nun zwar nur schöne Träume. Die Anwesenheit eines großen Dramaturgen und Uebersetzers hatte die Mimen begeistert; es ist doch aber schön, daß solche Wärme und Einheit möglich ist, und daß ein solcher Umstand begeistern kann. Man denkt doch, was könnte daraus werden, wenn zu diesen Kräften ein Wille und Plan in der Leitung hinzukämen; man denkt ferner, die Entwerfung solches Planes sei nicht schwierig, wo man den Willen nicht gemächlich seine Sieste halten ließe bis der Zufall weckte, sondern selbst — einen Wecker anbrächte. Jemehr man aber denkt, wie viel man zu denken hat, wird man inne, daß dies alles nur Luftschlösser sind und der Wecker der Wirklichkeit geht neben uns los.

In Maria Stuart riß Mad. Crelingers Spiel den ruhigsten Betrachter aus seinem Phlegma heraus. Eine höhere Weihe schien alle Mitspieler durchdrungen zu haben; die mit dem Dichter zürnende Kritik, der das Unmögliche in der Scene der beiden Königinnen gewagt, verstummte bei diesem Kampfe der Leidenschaftlichkeit mit der Politik, bei diesem Erguß der Gefühle gegenüber der berechnenden Klugheit. Leicester trat adliger auf als früher; Shrewsbury sprach, wenn dies anging, noch mehr zum Herzen. Nur der junge Gast, Herr Fehringer, schien noch nicht von jener Weihe der Poesie durchdrungen, wohingegen die Wahrheit und Natur in seinem Spiele für andere nicht von jener phantastischen Glorie durchdrungene Charactere etwas mehr und für die Zukunft hoffentlich noch mehr erwarten läßt. Eine Nebensache, — die aber bei unserem Theater wohl zur Sprache gebracht werden darf: Weshalb für die Scene der Königinnen keine poetischere Decoration? Wenn es heißt:

> Eilende Wolken, Segler der Lüfte

sehn wir nicht einmal die Luft. Beim Decorationenreichthum dieses Theaters könnte man doch für diese königliche Scene eine freiere Aussicht, ein frischeres Grün, einen süßeren Duft im Hintergrunde verlangen, daß auch der Zuschauer für die Empfindungen der unglücklichen Königin durch das Organ des Auges empfänglich werde. Der Park von Fotheringhay dürfte die melancholische Majestät eines brittischen Buchenhaines athmen, während wir auf dieser vielgedienten Leinwand immer unsere Rousseauinsel nach einem recht staubigen Tage zu sehen vermeinen.

Verhältnismäßig noch ausgezeichneter im Einzelnen, noch abgeschlossener und in einandergreifend als ein Ganzes war die Sonnabendvorstellung des Kaufmann von Venedig. Fast ohne Ausnahme der volle Ausdruck der lebendigen Wahrheit; jugendliche Frische, als wäre es kein schon in die Rumpelkammer geworfenes Cassenstück, ein Geist der Keckheit und eine ursprüngliche Heiterkeit durchwehte dies Meisterstück nie alternder dramatischer Lebendigkeit. So Portia, Shylock (Hr. Devrient schien seine beste Jugendkraft aufgeboten zu haben und sie mit der reifen Erfahrung des Künstlers zu leiten) Jessica und Lancelot Gobbo, (Hrn. Gern S. sahen wir seit lange nicht so viel wahre Komik entfalten, ohne daß er zu Mitteln gegriffen, welche ihm zwar immer den Beifall in der Höhe sichern, ihm aber von jener natürlichen Kraft rauben, deren er keinen geringen Theil besitzt,) so fast alle Mitspielende bis auf die Nebenrollen. Nur der junge Prinz von Marocco wollte zu sehr der Sonne Ehre machen, unter der er geboren. Aber auch der Leidenschaftlichkeit verbietet die Etikette von Marocco die Dielen einzutreten. Doch es sind Mittel da, und wenn die meisten unserer jungen Talente sehr zahm und trübseelig auftreten, gewährt es auch einmal Freude, einen feurigen Anfänger zu sehen. Wie die Zeiten hierin ändern! Nur der Kaufmann von Venedig selbst ist ganz verfehlt. Wir achten die Intention des denkenden Mimen, aber die körperliche Kraft reicht nicht aus. Antonio, dieser „königliche Kaufmann," ist die ruhige Säule, um die sich die bunten Maskengestalten des Stückes umdrehen, er muß ein Agamemnon sein, an den sich ein Thersithes-Shylok wagt, eine gebietende königliche Gestalt, die ein niederes Gewürm unter dem Schutz des Gesetzes anfrißt, es muß ein schlagender in die Augen fallender Gegensatz sein. Daher eine Heldengestalt dem Antonio; Herr Lemm wird hoffentlich wieder eintreten; Herr Rebenstein vereinte vielleicht am besten die Würde des königlichen Kaufmanns mit der edlen Schwermuth des Venetianers.

Dienstag am 22sten begann Herr Devrient aus Dresden als Don Cäsar in der Braut von Messina seine Gastspiele. Schöne Gestalt, edle Physiognomie, eine zum Herzen dringende Sprache, ein natürlicher Vortrag der Verse bewähren seinen Beruf zur Tragödie und lassen die Entwickelung seiner Fortschritte in andern Rollen erwarten, die mehr Charactere sind, als ideale Phantasie-Gebilde. Herr Krüger hatte viele glückliche Momente als Don Manuel, Hrn. Lemms Vortrag im Chor belebte diesen wieder; aber alle Poesie in der Diction, alles Feuer des Mimen scheitert an dem unseeligen Thema. Das leere Haus, die kalten Zuschauer und dann das Griechische Kostüm, um der in trauriger Allgemeinheit gehaltenen Dichtung die letzte eigenthümliche Spur zu nehmen! —

Ueber funfzig fremde Schauspieler sollen sich hier befinden, um zu gastiren. Herr C. v. Holtei ist aus Paris zurück gekehrt. *w. a.*

(Redigirt von Dr. Fr. Förster und W. Häring (W. Alexis.)

Im Verlage der Schlesingerschen Buch- und Musikhandlung, in Berlin unter den Linden Nr. 34.

Berliner Conversations-Blatt

für

Poesie, Literatur und Kritik.

Sonnabend, — Nro. 104. — den 26. Mai 1827.

Der Gruß aus der Ferne.

Festgedicht

zur Höchsten Vermählung

Seiner Königlichen Hoheit des Prinzen Carl von Preußen

mit

Ihrer Hoheit der Prinzessin Maria von Weimar.

Der Wandrer läßt mit wunderbarem Grauen
Den dunklen Wald, den Felsenhang zurück,
Da liegen vor ihm blüthenvolle Auen,
Um stille Hütten spielt der Liebe Glück,
Kaum will er zögernd seinen Augen trauen,
So reich eröffnet sich vor seinem Blick
Das Thal, wo aus Thüringens Bergesgründen
Die Ilm gewußt verschlungnen Weg zu finden.

Erstaunt sieht er die schönbegrenzten Räume,
Den bunten Wechsel hier in Feld und Flur,
Betroffen frägt er: sind es flücht'ge Träume?
Ist es ein Blendwerk, ist's ein Zauber nur?
Gebt Antwort mir, ihr Quellen und ihr Bäume,
Erschuf die Kunst dies, oder die Natur?
Da hört er's rauschen auf verborgnen Wegen,
Und eine Göttin tritt ihm hold entgegen.

* * *

„Bist du im Vaterland so fremd geblieben?
„Kennst du der deutschen Muse Heimath nicht?
„Die Namen nicht hier in den Fels geschrieben,
„Um die Apoll den ew'gen Lorbeer flicht?
„Sahst du ihn nicht, den Letzten meiner Lieben,
„Den heitren Greis, umstrahlt von Himmelslicht?
„Kennst du die Burg, den Fürst nicht der hier waltet,
„Wo Huld und Anmuth siegreich sich entfaltet!“

* * *

Der Fremdling lauscht dem Wohllaut ihrer Worte,
Er liest die Namen auf bemoostem Stein,
Er sieht das Schloß, die hochgewölbte Pforte,
Die Fenster glühen in des Abends Schein.
Vom Hügel grüßt er jetzt bekannte Orte,
Dies, ruft er, muß das schöne Weimar sein.
Hier seh ich Belvedere sich erheben
Und dort um Tieffurth dunkle Schatten schweben.

* * *

Du nennst mir, sprach die Muse, heitre Namen,
Doch weißt du nicht, was uns das Herz betrübt,
Uns allen, die den Scheidegruß vernahmen:
Sie zog von uns, die wir so treu geliebt.
Wohl liegt die Flur, ein schöngeschmückter Rahmen,
Doch fehlt das Bild, das ihm Bedeutung giebt:
Maria, die vor allen ich erwählet
Zu meinem Liebling, ist es, die mir fehlet.

* * *

Vorüber sind die schönen Feierstunden,
Da ich mit stiller Lust sie mein genannt;
Es haben Mars und Amor sich verbunden,
Wer wagte da wohl ernsten Widerstand?
Für immer ist die Theure mir entschwunden,
Von hier geführt zum grünen Havelstrand;
Mit Wehmuth denk' ich der vergangnen Tage
Und einsam bleib' ich hier zurück und klage!

* * *

„O, fürchte nicht! Ob sie sich auch entferne,
„Sie denket dein auch auf entleg'ner Au;
Es grüßt sie dort wie hier aus lichter Ferne
Der stille Mond, des Himmels heitres Blau.
Ein Königsohn, geführt von günst'gem Sterne,
Vertraut sein Glück der fürstlich holden Frau;
Ein Vater kömmt ihr liebreich dort entgegen,
Küßt auf das theure Haupt den treusten Seegen.

* * *

Folg' ihr getrost, du bist bei uns willkommen,
Denn was du hier gewollt, erstrebt, vollbracht,
Durch alle deutschen Lande wards vernommen,
Ein heil'ges Feuer hast du angefacht.
Das Ausland hat dich gastlich aufgenommen,
Wo du erscheinst entweicht die trübe Nacht,
Und wie es Friedrich einst vorausverkündet:
Der deutschen Muse Reich steht fest begründet.“

* * *

Wohlan, sprach sie, für solches Wort zum Lohne
Vertrau' ich meine goldnen Saiten dir!
Stimm' an zum Festgesang im Jubel Tone
Dein Lied; bescheiden leg's zu Füßen ihr.
Wo sie auch immer weile, wo sie auch thronet,
Die schönsten Blüthen send' ich hin von hier;
Doch Eines mag ihr heut mein Gruß bedeuten:
Erinnerung an frohe Jugendzeiten!

F. F.

Reise eines Malers. 9.

Cadenabbia am Comer See den 16ten Aug.

Kaum fasse ich die Feder fest, so bebt vor Freude, vor Glückseligkeit jede Fiber an mir, alles, was ich bis jetzt von landschaftlicher Schönheit sah, kommt wenigstens im Augenblick, wie ein bedauernswürdiger Versuch vor; nie sah, nie träumte ich Aehnliches — hier hat sich Gott in aller Herrlichkeit offenbaret!

Doch ich will Dir nicht einen Kranz von Ausrufzeichen winden; möchte es mir gelingen, den Hauch dieses paradiesischen Südlandes meinen Buchstaben mitzutheilen! — Mein Plan war nun aus Bellinzona nach Magadino zu gehen und von da mit dem Dampfboot über den Lago Maggiore nach Sesto, wo die Diligence nur auf Passagiere wartet, um sie noch desselben Tags nach Mailand zu führen. Indessen die übernatürliche Forderung eines Fuhrmanns auf der einen, eine gute Gesellschaft auf der andern Seite bestimmten mich, auf der andern zu bleiben und zugleich auf der Seite des Luganer und Comer Sees, wodurch mir ein Festtag geworden, wie ich ihn nie gefeiert. Ich liebe, wie Du weißt, Alleinsein zum Reisen, d. h. ich liebe nicht einen angebundnen Gesellschafter oder mehr; bald bin ich ihm, bald ist er mir im Wege und wärs nur durch eine unzeitige Frage, die den begonnenen Gedankenlauf unterbricht. Dann aber freu ich mich immer der Tage, die mir liebe und gute Menschen zuführen und wenn wir uns trennen, freuen wir uns der gemeinschaftlich verlebten Zeit, die wie ein Zauberbild an uns vorüber gegangen. Schon öfter hatte ich auf Reisen junge Kaufleute getroffen, zu denen ich aber wirklich wenig Zuneigung gefühlt; diesmal glückte mir's besser, meinen beiden Reisegefährten vom Comer und Luganer See rufe ich noch jetzt (vielleicht lesen sie es selber) einen frohen, dankenden Gruß zu. Kraft, Behendigkeit des Geistes und Körpers, Theilnahme, ja enthusiastische an allem, was uns geboten wurde, zeichnete den Einen, den Andern höchste Gemüthsruhe aus, die sich nur zur Bewunderung oder eigentlich Verwunderung steigerte über unsere Bewunderung. Da auch ein kleines Abenteuer uns aufgepackt wurde, so fehlte dem Tag nichts zu einer vollständigen Reiseidylle.

Der erste Theil des Wegs war anfangs noch ganz schön; wir fuhren bis zum *Lago maggiore*, im herrlichsten Thale; vor den bis zur höchsten Spitze bewohnten Gebirgen schwanden meine lieben Rheinberge, obschon sie nie ähnliches Gepräge haben, zu flachem Land; da wo der Weg sich erhob, trat am freundlichen Ufer des reizenden Sees Locarnes hervor mit seinen weißen Häuserchen auf grünem Grund und blitzenden Giebeln, ringsum eine Saat von Ortschaften — ein hoher Berg hemmte die Uebersicht über den ganzen See, war aber der dunkle Rahmen für die hell erleuchtete Morgenlandschaft. Durch einen Kastanienwald waren wir aufgestiegen auf den Monte Genere, von dem, wie unser Führer mit ängstlicher Ironie uns erzählte, in Büchern steht, daß bösgesinnte Räuber hinter den dunklen Stämmen lauerten, um den sorglosen Wandrer zu überfallen. Wir vertrieben die Räuber, wie mans sonst mit bösen Geistern, z. B. der Langeweile in Gesellschaften macht, — mit guten Liedern, und freuten uns des herrlichen Rückblicks und der strotzenden Ueppigkeit des dunkelgrünen Kastanienlaubes, das uns erquickliche Schatten bereitete. Das Thal, in welches wir niederstiegen erinnerte uns, wenn auch nicht auf ersehnte Weise an unser Vaterland; mit einem Male war der südliche Charakter verschwunden nur die Menschen verläugneten ihn nicht mit ihren Spitzbubenphysiognomien und geschlossenem Munde, aus dem nie oder wenigstens höchst selten ein Gruß komme.

Eine kleine Stunde dauerte dieß, als schon wieder eine neue Ferne neues Glück verhieß. Bald ersahen und erreichten wir den glänzenden See von Lugano und Lugano selbst. Reizend ist seine Lage am lieblichen See, der den Sturm kaum kennt; Kirchen und Häuser, das Leben darin und darum, hauptsächlich davor — alles hat schon italienisches Gepräge; die Dächer sind fast flach, weit vorspringend, daß wenigstens das obere Stockwerk immer im Schatten sei. Nur wenige Fenster an Bürgerhäusern hatten Glas, Alles ist offen, aber freilich dringt auch eine mildere, als selbst unsre Frühlingsluft hinein.

Was ich sah und empfand, sprach durch seine Eigenthümlichkeit mich an, überall hatte das unmittelbare Bedürfniß das Gepräge gegeben, der Zufall war Decorateur und mein Maler-Auge fand gute Speise. Vorzüglich gefielen am Ufer die Schiffe mir, aufs lustigste mit ihren Segeln als Sonnenschirmen drappirt; aber noch mehr als eins derselben uns aufgenommen und in die grüne Fluth hinaus fuhr.

Der Himmel begünstigte uns wunderbar; kein Wölkchen im reinen Aether, auf dem der Gebirge schöne Formen sich nicht minder rein ausprägten. Bald schwellte ein günstiger Wind die Seegel und mit Blitzesschnelle flogen wir durch diese Zauberwelt, daß es in der Erinnerung mir noch ein Traumbild erscheint.

So kamen und schwanden Villen und Ortschaften, wunderlich und auch wunderlieblich an die Felsen geklebt aus Oliven und Weinlaub hervorlachend, in eigenthümlichstes Gestaltung; zu allen Seiten erhoben waldigte Berge sich, doch vor Allen ragte einer aus dem Wasser empor, hoch oben glänzte mit weit leuchtendem Schein wie ein Stern am Himmel, eine Wallfahrtskirche, es war Monte Salvatore.

Zufällige Gedanken.

Von C.r.

11. Der Antheil den wir an Fürsten nehmen ist nicht blos neugieriges Kriechen, sondern zum Theil auch wahrer. Denn das gekrönte Haupt ist wie ein Berg, allen Blicken sichtbar, daher für Jeden ein Bekannter, also interressirt es uns auch wie ein solcher.

12. Der Gebildete darf zum Ungebildeten nicht immer in dessen Sprache reden, lieber will dieser ihn nicht verstehen, so fühlt er sich doch nicht unter ihm und steigt bei sich höher hinauf.

13. Bei mehr Phantasie- als Gemüthreichen wirkt eine gelesene rührende Begebenheit weit stärker als eine erlebte, sie müssen das Leben gleichsam durch einen Operngucker betrachten und auf die Seite sehen um es vor sich zu haben.

Berliner Chronik.

Erstes Auftreten der Dem. Schechner, Königl. Kammersängerin vom Hoftheater zu München, als Emmeline in der Schweizerfamilie. Mittwoch d. 24. Mai.

Das von dem Liebreiz der Stimme einer Sontag bezäuberte von der Hoheit der Catalani fortgerissene, von der Seelenfülle der Milder gerührte, von der Innigkeit der Seidler entzückte, von der Stärke der Schulz betäubte Berlin, ja, ich wiederhole das bezauberte, fortgerissene, gerührte, entzückte, betäubte Berlin vergaß gestern, wenigstens für einen Abend, alle ihm sonst angethane Bezauberung, Fortreissung Rührung, Entzückung, Betäubung bei einer der seltensten Erscheinungen, die über unsere Bühne gegangen sind. Wenn schon in der Natur das Erhabne darum einen so gewaltigen Eindruck macht, weil hier das Göttliche nicht auf das, durch Raum und Zeit begrenzte, Maaß eingeschränkt erscheint, so ist dieser Eindruck von noch weit größerer Wirkung, wenn er uns in dem Gebiete der Kunst begegnet. Von allen Künsten wird aber vornehmlich in dem Gesange das Erhabene die größte Macht ausüben, weil hier neben der Kunst zugleich auch das Naturelement, die Stimme, sich geltend macht. Dem. Schechner gehört entschieden dem leidenschaftlich erhabenen Gesange an und was man auch von der Beweglichkeit und Gefälligkeit ihrer Stimme in Rossinischen Opern erzählt, so genügte doch schon die gestrige Aufführung, uns zu überzeugen, daß nur Gluck, Mozart und Spontini für sie geschrieben haben, weshalb wir auch höffen dürfen, sie während ihres Hierseyns noch als Iphigenie, Armide, Elvire, Amazili auftreten zu sehn. Ihrer Bildung als Schauspielerin nach scheint Dem. Schechner, wenn ihr erstes Auftreten als Emmeline ihre eigne Wahl war, der wie wir hören die Agathe im Freischützen folgen soll, für die sentimentalen Rollen eine Vorliebe zu haben, die mit dem, was sie als heroische Sängerin leistet im offenbarsten Wiederspruch steht. So eine Stimme müßten eigentlich nur Königinnen, und keine Milch- und Leiermädchen führen, zumal wenn sie bei so gesunder, kräftiger Brust ein so liebe kränkelndes Herz haben. Weigl ist zuweilen in dieser Oper als Musiker, viel zu galant gegen den Dichter gewesen. Anstatt uns die Musik über das sentimentale Aechzen und Krächzen, wie es Göthe nennt, erheben sollte und über den Thränen, wie der Geist über den Wasser schweben, hat Weigl es umgekehrt, so daß das Weinen und Wimmern immer über dem Gesange liegt und ihn sich seiner Freude und Freiheit, die auch in dem Schmerze nicht verlohren gehn dürfen, nicht bewußt werden läßt.

Was das Spiel und das äußere Erscheinen der Dem. Schechner betrifft, so macht beides einen höchst angenehmen Eindruck. Ihr Spiel ist natürlich ihre Sprache innig, wohllautend, ihre Gestalt gebieterisch und doch graziöse, ihre Bewegungen immer angemessen und wer ihr Gesicht befragt, dem antworten zwei Augen, daß hier Geist und Feuer wohnen, und zwei drohende Bogen sind darüber gespannt, die Pfeile zu versenden.

Die große Cavatine wurde Da Capo begehrt und diese etwas starke Zumuthung mit Leichtigkeit erfüllt. Schon nach dem ersten Akt wurde Dem. Schechner gerufen; eine Auszeichnung, die hier zu den allerseltensten gehört. — Am Schluß der Oper wurde die Sängerin noch einmal gerufen.

Als Gast sahen wir Hrn. Hillebrand vom Theater zu Hannover in der Rolle des Vater Poll. Ei da haben wir ja unsern alten Samiel wieder!

(Redigirt von Dr. Fr. Förster und W. Häring (W. Alexis.)

Im Verlage der Schlesingerschen Buch- und Musikhandlung, in Berlin unter den Linden Nr. 34.

Berliner Conversations-Blatt

für

Poesie, Literatur und Kritik.

Montag, — Nro. 105. — den 28. Mai 1827.

Paez. *)

Von A. Ewald W.

Seht jenen Führer, keck zu Roß,
Und hinterdrein ein Reutertroß;
Den wilden Stier sich einzufangen,
Die Schlingen an den Sätteln hangen!
San Simon kommt uns eben recht
Zu einem muntern Stiergefecht.
Bolivars Schutzpatron zu ehren 1)
Wird Spaniens Söldling 2) uns nicht wehren;
Denn Paez, jener Führer dort,
Von seiner treuen Schaar umgeben,
Gab scheidend uns sein Ehrenwort.
Das hält er — gält es auch sein Leben.

Er flog voran der kühne Aar,
Und jauchzend folgt die wilde Schaar;
Denn, jung geübt den Stier zu jagen,
Gewohnt Beschwerden zu ertragen,
Ist's des Llanero's 3) größtes Glück
Kehrt er zur Ebene zurück. —
Doch wie! — Den Posten zu verlassen,
Und sich mit solchem Fang befassen!
Versprach er dem Libertador 4)
Die Böte nicht, zur sichern Fuhre,
Für dessen kleines Helden-Corps.
Bei San Fernando de Apure? 5)

---

*) Ueber die Begebenheit, welche in diesem Gedichte besungen wird, verdanken wir dem Dichter, der selbst 5 Jahre lang in Amerika lebte und unter Bolivar und Paez diente noch anderweitig folgende Auskunft: „Als Bolivar sich 1817 mit seinem kleinen Korps von Abentheurern einen Weg von Barcelona nach Angostura bahnte und letzteres besetzte, trat er mit Paez in Verbindung und ward auch von diesem als Jefe Supremo der Republik, oder Diktator anerkannt. — Nahe bei der Stadt San Carlos de Apure legte Paez zum ersten Mal unter Bolivars Augen einen Beweis seiner Kühnheit und der blinden Ergebenheit seiner Gefährten ab. Bolivar wollte am folgenden Morgen über den Apure setzen und Paez hatte sich erboten, die hierzu nöthigen Canoas oder Böte zur Stelle zu schaffen. Als nach einem nächtlichen Marsche Bolivar bei Tages Anbruch beim Flusse anlangte fand er die versprochenen Canoas nicht, sondern Spanische Kanonböte, die auf ihn feuerten. Paez war unterdessen seiner Lieblingsneigung gefolgt und auf die Stierjagd geritten. Bolivar schickte ihm einen Adjutanten nach, der ihn in sehr derben Ausdrücken an sein Versprechen erinnerte. — Paez eilte nun zurück. Mit funfzig Freiwilligen aus seiner Schaar legte er sich am Ufer in das Gebüsch; die Pferde wurden abgesattelt, die Gefährten entkleideten sich. Sobald das erste Spanische Kanonenboot den Fluß herab kam, stürzte sich Paez mit seinen Leuten und Pferden in den Strom und eh die erstaunten Spanier sich von ihrem Schreck erholt hatten, war das Boot erstiegen, wodurch es Paez gelang sich noch in den Besitz mehrerer Spanischen Canoas zu setzen und Bolivar ging ungestört über den Fluß. Paez aber, der bisher nur Guerillas-Anführer war, wurde bald zum Capitân-General ernannt." — Ueber Bolivars und Paez Persönlichkeit hoffen wir später aus dem Tagebuche des Dichters dieser Ballade, interessante Mittheilungen machen zu können.

D. R.

Längst hatt' den Rücken er gewandt,
Als staubbedeckt ein Adjutant
In's Städchen sprengt. — „Wo," fragt er dringend,
„Ist **Paez**?" — Und vom Pferde springend,
Will er zu ihm; doch kaum gesagt,
Ist weiter er auch schon gejagt,
Die wilde Jagd noch zu ereilen. —
Inzwischen war schon viele Meilen
Der Zug vorweg; der Rosse Spur
Erkennt, auf dieser nackten Fläche,
Der Reuter leicht; dies Zeichen nur
Geleitet ihn durch Ström' und Bäche.

Schon war die Nacht herangerückt,
Von **Paez** hatt' er nichts erblickt;
Wollt er die Spur jetzt nicht verlieren,
Mußt er hier bis zum Tag kampiren.
Das Pferd, dem er die Füße band,
Im hohen Gras sein Futter fand;
Er selbst warf sich zur Erde nieder,
Und stärkt durch Schlaf die müden Glieder. —
Doch kaum erschien der Dämm'rung Licht
Hatt' er den Gaul auch schon gefangen;
Auf schwang er sich und säumte nicht,
Denn rastlos trieb ihn sein Verlangen.

Wie Sturmwind braust, von Ort zu Ort,
Flog **Paez** durch die Eb'ne fort;
Den wilden Heerden nah' zu kommen
Ward mancher tiefe Strom durchschwommen;
Kam dann ein Stier ihm zu Gesicht
Entging er auch der Schlinge nicht.
Die Zahl war voll, und frei von Sorgen,
Kehrt er zurück am dritten Morgen. —
Doch krampfhaft zuckts ihm durch die Brust,
Als er **Ybarra's** 6) Stimm' erkannte;
Des Fehltritts war er sich bewußt,
Den jener bitter Wortbruch nannte.

„Nein!" rief er schmerzhaft, „meine Pflicht
„Vergaß ich, schimpfe Wortbruch nicht
„Was Leichtsinn, Irrthum nur zu nennen,
„Gern will ich meine Schuld bekennen;
„Fürwahr, es fiel mir niemals bei
„Daß schon die Frist so nahe sei.
„Doch wenn ich morgen nicht erfülle
„Was ich versprach, mag diese Hülle,
„Die meinen Geist gefangen hält,
„Ein Futter sein den Krokodillen.
„Und scheid' ich nutzlos von der Welt,
„So zweifelt nicht an meinem Willen."

Drauf blickt er froh im Kreis' umher,
Als ob vom Tanz die Rede wär',
Und funfzig rief er laut bei Namen,
Die schnell herbei gesprenget kamen.
„Ihr übrigen hört mein Gebot:
„Bin ich, zum dritten Morgenroth,
„Zurück nicht zu des Städtchens Mauern,
„So mögt Ihr meinen Tod betrauern.
„Dann feiert **Simon's** Ehrentag
„Durch Stiergefecht und frohe Lieder;
„Fragt man nach mir beim Tanzgelag,
„So sprecht: der starb, er kehrt nie wieder! —"

„Lebt wohl, **Ybarra**!" rief er kalt,
„Ihr seht mich nie mehr oder bald;
„Und, wird von meinem Tod gesprochen,
„Sagt nicht: der hat sein Wort gebrochen!
„Doch, wenn mir Gott das Leben schenkt,
„Such' ich den der mich tief gekränkt. —
„Mir nach Gesellen! laßt uns zeigen
„Was Muth vermag, und unser eigen
„Ist dann der Ruhm, der uns gebührt
„Und wenn die Elemente siegen,
„Gesteht der Neid wohl selbst gerührt:
„Groß war's, so kämpfend zu erliegen!" —

Hoch von den Andes stürzt herab
Ein wilder Strom, und sucht sein Grab
Im Orinoco (diesem Riesen
Der neuen Welt) durch Flur und Wiesen
Wälzt er sich fort, und nimmt im Lauf
Viel hundert Ström' und Bäche auf,
Die, von dem Regen angeschwollen,
Ihm brausend ihre Wasser zollen.
Apure heißt er; seine Flut
Erzeugt gefräß'ge Krokodille;
Der kalten Schlange gift'ge Brut
Schleicht hier in ungestörter Stille.

Fernando's Feste, rings benetzt
Von diesem Flusse, war besetzt
Von Spaniens Truppen; weit erstreckten
Sich ihre Böte, diese deckten
Die Flanken, und in stolzer Ruh'
Sahn sie **Bolivars** Angriff zu. —
Noch eh' der Sonne erste Strahlen
Der Berge Gipfel purpurn mahlen,
Hatt' Paez schon den Fluß erreicht;
Und im Gebüsche tief verborgen
Versteckt er die Gefährten leicht,
Und still erwartet er den Morgen.

Ein Boot — ein ausgehölter Baum —
Man denkt sich dessen Größe kaum —
Kanonen trägt's, und Ruderknechte,
Bewaffnet alle zum Gefechte —
Jetzt treibt's in träger Sicherheit
Den Fluß herab; zum Kampf bereit
Steht unser Held in tiefer Stille. —
Schon durch des Löwen Kampfgebrülle,
Wenn er aus seinem Hinterhalt
Hervorspringt, wird die Rehgazelle
Vor Angst und Schrecken leichenkalt
Und bebt, und weicht nicht von der Stelle.

So war's auch hier. — Das Feldgeschrey
War: Siegen oder sterben frey!
Und nackend, mit entblößten Messern,
Den Leib bemahlt, gleich Menschenfressern,
Stürzt diese Schaar mit kühnem Muth,
Auf ihren Rossen, in die Flut;
Und furchtbar schallen ihre Stimmen,
Wie Thier und Menschen kraftvoll schwimmen. —
Den Schaum der Wogen sehn erschreckt
Die Krokodille und entweichen;
Aus ihrer trägen Ruh' erweckt,
Stehn die im Bote und erbleichen.

Zwar, schon im nächsten Augenblick,
Kehrt die Besinnung auch zurück:
Die Ruder schnell zur Hand genommen,
Sucht der Gefahr man zu entkommen!
Doch, wo der Schreck gewurzelt hat,
Genügt der Wille nicht zur That.
Das war ein Schreien, Schelten, Schwören,
Wo jeder spricht kann niemand hören;
Und so geschah's daß statt zu fliehn,
Wonach sie alle eifrig trachten,
Statt der Gefahr sich zu entziehn,
Sie sich dem Feinde näher brachten.

Doch näher stets rückt die Gefahr —
Ihr Blut steht still — zu Berg' ihr Haar —
Sie sehn es ist des Schicksals Wille —
Und plötzlich wird es Grabesstille. —
So kniet der Schiffer, bleich vor Schreck,
Und stumm, auf seines Fahrzeugs Deck,
Wenn unaufhaltsam fortgezogen,
Von sturmbewegten Meereswogen,
Er schon die Brandung vor sich sieht.
Er darf auf keine Rettung hoffen,
Unmöglich ist's daß er entflieht:
Sein Grab nur sieht er vor sich offen! —

Ganz nahe schon sind sie dem Boot,
Ihr Flammenblick verkündet Tod;
Der Kühnste selbst fängt an zu zagen —
Da gilt's das Letzte noch zu wagen —
Verzweiflung treibt zu dem Entschluß,
Sie springen sämmtlich in den Fluß,
Und suchen mit gewalt'gen Streichen
Das ferne Ufer zu erreichen. —
Sie traf der Sieger Spott und Hohn:
Der Feige flieht statt sich zu wehren,
Und Tod and Schande sind sein Lohn.
Des Tapfern Grab wird jeder ehren! —

„Zu leicht fürwahr war dieser Krieg!"
Rief Paez aus, und rasch bestieg
Er jenes Boot. „Laßt uns vollenden,
„Wie bald kann sich das Schicksal wenden!
„Die Hälfte von Euch kehr' zurück,
„Ihr andern kommt und theilt mein Glück!"
Kaum war das Wort dem Mund entflogen,
War der Befehl auch schon vollzogen:
Schnell fuhren die den Strom hinab,
Als jene ans Gestade stiegen. —
Schon fand so mancher Held sein Grab
Durch Zögern; — Handeln führt zu Siegen!

Jetzt griffen sie mit leichter Müh
Manch kleines Boot noch, welches sie
Zum Sammelplatz hinunter nahmen. —
Hoch stand die Sonne schon, da kamen
Sie zu Bolivar, dessen Schaar
So eben eingetroffen war,
Und, als sie unsern Held erkannte,
Laut jubelnd seinen Namen nannte. —
„Was Ihr an diesem Tag vollbracht,"
Sprach der Befreier," übertroffen
„Hat's alles was ich mir gedacht,
„Und läßt noch Größ'res von Euch hoffen."

„Von nun an nennt Euch General, 7)
„Und sicher bin ich, meine Wahl
„Wird, mehr wie Euch, mich selber ehren;
„Doch bitt' ich Eins wollt mir gewähren:
„Ybarra sprach ein rasches Wort
„Das Euch gekränket; — laßt sofort
„Euch beyde schnell mich hier versöhnen;
„Dies fehlt noch Eure That zu krönen.
(Er winkt und der Gerufne eilt
Sogleich herbey) „Helft meinem Streben,
„Daß nie durch Zwietracht mehr getheilt,
„Des Vaterlandes Söhne leben!" —

1) Bolivars Taufname ist Simon und wird ihm zu Ehren der Simonstag in Kolumbien mit vorzüglicher Festlichkeit gefeiert, wozu denn auch ein Stiergefecht gehört.
2) Der Spanische General Morillo dessen Truppen damals (1817) noch fast das ganze Land besetzt hielten.
3) Llanero (sprich Ljanehro) Bewohner der Ebenen.
4) Libertador (Befreier) ein Bolivarn vom Congresse beigelegter Ehrentitel.
5) Die Spanier verbanden fast durchgängig einen Heiligen-Namen mit den Orts-Benennungen der Eingebornen. Als: Santa Fé de Bogotá, San Leon de Caracas, Santiago de Cuba, San Tomas de Angostura u. dergl. mehr.
6) Ybarra, einer der ältesten Adjutanten Bolivars.
7) Früher war Paez nur Guerillas-Hauptmann.

Allerlei.

(Mitgetheilt von einem Deutschen Gelehrten in Paris.)

In England wurde kürzlich einem siegenden Rennpferde der Nahme eines berühmten Dichters unserer Zeit, unter großer Feierlichkeit beigelegt; und zwar aus dem sonderbaren Grunde, weil das edele Roß seinem Besitzer die gleiche Summe gekostet hatte, die jener Dichter für die Herausgabe seiner sämmtlichen Werke erhielt.

In einem deutschen Salon sagte neulich eine deutsche Dame: Walter Scott ist der Rossini der Geschichte.

Der bekannte Impressario Barbaja, der die Opern von Neapel, Wien und London in Entreprise hat, wird neuesten Nachrichten zufolge, auch die Direktion des italienischen Theaters zu Paris übernehmen. Man nennt ihn deßhalb dort: den Rotschildt der komischen Oper.

In Madrid war die Rede von einem Manne, der von seinem zwanzigsten bis in sein fünfzigstes Jahr, durch alle Stürme der Zeitläufte, unausgesetzt, jeden Abend dasselbe Theater besucht hatte; da machte ein vernünftiger Mann folgende treffende Bemerkung: dieser ewige Zuschauer muß entweder der größte Kritiker, oder der größte Narr geworden seyn, oder das Letztere von Haus aus schon gewesen seyn.

Sie sind ein Philosoph, begann ein dänischer Hofmann zu Descartes, können Sie mir mit zwei Worten sagen, was Philosophie ist? — freie Forschung, erwiederte der Denker.

Friedrich Schlegel hält jetzt vor einer glänzenden Gesellschaft in Wien philosophische Vorlesungen. Sie werden, nach beendetem Kursus, auch dem gesammten Deutschland durch den Druck mitgetheilt werden.

Das Stück, das jetzt den meisten Antheil in Paris erregt, ist eine Tragödie von Jouy: Julianus (Apostata) in Gallien. Auch machen dort jetzt großes Aufsehrn eine Madam Stockhausen und eine Demoiselle Schauroth, die erste als Concert-Sängerin, die andere als Pianistin.

Es wurde in einer Gesellschaft über die Musik einer äußerst gelehrten, aber höchst undramatischen und melodie-armen Oper sehr breit hin und her gesprochen. Endlich bat man einen geistreichen Mann, der sich nicht in den Streit gemischt hatte, um sein schiedsrichterliches Urtheil. Ich bin kein Kenner diese Kunst, sagte er, ich verstehe nur die vollkommensten Meisterwerke derselben.

Talma's Kostüme sollen versteigert werden. Sie sind indessen zur Schau ausgestellt; und die schöne Welt drängt sich, um die schönen Mäntel, die kostbaren Diademe, die blanken Rüstungen xc. xc. in Augenschein zu nehmen. Der todte Talma schreibt also noch eben so gute Spectakel-Stücke, als mancher der leibhaften Dichter.

Das Theater Feydeau hat dem neuerrichteten Théater *des nouveautes* das Recht streitig gemacht, größere Opern zu geben. Der bereits einstudirte Oberon muß zurückgelegt werden.

Keine Pariser Dame, und hätte sie noch so schönes und starkes Haar, kann jetzt auf einem Balle erscheinen, ohne daß ihr der Friseur einen Wulst von Roßhaaren auf das Haupt legt, um auf demselben ein thurmhohes gothisches Gekräusel empor zu bauen, auf dessen äußerster Spitze steifstehende Kornähren nicken. Dabei muß der Stoff der Roben so gesteift seyn, daß man Reitröcke zu sehen glaubt. — Auch die Mode ist ein geschichtliches Zeichen der Zeit.

Casimir Delavigne hat sieben neue Messeniennes herausgegeben. Die vortreffliche Zeitschrift *le Globe*, stellt, bei dieser Gelegenheit, den jungen, von europäischen Ruhm umstrahlten Dichter, auf die ihm von einer besonnenen Kritik angewiesene und rechte Stelle. Schiller wird in dieser Beurtheilung auf eine ehrenvolle und für jedes deutsche Herz erfreuliche Weise, erwähnt; und Verse von ihm, in einfache Prosa übersetzt, den Versen des jungen französischen Dichters entgegen gehalten. — t. —

(Redigirt von Dr. Fr. Förster und W. Häring (W. Alexis.)

Im Verlage der Schlesingerschen Buch- und Musikhandlung, in Berlin unter den Linden Nr. 34.

Berliner
Conversations-Blatt
für
Poesie, Literatur und Kritik.

Dienstag, — Nro. 106. — den 29. Mai 1827.

Frühlingslied.

4.

Erstanden ist die todte Welt
Beim warmen Sonnenstrahl,
Und lebenspendend tritt der Lenz
In's lustdurchjauchzte Thal.

Es blökt und brüllt durch's weite Feld,
Es gras't um See und Fluß,
Und springend wieh'rt das muth'ge Roß
Dem Lenze seinen Gruß.

Und wie's umher so froh sich regt,
Regt's froh in mir sich auch,
Und schwellend hebt des Dichters Brust
Der duft'ge Lenzeshauch.

Von ungestümem Wunsch geweckt
Verlangt die Sehnsucht fort,
Und zöge durch die Frühlingswelt
Beschwingt von Ort zu Ort.

Und sucht' am leichten Wanderstab
Die alten Freuden auf,
Und nähm' zu alten Freunden gern
Den fesselfreien Lauf.

Da öffnet die Vergangenheit
Ihr langgeschloss'nes Thor,
Und grüßend tritt in lust'gem Zug
Die alte Zeit hervor.

Die abgedankte Thorheit tanzt
Mit kind'schem Sprung' heran;
Die alte Lust, das alte Weh,
Sie seh'n mich mahnend an.

Vorüber zieht der bunte Schwarm,
Ich kenne kaum ihn mehr;
Er ist so jung und ich so alt,
Wie wird das Herz mir schwer!

Die Thorheit ruft, leb' wohl mir zu,
Nur Gäste sind wir hier;
Du thust so fremd, du kennst uns nicht,
Es ist vorbei mit dir!

Die Weisheit ward dein ehrsam Weib,
Drum stehst du ernst und stumm;
Du bist ein gar vernünft'ger Mann
Und bist entsetzlich dumm!

Wir aber nah'n mit jedem Lenz
In lustigtollem Chor;
Sey klug das ganze Jahr hindurch,
Im Lenze sey ein Thor.

Dan. Leßmann.

Graf Tillys Landung in England.

Je näher wir den dritten Band der schon in diesen Blättern angezeigten Memoiren des Grafen Alexander von T — betrachten, um so mehr tritt sein Verdienst vor den beiden Vorgängern desselben heraus. Je mehr der Hofmann, welcher elegante Abentheuer für unerläßliche Pflicht hält, mit wirklichen Männern und historischen Begebenheiten in Berührung kommt, um so mehr verschwindet der Anstrich des frivolen Leichtsinns, welcher auch seinen Urtheilen anhaftete. Wir finden Bemerkungen, Sentenzen und eine Beobachtung, die sich kaum mit dem Treiben und Ansichten des Lüstlings zu reimen scheinen. Bis zur Empfindung kommt es nie; wo sie zu sprechen scheint, ist es nur, wie er selbst gesteht, falscher Pathos. Das ganze Leben, nur darauf berechnet, den Champagnerschaum desselben abzuschöpfen, ließ die Tiefe des Gefühls nicht zu; eben so wenig verträgt sich mit seiner leichten Betrachtungsweise jene scenische Schilderung, wo die Gegenstände vor uns aufleben. Hiervon macht nur des Grafen Flucht nach England eine Ausnahme, welche wir als interessante Episode unsern Lesern mittheilen.

Warum sollen wir es nicht eine Landung nennen, wenn er auch nicht Albions Küste, wie sein Ahnherr Umfroy Sieur von Tilly betrat, der unter Wilhelm dem Eroberer in Hastings sein Banner aufpflanzte? Der toupirte Hofmann leitet sein normannisches Geschlecht von dem königlichen Dänen her, und ist mit dem Erstürmer Magdeburgs und Percy Heißsporn verwandt; liegt aber nicht in der Verwandtschaft solcher geistig *disjecta membra* der Grund, daß der Leib nicht mehr bestehen konnte?

* * *

Die Freundinn, welche mich zur Abreise überredet hatte, war zugleich auf das rechte Mittel bedacht gewesen, meine Flucht zu sichern. Sie hatte einen Begleiter für mich gefunden, auf den sie, wie auf sich selbst zählen konnte. Als ich von Champcenetz zu ihr kam, fand ich diesen Mann bei ihr, der schon auf mich wartete. Er setzte mir einen Bortenhut auf, knöpfte mich in einen Kutscherüberrock, und ließ mich in diesem Aufzuge hinter sein Cabriolet aufsteigen. So gelangten wir, in der Nähe von St. Denys, an ein abgelegenes Haus, wo ich die Nacht in einem Zimmer zubrachte, welchem ich, wenn ich es mit einer Bodenkammer vergleichen wollte, viel Ehre anthun würde. So wie der Morgen anbrach, trennte ich mich von meinem Führer, um, wie ich oben erzählt habe, mich von Stadt zu Stadt durchzuschleichen, und den nächsten Hafen zu gewinnen. Mehrentheils reisete ich des Nachts, bald zu Fuß, bald auf Miethswagen, hielt mich am Tage verborgen, war dreimal nahe dabei, mich unterweges zu verrathen oder erkannt zu werden, und erreichte so am 25. August 1792 um 10 Uhr in der Nacht Boulogne.

Mein Signalement war vor mir eingetroffen.

Ich hatte mich schon unterweges entschlossen, mich einer Engländerinn, der Eigenthümerinn des Britisch-Hotel, zu vertrauen. Wie oft war ich in diesem Gasthof abgetreten, in einer ganz andern Lage, in ganz anderer Zeit, als in dieser nächtlichen Stunde. Ich schaute im Hofe durch die Fenster, welche erleuchtet waren, ob ich nicht Mistreß Knowls entdecken würde. Zum Glücke fand ich sie; ich trat in's Zimmer; sie war, zu meinem noch größern Glücke, allein. Meine schmuzige bestäubte Kleidung, mein verzogenes, von der Reise angegriffenes Gesicht, mein leises Auftreten, und die dringenden Bitten um Verschwiegenheit, machten, daß sie ein paar Schritte zurückwich, und mich, den sie nicht gleich wiedererkennen konnte, für eine der Gespenstergestalten hielt, welche ihre Landsmänninn, Mißtriß Radcliffe, mit so verschwenderischen Händen in ihre Romane einstreut, die sie ohne Zweifel auf Gottesäckern entworfen und zu Papier gebracht hat. Ich nannte mich; und noch bedurfte es einige Zeit und Besinnung, ehe sie mich zu einem der Bewohner dieser — schlimmsten Welt rechnen mochte. Ich fragte sie endlich, als sie sich meiner erinnert hatte, ob sie entschlossen sey, mein Zutrauen zu verdienen und zu rechtfertigen, oder ob sie mich anzugeben gedenke. Ich bat nur um Eines: „Lassen Sie mich nicht lange in Zweifel.“ Sie bedachte sich keinen Augenblick, führte mich selbst auf mein Zimmer, schloß hinter mir die Thüre ab, kam bald wieder, brachte mir essen, und wünschte mir eine gute Nacht. Ich schlief fünfzehn Stunden hinter einander, und vergaß die ganze Zeit über, daß es eine Revolution, daß es Municipalbeamte, daß es Räuber und Mörder und Tyrannen in Frankreich gab. So ruhig mein Schlaf, so ruhig und angenehm waren meine Träume.

Als ich erwachte, meldete sich ein Herr Parker, Gehülfe der guten Mistreß, und schlug mir vor, mich der Gelegenheit eines Fahrzeugs zu bedienen, welches so eben die Leute und Pferde des Lords G.... nach England brächte. Als er mich sehr geneigt fand, das Anerbieten anzunehmen, beeilte er sich, den Schiffscapitain zu holen, um Verabredung zu treffen. Der uneigennützige Engländer versprach mir, gegen Erlegung von fünf und zwanzig Louisd'or, mir am Bord eine Schütte Stroh zu geben, und mich mitzunehmen. Ich würde das Opfer gebracht haben, wenn er mir die gehörige Sicherheit hätte geben können, daß sein Schiff vor der Abreise nicht von den Douane- und übrigen Beamten visitirt werden würde. Doch hiervon konnte mich seine ganze Beredsamkeit nicht überführen; und somit zerschlug sich der Handel, nachdem ich mit einem bedeutenden Geschenk sein Schweigen erkauft hatte.

Nach einiger Zeit ließ sich Parker von Neuem in meinem Versteck sehen, und brachte einen Mann mit sich, eine wahre Galgen- und Spitzbuben-Physiognomie. Es sey (sagte er mir) ein grundehrlicher Smuggler, der die heiligste Versicherung, und seinen Kopf zum Pfande gäbe, daß er mich heil und gesund in Dover einschwärzen wolle. Er war noch uneigennütziger als der Capitain, und verlangte nicht mehr als vierzig Louis.

Wer war mir aber gut dafür, daß dieser Mensch, der von Betrug lebte, mich nicht verrathen, oder, um sein Boot zu erleichtern, mich nicht über Bord werfen würde rc. rc.? Ich hatte nicht Zeit, alle diese Betrachtungen anzustellen, und überließ mich ihm mit Leib und Seele. Jetzt mußte ich eine Jagdtasche umhängen, eine Flinte auf die Schulter nehmen, und ihm folgen. In diesem Costüm erreichte ich mit ihm das Ufer, bis wohin vom *Hôtel d'Angleterre* bekanntlich nur wenig Schritte sind. Es war Fluth, und wir mußten längs der Küste bis an die Kniee im Wasser waden. Mein Compagnon schoß von Zeit zu Zeit; ich that dasselbe auf sein Geheiß.

Wir verfehlten die Seemöwen, die nicht einmal in Schußweite bei uns vorbei oder über uns wegflogen. Er zielte so wenig als ich, denn uns war nur um den Lärmen zu thun, nicht um die Vögel. So ging's zwei Stunden lang fort, immer die See entlang, bis wir eine letzte Anstrengung machten, und, bis an die Brust im Wasser, uns endlich einem Boote, einem Kahne näherten, der an dem kleinen Mastbaume kein Segel, wohl aber ein altes durchlöchertes Laken zu hangen hatte. Ich fand in diesem respectabeln Fahrzeuge, womit ich das Meer durchschiffen sollte, zwei Matrosen, deren Sprache und Aeußeres nichts weniger als gemacht schienen, mir Muth einzuflößen. Mein Führer sprach einige Worte mit ihnen, die ich nicht verstand, packte mich um den Gürtel, hob, oder vielmehr schwenkte und schleuderte mich in den Kahn, wie Einen, von dem man bezahlt worden ist, um dessen Arme und Beine man sich aber nicht weiter bekümmert. Meine Lage war nichts weniger als glänzend und erfreulich. Ich übersah sie in ihrem ganzen möglichen Umfang, und entschloß mich schnell zu Maaßregeln, wodurch ich sie verbessern könnte.

Ich setzte mich an dem einen Ende des Kahns nieder, und indem ich meine Pistolen hervorzog und den Hahn spannte, redete ich die beiden Bootsknechte an: „Seht her, und hört mich an: so wie Einer von Euch mir um einen Schritt näher kommt, ist er des Todes. Dagegen aber, bringt Ihr mich vor neun Uhr Abends nach Dover, oder einem andern Englischen Hafen, so sind meine letzten zehn Louisd'or euer." Meine Anrede schien sie zu befremden, und Eindruck zu machen; sie erwiederten kein Wort, und ohne während einer zehnstündigen Ueberfahrt von beiden Seiten einen Laut von uns zu geben, ging es vorwärts, bis wir, noch vor sieben Uhr Abends in Stockport einliefen, naß wie die Katzen, und nässer wie der Opernsänger, der dem Schiffbruch entkommen ist.

Der Pfarrer des Orts und der Friedensrichter fanden sich bald nachher bei mir ein, und machten mir die zuvorkommensten gastfreundlichen Anerbietungen. Mit ihrer Menschenliebe, mit ihrem patriotischen Eifer verband sich ein guter Theil Neugierde, und der Wunsch, von der wahren Lage der Dinge in Frankreich so viel als möglich zu erfahren. Ich befriedigte die Fragelustigen in der Kürze, und sobald vorgefahren war, beurlaubte ich mich mit den Worten und Gefühlen der Dankbarkeit, stieg in die Postchaise, und schlug die Straße nach Dover ein, welches ich in zwei Stunden erreichte.

(Beschluß folgt.)

Berliner Chronik.

Königliches Theater. Montag d. 28sten. Agnes von Hohenstaufen. Lyrisches Drama in zwei Aufzügen von E. Raupach. Erster Aufzug. In Musik gesetzt von dem Königl. General-Musik-Direktor und erster Kapellmeister Ritter Spontini.

(Vorläufiger Bericht.)

Der festliche Empfang der Prinzessin Karl von Preußen bei dem ersten Erscheinen im Theater, war eine schöne Veranlassung für den Dichter und den Componisten, um alle Mittel und Mächte, die ihnen zu Gebot stehn, zur würdigen Feier eines solchen Festes aufzubieten. Hr. Raupach hat schon in mehreren seiner Trauerspiele ein vorherrschendes Talent für das Lyrische, in so fern es sich nach dem Operntexte hinneigt, gezeigt, und so durfte der Componist sich mit sicherm Vertrauen mit ihm verbinden. Der Dichter hat seinen Stoff auf einem Felde gewählt, der von den Operndichtern sehr selten benutzt worden ist, nämlich in der romantischen Zeit des deutschen Mittelalters und schon der Titel „Agnes von Hohenstaufen" deutet uns an, daß wir hier die Versöhnung des hundertjährigen blutigen Zwistes der Hohenstaufen mit den Welfen zu erwarten haben.

Die Haupt-Personen, die in dem Drama auftreten, sind: Kaiser Heinrich *VI.*, aus dem Hause der Hohenstaufen (Hr. Blume), Constantia, seine Gemahlin, die Erbin beider Sicilien (Mad. Schulz) Herzog Philipp, Bruder des Kaisers (Hr. Stümer) Conrad von Hohenstaufen, Pfalzgraf am Rhein, Oheim des Kaisers (Hr. Busolt) Irmengard, seine Gemahlin, (Mad. Milder) Agnes, die Tochter Conrads und der Irmengard (Mad. Seidler) Heinrich, Herzog von Braunschweig, Sohn Heinrichs des Löwen, (Hr. Bader) Philipp August, König von Frankreich. (Hr. Devrient d. j.) — Die Scene eröffnet sich damit, daß wir den Kaiser und die Kaiserin umgeben von vielen Großen des Reichs im Thronsaal in der kaiserlichen Pfalz zu Mainz sehn. Der Kaiser fordert auf, dem Adler des Reichs zum Zuge nach Italien zu folgen. Die Fürsten und Rittet schwören, sechs Edelknechte werden von dem Kaiser zu Rittern geschlagen und von der Kaiserin empfangen sie das Wehrgehänge. Ein Frauen-Chor ermahnt die Krieger zur Milde. Die Introduction durch diese beiden Chöre ist von großer, energischer Wirkung. Der junge Herzog Heinrich, der eine stille Liebe zu der abwesenden Agnes hegt, schwört nicht mit, er tritt vor und spricht in einer Arie das Glück des Kriegers aus, wenn er endlich heimkehrt. Der Kaiser verweist ihm dies und die Kaiserin fordert in einer Arie wiederholentlich zum Zuge nach Italien auf, welches sie genugsam zu bezeichnen glaubt, wenn sie die Vasallen mahnt, das Banner des Kaisers da „wallen" zu lassen, „wo Aetna's Bruder Flammen sprüht."

Der Kaiser ermahnt den jungen Heinrich nochmals, ihm nach Italien zu folgen, was dieser ablehnt. Jetzt wird ein Gesandter des Königs Philipp August von Frankreich angemeldet und eingeführt; es ist der König selbst, der um die Hand der schönen Agnes werben will, die noch zu Bacharach am Rheine auf Stahleck weilt. Der Kaiser trägt den Herzog Philipp auf, die junge Pfalzgräfin von dort nach Mainz zu holen:

„Ihr Bruder eilt auf eurem schnellsten Roß
Und führt die Frauen her von Stahlecks Schloß!
Man muß den Herrn der Seine zeigen,
Nicht Frankreich nur sei Muth und Schönheit eigen;
Preiswürdig sei, wie deutsches Rebenblut,
Auch deutsche Schönheit, deutscher Heldenmuth."

Der Kaiser und der Hof gehn ab. Die Herzöge Philipp und Heinrich eröffnen sich ihre Herzen als Freunde und Heinrich macht sich mit ihm auf nach Stahleck bei Bacharach. —

(Fortsetzung folgt.)

Königstädter Theater. Der Komiker Wurm.

Hr. Wurm kehrt nach zehnjähriger Abwesenheit nach Berlin zurück und wie er Berlin sehr verändert findet, so ihn Berlin; beide haben an Umfang bedeutend zugenommen. Zu seiner ersten Gastrolle hatte er die unbedeutende Rolle des Pachters in dem trivialen Kotzebuschen Rehbock gewählt; doch trat er an demselben Abende auch noch als Meister Stracks in dem Sänger und Schneider auf. So korpulent er geworden ist, so zeigte er in dem letzten Stück doch viel galante Beweglichkeit, die sich bei ihm nicht blos auf die Hände, sondern auch auf die Füße erstreckt. Wenn er z. B. erzählt, wie einer seiner Gesellen auf der Kegelbahn achte um den König geschossen, so lenkt er dabei die Kugel in der Ferne mit dem Fuße so bezeichnend, daß diese Bewegung mehr sagt, als alle Pirouetten und Battements des großen Ballets. Eben so gewandt ist seine Zunge und in dem Ton der Sprache erinnert er zuweilen an unsern Veteran der Komiker, Hrn. Unzelmann; allein die Gesichtsmuskeln liegen etwas zu tief, um ihre Bewegungen durch die Oberfläche durchscheinen zu lassen, was Unzelmanns große Force war. Hr. Wurm wurde von einem vollen Hause mit Beifall empfangen und auch am Schluß hervorgerufen. Während des Spiels würde er noch mehr ausgezeichnet worden sein, wenn er von den Mitspielern mehr unterstützt worden wäre. Ein Komiker macht nur dann entschiedene Wirkung, wenn ein Zweiter neben ihm steht, so wie in der Gesellschaft ein einzelner Narr leicht langweilt, während uns zwei vortrefflich unterhalten. In Stücken, wo wir Schmelka oder Spitzeder neben Wurm sehn werden, wird er weit mehr Gelegenheit haben, sein ausgezeichnetes Talent geltend zu machen.

(Redigirt von Dr. Fr. Förster und W. Häring (W. Alexis.)

Im Verlage der Schlesingerschen Buch- und Musikhandlung, in Berlin unter den Linden Nr. 34.

Berliner

Conversations-Blatt

für

Poesie, Literatur und Kritik.

Donnerstag, — Nro. 107. — den 31. Mai 1827.

Graf Tilly's Landung in England.
(Beschluß.)

Hier angekommen, athmete ich frei, und dankte Gott der mir gegen alle Wahrscheinlichkeit zu dem Glücke verholfen hatte, meinen Feinden und ihren Verfolgungen und Schlingen zu entgehen, und mit dessen Hülfe und Beistand ich in ein schützendes Land gelangt war; der tröstende Anblick desselben konnte mich aber nicht die Heimath vergessen lassen, aus der ich so sehr wider meinen Willen, und allen meinen Wünschen und Neigungen zuwider, mich verbannt sah.

Ich brachte zwei Tage in Dover zu. Unaufhörlich und unwillkührlich irrte ich an dem Gestade umher: in meiner Unruhe, in der Verwirrung meiner Gedanken, fragte ich die See nach den Ursachen des schnellen Wechsels, von Stürmen zur Ruhe, von Ruhe zu Stürmen; ich fragte sie, wie sie so plötzlich ihre Wellen gegen die Wolken schleudere, und eben so plötzlich eine spiegelglatte Oberfläche zeigen könne; ich fragte sie nach der Hand, welche ihre Wogen aus der Tiefe hervorwühle, und sie in ihren Kerker zurückdränge. *) Eine hohle, tosende Stimme schien zu antworten: der Gott der Stürme sey auch der Gott der Revolutionen; alles im Meere und auf Erden sey Wechsel und Unbeständigkeit; nichts geschehe, was nicht eine Folge der ewigen Ordnung; der Rathschläge, der Weisheit des höchsten Wesens sey; Alles liege im allgemeinen Plan einer festen, auf berechneten Grundsätzen ruhenden Bestimmung.

Jetzt warf ich einen Blick des Bedauerns auf Erde und Meer, und hob ihn gen Himmel. Nur im Himmel war mein Hoffen, weil Alles, dieses einzige letzte unbekannte Asyl ausgenommen, wo die Hoffnung ihren Sitz hat, den Menschen verläßt und verräth.

In Dover fand ich den Lord Cholmondeley, dessen Bekanntschaft ich in Frankreich gemacht hatte, und seine liebenswürdige Gemahlinn. Sie standen, wie ich, am Ufer, und betrachteten die See, nur aus anderen Beweggründen als ich. Sie waren glücklich,

---

*) Auf alle diese Fragen findet man die Antwort in dem Fragen überschriebenen Gebilde von H. Heine im Zweiten Theil seiner Reisebilder:

Am Meer, am wüsten, nächtlichen Meer
Steht ein Jüngling-Mann,
Die Brust voll Wehmuth, das Haupt voll Zweifel,
Und mit düstern Lippen fragt er die Wogen:

„O löst mir das Räthsel des Lebens,
Das qualvolle uralte Räthsel.
Worüber schon manche Häupter gegrübelt,
Häupter in Hieroglyphenmützen,
Häupter in Turban und schwarzem Barett,
Perückenhäupter und tausend andere
Arme, schwitzende Menschenhäupter —
Sagt mir, was bedeutet der Mensch?
Woher ist er kommen? Wo geht er hin?
Wer wohnt dort oben auf goldenen Sternen?"

Es murmeln die Wogen ihr ew'ges Gemurmel,
Es weht der Wind, es fliehen die Wolken,
Es blinken die Sterne, gleichgültig und kalt,
Und ein Narr wartet auf Antwort.

D. Red.

sie hatten ein Vaterland, sie besaßen Alles was der Heimath Werth geben kann; sie lebten im Genuß eines unermeßlichen Vermögens. Lady Cholmondeley liebte das Leben, nicht wie eine ihres Geschlechts überhaupt — denn dieses Geschlecht, hängt weniger daran als unseres, und achtet es gering, wenn eine große Leidenschaft im weiblichen Herzen vorwaltet — aber wie ein glückliches und im Glück gleichgültig gewordenes Frauenzimmer. Im Begriff, sich nach Neapel einzuschiffen, um zu ihrer sterbenden Mutter, der Herzogin von An.... zu eilen, stand sie am Meeresrand, zitternd und zagend, und hätte es gern befragt, ob es sie sicher zu Italiens Küste tragen werde. Sie schien die Wellen zu beschwören, fand sie aber nicht heiter und ruhig genug, und ihr Gemahl, der ihr vergebens Muth einsprach, theilte ihre Besorgnisse, und suchte den Augenblick der Trennung so lange als möglich zu verschieben. Ach sie bedachten nicht, in ihrer Hoffnung auf Meeresstille, daß das falsche Element nie gefährlicher ist, als wenn es seine Gefahren im tiefen Schooße verbirgt, und daß die Stunde des Sturms gleich nach der wolkenlosen Stunde schlägt. Frankreich war ja auch still, ruhig und sonnig gewesen.

Nachdem ich einige Geschäfte mit den Bankhäusern Min.... und Fact..., auf welche ich Wechsel hatte, in Ordnung gebracht, machte ich mich nach London auf den Weg, und erreichte es noch vor Nacht.

Zur Steuer der Wahrheit muß ich sagen, daß ich alle Classen der Nation über die Unruhen, Trübsale und Aussichten von Frankreich bestürzt und niedergeschlagen fand. Die Schicksale meines Vaterlandes erregten eine allgemeine Theilnahme; sie erstreckten sich von den ersten Ordnungen der Gesellschaft bis zu den letzten. Der Mann, der die Zügel der Politik Englands in Händen hielt, und seine Leitung über ganz Europa ausdehnte; der Mann, den Frankreich mit Recht den Urheber und das Werkzeug seines Umsturzes und seiner Leiden nennen kann; — dieser Mann, Pitt, verabscheute sicherlich als Mensch die Grundsätze, die er als Britischer Minister befolgte. Ich will hoffen, er werde mit hinreichenden Gründen vor den Richterstuhl des Allerhöchsten getreten seyn, um Rechenschaft abzulegen, warum er die Flamme angeschürt hat, welche Frankreich verzehren sollte, — welche es langsam verzehrte, als durch eine rettende Hand hier der Brand gelöscht worden ist, während Er seinem Vaterlande ein Vermächtniß künftigen in Frage stehenden Unglücks hinterlassen hat, dessen Ahnung ihm auf dem Todbette Worte erpreßte, welche seine letzten waren: „*Oh the times! oh my country!*" — Diese letzten Worte des Sohnes des großen Chatam sind auch die meinigen gewesen!!!

Berliner Chronik.

Königliches Theater. Montag d. 28sten. Agnes von Hohenstaufen. Lyrisches Drama in zwei Aufzügen von E. Raupach. Erster Aufzug. In Musik gesetzt von dem Königl. General-Musik-Direktor und erster Kapellmeister Ritter Spontini.

(Beschluß.)

Die zweite Scene führt uns nach dem Schloß Stahleck, in dessen Vorhalle wir die schöne Agnes mit ihren Begleiterinnen finden, wie sie zur Laute ein Minnelied mit Chor singt. Die freie Aussicht auf den Rhein und seine Rebenhügel bis zur Pfalz bei Kaub liegt vor uns und beinah stört es, daß wir des Anstandes halber die Sängerin dieser schönen Gegend den Rücken zuwenden sehn, während sie den Wellen und den Zephyren die Grüße an den Liebsten zuruft. Die Mutter erscheint und beruhigt die Tochter über ihre Sorgen, wobei sie sie auf den Himmel vertröstet. Zur guten Stunden kömmt Herzog Philipp an und kaum daß er nach dem Freunde gefragt wird, tritt dieser schon selbst ein. Die Ueberraschten wissen sich bald in ihr Glück zu finden und in einem schön verschlungenen Quartett feiern sie ihr Wiedersehn und geloben sich fernere Treue. Sie folgen der Einladung des Kaisers nach der Pfalz zu Mainz.

Die dritte Scene zeigt uns jetzt einen prächtigen Festsaal, in dessen Aufbau und Anordnung die Herren Schinkel und Gropius sich in der Größe ihrer Bau- und Dekorationskunst gezeigt haben. Unter Festmarsch und Chorgesang in den untern Räumen sammelt sich auf der Gallerie der Hof, um dem Ballet zuzusehn, in welchem ein Waffenspiel zwischen Jungfrauen und Jünglingen dargestellt wird.

Der Kaiser, dem dies alles noch nicht genug dünkt, ruft ihnen zu:

„Laßt höher noch der Freude Flammen schießen,
„Ihr könnt hier eine Königsbraut begrüßen.
„Denn Frankreichs Herrscher wirbt um ihre Hand,
„Wir und der Vater billigen dies Band."

Agnes ist betroffen, Heinrich geräth in Wuth, sein Freund räth ihm zur Ruhe, der König von Frankreich dankt der Kaiserin für ihre Huld, ein Chor Französischer Ritter singt das Lob der Frauen, und der Kaiser, den das Französische Ballet langweile, fordert die Kaiserin auf, einen Walzer mit ihm zu tanzen. „Entfalte sich der frohe Deutsche Tanz!" ruft er und der Walzer beginnt in zierlichen Französischen Pas, ohne daß gedreht wird. Der Chor singt jetzt ganz in dem Sinne des Kaisers:

„Der fremde Tanz zerrinnt, die fremden Töne schweigen;
Die alte Weis' erklingt, die Deutsche Lust erfand;
Es schlinget feierlich der ächte Deutsche Reigen
Durch dieser Säle Raum sein farbig wogend Band."

Dieser Walzer muß nun zu einer vielfachen Begleitung dienen; während die Masse danach lustig tanzt, richtet der König von Frankreich seine Liebesgeständnisse, der Herzog Heinrich seine Wuth, Agnes und Irmengard ihre Klagen, Philipp sein Zureden nach demselben Dreiachtel-Tacte ein. Immer zudringlicher wird der Franzos, der Welfe immer ungestümer, er zieht sein Schwert, die Deutschen und Französischen Ritter drohen schon handgemein zu werden, als der Kaiser dazu kömmt und den, der den Frieden gebrochen hat, festzunehmen befiehlt. Ein Sextett mit einem dreifachen Chore, wo immer einer den andern zu übertäuben strebt, giebt, da das Orchester ebenfalls nicht hinter den Sängern zurückbleibt ein Finale, gegen welches das Finale des ersten Aktes von Don Juan, das doch eben nicht leise auftritt, wie ein Maultrommelspiel erscheint. Unpassend für die Feier des Tages schließt dieser Akt mit dem Chor der Frauen, in welchem es heißt;

Wie walten Schmerz und Zagen,
Wo Freude jüngst gebot!
Den Tag beschließen Klagen
Und neues Leid zu tragen
Weckt sie das Morgenroth.

Dies scheint jedoch nicht dem Dichter angerechnet werden zu können; denn sobald dieser erfuhr, daß nur ein Akt zur Vorstellung gebracht werden könne, änderte er die Gefangennehmung des Herzogs Heinrich dahin ab, daß der Kaiser auf Fürbitte des Königs von Frankreich ihm verzeiht, unter der Bedingung, daß er ihm nach Italien folgt. Heinrich geht dies ein und das Ganze sollte dann wieder mit dem Chore der Fürsten und Ritter: „Wir folgen dem Adler rc. womit die erste Scene eröffnet wird, schließen. Allein dem Componisten war es nicht zu verdenken, da zu schließen, wo er geschlossen hat, weil nach jenem Final-Tumulte kein effectvoller Schluß hätte gewonnen werden können. Was sich aber in Italien, wo die erste Scene des zweiten Akts spielt, begeben und wie das Ganze mit der Hochzeit auf Stahleck bei Bacharach schließen wird, haben wir im Oktober zu erwarten, bis wohin uns die ganze Oper versprochen worden ist. Wünschenswerth war es allerdings, gleich beide Akte zu hören, allein fast möchten wir es für die Spontinischen Opern für vortheilhafter halten, wenn an einem Abende nur ein Akt, zumal ein solcher, der zwei Stunden uns durch große Mannigfaltigkeit in der gespanntesten Aufmerksamkeit erhält, gegeben würde. Der einzige, der sich dabei zu beklagen hätte, wär der Dichter; allein der spielt bei einer großen Oper eine so untergeordnete Rolle, daß er leicht zur Ruhe zu verweisen ist. Auch ist es ja selbst im Drama nichts Unerhörtes, daß man eine größere Handlung in mehrere Vorstellungen vertheilt, wie dies Schiller und Shakespeare gethan haben. —

Was die Musik betrifft, so bleibt auch in dieser Oper Hr. Spontini seinem Character getreu, und wie wir von dem Leben eines Mannes auf dem Grabsteine keinen bessern Ruhm lesen können, als den, daß er sich selbst treu blieb, so ist es auch des Künstlers größter Ruhm, seinem Character treu zu bleiben, so fern dieser nur von ächtem Gehalt ist. Dem Componisten der Vestalin, des Cortez, der Olympia wird dieser Ruhm zuerkannt werden müssen und auch in seinem neusten Werke ist er sich vielleicht nur zu treu geblieben. Bei seinen Opern ist zu bedenken, daß sie bei großen festlichen Gelegenheiten entstehen, ein glänzender Hof ist versammelt und die Aufgabe ist, diesem ein Bild fürstlicher Pracht und Herrlichkeit aus jener Zeit vorzuführen, in welcher die Majestät von weit mehr äußerem Glanz umgeben war als jetzt, wo es mehr innere, geistige Mächte sind, die als die Repräsentanten der Majestät erscheinen. — Jene äußere Pracht der Costüme und Dekorationen aber zwingt auch den Musiker zu einem größeren Aufwand und hierin zeigt sich nun vor allen anderen Spontini als ein Meister von großem Verstande; denn welche Anstrengungen auch von Seiten der Dekoration, des Costums, der Ballette gemacht werden, er drängt dies alles durch seine imposanten Massen in den Hintergrund. Mehr aber, als in Alzidor und Olympia hat Spontini in dieser Oper auch jenen stilleren Zaubermächten der Melodie und des Gesanges vertraut, die sonst von ihm weniger begünstigt wurden und vor allen zeichnet sich hier die ganze zweite Scene aus, in welcher Agnes zuerst ein Lied in der zartesten Weise, dann ein das innigste Gefühl athmendes Duett mit Irmengard singt, dem sich ein eben so innig gehaltenes Quartett mit Philipp und Heinrich anschließt; auch im Gedicht ist diese Situation die einzig gelungene. Nicht eben so gut angeordnet scheint es, daß in der ersten Scene, nachdem der Kaiser zum Zuge nach Welschland aufgefordert und die Fürsten geschworen haben, Herzog Heinrich vortritt und in einer ziemlich langen Arie, in welcher er sich seinen verliebten Gedanken überläßt, das Glück des Zuhausebleibens rühmt. Der Kaiser sieht sich genöthiget dies länger ruhig mit anzuhören, als er eigentlich Lust hat, zumal er sich überhaupt für Musik nicht sehr zu interessiren scheint, da er bei der gleich darauf folgenden Arie der Kaiserin, statt dieser seine Aufmerksamkeit zu schenken, mit den umherstehenden Fürsten sich abwechselnd unterhält. — Im Ganzen muß es uns freuen zu sehn, wie Hr. Spontini in den Geist der deutschen Sprache so eingedrungen ist, daß er wenigstens den Sinn im Allgemeinen, wenn auch nicht das Wort nach seiner Bedeutung musikalisch trifft. Nur bei dem Duett zwischen Philipp und Heinrich im dritten Auftritt wird man verleitet zu glauben, daß hier die Noten früher vorhanden waren und der Text von Einem hinzugemacht wurde, der die Musik nicht genau kannte. So singt z. B. Heinrich in dem raschesten Tempo:

O grüße, grüße
Von mir die süße
Die schöne Maid! Der Holden klage,
Wie schwer ich trage,
An meinem Leid.

Es macht einen fast komischen Eindruck diese sentimentalen Strophen mit übereilter Hast herausstoßen zu hören. Daß aber Hr. Spontini zur Vollendung seiner Opern mehr Zeit, als ein andrer Componist bedarf, darüber wird sich niemand verwundern, der darauf aufmerksam ist, welchen Fleiß und welche Ausführung er auf seine Recitative verwendet, von denen fast jedes ein für sich bestehendes Musikstück für den Gesang und das Orchester ist. Dies führt jedoch den Uebelstand herbei, daß der Componist oft einem unbedeutenden Bericht, der nur parlando gesprochen werden müßte, eine musikalische Bedeutung giebt, die er dem Sinne nach nicht hat, wie es z. B. in dem 8. Auftritt der Fall ist. Philipp begrüßt hier Agnes und Irmengard:

Ich grüße die edelen Frauen auf's Beste
Die würdige Herrin die liebliche Maid.
Irmengard. Willkommen in unserer Einsamkeit!
Agnes. Ihr kommt doch uns abzuholen zum Feste?
Philipp. Der Kaiser erkohr mich zu eurem Geleit.
Agnes. Er hat uns geladen wir sind bereit.
Philipp. Auch harret einer mit heißem Verlangen.
Irmengard. Wie ist es dem werthen Freund ergangen? u. s. w.

Dieses prosaische Gespräch ist fast wie ein Terzett behandelt, und manche Zeilen und Worte werden sogar wiederholt. — Solche bloße Bekomplimentirungen, welchen der Dichter nicht einmal den Klang des Reimes hätte geben sollen, durften noch weniger eine solche musikalische Ausführung erhalten, was außerdem noch für die Sänger und Sängerinnen das Beschwerlichste wird. In andern großen Opern ist ihnen wenigstens das Recitativ zur Erholung gegönnt, allein in den Spontinischen Opern strengt dies gerade am meisten an. Von den einzelnen Partien sind die der Agnes und des Herzogs Heinrich am meisten begünstigt worden, weshalb auch Mad. Seidler und Hr. Bader vornehmlich Gelegenheit finden, ihre schönen Stimmen geltend zu machen; doch weiß auch Mad. Milder mit wenigen Tönen uns auf's Neue an sich zu fesseln. Mad. Schulz hat nur eine Arie zu singen, aber sie bietet darin mit ungeheurer Kraft dem ganzen Orchester siegreich Trotz. Die schwerste Partie hat in jedem Falle Hr. Stümer; nur einem Sänger wie er, der sich auf sein rein ansprechendes Falset verlassen kann und zugleich dieser firme Sänger der alten Schule ist — eine neue Schule, überhaupt Schule für theatralischen Gesang giebt es leider nicht mehr bei uns — konnte eine solche Aufgabe zugemuthet werden. —

Der Oper ging an diesem Abende, Amphion, ein „Anakreontisches Divertissement" in einem Aufzuge von dem Königl. Balletmeister Hrn. Titus voraus, in welchem nicht nur die ersten Talente unseres Ballets, sondern auch Hr Sammengo erster Tänzer von K. K. Theater an der Wien und vom Theater zu Neapel, ein gewaltiger Springer, dabei nicht ohne Grazie, so wie Dem. Fourcisy, erste Tänzerin der Königl. Akademie der Musik zu Paris auftraten.

Die hohe Neuvermählte wurde bei ihrem Erscheinen mit freudigem Jubel begrüßt, sie nahm den Ehrenplatz in der Mitte der großen Königlichen Loge ein; neben ihr zur Rechten saßen I. I. K. K. H. H. die Kronprinzessin, die Prinzessin Wilhelm und die Prinzessin Friedrich von Preußen; zur Linken die Erbgroßherzogin von Meklenburg und die Prinzessin Friedrich der Niederlande. Sr. Maj. der König nahm seinen Platz unmittelbar hinter der Prinzessin Carl, von dem schönen Kreise seiner Kinder strahlender umgeben, als von dem köstlichsten Diadem. — F. F.

(Redigirt von Dr. Fr. Förster und W. Häring (W. Alexis.)

Im Verlage der Schlesingerschen Buch- und Musikhandlung, in Berlin unter den Linden Nr. 34.

Berliner Conversations-Blatt

für

Poesie, Literatur und Kritik.

Freitag, — Nro. 108. — den 1. Juni 1827.

Bemerkungen über den Menschen.

(Aus einem noch ungedruckten Gedankenbuche Jean Pauls.)

Gewisse Menschen gelten nur in der Gesellschaft, nicht außer ihr bei den Einzelnen; dort sind sie ein begleitender Ton; hier müßten sie ein, Thema, oder eine, Melodie, werden.

Die Weltleute haben bei allen Verschanzungen und Versteinerungen immer eine Breche, wodurch ihnen erobernd beizukommen ist, nämlich das, Lob — nur muß dieses selber von einem Berühmten kommen. —

Der Gelehrte, Dichter u. s. w. weiß so gut den rechten gehaltenen Weltton zu beobachten als der Weltmann; und er hält ihn auch oft, aber nicht immer — letztes unterscheidet ihn von dem Weltmann der jenen feineren Ton gar mit keinem anderen, besseren, schlechteren oder vertraulicheren, vertauschen kann. —

Weltleute, welche den Dichter und Weltweisen so weit über sich erblicken, erstaunen, wenn er in den gemeinen Angelegenheiten, nicht denselben Verstand hat.

Der feine Weltmann, wird schwerlich dem feinen Weltmann viel entlocken, aber der poetische Naturmensch der sich ihm hingiebt und unbefangen scheint, vermag es.

Ein Weltmann, ja ein Dichter, gleicht einem Gedicht. Es spricht von einer *gewissen* Seite an, bleibt aber doch für sich, verborgen und Eins.

Es ist eine Eigenheit der Weltleute, an keinen Nutzen und Befolgung lehrender Erziehungsbücher zu glauben.

* * *

An und für sich, ist jeder originell, weil er individuell ist, aber nicht jeder hat den *Muth* — er selber zu sein zu scheinen; — nur der Kräftige, oder Berühmte, oder Reiche hat ihn, weil er des Scheins, entübrigt sein kann.

Friedrich der Große beweiset, daß man originell werden kann — den in der Jugend war ers nicht, — und daß ein Fürst originell wird, der über seinen Rang und Thron hinaus etwas liebt, wie Er — die Wissenschaft.

Gerade der Jüngling suche äußre Originalität, da er durch seine allgemeinen Bestrebungen und durch seine Anfänge, die überall gleich sind, sich nicht unterscheiden kann. Aber der Mann der durch seine Ausbildung ins Bestimmtere und Kleinere, wider Willen sich auszeichnen muß, will jene nicht einmal. Jeder handelnde, nicht blos genießende Mensch, muß originell werden.

Die Jünglinge haben eine so schöne offenherzige Freundschaft daß sie einander alle Fehler und Absichten bekennen, blos weil sie noch vor der Pforte der Zukunft ungekrönt da stehen; sitzen sie aber als Männer schon auf dem Throne, so offenbaren sich die Freunde immer mit einigen schonenden Rücksichten auf das, was beide geworden oder noch verfolgen. Auch spricht ohnehin der Jüngling kühner.

Die mildeste Freundinn sagt einem Manne geradezu: er sei eitel, als ob dieß nicht der größte Vorwurf — obwohl bei ihr ein kleiner — wäre; da stolz, grob, männlichen Ohren besser klingen würde. Eitel! — in welche Kleinlichkeit verschrumpft da, der ganze

Mann. Nur größte Vorzüge können den Fehler der Eitelkeit, wie bei Kaunitz und Büffon entschuldigen.

Der Eintritt in die gesellige Welt, ist dem in die physische entgegengesetzt. Hier fühlt man anfangs den Frost am meisten, und wird durch Aufenthalt darin wärmer — dort aber spürt man die Wärme früher, und dann Erkältung.

Fühlt man in der Behandlung einer Gesellschaft, keine Anspannung sondern Freiheit und Fülle aus der man nur schöpfen kann ohne zu erschöpfen: so hat man selber das Zeichen eines guten Gesellschafters.

Ich mag mit niemand umgehen der mich nicht wenigstens in etwas übertrifft, in Kenntnissen und Erfahrung, oder im Moralischen; die mir Aehnlichen, oder Meinesgleichen, sind nicht meine Leute.

Kein Dichter, sollte mit Dichtern umgehen, sondern mit anderen Leuten; und diese sollten wieder mit Dichtern umgehen — jeder zu seiner Heilung.

Die Gewohnheit begehrt Freuden und Vorzüge eines Verhältnisses, verdoppelt; Leiden und Mängel halbirt, — — Die Gewohnheit, gewöhnt sich nur ans Beste.

Der holden Sängerin Sontag.

Drei Sinngedichte von Friedrich Haug. *)

1.

Zwei Fragen, sogleich gereimt aufzulösen.

Wer läßt von Deinem Reiz sich niemals überwinden? —
Allein die . . . . den.
Wer läßt von Deinem Geist nie sich die Freiheit rauben? —
Allein die . . . ben.

2.

Rüge.

Künstler verlören die Zeit, wenn sie mahlen Dich wollten o Sontag!
Da nur menschlich die Kunst, göttlich Dein Angesicht ist;
Doch, wenn entzündet von Dir, auch Einer begönne das Wagstück,
Nicht sein Mislingen fürwahr! rüg' ich, sein Wagen allein.

3.

Voraussagung.

Holde Liebe, sängest Du
Und ich riefe Hundert zu:
„Ist Ihr Sang nicht süß und rein?“ —
Unter Neun und Neunzig
Würd's nur Eine Stimme seyn:
„Ihre Stimm' ist einzig!“ —
Aber Eine spräche: „Nein!“
Doch die Stimme wäre Dein.

Berlin. Fr. Haug.

*) Der allezeit fertige Improvisator und Epigrammatist Fr. Haug hat von Berlin wieder Abschied genommen und bei allen, die ihn näher kennen lernten, ein heitres Andenken zurückgelassen. Nie haben Schalkheit und Witz und die andern losen Liebesgötter eine so täuschende Maske vorgenommen, wie bei Haug. Seinen Epigrammen nach zu urtheilen, erwartete man einen langen, hagern, immer mit verbissenen Lippen sitzenden, mit Falken-Augen lauernden Scharfschützen zu sehn, siehe, da tritt ein freundlicher, lieber Alter herein, der in der Welt fremd und verlegen erscheint, sich beklagt, wie er sich in Post- und Wirthshäusern nicht zu behelfen wisse und sogleich unser ganzes Vertrauen gewinnt. Von Niemanden, der ihm nur die geringste Aufmerksamkeit bezeigte, ist er ohne poetischen Abschied geschieden; uns aber hat er den erfreulichsten Auftrag durch Mittheilung dieser Sinngedichte gegeben. —

Reise eines Malers. 10.

Cadenabbia am Comer See den 16ten Aug.

Kaum hatten wir den Monte Salvatore aus dem Gesicht, so landeten wir in Porlezza, dem ersten östreich. Flekken (denn bisher war Alles noch republikanisch Gebiet) und wurden sogleich von einer neugierigen Menge, von Doganiers und Gensd'armen in Empfang genommen. Daß solcher Empfang das beste niederschlagende Pulver für alle und jede Begeisterung ist, hat mancher manchmal erfahren; indeß ging Alles über Erwartung gut und bald konnten wir unsern Weg fortsetzen. Einem abgedankten Räuberhauptmann (dies Ansehn wenigstens hatte er) vertrauten wir unser Gepäck, einem andern Führer, den die Herren schon aus Zürich mitgenommen, uns selbst an; aber die unmaßen große Hitze, die mit der frischen Seeluft so drükkend contrastirte, nahm uns Niemand ab, wir litten viel des Tags, zumal des Mittags. Wir waren etwa eine gute halbe Stunde gegangen, als ein Mann im vollen Laufe hinter uns herkam, der sich schon in der Ferne durch seinen blauen Polizeirock kenntlich machte. Signore, fing er in seinem Rothwelsch an, von dem wir so viel verstanden, daß wir umkehren sollten, weil ein Paßversehen vorgefallen. Der Eine meiner Begleiter war entschlossen genug, ihm unsere Unlust dazu zu offenbaren, ich meine, ihm sein Gesuch rein abzuschlagen. Noch einmal gab Jener gute Worte, wir beharrten mit einem *avanti*! gegen unsre Führer auf der Weigerung und entlockten somit der beleidigten Gewalt die Drohung: daß mán uns mit Gens'd'armen zurück bringen werde. — Was das Ganze zur höchst komischen Scene machte, war die verschiedene Sprache; denn auf Deutsch verstanden wir besser uns zu stemmen. Jener aber ging allein durch das Schwitzbad zurück, in welches er uns so gern mitgezogen. — Zum Troste will ich Dir nun gleich sagen, daß die Fortsetzung unsrer Reise ganz ohne Störung blieb. Bald auch nahm eine ganz andre Welt unser Sinnen wie unsre Sinne gefangen: eine unbegreiflich hohe und reiche Schöpfung that sich vor uns auf. Da wo man nach Minaggio hinabsteigt an den Comer See, öffnet sich dem Blick durch dichtes Laubwerk eine Aussicht über den See nach dem jenseitigen Ufer, nach dem Vorgebirge von Bellugio und drüber hinaus, wohin des Sees Arme reichen, und wie in der Unendlichkeit verschwindet auch er, wo enger und enger die Berge an einander rücken. In glänzender, klarer Beleuchtung lag die Landschaft vor mir, die meine ganze Fantasie zur Bettlerin machte, auf flecken- und flockenlosen Grund des reinsten Himmels hingehaucht war das Zauberbild, das mein Auge erstarren, alle meine Glieder zittern ließ. —

In Minaggis war es nun auch, wo ich das erste erträgliche Menschenantlitz sah; denn bisher hatte wirklich unser Geschlecht die undurchsichtige Schattenseite neben dem glänzenden Lichte der äußern Natur gebildet. Die Mädchen tragen ihre Haare wie zu einem Fecher geflochten am Hinterkopf; die Nadel, die das Ganze hält, hat an beiden Enden große schwarze Kugeln, die übrige Tracht ist weniger eigenthümlich.

Von hier aus mietheten wir uns Schiffleute bis Como, und ließen uns zuerst über den See nach Bellagio fahren, einem Dorf an dem Vorgebirge, welches den See in zwei Theile theilt, und überall beides, schönste Ansicht und schönste Aussicht gewährt. Wir erstiegen, von einem Knaben geleitet, den Berg und traten in die Villa, ein Gebäude aus alter Römer Zeit, (jetzt von einem kleinen Herzog bewohnt) in den Garten daran und Dante konnte höhere Wonne nicht fühlen von Beatricen in das Paradies geleitet, als ich, eintretend in diesen Tempel der Natur. Alles was eine glühende, schwärmerische Fantasie vom Italischen Land uns vormalt, was sie in den dunklen Luftgrund baut, was auf grünen Teppich sie hinzaubert — Alles, weit übertroffen, stand als Wirklichkeit vor mir. Laubengänge von Lianen und glühenden Granaten führen uns in den Himmelsgarten, die hohen Hortensiabüsche an den Seiten machten all ihre Deutschen Schwestern zur Satire auf sich selbst; zwischen Orangen und Citronen, die die Symbole aller Jahreszeiten (den Winter nur schienen sie nicht zu kennen) an sich trugen, und duftende Blüten unter strotzenden Früchten herunterstreuten, stand im sanften weißen Lenzesschmuck, die immer grüne Myrte; hoch streckte der Lorbeer seine Arme empor, als wolle noch heute Daphne dem nachstrebenden Dichter entfliehen, aber höher ragten Pinie und Cypresse. Und in solchem Rahmen, welche Landschaft! nach allen Seiten hin See, von hohen Gebirgen mannigfach eingeschlossen, Bild an Bild, Leben und Seeligkeit. Ueberall jene erquickliche Vegetation, jenes rege Leben, in welches die ernsten kahlen Häupter der hohen Berge mit Wohlgefallen herunter zu schauen schienen, wie Greise ins frohe Getreibe der Jugend. Keine Seite eines irgend mit Gefühl begabten Herzens blieb unberührt, laut erbebte mein Innres und ich wähnte im Augenblick, Maler, Dichter, Musiker, ja ganz Mensch in reinster Gottesanschauung zu sein; Himmel und Erde flossen mir in eins, wie ich jenen über und unter den Bergen wieder sah, im gleichen Kreise wähnte ich alles mit fortgerissen, als mich der Eine, der prosaische meiner Begleiter, mit: „es ist recht hübsch, aber weiter seh ich nichts!“ aus meinem Taumel riß, von meiner und überhaupt von der Höhe herabzog und mich nur dem Gedanken überließ, ob nicht die Idealisten am Ende Recht hätten, daß der Mensch nur überall sich und seine Gebilde säh. Wie könnte auch die Welle sturmbewegt sein, wenn die Nachbarwelle glatt dahingleitet!

Wir stiegen wieder ins Schiff, die Dämmerung war eingetreten, enger traten im sanften Dunkel die Massen zusammen, sanfteres Licht sandte der aufgegangene Mond herab, und wie bei Sonnenaufgang die Memnossäulen klangen, so erklangen auch allmählig in meiner Seele Saiten, folgend dem Pulsschlage des Schiffleins, dem wie ein treuer Gefährte in der leisbewegten Welle der Mond zur Seite schwamm. So schloß die himmlische Symfonie des Tages, nachdem sie uns über Höhen und Tiefen, durch Ernst und Scherz getragen, in die Höhen der rauschendsten Naturbegeisterung gehoben mit dem sanftesten Adagio des sinkenden Tages, des heiligen Abends. Wir landeten in Cadenabbia, wo wir die Nacht bleiben. Einen Theil meiner guten Nacht und Du hast die beste! Ade! Ade!

Scherze der deutschen Sprache.

Mitgetheilt von Franz Horn.

1. Kukkuk.

Kein Thier spielt in der deutschen Sprache oder Sprachweise eine so merkwürdige, obwohl nicht selten ungünstige Rolle, als der Kuckuk. Der bloße Name mit einem Ausrufungszeichen hinterher ist ein Fluch, und wenn der „Teufel" und der „Henker" die beiden schlimmsten Personen sind, die einen Menschen holen können, so folgt doch unmittelbar auf diese der Kuckuk, der bei seinen schwachen Kräften doch unmöglich so viel unangenehme Leute und Sachen wird holen können, als ihm zugetheilt wird. „Geh' zum Kuckuk!" sagt man nur, wenn man mit einem Menschen gar nichts mehr anzufangen weiß, und „des Kuckuks werden" scheint einen, theils entsetzlichen, theils lustigen Zustand anzudeuten, weil diese Rede häufig in der Form eines desparaten Optativs erscheint: „ich möchte gleich des Kuckuks werden!" Die Ausdrücke: „Was Kuckuk!" „Ei der Kuckuk!" sind vielleicht nicht ohne geheimnißvoll tiefe Nebenbegriffe, und „Kuckuk noch einmal!" (in Niedersachsen nicht ungewöhnlich) scheint mir der Superlativus zu sein.

Bei solcher Ungunst, die das arme Thierchen drückt, ist jedoch auch schöner Trost für dasselbe vorhanden. Seit Jahrhunderten haben die deutschen Liebenden ihn „in der schönsten Zeit des Jahres" als einen „prophetischen Vogel" angesprochen, unser deutscher Gesangesmeister **Goethe** hat ihn mit in seinen Triumphwagen genommen, und mit Recht von guten Sängern und Sängerinnen verlangt, daß sie das „Kuku" mit Grazie *in infinitum* singen sollen. Wie wird er sich jemals so großer Ehre würdig machen? — **Zeigt** er sich etwa um deswillen so selten öffentlich? und will er nur durch Töne, nicht durch Gestalt siegen? Aber auch **vor** dieser Apotheose ist in Deutschland seine große Wissenschaft nie in Zweifel gezogen worden, denn wenn die Menschen mit schöner socratischer Ironie ihr Nichtwissen eingestehen, erklären sie doch mit Aufrichtigkeit und Entschiedenheit „das weiß der Kuckuk." Wo er das alles her hat, das weiß abermals wieder bloß der Kuckuk; denn wir armen Menschen müssen es uns mit unserm Wissen zuweilen etwas sauer werden lassen.

---

2. Dahin Gestelltes.

In Deutschland hört man seit Jahrhunderten vielleicht keinen Ausdruck so häufig als den: „wir wollen es dahin gestellt sein lassen." Gutmüthig genug zeigt sich allerdings der Deutsche der also redet, denn er will den andern nicht geniren, der es vermuthlich sehr gern sieht wenn man die Sache bereits als hingestellt betrachtet. Aber auch bequem, ja träge zeigt sich wer häufig jenen Ausdruck braucht, denn er will sich selber gleichfalls nicht mit der Frage bemühn, ob er auch eine Sache dahin gestellt sein lassen **darf**, da sie doch wohl oft weder gestellt sein möchte, noch stehen kann.

Endlich liegt noch, wie mich dünkt, eine eigene angenehme Mystik in dem Ausdruck „dahin gestellt." — **Wohin** denn? Darauf giebt es keine Antwort, und doch kann es uns vielleicht in fröhlicher Stimmung ergötzen, uns einen wirklichen Raum zu denken, wo alles Unausgemachte hingestellt worden ist. — Welch eine lustig-traurige, ernsthaft-närrische, durch und durch wunderliche Polterkammer von tausend Quadratmeilen stellt sich hier unserer Phantasie dar! — Wann werden wir hier einmal durchgreifende Musterung halten können!

---

3. Sich haben.

„Fasse Dich," sagt der Deutsche bedeutungsvoll; gleichsam als könne die Sorge, Unruhe und Angst den Menschen nur im zerstörenden ungesammelten Zustande treffen. „Raffe Dich zusammen" deutet schon auf nahe Gefahr, weshalb zur Raschheit ermuntert wird. — „Sich haben" ist ein nicht minder kühner Ausdruck, und wir verstehen ihn am besten, wenn wir uns das „Sich-fassen" zurückrufen, denn wenn wir uns ganz haben, sind wir gefaßt.

Wie aber dem tüchtigsten Ernst der lustigste Scherz am nächsten steht, so hat er auch mit dem „sich haben" ein merkwürdiges Spiel getrieben, indem er dadurch den entgegengesetzten Begriff des „außer-sich-seins" bezeichnet, besonders wenn dieses sich auf eine übertriebene, heftige oder affectirte Weise darstellt. Redensarten, „haben Sie sich doch nicht so!" „sie hatte sich erschrecklich," oder gar „das Gehabe" verfehlen im Munde der munter neckenden Menge ihre Wirkung nie, und machen sich vorzüglich curios, wenn man sie streng wörtlich in das Französische übersetzt.

F. H.

(Redigirt von Dr. Fr. Förster und W. Häring (W. Alexis.)

Im Verlage der Schlesingerschen Buch- und Musikhandlung, in Berlin unter den Linden Nr. 34.

Berliner

Conversations-Blatt

für

Poesie, Literatur und Kritik.

Sonnabend, — Nro. 109. — den 2. Juni 1827.

Literatur.

Ueber Kunst und Alterthum von Göthe, Sechsten Bandes erstes Heft.

(Erster Artikel.)

Wem in der gebildeten Welt wär es nicht zum Bedürfniß geworden mit demjenigen, der der Schöpfer und Träger unserer Literatur ist, mit Göthe beständig in geistigem Verkehr zu bleiben! Eben so aber ist es auch dem Dichter zur angenehmen Gewohnheit geworden sich mit der gebildeten Welt fortwährend in dem engsten Verhältniß zu erhalten. Wie er empfänglich ist für alles Wissenswerthe und Schöne, so ist er auch zugleich mittheilend und das vor uns liegende Heft giebt uns das erfreulichste Zeugniß von der Thätigkeit und Rüstigkeit seines Geistes. Zu mancher Gabe aus früherer Zeit hat der Dichter auch aus den letzten Tagen eins und das andere hinzugelegt und diese Hefte gewinnen insonderheit dadurch an Interesse, daß in ihnen eine allgemeine Heerschau über alle neusten literarischen und artistischen Leistungen, die von Bedeutung sind, gehalten wird. Aus allen Hauptstädten Europa's gehn Zusendungen an den Dichter ein, theils um dem Gefeierten und Verehrten eine Huldigung zu erweisen theils um ein Urtheil von ihm zu hören, oder auch nur, wie es Frau Marthe mit ihrem seeligen Manne meint, in dem Wochenblätzchen den Namen gedruckt zu sehn. Die für uns alle ersprießlichste Weise auf jene Zusendungen zu antworten ist die von Hrn. v. Göthe gewählte, nämlich: eine beurtheilende Bericherstattung über das Eingesendete, und daß wir nicht-blos höfliche Erwiederungsschreiben erwarten dürfen, wird uns schon durch den Spruch auf der Kehrseite des Titels angedeutet: „Wer gegen sich selbst und anderé wahr ist und bleibt, besitzt die schönste Eigenschaft der größten Talente.“ Von dem reichen Inhalte dieses Heftes erwähnen wir folgendes:

1. — Briefwechsel zwischen Göthe und Schiller über epische und dramatische Dichtung. (vom Dec. 1797) — Diesen Briefwechsel eröffnet Göthe damit, daß er den wesentlichen Unterschied beider Dichtungsarten dahin bestimmt, daß der Epiker die Begebenheit als vollkommen vergangen vorträgt und der Dramatiker sie als vollkommen gegenwärtig darstellt. Wollte man, heißt es dann weitrr, das Detail der Gesetze, wonach beide zu handeln haben, aus der Natur der Menschen herleiten, so müßte man sich einen Rhapsoden und einen Mimen, beide als Dichter, jenen mit seinem ruhig horchenden, diesen mit seinem ungeduldig schauenden und hörenden Kreise umgeben immer vergegenwärtigen. Eine treffende Bemerkung ist ferner, daß, wie man in der bildenden Kunst alle Arten bis zur Mahlerei hinantreiben wollen, um dadurch der Nachahmung des Lebendigen am nächsten zu kommen, so dränge sich auch in der Poesie alles zum Drama, zur Darstellung des vollkommen Gegenwärtigen hin. Nach Lesung eines guten Romans wünscht man den Gegenstand auf dem Theater zu sehn, waher dann freilich eine Mengen schlechtere Dramen entstanden sind. Von Hermann und Dorothea bemerkt der Dichter daß er sich dadurch, daß er nicht außer sich wirkende, sondern nach innen geführte Menschen darstellt,

von dem Epos entfernt und dem Drama nähere. — Schiller antwortet: Die Gegeneinanderstellung des Rhapsoden mit dem Mimen nebst ihren beiderseitigen Auditorien scheint mir ein sehr glücklich gewähltes Mittel, um der Verschiedenheit beider Dichtarten beizukommen. — — Ich möchte noch ein zweites Hülfsmittel zur Anschaulichmachung dieses Unterschiedes in Vorschlag bringen. Die dramatische Handlung bewegt sich vor mir, um die epische bewege ich mich selbst und sie scheint gleichsam stille zu stehn. — Bewegt sich die Begebenheit vor mir, so bin ich streng an die sinnliche Gegenwart gefesselt, meine Phantasie verliert alle Freiheit, es entsteht und erhält eine fortwährende Unruhe in mir, ich muß immer beim Objecte bleiben, alles Zurückdenken, alles Nachdenken ist mir versagt, weil ich einer fremden Gewalt folge. — Beweg ich mich um die Begebenheit, die mir nicht entlaufen kann, so kann ich einen gleichen Schritt halten, ich kann nach meinem subjectiven Bedürfniß mich länger oder kürzer verweilen, kann Rückschritte machen, oder Vorgriffe thun. — Schiller stellt ferner den Grundsatz auf: daß die Tragödie in ihrem höchsten Begriffe immer zu dem epischen Charakter hinaufstreben, das Epos zu dem Drama hinunterstreben müsse, wobei jedoch die eigentliche Aufgabe der Kunst sei, daß dieses wechselseitige Hinstreben zu einander nicht in eine Vermischung und Grenzverwirrung ausarte. — In einem folgenden Briefe theilt Goethe seiner weiteren Untersuchungen mit. Wir finden hier von dem großen Dichter folgendes vertrauliche Geständniß: „Leider werden wir Neueren wohl auch gelegentlich als Dichter gebohren und wir plagen uns in der ganzen Gattung herum, ohne recht zu wissen, woran wir eigentlich sind; denn die spezifischen Bestimmungen sollten, wenn ich nicht irre, eigentlich von außen kommen und die Gelegenheit das Talent determiniren. Warum machen wir so selten ein Epigramm im Griechischen Sinne? weil wir so wenig Dinge sehn, die eins verdienen. Warum gelingt uns das Epische so so selten? weil wir keine Zuhörer haben. Und warum ist das Streben nach theatralischen Arbeiten so groß? weil bei uns das Drama die einzig sinnlich reizende Dichtart ist, von deren Ausübung man einen gewissen gegenwärtigen Genuß hoffen kann." — Der Anfang der Antwort Schillers gehört eigentlich nicht zur vorliegenden Untersuchung, ist aber anderweitig von zu großem Interesse, als daß wir ihn unerwähnt lassen sollten. „Unser Freund A. v. Humboldt, schreibt Schiller unter den 29. Dec. 1797 an Göthe, bleibt mitten in dem neugeschaffenen Paris seiner alten Deutschheit getreu und scheint nichts als die äußere Umgebung verändert zu haben. Es ist mit einer gewissen Art zu philosophiren und zu empfinden, wie mit einer gewissen Religion; sie schneidet ab von außen und isolirt, indem sie von innen die Innigkeit vermehrt." — Ein überraschendes Mittel bringt Schiller in Vorschlag, um das Drama, das er durch einen schlechten Hang des Zeitalters in Schutz genommen glaubt, zu reformiren und durch Verdrängung der gemeinen Naturnachahmung der Kunst Licht und und Luft zu verschaffen. „Ich hatte, schreibt er, immer ein gewisses Vertrauen zur Oper, daß aus ihr, wie aus den Chören des alten Bachusfestes das Trauerspiel in einer edleren Gestalt sich loswickeln sollte. In der Oper verläßt man wirklich jene servile Naturnachahmung und obgleich nur unter dem Namen von Indulgenz könnte sich auf diesem Wege das Ideale auf das Theater stehlen. Die Oper stimmt durch die Macht der Musik und durch eine freiere harmonische Reizung der Sinnlichkei, das Gemüth zu einer schönen Empfängniß, hier ist wirklich auch ein Pathos selbst ein freieres Spiel, weil die Musik es begleitet und das Wunderbare welches hier einmal geduldet wird, müßte nothwendig gegen den Stoff gleichgültig machen." Von den Wirkungen und Umsichgreifen der großen Oper hatte Schiller in jener Zeit, auf der kleinen Bühne zu Weimar, keine Vorahnung. Grade die Oper ist es, die das Drama zu Grunde gerichtet hat und Schiller selbst, wenn er es erlebt hätte, werde mit Göthes Zauberlehrling ausrufen:

Die ich rief, die Geister,
Werd' ich nun nicht los! —

2. — Steindruck. Unter dieser Ueberschrift werden uns die vorzüglichsten Leistungen die neuerdings in dieser Kunst in Frankreich, Deutschland, Rußland, Italien, den Niederlanden und England gemacht worden sind, angezeigt. Besonders ehrenvoll wird dabei der Fortsetzung des in Berlin bei dem Kunsthändler Müller erscheinenden Königl. Preußischen Gallerie-Werkes gedacht. „An den vorzüglichsten Blättern des Königl. Preußischen Gallerie-Werkes, sagt Goethe, ist die Ausführung ohne Wiederrede lobenswerth; das Bildniß nach Vandyk, das Blatt nach Therburg, die Ehebrecherin nach Pordenone, die Vertreibung Hagar nach G. Flink und der Prinz von Geldern sind alle von ehrenwerther Beschaffenheit und in Hinsicht auf die eigentlichen lithographischen Eigenschaften stehn wir nicht an, das Blatt nach Ruysdal den allergelungensten beizuzählen, so kräftig, so gesättigt, deutlich, rein und klar ist dasselbe in allen seinen

Theilen, das wenigstens das vor uns liegende Exemplar keinem der Münchener oder Stuttgarter Steindrücke nachsteht."

3. Ueber das Lehrgedicht. — Der Dichter, der selbst einmal die Metamorphose der Pflanze in einem Lehrgedicht zu behandeln gesucht hat, empfiehlt bei Gelegenheit des Erscheinens einer Geognosie in Versen, die in London erschienen ist, diese Lehrart aufs Neue, bemerkt jedoch dabei, daß man sie aus dem ästhetischen Vortrage ganz herauslassen, aber denen zu Liebe, die Rhetorik und Poetik gehört hätten, als ein besonderes Collegium, vielleicht *publice*, vortragen solle. —

4. — Uebersetzung zweier persischen Gedichte des Seid Ahmed Hatifi Isfahani. — Der Dichter ist ein Bekenner des Islams, ein fanatischer Orientalist, der seine Gedichte immer mit dem Spruch schließt:

Nur Einer ist, und außer ihm nichts mehr,
Und Er allein ist Gott und keiner sonst als Er!

Nun geschieht es ihm aber, daß er sich in ein schönes Christenkind verliebt, die er jedoch beklagt, daß sie den Weg des Heils nicht gefunden.

„Wie lang sprichst Du durch dreie noch dem Einen
Hohn?
Sieh! des Allein'gen Ewgen Gottes hoher Name
Ziemt nicht den heil'gen Geist, nicht euerm Vater
und Sohn."
Da schloß sie auf die Honiglippen mir zu sagen:
Und süßes Lächeln ging zur Hand dem Silberton —
O kenntest das Geheimniß Du des höchsten Gottes,
Du lüdest nicht auf mich so groben Irrthums Hohn.
Sag' ob die Wesenheit sich ändert dieses Stoffes,
Nennst Du ihn Seide, nennst ihn Tafft und Atlas
schon?
So schlugen wir den Ball der Rede hin und her,
Da schallte laut vom Thurm herab der Glocke Ton:
Nur Einer ist, und außer ihm nichts mehr,
Und Er allein ist Gott und keiner sonst als Er! —

Von Bedeutung ist es allerdings, daß die Mohamedaner um dieses Hauptdogma der christlichen Religion wissen und sich dagegen zu verwahren suchen.

Auch davon haben sie schon gehört, daß diese Lehre ein Mysterium sei, leider aber ist das junge Mädchen schon aufgeklärt genug, um das Geheimniß auf die trivialste Weise auslegen zu wollen. Also auch dort kennt man schon Schleiermachers Dogmatik! —

5. Verhältniß, Neigung, Liebe, Leidenschaft, Gewohnheit.

Nicht nur über sein Dichten und Denken auch über seine Herzens-Angelegenheiten hören wir gern unsern Dichter sich Rechenschaft geben, und wie noch immer, wenn er die Lyra anschlägt, der reine, volle Ton anspricht, so trifft er auch, wenn er die Saiten des Herzens berührt mit einer Gewalt, wie sie keinem andern je zu Gebote steht. Nur Geständnisse glaubt der Dichter zu thun, aber er spricht die tiefste und allgemeinste Wahrheit aus; wer so erfahren hat wie er, der allein nur hat ein Recht, von seinen Erfahrungen zu reden. „Alle Liebe, heißt es in diesem Aufsatze, bezieht sich auf Gegenwart; was mir in der Gegenwart angenehm ist, sich abwesend mir immer darstellt, den Wunsch des erneuerten Gegenwärtigseins immer fort erregt, bei Erfüllung dieses Wunsches von einem lebhaften Entzücken, bei Fortsetzung dieses Glücks von einer immer gleichen Anmuth begleitet wird, das eigentlich lieben wir und hieraus folgt, daß wir alles lieben können, was zu unserer Gegenwart gelangen kann, ja, um das Letzte auszusprechen; die Liebe des Göttlichen strebt immer darnach sich das Höchste zu vergegenwärtigen.

Ganz nahe daran steht die Neigung, aus der nicht selten Liebe sich entwickelt. Sie bezieht sich auf ein reines Verhältniß, das in Allem der Liebe gleicht, nur nicht in der nothwendigen Forderung einer fortgesetzten Gegenwart.

Diese Neigung kann nach vielen Seiten gerichtet sein, sich auf manche Personen und Gegenstände beziehn und sie ist es eigentlich, die den Menschen, wenn er sie sich zu erhalten weiß, in einer schönen Folge glücklich macht. — Es ist einer eigenen Betrachtung werth, daß die Gewohnheit sich vollkommen an die Stelle der Liebesleidenschaft setzen kann, sie fordert nicht so wohl eine anmuthige, als bequeme Gegenwart, alsdann aber ist sie unüberwindlich." —

Reise eines Malers. 11.

Mailand d. 18. Aug.

So bin ich denn glücklich in der Hauptstadt der Lombardei angekommen — der erste Eindruck war sehr erfreulich; doch zurück! bis ich auch auf dem Papier hier anlange!

Der gestrige Tag fing so schön nicht an, als der vorgestrige schloß, obschon die Natur dasselbe Kleid trug. Der Gang nach der Villa Sommariva gab den Mißton, der mir noch lange die nachfolgenden Freuden verdarb. Wohl freute ich mich der hohen Lorbeer- und Oleanderbäume, der glänzenden Farbenpracht der Blumen und der weit hinduftenden Orangen; ja über Alles, was dem göttlichen Süden angehört, allein hier war es auf den menschlichen berechnet. Es giebt Leute, denen Uebergenuß lieber ist als beschränkter, die den Wein, den sie im Gasthaus einmal bezahlt, lieber sich zum Eckel austrinken, als stehen lassen, und eben solche, die auf Reisen alles sehen müssen, einerlei, ob's den Magen ihres Geistes überfüllt, oder überhaupt nur annehmlich ist. Solche fahren nicht nur nicht bei der Villa Sommariva vorüber, sie begnügen sich auch nicht mit einem oder einem Paar der prächtigen Zimmer, nein Alle 22 oder 30 von A bis Z. müssen durchlaufen werden, damit man sagen kann: Ich bin da gewesen. Oekonomie ist überall gut, aber die rechte will nicht Vieles, sondern Gutes. Indeß meine Begleiter waren nicht meiner Meinung und ich fügte mich, durch eine Menge Zimmer voll modern-italienischer und französischer Bilder zu gehen, deren Anblick mit dem lachenden See draußen und dem reinen Himmel drüber im schlimmen Contraste stand. Zwar ist auch der Siegeszug Alexanders von Thorwaldson dort, vielleicht das herrlichste Werk neuerer Skulptur; indeß noch in Kisten verpackt, nicht zur Betrachtung aufgestellt. Dagegen paradiren Canovas weichliche Figuren und einige Franzosen, daß ich ordentlich froh war, als ich unsre abscheulich häßlichen Schiffsleute wiedersah, — sie hatten doch wenigstens Knochen im Leibe.

Bald sahen wir ein zweites Landungs Ziel vor uns in grüner Bucht. Die Villa Pliniana, merkwürdig durch ihr Alterthum und durch die Erinnerung an einen großen Mann. Hier hat Plinius in friedlicher Zurückgezogenheit den Musen gelebt und wär uns nicht sogleich ein altes Männchen entgegen gekommen, der aus nicht streng wissenschaftlichen Gründen die Münzenkunde studirte, und es auch auf Beiträge von uns absah, ich hätte noch die Fußstapfen des alten Dichters gesehen. So ließen wir uns vom magern Nachkömmling des alten Römers an dessen Lieblingsplätze geleiten an den frischen Quell, der im innern Hofraum aus den Felsen hervorquillt — leider ein Hungerbrunnen in mancher Bedeutung; den Felsen stützen alte Säulen und ich dachte bei mir: warum haben gerade die Denkmale solcher kleinen häuslichen Einrichtungen die Gewalt über das Gemüth? oder welcher Sinn in uns ist es, der an die Handschrift, an die Handarbeit eines großen oder geliebten Menschen deutlicher sein Bild knüpft als selbst an Geistes-Werke von ihm, an seine Gedanken? daß die die wir nur als Geister betrachten, auch wie wir, der Erde Gesetze unterworfen waren, gleiche Mühen mit allen Sterblichen trugen! Vielleicht ist dieß der Gedanke, der sie uns so nahe rückt, daß wir ihre Anschauung eine unmittelbare nennen. — Hinter der Villa ergießt sich von der Höhe des Felsens mit sanftem Rauschen ein klarer Bach, wie Musik zu dem Spiele der Gedanken, die Blatt und Blüthe Stamm und Stein hervorrufen oder leiten; er sammelt sich in ein weites Felsenbecken, das die Natur zum Bade bestimmt zu haben scheint, dann geht er, fast mit schwerem Herzen vollends hinunter in sein schönes Grab die sich kräuselnde Welle, die eben noch freundlich zu uns sprach, schwimmt dahin in den Wellen des Sees.

Schon früher fingen die Berge an, einförmiger zu werden und sich abzuflachen, nur der Rückblick behielt sein Erhebendes, bis er uns beim Umbiegen um ein Vorgebirge sich völlig veränderte und nun blieb uns nur die Freude am See und seinen durch Villen und Ortschaften belebten Ufern. Die Schiffer zeigten uns unter Andern auch die Villa d'Este, die in dem famösen Prozeß der letzten Königin von England nicht als der Ort geräuschloser Einsamkeit hervortritt. Endlich wendet das Schifflein sich ums letzte Vorgebirge und in heiterm Mittagglanze liegt Como vor uns. Schon von Fern zeichnete der Dom sich als ein eigenthümliches Bauwerk aus und bewährte sich als solches auch in der Nähe. Unverkenbar trägt dieß Gebäude die Spuren deutschen Ursprungs, obschon in ganz Deutschland kein Aehnliches aufzufinden sein mag; wie Menschen auch dieselben in fremden Ländern bleiben, nur fremde Tracht und Lebensweise annehmen. Die Façade ist besonders reich, und zwar dadurch daß die breiten Pilaster, wodurch die Hauptabtheilungen geschieden, ganz mit Figuren ausgeziert sind. Auch das Innere ist über Erwarten geschmackvoll eingerichtet, was mich um so mehr wunderte, da man es selten beim einfachen alten Kirchenschmuck läßt; die Säulen waren bekleidet und trugen außer dem Gewölbe, noch viele alte Statuen, die sich weit über das Mittelmäßige erhoben. Nur Reinheit des Baustyls vermißte ich im Ganzen, doch werde ich mich wohl in Italien daran gewöhnen müssen, wenigstens in Beziehung auf große Kirchenbauten.

Der Weg von Como bis Mailand ist höchst einförmig und es war gut, daß wir uns hinglänglich mit Pfirsichen und Trauben versahen, um den Durst nach der Heimath zu stillen. Welche Windstille nach dem Freudensturm der letzten Tage! Von hier aus mehr das nächste Mal.

(Redigirt von Dr. Fr. Förster und W. Häring (W. Alexis.)

Im Verlage der Schlesingerschen Buch- und Musikhandlung, in Berlin unter den Linden Nr. 34.

Berliner Conversations-Blatt

für

Poesie, Literatur und Kritik.

Dienstag, — Nro. 110. — den 5. Juni 1827.

Frühlingslied.

5.

Es weht so warm aus Süden,
Auf den Bergen schmilzt der Schnee,
Und die lustigen Bäche rinnen
Zur grünumkränzten See.

Und wo ein Bach nur rinnet,
Da flattert ein Wimpel auch,
Und schwellende Segel jaget
Des Frühlings muntrer Hauch.

Da schallt's von wimmelnden Hafen
In tausend Stimmen her,
Und den Hoffenden treibet die Sehnsucht
Hinab zum sonnigen Meer.

Ich harre der nahn'den Wimpel
Mit bangespähendem Blick;
Mir bringt kein nahènd Wimpel
Die alte Freude zurück.

Dan. Leßmann.

Literatur.

Ueber Kunst und Alterthum von Goethe, Sechsten Bandes erstes Heft.

(Zweiter Artikel.)

6. Aus dem Französischen des Globe. Es wird ein Aufsatz über Göthes Faust mitgetheilt, in welchem ein unterrichteter Franzos die Berichtigung des Dichters, einen solchen Stoff zu behandeln, nachzuweisen sucht. Göthe bemerkt hierzu: Wenn uns Deutsche in jedem Falle interessiren muß, zu sehen, wie ein geistreicher Franzos gelegentlich in unsere Literatur hineinblickt, so dürfen wir doch nicht allzustolz werden über das Lob, was man uns von dorther von Zeit zu Zeit ertheilen mag. Die Freiheit, ja Unbändigkeit unserer Literatur ist jenen lebhaft thätigen Männern eben willkommen, welche gegen den Classicismus noch im Streit liegen, da wir uns schon so ziemlich in dem Stande der Ausgleichung befinden und meistens wissen, was wir von allen Dichtarten aller Zeiten und Völker zu halten haben. — Es werden dann weiter die lithographirten Blätter, welche ein Hr. Delacroix zu der in Paris erschienenen Stapferschen Uebersetzung, des Faust gemacht hat, ehrenvoll erwähnt. — Wir erwähnen hier sogleich eines späteren Aufsatzes über die Uebersetzung der dramatischen Werke Göthes von Stapfer, ebenfalls von einem Franzosen geschrieben und müssen gestehn, daß diese Abhandlung zu dem trefflichsten gehört, was wir jemals über Göthe gelesen haben. Zum Beleg nur das, was über Iphigenie gesagt wird. „In diesem Werke — so heißt es — welches die Deutschen und der Autor selbst für das vollendeste seiner dramatischen Compositionen halten, verhüllen sich ohne Widerrede die Gefühle einer völlig christlichen Zartheit und einer ganz modernen Fortbildung unter Formen, dem Alterthum entnommen, aber es wäre unmöglich diese verschiedenen Elemente harmonischer zu verbinden. Es sind nicht nur die Formen der Griechischen Tragödie mit Kunst nachgeahmt, der Geist der antiken Bildkunst, im durchaus

gleichen Leben beseelt und begleitet mit ruhiger Schönheit die Vorstellungen des Dichters. Diese Conceptionen gehören ihm und nicht dem Sophokles, das bekenne ich, aber ich könnte ihn nicht ernsthaft darüber tadeln, daß er sich treu geblieben. Und was haben denn Fenelon und Racine gethan? Wohl ist der Charakter des Alterthums in ihren Werken genugsam eingedruckt, aber hat auch der eine dort die Eifersucht der Phädra gefunden, der andere die evangelische Moral, die durch den ganzen Telemach durchgeht? Unser Dichter nun hat wie sie gehandelt; es war keineswegs in seiner Art, sich völlig in der Nachahmung eines Models zu vergessen; er hat von der antiken Muse sich eindringliche Accente zugeeignet, aber um den Grundsinn seiner Gesänge ihm einzuflößen, waren zwei lebendige Musen unentbehrlich, seine Seele und seine Zeit." Eben so scharf und befriedigend wird über die andern Werke des Dichters Rechenschaft gegeben.

7. 8. 9. Ueber Homer. Euripides. Aristoteles. — Während wir den Dichter von dem beständigen Andrange der neuesten Literatur in Anspruch genommen sehn, weiß er dennoch auch Muse zu gewinnen, um zuweilen auch bei den Alten einzukehren und sich um ihre Deutung zu bemühen. So unterstützt er mit Gründen, die aus dem Geist der Poesie selbst entlehnt sind, daß zwischen der Ilias und der Odysse nicht etwa ein Epos liegen könne, da alles Dazwischengeschehene dramatisch sei. Bruchstücke des Euripides werden durch ihn zusammengefügt und das Fehlende ergänzt und Aristoteles, der vielfach verkannte und mißverstandene, durch ihn erläutert und gerechtfertiget. Alle diejenigen, die der Kunst die Ehre, daß sie Selbstzweck sei, nehmen und ihr dafür einen moralischen Zweck unterschieben wollen, hört man außer andern Autoritäten am gewöhnlichsten auf Aristoteles sich berufen, der ja schon längst gesagt habe: das Trauerspiel solle das Gemüth von Mitleid und Furcht reinigen. — Dies ist jene berühmte Stelle: „Die Tragödie ist die Nachahmung einer bedeutenden und abgeschlossenen Handlung, die eine gewisse Ausdehnung hat und in anmuthiger Sprache vorgetragen wird und zwar von abgesonderten Gestalten, deren jede ihre eigne Rolle spielt und nicht erzählungsweise von einem Einzelnen; nach einem Verlauf aber von Mitleid und Furcht mit Ausgleichung solcher Leidenschaften ihr Geschäft abschließt." Wie konnte, fügt Goethe hinzu, Aristoteles in seiner, jederzeit auf den Gegenstand hinweisenden Art, indem er ganz eigentlich von der Construction des Trauerspiels redet, an die entfernte Wirkung und was mehr ist, an die entfernte Wirkung denken, welche eine Tragödie auf den Zuschauer vielleicht machen würde?" Keineswegs! er spricht ganz klar und richtig aus: Wenn sie durch einen Verlauf von Mitleid und Furcht erregenden Mitteln durchgegangen, so müsse sie mit Ausgleichung, mit Versöhnung solcher Leidenschaften zuletzt auf dem Theater ihre Arbeit abschließen."

10. Lorenz Sterne. Mit wahrhafter Pietät erinnert G. an diesen Schriftsteller, der auf ihn selbst, wie auf die ganze Deutsche Literatur in seiner Weise einen fast eben so großen Einfluß ausgeübt hat, wie Shakespeare. Goethe nennt ihn „den Mann, der die große Epoche reinerer Menschenkenntniß, edler Duldung, zarter Liebe in der zweiten Hälfte des vorigen Jahrhunderts zuerst angeregt und verbreitet hat."

11. Der Pflanzenfreund aus der Ferne. Drei schöngefügte achtzeilige Stanzen.

12. Ueber die Ausgabe Hamlets vom Jahr 1603.

Durch Hrn. Tiecks Ansichten von dem alten englischen Theater sind über diese ersten Ausgaben manche irrige Ansichten verbreitet worden und man hat auch dieser Ausgabe vom Hamlet eine Wichtigkeit beigelegt, die sie nicht hat. Solche erste Ausgaben verdanken ihren Ursprung mehrentheils unwissenden Schnellschreibern, die während der Aufführung das Stück nachschrieben und dann aus eignen Mitteln die Lücken ergänzten. Die scenische Anordnung war nicht Sache des Dichters, sondern des Stage-Directors. Goethe erwähnt dieser ersten Ausgabe vornehmlich deshalb, weil darin angegeben ist, daß der Geist des Königs bei seinem zweiten Erscheinen in dem Zimmer der Königin, nicht wie das erstemal im Harnisch, sondern im Schlafrock (*in his night-gowne*) auftritt und glaubt, daß es von großer Wirkung sein müsse, den Geist an dieser Stelle so erscheinen zu sehn, da er in diesem Nachtkleid viel heimlicher, häuslicher, furchtbarer auftrete. —

13. *Le Tasse, drame historique en cinq actes, par M. Alex. Duval.* — Wir haben darüber schon in einer früheren Nummer unseres Blattes Bericht erstattet. Goethe theilt die, auch von uns gegebenen Urtheile Pariser Blätter über sein Drama mit und macht am Schluß darauf aufmerksam: daß er überzeugt sei, es bilde sich eine allgemeine Weltliteratur, worin uns Deutschen eine ehrenvolle Rolle vorbehalten sei. — „Alle Nationen, sagt er, schauen sich nach uns um, sie loben, sie tadeln, nehmen auf und verwerfen, ahmen nach und entstellen

uns u. s. w. Dies alles müssen wir gleichmüthig aufnehmen, da uns das Ganze von großem Werth ist. — — Wir haben im literarischen Sinne sehr viel vor andern Nationen voraus, sie werden uns immer mehr schätzen lernen und wäre es auch nur, daß sie von uns borgten ohne Dank und uns benutzten ohne Anerkennung. — Er fordert die Landsleute auf treu zusammen zu halten:

Anstatt das ihr bedächtig steht,
Versuchts zusammen eine Strecke;
Wißt ihr anch nicht, wohin es geht,
So kommt ihr wenigstens vom Flecke.

14. Varrenhagen von Ense's Biographien. — Paul Flemming, Friedrich von Canitz und Joh. von Besser. Göthe erinnert sich, diese Dichter als Knabe in seines Vaters Bibliothek schön gebunden gesehn zu haben, wo er darin mehr lesen lernte, als daß er sie las. „Nimand sagt G., wird diese Biographien ungelesen lassen und meine Freunde bitte ich dabei sich auch mich in jenen Tagen zu vergegenwärtigen, wo ich mich weder mit solcherlei Lieb- und Hofschaften noch mit derlei gestaltlosem und doch blumenreichem Inhalt, mit dem halbgewandten und meist gehaltleeren Ausdruck, mit der unerquicklichen Dogmatik des protestantischen Kirchenliedes in keinem Sinne befreunden konnte, wenn dasjenige was sich in mir zu entwickeln strebte, nicht unterdrückt und mißgeleitet werden sollte." — Je strenger er den Stab über jenen Dichter spricht, desto anerkennender belobt er den Biographen, von dem er sagt: „Seit geraumen Jahren wirkt er auf die freundlichste Weise mit mir in meinem Sinne und befördert mein Bestreben durch ein bejahendes Entgegenkommen. Ich zähle ihn zu denjenigen, die zunächst unsre Nation literarisch in sich selbst zu einigen, das Talent und den Willen haben." —

15. Eine ehrenvolle Erwähnung von Solgers nachgelassenen Schriften. Besonders freut sich Göthe über die zarte und schöne Aufnahme, die seine Arbeiten bei Solger gefunden. — Er übersieht mit gewohnter Milde die herben Aeußerungen Tiecks der noch in einem Briefe vom Jahr 1816 an Solger Gott dankt, daß er endlich von der Verehrung Göthes losgekommen sei.

16. 17. 18. Serbische Lieder von Gerhard — Besonders eines darunter ist den Frauenliedertafeln zu empfehlen. — Der zweite Theil der von Fräulein v. Jacob begonnenen Uebersetzung serbischer Lieder wird bestens empfohlen. Auf Milutinovitsch Heldenlieder aus dem neusten Aufstandskriege Serviens wird als auf eine bedeutende Erscheinung aufmerksam gemacht.

19. 20. Bildende Kunst: Nach einem nachträglichen Bericht über mehrere Steindrücke werden die Studien und Copien die Hr Ternite, Aufseher der Königl. Gallérie in Potsdam, aus Herkulanum und Pompeji mitgebracht hat, sehr ehrenvoll erwähnt und derselbe dringend aufgefordert, die Herausgabe des von ihm beabsichtigten Werkes über antike Mahlerei nicht länger zu verschieben.

21. Neuste deutsche Poesie. So viel von diesem Artikel dem Dichter von Verlegern and Autoren zugesendet worden ist, so scheint doch von allen eingegangenen Dramen, Romanen, Novellen und Liedern auch nicht eines werth befunden worden zu sein, nahmhaft gemacht zu werden. Statt aller anderen Anführungen begnügt sich G. damit eine Art Censur-Tabelle mit Fächern für Naturell, Stoff, Gehalt, Behandlung, Form und Effect aufzusetzen, nach der sich denn ein jeder Lob und Tadel zutheilen kann.

22. Helena Zwischenspiel zu Faust. Zu der alten Volkssage von Faust gehört auch, daß er den Mephistophiles gezwungen, ihm die schöne Griechische Helena aus der Unterwelt herbeizuschaffen. Wie Göthe dies — wie wir aus brieflicher Mittheilung von ihm wissen — schon vor 50 Jahren bearbeitet und nun ausgeführt hat, werden wir schon in der ersten Lieferung seiner Werke näher erfahren, in welche dieses Zwischenspiel aufgenommen ist. Mit Hindeutung auf die Bemühungen des tiefdenkenden Hinrichs und anderer Versuche den Faust zu commentiren und fortzusetzen bemerkt Göthe: „Darüber mußte ich mich wundern, daß diejenigen, welche eine Fortsetzung und Ergänzung meines Fragments unternahmen, nicht auf den so nahe liegenden Gedanken gekommen sind, es müsse die Bearbeitung eines zweiten Theils sich nothwendig aus der bisherigen kümmerlichen Sphäre ganz erheben und einen solchen Mann in höheren Regionen durch würdige Verhältnisse durchführen." — Schon früher ist uns bekannt geworden, daß G. eine Forsezzung des Faust liegen habe, wo wir ihn nicht mehr unter den wüsten Gesellen in Auerbachs Keller, sondern am Hofe des Kaisers Maximilian finden werden. —

23. Vorschläge zu Bearbeitungen. Unter mehreren Schriften die von gehaltreichem Stoff sind, jedoch aller Form entbehren und deshalb einer Behandlung bedürfen, um genießbarer zu werden, wird obenan gestellt: Begebenheiten des schlesischen Ritters Hans von Schweinichen. Aus dessen Handschrift herausgegeben Breslau 1820.

24. **Chinesisches** — Aus einem chrestomathisch-biographischen Werke, das den Titel führt: **Gedichte hundert schöner Frauen** sind Notizen und Gedichtchen ausgezogen, die unserm Dichter die Ueberzeugung gaben, daß es sich in diesem sonderbar merkwürdigen Reiche noch immer leben, lieben und dichten lasse.

25. An das Urphänomen der Farbenlehre wird in einem sinnigen Gedicht warnend erinnert.

Berliner Chronik.

Freitag den 1. Juni im Königstädtischen Theater. **Die liebenswürdige Alte**, komische Oper in einem Akt nach Scribe und Delavigne, Musik von Fétis. — **Der Liebe Macht.** Festspiel in einem Akt von Georg von Hoffmann. Musik von Carl Blum.

Zur ersten Begrüßung der Prinzessin Carl K. H. im Königstädter Theater waren die Logen mit grünen Festons geschmückt und das übervolle Haus empfing Ihro Königliche Hoheit mit lautem Jubel. Die erste der genannten kleinern Opern hat in Paris großes Glück gemacht; bei uns war der Eindruck sehr mäßig. Man scheint ganz zu vergessen, daß nicht die Musik, auch nicht der Inhalt des Stücks in Paris entscheidet, sondern vor allem das Spiel. Nun hat man sich die beiden ersten Ingredienzen verschrieben, allein das dritte war nicht per Post zu haben, mithin vermißte man das Hauptrequisit. Die Intrigue des Stücks besteht darin, daß ein junger Franzos in Rußland mit einer alten Gräfin bekannt wird und in der Hoffnung auf irgend eine Weise wieder loszukommen, sich mit ihr vermählt. Allein die Ehepacten sind zu gut verklausulirt und er sieht sich für ewig an dies Jahrhundert, das er zur Frau genommen hat, gefesselt. Die liebenswürdige Alte sucht ihn jedoch sein Loos noch erträglich genug dadurch zu machen, daß sie ihn mit 300,000 Fr. jährlichen Renten nach Paris entlassen und von ihm nur wie eine Mutter geliebt sein will. Indessen naht nach dem Hochzeitfeste der entscheidende Moment, die Gäste wünschen den Neuvermählten gute Nacht, nur vier Kammerfrauen bleiben zurück, um der Braut das Negligé anzulegen; sie läßt sich dabei von dem Bräutigam aus einem Almanach vorlesen und zwar dieselbe Geschichte, die er eben selbst erlebt. Die Braut wird vor dem Publikum entkleidet, aus dem grauen Haarwulst und altmütterlicher Haube schält sich ein braunes Lockenköpfchen hervor, aus dem grauen Ueberkleide kriecht, wie aus der Puppe, ein allerliebster Schmetterling heraus und ein Arm — ein glänzender Nacken wird blos — ja selbst die Schuh werden gewechselt, was denn ein recht appetitliches Bischen für die Pariser Leckermäuler ist. — Je gefährlicher ein solches aufs Aeußerste Treiben des Anstandes ist, um so gefälliger kann sich dabei die Grazie zeigen; dies bewies uns Dem. Sontag, die sich freilich in die Rolle der frischen Jugend besser zu finden wußte als in die der liebenswürdigen Alten, wo man sich nur wundern mußte, daß der Liebhaber sie nicht gleich beim ersten Blick in ihr Auge, bei dem ersten Ton ihrer Stimme erkannte. Um so erstaunter sieht er nun die verjüngte Geliebte, die ihn auf diese sonderbare Weise geprüft hatte vor sich, und er scheint sich bald in sein Glück zu finden. — Die Wahl des Stücks für diesen Abend hatte etwas Unpassendes, Kleinstädtisches; es fehlte blos, daß auch noch das Strumpfband vertheilt worden wär. — n.

Die zweite kleine Oper, **der Liebe Macht**, von Hoffman und C. Blum, die als ein Festspiel angekündigt war, spielte ebenfalls bei 30 Grad Reaumür in Rußland. Ein junger Graf (Hr. Krause) liebt eine Pachterstochter, (Dem. Sontag) und tritt in ihres Vaters Dienst, um ihr immer nah zu sein. Sein Oheim, ein russischer Fürst (Hr. List) überrascht ihn, läßt ihm seinen Zorn über sein Vorhaben fühlen, giebt ihm aber doch zuletzt seinen Seegen, denn die Pachterstochter ist des Fürsten Enkelin. — Die Musik ist anspruchslos, aber ansprechend, einfach, gefällig und die eingelegten russischen Volksmelodien, die wie alle nordischen Volkslieder etwas melancholisches haben, geben dem Ganzen einen charakteristischen Ton. Auch der Dichter hat ein russisches Volkslied eingeflochten, so originell, daß wir es der Mittheilung werth halten:

Maschinka.

Als mich Mütterchen jüngst schalt
Sprach sie geh durch Wies' und Wald
Bringe mir bei Wohl und Weh
Wintergras und Sommerschnee.
Weinend sucht' ich auf den Höhen,
In den Feldern, an den Seen,
Sagt ihr Hirten, sagt mir an,
Wo ich Beides finden kann.
Geh zum dunkeln Tannenhain,
Brich dir ab ein Zweigelein,
Bring's der Mutter ohne Haß,
Tannengrün ist Wintergras.
Geh zu grünem Ufers Rand,
Schöpfe da mit kleiner Hand
Wellenschaum aus hellem See,
Wellenschaum ist Sommerschnee.

Ueberhaupt ist von dem ganzen Texte zu bemerken, daß die Sprache darin ausgezeichnet musikalisch ist. Das große Publikum wird aber nach dieser Oper vornehmlich durch die Dekoration in der zweiten Scene gezogen werden, wo ein russisches Winterfest vorgestellt wird, bei welchem im Vordergrunde ein Gedränge behender Schlittschuhläufer sich umhertummelt; von den Rutschbergen jagen die Schlitten herab, in der Ferne sieht man Schlittenfahrten und Reiter vorüber ziehn, und zuletzt wird — wie bedenklich auch das Sprüchwort warnt — auf dem Eise getanzt.

In der ganzen Anordnung dieses Festspieles hat Hr. C. Blum aufs Neue sein längst anerkanntes Talent bewährt und es steht zu erwarten, daß unter seiner Leitung in jeder Hinsicht für das Königstädter Theater eine neue Blüthenzeit eintreten wird.

(Redigirt von Dr. Fr. Förster und W. Häring (W. Alexis.)

Im Verlage der Schlesingerschen Buch- und Musikhandlung, in Berlin unter den Linden Nr. 34.

Berliner

Conversations-Blatt

für

Poesie, Literatur und Kritik.

Donnerstag, — Nro. 111. — den 7. Juni 1827.

Miß Wright, die Befreierin der Sclaven in den vereinigten Staaten von Nord-Amerika.

Während des letzten Befreiungskrieges waren wir daran gewöhnt worden, auch das zartere Geschlecht Theil an Gefahren und Anstrengungen nehmen zu sehn, von denen sie durch ihre Bestimmung für häusliche Thätigkeit ausgeschlossen sind. Die Jahre des Friedens haben friedliche Gesinnungen und Gewohnheiten wieder herbeigeführt und nur in den Vereinen, die edle Frauen in jener Zeit zur Heilung und Pflege der Krieger bildeten und die später die allgemeinere Sorge für Hülfsbedürftige aller Art übernahmen, hat sich bei uns eine Erinnerung an jene bewegte Zeit erhalten. Wenn schon solches gemeinsame Zusammenwirken unsre ganze Achtung in Anspruch nimmt, so können wir sie noch weniger einer einzelnen jungen Dame versagen, die sich zu ihrem Lebensberufe nichts Geringeres erwählt hat, als die Befreiung der Sclaven in Nordamerika. Ihr Plan besteht darin, Negersclaven loszukaufen und sie in einen Staat zu bringen, wo die Sclaverei abgeschafft ist. Sie hat eine große Landstrecke am Mississippi angekauft und hegt die Absicht einen freien Negerstaat zu gründen.

Ein Brief der Miß Wright aus Memphis, (West-Tenesse) vom 26 Decebr. 1826 wird uns am besten über die Art und Weise ihrer Unternehmung in Kenntniß setzen: „Nachdem ich eine große Landstrecke durchreist, bei den ausgezeichnetsten Männern schriftlich und mündlich um Rath angefragt und den Charakter des Volkes in Städten und Dörfern kennen gelernt habe, bin ich endlich Eigenthümerin in den Wäldern dieses neuen Landstrichs geworden, welchen die vereinigten Staaten vor 5 Jahren von den Indiern kauften und welcher noch von Bären, Wölfen und Panthern bewohnt wird. Allein, sein Sie ohne Furcht; schon zweimal habe ich diesen Landstrich der Länge und der Breite nach durchreist indem ich täglich 40 (engl.) Meilen zu Pferde in einem unbebauten Lande machte, des Nachts entweder in ganz offenen Hütten, oder in den Waldungen zubrachte, wo eine Bärenhaut mein Bett war und der Sattel mein Kopfkissen; dennoch befinde ich mich so wohl als ich mich noch nie befand. Ich habe Bären gesehen ohne von ihnen angefallen zu werden; sie thun dies gewöhnlich nicht, sondern fliehen. Ich habe mich der Hitze und der Kälte ausgesetzt und zog mir weder Fieber noch Erkältung zu. Um ihnen näher zu zeigen, wo ich mich niedergelassen habe, so suchen Sie auf der Karte den großen Mississippi-Strom und sehen zu, wo der 35ste Breitengrad, diesen Fluß durchschneidet: Sie werden hier die kleine Stadt, eigentlich nur ein Dutzend Hütten, finden, welche man mit dem hochtönenden Namen Memphis getauft hat. Bis zur Zeit des Ankaufs dieses Gebietes von Checkasaw (das Land zwischen dem Fluß Tenesse und dem Mississippi) existirte dieses moderne Memphis, welches vielleicht eben so elend als jetzt das alte Memphis sich ausnimmt, nur zum Pelzhandel mit den Indiern. Gegenwärtig wird es der Hafen des Stroms und der Marktplatz, wo die neuen Einwohner, welche in den Wäldern verstreut sind, ihre Einkäufe machen, oder ihre Baumwolle verkaufen. Allein noch immer wird dieser kleine Handel vornehmlich mit den Indiern getrieben, welche nach dem Verkauf dieses Landes sich gegen Mittag unter den 39sten Breitengrad zurückgezogen haben, so, daß sie jedoch noch immer unsere nächsten Nachbarn sind. Wenn ihre Karte gut ist, werden Sie darauf einen kleinen Fluß Namens: Wolff finden, welcher sich hier in den Missisippi ergießt. Am Ufer dieses Flusses, 15 Meilen vom Memphis, habe ich 320 Morgen Landes gekauft. Ich stehe noch im Handel über andere 320 Morgen und werde in einigen Monaten noch 600 Morgen, sobald sie zum Verkauf kommen, erwerben. Die beste Unterstützung habe ich an einem Engländer, welcher sich seit 10 Jahren mit seiner Familie in den Wäldern von Illinois niedergelassen hat. Durch seine, seiner Familie und einiger Landsleute edle Anstrengung, so wie durch die Unterstützung des edelmüthigen Gouverneur Coles, hat die gute Sache gesiegt, obwohl es uns manchen Kampf gekostet hat. Zur Erläuterung dieses Streites muß ich folgendes anführen. Der Staat Illinois gehörte vordem zu dem Landstrich, welchen die Franzosen den Engländern abtraten, und nach der Revolution war er von Virginien dem Congreß überlassen worden. In diesem Landstrich, der jetzt die Staaten Ohio, Indiana und Illinois bildet, wurde die Sclaverei durch ein Gesetz aufgehoben. Allein an den Ufern des Indiana und Illinois befinden sich Reste französischer Colonien, wo in der Versteckheit der Wälder die Sclaverei in vollkommener Sicherheit statt fand. Es scheint daß zur Zeit der Annahme dieser Gesetze, die Mehrzahl der Einwanderer aus den freien nördlichen Staaten kamen; allein bald darauf kam auch aus den südlichen Staaten eine zahlreiche Bevölkerung herbei, durch die Fruchtbarkeit des Landes eben so sehr herbeigelockt, als durch die Hoffnung den Zustand der Sclaverei, wie er gegen die Gesetze in jenen Französische Colonien noch fortbestand, hier fortzusetzen. Die aus den Süden eingewanderten Herren bemächtigten sich der Regierungsstellen, die gesetzgebende Kammer war von ihnen gefüllt und durch sie geleitet. Sie trugen darauf an, die Gesetze abzuändern; alles hing von der Stimme des Volks ab und dieses, unwissend oder gleichgültig durch die Wälder zerstreut, überlies alles denen, welche regieren wollten. Meine Freunde, welche sich schon den Haß der Sclavenherrn und der Negerdiebe zugezogen hatten, traten jetzt auf. Sie ließen Zeitungen und Flugschriften drucken, um das Volk von der Gefahr zu unterrichten. Mein vortrefflicher Landsmann Herr Flower machte Reisen, um diese Schriften unentgeldlich zu verbreiten; er zeigte den Verkauf der Neger an, bezahlte die Gerichtskosten für ihre Befreiung und nahm sie mit eigener Gefahr auf seine Güter. Es gelang uns in der Kammer die Aufrechthaltung des Gesetzes gegen die Sclaverei durchzusetzen. Um sich zu rächen, verbrannte man das Bildniß des guten Gouverneur Coles und versuchte gegen Herr Flower und seine Freunde einen Prozeß. Da dies mißglückte, wollte man Hrn. Flower die freien Neger, die er auf seinen Gütern hatte, entführen. Dieser wußte sie zuletzt nicht anders zu retten, als daß er sie auf seine Kosten nach Hayti zu dem Präsidenten Boyer schickte, der ihnen auf seinen eigenen Landgütern Wohnung und Arbeit gab. — Dies ist zum Theil die Veranlassung, welche mich nach Illinois zu meinem vortrefflichen Landsmann Herrn Flower führte. Ich fand ihn im Kreise einer liebenswürdigen Familie und beständig mit der Vertheidigung der Neger beschäftigt. Auf dem Wege zu ihm war ich Zeuge eines grausamen Auftritts. Ein junger Neger war halb mit Gewalt, halb durch Betrug außer Landes gebracht worden, um als Sclave verkauft zu werden. Ich ersuchte zwei Leute mich zu begleiten und nachdem wir zwei Tage und eine Nacht die Räuber verfolgt hatten, erreichten wir sie endlich. Der unglückliche Neger, der in mir seine Befreierin erkannte, hielt sich an meinem Kleid fest; die Räuber zogen ihre langen Messer, die Bürger kamen herzu und führten uns zu einem Richter. Dieser übergab den jungen Neger zur Sicherheit einem Sherif, allein wie groß war mein Erstaunen als man am andern Tage vor Gericht nichts mehr von meiner Angelegenheit wissen wollte; der unglückliche Neger war verschwunden. Der Anblick eines mit gefesselten Negern beladenen Schiffes, welches für den Markt in Savannah in Georgien bestimmt war, erregte aufs neue mein innerstes Mitgefühl. Ich überlegte, frug, machte Reisen und suchte mitfühlende Menschen auf. Endlich war mein Plan fest entworfen. Ich theilte ihn Hrn. Flower mit und er stand mir treulich bei. Wir sind übereingekommen, daß ich das Geld zum Ankauf der Ländereien und den ersten Ausgaben hergebe und aus Illinois alles zur Einrichtung des Landgutes nöthige Geräth, so wie Lebensmittel und den gehörigen Viehstand kommen lasse. Für's erste habe ich hierzu 12,000 Dollars bestimmt, welche Summe hinreichend ist, um eine gute Landwirthschaft, auf welcher 6 Männer und 4 Frauen arbeiten, die ich in Nashville, die Person für 400 bis 500 Dollars gekauft habe; einzurichten. So befinde ich mich jetzt mit einer guten Negerin in meiner kleinen Hütte ziemlich confortable und erwarte meine Freunde aus Illinois und meine Neger aus

Nashville. Unterdessen habe ich auf meinen Grundstücken einige Hütten bauen und einen Brunnen graben lassen, welcher schon sehr gutes Wasser giebt. Alle diese kleinen Arbeiten geben mir genug zu laufen und zu thun, denn nichts ist schwerer, als die Einwohner dieser Wälder zum arbeiten zu bringen; allein mit Hülfe der 4 Füße eines raschen Pferdes, das dabei sonst wie ein Lamm ist, mich kennt, mich liebt, Salz aus meiner Hand frißt und wie ein Hirsch läuft, mache ich täglich meine 40 (Engl.) Meilen hin und zurück, ohne daß es mich angreift. Unterweges treffe ich Indier, welche mir ihre Pelze und zuweilen einen Bär verkaufen. Sie fangen an, mich und mein Pferd schon von fern kennen zu lernen, sie rufen mir zu und drücken mir die Hand. Dieses thätige Leben läßt mich meine Einsamkeit vergessen. Die Witterung war nicht günstig; nach einem unmäßig heißen Sommer ist ein strenger Winter eingetreten, so, daß alle Flüsse gefroren sind und die Schifffahrt unterbrochen ist. Ich wärme mich an dem Kaminfeuer in meiner Hütte, lebe von der Milch meiner Kuh und von der Jagdbeute meiner Indier. Sobald unsere Landwirthschaft eingerichtet ist, denken wir daran eine kleine Gewerbschule anzulegen, um die Kinder bei dem Baumwollenbau zu beschäftigen. In einem Jahre werde ich mich in selbstgewebtes Baumwollenzeug kleiden. So einfach mein Leben ist, so gefällt es mir hier doch weit besser als in London und Paris und ich fange an, das Leben wieder lieb zu gewinnen."

Aus einem Briefe der Miß Wright vom 26. Febr. 1827 erfahren wir über die weiteren Schicksale der neuangelegten Colonie folgendes. Miß Wright hat das Gebiet von Nashoba, welches sie gekauft, mit den Negern, die sie dahin gebracht hat, (das Ganze wurde auf 80,000 Fr. geschätzt) einigen würdigen Menschenfreunden übergeben, um die Niederlassung zu Gunsten der Neger zu verwalten. Die Neger werden erst nach einiger Zeit ganz frei, wenn sie durch ihre Arbeit so viel verdient haben, als ihre Loskaufung kostete. Das Capital wird dazu verwendet andere Sclaven loszukaufen. Eine Schule für die Kinder ist besonders dotirt worden. „Unsre kleine Colonie, schreibt Miß Wright ist so ruhig und glücklich, daß unsre erste Sorge und unsre erste Pflicht ist, in den Kreis unserer Gesellschaft nur solche Personen aufzunehmen, die unser ganzes Vertrauen verdienen." Die Ursachen weshalb Miß Wright ihre Besitzung auf solche Weise vertheilt hat, sind theils, daß der Umfang des Geschäftes für sie, die neuerdings oft krank war, zu groß wurde und sie deshalb eine Reise nach Europa zu machen gedenkt. —

Mittheilungen aus Paris.

Die deutschte Literatur faßt in Frankreich immer festeren Fuß. — Nachdem die hiesigen Romantiker zuerst von Schiller gekostet, dann an die schwerere Arbeit sich machten, Göthe zu übertragen und zu verstehen, fängt man jetzt auch an die Werke der deutschen Philosophen genauer zu studieren, wobei man es sich dann freilich auch so bequem als möglich zu machen sucht. Zwar erzählt man sich davon, daß der Professor Cousin seinen Aufenthalt in Köpenick,*) einem Lustschlosse bei Berlin, dazu angewendet habe, seine früher in Heidelberg begonnenen Studien der speculativen deutschen Philosophie gründlich fortzusetzen, allein er ist zu sehr mit Plato beschäftiget und der deutschen Sprache zu wenig mächtig, um dies schwere System ganz zu umfassen. Indessen bleibt man auf diesem Felde nicht unthätig, und einen Beweis davon liefert die kürzlich erschienene Uebersetzung von Herder's Ideen über die Philosophie der Geschichte der Menschheit von Edgar Quinet. —

Eine schwerere Arbeit, die jedoch ebenfalls dafür spricht, daß sich in Frankreich das Bedürfniß nach speculativer Wissenschaft immer lebendiger zu regen anfängt, hat Hr. Michelet übernommen, der die *Scienza Nuova*, des *J. B. Vico* aus dem Italienischen unter dem Titel *Principes de la Philosophie de l'histoire* übersetzt hat. Für die Franzosen ist dies Buch auch in der Hinsicht von Interesse, da die Italiener öfter behauptet haben, daß Montesquieu Vieles aus Vico in seinen *Esprit des loix* aufgenommen habe, ohne denselben zu nennen. — (Unsere Leser sind mit diesem merkwürdigen Mann, den man zu seiner Zeit den Dante der Philosophie genannt hat, durch einen Aufsatz des Hrn. Dr. Müller im Märzhefte bekannt geworden.)

Unter den vielen, zum Theil sehr bedeutenden Werken welche trotz der ungünstigen Umstände des hiesigen Buch- und Kunsthandel in diesem Augenblick entweder zu Tage fördert oder deren Herausgabe vorbereitet wird verdient die nächstens bei Engelman erscheinende: „malerische Reise in Brasilien von M. Rugendas" in jeder Hinsicht einer ausgezeichneten Erwähnung und wird sich in Deutschland um so gewisser einer günstigen Aufnahme erfreuen können, da der talentvolle junge Künstler der uns hier die Frucht seines vierjährigen Aufenthaltes in Brasilien darbietet, ein Deutscher ist, dessen in der Geschichte der Kunst rühmlichst bekannten Namen sich nun würdig an die Namen derjenigen unserer ausgezeichneten Landsleute schließt, welche sich so große Verdienste um die Kenntnisse jenes Landes erworben haben. Das Verhältniß dieses Werkes zu denjenigen, welches bis jetzt über Brasilien erschienen sind, wird schon durch den Titel hinreichend angedeutet. Die Vorzüge des Werkes von H. G. Spix, z. B. sind zu allgemein anerkannt, als daß man nicht ohne ihm im geringsten zu nahe zu treten, gestehen konnte, daß die dazu gehörigen Abbildungen, sowohl in Hinsicht der Composition als der Ausführung sehr viel zu wünschen übrig lassen und des Werkes selbst nicht würdig sind, was durch den Mangel eines Künst-

*) Prof. Cousin war nie in Köpenick, sondern nur in Berlin in einer Haft, aus der er auf die ehrenvollste Weise entlassen worden ist.
A. d. R.

lers an Ort und Stelle leicht erklärlich ist. Diesen Mangel wird das Werk des Hrn. Rugendas vollkommen ersetzen. In zwanzig Heften, jedes von fünf Blättern wird es eine Darstellung der wichtigsten Städte und anderer interessanten landschaftlichen Gegenstände jenes Landes, ferner eine Reihe von Darstellungen aus dem Leben, den Beschäftigungen, Spielen u. s. w. der verschiedenen Stände und Racen der Einwohner Brasiliens enthalten, wie der ohne Zweifel schon nach Deutschland versendete Prospectus näher ergiebt. Von besonderem Interesse müssen für den Anthropologen eine Reihe von charakteristischen Portraits von Indianern und Negern sein, umsomehr da der Sklavenhandel Individuen aus allen Gegenden Afrikas in Brasilien zusammen führt. Diesem wichtigen Theile der Bevölkerung Brasiliens sind sechs Hefte gewidmet, während in vier Heften die Sitten und die Lebensart der Indianer dargestellt sind. Die erste Lieferung welche in diesen Tagen erschienen ist, besteht aus zwei Heften, wovon das erste die verschiedenen Landschaftscharaktere enthält, welche sich dem Künstler in Brasilien darbieten; die Küstenlandschaft, die Ufer der Flüsse, die Gebirgsgegenden, die kahlen Hügel des Binnenlandes, die üppige Vegetation der Urwälder. Das zweite Heft dieser Lieferung enthält charakteristische Portraits der verschiedenen Indierstämme welche der Künstler zu beobachten Gelegenheit hatte. Die folgenden Lieferungen, wovon monathlich eine erscheinen wird, sollen jedesmal ein Heft Landschaften und ein Heft Darstellungen aus dem Leben der Einwohner, Trachten oder Portraits enthalten. Die Probeabdrücke der beiden ersten Hefte, so wie die Zeichnungen für die folgenden Lieferungen welche wir Gelegenheit hatten zu sehen, vereinigen in einem Grade wie man es leider bei sehr wenigen Werken dieser Art findet, die treue Auffassung und Darstellung des Lokalcharakters in der Vegetation der ganzen Bildung der Landschaft sowohl, als in den Gruppen, welche sie beleben, in den Physiognomien, Trachten u. s. w. mit den Forderungen, welche die Kunst an eine solche Darstellung in Hinsicht der Composition, Zeichnung, Beleuchtung rc. zu machen berechtigt ist. Die Nachlässigkeit, und man kann wirklich sagen Gewissenlosigkeit, womit in den meisten sogenannten *voyages pittoresques* der Franzosen und Engländer alle lokale Wahrheit, alles was einem solchen Werk ein ernsteres Interesse geben kann, aus den Augen gesetzt wird, um ein hübsches Bildchen zu machen, berechtigt uns die rühmliche Ausnahme anzudeuten, die hier ein deutscher Künstler macht. Diese wird um so mehr anerkannt werden, wenn man weiß wie schwer es hält die Pariser Lithographen, denen die Ausführung der meisten Platten anvertraut ist, aus ihrer hergebrachten Manier herauszubringen und sie zu gewöhnen sich treu an die Zeichnung zu halten und keinen französischen Baumschlag sondern brasilianischen keine academische Modelle sondern Botocuden und Neger zu zeichnen. Dies ist aber auch die einzige Klippe welche dem vollständigen Erfolg dieses Werkes hineerlich sein könnte, denn in jeder andern Hinsicht haben die Lithographen sich in den bis jetzt vollendeten Blättern ihres wohlbegründeten Rufes würdig gezeigt. Besonders gelungen scheint uns der Urwald von Joly lithographirt; und die Gebirgslandschaft von Bichebois; dagegen beweisen die Palmen auf zwei andern Blättern des ersten Heftes, daß diese Art von Baumschlag durchaus mit der Feder und nicht mit der Kreide gezeichnet werden muß. Es liegt in der Natur der Sache, daß bei einer malerischen Reise, der obligate Text von einigen Seiten nur Nebensache ist und da er sich blos auf die Darstellungen eines jeden Heftes bezieht, so kann er unmöglich ein sehr vollständiges oder zusammenhängendes Ganzes ausmachen; dennoch aber wird der Leser im ersten Hefte dieser ersten Lieferung eine gedrängte Darstellung des Vorkommens und den Bedingungen der verschiedenen brasilianischen Landschaftscharaktere finden und in dem zweiten Heft eine allgemeine Uebersicht des Zustandes der Ureinwohner Brasiliens und ihres Verhältnisses zur Civilisation, welches dem Text dieser malerischen Reise auch ein ernsteres Interesse sichert und ihn vor den meisten ähnlichen Arbeiten vortheilhaft auszeichnet. Die Engelmannsche Kunsthandlung, erwirbt sich durch die Herausgabe dieses Werkes ein neues Verdienst um die Kunst, und ihr Nahme verbirgt dem Publicum daß von ihrer Seite nichts unterbleiben wird, was den Erfolg dieser Unternehmung sichern und die Erwartungen des Publicums befriedigen kann. — Ueber das in neuster Zeit mehr zugänglich gewordene China erhalten wir neue Aufklärungen durch Hrn. J. Klaproth; von ihm ist erschienen: *Voyage a Peking, a travers la Mongolie fait en* 1820 und 1821 *par M. G. Timkosky, traduit des russe; revu par M. Eyries et publié avec des corrections et des notes par M. J. Klaproth. Deux Vol. in* 8. *avec un Atlas in* 4. *Prix* 25 *Fr.* — Timkosky wurde durch besondere Umstände bei seiner Reise begünstigt. Rußland unterhält seit einem Jahrhundert in Peking ein christliches Kloster und eine Schule, wo Dolmetscher für das Chinesische gebildet werden. Alle zehn Jahre werden von Petersburg die Mönche in Peking, die sich dort, wie auf einem literarischen Vorposten befinden, abgelößt. Hr. Timkoski führte 1820 die Ablösung dorthin und nahm diejenigen, die nach zehnjährigem Cursus es so weit gebracht hatten, die Chinesische Schrift, welche 80,000 Buchstaben und Zeichen haben soll, gelernt zu haben, mit sich zurück. — Die Auflösung der Pariser Nationalgarde hat ein kleines Werkchen veranlaßt: *Histoire de la Garde Nationale Parisienne depuis son organisation jusqu' à son licenciement. Un Vol.* in — 32 *prix* 1 *Fr.* — Mit ziemlich lebhaften Farben werden darin die Verdienste der Pariser Nationalgarde um die Erhaltung der Ordnung in Paris in der bedenklichsten Zeit und um Befestigung der Bourbons auf dem Throne seit Napoleons Rückkehr von Elba gerühmt.

(Redigirt von Dr. Fr. Förster und W. Häring (W. Alexis.)

Im Verlage der Schlesingerschen Buch- und Musikhandlung, in Berlin unter den Linden Nr. 34.

Berliner

Conversations-Blatt

für

Poesie, Literatur und Kritik.

Freitag, — Nro. 112. — den 8. Juni 1827.

Die lustigen Weiber.

(Aus dem Serbischen.)

Die Traube lockt unter grünem Blatt;
Gluck, gluck!
Der Wein macht durstige Kehlen satt,
Gluck, gluck!
Drei Weiber sitzen am Gartenhaus
Und leeren behaglich die Gläser aus,
Gluck gluck! gluck gluck! gluck gluck!

Die Erste vertrinkt ihr Schleierlein,
Gluck, gluck!
Die zweite einen Ring von Golde fein,
Gluck, gluck!
Die dritte trinket noch zwei- dreimal,
Vertrinket sogar ihren Ehgemahl,
Gluck gluck, im Schluck, gluck gluck!

Die Erste spricht mit frohem Sinn:
Gluck, gluck!
Fahr hin, o Schleierchen, fahr nur hin,
Gluck, gluck!
Ich hab eine Schwester, die webt und stickt
Und mir ein zarteres Schleierchen schickt,
Gluck gluck! zum Schmuck, gluck gluck!

Die Andere spricht mit heiterm Sinn:
Gluck, gluck!
Nehmt auch den Ring, den goldenen, hin!
Gluck, Gluck!
Ich hab' einen Bruder, der Goldschmidt ist,
Der schmiedet mir 'n schönern in kurzer Frist,
Gluck gluck! zum Schmuck, gluck gluck!

Die Dritte spricht mit leichtem Sinn:
Gluck, gluck!
Bring euch der saubre Gemahl Gewinn;
Gluck, gluck!
Blüht mir das Wänglein frisch und roth,
So hat's mit solch' einem Herrn nicht Noth.
Gluck gluck! gluck gluck! gluck gluck!

W. Gerhard.

Spatziergang eines Engländers durch Lissabon.

Die schwarzen Augen einer schönen Portugiesin waren die Sterne, denen ich auf dem festen Lande folgte, allein bald befand ich mich mitten in einem Sternenhimmel, aus dem meine dunkeläugige Schönheit nicht herauszufinden war. Ich dachte: Gesetzt sie wäre meine Frau oder meine Tochter und ließe sich einfallen mir zu entlaufen, wie könnte ich ihre Eigenthümlichkeit so kenntlich machen, daß ein Herr wie euer Bischoff oder Hr. Salmon von der Polizei sie herausfände. Der Anzug meiner lieben Kleinen war schwarz, vom Kopfwirbel bis zur Zehe, mit Ausnahme eines scheeweißen Strumpfes an ihrem niedlichen Fuß! So ist aber jedes Frauenzimmer hier angezogen. Ihre Augen dunkelblitzend. Gott stehe mir bei, diese Sprache führen tausend andere, selbst bei ihrer Andacht. Aus solchen Träumereien wurde ich durch den gehörnten

Kopf einer Ziege aufgeweckt, die der Eigner zwischen meine Beine hatte laufen lassen, während ich mit dem Gesicht nach Süden gekehrt war. Sie war eine von Zwanzigen, die ein Bauer von Haus zu Haus trieb, ihre Milch zu verkaufen. Der Mann trug einen ungeheuren Hut, mit einem Rand so weit wie ein Waschfaß, eine blaue Jacke und Hosen von derselben Farbe, und eine seltsam gestreifte Weste. Der Bursche, der ihn begleitete war eben so gekleidet, mit Ausnahme des Kopfputzes, der bei ihm in einer wollenen Nachtmütze bestand, wovon der Zipfel über seine Schultern fiel. Sie hielten jeder einen langen Stock und ein hölzernes Maaß zur Milch in der Hand; wurden sie von einem Kunden gerufen, so schossen sie auf eine der Ziegen zu, griffen sie beim Nacken, und schoben sie vor die Hausthier hin. Die Ziegen waren alle von dunkelbrauner Farbe, jede hattte ein Halsband und eine Glocke um den Hals, womit sie ein unaufhörliches Geklingel machten, während sie die Hügel entlang trabten. Wenige Minuten nachher wurde der Weg wieder von einer Reihe Ochsenkarren versperrt, die Betten nach der brittischen Armee führten. Wie würde ein Pachter aus Suffolk über diesen Aufzug gestaunt haben. Die Ochsen konnten an Gestalt und Stärke gar nicht schlechter gedacht werden. So waren auch die Wagen und ihre Führer unvergleichlich. Nimm ein paar guter Räder ohne Speichen, die Stücke, woraus sie bestehen, mit eisernen Streifen zusammengebunden; lege eine große hölzerne Tafel von 6 Fuß lang und 3 breit darüber, und zwar so, daß sie ungefähr über der Mitte der Wagenachse balancirt: so hast du den gewöhnlichen Lissabonner Karren, der in der ganzen Gegend üblich ist. Der Führer trug einen großen weislich braunen Hut, eine Jacke mit kurzen Schößen und Hosen von grünem Zeug. Die Betten für die Armee waren aus grobem, mit Stroh gestopften Leinen gemacht. Wenigstens haben sie das Verdienst vollkommner Reinlichkeit. Ich sah im Verlauf des Tages, an mehrere Ladenthüren viele Personen mit ihrer Verfertigung beschäftigt. In jeder Straße die ich durchwandelte, trieben sich Hunde von schmutzigen Ansehn, ihr Futter suchend herum, oder schliefen der Länge nach gestreckt im Sonnenschein. Nie sah ich solche elende Hunde. Sie haben alles Ruppige der Englischen Schäferhunde, und die Galgenphysiognomien eines Irländischen. Sie gehören keinem Herrn, schlafen an der Hafenseite in der Sonne, oder in den Vorhallen der Häuser, am Tage über, von Allen, in deren Weg sie liegen, gestoßen und getreten. Im dunkeln gehn sie in ganzen Horden aus, um ihr Futter zu suchen, das ihnen aus den Fenstern zugeworfen wird. Es ist furchtbar sie nächtlicher Weile über ihrem Schmause heulen zu hören, oder auch vor Hunger, und ein ander Quartier suchend, wenn sie aus dem bisherigen vertrieben worden. Begegnet ihr ihnen bei solchen Gelegenheiten, und gelüstet es einem nach euren Beinen, stoßt ihn nieder wenn ihr ein Schwerdt habt, oder schießt euer Pistol auf ihn ab, aber versucht es nicht ihn mit einem Stock zu schlagen, ihr müßtet ihn denn auf den ersten Streich niederstrekken. Aus einem Schlag machen sie sich nichts, und fallen sogleich haufenweise über den Thäter her. Ihr braucht euch blos zu bücken als wolltet ihr einen Stein aufheben und nach ihm werfen, sogleich wird er den Schwanz strecken und fliehen. Doch ist es nicht wahrscheinlich, daß ihr je eure Tapferkeit an ihnen versuchet, denn sie haben mehr von den Eigenschaften des Hundes und Feiglings, als Wildheit und Muth, und werden überdies am Tage so viel von Menschen getreten, daß sie sich auch Nachts vor ihnen fürchten. Die Zahl dieser Hunde hat seit zwei oder drei Jahren sehr zugenommen. Einige halten sie schon für keine Plage mehr, und ich darf sagen, ein alter Engländer und Portugiese würde über das was ich von ihnen erzähle lachen. Nach den Hunden kommt grade eine männliche Puppe daher. Der Portugiesische Stutzer hat so große Prätensionen zu machen, als irgend Einer in Pallmall, hier haben wir grade einen Ausbund seines Geschlechts vor uns. Der Hut hat eine hohe Krone, oben weiter als unten, mit einem Rand von ähnlichen Dimensionen; der Rock ist nach der letzten Englischen Mode, von schwarzem Tuch, eben so die Hosen, die aber weiter sind als bei uns, und unten nicht durch Riemen festgehalten. Die Weste ist das merkwürdigste Stück seines Anzugs worin sich die meiste Eleganz zeigt. Die unseres Mannes ist von Seide, mit breiten buntfarbigen Streifen, alle Regenbogenfarben spielen darin in einander. Ein Engländer würde sie höchst albern finden, obgleich sie hier für sehr geschmackvoll gilt. Mein Fidalgo schien sichtlich groß damit zu thun. Fidalgo? Sagen Sie doch, was ist ein Fidalgo? Fidalgo ist ein Edelmann, der Sohn eines Edelmanns, ein Mann von Vermögen, Land oder Rang. Er ist wie der Name sagt, der Sohn eines Quidam, eines, der was ist, d. h. der Anspruch daran macht von der Welt gekannt zu sein. Gesetzt lieber Leser du fassest die Bedeutung des Worts, und giebst es denen die jetzt die Welt kennt: Da ist denn ein Fidalgo * * * in dem Unterhause, ein Fidalgo * * * in der Kirche, ein Fidalgo * * * an der Stockbörse.

Der Mann von dem wir reden, ist ein eleganter Jüngling von zwei und zwanzig, mit einem kurzgesteiften Schnurrbart, ohne Backenbart, seine dunklen Haare in eine große nachlässig hinfallende Locke zur linken Seite des Kopfes gesteckt, mit dunkelbraunen, lebhaften und klugen Augen. Die dunkle Farbe seiner Haare und Augenbraunen, und den Mangel des Backenbarts geben der eher bräunlichen Wange einen Anstrich von Blässe, die, wie Lord Byron sagt, mehr die Farbe des Denkens als des Schmerzes ist. Während ich stand und meinen Fidalgo beobachte, bringt ein Knecht sein Pferd heraus. Der Kerl war in einen langen hellgrünen Reitrock, mit vielen silbernen Tressen besetzt, gekleidet, auch um den Hut trug er viele Silbertressen. Das Pferd war klein, doch gutgestaltet, mit fliegendem Schweif, der am Ende zugestutzt ist. Darauf lag eine Satteldecke, ein Sattel, der vorn und hinten einen Fuß hoch war, und so bequem, wie ein Kinder-Laufwagen. Die Steigbügel glichen Kirchenbüchsen gut gearbeitet und versilbert, der Fuß lag darin wie eingeschlossen und unsichtbar. Dies war noch eins der besten Pferde die ich hier sah. Die Portugiesischen Pferde sind weit schlechter von Ansehn und Stärke als die Spanischen, sie sind wenig besser als unsere Zugpferde. Vor einem Monat konnte man ein recht gutes für 15 L. haben, jetzt fangen die Pferdehändler an 30 bis 40 L. von Engländern zu fordern. Der Fidalgo ritt von dannen, nachdem er sich vor einem Mönch verbeugt hätte, den ersten, den ich hier gesehn, und dem alle übrigen glichen. Er trug einen schwarzen Dreimaster, einen großen Ueberwurf von grobem schwarzem Zeuge, der in weiten Falten um ihn hing, das eine Ende wie den Zipfel eines Mantels über die Schulter geworfen, wo man eine breite Borte von rothen Streifen bemerkte. Er trug dabei große plumpe Schuhe und weiße baumwollene Strümpfe, wodurch der untere Theil der Figur, im Contrast mit dem schwarzen Rock etwas Gemeines bekam, das auch mit dem ehrwürdigen Charakter des Kopfs nicht zusammen paßte. Der Mönch ging weiter, ohne von dem Volk bemerkt zu werden und es zu bemerken. Er hatte, wie ich glaube, zu dem Englischen oder Irländischen Kloster gehört, wovon es zwei in Lissabon giebt, die beide zusammen nicht über 60 Personen enthalten, wovon noch die Hälfte sich zum Dienst der Kirche ihrer Heimath vorbereiten. Sie scheinen an an dem Land und seinen Sitten keinen Gefallen zu finden, haben mit den Portugiesen, sowohl Geistlichen als Layen wenig Umgang, und kennen, mit wenigen Ausnahmen, wie es scheint selbst die Sprache nicht. Ihre Einkünfte ziehen sie zum Theil von Häusern und Grundstücken; eins ihrer Institute, ich glaube das Erziehungscollegium, zieht auch von einer Lotterie einen Theil seiner Einkünfte. Wie die frommen Väter das öffentliche Spiel sanctioniren können, ist sonderbar; doch scheint es eins der guten Zeichen der Zeit zu sein, und von dem Einfluß der öffentlichen Scandals zu zeugen, daß das Collegium seine Rechte an diese schmähliche Einnahme aufgeben will. Die Zahl der Mönche in Lissabon und der nächsten Umgegend beläuft sich wie ich höre, auf 6000 von allen Klassen, Orden und Nationen.

(Beschluß folgt.)

Der Haushalt der Römer im vierten Jahrhundert.

In einer der letzten Sitzungen der Pariser Akademie der Wissenschaften las Hr. Moreau de Jonnès ein interessantes Memoire: *„Aperçus statistiques sur la vie civile et l'économie domestiques des Romains au quatrième siècle de l'empire."* Der Bericht des Hrn. de Jonnès betraf ein vom Kaiser Diocletian im Jahr 303 unserer Zeitrechnung gegebenes Edict, worin er das Maximum des Arbeitlohns und der Lebensmittel in dem Römischen Reiche bestimmt. Ein Theil dieses Edictes wurde von William Bankes als Inschrift einer steinernen Tafel entdeckt, die er in Eskihissar in Kleinasien, (dem alten Stratonike) fand; ein zweiter Theil ist aus der Levante kürzlich nach Rom und von da durch Hrn. Bescovali nach London gebracht worden, wo der Oberst Leake eine wörtliche Uebersetzung davon gegeben hat. — Das Edict zählt mehr als 80 Gegenstände auf, deren höchster Preis angegeben wird. Da jenes Jahr (303 n. C.) ein Hungerjahr war, so hat Hr. de Jonnès die Preise um die Hälfte herabgesetzt und sie nach früher schon festgestellten Berechnungen auf Französischen Fuß reducirt; eben so die Maaße und Gewichte. Getreide-Preise kommen in diesem Edicte nicht vor, weil ein Jahr früher eines darüber erschienen war. Wir beschränken uns darauf, nur einige der bemerkenswerthesten Artikel nach der Angabe des Hrn. de Jonnès mitzutheilen.

1. Tagelohn.

Tagelohn für einen Mann 5 Fr. 62 C. Einem Maurer 11 Fr. 25 C. Ein Kleid zu machen 11 Fr. 25 C. Ein Paar Schuh für einen Patrizier (*calcei*) zu machen 33 Fr. 75 C. Dem Barbier für jeden Bart

45 C. Für einen Monat Unterricht in der Baukunst 22 Fr. 50 C. Den Advocaten für Anbringung der Sache beim Gericht 56 Fr. 25 C. Für Abhörung der Sache 225 Fr.

2. Getränke.

Picener, Tiburtiner, Sorenter, Falerner, der Römische Sextarius oder der Franz. Litre 13 Fr. 50 C. Landwein 1 Fr. 80 C. Wein aus Attika 10 Fr. 90 C. Bier (*camum*) 1 Fr. 80 C. Egyptisches Bier (*zythum*) 90 C. Rosinen-Wein (*decoctum*) 7 Fr. 20 C.

3. Fleischpreise.

Ochsenfleisch, das Französische Pfd. 2 Fr. 40 C. Hammel- und Ziegenfleisch 2 Fr. 40 C. Lamm 3 Fr. 60 C. Schweinefl. 3 Fr. 60 C. Schinken aus Westphalen, der Cerdagne, oder dem Lande der Marsen 6 Fr. Schweineleber 4 Fr. 80 C. Ein Schweinefuß 90 C. Rauchfleisch 3 Fr. 37 C. Eine Bratwurst zu $\frac{1}{12}$ Pfd. 45 C.

4. Geflügel und Wildpret.

Ein gemästeter Pfauhahn 56 Fr. 25 C. Eine gemästete Pfauhenne 45 Fr. Eine fette Gans 45 Fr. Eine dergl. nichtgemästet 22 Fr. 50 C. Ein Huhn 13 Fr. 56 Fr. Eine Ente 9 Fr. Ein Rebhuhn 6 Fr. 75 C. Ein Karnickel 9 Fr.

5. Fische.

Seefische erste Qualität 5 Fr. 40 C. zweite, 3 Fr. 60 C. Flußfische erste Qualität 2 Fr. 70 C. Zweite 1 Fr. 80 C. Eingesalzene Fische 1 Fr. 35 C. Austern das Hundert 22 Fr. 50 C. (Eben so theuer bezahlen wir noch jetzt die großen Holsteiner Präsent-Austern in Berlin).

6. Gemüse.

Kopfsalat 5 Stück 90 C. Ein Kohlhaupt 90 C. Blumenkohl 5 Stück 90 C. Ein Rettich 90 C.

7. Andere Lebensmittel.

Der beste Honig der Franz. Litre 18 Fr. Bestes Oel 18 Fr. Weinessig 2 F. 70 C. Ein Reizmittel für den Appetit (*liquamen*) welches als Brühe zum Fisch gegeben wurde 2 Fr. 70 C. Käse das Pfund 4 Fr. 50 C.

Auffallend sind dabei die hohen Preise, Lohn und Lebensmittel kosten 20 mal mehr als bei uns. Vergleicht man aber den Preis der Lebensmittel mit dem Arbeitslohn, so scheint die Theuerung der Lebensmittel noch übertriebener. Hr. de Jonnès zeigt, daß außer dem Ueberfluß an edlen Metallen, auch der Mangel an Arbeit, Industrie und Production Ursachen der hohen Preise waren. Kein Volk lebte erbärmlicher als die Römer; zwei Drittel, vielleicht drei Viertel waren gezwungen von Fischen und Käse zu leben und schlechten vermischten Wein zu trinken, während die Tafel eines Kaisers Vitellius in einem einzigen Jahre 175 Millionen Franken kostete. 9.

Zufällige Gedanken.

Von E. r.

14. Daß ein Schauspiel oft mehr auf uns wirkt als eine Predigt, liegt wohl darin, daß diese uns nur die Gesetztafel vorhält, während jenes uns das ganze Leben zeigt mit seinen Thaten und ihren Folgen, uns vor diesen zu bewahren, hüten wir uns dann vor jenen.

15. Dem Dichter ist die Frau oft nur ein Arion-Delphin, der ihn sicher über das stürmende Lebensmeer trägt, während er ruhig fortspielt.

16. Die Rezensenten sind die Stechfliegen des Pegasus.

17. Bei der Titelsteigerung eines jeden Standes, ist es auch den Schreibern nicht zu verdenken wenn sie sich Schriftsteller nennen.

18. Göthes Wilhelm Meister ist eine Kamera obskura auf den Marktplatz des Lebens hin gestellt. Wir sehen darin nichts als die vorübergehende Menge, die wir ohne Eintrittsgeld, außenstehend auch sahen, obwohl nicht in so hellen, scharfen Umrissen. Wenn der Held eines Romans gewöhnliche Menschengröße hat, erscheint er uns klein, und wir erlauben daher gern dem Dichter ihn höher zu stellen, damit wir uns an dem Riesen hinauf strecken und sehen wie viel er größer als wir.

19. Der Büchergelehrte, der blos in und von der Vergangenheit lebt, und Andere durch sich davon leben läßt, gleicht dem wiederkäuenden Kameele, das in seinem fünften Magen das genossene Wasser noch frisch zum Durstlöschen Anderer erhält. Wie verschieden von ihm das Genie, das der lebendige Quell selber ist. Gleich dem Derwische in arabischen Mährchen ist ihm die Wundersalbe — durch die das Auge gleichsam zur Wünschelruthe wird, dem die verborgenen Schätze der Erde es nicht mehr bleiben — gleich mit auf die Welt gegeben, und ohne andere Bücher bedarf es nur das der Natur, durch die ihm jede Staude zur Papierstaude wird, und zwar ohne Hieroglyphen weil sie für ihn keine mehr sind.

Deuckfehler in No. 108.

S. 432 Spalte 1, Zeile 15 lies desperaten.

Ebendas. Sp. 2, Z. 26. ließ zerstreuten statt zerstörenden.

(Redigirt von Dr. Fr. Förster und W. Häring (W. Alexis.)

Im Verlage der Schlesingerschen Buch- und Musikhandlung, in Berlin unter den Linden Nr. 34.

Berliner

Conversations-Blatt

für

Poesie, Literatur und Kritik.

Sonnabend, — Nro. 113. — den 9. Juni 1827.

A. W. von Schlegels Vorlesungen über Theorie und Geschichte der bildenden Künste.

(Im Auszuge mitgetheilt.)

Erste Vorlesung. *)

Zu den bildenden Künsten zählen wir Architektur, Skulptur, Mahlerei, nach einem einmal angenommenen Sprachgebrauch, wo unter den bildenden Künsten diejenigen verstanden werden, die nicht blos in körperlicher Form, sondern überhaupt sichtbar darstellen; weshalb auch die Mahlerei dazu gezählt wird. Die Franzosen, die diese Künste *les arts du dessin* nennen, nehmen es nicht genauer, als wir, da die Zeichnung das Wesen der Mahlerei nicht erschöpft. Umfassender ist der Ausdruck: schöne Künste, allein dann gehören Musik, Poesie, Redekunst, Schauspielkunst, Tanzkunst noch dazu. Diese Künste sollen Schönes hervorbringen; nicht auf das Nützliche ist es bei ihnen abgesehn. Eine gründliche Erörterung des Begriffes des Schönen kann nur aus der Gesammtlehre der Philosophie hervorgehn, weshalb wir zuvörderst einen Rückblick auf die Versuche zu thun haben, die gemacht worden sind, das Wesen des Schönen zu ergründen. — Die Lehre vom Schönen hat Plato zuerst mit einiger Ausführlichkeit behandelt, nicht systematisch, sondern in Gesprächen. Ein Sophist tritt mit der Anmaßung auf: zu wissen was das Wesen des Schönen sei. Socrates macht ihm jedoch seine vermeinte Weisheit so zu nichte, daß er zuletzt in Verwirrung geräth. *) Plato aber begnügt sich nur in Gleichnissen und Bildern von dem Schönen zu sprechen. Er nennt es in einem anderen Gespräche, (im Phädrus) die schöpferische Kraft, die wieder Begeisterung erwecke, wie der Magnet dem Eisen die Kraft der Anziehung mittheile. Hier hat er seine Lehre vom Schönen in eine Götterfabel eingekleidet, deren wesentlicher Sinn ist, daß das Schöne ein Abglanz des göttlichen Wesens in der sichtbaren Welt sei. In den irdischen Körper gebannt, befände sich das Göttliche von seinem Urquell entfernt. Das Schöne erwecke in der menschlichen Seele eine Sehnsucht nach dem Göttlichen. Eine unendliche Liebe werde in dem Gemüth entzündet, nicht ohne Qual. Dann sei das Schöne dasjenige, was der Seele die Flügel wachsen mache, um sie in die himmlischen Regionen zu erheben. Aristoteles, der mit seinem Wissen die ganze Welt der natürlichen und geistigen Dinge zu umfassen strebte, hat von den Künsten nur Poesie und Rhetorik zum Gegenstande seiner Betrachtung gemacht, ohne auf das Allgemeine des Schönen besondere Rücksicht zu nehmen. — Noch weniger befriedigend über den Begriff des Schönen haben die anderen Griechischen Philosophen gesprochen. Die Griechen waren ein künstlerisches Volk, sie standen der Kunst und dem Kunstschönen zu nah, um abgesonderte Betrachtungen darüber zu machen. Die Neuplatoniker bilden ein Zwischen-Glied zwischen der alten

*) Hr. von Schlegel hat uns in den Stand gesetzt, die Skizzen sämmtlicher Vorlesungen folgen zu lassen. d. R.

*) Nach vielem Hin- und Herreden über das Schöne ist das letzte Wort über das Schöne (in Hippias I.) „Schöne Dinge sind schwer zu sagen.“

classischen und zwischen der christlichen Welt. Sie haben die Lehre Platos in ihrem tiefsten Sinn erfaßt.

In den ersten Jahrhunderten unserer Zeitrechnung verschwand die schöne Kunst und mit ihr die Betrachtung des Schönen. Erst als die Schätze des classischen Alterthums wieder an das Licht gefördert wurden, regte sich der Sinn für die Kunst, und man legte rasch die Hand an die That; auf das Allgemeine, auf das Wesen der Kunst richteten selbst in Italien nur wenige ihren Sinn. Die Lehre des Aristoteles, wie sie in den Schulen festen Fuß faßte, war der Entwickelung des Kunstsinns nicht förderlich. Dagegen sind in dem achtzehnten Jahrhundert eine Unzahl von Theorien an das Licht getreten. Nach Abwerfung des Aristotelischen Schulzwanges, warf man überhaupt jede strenge Form der Wissenschaft fort und wie man in den Naturwissenschaften nur immer auf das Einzelne ging, so wollte man auch nur rhapsodisch philosophiren. Wohl die einzigen Philosophen, die aus einem System heraus über das Schöne philosophirt haben, waren in England **Locke** *), in Deutschland **Leibnitz**. **) Beide standen einander grad gegenüber; der erstere übte als Sensualist einen viel größeren Einfluß aus, obwohl ihm an Tiefe und Umfang der Letztere, dessen Lehre als Spiritualismus bezeichnet werden muß, weit überlegen war. Seit Baco hatten die Naturwissenschaften einen großen Anstoß genommen; **Locke** trug dies über in seine Philosophie, behauptete, daß alle Erkenntniß aus sinnlichen Eindrücken hervorgehe und wollte von diesen alle wissenschaftlichen Begriffe und alle sittlichen Triebe ableiten. — Folgerechter wurde diese Lehre von den Französischen Philosophen, den sogenannten Encyclopädisten durchgeführt, von denen wir nur Condillac, Helvetius, Diderot und d'Alembert nennen. Der große Irrthum dieser Schule war, daß man eine Wahrheit, die nur in der untergeordneten äußerlichen Welt gilt, für die alleinige Wahrheit ausgab. Nur Empfindungen sollten den Geist bestimmen, der ganz der Materie angehöre. Diese, jedem gesunden Gefühl wiederstrebende, Lehre wurde mit einer Keckheit und Verwegenheit ausgesprochen, die Grauen erregt. Die Hände, sagt Helvetius, haben sich die Vernunft gebildet und angeschafft; Cavanis behauptete: die Gedanken wären nur eine Absonderung des Gehirns u. s. w. Auch auf die Kunst wurde diese Lehre angewendet; nur das galt für schön, was äußere Sinnenlust gewährt. — Der Engländer **Burke** führte dies in seiner Abhandlung über das Erhabene und Schöne weiter aus.

Wie in der Physiologie die mechanische Erklärungsweise vorherrschte, so trug Burke dies in die Kunstlehre über. Das Süße sollte aus glatten Kügelchen bestehn, das Bittre Widerhaken haben, das Schöne einen sanften Nachlaß der Nervenfibern, das Erhabne eine wohlthätige Erschütterung derselben bewirken. Käm es blos darauf an, auf die Nerven zu wirken, dann müßte das Schöne und Erhabene bei dem Apotheker zu haben sein und der Doktor könnte es seinen Patienten verschreiben. — Nur einzelne Stimmen erhoben sich gegen solche Lehren, sie wurden übertäubt. — Was **Leibnitz** betrifft, so lag allerdings in seinen philosophischen Ansichten, die er mehr als geistreiche Einfälle aussprach, ein tieferer Sinn. Anstatt diesen zu entwickeln, haben seine Nachbeter, die von ihm hingeworfenen Gedanken ins Unendliche fortgesponnen und verwässert, oder in hohle Formeln gezwängt. Durch die Sinne, sagt Leibnitz, im offnen Widerspruch gegen Locke, bekommen wir nur eine verworrene Vorstellung. Die Eintheilung der Seelenkräfte in höhere und niedere, war eine unangemessene Beschränkung derselben; den Künsten wurden die unteren Seelenkräfte, Einbildungskraft und Gedächtniß zugetheilt, um für sie zu arbeiten; die oberen Seelenkräfte der Logik.

Baumgarten war der erste, der die **Aesthetik** als besondere Wissenschaft behandelte. Er schrieb lateinisch und zwar sehr schlecht. Gemählde großer Meister hatte er nie gesehn und kannte die Mahlerei nur aus dem, was er im Plinius davon gelesen. — Mendelsohn und Sulzer führten das so fort; auch **Lessing**, obwohl an Schärfe des Verstandes den anderen Zeitgenossen weit überlegen, folgte dieser Schule. Das Auftreten **Winkelmanns**, soll noch besonders erwähnt werden.

Der erste, der wieder mit philosophischem Geiste an die Betrachtung des Schönen ging, war **Kant**. Noch eh er als speculativer Metaphysiker auftrat, schrieb er (1771) über das Gefühl des Schönen und Erhabnen. Kant ist vollkommen siegreich in Bekämpfung der nächsten Vergangenheit; die Lehren älterer Philosophen, namentlich die des Plato hat er nicht gehörig gewürdigt. Allein er hat sich das große Verdienst erworben, daß dem rhapsodischen Philosophiren durch ihn ein Ende gemacht wurde. Als wesentlichen Charakter des Schönen erkannte er, daß in demselben das Allgemeine und Besondere unmittelbar vereinigt ist. Was er weiter über das Schöne sagt, ist freilich

*) Geb. 1632. gest. 1704.
**) Geb. 1648 gest. 1716.

ungenügend, die Künste und Kunstwerke kannte er zu wenig. — Kants Lehre vom Schönen hat an Schiller einen beredten Ausleger gefunden, obwohl es aber dem Dichter zur größten Ehre gereicht, daß er sich um die höchste Weise des Erkennens bemühte, so ist doch nicht in Abrede zu stellen, daß er mit seinen Theorien niemals ein Trauerspiel zu Stande gebracht hätte.

Spaziergang eines Engländers durch Lissabon.

(Beschluß.)

Nachdem ich den Fidalgo und den Mönch los geworden, was soll mir in den Weg kommen als ein fetter Puter! kein schlimmes Zeichen um Weinacht und indem ich um die Ecke der Rua da Prior bog, war die ganze Heerde von dreißigen, zu den er gehörte vor mir. Der Treiber war ein alter Kerl über sechs Fuß hoch, mit entblößtem greisen Haupt; eine zerissene blaue Jacke und hellblaue Hosen schützten den übrigen Theil des Körpers vor der Kälte, weder Schuhe noch Strümpfe an den Füßen sprang er hinter seinem Geflügel in anmuthigen Tanzpositionen hier und dorthin den Zug lenkend, seine zwei Burschen machten an der Seite dieselben Sprünge. Als er einen günstigen Platz zum Verkauf ausgefunden, wurden die Thiere von den Burschen in eine Art von Dreieck zusammengetrieben, das durch die Röcke der drei Treiber gebildet wurde; und wie ein Kunde auf eins derselben wies, wurde es durch einen schnellen Griff herausgerissen ohne die Ordnung des Haufens zu stören. Es scheint daß um diese Jahreszeit kein ordentlicher Portugiese ohne einen gebratenen Puter sein kann. Die Bauern um Lissabon mästen sie so gut es gehn will in großen Quantitäten, und treiben sie in der oben beschriebenen Weise zu Markte. Der schwarze Pferdeplatz, einer der größten in der Stadt worauf das Ostindienhaus, die königliche Börse, die Regierungscollegien und die Kammer der Deputirten sich befinden, ist der gewöhnliche Marktplatz. Es ist für einen Fremden nicht im mindesten angenehm einen großen kalkutschen Hahn mit einem Generallieutenant oder mit einem reichen Kauffmann um den Vortritt streiten zu sehen, oder den Treiber, der mit seiner Gerte den Puter befreien will, der sich zwischen einen Haufen streitender Volksrepräsentanten festgerannt. Es zeigt wie weit Gebrauch und Gewohnheit überlegte Absicht zu nichte machen. Dieser Platz wurde in einem für dergleichen Handels-Verkehr viel zu großen Maasstab angelegt, und zur Vereinigung der adligen, handelnden, und gewerbtreibenden Classen bestimmt; jetzt dient kaum das Drittel desselben zu diesem Zweck, das Andere ist von Puter und Pferdehändlern, von schmuzzigen Gassenbuben und faulen Lastträgern eingenommen, wozu noch die gewöhnlichen Heerden räudiger Hunde kommen, die herumlungern oder in der Sonne schlafen. Der Preis eines guten Puters ist 6 .— 7 s., doch ist er dann nicht halb so groß wie einer von unsern Norfolkschen, und muß bei Tische in Flügel und Beine zerschnitten werde, da er nicht so reich an festem Brustfleisch ist wie der, welcher gestern deinen zweiten Gang zierte, mein Aldermanischer Leser! — Ein Lissabonner Puter ist indeß kein schlechter Fund für einen hungrigen Reisenden. —

Bloße Höflichkeit fordert es, vor jener Frau die dort an der Ladenthür sitzt, den Hut abzunehmen, da sie so freundlich bei dem Engländer anfragt, ob er ihre Waaren kosten will. Die gute Dame gehört zu einer gewöhnlichen Klasse in Lissabon Ihr seht wohl, daß sie ein weißes Tuch um ihre Haare zu binden verschmäht, und lieber ein Band von schmutzigen Aristokratenbraun dazu nimmt. Schön kann man sie nicht nennen, ihre Figur möchte noch eher erträglich sein, wenn man sie nur sehen könnte, doch wie ihr bemerken könnt, sitzt sie auf einem niedrigen Stuhl, mit ihren Kleidern um die Füße gewickelt, sich zu wärmen, in der Hand hält sie einen Fächer von Indischen Matten, womit sie wechselweise die Kohlen in einer Steinkohlenpfanne anfacht, nnd ihr Gesicht kühlt, wenn die Hitze ihr zu nahe kommt. Auf der Kohlenpfanne steht ein kleines Gefäß, woraus ein saftiger Geruch hervorsteigt, der wenn auch nicht eure Nase, doch die jedes Andern, Männer, Frauen und Kinder anzieht, und ihnen den Mund wässrig macht, so daß sie durchaus in den Topf sehen müssen, woraus der Weihrauch der Priesterin aufsteigt. Sie brät nämlich Kastanien, Lastträger und Matrosen sind ihre großen Kundleute. In den Straßen die zum Fluß führen, seht ihr diese Leute mit allen fünf Fingern nach der verführerischen Frucht lecken, und sich den Gaumen dabei verbrennen. — In einer nicht weit davon entfernten Straße wohnt ein Mann, an den wir einen Empfehlungsbrief haben. Laß sehen, was er für ein Haus macht. Ihr müßt wissen, daß nur ein Mann vom hohen Adel, oder großem Vermögen ein ganzes Haus mit Garten und Zubehör besitzt. Andere ehrliche Leute bewohnen nur einen großen Flur, wie ein Liverpoler Kornspeicher, oder eine Manchester Factorei. Hier haben sie nur eine Reihe von 10 — 12 Zimmer 50 Pf. jährlich, und ohne Abgaben. Ueber und unter ihm wohnen

Leute auf ähnliche Weise, die alle eine gemeinschaftliche Treppe und Eingang haben, nicht wie in Paris, wo man einen schönen Garten hinter dem Hause hat, und ein Zimmer für den Portier, der die Fremden zurechtweisen könne, sondern nur eine einzige Thür von der Straße herein sich öffnend, und eine kleine Vorhalle von ungefähr 10 Fuß lang, worin Hunde und Menschen auf dem Pflaster herumliegen, das zu noch schmutzigern Zwecken dient. Steuert ihr nun auf gut Glück umher, da man nirgend einen Hausbescheid, ein Namenblech, oder sonst etwas Aehnliches findet, so müßt ihr eine dunkle Treppe hinaufstappen, und wenn ihr nicht genau voraus wißt, auf welchem Flur euer Freund wohnt, die Bewohner eines jeden aufstören, die euch für eure Dummheit verwünschen, bis ihr endlich die rechte Thüre findet. Eure Aufnahme hängt von dem Rang und Vermögen des Freundes ab, der euch empfohlen. Wahrscheinlich wird Wein und Gebacknes zum Frühstück gebracht, seid mit dieser Aufmerksamkeit zufrieden, und nehmet keine Einladung zum Mittag an, ihr müßtet denn ganz sicher sein daß euer Magen eine gute Portion von Lauch und Zwiebeln recht verdauen kann. Nur wenige Englische Kaufleute und Portugiesische Handelsfürsten leben hier in gutem Styl, das Gute der Französischen und Englischen Tafel vereinigend. Das gewöhnliche Lisbonner Mittagessen wird, wie man mir sagt, denn noch hab' ich es nicht in ausschließlicher Reinheit genossen, so bereitet: Nimm ein Stück frisches Rindfleisch, desgleichen Schweinefleisch, eine große Bolognasauce aus Carotten, Rüben, Kohl, Kartoffeln und Lauch bestehend, decke sie dicht zu und laß sie den ganzen Tag kochen und schmoren. Nimm die Suppe ab, wirf etwas Reiß in eine Schaale und trage es dick auf. Nimm den Kohl, lege ihn in eine große Schüssel, nimm die Sauce, thu' noch mehr Lauch dazu und trage es nach der Suppe auf. Nimm einen Fisch, Goldfisch, oder Zunge backe ihn in Oel und Lauch und trage ihn eben so auf. Mach den Schluß mit einem gekochten Huhn in Reiß, oder einem kleinen Stück Roßtbeaf, das erstere ist jedoch classischer. Spüle alles mit einem Glas Lisbonner zu 6 Pence oder Porter zu 18 Pence hinunter, wisch deinen Mund ab, bedanke dich, steh auf und gehe von dannen, nach Hause, oder zum Teufel, denn an dem Tag mag ich nichts mit dir zu thun haben.

Zufällige Gedanken.

Von E. r.

20. Der Ablaß ist dem Gewissen was dem Wiener die Pfauenfeder. Nach ihrem Kitzel und dem Vonsichgeben der Speisen ißt er aufs neue.

21. Der Hausvater ist ein Brodbaum, die Hausmutter aber wird zu den Knollengewächsen gerechnet.

22. Man hält so oft Spaß für Witz.

Berliner Chronik.

Königl. Oper, v. 7. Juni. Madam Catalani als Semiramis.

Wenn wir bisher das *„son Regina"* von der Königin des Gesanges nur hörten, so haben wir es nun auch gesehen. Zwar gab sie uns schon, wenn sie *„God save the King"* sang, einen Maßstab in die Hand, was sie als Schauspielerin leistet, allein sie hat alle diese Vorahndungen bei weitem übertroffen. — Zu bedauren war es freilich, daß wir nur einzelne, in kaum verständlichen Zusammenhang gebrachte, Scenen dargestellt sahen, allein sie selbst war immer die ganze Königin vom Wirbel bis zur Zeh. Wenn aber ein angebohrner Anstand dazu gehört, als Königin im ruhigen Glanze der Majestät auf dem Throne zu sitzen, so ist es doch gewiß noch schwerer, allen Bewegungen des Gemüthes, und wenn sie noch so leidenschaftlich im Innern toben, oder auch frei in ihrer ganzen Gewalt heraustreten, immer den Charakter zu geben, daß sie einer Königin angehören. Dies zeigte uns Mad. Catalani als Semiramis; mochte Liebe, Furcht, Hoffnung sie zu den leisesten Klagen, oder zu den gewaltsamsten Ausbrüchen der Leidenschaft treiben, immer erschien sie als die Königin. Was ihr Genie als Schauspielerin vornehmlich beurkundet ist, daß sie, die in Paris so viele Jahre lebte und dort als Schauspielerin auftrat, sich dennoch ganz frei von der Talmaschen Manier gehalten hat, die, so großartig sie auch bei Talma selbst war, sogleich Carrikatur wurde, wenn sie ein anderer annahm; alle ihre Bewegungen so wie ihr Mienenspiel bleiben immer in den Grenzen der Grazie und Griechischen Schönheit. Gebt ihr einen Helm und einen Schild und Ihr werdet sie für die Göttin halten, die gerüstet aus dem Haupte Jupiters sprang! —

Dem. Hoffmann mit ihrer schönen Altstimme und Hr. Stümer mit seinem reinen Tenor fanden verdienten Beifall. —

(Redigirt von Dr. Fr. Förster und W. Häring (W. Alexis.)

Im Verlage der Schlesingerschen Buch- und Musikhandlung, in Berlin unter den Linden Nr. 34.

Berliner

Conversations - Blatt

für

Poesie, Literatur und Kritik.

Montag, — Nro. 114. — den 11. Juni 1827.

Die Rosen.

Wer nicht hörte vom Streit, dem verderblichen, den mit der rothen
Rose die weiße geführt einst um Brittanniens Thron?
Aber den älteren Streit zur Zeit der olympischen Götter,
Hat mir erst kürzlich einmal Eros im Stillen vertraut.
Als das goldene Alter vorüber und Zeus sich die Herrschaft
Ueber die Götter gewann, König des Himmels genannt;
Bald auch drängten auf Erden die Einen sich über die Andern,
Ueber die Gleichen empor strebte des Königes Haupt.
Selbst in dem Reich der Natur erhob sich der Starke zum Herren,
Oder die Schönste gewann stillere Huldigung sich.
Unter dem edlen Gestein erkannten die andern des Demants
Leuchtendes Haupt und mit Scheu traten die Niedern zurück.
Drohend gewann in den Lüften der Aar, in den Klüften der Berg-Leu
Herrschaft und hohe Gewalt über das wilde Geschlecht.
Milderen Sinnes regierte zur See der Delphin der bescheidne,
Willig erkannten ihn hier selber die Stärkeren an.
Unter dem schönen Geschlecht der Blumen des Feldes und Gartens
Schwankte die Meinung des Volks, wem sie die Krone verlieh.
Nicht vereinen sich leicht die Schönen über die Schönste,
Endlich zur Königin riefen die Rose sie aus.
Ach! da entspann sich unseliger Streit, es reizte die Herrschaft,
Gegen die Rothe zum Krieg rüstet die Weiße sich schnell.
Drohend umgürteten sich mit Lanzenspitzen die Zarten,
So mit gewaffnetem Arm standen sie fertig zum Streit;
Da trat Eros herzu; ihn freuten die Rosen vor andern
Blumen, er sprach: nicht ziehmt Frauen so ernstes Gefecht.
Folgt zu der Herrscherin mir, die Euch liebt, der göttlichen Cypris,
Und sie entscheide sodann, welcher die Krone gebührt.
Schweigend hörten's die Blumen; es traten die zierlichsten Nymphen
Eine mit rothem Kranz, Eine mit weißem geschmückt
Aus den Gesträuchen hervor. Wir folgen Dir, sprachen sie, willig. —
Zu den olympischen Höh'n trug sie ein leichtes Gewölk.
Als nun Eros sogleich den Streit der Göttin berichtet,

Rief sie die Nymphen heran, drohend begann sie, doch mild:
„Freuen kann es mich nicht, Euch so, die Zarten und Holden,
Gegen einander im Streit über die Herrschaft zu sehn.
Aber es nenne mir jede das Anrecht, welches sie vorgiebt,
Und ich entscheide sodann, welcher die Krone gebührt“
Rühme sich, sprach nun die Weiße, die Schwester anderen Vorzugs,
Diesen, ich weiß es gewiß, Göttin, gestehst Du mir zu.
Rein ist und zart mein Gewand, es gleicht dem ätherischen Körper
Unbedürftig und klar, wie er den Göttern verliehn,
Nicht getrübt durch der Farben Gemisch und Schatten; so im Olymp hier,
So in die Tempel gestellt ehren die Sterblichen Euch. —
Trag ich, entgegnete drauf die Rothe, nicht köstlichen Purpur,
Wie ihn auf irdischem Thron immer die Königin trägt?
Und wie sollt ich mich nicht des Blutes erfreuen, das feurig
Stets auf der Wange mir glüht, sei es vor Liebe, vor Zorn.
Gern wohl gönn' ich den Göttern ätherische Körper, doch schien mir
Immer der parische Stein hart für so zarte Gestalt.
Und so erzählen sich auch die Sterblichen, daß Du nicht Marmor
Warst, da mit zärtlicher Huld einst Du Adonis geküßt.
Luna verschwieg es uns nicht, denn plauderhaft ist ihr Mondschein,
Was sie belauschte, geschwind hat sie es weiter erzählt.“ —
„Darum verehr' ich, so sprach die Weiße, den heiteren Phöbus,
Und es blendete mir nimmer das Auge sein Strahl.
Ueber mir schwingt dann die Lerche sich auf mit muntrem Gesange,
Trägt zu dem wandelnden Gott Grüße, die schönsten, empor.“ —
Willst Du, entgegnete drauf, die Rothe, des Tages dich rühmen,
Fürchte Dione's Gewalt, die mich zum Liebling gewählt.
Nächtlich singt dann ihr tieferes Lied die Nachtigall klagend
Und zu der Liebenden Hauch schenk ich den süßesten Duft.“
„Endet, gebot nun die Göttin, den Streit, und soll ich entscheiden,
Seid Ihr als Königin mir diese wie jene gegrüßt.
Und nicht wieder entferne die Eifersucht Euch um die Herrschaft,
Wessen die Eine sich rühmt, rühme die Andre sich auch.“ —
Leise berührte die Göttin die zierlichen Kränze der Nymphen,
Siehe! mit weißem Schein wurde die Rothe gefärbt,
Und aus dem innersten Kelch der Weißen schimmerte Rothschein,
Undschuld und Liebe vereint theilten sie beide das Reich.
Aber die Waffen vergönnte die Göttin beiden zur Abwehr,
Und schon haben sie oft manchen Verwegnen gestraft.

F. F.

Englische Literatur.

Leben und Charakter von Edmund Burke, mit Probe seiner Gedichte und Briefe und einer Würdigung seines Geists und seiner Anlagen, im Vergleich mit denen seiner großen Zeitgenossen von James Prior. London 1827.

Ein vielversprechender Titel, der gleich unwillkührlich die Frage aufnöthigt: wie viel davon mag das Buch leisten. Fürs Erste hat es einen hinreichenden Umfang von über 600 Seiten (mit der Vorrede). Und der Inhalt? — Dieser erscheint mehr als ein Ganzes, mehr aus einem Guß, plastischer, so zu sagen, wie der Titel hoffen läßt. Daher ist die Frage nach dem Interesse, welches die Darstellung einflößt, überflüssig. Denn Burke gehört zu den Charakteren, die schon ihrer Stellung wegen in einer sturmbewegten Zeit, mehr noch aber durch ihre Persönlichkeit, so scharf hervorgetreten sind, daß man in jedem nicht ganz verunglückten Gemälde sie, und zwar in den interessantesten Umgebungen, wiedererkennt. Daher müssen wir Johnsons Ausspruch über ihn eben so treffend als fein finden: „Sollte Burke in einen Stall gehen, um seines Pferdes wegen Anordnungen zu machen, so würde der Stallknecht sagen: Wir haben einen außerordentlichen Mann hier gehabt." So hat Prior ihn dargestellt. — Besonders tritt eine Eigenschaft die ihn vorzüglich auszeichnete, gleich im Anfang der Darstellung sehr hervor. Wie es viele giebt die aus sehr unvollständigen Daten schnell einen theoretischen Schluß zu ziehen wissen, so hatte er im Gegentheil eine bewundernswürdige Scharfsichtigkeit darin, die Wirkungen praktischer Maaßregeln im Voraus zu berechnen. Er erkannte so zu sagen auf anschauliche Weise die Absicht der Handlungen, die anderen erst allmählich und gewöhnlich erst auf dem Wege der Induktion durch langsam aneinander gereihte Thatsachen klar werden; fast immer eilte er mit einer Muthmaßung voraus und wußte diese vermöge seiner lebhaften Phantasie, die ihm alle Data gegenwärtig erhielt, dann möglichst zu bestätigen, daher er auch selten von seiner einmal gefaßten Meinung wieder abzubringen war. Dennoch irrte er sich selten, weil sein durchdringender Geist fast immer den rechten Augenblick für das Fassen einer Ansicht zu finden wußte. Was er einmal mit Klarheit durchschaute, fühlte er auch eben so stark und der Mangel an Beweisen erhöhte seinen Eifer, andre dennoch von seiner Ansicht zu überzeugen. Diese Sicherheit der Auffassung gab ihm auch eine große Kraft des Charakters und, da seine Absichten immer gut waren, seine unveränderliche Richtung, die ihn nie rechts oder links abirren ließ und machte, daß Inconsequenz, die er bei andern bemerkte ihn mehr aus der Fassung brachte, als selbst die Vermittlung des Zwecks, den er sich vorgesetzt hatte.

Dabei war er aller Waffen der Rede ganz mächtig, von denen die meisten eben in jenen angeführten Eigenschaften seines Charakters ihren Grund hatten: Sein offner Widerstand gegen alles Böse, sein scharfer Sarcasmus, seine hinreißende Art, wie er etwas angriff, seine gewaltige Heftigkeit, wenn er etwas unterstützte, vor Allem die Stetigkeit in der Begründung und wie er Alles nur auf seinen Zweck bezog, welchen er immer, durch alle Abschweifungen, Verhandlungen, Beschreibungen u. s. w. sicher im Auge behielt. Mit diesen Eigenschaften des Geists und der Zunge gewann er auf das Haus der Gemeinen einen gewaltigen Einfluß, welchen ein Fremder der Herzog von Levis, der einer Debatte über die französische Revolution beiwohnte, sehr interessant beschreibt.

„Der, welchen ich am meisten zu hören wünschte, war der berühmte Burke, Verfasser des Versuchs über das Erhabne und Schöne, der selbst oft so erhaben ist. Endlich stand er auf; aber als ich ihn sah, konnte ich mich kaum vor Verwunderung fassen. So oft hatte ich gehört, wie seine Beredsamkeit mit der eines Demosthenes und Cicero verglichen wurde, daß meine Einbildungskraft, indem sie ihn mit diesen großen Namen in Verbindung brachte, ihn mir in einer edlen und ehrwürdigen Tracht darstellte. Ich konnte freilich nicht hoffen, ihn im brittischen Parlament mit einer Toga bekleidet zu sehen; aber darauf war ich doch auch nicht vorbereitet, ihn in einem knappen braunen Rock zu sehen, der jede Bewegung zu hindern schien und noch dazu die kleine Stutzperücke mit Ringeln! — — Inzwischen ging er gegen Gewohnheit, in die Mitte des Hauses; denn sonst reden die Glieder, stehend und unbedeckt, aber ohne ihren Platz zu verlassen. Burke dagegen, mit dem natürlichsten Ansehen von der Welt, mit erscheinender Bescheidenheit und gefaltenen Armen begann seine Rede in so leisem Tone, daß ich ihn kaum verstehen konnte. Allmählich wurde er aber immer belebter: er beschrieb, wie die Religion angegriffen, das Band der Unterwerfung gelöst, die bürgerliche Gesellschaft in ihren Grundpfeilern erschüttert sei. Um ferner zu zeigen, daß England nur auf sich selbst stehen könnte, mahlte er den politischen Zustand von Europa mit den lebhaftesten Farben: den Geist des Ehrgeizes und der Thorheit, von dem die meisten ergriffen wären; die tadelnswerthe Gleichgültigkeit von einigen; die Schwäche von allen. Als er in seiner großartigen Skizze Spaniens erwähnte, jener ungeheuren Monarchie, die in den Zustand eines vollkommenen Todesschlafs gefallen wäre, sprach er: „Was dürfen wir von ihr erwarten: mächtig ist sie freilich, aber ohne Bewegung; weitläuftig an Masse, aber träg an Geist — ein Wallfisch am Seeufer von Europa gestrandet." — Im ganzen Hause herrschte Stille; aller Augen waren auf ihn gerichtet, und die Stille wurde nur durch den lauten Ausruf: hört, hört! unterbrochen, wodurch die Freunde des Redners auf die glänzendsten Stellen seiner Rede aufmerksam machen wollten. Dießmal war es unnöthig, alles war ganz Ohr; die ausgesprochenen Gefühle verbreiteten sich aufs Schnellste. Jeder theilte seine Bewegung, nicht minder, wenn er darstellte, wie die Diener der Religion, rechtlos verfolgt und vertrieben, in einem fremden Lande zu dem Allmächtigen beteten, ihrem undankbaren Vaterlande zu vergeben, als wenn er auf die rührendste Weise das Unglück der königlichen Familie und die Demüthigungen welche eine Kaisertochter hatte erleiden müssen, schilderte. — Dann ging er durch einen leichten Uebergang zu einer Auseinandersetzung fort, wie abgeschmackt jene Versuche von Männern ohne alle Erfahrung, ein Hirngespinst von Freiheit ins Dasein rufen zu wollen, wobei er die muthwillige Eitelkeit der Emporkömmlinge bei ihrer vorgeblichen Liebe zur Gleichheit nicht schonte. Die Wahrheit dieser treffenden und belebten Gemälde machten daß in einem Augenblick das ganze Haus von der zartesten Rührung zu lautem Gelächter überging. Nie zeigte sich die elektrische Kraft der Beredsamkeit auf eine gewaltigere Weise. Jener außerordentliche Mann schien die Leidenschaften seiner Zuhörer ganz mit derselben Leichtigkeit und Schnelligkeit zu erhöhen und zu dämpfen, wie ein geschickter Musiker in die verschiedenen Tonarten seines Instruments übergeht.

Die Begebenheiten von Burke's Leben, waren der Hauptsache nach schon aus Bissets Lebensbeschreibung bekannt; dennoch ist diese ausführlichere Darstellung sehr dankenswerth, da alle früheren Nachrich- noch sehr viel zu wünschen übrig ließen. Er wurde am Neujahrstage 1730 zu Dublin geboren und zeigte schon als Knabe eben so viel Feuer, als Festigkeit. Im 15ten Jahre kam er ins Trinity-College ebendaselbst, wo er besonders den Grund zu der Geschichtskenntniß legte, die ihn nachher auszeichnete. Im 22sten Jahre trat er ins Juristen-Collegium zu London (*Midde-Temple*) und aus einem Briefe an einen Studiengenossen in Dublin zeigt sich die Selbstständigkeit, die sein Urtheil schon damals gewonnen hatte.

„Ich finde nicht, schreibt er, daß der Geist, „das frühzeitige Tausendschönchen, das verlassen stirbt," von irgend einem der Vornehmen beschützt wird, so daß Schriftsteller von ausgezeichnetstem Talent dem launenhaften Schutze des Publicums überlassen sind. Ungeachtet dieses entmuthigenden Umstandes, steht aber die Literatur hier dennoch auf einer sehr hohen Stufe. Die Dichtkunst erhebt ihre bezaubernde Stimme gen Himmel. Die Geschichte hemmt die Schwingen der Zeit in ihrem Flug in dem Strudel der Vergessenheit. Die Philosophie, der Wissenschaften Königin, die Tochter des Himmels, breitet täglich ihr geistiges Reich weiter aus. Die Phantasie scherzt auf luftigem Flügel, wie ein Meteor im Schooß einer Sonnenwolken und selbst die Metaphysik spannt ihre Spinneweben aus und fängt einige Fliegen."

„Das Haus der Gemeinen liefert nicht selten Proben der Beredsamkeit, welche sich über die von Rom und Griechenland, selbst in ihren stolzesten Tagen, erheben. Aber mit alle dem wird Jemand mit arithmetischen mehr, als mit Redefiguren vor sich bringen, kann er nur in den Handelswind kommen und dann wird er sicher über des Pactolus Goldsand hinsegeln."

„Bald nach meiner Ankunft in London besuchte ich die Westminster-Abtei: in dem Augenblick, da ich hineintrat, ergriff eine Art von unbeschreiblicher Ehrfurcht mein Gemüth; selbst die Stille hatte etwas heiliges: Heinrichs *VII.* Kapelle ist ein schönes Denkmal gothischer Baukunst, vor allen Dingen die Kuppel; aber wie ich höre, wird sie von einer Kirche auf der Universität Cambridge noch weit übertroffen. Das Denkmal von Mrs. Nightingall wird nicht über Verdienst gepriesen. Die Stellung und der Ausdruck im Gatten, der sein Weib vor dem Pfeile des Todes beschützen will, ist natürlich und greifend. Es ist mir aber immer so vorgekommen, als wenn der Tod angemessener mit einer umgekehrten Fackel, als mit einem Pfeile vorgestellt würde. Manche mögen alle diese Denkmähler, alle nur für Denkmähler der Narrheit halten; mir scheint es nicht so; was für nützliche Lehren der Moral und gesunden Philosophie geben sie!" —

„Ich zweifle nicht, daß das schönste Gedicht in englischer Sprache, Miltons, *Il Penseroso,* im weithallenden Gange eines verfallenen Klosters oder einer mit Epheu bekleideten Abtei gedichtet worden. Aber bei alle dem möcht ich lieber im Sonnen-Winkel eines kleinen Landkirchhofs schlummern, als in den Gräbern der Capulets; dennoch wünschte ich, daß meine Asche sich mit der meiner Angehörigen mischte. Der gute alte Name Familien-Begräbniß hat für mich wenigstens etwas Ansprechendes."

(Beschluß folgt.)

Zufällige Gedanken.

Von E. r.

23. Der ächte Dichter wird nicht sowol Begebenheiten erzählen als Scenen schildern, jenes gehört dem Geschichtschreiber aus Mangel an Raum; thut es aber der Dichter so verräth es Mangel an Kraft.

24. Der Unterschied zwischen einem Leser und einer Leserin frägt bei einem Roman (einem guten nämlich) wenig nach der Form, wenn er nur Stellen hat für ihr Gefühl, die sie als guten Notentext bei jeder Aufregung desselben, rezitiren und absingen kann, dem Leser hingegen liegt mehr am reinen Guß des Ganzen, der ästhetischen Richtigkeit. Ist es bei ihr Mangel an Auffassungsvermögen des Allgemeinen, oder Fehlen des plastischen Sinnes?

(Redigirt von Dr. Fr. Förster und W. Häring (W. Alexis.)

Im Verlage der Schlesingerschen Buch- und Musikhandlung, in Berlin unter den Linden Nr. 34.

Berliner Conversations-Blatt

für

Poesie, Literatur und Kritik.

Dienstag, —— Nro. 115. —— den 12. Juni 1827.

Frühlingslied.

6.

Schon schmückt das Laub die Bäume,
Und Schatten giebt der Wald;
Die bunten Sänger erwachen,
Ihr wirbelnd Lied erschallt.

In elegischen Klagen flötet
Die Nachtigal wundersam,
Dithyramben singt die Lerche,
Der Guckuck sein Epigramm.

Ihr habt gut singen, ihr Vögel,
In des Waldes stiller Natur;
Rezensenten lassen euch gehen,
Euch meistert keine Censur.

Dan. Leßmann.

Auffenthalt Peters des Großen zu Paris, im May und Juny 1717.

(Nach den besten Memoiren der Zeit.)

Peter der Große hatte in seinen Türkenkriegen, und namentlich bei der Belagerung und Eroberung vor Asow (29. Juli 1697), wo ihm Oesterreichsche und Brandenburgsche Ingenieure und Artilleristen von großem Nutzen gewesen waren, das ganze Uebergewicht des civilisirten Europa über seine, noch in tiefster Barbarey schmachtende Völker kennen gelernt, und nährte seitdem den Wunsch zu reisen, um selbst zu sehen, selbst zu lernen, und dann lehren zu können. Er realisirte diesen Wunsch bereits im folgenden Jahre, sah Deutschland, Holland und England, wurde aber bekanntlich durch eine Revolution der Strelitzen nach Moskau zurückgerufen. Schon damals hatte er Ludwig dem 14ten seinen Wunsch, auch Frankreich zu besuchen, zu erkennen geben lassen; allein dieser Prinz, gedrückt von den Schwächen des Alters, und durch den Zustand seiner Finanzen verhindert, den ehemaligen Glanz zu entwickeln, wußte ihn auf eine feine Art von diesem Plane ablenken zu lassen.

Gegen Ende des Jahres 1716 aber, als Rußland in seinem Innern beruhiget, und die äußeren Feinde des Czars gedemüthiget waren, unternahm er eine zweite Reise, brachte wiederum längere Zeit in Holland zu, und trug seinem Gesandten in Frankreich, wo unterdeß Ludwig *XIV.* verstorben war und der Herzog von Orleans, während der Minderjährigkeit Ludwig des 15ten, die Regentschaft führte, auf, anzuzeigen, daß er sich nach Paris begebe, um die persönliche Bekanntschaft des Königes zu machen. Die Art des Auftretens dieses merkwürdigen Mannes in der glänzendsten Hauptstadt Europa's, deren Auffenthalt er mit der Uncultur seiner uns erst aus der Wildheit erwachenden Staaten vertauschte, hat ungemein viel Characteristischen.

Der Regent hatte dem Czar den Marquis von Nesle, und den Kammerherrn du Libois, mit den Equipagen des Königes, bis Dünkirchen entgegengesandt, um ihn bei der Ausschiffung zu empfangen, ihn unterweges zu defrayiren, und ihm überall die nehmlichen Honneurs, wie dem Könige selbst bezeigen zu lassen. Der Marschal von Tessé begab sich zu seinem Empfange nach Beaumont, und begleitete ihn nach Paris, wo er am 7ten Mai (1717), Abends um 9 Uhr eintraf. Seine Wohnung war ihm im Louvre, in dem Apartement der Königinn, bereitet, und auf das glänzendste meublirt und erleuchtet. Er fand sie zu schön, verlangte ein Privathaus, und stieg auf der Stelle wieder in den Wagen. Man führte ihn also in das Hotel Lesdiguières, nahe bei dem Arsenal. Da Zimmer, Meubles ꝛc. nicht weniger prächtig waren, so sah er denn wohl ein, daß er sich in diesen Luxus ergeben müsse. Er ließ indeß aus einem ihm folgenden Packwagen ein Feldbett nehmen, und es in einer Garderobe aufschlagen. Verton, einer der *„maitres-d'hôtel"* des Königes, hatte Befehl, ihm Mittags und Abends eine Tafel von 40 Couverts zu serviren, den Tisch für Officiere und Bediente ungerechnet; der Marschal von Tessé aber sollte ihm unter Escorte eines Detaschements Gardes-du-Corps, überall hin begleiten.

Der Czar, damals beinahe 45 Jahr alt, war, nach dem Portrait, welches einer der geistreichsten und gründlichsten Französischen Memoirenschreiber jener Zeit *), vor ihm entwirft, groß, wohlgebaut und ziemlich mager; er hatte eine braune, lebhafte Gesichtsfarbe, große Augen und einen durchdringenden Blick, der aber oft in Wildheit ausartete, zumal, wenn ihn ein convulsivisches Zucken befiel, welches seine ganze Physiognomie entstellte. Dasselbe war eine Folge des ihm bekanntlich in seiner frühen Jugend beigebrachten Giftes. Wenn er aber jemand auszeichnen wollte, so verstand er eine lächelnde Miene anzuwelche nicht ohne Anmuth war, ohnerachtet immer ein Zug von Sarmatischer Majestät übrig blieb. Seine brüsken und übereilten Bewegungen verriethen die Unbändigkeit seines Characters und die Gewalt seiner Leidenschaften. Keine Art von Schicklichkeitsgefühl hemmte seine Thätigkeit; und ein Anschein von Größe und Kühnheit, ja selbst Verwegenheit, kündigten einen Fürsten an, der sich überall Herr fühlt. **) Die Gewohnheit des Despotismus war die Veranlassung, daß seine Wünsche, oder auch bloße Einfälle, schnell auf einander folgten, und kein Hinderniß der Zeit, des Ortes, der Umstände, dulden mogten. Belästiget zuweilen durch den Andrang der Schaulustigen, aber nie verlegen, entfernte er sie mit einem einzigen Worte, einer einzigen Bewegung, oder er verließ das Zimmer, um sich augenblicklich hinzubegeben, wohin ihn eben seine Neugier rief. War seine Equipage nicht auf der Stelle bereit, so stieg er in den ersten besten Wagen, und sollte es ein Fiacre sein. Er nahm eines Tages die Kutsche der Mareschale von Matignon, während sich diese Dame bei ihm befand. Der Marschal von Tessé und seine Garden folgten ihm dann, so gut sie konnten. Drei bis vier solche Vorfälle bewirkten, daß man nachher Tag und Nacht Wagen und Pferde für ihn bereit hielt.

Obgleich er aber hiernach wenig Werth auf die Etikette seiner Würde zu legen schien, so gab es doch Gelegenheiten, wo er sie nicht vernachlässigte; und er bezeichnete die Verschiedenheit des Ranges und der Personen zuweilen durch sehr feine Schattirungen. Düclos hat auch davon Beispiele aufbewahrt, die in der Charackteristik eines so merkwürdigen Mannes nicht übergangen werden dürfen. Wie ungeduldig er war, Paris zu besehen, so wolte er doch sein Hotel nicht eher verlassen, bis er den ersten Besuch des Königes erhalten haben würde. Am Tage nach seinem Eintreffen wartete ihm der Regent auf. Der Czar trat ihm aus seinem Cabinet entgegen, umarmte ihn, wies mit der Hand auf die Thüre, ging dann aber voran, während ihm der Regent und der Fürst Kurakin, der Beiden zum Dolmetscher diente, folgten.

(Fortsetzung folgt.)

*) Duclos (Charles Pineau), Historiographe de France, geb. 1705 und gestorb. 1772 zu Paris. Er hat mehrere historische Schriften verfaßt. Hier sind aber seine Mémoires secrets sur les regnes de Louis XIV et de Louis XV (in mehreren Ausgaben, auch Deutsch durch Huber) gemeint denen ich einen ausgezeichneten Rang anweise.

**) Die Schilderungen, welche Voltaire, in seiner „Histoire de l'empire de Russie sous pierre-le-Grand" vom Czar entwirft, sind schwach gegen dieses charakteristische Portrait. Dieß Werk muß überhaupt mit großer Vorsicht gebraucht werden. Vergl. die Dutensiana. I. 126. und III. 240, die ich hier ebenfalls genutzt habe. N.

Englische Literatur.

Leben und Charakter von Edmund Burke, mit Probe seiner Gedichte und Briefe und einer Würdigung seines Geists und seiner Anlagen, im Vergleich mit denen seiner großen Zeitgenossen von James Prior. London 1827.

(Beschluß.)

Burke trat nie vor Gericht auf, so eifrig er seine Studien verfolgte. Sein erstes anerkanntes Werk war Rechtfertigung der Naturforschenden Gesellschaft, die im Frühjahr 1756 erschien, worin er Lord Barlingbarkes Sprache aufs täuschenste nachmachte, in der Absicht zu zeigen, zu welchen abgeschmackten Folgerungen dessen inconsequent durchgeführtes System leitete. Dieß setzt Hr. Prior auf sehr hübsche Weise auseinander und bemerkt auch wie diese Schrift, die 1765 wieder aufgelegt wurde, dadurch nicht minder merkwürdig ist, daß sie viele von den wilden Vorstellungen, die wenige Jahre später in der allgemeinen Wuth, alte Einrichtungen sowohl als alte Meinungen zu zerstören, ausbrach; daß also Vieles, was später dem revolutionai- Sinne als Weisheit galt, hier gewissermaßen prophetisch als Thorheit und an sich schon abgeschmackt erscheinender Unsinn dargestellt wird.

Burkes Ruhm begründete zuerst seine Untersuchung über den Ursprung des Schönen und Erhabenen, ein Werk von anerkanntem Werth. — Eine heftige Krankheit, die ihn bald darauf befiel, veranlaßte seine Bekanntschaft mit Dr. Nugent, dessen Tochter er nachmals heirathete, eine Verbindung, die ihn sehr glücklich machte. Er selbst pflegte zu sagen im Augenblicke daß er unter sein Dach eintrete, verschwände jede Sorge. Am Jahrstage ihrer Hochzeit brachte er seiner Frau einen sehr hübschen Aufsatz: das Ideal eines vollkommnen Weibes, der kaum einen Postpapierbogen füllte, auf dessen Umschlag auf zarte Weise geschrieben war: Der Charakter von — wobei er ihr überließ die Lücke auszufüllen.

Sein Fleiß nahm nach seiner Heirath nicht ab und allmählich folgten sich mehrere seiner politischen Werke. Seinen ersten Schritt ins öffentliche Leben that er 1761, da er als Privatsecretair mit M. Hamilton, nach Irland ging. Er gab jedoch diese Stelle nach einigen Jahren wieder auf. Ins Unterhaus kam er zuerst 1756, als er Privatsekretair des Marquis von Rockingham wurde. Gleich in der folgenden Sitzung ergriff er die erste Gelegenheit, an einer Verhandlung über Amerika thätigen Theil zu nehmen. Pitt, dessen Rede unmittelbar auf die von Burke folgte, gab ihm das Lob daß der junge Mann sich als einen sehr geschickten Advocaten gezeigt hätte: er hatte selbst weitläuftig in die Einzelheiten eingehen wollen, aber es wäre alles schon mit so viel Freimuth und Beredsamkeit ausgesprochen worden, daß ihm nur wenig hinzuzusetzen bliebe. Er wünschte ihm Glück wegen seines Erfolgs und seinen Freunden wegen des Werths der Erwerbung, welche sie gemacht hätten. — Mehrere Bekannte von Burke waren auf der Gallerie, in der Absicht, Zeugen von der ersten Entfaltung seines Talents zu sein: Alle umringten ihn, sehr erfreut über den Erfolg, da das Lob von Pitt schon von selbst nach der allgemeinen Meinung ein sichres Mittel zum Ruhm war. Nachher sprach er oft und lange.

Nach Auflösung jener kurz dauernden Verwaltung finden wir ihn in Irland mit dem Studium der Sprache und Alterthümer seines Geburtslandes beschäftigt. Bald kam er wieder in politische Thätigkeit, indem er von Bristol zum Parlamentsgliede erwählt wurde. Auf die verfängliche Frage, ob er im Hause nach seiner Meinung oder der Instruktion seiner Wähler, stimmen würde, gab er die ebenso kluge als kräftige Antwort:

„Das Parlament ist kein Gesandtencongreß verschiedener und feindseliger Staaten, deren Interessen ein Jeder als Agent und Sachwalter gegen andere Agenten und Sachwalter vertreten müßte; sondern das Parlament ist die berathende Versammlung einer Nation mit einem Interesse, dem des Ganzen. Hier dürfen also keine örtlichen Absichten oder Vorurtheile leiten, sondern nur das allgemeine Beste. — Ihr wählt allerdings ein Glied: habt ihr es aber einmal gewählt, so ist es nicht ein Glied von Bristol, sondern vom Parlament. u. s. w.

Bei einer andern Gelegenheit (1780) schrieb er ihnen: Ich gehorchte euren Instruktionen nicht: ich richtete mich nach denen der Wahrheit und der Natur, und vertheidigte mit geziemender Heftigkeit euer eignes Interesse gegen euere Meinungen." — — „Ich weiß, daß ihr mich auf meinen Platz gestellt habt, daß ich eine Säule des Staats, nicht damit ich eine Wetterfahne auf der Spitze des Hauses sein soll." Doch das ganze Leben dieses Mannes, welches an politische Kämpfen, besonders für die Verbesserung der Verwaltung von den Ostindischen Kolonien und die Erhaltung des Friedens mit Nordamerika, so reich war, zu verfolgen, würden so weit führen. Merkwürdig ist aber vor allem die Stellung, die er gegen die französische Revolution annahm und die Entfernung von Fox, welche dadurch hervorgebracht wurde.

Schon die angegebnen Grundsätze zeigen, daß er sie sehr mißbilligte, besonders wegen des Mangels an Mäßigung, der allein ein Volk zur Freiheit befähigt. Den Geist, sagt er, zu bewundern kann man unmöglich umhin; aber die alte Pariser Wildheit ist auf eine entsetzliche Art hervorgebrochen. Ich kann nicht denken, daß die Volksversammlung viel gethan hat; vernichtet freilich sehr viel und ihr Vaterland als als einen Staat in seinen Grundfesten so zertrümmert, daß Wenige hier so arge Franzosenfeinde sind, daß ihnen der betrübte Schiffbruch Frankreichs nicht einiges Mitleiden einflößte.

„Wie die Lehrer, so die Schüler! Wer träumte je von Voltaire und Roussau als Gesetzgebern? Der erste hat das Verdienst angenehm zu schreiben, und nie hat Jemand Gotteslästerung und Schlüpfrigkeit so glücklich zu verbinden gewußt. Der andre, wie ich überzeugt bin, war nicht recht richtig im Kopf, sah aber alle Dinge auf kühne Weise und im ungewöhnlichem Lichte an und war sehr beredt. — Uebrigens ist es lange her, seit ich den *Contract social* gelesen; er hat wenig Spuren in mir hinterlassen, schien mir ein Werk von wenig oder gar keinem Verdienst und nimmermehr hätte ich gedacht, daß er Revolutionen erregen und Nationen Gesetze geben würde; aber so gehts nun einmal!"

Bald nach den wichtigen Diensten, die er dem Vaterlande und der Sache der öffentlichen Ordnung und Moral gegen die franz. Revolution leistete, starb sein hoffnungsvoller einziger Sohn. Er konnte sich von seinem Schmerz nicht wieder erholen. Der Sturm wüthete in ihm auf eine erschreckende Weise und von der Zeit an verfiel er immer mehr, obwohl er noch manche guten Arbeiten lieferte. Er starb im Gefühl gänzlicher Verwaistheit im July 1797 im 68. Jahre seines Alters.

Sein Privat-Leben glich seinem öffentlichen Leben; er zeigte sich darin eben so fest, redlich, feurig und für alles Gute entbrannt. Da er gewohnt war, immer mit Festigkeit seinen Weg zu gehen, ohne sich durch die Meinungen andrer irre machen zu lassen, so achtete er auch deren Urtheil nur wenig. Als man ihm einst sagte, er möge sich doch gegen die Gerüchte, als sei er als Katholik erzogen u. drgl. rechtfertigen, antwortete er: „Wer solche Erdichtungen nicht widerlegen kann, der wird sie durch keine Rechtfertigung niederschlagen." — Kurz er ist einer jener Charaktere, die wie reiche Goldminen bei aufmerksamer Betrachtung immer noch reicheren Ertrag geben, und bei denen der Mensch, wie der Geschichtschreiber gerne verweilt. Mit Dank verläßt man daher Herrn Prior nach Lesung dieses Buchs als den geschickten Mahler eines so schönen Bildes.

Berliner Chronik.

Königl. Oper. Sonnabend den 7. Juli. Die Dame auf Schloß Avenel, Dem. Schechner, die Anna. — Den 8. Juli, dieselbe Rolle von Dem. Sontag.

Was wir in unserm ersten Berichte als Vermuthung aussprachen, hat sich vollkommen bestätigt; gegen die Fülle des erhabenen, einfachen Gesanges, der das Element der Dem. Schechner ist, tritt ihre Ausbildung in dem figurirten Gesange so weit zurück, daß sie entweder hier noch viel zu lernen, oder dergleichen, wie es die Milder thut, ganz zu verschmähen hat. Daß die guten Wiener eine solche Stimme, wie die der Schechner nicht bei sich behalten, mag denselben Grund haben, dem wir die Milder verdanken. Dort regieren Gluck und Mozart nicht mehr, sondern Rossini; was aber spielen in solcher Musik Stimmen, die mehr dem natürlichen Gesange, als der künstlerischen Fertigkeit angehören, für eine untergeordnete Rolle! Solche Fertigkeit wird nur dann sich neben diesen vollen, getragenen Tönen halten können, wenn sie, wie es bei der Sontag der Fall ist, ebenfalls angeboren ist. Man würde sich sehr irren, wenn man glaubte, daß solche Beweglichkeit und Zartheit durch Uebung erworben werden könnte. Wäre die Stimme der Sontag nur erkünstelt und angewöhnt, so würde Sie uns nie zu solcher Begeisterung hinreißen können, allein bei ihr ist der figurirte Gesang angeborne Genialität und nur deshalb von so großer Wirkung; ja, wir sind überzeugt, daß sie schon in ihrem zwölften Jahre fast mit derselben Geläufigkeit sang wie jetzt. So wenig aber Dem. Sontag in einer Gluckschen Oper auftreten wird, eben so wenig sollte Dem. Schechner in Rossinischen und dergl. Opern auftreten. — Die große Arie, welche Dem. Schechner im dritten Akt einlegte, die für ihre Stimme in einem einfachen Styl geschrieben ist, rief einen Beifall hervor, wie ihn Dem. Schechner gewiß niemals und nirgend erlebt hat und wenn sie in Wien gehört, daß das Berliner Publikum kalt sei, so wird sie sich überzeugt haben, daß, wenn nur die rechte Stelle des Herzens getroffen wird, der elektrische Funke nicht ausbleibt. Seltener Applaus ist eine weit höhere Anerkennung, als der unaufhörliche Beifallslärm einer geschmacklosen Menge, die sich der Stöcke und Füße zum applaudiren bedient, weil die Hände nicht vorhalten würden. Einen neuen Beweis von ihrer Ausdauer gab Dem. Schechner dadurch, daß sie jene große, von einem Münchner Capellmeister für sie componirte Arie, die mit Recitativ, Adagio und Allegro für ein ganzes Concert gelten könnte, einlegte und mit einer Kraft durchführte, daß die ganze übrige Oper dadurch im eigentlichsten Sinne todt geschlagen wurde. Was die Recitirung, das Spiel und die Toilette betrifft, so dürften hier Vorbilder wie die Catalani, die Milder, die Sontag und die Stich von der Sängerin zu beachten sein. — Den Sontag besuchten wir die Königstadt, wo sich die weiße Dame ebenfalls sehen ließ; und gewiß, sie darf sich schon sehen lassen! Wir hatten den Tag vorher Dem. Sontag im Königl. Opernhause unter den Zuschauern gesehn und dies war Grund genug, heute von ihr eine außerordentliche Vorstellung zu erwarten. Man merkte, daß fast dasselbe Publikum, das gestern in der Königl. Oper war, heut die Königstadt besuchte, gewiß in keiner andern Absicht, als um Vergleiche anzustellen und vielfacher Applaus zeichnete die Stellen aus, wo man sagen wollte: „hier habt ihr es besser gemacht." Das Duett im zweiten Akt, was gestern kaum wieder zu erkennen war, wurde heut von Hrn. Jäger und Dem. Sontag mit unübertrefflicher Fertigkeit gesungen und Da Capo verlangt. In der Königstadt gewinnt diese Oper außerdem durch die rascher genommenen Tempi und durch angemessenere Costume.

(Redigirt von Dr. Fr. Förster und W. Häring (W. Alexis.)

Im Verlage der Schlesingerschen Buch- und Musikhandlung, in Berlin unter den Linden Nr. 34.

Berliner Conversations-Blatt

für

Poesie, Literatur und Kritik.

Donnerstag, — Nro. 116. — den 14. Juni 1827.

Prosaische Epigramme, einige Uebersetzungen und Bearbeitungen Shakspear's betreffend.

Wir haben eine Deutsche Uebersetzung von Shakspears Werken, in welcher der Dichter erscheint, wie etwa ein genialer Knabe, der vor einer neumodigen vornehmen Gesellschaft deklamiren und Kunststücke machen muß. Das gefällt den Leuten so ziemlich, aber der Hofmeister, der ihn producirt, stört alle fünf Minuten durch vorlaute Anmerkungen, in denen er um Entschuldigung bittet, daß der sonst hübsche und kluge junge Mensch so entsetzlich roh sei.

In einer zweiten Uebersetzung spricht der Dichter seine trefflichen Sachen oft so seltsam unbeholfen und steif aus, daß man kaum begreift, wie er bei so köstlichen Gedanken und Bildern zu einem so breiten und unmelodischen Styl gekommen ist. — Die schlimmen Gesellen, mit denen Falstaff gefochten haben will, sollen allerdings in Steifleinwand gekleidet gewesen sein; aber unsern lieben William wollen wir nicht so angethan sehen.

In Lenz's (Goethes Jugendfreundes) Bearbeitung der „verlornen Liebesmüh" ist Shakspeare hie und da wirklich, wenn auch nicht *en face*, doch *en profil* zu sehen; allein viel öfter tritt Lenz dazwischen und zeigt sein eigenes Gesicht, das, obwohl keineswegs geistlos, doch nicht Ersatz gewähren kann für das verdrängte Shakspear'sche.

In des — sonst gar trefflichen und unersetzlichen Gottfried Aug. Bürger's Macbeth scheint der Held bei Otto von Wittelsbach in die Schule gegangen zu sein; die Hexen aber haben von gar keiner Schule, selbst der schönen Shakspear'schen nichts wissen wollen; und gebehrden sich deshalb so ungenirt, daß man sich wundern muß, wie ein so vornehmer Herr, wie der Schottische Generalissimus sich mit ihnen abgeben mag. An sich sind ihre Verse rasch, lebendig, bunt und kräftig; nur, wie gesagt, für Macbeth, nicht gut genug. —

In den Bearbeitungen des Othello, mit denen man sich während des achtzehnten Jahrhunderts behalf, ist dieser Feldherr — (in welchem jeder Pulsschlag und jeder Blutstropfen afrikanisch glüht, während er die Europäische Bildung gleichsam nur historisch aufgefaßt hat) zu einem kranken Löwen geworden, dem man die Tatzen beschuht und die Mähnen frisirt hat.

In einer neuern Uebersetzung der sämmtlichen Werke des Dichters erscheint derselbe zwar wie ein sehr interessanter Mann, (denn der Uebersetzer verstand allerdings gut Englisch und arbeitete fleißig) aber wie etwa ein interessanter Schwindsüchtiger, der nur wenig Leben besitzt und alle Farbe verloren hat. In dieser Uebersetzung tönt die Sprache des Antonio nicht viel anders wie die des Shylock, Coriolans kriegerische Trommete ist nicht stärker als Romeo's Liebesflöte, und dem Caliban will das Fluchen, das er doch so lange schon geübt, nicht sonderlich gelingen.

Als den allergrausamsten Feind des Dichters aber zeigte sich der Gothaer Bearbeiter, denn er hat ihn wie Othello Desdemonen, wenn auch nicht wirklich erdrosselt — das ist bei Achill und Shakspeare nicht möglich — doch erdrosseln wollen. Dieser Mann hatte gelesen, daß zwischen Macbeth und seiner Gatein eine geheimnißvoll bedeutsame Neigung walte, die der Dichter mit tiefem Gefühl, aber auch mit weiser Besonnenheit nur leise angedeutet habe, und es sei hier kein Wort zu wenig und keins zu viel. Der Gothaer aber läßt sich nicht warnen, und hilft dem von dem armen Dichter viel zu arm ausgestatteten Macbeth und der nicht minder dürftigen Lady mit seinem Reichthum aus, indem er ihnen bald ein „O mein geliebtester, theuerster Gemahl!“ bald ein „O meine geliebteste, theuerste Gemahlin!“ leihet. Ich weiß nicht, ob dergleichen Misgriffe lächerlich sind, denn ich habe erst nach langem Schauder und Entsetzen zum Lachen kommen können.

Die Schlegelsche Uebersetzung bietet zu viel Schönes und Löbliches, als daß sie in dieser Reihe und und noch dazu in kleinen prosaischen Epigrammen könnte würdig anerkannt werden; nur der traurige Umstand, daß Schlegel es hat über das Herz bringen können, mit dem siebzehnten Stück abzubrechen, möchte vielleicht als trübes, bitteres Epigramm betrachtet werden. Schreiber dieses, wenn er ein solches Uebersetzertalent hätte wie S., würde sich selbst durch die interessantesten Indischen Studien nicht haben abhalten lassen fortzufahren. „Unvollständige Sprecher“ liebt bekanntlich auch Macbeth nicht — (*Stay, you imperfect speakers, tell me more! Act. I.*) — und es wäre wohl möglich, daß Shakspeare einst diese Worte geltend machte. Doch wir wollen nicht weiter an so Trauriges denken, sondern dem trefflichsten poetischen Uebersetzer Glück wünschen, daß ihm ein Freund geschenkt worden ist, der auf dem von ihm gebahnten Wege fröhlich fort zu arbeiten vermag. *)

— Wie? und kein Wort über die Voßische Uebersetzung? Es scheint gefährlich, denn nachdem ein paar überschwenglich rühmende Recensionen vor etwa acht Jahren getönt hatten, läßt sich auch nicht Eine Stimme mehr über dieselbe vernehmen.

Und Schall und Knall und Jagdgebrülle
Verstummt! — auf einmal Todesstille!

Das ist in keinem Fall zu billigen, aber mit Epigrammen ist es hier nicht abgethan. Ich selbst will für jetzt nichts weiter thun, als Folgendes. Vor mir liegt des siebenten Bandes erste Abtheilung, die ich redlich nicht bloß durchgelesen sondern durchstudiert habe. Dabei gab es viel Freude über die große Gelehrsamkeit der gesammten Voßischen Familie, über die Aufhellung mancher schwerer Stellen ꝛc.; — aber die Sprache! was man so die deutsche Sprache, sodann die dramatische Sprache überhaupt und die Shakspear-Sprache insbesondere nennt, wie steht es mit der? Ich lasse das Buch auseinander fallen, und finde zufällig (es ist keine Redensart, sondern wirklich so) S. 60. „Cassio: Lieber wollt' ich selbst bitten um meine Verwerfung, als betrügen einen so guten Befehlshaber mit einem so schlechten, so versoffenen und so unbesonnenen Offizier. Saufen! und wie ein Staar plappern! krakeelen!“ ꝛc. Sollte Cassio wohl das Zeitwort so seltsam gestellt und — ein so trefflicher Officier! — das niedrige Wort „krakeelen“ gebraucht haben? — Consequent aber ist er, denn S. 61. sagt er: „zu sein jetzt ein vernünftiger Mann, gleich darauf ein Narr und plötzlich ein Vieh! O entsetzlich!“ — Ja wohl ist dieses voranschreitende „zu sein“ wenn auch nicht entsetzlich doch recht wunderbar! — Jago hat die nämlichen Sprachgesetze: „Unseres Generals Frau ist nun General; ich darf dies sagen in so fern als er sich ganz gewidmet hat der Betrachtung, der Wahrnehmung und Beherzigung ihrer Reize und Vorzüge.“ —

Es entsteht deshalb billig die Frage: Redet man also in der wirklichen, wahren und poetischen Welt — die ja doch im Grunde eins sind, — und darf man so reden? — Ich denke, diese bescheidne Frage aufzuwerfen wird erlaubt sein. F. H.

*) So schrieb ich vor etwa einem Vierteljahre; jetzt (Mai 1827) vernehmen wir, daß Schlegel dennoch seine herrliche Arbeit fortsetzen werde. Möge, was wir hoffen, Erfüllung finden.

Auffenthalt Peters des Großen zu Paris, im May und Juny 1717.

(Nach den besten Memoiren der Zeit.)

(Fortsetzung.)

Montag, den 10. May, machte ihm der König seinen Besuch. Der Czar ging ihm bis in den Vorhof des Hotels entgegen, empfing ihn bey'm Aussteigen aus den Wagen, und beide Prinzen, der König zur rechten Hand, die ihm auch der Czar überall ließ, traten zugleich in die Thüre des Appartements. Nach einigen Augenblicken Niedersitzens, stand der Czar auf, nahm den König, ein damals siebenjähriges Kind, in seine Arme, und umarmte ihn mit dem Ausdrucke der lebhaftesten Zärtlichkeit, zu wiederholten Malen. Uebrigens beobachtete er durchgängig einen gewissen Anstrich der Gleichheit; und wenn er sich auf Augenblicke, und vielleicht vorsetzlich, ein Ansehn von Uebergewicht erlaubte, wie es das Alter gestattet: so wußte er dasselbe durch Liebkosungen des Kindes zu versteckken, welches er solchergestalt umarmt hielt. — Am andern Tage, stattete derr Czar seinen Gegenbesuch bey dem Könige ab, wobei das nämliche Ceremoniel beobachtet wurde, und fing nun an, die sehnlich gewünschte Besichtigung von Paris vorzunehmen. Die Läden, die Werkstätten, waren der Gegenstand seiner gespantesten Aufmerksamkeit; und überall knüpfte er mit den Künstlern Unterhaltungen an und überraschte alle Welt durch seine ausgebreiteten Kenntnisse. Bloße Bequemlichkeits- oder Luxus Artikel zogen ihn wenig an; was sich aber auf das Bedürfniß des Lebens, auf das Seewesen, Militair u. d. m. bezog, erregte, seine ganze Aufmerksamkeit: so würdigte er die Kronkleinodien die man vor ihm auskramte, kaum eines Blickes; aber er besuchte das Observatorium zwey Mal, hielt sich lange im „*Jardin des plantes*“ auf, untersuchte die Schätze des mechanischen Cabinets sehr genau und sprach ausführlich mit den Zimmerleuten, die bey der Zugbrücke beschäftiget waren.

Mann kann sich leicht vorstellen, daß ein Prinz von diesem Charakter wenig Aufmerksamkeit auf sein Aeußeres verwendete: ein einfacher Tuchrock ein Ledergurt mit herabhangendem Säbel, eine runde, ungepuderte Perücke; so war sein Putz. Er hatte eine neue Perrücke bestellt. Der Perrückenmacher zweifelte nicht, daß er sie nach der Mode haben wollte, welche sie damals lang und lockenreich vorschrieb; aber der Czar brachte sie mit einem einzigen Scherenschnitt rings herum auf das ihm anständige Maaß zurück.

Der Czar speiste um 11 Uhr Morgens zu Mittag, und gegen 8 zu Abend; der tägliche Aufwand betrug 1800 Livres. Die Tafel war jedesmal reich servirt, ohnerachtet er gleich am ersten Tage Einschränkungen befohlen hatte; dieß war jedoch nicht aus Mäßigkeit geschehen: er liebte einen guten Tisch, und wollte nur den Luxus abgestellt wissen. Er aß Mittags und Abends übermäßig, trank zwey Flaschen Wein bey jeder Mahlzeit, und gewöhnlich eine Flasche Likör zum Dessert. Bier Limonade u. s. w. zwischen den Mahlzeiten ungerechnet. Mehrere seiner Offiziere hielten ihm in diesem Bezuge Stich, besonders sein Capelan, den er dieserwegen sehr schätzte, Der Czar stattete einen Besuch bey dem Regenten ab. Man hatte ihm, auf diese Veranlassung, gesagt, das ihm die übrigen Prinzen von Geblüt aufwarten würden, wie er den Gegenbesuch bey den Prinzessinnen zu sichern; aber er wies diese Bedingungen mit so viel stolz zurück, daß weiter keine Rede davon war. Um so eifriger fuhr er fort, diejenigen Gegenstände in Augenschein zu nehmen, wo er für seine Wißbegierde Befriedigung erwarten konnte. Er brachte, begleitet vom Marschall von Villers und den gerade in Paris anwesenden Officieren des Generalstabes, einen ganzen Vormittag in der Plankammer, und eine andere im Hotel der Invaliden zu. Hier wollte er Alles sehen, Alles untersuchen, und schloß mit dem Speisesaal, wo er ein Glas vom Wein der Soldaten verlangte, es auf ihre Gesundheit leerte, und, wie man wohl denken kann, alle Herzen eroberte.

Hierauf folgte ein Ausflug nach den Königlichen Lustschlössern in der Nähe von Paris: der Czar sah Trianon, und besonders die, bei den Wasserkünsten in Marly angebrachte Maschienerie, welche, bey dem damaligen Zustande der Mechanik noch etwas Außerordentliches war; speiste am 30. May zu Petitbourg bei dem Herzog v. Antin, und schiffte sich hiernächst am folgenden Tage auf der Seine wieder nach Paris ein, welches er, unter den Brücken durchfahrend auf diese Weise nochmals durchstrich. Auf ähnliche Art wurden die nächsten Tage hingebracht; der 11. Juny aber war zu einem Besuche von St. Cyr, bekanntlich einem von Frau v. Maintenon gestifteten Erziehungshause, bestimmt, wo sie sich seit dem Tode Ludwig des *XIV*. ununterbrochen aufhielt. Der Czar ließ sich den Erziehungsplan der Zöglinge auseinander setzen und begab sich dann in das Zimmer der Frau v. Maintenon, die, diesen Besuch vorhersehend, sich, bei ihrem Alter, und bei zunehmender körperlicher Schwäche, in das Bett gelegt hatte, dessen Vorhänge, so wie die der Fenster zugezogen waren. Der Czar zog beide eigenhändig zurück, besah die alte Dame lange und aufmerksam, und verließ sie dann, ohne ihr auch nur ein Wort der Artigkeit gesagt zu haben. Um so verbindlicher bezeigte er sich gegen eine bloße Statue: die des Cardinal Richelieu, dessen Grabmal er am folgenden Tage besuchte: er umaßmte diese Statue, und sagte dabei die merkwürdigen Worte: „Ich würde einem Manne wie Dir gern die Hälfte meines Reiches geben, damit er mir die andere Hälfte regieren hülfe.“

Am 15. speiste der Czar bey dem Herzoge von Antin, und war sehr überrascht, bei dem Eintritte in den Speisesaal das Bild der Czarinn, welches der Herzog Mittel gefunden hatte, sich zu verschaffen, unter einem Thronhimmel wahrzunehmen. Diese Aufmerksamkeit gefiel ihm so sehr, daß er ausrief, „die Franzosen allein seien einer solchen fähig.“ Er sollte bald eine noch ausgezeichnetere erfahren, wie wir weiter unten anführen werden. — Tages darauf wohnte er einer Musterung der Königlichen Haustruppen bei; allein die große Pracht der Uniformen schien ihm höchlich zu misfallen: er verließ brüsk den Platz, und jagte in Einem Galop nach St. Ouen, wo er bei dem Herzoge von Tresmes zu Abend speiste.

Der Czar sprach das Lateinische und Deutsche mit Leichtigkeit; er würde sich selbst im Französischen, welches er recht gut verstand, haben ausdrücken können, schien aber eine gewisse Würde darin zu finden, sich eines Dolmetschers zu bedienen.

Am 18ten Juny empfing er den letzten Besuch des Regenten, und nahm dann Abschied vom Könige, der sich des folgenden Tages ebenfalls nochmals zu ihm begab. Alles Ceremoniel blieb dießmal verbannt; von Seiten des Czars aber bemerkte man jedesmal die nämliche Rührung.

Die besondere Ueberraschung, deren wir oben vorläufige Erwähnung gethan haben, erwartete ihn im Medaillen-Münz-Gebäude, welches er noch kurz vor seiner Abreise besuchte. Nachdem er nämlich den Mechanismus, die Kraft und das Spiel des Balanciers sorgfältig untersucht hatte, gesellte er sich zu den Arbeitern, die die Maschine nunmehr in Bewegung setzten; aber Nichts glich seinem Erstaunen, als er unter dem Stempel eine Medaille mit seinem frappant ähnlichen Bildnisse hervorgehen sah; auch der Revers, eine von Norden nach Süden eilende Fama, mit der Legende „*Vires acquirit eundo*" nach Virgil, um die Kenntnisse, zu deren Erwerbung er sich unterweges befand, zu bezeichnen, schmeichelte ihm ungemein: und er gestand, noch nie auf eine angenehmere Art überrascht worden zu sein.

Der Czar nahm vom Könige zwei Gobelin-Tapeten an, und schlug dagegen einen mit Diamanten besetzten Degen aus: er ließ mehrere goldene und silberne Medaillen, die Hauptbegebenheiten seines thatenreichen Lebens darstellend, vertheilen, und gab sein mit Brillanten besetztes Bildniß an die Marschälle von Estrées und Tessé, an den Herzog von Antin, und an Verton, der, wie oben erwähnt worden, die Besorgung des Hauses über sich gehabt, und zu dem der Czar eine lebhafte Neigung gefaßt hatte. Unter die Dienerschaft wurden 60,000 Livres vertheilt. Die Abreise des Czars von Paris endlich erfolgte am 20. Juny (1717); er begab sich nach Spaa, wo er von der Czarinn erwartet wurde. — Frankreich hatte übrigens einen tiefen Eindruck auf ihn zurückgelassen: er sprach unterweges noch oft mit Rührung von diesem schönen Lande, und drückte sein Bedauern aus, daß es, an der Hand des Luxus und der Sittenverderbniß, seinem Untergange entgegen eile: eine Prophezeihung, die durch die Revolution, „*le fruit diabolique de ce germe corrompu,*" wie sie Dutens nennt, nur zu bald und zu schrecklich in Erfüllung gegangen ist.

Es bleibt mir, um den Charakter dieses merkwürdigen Monarchen, dieses Schöpfers des größten und mächtigsten Kaiserstaates Europas, zu schildern, nur noch übrig, einige Züge aus seiner, vorläufig auch schon oben erwähnten früheren Reisen nachzutragen, die ich, bey Erforschung aller bezüglichen Quellen an einem Orte, wo man sie freilich nicht suchen sollte, nämlich in Pöllnitz Memoiren des Hauses Brandenburg, *) auffinde.

Der Czar hatte damals gewünscht, alles Ceremoniels der Etikette überhoben zu seyn, und zu dem Ende mit einem seiner Lieblinge, dem Grafen Le Fort, der von der Begierde Glück zu machen, nach Moskau geführt worden war, eine Ambassade verabredet, deren Chef Le Fort seyn, und unter deren Deckmantel er selbst mitreisen wollte. So kam er in jener Zeit (Anfangs 1697) nach Königsberg in Preußen, wo ihm der damalige Churfürst von Brandenburg und Herzog von Preußen, Friedrich der 3., eine sehr glänzende Aufnahme bereitet hatte. Er war bey dieser seiner ersten Ausflucht von Moskau durch Alles überrascht: Alles erschien ihm neu und wunderbar; aber die natürliche Wildheit seines Characters machte sich Luft auch in diesen neuen Formen. Er fragte z. B. eines Tages, worinn die Strafen der Missethäter im Preußischen beständen, und erhielt zur Antwort, daß dieselben dem Verbrechen angemessen seien, und daß man z. B. die Diebe hänge, die Mörder aber rädere. Da er noch niemals rädern gesehen hatte, so verlangte er, daß eine solche Execution vor ihm vollzogen werde; und auf die Einwendung, daß kein Verbrecher vorhanden sey, befahl er kurz und gut, den ersten besten seiner Leute zu nehmen. „Es hielt sehr schwer," fügt Pöllnitz, der den Czar viel mit eignen Augen beobachtet hat, „ihn von dieser bizarren Phantasie abzubringen." (Beschluß folgt.)

*) Mémoires pour servir à l'histoire des quatre derniers Souverains de la maison de Brandebourg royale de Prusse. Écrits par Charles Louis, Baron de Poellnitz. Berlin, Vos, 1791. 2. B. 8. Das Werk ist reich an merkwürdigen Particularitäten, um derentwillen man einige, leicht berichtigte chronologische Irrthümer gern übersehen kann. N.

(Redigirt von Dr. Fr. Förster und W. Häring (W. Alexis.)

Im Verlage der Schlesingerschen Buch- und Musikhandlung, in Berlin unter den Linden Nr. 34.

Berliner

Conversations-Blatt

für

Poesie, Literatur und Kritik.

Freitag, — Nro. 117. — den 15. Juni 1827.

LORD BYRON'S LAST LINES.

Missolunghi, February, 1824.

'Tis time this heart should be unmoved,
Since others it has ceased to move:
Yet, though I cannot be beloved,
Still let me love.

My days are in the yellow leaf;
The flowers and fruits of love are gone:
The worm, the canker and the grief,
Are mine alone.

The fire that in my bosom preys
Is like to some volcanic isle;
No torch is kindled at his blaze —
A funeral pile.

The hope, the fears, the jealous care,
The exalted portion of the pain
And power of love I cannot share,
But wear the chain.

But 'tis not here — it is not here —
Such thoughts should shake my soul, nor now —
Where glory seals the hero's bier,
Or binds his brow.

The swords, the banner, and the field,
Glory and Greece around us see;
The Spartan borne upon his shield
Was not more free.

Lord Byron's letzte Zeilen.

Missolunghi, Februar, 1824.

Herz, dem kein and'res Liebe giebt,
Hör' auf dich zu betrüben!
Doch, ob auch niemand mich mehr liebt,
Laßt mich noch lieben!

Der Liebe Blum' und Früchte flohn,
Vom frühen Herbst vertrieben;
Nur Gram und Kummer war mein Lohn,
Die sind geblieben. —

Gleich unterird'scher Flammen Glut
Nagt's heimlich mir am Herzen;
Nicht Fackeln zündet ihre Wuth,
Nur Leichenkerzen.

Der edlern Liebe Macht und Pein —
Furcht, Hoffnung um die Wette —
Theil ich nicht mehr, mir blieb allein
Die schwere Kette.

Doch hier nicht — weder hier noch jetzt
Darf meine Seele beben,
Wo Ruhm des Helden Grabstein setzt, —
Ihn krönt im Leben.

Wo man für Ehr' und Freiheit ficht,
Seht Attika's Gefilde!
Der Sparter war wohl freier nicht
Auf seinem Schilde.

Awake! not Greece — she is awake! —
Awake my spirit — think through whom
My life blood tastes its parent lake —
And then strike home!

I tread reviving passions down,
Unworthy Manhood — unto thee
Indifferent should the smile or frown
Of beauty be.

If thou regret thy youth — why live? —
The land of honourable death
Is here — up to the field, and give
Away thy breath!

Seek out — less often sought than found —
A soldier's grave, for thee the best;
Then look around, and choose thy ground,
And take thy rest.

Erwach! Mein Geist — nicht Griechenland —
Das wacht. — Zeig' den Barbaren
Mit Helden sei dein Blut verwandt:
Trotz' den Gefahren!

Hinweg mit eitler Leidenschaft!
Sie kann den Mann nicht zieren;
Dich darf der Schönheit Zauberkraft
Nicht mehr verführen.

Bereu'st du deine Jugendzeit?
Warum willst du noch leben?
Stirb! wo der Tod Unsterblichkeit
Vermag zu geben.

Was hier schon mancher Brave fand,
Such' es! — Dir ist's beschieden:
Des Kriegers Grab im freien Land;
Dort ruh' in Frieden! — *)

A. Ewald B.

*) Der Nachruf an Lord Byron in No. 77. des Conversations. Bl. hat einen Verehrer des Heldensängers veranlaßt uns dieses letzte Vermächtniß mitzutheilen. Die Achtung, die wir vor dem Wort eines Sterbenden haben, forderte, daß wir nicht blos die Uebertragung, sondern auch das Original beifügen.

Aufenthalt Peters des Großen zu Paris, im May und Juny 1717.

(Nach den besten Memoiren der Zeit.)

(Beschluß.)

Ein anderes Mal speiste er mit dem Churfürsten in einem Saale, der mit Marmor parquetirt war, als einer der Diener eine Schüssel von Porcellan fallen ließ, die klirrend zerbrach, wodurch ein großes Geräusch verursacht wurde. Dieß erschreckte den Czar. Voll von den traurigen Erinnerungen seiner, bekanntlich durch die schrecklichsten Erfahrungen bezeichneten Jugend, glaubte er, daß man ihm an das Leben wolle; er sprang auf, zog den Säbel, und setzte sich in Vertheidigungsstand. Sein Dolmetscher und der Churfürst hatten viel Mühe, ihn zu beruhigen, und er bestand wenigstens auf exemplarische Bestrafung des unvorsichtigen Domestiken. Da sich gerade ein Missethäter im Gefängnisse befand, der gestäupt werden sollte, so mußte dieser für jenen Diener passiren, und seine Strafe in dessen Nahmen leiden.

Einige Zeit nach der Schlacht bei Pultawá (27. Juni 1709,) wo der Czar die Schweden bekanntlich entscheidend schlug, hatte er eine zweite Zusammenkunft mit dem Könige von Preußen, Friedrich I., *) bei welcher der Kammerherr von Poellnitz wiederum gegenwärtig war. Bey dem ersten Souper der beiden Prinzen, erzählt dieser, kam die Rede auf Carl den *XII.* Der Czar erwähnte des Schwedischen Monarchen nur mit Lobe, und ließ der Tapferkeit der Schweden volle Gerechtigkeit wiederfahren. Als ihn der König nach Particularitäten über den großen Tag von Pultawa befragte, so erwiederte er, daß es ihm nicht zustehe, sich darüber auszulassen; der König möge gestatten, daß der Fürst Menzikow sich darüber verbreite. Er war übrigens bescheiden genug, zuzugeben, daß er die Schlacht schwerlich gewonnen haben würde, wenn Carl nicht durch seine Wunde verhindert worden wäre, die gewohnte Thätigkeit zu entwickeln.

*) Churfürst Friedrich III. von Brandenburg hatte, wie die Leser sich erinnern, am 18ten Januar 1701 als Friedrich der 1ste. die Königskrone von Preußen aufgesetzt. R.

Entscheidend endlich für den oft unrichtig beurtheilten Charakter des Czars, scheint schließlich eine Aeußrung dieses Monarchen zu seyn, von welcher Poellnitz Ohrenzeuge war. „Sie und ich" sagte er nähmlich eines Tages zum Könige, „müssen nach ganz verschiedenen Grundsätzen regieren; Sie beherschen schon gebildete Völker, und ich muß die meinigen erst bilden. Meine Unterthanen hangen mit blinder Ergebenheit an ihren alten Gewohnheiten, und sind mir in allem entgegen; ich zwinge sie nur durch die Furcht, die ich ihnen einflöse. Ich allein muß alle meine Pläne entwerfen und ausführen. Werden meine Unterthanen einst von ihren Vorurtheilen geheilt seyn, so werden sie anfangen den Ihrigen zu gleichen, und auf eine gleich milde Art beherrscht werden können. Die Erreichung dieses Grades von Cultur bezwecken meine Reisen." — Und in der That haben sie dahin führen helfen, und Peters des Großen Auffenthalt in der Hauptstadt Frankreichs, wie wir ihn hier geschildert haben, hat namentlich beigetragen, jene sittliche Revolution des Russischen Kaiserstaates vorzubereiten.

Dr. Nürnberger.

Die Vergeßlichen.

Zwei Drittheile unsrer heutigen Tagesrezensenten sind so unwissend und unbelesen, daß man selbst berühmte Bücher z. B. Herders Fragmente vom Jahr 1767. größtentheils wieder abdrucken lassen könnte, ohne daß sie die Mystification merken würden. Man brauchte nur Namen und einiges andere unmittelbar an die Vergangenheit erinnernd, zu löschen, und die lustige Arbeit wäre vollbracht. Ginge einer noch weiter und ließ, einige der bedeutsamsten und gerundetsten Reden aus Lohensteins Arminius von Neuem drucken, etwa unter dem Titel: „Proben, aus einem noch ungedruckten historischen Romane" wobei der günstige Redacteur hinzusetzen müßte, es sei ihm diese Arbeit von einem talentvollen Jüngling zugesandt worden, der, wenn er nur erst eine gewisse überflammende Ueberschwänglichkeit abgelegt haben würde, ein Meister in der historischen Darstellung zu werden hoffen lasse, so würden vielleicht unter 10 Recensenten 9 und unter 20 Zeitungsbriefstellern 19 getäuscht werden.

In der frühern Zeit unsrer Kritik, selbst in ihrer schwächsten Periode, hatte man doch wenigstens die Freude, auf jeder Seite ein paar Stellen aus Aristoteles Horaz, Quintilian u. s. w. anzutreffen, und wenn man auch alles übrige was der Rezensent aus eignem Vermögen aufgetragen hatte, ungenießbar finden mußte, so war doch die Erinnerung an bedeutende Sprüche jener geistreichen Alten, ein kleiner Trost. Der Himmel bewahre uns, jene Zeiten zurück wünschen zu müssen, denn immer ist und bleibt jene Pedanterie, auch den kleinsten und magersten Aufsatz mit Citaten aus den Klassikern zu füllen, höchst geschmacklos. Nur möge ums Himmelswillen nicht Unwissenheit die Nothwendigkeit herbeiführen, jene Geschmacklosigkeit zu vermeiden! — Drängt sich aber nicht wirklich bei vielen unsrer Recensenten der Gedanke auf, sie möchten wohl zu früh aus Tertia gelaufen und gar nicht bis zu Quintilian und Horaz — des Aristoteles ganz zu geschweigen, — gedrungen sein? —

— Mit diesen und ähnlichen Gedanken unterhielt ich in den letzten Jahren oftmals meine Freunde, zuweilen auch eine geschlossene Gesellschaft, die sich dieser hypochondrisch-lustigen Bemerkung noch wohl erinnern wird; auch tändelte die Feder manches ähnliche auf das Papier, z. B. in den „Umrissen," u. s. w. (1819) aber ein Fragment dieser Art einzeln einer Zeitung zuzusenden, hielt ich doch für bedenklich. Da fällt mir aber vor einigen Tagen ein Blatt aus der neuen Dresdner Morgenzeitung in die Hand, in welchem Tieck ohne alle Umstände und ohne von „zwei Dritteln" oder „neun Zehntel" oder „neunzehn Zwanzigstein" zu reden, geradehin behauptet, man könne Lessings Dramaturgie (!) von neuem abdrucken lassen, und die Recensenten würden es für neu halten. So hole ich denn auch mein altes Fragment zurück, das nunmehr nicht bloß nicht zu hart sondern eher zu sanft erscheinen wird, ich hole es zurück, um jene Ansicht der Morgenzeitung zu mildern. Zwar verstehen sich auch bei Tiek, sobald man ihn nur wie billig mit einem „Körnchen Salz" liest, jene „zwei Drittel" u. s. w. von selbst, allein die geradehin ausgesprochene Lessingsche Dramaturgie bleibt doch, nach seiner Ansicht, ein für allemal als ungelesen stehen. So Gräßliches aber will ich, wenigstens noch nicht glauben, denn wie groß auch der Tadel sein mag, daß Herders Fragmente, die bei allem Trefflichen doch auch manches Unreife und Uebereilte enthalten, ungelesen in den Bibliotheken ruhen; das wäre doch zu entsetzlich, wenn die Deutschen auch das vortrefflichst kritische Werk des ganzen achtzehnten Jahrhunderts, das zum ersten Mal ihre kritische Mündigkeit aussprach, jemals vergessen könnten. So etwas wollen wir uns selbst zu denken verbieten.

F. H.

Leiben und Leben.

Wir dürfen mit Recht von den Dichtern verlangen daß ihre aufgestellten menschlichen Charakter leiben und leben, und daß wir dieses Leiben und Leben auch zu sehen kriegen. Dagegen haben manche der erhabensten und in ihrer Sphäre vortrefflichsten Dichter nicht selten gefehlt. Niemand weiß genau zu sagen wie z. B. Posa aussieht, denn er hat keine lebendige, vollständige Physiognomie, sondern ist nur der Träger eines edeln Urtheils und tief philosophischen Begriffs. Bei Shakspeare ist das Leben der Seele und des Leibes in den aufgestellten Personen immer ein dynamisch vereintes, und obwohl wir sie, wie natürlich, immer nur in bestimmten Situationen erblikken, so können wir sie uns doch in allen Lagen des Lebens denken. Ich kann mir recht wohl vorstellen, wie Hamlet in einem philosophischen Collegium in Wittenberg sich einen guten Platz bestellt, denn als ein bekanntlich etwas fetter Jüngling mag er nicht stehen, welches auch der Professor aus Respect vor dem Dänischen Prinzen nimmermehr würde zugegeben haben. Ich kann mir vorstellen, daß er des Morgens früh unfreundlich erwacht, ungern Fechtübungen anstellt, (obwohl er zuletzt darin etwas leistet) wie er sehr wenige aber leckere Schüsseln genießt, und sie mit Metaphysik würzt, u. s. w. aber ich kann mir nicht denken, daß dieser Posa, der bloße Ausbruch einer edlen tief denkenden Seele, jemals Speise zu sich nimmt. — Setzt ihm die köstlichsten Fasanen und den ehrbarsten Rinderbraten vor; er wird ihn verschmähen und verschmähen müssen, denn der bloße Begriffsrepräsentant hat weder Hände noch Magen und kann weder essen noch trinken.

Haben wir uns nun mit diesem kleinen Wort an die edlen Geister gewandt, die, weil sie über den Geist den Körper fast vergessen, sich nach und nach wohl gar mit der ganzen sinnlichen Natur überwerfen können, so möchten wir jetzt weder kleine noch große Worte, sondern lieber Flammen nehmen, um die Pseudo-Poeten zu strafen, in deren Werken über dem Leiben das Leben verloren gegangen ist. Wir haben jetzt eine Unzahl von Dramen- und Novellendichtern, in deren Werken nicht nur der Geist fast ganz fehlt, sondern auch ausdrücklich als eine unpoetische Einseitigkeit bekämpft wird. Hier erscheinen denn wahrhaft triumphirend die Anti-Hamlets und die Anti-Posa's, die nichts mit Andacht und Inbrunst treiben, als das Essen, bei welchem Geschäft sie auch gewöhnlich von den Dichtern abgezeichnet werden. Diese machen es sich so ungebührlich bequem, daß sie nicht einmal geistige Caricaturen zu geben vermögen, sondern am liebsten nur körperliche Zerrbilder, bei denen sie nur mit einem ungeheuren Flederwisch in den seit Jahrhunderten offenstehenden Romantopf tauchen dürfen, und das Gemälde malt sich dann von selbst.

Unglücklicherweise aber müssen nach altem Herkommen die jungen Helden und Heldinnen des Romans schön und geistreich sein, und das ist schon schwerer zu malen. Da man jedoch durchaus nichts schweres haben will, so hat man auf Hülfe gedacht, und dieselbe ohne alle Mühe gefunden. Die Mädchen gleichen den Engeln, und es fehlen ihnen nur die Flügel; doch trinken sie zum Glück auch Champagner und zeigen dabei eine Reihe köstlicher Perlenzähne. Die Zeichnung ihrer Schönheit ist somit vollendet. Sie sagen „Väterchen" und „Onkelchen" folglich sind sie naiv, schenken einem Bauerkinde sechs oder sechszehn Groschen, folglich sind sie edel, sagen einem kühlgesinnten oder gar frostigem Geheimerath Unarten, folglich haben sie Geist. — In der Zeichnung der Jünglinge geht es nicht minder bequem zu. Jugend und Heldenmuth wohnt auf ihren Gesichtern aber auch ein leiser Anhauch von Wehmuth, sie sind also schön und interessant. Sie verstehen italienisch, englisch, und — denn das kostet den Poeten nichts — so viel Sprachen, als man irgend verlangt, folglich sind sie gebildet. Der Verfasser, der dergleichen Charakteristiken im Halbschlummer machen kann, ist natürlich noch viel gebildeter und freut sich dessen mit stolzer Bescheidenheit, und derjenige Theil des Publikums von dem geschrieben steht: „ist ihnen nirgend wohl, als wo's recht flach ist" flicht ihnen gern Lorbeerkränze.

— Z. M.

Berliner Chronik.

Die Academie der Künste und Wissenschaften zu Padua hat vermittelst Uebersendung eines Patentes in hergebrachter Form unsern Mitbürger, Herrn Geheimen Ober Regierungsrath Streckfuß zu ihrem Ehrenmitgliede (*socio estero*) ernannt. Als Grund wird, außer seinen ausgezeichneten Verdiensten um die Verbreitung der Italiänischen Literatur bei uns, die Uebersetzung des Dante besonders hervorgehoben. — Die Uebertragung des Adelgis von Manzoni, von der wir bereits eine Probe mit Einleitung aus der Feder des geehrten Uebersetzers mitgetheilt haben, ist jetzt erschienen. — Möchte der wechselseitige Verkehr zwischen der deutschen und der neuen italiänischen Literatur, bisher durch so viele politisch statistische und merkantilische Hindernisse gehemmt, durch gegenseitige Anstrengung der Literatur lebendiger werden. Ist es doch Herrn von Naglers unermüdlichen Anstrengungen gelungen — aller Arrestationen dazwischen ungeachtet — eine Schnellpost von Berlin nach Rom zu leiten und der Gedanke hat doch wohl dasselbe Recht?

(Redigirt von Dr. Fr. Förster und W. Häring (W. Alexis.)

Im Verlage der Schlesingerschen Buch- und Musikhandlung, in Berlin unter den Linden Nr. 34.

Berliner
Conversations-Blatt
für
Poesie, Literatur und Kritik.

Sonnabend, — Nro. 118. — den 16 Juni 1827.

A. W. v. Schlegels Vorlesungen über Theorie und Geschichte der bildenden Künste.

Zweite Vorlesung.

So viel von den Lehren, die aus philosophischen Systemen hervorgingen; wir haben nun die philosophirenden Rhapsoden zu nennen. Zuerst tritt uns hier **Winkelmann** entgegen. Er schrieb früher noch als Kant und sein gesunder Sinn bewahrte ihn vor der kranken Richtung seines Zeitalters. Zu wenig aber hatte er sich in der Philosophie durchgebildet, daher wird er oft in seinen Ausdrücken schielend und verworren. Er kömmt dann aus dem Heiligthume, wie ein Eingeweihter zurück, dem die Sprache nicht gelößt wurde, er stammelt Orakelsprüche und bricht schnell ab. Was ihm eigenthümlich angehört ist seine Beschreibung der menschlichen Schönheit; die Begriffe die er von dem Schönen selbst giebt, hat er aus Plato genommen, wie dies bei ihm leicht nachzuweisen ist.

Für die philosophische Theorie des Schönen sind daher aus Winkelmann keine Aufschlüsse zu holen desto größer war sein Einfluß auf die ausübenden Künstler. Er lehrte überhaupt die Menschen wieder mit Ernst und Ehrerbietung vor die Werke des Alterthums treten und sie mit gesammeltem Gemüth betrachten. Mengs theoretische Arbeiten sind ebenfalls zu erwähnen.

Aus jener Zeit ist ferner **Hogarth** zu nennen, der vortreffliche Satyren schlecht mahlte, und eine Abhandlung über das Schöne schrieb. Er wollte die Wellenlinie als Prinzip und Grundform des Schönen nachweisen; allein an ein schönes Griechisches Profil als Richtmaaß gelegt, wird diese Linie nicht ausreichen. — Eine gewöhnliche Definition des Schönen in jener Zeit war: es sei **die Einheit in der Mannigfaltigkeit**. Dies ist ein zu allgemeiner Ausdruck dafür, der eben so gut auf jedes mechanische Kunstwerk, auf jedes wissenschaftliche System passen würde. **Diderots** „Versuche über die Mahlerei" sind allerdings geistreich zu nennen, er ficht mit Glück gegen die steifen Perükken der Pariser Akademiker und Goethe hat sein Verdienst in einer besonderen Abhandlung anerkannt. **Franz Hemsterhuis**, hat sich um die Erkenntniß des Schönen in den Kunstwerken redlich bemüht und sein Brief über die Sculptur (1769) enthält viel Gutes. **Moritz**, dem wir die erste geistvoll abgefaßte Götterlehre verdanken, schrieb eine Abhandlung über die bildende Nachahmung des Schönen. Er fängt zwar sokratisch an, versteigt sich aber dann in trübe Nebel, und kömmt in den Verdacht zu den schwärmerischen Künstlern zu gehören, die, von Winkelmann angeregt, sich durch eine erzwungene Begeisterung geltend machen wollten. —

Von allen sogenannten Prinzipien, die in jener Zeit ausgesprochen worden sind, hat vornehmlich dies **eine** bis auf unsere Tage wiedergehallt, daß **die Kunst die Natur nachahmen müsse**. Aristoteles schon hatte gesagt, daß die Kunst ein nachahmendes Element enthalte, zugleich aber die Frage aufgeworfen, warum das, was uns in der Wirklichkeit wiederwärtig ist, es nicht in der Mahlerei sei? Die Künste sollen Schönes hervorbringen und doch die Natur nachahmen, die nicht immer schön ist: dies scheint ein Widerspruch zu sein. Der Mißverstand beruhte darauf, daß man unter Nachahmen ein bloßes Copiren verstand, was ein unwürdiges Nachäffen geworden wär. In einem höheren und würdigeren Sinne heißt Nachahmen: nach denselben Prinzipien handeln, in demselben Geiste arbeiten, wie andere große Muster vor uns. Um aber die Natur in diesem Sinne nachzuahmen, muß der Künstler sie verstehn. Nach ihrem wahren Begriffe ist die Natur jene unendliche Urkraft des unerschöpflichen Schaffens und Gebährens. (φύσις von φύω; von *natura nasci*) Verstehen wir das Nachahmen und die Natur in diesem Sinne, dann können wir allerdings sagen: die Kunst soll nachahmen, d. h. jener höchst schöpferischen Kraft nachstreben. Wollten wir das Nachahmen auf das sinnliche Nachmachen beschränken, so wär selbst in dem glücklichsten Falle nichts gewonnen; denn wozu die Natur noch ein Mal wiederholen, da sie sich selbst oft genug wiederholt, und der Wiederholung durch die Hand des Künstlers die Fülle der unmittelbaren Lebendigkeit immer abgehn würde. — Göthe hat in seinem Lustspiele: Triumph der Empfindsamkeit einen jungen Mann auftreten lassen, der gern in Mondenschein und an kühlen Quellen phantasirt, allein sich dabei leicht erkältet. Er hilft sich deshalb mit einem Surrogat von Dekorationen. Wäre die Kunst nichts weiter, als Wiederholung, so könnte sie allerdings den empfindsamen Seelen eine solche Bequemlichkeit verschaffen. — Da die Kunst in vielen Stücken gegen die Energie der Natur zurücktritt, muß sie jenen Mangel auf andere Weise zu ersetzen wissen. Was nun die Grundanschauung betrifft, die die Alten von der Natur hatten, so geht aus ihren Mythologien und Philosophien hervor, daß sie ihr eine beseelte Kraft zugestanden, allein ihre Kenntnisse von der Natur waren dürftig und beschränkt. So galt ihnen z. B. die Erde als der Mittelpunkt, um welchen sich das ganze Universum bewegt. Zwar gab es eine Schule Griechischer Philosophen, die sich „die Physiker" nannten, allein die Kunst des Experimentirens gehört der neueren Zeit an. Durch Astronomie und Naturkunde ist der Himmel und die Erde nach allen Richtungen hin durchforscht worden und der Mensch hat sich zum Meister der Elemente gemacht. Philosophie und Poesie sind so alt, als die Weltgeschichte, in den bildendenden Künsten haben es die Griechen uns zuvorgethan; Europa aber ist durch die nach allen Seiten berichtigte **Naturkenntniß** mündig geworden. Dies ist der charakteristische Zug der Bildung unseres Zeitalters. Allein bei diesem Ergehen in dem Endlichen und Einzelnen nach allen Richtungen hin, kam unsern Physikern die Grundidee, der Gedanke der Natur abhanden; sie haben, wie Goethe sagt, die Theile in ihrer Hand, es fehlet leider! das geistige Band. In dem Gebiet der Naturwissenschaften will man nur Erfahrung gelten lassen und die Physiker, die dies am hartnäckigsten behaupten, können sich dennoch von der Methaphysik nicht losmachen und tragen allgemeine Sätze und Begriffe in ihre Experimentalphysik hinein. Dagegen hat sich zuerst, und man kann sagen, allein in Deutschland, die Philosophie aufgelehnt und dem menschlichen Geist den Anspruch vindizirt, die Natur als ein System, als ein Ganzes aufzufassen: nur durch den Gedanken kann dieser Proteus bezwungen werden, und diese Aufgabe hat sich die **Naturphilosophie** gestellt. Die Berechtigung des menschlichen Geistes hierzu spekulativ nachzuweisen, liegt außer dem Kreise dieser Vorträge; doch ganz übergehen können wir dies nicht. Den Thieren ward von der Natur ein Instinkt, ein Vorherwissen in einer niedern und beschränkten Sphäre der Sinnenwelt verliehn; auch der Mensch hat einen solchen Naturinstinkt, aber in der höheren Sphäre des Bewußtseins, eine Vorahnung von dem Geheimniß, das in der Natur verborgen liegt. Wie aber durch künstliche Bildung der einfache Natursinn gestört wird, so ist auch durch zu vieles Erfahren und Beobachten, das ursprünglich reine Gefühl für die Natur verlohren gegangen.

Wie Plato den Sophisten zeigt, daß die Wissenschaft nichts anders sei, als eine in dem Menschen schlafende Erinnerung, die erwache, wenn man sie beim rechten Namen rufe, so bedarf es auch nur dieses Rufes, um die ursprünglich in dem Menschen schlummernde Idee, von der Natur zu wecken. Selbst bei ungebildeten Völkern, findet sich dieser Sinn für die Natur. Wenn der Botaniker uns lehrt, daß die Blume die höchste Entfaltung des Pflanzenslebens sei, so weiß der Naturmensch dies eben so wohl und in allen Volkspoesien spricht sich diese Liebe zu den Blumen aus. Der Mensch, der wohlbegabte, wird Physiognomiker der Natur. Dieser divinatorische Blick in die Natur muß auch dem Künstler inwohnen, wenn er dieser ewigen Schöpferin nachstreben und mit ihr wetteifern will. Wenn wir aber früher die Natur ein Abbild des ewigen Geistes nannten, so müssen wir hier sogleich die Frage aufwerfen: warum ist sie nicht immer schön? Nur zu oft tritt die Natur feindselig und mit roher Gewalt auf, das Leben muß beständig gegen den Andrang der Elemente kämpfen, neben der Lust steht der Schmerz, der Tod neben der Blüthe. Es ist nichts leichter, als **erbauliche** Betrachtungen über die Weltordnung und Zweckmäßigkeit in der Schöpfung anzustellen, wie z. B. St. Pierre nachweist, daß jedes Insekt seinen Tisch gedeckt finde. Das Bedenkliche hierbei ist nur, daß die Gäste bei solchem Feste zuletzt selbst wieder aufgespeist werden. Gegen diese blos fromme Betrachtungsweise läßt sich einwenden, daß eine Milbe, wenn sie sich auf Philosophie verstände, uns demonstriren könnte, daß die ganze Welt um ihretwillen geschaffen sei. —

N. S.

In einer späteren (der 5ten) Vorlesung wurde als Nachtrag zu dieser Vorlesung das Verdienst Schellings, als Begründers der Naturphilosophie gewürdiget und zugleich die Gedanken desselben über das Schöne erwähnt, wobei auf die Rede von ihm: über das Verhältniß der bildenden Kunst zur Natur verwiesen wurde. —

Kunst-Literatur.

Architecture antique de la Sicile, ou recueil des plus interessans monumens d'Architecture des Villes et des lieux les plus remarquables de la Sicile ancienne, mesurés et dessinés par J. Hittorff et L. Zanth, Architectes. Paris 1827.

Der Hauptzweck des Werkes ist: eine große Lücke in der Kunstgeschichte auszufüllen, welche den Forschungen der Künstler und Gelehrten ein bedeutendes Hinderniß war, da die bisher bekannten Werke schon längst als ungenügend erkannt waren.

Sicilien als Mittelglied zwischen Italien und Griechenland in den ältesten Zeiten, später als Stützpunkt der sarazenischen Macht; endlich als Asyl für byzantinische Kunst unter der Normannenherrschaft und unter allem Wechsel der Herrschaft mächtig und einflußreich, mußte sowohl aus diesen Epochen, als auch aus den Zeiten des Wiederauflebens der Künste im 15ten und 16ten Jahrhundert, wichtige Kunstdenkmäler enthalten, deren Kenntniß sowohl den Künstlern als den Gelehrten unentbehrlich war; daher die doppelte Rücksicht in einer Darstellung der Bauwerke dieses Landes, die überall die Charakteristik der verschiedenen Zeitalter, ein Spiegelbild derselben sind, beiden Klassen von Forschern Genüge zu leisten und nicht nur solche Gebäude darin aufzunehmen, welche durch Alterthum oder historische Data merkwürdig sind, also in das Gebiet des Gelehrten gehören, sondern auch diejenigen, welche ohne jene Eigenschaften, als Produkte der Kunst, durch Gestalt, Anlage oder Ausschmückung als zu berücksichtigende Vorbilder gelten können und also eigentlich den Künstler angehen.

Ein Theil der zu lösenden Aufgabe war also: eine zweckmäßige Wahl zu treffen; denn nicht jedes Gebäude, selbst wenn es ohnbestreitbar einer bestimmten Periode angehört, ist deshalb geeignet, einen Begriff von dem Baustyle derselben zu geben, oder, wenn es auch diese Bedingung erfüllt, zugleich würdig als ein ächtes Kunstprodukt zu gelten; die oben erwähnte doppelte Rücksicht auf Künstler und Gelehrte, machte daher eine scharfe Prüfung zur Pflicht, und die bis jetzt erschienenen Hefte, leisten hierin Genüge. Ein andrer Theil der zu lösenden Aufgabe war: die Art der Darstellung, und auch hier finden wir, daß die Verfasser, entfernt vom unwesentlichen Prunke, die Zweckmäßigkeit und die Bestimmung des Werkes: gemeinnützig zu werden, streng verfolgt und deshalb die Darstellung in einfachen Umrissen gewählt haben.

Da es sich hier nicht von mahlerischen Effecten, sondern von treuer Abbildung, von Deutlichkeit und Bestimmtheit, als den wesentlichsten Bedingungen handelt; so wird ihnen auf diesem Wege; zumal bei der sehr sorgfältigen Ausführung, die hier nicht Luxus, sondern Nothwendigkeit ist; volle Genüge geleistet. —

Das Werk, welches in zwei Abschnitte zerfällt, die unabhängig von einander, der eine die Bauwerke der griechischen und römischen Blüthezeit, der andre Gebäude seit dem Verfalle jener Kunstepochen bis auf die neueste Zeit enthalten wird, hat mit diesem zweiten Abschnitte begonnen; der in 18 Lieferungen zu 4 Blättern bestehen wird, welche von Monat zu Monat folgen und von denen bereits sechs erschienen sind.

Daß aus der Anlage des Werkes eine reiche Mannichfaltigkeit des Inhaltes entstehen mußte, war zu erwarten, und die Kupfer, die wir vor Augen haben, beweisen es. Kirchen mit ihren verschiedenen Theilen des inneren Ausbaues und Schmuckes, öffentliche Gebäude und Brunnen, Palläste und Privatgebäude, geben einen hohen Begriff von dem Kunstsinn, der in Sizilien seit dem Mittelalter geherrscht hat und noch nicht verloschen ist.

Als Titelblatt des Werkes dient eine Ansicht von Messina, die nicht nur den Anblick der Stadt, sondern auch der Gebirge, an denen sie lehnt, die Küste bis an das ferne Cap von Syrakus, den Hafen, und somit ein vollständiges Bild giebt und obgleich landschaftliche Ansichten außer dem Gebiete des Werkes liegen, dennoch hier sehr zweckmäßig als Einleitung gelten kann; überdieß ist Messina der Ort, wo die meisten Reisenden, vom gegenüber liegenden Reggio kommend, landen und die gegebne Ansicht der großartigen Hafenstadt ist der erste Eindruck, der sie von der Physiognomie des Landes empfangen.

Aus der Reihenfolge der übrigen Blätter sehen wir, daß es nicht im Plane der Verfasser zu sein scheint, Gebäude derselben Gattung, wie sie in den verschiedenen Städten der Insel zerstreut sind, zusammen zu fassen, sondern vielmehr sämmtliche merkwürdige Gebäude einer Stadt nach ihrem Range auf einander folgen zu lassen, deren Charakter wir auf diese Weise schnell kennen lernen, wobei zugleich Verwirrung vermieden wird. —

Die Kathedrale von Messina macht den Anfang; sie bietet einen Cyclus architektonischer Werke vom 11ten bis ins 18te Jahrhundert dar.

Die herrliche Thüre derselben ist höchst merkwürdig durch den Reichthum ihrer Verzierungen und den Styl derselben, der, obgleich gothisch, dennoch den Stamm verräth, auf den er geimpft ist und an antike Formen erinnert. —

Die Ansicht einer Kapelle in der Kathedrale vereinigt in den majestätischen Mosaikbildern ihres Gewölbes und dem reichen Schmucke der Wände und des Altars byzantinische Kunst mit dem Baustyle des verflossenen Jahrhunderts.

Das höchstsinnige Mausoleum eines Bischofs, ein mit Säulen und Bildnerei gezierter Altar, Kanzel und Chorstühle, gehören dem Genius des 15ten und 16ten Jahrh. an, und müssen dem Bildhauer und Mahler nicht minder als dem Architekten, willkommne Erscheinungen sein.

Auf einem großen Theile der übrigen Blätter bemerkte ich mit großem Vergnügen das durchgeführte System: die Anschaulichkeit durch perspektivische Ansichten, zumal des Innern der Gebäude, zu erhöhen; die selbst dem Architekten, wenn ihm gleich das, was er einen Durchschnitt nennt, für sein Bedürfniß genügt, dennoch erwünscht sein müssen, da sie allein die beabsichtigte oder erreichte Wirkung klar machen können; den übrigen Künstlern und Gelehrten sind sie vollends unentbehrlich; ihre Anforderungen sind also billig berücksichtigt, und sie finden in den großartigen Hallen und Vestibülen der öffentlichen Gebäude sowohl, als in den bescheidenen Anlagen der Privatgebäude denselben Geist, den sie entweder durch eigene Anschauung in Italien bewundert, oder in den zahlreichen Werken darüber kennen gelernt haben. Wenn Sizilien ihrer Wißbegierde so lange entzogen war, so ist der Grund in den großen Beschwerlichkeiten zu suchen, die mit der Reise durch die Insel verbunden sind; um sie zu überwinden, und sich trotz derselben mit nützlichen Arbeiten zu beschäftigen, bedarf es eines ausdauernden Eifers für die Kunst und des lebhaften Wunsches, zu ihren Fortschritten beizutragen.

14.

Zufällige Gedanken.

Von E. r.

25. Da die Charaktere in den Romanen unserer neuern Eintagsschriftsteller meist nur Vorstell- keine Empfindbilder sind: so können sie beim Leser auch nicht zu letztern werden. Wie die Geister der griechischen Unterwelt, als Schatten in dieser wandelten, so die Charaktere in den Köpfen der modernen Romanschreiber. Uebrigens giebt jeder nur sich selbst wieder, und tritt in seinem Werk als „Mann in vielerlei Gestalten" auf, ist nicht blos Souffleur, auch Schauspieler. Es giebt einen Universalcharakter, der als guter Pastetenteig, zu jedem Füllsel von Begebenheiten paßt, und auch dazu verwendet wird. Aber nicht alle bedienen sich der fertig da liegenden — gleichsam fabrikmäßig gearbeiteten — geistigen Gliedmaßen, die bloß des Zusammensetzens bedürfen; Mancher Streben geht höher, Einheit ist ihr Ziel, nicht Eigenschaftmosaik bildet ihre Charaktere, nein ein jeder ist selber nur eine einzige Eigenschaft, und diese wie in der Mythologie eine allegorische Person. So ist ihr Held z. B. aus einem einzigen Stücke Großmuth herausgeschnitten, ohne weitere Achillesforce von Fehler oder Nebentugend, die Heldin wird so lange im Hochofen ihrer Phatasie geschmolzen und geglüht, bis sie in lautrer Unschuld weiß herausfließt, und die Gans gegossen ist. Wer möchte solche Charaktere nicht den ältesten griechischen Abbildungen der Grazien vergleichen, die drei schöne, glatte, länglichte Steinblöcke ausmachten, die spätere Zeit erst gab ihnen Hände und Füße!

26. Unsern Leichtsinn halten wir für Glauben. Wenn wir deutlich uns den Tod vor Augen stellten, wie würden wir diese von ihm abwenden! Aber so meinen wir an ein Fortdauern zu glauben, da wir uns ein Aufhören nicht vorstellen.

(Redigirt von Dr. Fr. Förster und W. Häring (W. Alexis.)

Im Verlage der Schlesingerschen Buch- und Musikhandlung, in Berlin unter den Linden Nr. 34.

Berliner Conversations-Blatt für Poesie, Literatur und Kritik.

Montag, — Nro. 119. — den 18. Juni 1827.

Der Richter und der Teufel.

Legende von K. Simrock. *)

Dicht vor den Thoren einer freien Reichsstadt, deren ehemalige Herrlichkeit noch jetzt versinkende Trümmer verrathen, lebte vor vielen Jahren eine arme rechtschaffene Wittwe mit ihren drei Kindern in einer niedrigen Hütte. Diese, der kleine Grasplatz dahinter und eine Kuh, die sie darauf weiden ließ, waren ihr von der Verlassenschaft ihres Mannes, eines fleißigen Winzers, allein noch übrig geblieben; die angränzenden Weingärten hatte sie sich genöthigt gesehen in den Jahren des Mißwachses an den Stadtrichter zu verkaufen, der ein stattliches Landgut in der Nähe besaß. Bis in die späte Nacht ließ Frau Merten ihr Spinnrädlein schnurren, um den hungrigen Kleinen Brod und Kleidung zu verschaffen, aber obgleich sie einen feinen Faden spann, hatte sie doch kaum ihr nothdürftiges Auskommen. Täglich flehte sie zu Gott, daß Sein Segen ihrer Hände Arbeit begleiten möge, damit sie nicht genöthigt würde, dem Ansinnen des Stadtrathes nachzugeben, der auch die Ueberbleibsel ihrer ererbten Besitzthümer noch gern seinem Landgute einverleibt hätte. Eines Morgens, nachdem sie die Kuh gemelkt und die frische, warme Milch in schäumenden Bechern an die begierigen Knaben zum Morgentrunk vertheilt hatte, saß sie wieder an der Spindel, den Rest ihres Morgengebets vor sich hermurmelnd, als der jüngste Knabe, der allein auf dem Hofe gespielt hatte, während die älteren in der Stadt die Knabenschule besuchten, mit lautem Geschrei in die Stube stürzte.

„Des Stadtrichters Kuh, des Stadtrichters Kuh!" rief der Wurm, indem er sich hinter dem Stuhle der Mutter verbarg, die indessen aufgesprungen war und sich vergebens bemühte, dem erschrockenen Knaben die Ursache seines Weinens abzufragen. Als sie aber an das Gitterfenster trat, begriff sie bald die Ursache seines Entsetzens, ja sie selbst überfiel noch ein weit größeres, denn draußen auf ihrem Hofraume, waren die beiden Kühe, ihre eigene und die des Stadtrichters, welche den Zaun durchbrochen haben mußte, in einem wüthenden Hörnergefecht begriffen, in welchem Erstere, die nicht so gute Pflege und fette Weide genossen hatte, den Kürzeren zu ziehen schien; denn sie ertrug die Angriffe der Wohlgenährteren nicht lange, sondern nahm Reißaus, während Jene ihr in mächtigen Sprüngen nachsetzte und neue Angriffe bereitete. Mit einem heftigen Schrei, der ihr Angst und Schrecken erpreßten, stürzte Frau Merten durch die Küche besinnungslos in den Hof, um dem Kampfe Einhalt zu thun, der ihr theuerstes Kleinod in so augenscheinliche Gefahr brachte. Aber leider kam sie zu spät, denn die Nachbarskuh trabte wie triumphirend im Hofe auf und ab, bis sie dicht neben dem Durchbruch am Zaun über die Pfähle setzte; die ihrige aber lag im Grase mit aufgeschlitztem Bauche und hervorquellenden Eingeweiden und röchelte den letzten Blutstropfen aus Maul

*) Nach einem alten Gedichte in Freih. von Laßbergs Liedersaal II. S. 348., aus dem vermuthlich auch Theodor Hell seinen neulich im Morgenblatt mitgetheilten „Schwank vom Teufelchen" entlehnt, dessen Abdruck den Verfasser gegenwärtiger Legende bestimmte auch seine schon ältere Bearbeitung bekannt zu machen. Die Derbheit des Ausdrucks entschuldige der Leser mit dem Gegenstande, der eine kecke, ja rohe Behandlung zu fordern schien.

und Nase. Noch einmal blickte sie die trostlose Eigenthümerin wehmüthig mit den großen Augen an, als wollte sie sagen, das Elend, welches mein Tod über Dich bringt, habe ich nicht verschuldet; ich falle als ein Opfer fremder Mordlust. Das tröstete zwar Frau Merten wenig, erregte aber doch vielleicht einen Gedanken wieder, der schon beim Anblick des Durchbruchs in dem Zaun in ihr zu dämmern begonnen. Die ausgerissene Zaunpfähle, und der, wie sie jetzt bemerkte, völlig bei Seite geschaffte Querbalken, schienen eine absichtliche Zerstörung zu verrathen, welche die wilde Kuh mit den Hörnern nicht hervorgebracht haben konnte. Ihr Verdacht mußte daher auf die Leute des Stadtrichters fallen, ja, sie hätte darauf schwören wollen, daß auf seinen Befehl der Durchbruch in der Nacht bewerkstelligt und die Kuh durch die Oeffnung getrieben worden, und selbst der für sie so schmerzliche Verlust in der Absicht des heimtückischen Nachbars gelegen habe. Wie groß aber auch die Zuversicht war, mit welcher sie dieser Vermuthung Raum gab, so glaubte sie solche doch durch eine Unterredung mit dem feindlichen Nachbar zur Gewißheit steigern zu können, und die der weiblichen Natur angebornen Verschlagenheit gab ihr einen Gedanken ein, durch welchen sie den boshaften Richter zur Anerkenntniß seines Unrechts gegen sie zu nöthigen gedachte. Sie wartete also die Stunde ab, wo er aus der Stadt zu kommen pflegte, um seine Weingärten, die einen reichen Herbst versprachen, in Augenschein zu nehmen, wobei ihn der Weg an ihrer Hütte vorbeiführen mußte. Es stand auch nicht lange an, so sah sie den Stadtrichter in steif ausgeputzter Amtstracht mit gespreizten Schritten und hochfärtiger Miene daherschreiten. Sogleich ging sie ihm wie eine Bittende entgegen, that einen Fußfall, umklammerte die Kniee des Widerstrebenden und sprach mit halbversagender Stimme.

„Gestrenger Herr Stadtrichter, Ihr seht eine arme Wittwe zu Euren Füßen, die ohne ihre Schuld in die Lage gekommen ist, den Unwillen Ew. Gestrengen auf sich geladen zu haben, und nicht eher aufhören wird Eure Kniee zu umfassen und mit Thränen den Staub von Wohldero Schuhschnallen zu spülen, bis Ihr versprecht, sie mit dem Gewicht Eures Zorns zu verschonen, und eure nachbarliche Huld und Fürsprache nicht von ihr abwenden zu wollen.

Steht auf, Frau Merten, und redet deutlicher, sagte der Stadtrichter, dessen Ehrgeiz durch diese Anrede sich geschmeichelt fühlte, ich wüßte nicht, wodurch ihr meines Wohlwollens verlustig geworden wäret.

„Doch," fiel Frau Merten ein, „doch gestrenger Herr Stadtrichter! Zwar Gott und die heilige Jungfrau sind mir Zeugen, daß ich selbst mich nicht wider Euch vergangen habe, allein das Unglück hat es gewollt, daß meine Kuh durch Euren Zaun gebrochen ist, mit Eurer Kuh Händel gesucht und ihr den Bauch aufgerissen hat. Den Tod Eurer stattlichen Kuh könnt ihr mir nicht vergeben, gestrenger Herr Stadtrichter und Syndicus, und Ihr seht also, daß ich wohl Ursache habe den Verlust Eurer Gewogenheit zu befürchten, obgleich ich selber an dem Schaden, den Ihr erlitten habt, nicht schuldig bin."

Nicht schuldig? Frau Merten, rief der Stadtrichter aufgebracht; ihr seid schuldig für allen Schaden aufzukommen, den euer Vieh auch ohne euer Wissen und Willen im fremden Eigenthum anrichtet, und ich werde euch durch obrigkeitliche Verfügungen zu eurer Pflicht anzuhalten wissen, übrigens aber setzte er milder hinzu, wenn ihr euch dessen nicht weigert, euch vor wie nach in Gnaden gewogen bleiben.

„Ich danke Ew. Gestrengen," sagte Frau Merten, „aber schreiben denn das die Gesetze vor, daß der Eigenthümer einer Kuh für allen Schaden einstehen muß, den sie anrichtet?"

Allerdings, Frau Merten, les't nur den *titulum Institutionum et Digestorum Si Quadrupes pauperiem fecisset*, wo es mit klaren Worten heißt —

„Ich glaube das Ew. Gestrengen aufs Wort, es ist auch vor Gott und den Menschen nicht mehr als billig, die Sache verhält sich nur ein ganz klein wenig anders, als ich sie Euch erzählt habe, denn es war Eure Kuh, die durch den Zaun gebrochen, und meine, die getödtet worden ist, und Ihr werdet daher das Einsehen haben, mir den Werth meiner Kuh und allen Schaden zu ersetzen, den die Eurige in meinem Hofraum angerichtet hat."

Ja so, war es so, das ist ein Anderes, fiel der verblüffte Stadtrichter ein, das hättet ihr gleich sagen sollen, das verändert die ganze Sache.

„Wie so verändert?" fragte Frau Merten, „wenn die Gesetze so lauten, wie Ihr selbst sagt, so ist es ja einerlei, wer gerade der Eigenthümer der getödteten Kuh gewesen, und was Euch Recht ist, ist mir billig."

Ei! Ei! liebe Frau, auf welchen gefährlichen Gesinnungen läßt ihr Euch betreffen! Hätte ich doch nimmer gedacht, daß ihr die schuldige Achtung vor euer von Gott verordneten Obrigkeit so aus den Augen setzen würdet. Wollt ihr den Syndikus der ersten freien Reichsstadt des heiligen Röm. Reichs mit der Wittwe eines hergelaufenen Winzers in einen Topf werfen und allen Unterschied der Stände freventlich aufheben? Warum ließt ihr meine Kuh in euren Hof? Vermuthlich habt ihr die Grundpfähle des Zauns, der mein Eigenthum ist, aus der Erde gerissen, um euch im Winter euer Stübchen damit zu heitzen? Da mögt ihr euch nun die Folge selber zuschreiben. Jetzt geht eurer Wege; denkt ihr, ich sei aus der Stadt hierher gekommen, um euer albernes Geträtsche anzuhören? Die Rechnung, wegen der fehlenden Zaunstiele, werde ich euch ehebaldigst einhändigen lassen. Gott befohlen!

Damit schritt er ohne die Gegenrede der armen Wittwe zu beachten, hochmüthig an ihr vorüber dem Landhause zu, das an dem Fuß einer terassenförmig sich erhebenden Rebenhügels die glänzende Hauptfronte in den Wellen des still vorüber gleitenden Stromes spiegelte. Frau Merten begab sich weinend in ihre Hütte, wo sie eine Weile in trübseligen Gedanken an ihrem Spinnrädlein zubrachte, bis ein Knecht des Stadtrichters die Rechnung wegen der Zaunstiele brachte, bei deren Anblick sie in so heftigen Zorn gerieth, daß sie sich sogleich nach der Stadt begab um sich bei einem Rechtskundigen Raths zu erholen, und ihm die Führung der Streitsache gegen den Stadtrichter zu übergeben.

(Fortsetzung folgt.)

Das Schloß Boncourt.

von Adalbert von Chamisso.

Ein Verschwundenes von dieser Erde, lebt als Fata Morgana in der Phantasie des Herrn von Chamisso wieder auf. Unter dieser Ueberschrift lesen wir eine schöne Romanze des Dichters des Schlemihls in einer Zeitschrift, welche bereits mit dem ersten Quartal ihre Endschaft erreicht hat. Da sie dies Loos eben so wenig als das Chamissosche Stammschloß verdiente, hat sie bei einem berliner *litterary rewiew* Anspruch auf eine Erwähnung, welche, wenn, sie keine bloße Leichenrede sein soll, wohl am besten darin besteht, daß man das Vorzüglichste daraus durch anderweitige Mittheilung weiter leben läßt.

Die Briefe an Isabella über die Italiänische Sprache und andere interessante Erscheinungen im Reiche der Literatur, der Künste, Moden, des Schönen und Wissenswerthen, herausgegeben von Meddlhammer und Alexander, zeichneten sich durch Eleganz und Anmuth der äußern Erscheinung eben so wohl als durch einen pikant gewählten Inhalt aus. Einzelne duftige Blumen aus dem Strauße der neusten lyrischen Poesie neben einem Anekdotenschatz, welcher (ein seltener Fall) meistens frisch war und einer witzigen Tagespolemik, welche rüstig gegen das Rohe und Gemeine den Kiel schwang. Selbst von diesen parodischen Ausfällen verdienten mehrere der Vergessenheit entrissen zu werden. Aber das ungewöhnliche Unternehmen: eine Italiänische Sprachlehre durch ein Zeitblatt zu verbreiten, und die geringe Anzahl so mit der Italiänischen Sprache Befreundeter, um ihre Kenntniß wöchentlich durch einige fliegende Blätter erweitern zu wollen, mußten schon früh den Untergang herbeiführen. Da die Zahl der Leser sehr gering gewesen, begeht man durch den Wiederabdruck kein Plagiat. Wir haben die specielle Erlaubnis Hrn. v. Chamissos die genannte Romanze unsern Blättern noch einmal einzuverleiben; welches wir indessen nicht ohne die kritisch politische Vorbemerkung thun können, daß, wenn Jeder Berechtigte von Sonst (Privilegirte) so mild spräche:

So stehst Du, o Schloß meiner Väter,
Mir treu und fest in dem Sinn,
Und bist von der Erde verschwunden,
Der Pflug geht über dich hin.

Sei fruchtbar o theurer Boden,
Ich segne dich mild und gerührt,
Und segn' ihn zwiefach, wer immer,
Den Pflug nun über dich führt.

das schöne Frankreich versöhnt, einer freudigen Zukunft entgegen blickte. Man sollte die Romanze, als das Lied eines Emigrirten, in die Sprachen aller Länder übersetzen, wo eine Revolution das alte Besitzthum umgeworfen, und singen lassen von Barden oder Bänkelsängern; es wäre ein besseres Gegengift, gegen das revolutionäre als alle Preßgesetze und Entschädigungsliquidationen.

Das Schloß Boncourt.

Ich träum' als Kind mich zurücke,
Und schüttle mein greises Haupt,
Wie sucht ihr mich heim, ihr Bilder,
Die lang' ich vergessen geglaubt?

Hoch ragt aus schatt'gen Gehegen
Ein schimmerndes Schloß hervor,
Ich kenne die Thürme, die Zinnen,
Die steinerne Brücke, das Thor.

Es schauen vom Wappenschilde
Die Löwen so traulich mich an,
Ich grüße die alten Bekannten
Und eile den Burghof hinan.

Dort liegt der Sphinx am Brunnen,
Dort grünt der Feigenbaum,
Dort, hinter diesen Fenstern,
Verträumt' ich den ersten Traum.

Ich tret' in die Burgkapelle
Und suche des Ahnherrn Grab,
Dort ist's, dort hängt vom Pfeiler
Das alte Gewaffen herab.

Noch lesen umflort die Augen
Die Züge der Inschrift nicht,
Wie hell durch die bunten Scheiben
Das Licht darüber auch bricht.

So stehst du, o Schloß meiner Väter,
Mir treu und fest in dem Sinn,
Und bist von der Erde verschwunden,
Der Pflug geht über dich hin.

Sei fruchtbar, o theurer Boden,
Ich segne dich mild und gerührt,
Und segn' ihn zwiefach, wer immer
Den Pflug nun über dich führt.

Ich aber will auf mich raffen,
Mein Saitenspiel in der Hand,
Die Weiten der Erde durchschweifen
Und singen von Land zu Land.

Adelbert von Chamisso.

Wann ist gut sterben.

Goethe preiset Schillern glücklich, daß er in den besten Mannesjahren gestorben sei, und deshalb nunmehr auf immer als ein künftiger, lebenvoller, geistesstarker Mann in unsrer Erinnerung stehe. Wieland dagegen, der bekanntlich das achtzigste Lebensjahr erreichte, wird von jenem trefflichsten Leichenprediger, deshalb keinesweges für unglücklich erklärt, sondern gleichfalls gepriesen, daß er so alt ward. Ohne Furcht vor dem sophistischen Vorwurf der Inconsequenz würde Goethe unter den sich von selbst verstehenden Bedingungen auch ein Kind, einen Knaben und einen Jüngling im Sarge glücklich nennen, und es finden sich in seinen Werken Stellen genug die darauf hindeuten. Er scheint deshalb das oft gesagte fromm-einfältige Wort: „Wie es kommt, so kommt es recht, und wie es fällt, so fällt es recht" auf seine gewohnte anmuthige Weise wiederholt zu haben. Man sieht: Unser theurer Meister hat die Trostworte: „Weine nicht" — „Es fällt kein Sperling" u. s. w. gar sehr wohl verstanden und trefflich beherzigt. Wie könnte es ihm verborgen geblieben sein, daß eben jener göttliche Lehrer auch gesagt hat: „Ich bin die Auferstehung und das Leben."

Möchte man doch bei Goethe auch zwischen den Zeilen lesen wollen! Jeder ächte Dichter darf das verlangen, und vollends er, der gleich weit entfernt von asiatischer Styl zerflossenheit und lakonischer Zusammengeschnürtheit immer grade das rechte Mittelmaaß hat.

F. H.

Berliner Chronik.

Die Hoffnungen welche man aus einer neuen Verhandlung zu schöpfen sich berechtigt glaubte, daß Dem. Henriette Sontag in die Verlängerung ihres Contractes eingehen werde, haben sich dem Vernehmen nach wieder zerschlagen. Obgleich ihr von Seiten des Königstädtischen Theaters unerhört vortheilhafte Bedingungen gemacht worden, hat sie dieselben doch standhaft abgelehnt, indem sie die ihr ältere Verpflichtung für Paris als Haupt- und Hintergrund ihrer Weigerung vorschützt.

Mittwoch den 13. hielt Herr v. Holtei nach seiner Rückkunft zum erstenmale wieder eine dramatische Vorlesung, vor einer glänzenden Versammlung im großen Jagorschen Saale. Er hatte hierzu das Trauerspiel (Manuscript) Andreas Hofer von Karl Immermann (jetzt Landgerichtsrath in Düsseldorf) erwählt. Für die Mittheilung dieses, seines Gegenstandes sowohl als der Behandlungsweise wegen, höchst anziehenden Dramas wäre das Publicum dem Leser (der es auf seiner Rückreise von Paris mitgebracht) sehr verpflichtet, hätte nicht die drückende Hitze in dem großen Saale den Genuß mindestens erschwert. Ein Theil der Zuhörer mußte noch während der Vorlesung hinausgehen. Eine kräftige, reiche, innige Sprache, wahre dichterische Begeisterung für ein vaterländisches Interesse, meisterhafte Schilderungen und dramatisch und theatralisch wirkungsreiche Scenen mußten selbst in der Jammerhöhle von Seringapatuam erkannt werden. Der häufige Scenenwechsel möchte so wie die neue Zeit und die lebenden Beziehungen auf dem Theater Anstoß geben. Der Effect würde nirgends fehlen.

a.

(Redigirt von Dr. Fr. Förster und W. Häring (W. Alexis.)

Im Verlage der Schlesingerschen Buch- und Musikhandlung, in Berlin unter den Linden Nr. 34.

Berliner Conversations-Blatt

für

Poesie, Literatur und Kritik.

Dienstag, — Nro. 120. — den 19. Juni 1827.

Der Richter und der Teufel.

Legende von K. Simrock.

(Beschluß.)

Nachdem der Stadtrichter Frau Merten die Rechnung wegen des Durchbruchs in dem Zaun übersandt, und einige Anordnungen zu der bevorstehenden Weinlese getroffen hatte, wollte er nach der Stadt zurückkehren, wo heute zu Ehren des heiligen Remigius, ein großer Jahrmarkt gehalten wurde, zu welchem Käufer und Verkäufer aus der ganzen Umgegend schaarweise herbeiströmten, und die Gegenwart des Stadtrichters erforderlich werden konnte. Wie er sich zu diesem Zweck anschickte, sah er einen Mann in großen Schritten der Stadt zueilen, dessen seltsames Ansehen ihm so sehr auffiel, daß er beschloß, ihn über Roman und Gewerbe zu befragen. Der Unbekannte trug einen weiten grauen Mantel, der auf der einen Seite in vielen Falten bis auf die Sohlen herunterwallte, und über dem zottigen Haupt einen schwarzen mit rothen Hörnern gezierten Helm, so daß er dem hörnernen Siegfried, wie er dem Volksbuche, gedruckt in diesem Jahr, in Holzschnitt zur Vignette dient, nicht unähnlich sah. Auf die Frage des Stadtrichters, nach seinem Namen und Gewerbe, verweigerte er Anfangs die Antwort, aber dieser ermahnte ihn ernstlich Rede zu stehen, weil er ihn sonst als Richter und Syndikus der Stadt, der innerhalb des Weichbildes mit voller Macht und Willkühr schalte, durch nachdrückliche Maaßregeln erforderlichen Falls sogar durch Daumschrauben nöthigen werde; über sein Thun und Treiben, so wie über Namen und Herkunft Rechenschaft zu geben.

Wenn ihr aus diesem Tone zu sprechen befugt seid, antwortete der Fremde, so werde ich, Unannehmlichkeiten zu vermeiden, eurem Verlangen Genüge leisten; mich wundert indeß, daß ihr mich nicht erkennt, ich glaubte doch wir würden nicht erst heute miteinander bekannt.

„Daß ich nicht wüßte," entgegnete der Richter auffahrend, „auch rathe ich euch ehrerbietiger zu Eurer Obrigkeit zu sprechen."

Nehmt es nur nicht schief, hohnlachte der Fremde, was nicht ist, kann noch werden, und was die Obrigkeit anlangt, so bin ich gewissermaßen, auch so eine Art von Magistratsperson.

„Vielleicht ein Sauhirte," bemerkte der Richter.

Mitunter auch, erwiederte Jener, denn daß ihr es nur wißt, ich bin der leibhafte Satan.

„Wollt ihr mich zum Besten haben," rief der Richter, „so werde ich euch zeigen, mit wem ihr es zu thun habt und welchen Nachdruck ich meinen Befehlen zu geben weiß."

Bei diesen Worten ergriff er den Fremden, um ihn durch seine Knechte, die noch an der Pforte des Landhauses seines Winks gewärtig standen, verhaften zu lassen. Aber jener entzog sich ihm durch eine geschickte Bewegung und der Richter behielt nur den Mantel des Unbekannten in den Händen, an dessen Gestalt jetzt Schweif und Pferdefuß, die bekannten Insignien des Fürsten der Hölle, zum augenblicklichen Schrecken des Stadtrichters, sichtbar wurden. Eine Weile stutzte er, nahm aber bald die vorige gebieterische Haltung wieder an und sprach: „Glaubt nicht durch solche Jahrmarktspossen, die jedem Schalksnarren zu Gebote stehen, meinem Scharfblick einen blauen Dunst vorzumachen; wenn ihr wirklich der seid, der ihr sagt, so müßt ihr euch durch Brief und Siegel darüber ausweisen, widrigenfalls ich kraft meines Amtes als gegen einen Landstreicher und vagabundirenden Taugenichts die ganze Schärfe des Gesetzes unnachsichtlich wider euch in Anwendung bringen werde."

Wenn euch Schweif und Pferdefuß und die glühenden Hörner auf meinem Kopfputz nicht Beweises genug sind, entgegnete der Unbekannte, so les't diesen von der infernalischen Polizei-Intendantur selbst ausgestellten Reisepaß, der euch auch über den Zweck meiner Sendung einigen Aufschluß geben wird. Zugleich überreichte er dem Richter eine Pergamentrolle, worauf folgende Worte mit feurigen Buchstaben geschrieben standen:

„Kund und zu wissen sei jedermänniglich, dem es zu wissen Noth thut, daß seine satanische Durchlaucht, Mephistopheles Beelzebub *I.*, mit dem Beinamen der Böse, Statthalter der Hölle, Fürst der Finsterniß, Großmeister der Lüge, General-Feldmarschall der höllischen Heerschaaren, Prätendent aller sieben Himmel, allzeit Mehrer des Reichs rc. rc. beschlossen haben in wichtigen Regierungsangelegenheiten eine Incognitoreise durch alle Reiche des Himmels und der Erden zu unternehmen, und werden alle betreffenden Behörden *s. t.* dienstfreundlichst ersucht, dem Inhaber gegenwärtiger Beglaubigungsschrift vorkommenden Falls allen möglichen Vorschub zu leisten, ihm zum Bruch des strengsten Incognitos keinerlei Veranlassung zu geben, noch auch bei Fortschaffung derjenigen Gegenstände, die man ihm freiwillig übergeben wird, einiges Hinderniß in den Weg zu legen.

Gegeben Höllenpfuhl in der Walpurgisnacht des zehntausend und zwanzigsten Jahres nach Stiftung des höllischen Reiches.

Die drei Großrichter der Unterwelt:

(gezeichnet) Minos, Aeacus, Rhadamanth.

(L. S.)

Hierauf folgte eine Personalbeschreibung, aus der wir nur Einiges ausheben.

Haar, roth.
Augen, greulich.
Nase, krumm.
Mund, verzogen.
Kinn, spitz.

Besondere Kennzeichen:
Pferdefuß, Schweif, ein Paar Hörner und Eberzähne.

Der Richter fand nach genauer Vergleichung obiger Signatur die genaueste Uebereinstimmung mit derselben in den Zügen des Unbekannten.

Aber die Großrichter der Hölle, sprach er endlich, indem er das Pergament dem Eigenthümer mit einer tiefen Verbeugung zurückgab, drücken sich ja sehr geheimnißvoll über das aus, was ihr den Zweck eurer Reise zu nennen beliebtet; und was für ein Geschäft eure Durchlaucht, wenn dieser Titel nicht einen Bruch eures strengen Incognitos mit sich führt, unserer freien Reichsstadt die Ehre eures Besuchs zu verschaffen veranlaßte, geht völlig nicht daraus hervor.

Das letzte kann ich euch sagen, erwiederte Beelzebub, ich komme um auf dem heutigen Jahrmarkt Alles das für die Hölle in Empfang zu nehmen, was man ihr im Ernste übergeben wird.

Da werdet ihr eine gute Einnahme machen, bemerkte der Richter, auf unsern Jahrmärkten fehlt es nicht an Gelegenheit zu Zank und Erbitterung. Ihr würdet mich aber unendlich verpflichten, wenn ihr mir erlaubtet, euch bei eurem Streifzuge durch die Stadt zu begleiten, denn ich spürte von Kindesbeinen an, immer ein großes Gelüste einmal bei einer solchen höllischen Execution Zeuge zu sein.

So soll euer Wunsch heute befriedigt werden, entgegnete Mephisto, obgleich ich nicht dafür einstehen kann, daß ihr euch sonderlich dabei erbauen werdet.

Sie setzten nun ihren Weg nach der Stadt gemeinschaftlich fort und befanden sich bald mitten unter den Buden und Kramläden in dem dichtesten Gedränge des wider einander wogenden Volkes, wo selbst das Ansehen des Richters, und die hohe seltsame Gestalt des Stadrichters nicht hinreichten, den Strom der Menge zu durchbrechen. Aber jetzt theilte ihn ein borstiges Schwein, das ein altes Weib erstanden, und an einem Stricke, der an dem Fuß des Ungethüms befestigt war, mühsam nach sich zog: denn plötzlich raffte es nun seine Kräfte zusammen, rannte unter gräßlichem Quiken und Grunzen durch die auseinanderstäubende Menge, und fuhr dann, trotz alles Widerstandes der ohnmächtigen Käuferin, durch die am Boden säuberlich ausgestellten Töpferwaaren, daß die Scherben nach allen Seiten davonflogen. Daß dich der Teufel hole, kreischte das Weib, das nun seinerseits von dem Thiere fortgezogen wurde, du unbändiges Schwein!

Hört ihr, was sie sagt, raunte der Richter seinem Gesellen zu, nun nehmet das Schwein, es ist euer.

Es ist ihr nicht Ernst, antwortete Beelzebub, sie hat es für ihr sauererworbenes Geld an sich gebracht und würde sich in Jahresfrist nicht zufrieden geben, wenn ich sie beim Worte nähme. Ich holte es gern wenn ich dürfte, denn seit Der dessen Namen ich nicht aussprechen kann, dem Teufel befahl, aus dem Körper eines Juden in eine Heerde Säue zu fahren, sind Juden und Höllengeister auf Schweinefleisch so erpicht, als auf einen Schacher und eine arme Seele. Mit diesen Worten traten sie an die Bude eines Warmbäckers, vor der etwa ein vierzehnjähriger Knabe sich eine Waffel nach der Anderen auf die Pfanne gießen und über den Kohlen backen ließ, um sie mit dem behaglichsten Appetit zu verzehren, bis ihn plötzlich ein Mann von hinten beim Schopf ergriff und unter den heftigsten Scheltworten ganz unbarmherzig durchwalkte. Habe ich dir darum die Aufsicht über meine Bude anvertraut, rief der erzürnte Vater, daß du meine Kasse bestiehlst, und die Batzen hier beim Warmbäcker verjubelst! Ei, so wollt' ich, daß der leibhaftige Satan dich zehntausend Klafter tief unter der Erde verschlüge!

Hört ihr Freund, rief der Richter seinem Begleiter zu, das ist Ernst, der Knabe ist Euer. Nicht doch erwiederte dieser, er möchte um Alles in der Welt nicht, daß sein Fluch in Erfüllnng ginge; nur der Zorn verleitet ihn zu so bedrohlichen Redensarten. Auch wäre die ewige Höllenpein zu harte Strafe für das Bischen Naschen. Während sie so sprachen, kam Frau Merten, die vergebens versucht hatte einen Anwald wider den Stadtrichter zu finden, in der äußersten Verzweiflung über den Markt, und da sie ihres Gegners von fern ansichtig wurde, beschloß sie durch öffentliche Beschimpfung des Verhaßten sich selbst eine Genugthuung zu verschaffen, und ihrem gepreßten Herzen Luft zu machen. Sie schritt daher dreist auf ihn zu, nahm ihren Muth zusammen und begann:

„Gestrenger Herr Stadrichter, ihr wart nicht zufrieden, daß ich euren Vorspielungen aus Leichtsinn und Unkunde weltlicher Dinge insoweit nachgab, die an euer Landgut gränzenden Weingärten aus der Hinterlassenschaft meines seligen Mannes für ein Spottgeld an euch abzutreten, auch nach dem Stückchen Wiesenland hinter meiner armseligen Hütte strecket ihr eure habgierigen Hände aus, ließet den Zaun, der es umschließt, in der Nacht von euren Knechten durchbrechen, und eure stößige Kuh am Morgen in meinen Hofraum treiben, damit ich meines theuersten Eigenthums, meiner einzigen Kuh, von der ich arme Wittwe mit drei noch unerzogenen Kindern mich kümmerlich nähre, beraubt und genöthigt würde, mein bischen Armuth an Euch zu veräußern, und verlangtet dann gar, statt für den Schaden, den Eure Kuh an der meinigen gethan, aus eurem Beutel Ersatz zu leisten, wie es die Gesetze nach Eurem eigenen Eingestandnisse vorschreiben, von mir den Ersatz der an dem Zaun auf Euren Befehl angerichteten Verwüstung. Gegen euch processiren will und kann ich nicht, denn ihr würdet Richter in eigener Sache sein müssen und Eure schreiende Ungerechtigkeit ist zu stadtbekannt, und Euer durch niedrige Ränke befestigtes Ansehen zu gefährlich, als das sich ein Anwald fände, der es wagte, wider euch aufzutreten, aber euch öffentlich beschimpfen kann ich, euch herabsetzen vor all diesem Volke, das sich an Eurer Verlegenheit weidet, das will ich, was auch für mich und die meinigen daraus entstehen mag, und somit übergebe ich Eure Ehre der allgemeinen Verachtung, Eure angemaßte Amtswürde dem schallenden Hohngelächter und Eure Seele dem Teufel —

Das war Ernst, fiel Beelzebub Frau Merten ins Wort, faßte den Richter bei der Kehle und fuhr mit ihm unter heftigen Donnerschlägen, die einen erstikkenden Schwefelqualm verbreiteten, durch die Luft, und im Nu war er den Blicken der staunenden Volksmenge entschwunden.

Der Nachfolger in der erledigten Würde des Stadtrichters verurtheilte die Erben seines Vorgängers zum Ersatze der Kuh und Rückgabe der Weingärten an die frohlockende Frau Merten gegen Erstattung des empfangenen Kaufpreises. K. S.

Zufällige Gedanken.

Von E. r.

26. Wäre es nicht möglich, daß der Mensch überhaupt nur einer gewissen Gedankenanzahl fähig wäre, die sich blos anders mischte, immer aber doch dieselbe bliebe? Wie das Bild im Kaleidoskop bei denselben Steinchen, doch unendliche Neuheiten zeigt, und jedes Schachspiel ein anderes ist, ungeachtet der alten Figuren. Fast sollte man's glauben, wenn man bedenkt, wie jedes Volk und jedes Jahrhundert einmal eine Höhe erreichte, auf deren Spitze sich nicht neue weiter thürmten, sondern die sich allmählig in eine Hochebene niederflachte, oder wie der Rhein, im Sande versickerte; und wenn man sieht, wie noch immer die Alten uns Muster in der Poesie und Philosophie sind, so daß wir sie weder mit sich, noch mit

dem Zuwachs, von Kenntnissen und dem Nachwachs großer Geister überflügeln konnten.

27. Wir haben eine eigene Hartnäckigkeit, die uns oft etwas Gutes ausführen läßt, manche Märtyrerausdauer bestand vielleicht durch sie.

Berliner Chronik.

Königl. Oper. Dem. Heinefetter. Wenn, wie eine alte Fabel sagt, „Gesang die Welt bezwingt", so wär es jetzt grad an der Zeit, daß Berlin sich zu dieser Welteroberung anschickte; denn seit Napoleons Feldzügen sah man so die alte und junge Garde nicht beisammen, wie jetzt bei uns. Welch eine Fronte! in der wir die Catalani, die Milder, die Sontag, die Schechner, die Schulz, die Seidler, die Carl, die Hoffmann und nun auch noch die Heinefetter aufmarschiren sehn! In der That, mit so einer Truppe wäre etwas durchzusetzen, zumal bei dem *esprit de corps*, den wir unter einer Schaar so befreundeter Künstlerinnen, wo eine bereit ist, sich für die andere aufzuopfern, voraussetzen dürfen. —

Dem. Heinefetter ist bis jetzt als Amazili in Spontinis Cortes und als Susanne in Figaros Hochzeit von Mozart aufgetreten. Die junge Sängerin ist mit vielen schönen Gaben von der Natur ausgestattet, vielleicht verführte sie aber der Beifall, den Dem. Schechner sich durch ihren gewaltigen Gesang gewann, zu einer Anstrengung, welche zwar ihre mittleren, nicht aber die hohen und höchsten Töne vertrug. In jeder Rücksicht dürfen wir Dem. Heinefetter eine Sängerin nennen, die zu ihrer Kunst entschiedenen Beruf hat, zumal sie mit Lust und Liebe und mit einer Leidenschaft spielt, ohne die jeder Gesang uns kalt läßt.

Königl. Schauspielhaus. Hr. Paulmann vom Theater zu Köln, Sir G. Coke in Partheienwuth von Ziegler. — Da haben wir wieder einen Schauspieler, der uns zeigt, daß es wirklich noch eine Schauspielkunst giebt, der es versteht mit dichterischer Kraft einen Charakter aufzufassen, festzuhalten und in der Darstellung durchzuführen. Wenn wir sonst auf dem Zettel lesen: Hamlet . . Hr. N. N. Don Carlos . . . . Hr. N. N. ꝛc. und es dann für besser fänden, daß man Hamlet und Don Carlos wegließe und nur sagte: Hr. N. N. spielt, indem wir doch nichts anders zu sehn bekommen, als diesen Hrn. N. N., so finden wir es eben so überflüssig, daß Hr. Paulmann seinen Namen bei den Rollen nennt, die er giebt, denn da ist vom Hrn. Paulmann keine Spur darin; das war der alte Coke, wie er leibt und lebt. — Wodurch aber dieser Coke uns so wahr erscheint, ist, daß Hr. Paulman ihn bis auf die kleinsten Bewegungen, Angewöhnungen und Manieren individualisirt hat, so daß nur dieser bestimmte alte Coke solche und solche Bewegungen, solchen Ton der Sprache ꝛc. haben kann. So leidet dieser alte, zähe, blutdürstige Demagog an der Gicht; er hat die Gewohnheit sich das Ohr zu putzen, grad wenn er das, was man ihm sagt nicht hören will; die Zähne sind ihm ausgefallen und er kann die Zunge nicht mehr in fester Lage halten; dies alles weiß Hr. Paulmann in sein Spiel so zu verflechten, daß er einen so eigenthümlichen und dabei doch so wahren Coke darstellt, daß es in dieser Art nichts Vollendeteteres geben kann. Wir hören, daß Hr. Paulmann besonders noch zwei berühmte historische Charaktere, König Carl *XII.* und General Tilly mit außerordentlicher Kunst darstellt und machen auf sein nächstes Auftreten aufmerksam. —

Königstädtisches Theater. Sonnabend d. 16. Zum ersten Mal Cartouche, großes Melodrama in 3 Akten nach dem Französischen von Lembert. — Glücklich, dreimal glücklich. eine Nation, welche solche Helden aufzuweisen hat, die sie nicht nur in die Stadt- und Hausvogteien, sondern auch in Musik setzen kann und ihnen Unsterblichkeit auf der Bühne der idealen Welt zusichert, nachdem sie auf der Bühne der wirklichen Welt längst gerädert und geköpft wurden. Wie arm ist unsre Geschichte dagegen, wie beschämt treten wir mit unsern Helden zurück. Keinen Sandwirth Hofer, keinen Schill, keinen Herzog Oels sehen wir auf dem Nationaltheater, höchstens den Hans Kohlhaas und den bayrischen Hiesel. Lebt denn kein Schinderhannes mehr, der sich den Kranz um die Schläfe will flechten lassen? — Von der moralischen Wirkung dürfen wir uns diesmal nicht zu viel versprechen; nur die Gallerie und die Sperrsitze waren gefüllt. Hr. Meyer spielt den Cartouche mit zu gutmüthigem Gesicht; zum erstenmal sahen wir der Mad. Sontag eine Rolle zugetheilt, in der sie ihr Talent mehr als bisher zu entwickeln Gelegenheit hatte. — Der Sprung der Dem. Herold vom Heuboden herab war eine sehr geregte Pirouette, es wurde aber auch tüchtig applaudirt. — 9.

(Redigirt von Dr. Fr. Förster und W. Häring (W. Alexis.)

Im Verlage der Schlesingerschen Buch- und Musikhandlung, in Berlin unter den Linden Nr. 34.

Berliner
Conversations-Blatt
für
Poesie, Literatur und Kritik.

Donnerstag, — Nro. 121. — den 21. Juni 1827.

Meine Schicksale in Colombia, in den Jahren 1820 bis 1825.

(Im Auszuge mitgetheilt von A. Ewald W.)

Siebenzehn Jahre alt trat ich 1813 als freiwilliger Jäger in Preußische Dienste, und theilte Gefahr und Ruhm mit dem Bülowschen Armee-Corps während der Kriegs-Jahre 13 und 14. — Beim Handöverschen Hauptquartier angestellt begleitete ich dasselbe während der Jahre 1815 und 1816 durch Brabant und Frankreich; bereiste für ein Pariser Haus, während der Jahre 1817 und 1818 das nördliche Frankreich, die Niederlande und England; und schiffte mich im letzteren Jahre in Antwerben ein, um mich mit einem meiner Brüder in der Havana zu vereinigen.

Am Schlusse des Jahres 1819 begab ich mich von der Havana über Neu-Orleans und die Dänische Insel St. Thomas, nach der Insel Margarita in der Absicht, unter Bolivar's Befehl, an dem südamerikanischen Freiheitskampfe Theil zu nehmen; am Bord eines kleinen Dänischen Fahrzeuges, von ungefähr 60 Tonnen, segelte ich kurz nach Neujahr 1820 der letztgenannten Insel zu.

Die kleine Kajüte war durch die Gegenwart einer Französischen Krämerin, deren Kind und Sklavin, unter diesem heißen Himmelstriche kein besonders angenehmer Aufenthalt. Schon gleich nach der Abfahrt legte ich meine Matratze zwischen die Wasserfässer auf dem Verdecke; es blieb neben derselben noch ein 6 Fuß langer, 2 Fuß breiter, leerer Raum von dem ein anderer Passagier, meinem Beispiele folgend, Besitz nahm. Wir unterhielten uns anfänglich in Deutscher Sprache, die er mit ziemlicher Geläufigkeit sprach; und ich erfuhr, daß er Antonelly heiße, aus Italien gebürtig sei und zwischen Margarita und St. Thomas Handel treibe. Eben so offen wie er, theilte auch ich ihm Namen, Vaterland und die Absicht mit, unter den Patrioten (wie man sie damals nannte) in Margarita Dienste zu nehmen. —

Er versuchte mich von diesem Vorsatze abzubringen, indem er mir von jenem Dienste eine klägliche Schilderung machte: auch er sei als Commissair bei der sich damals in Margarita befindenden irländischen Legion angestellt gewesen, habe aber jene Anstellung mit Freuden aufgegeben, sobald einige seiner Freunde ihm in St. Thomas einen kleinen Credit eröffnet hätten, wodurch er in den Stand gesetzt sei, alle zwei Monate, mit einer kleinen Auswahl passender Waaren, nach Margarita zu gehn, bei den öffentlichen Versteigerungen der dort eingebrachten Prisen-Güter zu spekuliren, und das Erstandene gegen eine neue Auswahl in St. Thomas zu vertauschen.

Als er bemerkte, daß seine Schilderung keinen Eindruck auf mich machte, daß ich, sehr gut von den politischen Ereignissen jenes Landes unterrichtet, mir den republikanischen Dienst keinesweges als bequem und glänzend vorstellte, und mich zu diesem Schritte nur nach reiflicher Ueberlegung entschlossen hätte, gab er mir noch schließlich den Rath, mich erst ein Paar Tage in Margarita umzusehn, bevor ich den dort befehligenden Admiral Brion mit meinem Vorsatze bekannt machte; er begleitete diesen guten Rath mit dem gastfreien Anerbieten von seiner Wohnung während meines Aufenthaltes Gebrauch zu machen. Mit

Vergnügen nahm ich diese Einladung an, denn nicht allein gefiel mir seine Unterhaltung, sondern ich hatte schon in Erfahrung gebracht, daß es dort durchaus keine Logier-Häuser gebe.

Das Fahrzeug kam zum Anker im Hafen von Juan Griego; die Besichtigung des Hafen-Meisters abwartend betrachtete ich eine Reihe unansehnlicher mit Palmblättern gedeckter Lehmhütten, welche längs dem flachen, sandigen Ufer standen. Antonelly erzählte mir, daß dort früher ein hübsches Dorf gestanden habe, welches besonders wegen des Schattens seiner vielen Cocus-Bäume berühmt gewesen sei, daß die Spanier aber, welche eine gänzliche Verwüstung der Insel beabsichtigten, die Häuser verbrannt und die Bäume umgehauen hätten. — Da die Lage des Hafens und ein kleines Fort den patriotischen Fahrzeugen, vor denen der Spanier einigen Schutz gewährten, würden hier gewöhnlich die den Letzteren abgekaperten Schiffe eingebracht und verkauft: aus welcher Ursache sich mehrere Spekulanten eine Wohnung, doch nur eine temporaire, erbauet hätten, um bei einer plötzlich benöthigten Auswanderung keinen großen Verlust zu leiden; denn noch setze niemand großes Vertrauen auf das Waffenglück der Republikaner, denen die Spanier an Hülfsquellen und Disciplin weit überlegen wären.

Als wir ans Land fuhren machte er mich auf eine etwas größere Hütte aufmerksam, welche er ironisch die Residenz Sr. Exc. des Admirals Louis Brion nannte. Ein altes Mütterchen, von indianischer Abkunft, empfing uns in Antonelly's Hütte mit fröhlichem Willkommen, und bereitete uns ein wohlschmeckendes Mahl aus Seefischen, deren es dort im Ueberflusse giebt, welches wir, in Ermanglung eines Tisches auf einer leeren Platillas Kiste, vergnügt zu uns nahmen. —

Auf einem Spaziergange, den wir am Abend am Gestade des Meeres machten, erzählte mir mein freundlicher Wirth folgendes von der oben erwähnten irländischen Legion:

Devereux, aus einer vornehmen irländischen Familie entsprossen, war am Schlusse des verflossenen Jahrhunderts von seinen wider Georg *III.* empörten Landsleuten zum Anführer erwählt worden, in Folge dessen er bei dem unglücklichen Ausgange jener Rebellion nach den vereinigten Staaten Nordamerika's flüchtete. Als Supercargo, einer von dort nach Cartagena gesandten Ladung, lernte er in letzterem Platze Bolivarn zu einer Zeit kennen, als dieser (unvermögend, die sich in New-Granada mit stets wachsender Erbitterung bekämpfenden Faktionen mit einander zu versöhnen) nach Jamaica auswanderte, und dort nur durch ein halbes Wunder dem von Spaniern gedungenen Mordstahle seines eigenen Bedienten entging, welcher in der Dunkelheit den, zufällig in der Hamaca des Herrn schlafenden, Sekretair aus Irrthum erstach.

Devereux machte damals Bolivarn den Vorschlag, ihm, unter gewissen Bedingungen, ein Corps von Irländern zuzuführen, mit welchem er den Freiheitskampf auf der festen Küste von neuem versuchen könne, und erhielt von letzterem zu diesem Zwecke den Rang eines republikanischen Generals nebst den benöthigten Vollmachten und Instruktionen. Mit diesen ging Devereux nach Irland und da er selber kein Vermögen besaß, versuchte er, dem gleichzeitigen Beispiele des Generals English folgend, mehrere bemittelte Kaufleute für dieses Unternehmen zu interessiren. Doch so leicht wie es English geworden war, seine brittische Legion in London auf Kosten dortiger Kaufleute auszurüsten, und nach Venezuela zu senden, so schwer ward es Devereux den Dubliner Handelstand zu einer solchen Spekulation zu bewegen. Er veränderte also seinen Plan, und errichtete ein förmliches Comptoir, in welchem Officiers-Patente vom Fähndrich bis zum General in Bolivars Namen verkauft wurden. In einem Lande, wo die Bedienungen in der Armee käuflich sind, war dieses nicht auffallend; pompöse Schilderungen von den Annehmlichkeiten jenes Dienstes mit denen die periodischen Blätter gefüllt wurden, und der Umstand, daß von den sich meldenden Candidaten nichts weiter verlangt ward, als ihr Patent nebst den Kosten der Ueberfahrt zu bezahlen und ihre Equipage zu besorgen, verschafften Devereux's Patent-Comptoir einen außerordentlichen Zulauf. — Leute aus allen Classen, ohne die mindesten militairischen Kenntnisse, gaben ihr Geld mit Freuden hin, um republikanische Capitains, Majors, Obriste, ja Generals zu werden und stolzirten in Dublin in ihren kostbar angefertigten Uniformen umher. —

Um den armen Bethörten, welche binnen kurzem in ein Eldorada versetzt zu werden hofften, die Sache noch annehmlicher zu machen, ward das von ihnen bezahlte Geld nur für einen Vorschuß erklärt, womit die Unteroffiziere und Soldaten angeworben, bekleidet, bewaffnet und nach Venezuela verschifft werden sollten. Ein von Devereux ausgestellter Revers versicherte, daß, vier Wochen nach ihrer Landung in Venezuela, die dortige Regierung nicht allein diesen Vorschuß, sondern auch die rückständige Gage (vom Datum des Patentes an) ausbezahlen, und damit, ebenso regelmäßig, wie in englischen Diensten, fortfahren würde.

Mit solchen Erwartungen kam das etwa 1100 Mann starke Corps (bei denen über 200 Officiere waren) auf der Insel Margarita an, wo sie statt prachtvoller Quartiere die nackten Wänden elender Hütten fanden, und statt des versprochenen Geldes nur eine kärgliche Ration von einem halben Pfunde Pöckelfleisch, einer handvoll Mehl und einem Gläschen Fusel bekamen. Die Bemittelten unter ihnen waren sogleich nach England zurückgekehrt, die Uebrigen hatten sich auf die Ueberfahrt nach der festen Küste vertrösten lassen, wo man sie für alle Entbehrungen zu entschädigen versprach. Bolivar, dem es 1819 gelang beide Republiken (Neu-Granada und Venezuela) zu vereinigen, war tief im Innern des Landes bemüht eine Armee zu bilden, mit welcher er den Spanischen General Morillo aus den Küstenprovinzen vertreiben könne, und bestimmte die irländische Legion zu einer zweckmäßigen Diversion. — Seit acht Monaten hatten die armen halbverhungerten Menschen aber schon vergebens auf den Befehl zur Einschiffung gewartet. —

(Fortsetzung folgt.)

A. W. v. Schlegels Vorlesungen über Theorie und Geschichte der bildenden Künste.

Dritte Vorlesung.

Indem wir nun den einzelnen Künsten näher treten, haben wir zuvor die Frage zu berühren, wer der Gesetzgeber in dem Reiche des Schönen sein soll? Oft genug wird in der Gesellschaft und auch wohl von solchen, die sich näher für die Kunst und für Kunstwerke interessiren, jener Gemeinplatz wiederholt: „Ueber den Geschmack läßt sich nicht streiten," was nichts anderes heißen soll als: ein jeder sei gleich berechtigt sich bei Beurtheilung des Schönen oder Unschönen auf sein Gefühl, auf seine Meinung zu berufen, wobei dann freilich die mannigfaltigsten und widersprechendsten Urtheile zum Vorschein kommen. Allein es wird sich dennoch zeigen, daß die verschiedensten Nationen auf den verschiedensten Stufen der Bildung in dem, was ihnen für schön galt, im wesentlichen übereingestimmt haben und daß ein allgemeines Urbild des Schönen sich durchführen läßt. Wenn aber ganze Nationen durch Ungunst der Natur von dem Urbild des Schönen fern gehalten wurden, sind sie partheiisch, haben keine Stimme. Vor andern haben wir solche Völker zu beachten, in denen der göttliche Trieb, das Schöne darzustellen, erwachte. Ein Grundbedürfniß des menschlichen Geistes ist es, sich nicht in der gegebenen Wirklichkeit befriedigt zu finden. Wie er selbst das Geschöpf seiner eigenen Bildung sein will, so will er sich auch mit einer von ihm geschaffenen Welt umgeben und für dieses Streben geben nur die schönen Künste Befriedigung. Nicht Bedürfniß oder zufälliger Luxus haben Kunstwerke geschaffen, der tiefere Grund, aus dem sie hervorgingen, war das Bestreben die Ideale, die gottbegabte Menschen in sich trugen, und von denen sie in der Natur kein entsprechendes Bild fanden, aus sich heraus zu stellen und ihnen Wirklichkeit zu verleihen. Kaum giebt es wohl menschliche Zustände, die so entblößt von allem Sinn für das Schöne wären, daß sich nicht Anfänge der Kunst darin zeigten. Frühzeitig finden wir Poesie und Musik im Gesange vereint, wozu es keines mechanischen Werkzeuges bedarf. Späteren Ursprungs sind die bildenden Künste, mit denen wir uns ausschließlich beschäftigen wollen. Wir bemerkten schon früher, daß sie dem Geiste durch das Gesicht zugeführt werden, welches deshalb zu den edleren Sinnen gehört. Wenn die Philosophie des achtzehnten Jahrhunderts mit Recht darüber getadelt wurde, daß sie den Geist dem Materiellen und Sinnlichen unterordnet, so wollen wir dennoch nicht den wesentlichen Zusammenhang der Sinne mit dem Geiste verkennen. Die Sinne müssen aber hinaufgeadelt werden zum Geiste; nur die niederen Sinne, Geschmack und Geruch, die keinen Stoff zur schönen Kunst hergeben, sind von ihr ausgeschlossen; gegen den Tastsinn war man vielleicht zu streng. Nicht das Auge allein belehrt uns über die Formen, sondern auch das Gefühl. Wir glauben vieles zu sehn, was wir in der That nicht sehn, in das Auge kömmt nur das Spiegelbild der Fläche, wir aber sehen die ganze Kugel, weil frühe genug uns das Gefühl ihre ganze Gestalt kennen lehrte. Das Eckige und Zackige macht dem Auge einen unangenehmen Eindruck, weil der Tastsinn dadurch verletzt wird, wogegen das Ebene und Runde dem Auge aus demselben Grunde wohlthut. *)

*) In dieser Vorlesung wurde noch zur Architektur übergegangen; des Zusammenhangs wegen ziehen wir dies zur folgenden Vorlesung.

Berliner Chronik.

Königl. Oper. Montag d. 18. Juni. Scenische Darstellungen aus der italienischen Oper Mitridate mit andern dazu gewählten Gesangstücken von verschiedenen Componisten. Mad. Catalani, — Monima.

Wenn wir an solche scenische Darstellungen keine weitere Anforderungen machen, als: an die schönste

Zeit des höchsten Ruhmes der Mad. Catalani erinnert zu werden, so finden wir gewiß volle Befriedigung; denn die tragischen Mächte des Spiels und des Gesanges sah man noch nie so vereint, wie bei dieser Künstlerin. Von dem zartesten Geständniß der ersten Ahnung der Neigung durch alle Bewegungen der Liebe hindurch, bis zum Wahnsinn der Leidenschaft, wo die sonst stolze Königin im tiefsten Jammer dem, der sie verstößt, zu Füßen sinkt, sahen wir eine Reihe lebender Bilder, davon jedes einzelne von der Hand des Künstlers festgehalten zu werden verdiente. — Für besseres Verständniß der dargestellten Scenen war diesmal durch ein Textbuch gesorgt, allein fast möchten wir sagen, daß die Verwirrung und Störung nur noch größer geworden sei. Man hat äußerlich dem Text den Schein eines Ganzen gegeben; die Oper zerfällt in zwei Abtheilungen, jede davon ist in eine Anzahl Auftritte getheilt, aber man erwarte ja nicht auch nur den leisesten Zusammenhang. Kaum hat Monima dem Pharnazes ewige Liebe geschworen, so kömmt sie von der andern Seite mit Mithridates an, der sie zum Altare führt. Gezwungen sehn wir sie diesen Schritt thun und in einer der nächsten Scenen liegt sie, um Liebe flehend, vor Mithridat auf den Knieen. — All diesen Unverständnissen könnte abgeholfen werden, wenn man in dem Textbuche den Inhalt der ausgelassenen Scenen kurz angegeben fände. — Hrn. Baders (Mithridat) voller, getragener Gesang will sich dem italienischen Schnitzwerk nicht bequemen; Dem. Hoffmann (Silvia) hat eine so schöne Altstimme, daß ihr zu ihrem Ruhme nichts fehlt, als daß sie aus der Fremde zu uns käm und in Gastrollen aufträt. Es ist eine Ungerechtigkeit, die man gegen ein solches Talent begeht, daß man ihr, aus Rücksicht auf einige ältere Sängerinnen, nicht Rollen zutheilt, in denen sie sich geltend machen könnte. Warum hörten wir sie noch nicht als Tancred? — Die ungünstigste Rolle hatte Dem. Carl. als Pharnazes zugetheilt erhalten; daß Monima mit diesem Sopron sich vermählen will, hatte zu viel Unwahrscheinliches. — In dieser Scene wär man ohne Textbuch besser daran gewesen; man hätte geglaubt, die Königin gebe einem ihrer Kinder Unterricht im Gesange, was an Wahrscheinlichkeit dadurch gewann, daß der junge Pharnazes Ansätze und Vorschläge zu machen versuchte, die der Monima eigen sind, auch bemerkten wir daß der Zorn der Königin nicht allein dem untreuen Geliebten, sondern auch dem Orchester galt, von den sie ein rascheres Tempo mit dem Fuße fordern mußte. — Am meisten aber wurde uns der Eindruck, daß wir kein Ganzes vor uns hatten, dadurch gegeben, daß man allerlei Componisten herangezogen hatte, die durchaus nicht in einem und demselben Styl geschrieben haben. Portogallo und Rossini paßten nicht zusammen und die eingelegte Arie aus Lila zu jenen beiden Componisten eben so wenig. Dem Hrn. Regisseur würden wir ersuchen in Zukunft das Chorpersonale aus seinem Mumienhaften Zustande zu erwecken. Der erste Chor singt: Streut Blumen diesem heitern Tage! u. s. w. und von achtunvierzig Frauenarmen, die gegenwärtig waren um Blumen zu streuen, oder doch wenigstens so thun konnten, regten und bewegten sich nicht mehr, als zwei einzelne, die eine Zeitlang gradausgestreckt wie Meilenzeiger zu sehn waren; die anderen Frauen standen sämmtlich mit fest herabhängenden Armen und anliegenden Händen, wie egyptische Statuen. —

Zur Singe-Garde ist nun auch Mad. Sessi eingetroffen. — Hr. Benincasa aus Dresden ist angekommen, um Mad. Catali. in der Oper *il fanatico per la Musica*, die sie zu ihrem Benefiz geben wird zu unterstützen. — *r.*

Königliches Theater. Mittwoch am 13. ereignete es sich nach dem ersten Akt des Westindiers, daß zwei Trauerspiel-Dichter, ein Deutscher und ein Italiänischer in der Conditorei *) zusammen trafen. Sie kamen von der Kritik Kotzebues auf Cumberland, von Cumberland auf Shakspeare und von Shakspeare auf die Tragödie. Was Lessing und Schlegel für und gegen das Deutsche und Französische Trauerspiel gesagt, genügte nicht bloß in der Theorie auszusprechen, und da jeder der Dichter an dem Gegenübersitzenden einen lächelnd freundlichen Zuhörer fand, ward mit Exponirung der Fabeln zweier Trauerspiele begonnen, bis man für bessere Würdigung zum Recitiren der Hauptmonologe überging, was sich, sowohl italiänisch als deutsch in dem hohen Saale vortrefflich ausnahm. Wohl hat der Eine die unbescheidene Frage gehört: „Meine Herren warten sie hier auf Jemand?" sie aber in der Spannung, daß der andere aufhören und er den Moment des Beginnens nicht versäumen dürfe, unbeantwortet gelassen. Als beide später die Retourmarken zum zweiten Akt herauszogen, war niemand da ihnen zu sagen, ob er schon angegangen, denn selbst die Conditorgläser waren verschwunden. Ebenso die Lampen und die Menschen in den Gängen. Ob in den Logen noch jemand gewesen, ist ihnen verborgen geblieben, da die Thüren verschlossen waren. Da aber Todtenstille herrschte, spricht die Vermuthung dagegen. Als man um Mitternacht im öden Hause Töne vernahm, die ihres pathetischen Rhythmus wegen unmöglich zurückgebliebne Klänge des Lustspiels vom Abend vorher sein konnten, öffnete man von Kastellans wegen die unheimlichen Gänge und stieß auf den Monolog eines Französischen Tyrannen, während ein fünffüßiger Jambus mit Anapästen untermischt sehnlich den Augenblick erwartete den Alexandrinischen Despotismus aus dem Sattel zu heben. — Der deutsche Sieg unterblieb leider von Kastellanswegen, doch hat man allen Grund zu erwarten, daß der allgemeine Sieg der Theorie über die Praktik, in der eigenen Werkstätte der letzteren noch Früchte tragen wird. *a.*

---

*) Nach andern ein Französischer oder Irländischer. A. d. R.

(Redigirt von Dr. Fr. Förster und W. Häring (W. Alexis.)

Im Verlage der Schlesingerschen Buch- und Musikhandlung, in Berlin unter den Linden Nr. 34.

Berliner

Conversations-Blatt

für

Poesie, Literatur und Kritik.

Freitag, — Nro. 122. — den 22. Juni 1827.

Meine Schicksale in Colombia, in den Jahren 1820 bis 1225.

(Im Auszuge mitgetheilt von A. Ewald B.)

(Fortsetzung.)

Um mich, wie er sagte, mit dem Geiste und Betragen meiner künftigen Waffengefährten bekannt zu machen, führte mich mein Begleiter nach einer Hütte am Ende des Dörfchens. Eine Art Schenktisch zur Seite des Einganges, von ein Paar leeren Creas-Kisten, mit einem darüber genagelten Brette und einigen darauf stehenden Flaschen und Gläsern, ließ die Bestimmung derselben errathen. Auf einigen gebrechlichen Bänken, neben einem eben so invaliden Tische, saß eine Gruppe Menschen deren Anzug mich in Zweifel ließ, ob es Militair- oder Civil-Personen wären. Antonelly flüsterte mir zu: es wären Officiere der irländischen Legion, welche wahrscheinlich irgend ein Stück ihrer Garderobe verkauft hätten, und sich mit dem gelösten Gelde einen fröhlichen Abend machten.

Eine Flasche Rum zirkulirte bei einem muntern Trinkliede, dessen Schlußverse: *Fill away, drink away and drive away all sorrow, for perhaps we may not live again to morrow!* einstimmig und lautschallend wiederholt wurden — „*By God and all infernal powers!*“ rief einer von ihnen nach beendigtem Gesange aus, „kommt mir der Devereux einmal in den Weg, Nas' und Ohren schneid' ich ihm ab! Gab ich ihm nicht 500 Pfund für sein vermaledeites Majors-Patent, und wer giebt mir jetzt 500 Gläser Grog dafür?“ — „Fünfhundert Gläser Grog für euer Patent!“ rief sein Nachbar lachend, hab ich doch für mein Capitains-Patent auch 300 Pfund gezahlt, und für eine Flasche Rum schlag ich es gleich weg!“ — Da haben Sie die Auswahl und sehr billig! bemerkte mein Begleiter. Verstimmt folgte ich ihm nach Hause, und noch am folgenden Morgen trug mein Gesicht die Spuren des Mißmuthes.

Zur Erheiterung schlug mein Wirth einen Spazierritt nach Norte vor, einem zwei Stunden entfernten Dorfe, wo ein Landsmann von mir, der Doktor Stahl, wohnhaft sei. Die Pferde waren bald besorgt; wir schwangen uns auf und trabten fort. —

Stahl empfing uns sehr zuvorkommend, und in Gesellschaft seiner Frau und seines eilfjährigen muntern Sohnes nahmen wir ein fröhliches Frühstück ein. Antonelly ging darauf einige seiner Kaufkunden im Dorfe zu besuchen; Stahl und ich rauchten Zigarros vor der Thüre im Schatten eines Tamarindenbaumes. —

Er sei als Oberwundarzt mit Uslars deutscher Legion herausgekommen, so erzählte er mir, und hernach Oberstabschirurgus und Leibarzt beim Admiral Brions geworden; doch des patriotischen Dienstes herzlich überdrüssig habe er Antonelly's hülfreiche Hand benutzt, um hier in Norte einen kleinen Kramladen anzulegen, welcher ihn und seine kleine Familie ernähre.

Antonelly hatte seine Besuche beendigt, wir leerten noch eine Flasche Wein und ritten wieder nach Hause. Der Ritt hatte mir Vergnügen gemacht, meine Verstimmung aber dennoch zugenommen. Auf dem Rückwege holte uns ein Reuter ein, den mein Begleiter mir als den Capitain Heinsen aus Hamburg vorstellte. Er kam von Pampatar, dem Aufenthalte der irländischen Legion und begleitete uns nach Juan Griego, um mit dem Admiral Brion zu sprechen. —

Antonelly hatte Geschäfte außerhalb des Hauses; Heinsen erzählte mir er sei aus Hamburg gebürtig und mit der dort angeworbenen deutschen Legion des Obristen von Uslar, im Jahr 1818 nach Margarita gekommen; vereint mit der brittischen Legion des Generals English hätten sie einen leichten Angriff auf die Festung Cümana (der Insel Margarita gegenüberliegend) gemacht, wobei er verwundet und nach Margarita zurückgebracht sei. Er sei freilich völlig wieder hergestellt, aber es wäre keine Wahrscheinlichkeit vorhanden jemals wieder zu seinen Waffengefährten zu stoßen, welche, ins Innere des Landes gedrungen, sich mit Bolivar in den Ebenen des Apure vereinigt hätten. Er müsse sich jetzt an die irländische Legion anschließen, deren Bestimmung aber nach einer ganz andern Richtung sei. Ohnehin, meinte er, würde diese Legion nur schlechte Dienste leisten, obgleich die Leute fast lauter gediente Soldaten wären, welche die Feldzüge Wellington's in Spanien und Frankreich mitgemacht hätten. Die gänzliche Unerfahrenheit der Officiere, deren unmoralisches unsittliches Betragen, habe auch den gänzlichen Mangel an Disciplin zur Folge, und ohne diese stände nichts Gutes zu erwarten. Mit ihren fälschlich vorgespiegelten, glänzenden Erwartungen wären sie hier gelandet, einen achtmonatlichen elenden Aufenthalt hätten sie noch mit ziemlicher Geduld ertragen, weil man sie auf die feste Küste vertröste; wenn sie aber, dort angelangt, es, wenn auch nicht schlechter, doch auch nicht besser fänden, würde man sie schwerlich mit erneuerten immer weiter hinausgeschobenen Versprechungen beruhigen können. —

Ueber die gänzliche Verschiedenheit des Kriegführens in diesem Lande, von der in Europa gewohnten Weise, so wie über die Beschwerden und ungewohnten Entbehrungen, denen der Ausländer hier unterworfen sei, theilte mir Heinsen noch folgende Bemerkungen mit:

In einem von unwegsamen Gebirgen in allen Richtungen durchschnittenen, spärlich bevölkerten Lande, von der Größe wie Frankreich, Holland, Deutschland, Preußen, Pohlen und Ungarn zusammen gerechnet, manövrirt eine Armee, welche in Europa kaum für den Vortrapp einer Division gehalten würde, von etwa 6 — 7,000 schlecht bewaffneten, halbnackten undisciplinirten Eingebornen (abentheuerlich gemischt aus Negern, Mulatten, Indianern, Weißen und den unzähligen, aus derenVermischung entstandenen, Abarten) gegen die ebenso unbeträchtliche Armee der Spanier, welche freilich besser bekleidet und bewaffnet, aber den zu begegnenden Beschwerden nicht wie jene gewachsen sei. — Da es im ganzen Lande kein Fuhrwerk giebt, bestehen die gangbarsten Straßen nur aus schmalen Fußsteigen; mithin führt auch eine hiesige Armee weder Kanonen und Munitionswagen noch Proviant und Bagagewagen mit sich. Die wenige Munition für die Infanterie wird von Maulthieren getragen; die Cavallerie führt keine andere Waffen als Lanze und Schwerdt, und die Lebensmittel zum Unterhalte der Truppen müssen sie sich selber fortschaffen. Diese bestehen nämlich einzig und allein aus einer Heerde Hornvieh, welche, gleich den Pferden der Cavallerie, auf der Weide ihr Futter suchen müssen. Hierzu kommt noch der Umstand, daß zur Zeit, wenn die Wege am gangbarsten sind, das Gras durch die anhaltende Dürre fast gänzlich vertrocknet. —

Dem Mangel an Bekleidung begegnet der Eingeborne im äußersten Nothfalle dadurch, daß er in die Mitte seiner wollenen Decke ein Loch schneidet, den Kopf durchsteckt und die eine Hälfte vorne die andre hinten herabhängen läßt. Wird der Weg zu steinig oder zu dornig für seine nackten Füße, bindet er ein Paar Stücke einer ungegerbten Kuhhaut unter dieselben; den Hut versteht er sich selber aus Palmblättern zu flechten; aus den Fasern der Pita verfertigt er sich einen kleinen Fouragebeutel und die ausgehöhlte Schaale der Calabaza dient ihm zur Feldflasche. An einem Stecke röstet er sich ein Stückchen so eben geschlachteten Fleisches, öfter wochenlang seine einzige Nahrung ohne Salz und ohne Brod; die unzähligen Mosquitos stören seinen Schlaf nicht, und der dem Nordländer schädliche Thau gewährt ihm eine angenehme Erquickung. — Zu diesen Beschwerden gesellen sich für den Europäer noch mancherlei Krankheiten und andere Uebel, denen der Eingeborne entweder gar nicht unterworfen ist, oder welche doch nur unbedeutend auf seinen Körper wirken. —

Ich theilte darauf Heinsen meine Absicht mit, mich an die bevorstehende Expedition anzuschließen, worüber er mir seine Freude zu erkennen gab; und am Abend kehrte er nach Pampatar zurück, wo er einige zwanzig deutscher Reconvalescenten von Uslar's Legion befehligte.

Am folgenden Morgen machte ich dem Admiral meine Aufwartung. Ich hatte von St. Thomas sowohl an ihn, als auch an den Generalmajor Lino de Clemente, einen Onkel Bolivar's, verschiedene Empfehlungs-Briefe mitgebracht, welche ich jetzt überreichte.

Er befragte mich über die Art wie ich angestellt zu sein wünschte. — Ich gestand ihm offen, daß, was ich von der irländischen Legion gesehen und gehört habe, mich vom Eintritte in dieselbe abhalte; daß ich aber mit Vergnügen irgend ein Geschäft beim Stabe übernehmen würde, bis sich mir später vielleicht Gelegenheit darböte zur deutschen oder zur brittischen Legion zu stoßen. —

Er beschied mich auf den folgenden Morgen. — Diesesmal traf ich den Obristen Mariano Montilla bei ihm, welcher das Commando dieser Expedition auf der festen Küste übernehmen sollte. Brion stellte mich demselben vor, und theilte mir mit, daß er mich zum Ingenieur Capitain ernannt, Montilla mich aber zum Aide-de-Camp genommen habe, indem er sich bei seinem, aus mancherlei Nationen gemischten, Corps von meinen Kenntnissen in der spanischen, französischen, englischen und deutschen Sprache gute Dienste verspräche. — Ich unterhielt mich noch eine Zeitlang mit ihnen, fand daß beide aufgeklärte gebildete Männer waren, nahm einige Erfrischungen ein, und kehrte zu Antonelly zurück, dem ich meine Anstellung mittheilte. —

Gratuliren kann ich dazu nicht, antwortete mir dieser, von Herzen wünsche ich Ihnen alles nur denkbare Glück auf dieser neubetretenen Bahn, aber ich befürchte das Gegentheil. Ich hatte kein persönliches Interesse Ihnen abzurathen, sondern nur den Wunsch Ihnen durch meine Erfahrung nützlich zu werden.

Ich dankte ihm für seine Theilnahme und versicherte ihn meiner unbeschränkten Achtung; nicht vorgespiegelte glänzende Aussichten, sondern die Ueberzeugung der ehrenvollen gerechten Sache, hätten mich zu diesem Schritte bewogen; mein persönliches Wohlsein käme dabei nicht in Ueberlegung. —

(Fortsetzung folgt.)

A. W. v. Schlegels Vorlesungen über Theorie und Geschichte der bildenden Künste.

Dritte Vorlesung.

(Beschluß.)

Die Architektur.

Zuerst haben wir die gewöhnliche Ansicht zu entfernen, als sei diese Kunst etwa aus dem Bedürfniß, sich gegen Wind und Wetter zu schützen, hervorgegangen. Die ersten schönen Gebäude dienten nicht körperlichem Bedürfniß, sie wurden zur Ehre übernatürlicher Wesen aufgeführt.

Wir nehmen Architektur in einem weiteren Sinne und zählen auch dazu die Anlage öffentlicher Plätze, die schöne Gartenkunst, Verzierungen der Gebäude und schönen Geräthe, Trinkgeschirre rc., zunächst alle Werke der Kunst, wofür der Mensch den Namen erfunden hat, und die nicht in der Natur eine bestimmte Gattung zum Vorbilde haben. — Die Architektur giebt keine solchen Formen, die als einzelne Formen in der Natur vorhanden sind und ist daher, im Gegensatze gegen die Bildnerei, die die Kunst der individuellen Form ist, die der allgemeinen Form. —

Bei der Architektur muß berücksichtiget werden: 1) die allgemeine geometrische und mechanische Grundlage; 2) die Symmetrie; 3) die Proportion; 4) die Verzierung.

Die geometrische und mechanische Grundlage ist wesentliches Bedürfniß; uns liegt ob zu zeigen, wie der Künstler dabei der Natur Folge leistet. Die geometrischen Verhältnisse sind zurückzuführen auf die geraden und krummen Linien. Dabei wird eine Fähigkeit unseres Geistes angesprochen, die uns angeboren ist, womit das Wohlgefallen, das wir über richtige Verhältnisse empfinden, zusammenhängt. Die ununterrichtetsten Menschen sind practische Geometer, wie dies Platon in den Menon anschaulich macht. Bei dem Regelmäßigen finden wir leicht eine Uebereinstimmung zwischen Bild und Begriff, bei dem Unregelmäßigen können wir Bild und Begriff nicht zugleich fassen. Diese ersten geometrischen Elemente kommen bei dem Grundriß sowohl als bei dem Aufriß der Gebäude vor. Den schönen Griechischen Tempeln liegt ein Oblongum zum Grunde, die Hauptfaçade wird von einem Viereck mit darüberliegendem Dreieck gebildet. Auf diesen zwei Figuren, dem Viereck und dem Dreieck, beruhen die Grundverhältnisse der Gebäude der schönen Griechischen Baukunst und diese Linien durften nie durch einen äußeren Schmuck verdeckt und verkleidet werden. —

Vierte Vorlesung.

Vornehmlich sind es die perpendikularen (senkrechten) und die horizontalen (wagerechten) Linien, die in der schönen Baukunst vorkommen und sie haben den Vortheil, daß sie dem schönen Gebäude zugleich das Ansehn ungestörter Festigkeit geben. Beide Linien beruhen auf dem Gesetz der Schwere; in der senkrechten Linie zeigt sich die grade Richtung nach dem Mittelpunkt der Erde, in der wagerechten hat sich die

Schwere ins Gleichgewicht gesetzt. Ein Würfel giebt uns das Bild fester Ruhe, eine Kugel dagegen das der Beweglichkeit. Der hängende Thurm zu Pisa, der sich beträchtlich von der senkrechten Linie entfernt, macht einen gefährlichen, unangenehmen Eindruck, wenn man auch erfährt, daß er schon 700 Jahre in dieser schrägen Lage stand. — Wenden wir uns zur Natur, so finden wir im Reiche der Elemente schon regelmäßige geometrische Figuren; wir erinnern nur an die Kristallisationen in dem Mineralreich, die so regelmäßig sind, daß die Winkel der verschiedenen Seiten ein Bestimmungsgrund der Eintheilung und Classification wurden. Eben so bei den verschiedenen Salzen, Eisnadeln, Schneesternen. Hier zeigt sich die der Natur inwohnende Geometrie. Auf den untersten Stufen des Thierlebens verliert sich diese Regelmäßigkeit, das Lebendige erträgt solche Beschränkung nicht; bei den Schaalthieren, wo etwas dergleichen vorkömmt, ist es von dem thierischen Organismus ausgeschieden worden zur äußeren Bekleidung und Wohnung; doch finden wir nicht die Regelmäßigkeit und Geometrie der Kristalle bei den Schnecken und Muscheln; hier sind es geschwungene Linien. —

2) Symmetrie. Wir verstehen darunter eine Uebereinstimmung der Theile, die dem Auge sogleich faßlich wird, und unterscheiden die centrale und die zweiseitige Symmetrie. Die centrale Symmetrie kömmt vor bei Sternfiguren, überhaupt bei regelmäßigen Figuren, aus deren Mittelpunkt, so complizirt sie auch sein mögen, wir nach jeder Seite hin dasselbe sehen; z. B. in einer Rotonda. Ein artiges Spiel in dieser Beziehung ist das Kaleidoscop.

Die zweiseitige (bilaterale) Symmetrie ist die, wo die beiden Hälften eines Ganzen einander als zusammengehörend entsprechen. Alle Völker der Welt, die auf schöne Architektur Anspruch machen, stimmen überein in diesen beiden Symmetrien. In der unorganischen Natur tritt die zweiseitige Symmetrie nicht hervor, wohl aber in der Pflanzenwelt; das Streben aus der unterirdischen Nacht zum Sonnenlicht bedingt den graden Wuchs, die Zahl der Baumblätter und Zweige ist zwar nicht regelmäßig, allein das Blatt selbst, als ein verjüngtes Bild der ganzen Pflanze, zeigt schon Anfänge einer zweiseitigen symmetrischen Ordnung. Mehr aber wird die centrale Symmetrie von der Blüthe erreicht, in welcher die Pflanze zu dem höchsten Genuß ihres Lebens kömmt. Hier sehen wir Symmetrie der Blätter, der Staubfäden und von diesen schönen Gebilden ist Vieles in die Architektur aufgenommen worden. In der Thierwelt wird die zweiseitige Symmetrie vorherrschend und zwar um so mehr, je ausgebildeter der Organismus ist; — Augen, Ohren, Hände, Füße. — Wo diese Symmetrie verkehrt wird, giebt es misgestaltete Ungeheuer. —

Sichrer als die Natur vermag die Kunst diese Symmetrie festzuhalten; ohne sie kann kein Bauwerk für ein Werk der schönen Kunst gelten. Wie aber im thierischen Organismus diese Symmetrie nur nach außen zur Erscheinung kommt, der Anatom aber im Innern sie nicht findet, so ist auch dem Architekten erlaubt, in dem Innern die Bequemlichkeit und Oekonomie als das Bestimmende eintreten zu lassen. Bei solchen Bauwerken aber, die nicht auf oekonomische Benutzung berechnet sind, waltet auch im Innern die Symmetrie vor; z. B. in Tempeln, Kirchen, Festsälen. —

Correspondenz.

Wien, Mai.

(Aus einem Privatschreiben eines österreichischen Dichters.)

Nicht der literarische Cordon allein ist es, der uns Oesterreicher so vereinzelt dastehen läßt, denn dieser ließe sich noch ertragen, da er in der Nähe keinesweges so streng erscheint, als Uebelgesinnte in der Ferne verbreiten wollen. Aber es fehlt uns an gemeinsamem Bestreben, an einem Vereinigungspunkt unserer Kräfte; an einem wechselseitigen Umtausch der Ideen, überhaupt an jenem wohlthätigen geistigen Verkehr, der jeder Literatur erst Fleisch und Blut giebt. Haben wir doch nicht einmal ein einziges Blatt, in dem sich ein vereintes Wirken, wenn es auch keine bestimmte Gestalt gewinnen, wenigstens abspiegeln könnte! Deswegen wenden sich unsere Besseren auch mit ihrer ganzen Thätigkeit zu dem Auslande, obschon selbst dieses, aufrichtig gesagt, an derselben Krankheit zu leiden scheint. Das Vereinzelungs- und wechselseitige Vernichtungssystem ist wohl ein Hauptgrund des Verfalls der Kunst und der Tod aller Produktion. Jeder baut, wie die Kinder, sein Kartenhaus auf eigene Faust, und wenn's fertig ist, bläst's Einer dem Andern um. *) Nicht daß ich etwa einen Sächsischen Liederkreis verlangte, der mit seinem Complimentirbuch (daß Gott erbarm!) an die alte Fabel des ehrlichen Götz erinnert, denn wir sehen es ja, was aus diesen wechselseitigen Gevatterschaften hervorgeht! — — Im Gegentheil, da wir einmal unsere künstlerische Glut von der Sonne unmittelbar nicht mehr nehmen können oder wollen, so muß es Reibungen geben, um eine wohlthätige Flamme zu erzeugen, doch sollten diese Reibungen nicht weiter gehen, als eben nöthig ist, sonst ersticken wir ja auch das Erzeugte! Vielleicht gelingt es den Berlinern durch ihre literarische Mittwochgesellschaft, besonders aber durch Ihr Conversations-Blatt, dessen Zweck mich mit wahrer Freude erfüllte, da ich ihn in der Erscheinung selbst, wenigstens zum Theil schon realisirt fand — vielleicht gelingt es ihnen, damit eine heilsame Umänderung zu bewirken. *)

*) Liegt dies aber nicht vielleicht in der deutschen Eigenthümlichkeit und tiefer als man denkt, da selbst der ästhetische und philosophische Schulzwang (selbst in seiner Blüthezeit) nie in Deutschland gegen den Independentismus etwas vermocht hat? Von dem Academiewesen ganz zu schweigen. Selbst eine Opposition in Deutschland zu organisiren würde an Unmöglichkeit gränzen. d.

*) pia desideria!

(Redigirt von Dr. Fr. Förster und W. Häring (W. Alexis.)

Im Verlage der Schlesingerschen Buch- und Musikhandlung, in Berlin unter den Linden Nr. 34.

Berliner

Conversations-Blatt

für

Poesie, Literatur und Kritik.

Sonnabend, — Nro. 123. — den 23. Juni 1827.

A. W. v. Schlegels Vorlesungen über Theorie und Geschichte der bildenden Künste.

Fünfte Vorlesung.

Das dritte, worauf es bei der Architektur ankommt, ist die Proportion, worunter wir das Verhältniß der Maaße, theils des Ganzen, theils der einzelnen Theile verstehen. — Einige Theoristen haben gewisse absolute Proportionen feststellen wollen, allein die Bauwerke der classischen Baukunst widersprechen der Annahme eines solchen gleichsam constitutionell gewordenen Canons für die Verhältnisse, obwohl bei einigen Völkern etwas dergleichen vorkömmt. Die schöpferische Phantasie fordert auch in der Baukunst einen freien Spielraum und vor andern Völkern verlangten die Griechen eine ihrer heiteren Sinnesart entsprechende Freiheit in der Kunst. — Nur relativ lassen sich die Proportionen feststellen und es findet ein Auf- und Abgehen an diesen Verhältnissen statt.

Das Hauptverhältniß an einem Gebäude ist das der Höhe zur Breite; steht es frei, so tritt das der Länge oder Tiefe noch hinzu. Als eine allgemeine Regel kann man annehmen, daß das, was nicht mehr durch ein geübtes und gesundes Auge verglichen werden kann, die Proportion überschreitet. Wir finden ferner, daß der Charakter der Gebäude verschieden sein kann nach ihren verschiedenen Proportionen, ohne daß deshalb der Schönheit derselben Eintrag geschieht. Ebenso finden wir ja Thiere schön, obwohl der Bau ihrer Glieder verschiedener Art ist. Der starke andalusische Stier ist im Verhältniß eben so schön gebaut, als die leichte Gazelle und der flüchtige Hirsch. —

Jene falschen Begriffe von der Proportion und eine blinde Verehrung des classischen Alterthums, haben einseitige Ansichten veranlaßt, wonach man nur Griechische Baukunst wollte gelten lassen. Die Proportionen dieser Baukunst sollten das Grundmaaß für alle Völker und alle Zonen und Zeiten geben, was davon abwich, galt für barbarisch; der gute Sulzer war noch der Meinung, daß an dem Straßburger Münster „wenig Gesundes" sei. Der Baukunst aber, wie jeder andern Kunst, hat immer die, in einem bestimmten Weltzustande herrschende Idee ihr Siegel aufgedrückt und die Kunstwerke waren nur ein Wiederschein derselben in der sichtbaren Welt. —

4) Verzierungen. Ist allen wesentlichen Anforderungen ein Genüge geleistet, so tritt zur Vollendung des Ganzen noch der Schmuck hinzu, der am geschicktesten da angebracht wird, wohin die Gelenke des Gebäudes fallen, wo die Glieder sich vereinigen. Durch die Verzierung erscheinen die besonders gegliederten Theile als ein Ganzes. In den großen und wesentlichen Theilen des Gebäudes herrschen wesentliche Verhältnisse, bestimmte Linien, theils die Cirkel-Linie, wie bei den Säulen, theils die senkrechten und wagerechten Linien. In den Verzierungen finden die freien und geschwungenen Linien einen angemessenen Spielraum und durch den Contrast mit jenen strengeren Linien wird das Wohlgefallen daran gehoben. Der ganze Reichthum der mineralischen und vegetabilischen Natur kann zur Verzierung verwendet werden; allein auch hier soll der Künstler nicht blos nachah-

men, sondern nachbilden. Bei den Griechen und Aegyptern erscheint diese Nachbildung oft nur als Anspielung. Ueberhaupt zeigten auch hierbei die Alten in der classischen Zeit der Kunst großen Geschmack, selbst wenn sie sich den phantastischen Spielen der Thier- und Pflanzenwelt hingaben. Die große Architektur muß keusch und nüchtern in der Wahl der Verzierungen sein; einzelnen Theilen darf nicht eine vorlaute Stimme vergönnt werden. Zu große Abwechslung in den Verzierungen wirkt störend, vielmehr liebten die Alten hier eine gleichmäßige Wiederholung. Hier ist es nun wo die Bildnerei der Baukunst die Hand reichen muß; wir wollen sie nicht so isolirt stellen, wie es Winkelmann noch that; beide bedürfen einander, doch sollen sie sich nicht gegenseitig den Weg vertreten. Bei der schönen Baukunst sind insonderheit dem Bildhauer bestimmte Räume zur Verzierung überlassen. Die Akroterien, Frontons, Metopen, Friese werden theils mit freistehenden Statuen, theils mit Reliefs verziert. Im Ganzen kann als Grundsatz angenommen werden, daß der Gipfel und die Stirn des Gebäudes am reichsten verziert wird.

Letztlich haben wir noch etwas über die Farben der Stoffe der Baukunst zu sagen. Einfarbigkeit ist das Günstigste und zwar hat der lichtere Ton den Vorzug vor dem dunklen; das Buntscheckige verhindert das Hervortreten der reinen Formen und einfachen Linien. Gesprenkelter Granit und Porphyr, oder gestreifter und geäderter Marmor können verwendet werden, da sie in einiger Entfernung einen gleichfarbigen Ton annehmen. Auch metallischer Glanz ist nicht zu verschmähen, die Prachtgebäude der Römer waren mit Goldplatten belegt und Petersburg und Moskau glänzen mit ihren vergoldeten Kuppeln, die zum Theil der byzantinischen Baukunst angehören. Napoleon hatte den schönen Eindruck, den die Kuppeln von Moskau auf ihn machten, nicht vergessen, so schlimm es ihm auch dort ergangen war. Sogleich nach seiner Rückkehr gab er Befehl die Kuppel des Doms der Invaliden zu vergolden. —

Welchen wohlthätigen Eindruck die gleichmäßige Färbung einem Gebäude giebt, bemerken wir, wenn wir es im Mondlichte betrachten, wo noch hinzukömmt, daß die kleineren Partien zurücktreten und nur die großen Umrisse sich gegen den dunklen Horizont abzeichnen. Dann versöhnen wir uns oft mit Gebäuden, die uns bei heller Tagesbeleuchtung verwirren, wie dies z. B. mit dem Eingang der Peterskirche in Rom der Fall ist.

So sehen wir, wie die geometrischen Linien die festen Grundverhältnisse des Gebäudes bilden; die Symmetrie kündigt dann das Werk als ein Werk des menschlichen Geistes an, das sein Dasein durch sich selbst haben soll; die Proportion bestimmt das Ebenmaaß und den Charakter, durch die Verzierung kömmt Fülle und Pracht hinzu. Da verstehn wir die Fabel Amphions, die uns erzählt, daß die Mauern von Theben sich durch die Harmonie der Töne zusammenfügten. —

Literatur.

Rafael. Kunst und Künstlerleben in Gedichten von Karl Förster. Mit Kupfern nach Gemälden von Rafael. Leipzig bei Göschen 1827. —

Wir haben öfter von dem Vorrechte gesprochen, welches die Kritik habe, betrachtend zu dem Kunstwerke heranzutreten, und ihm dadurch die höchste Anerkennung zu geben, daß es den darin aufgeschlossenen aber dennoch verschlossen liegenden Gedanken ausspreche. Hier sehen wir nun einen Dichter zu den Werken eines Künstlers herantreten und die Deutung seines Lebens und seiner Schöpfungen in der Sprache, die ihm die Muse verlieh, versuchen. Der Poet scheint hier einen doppelten Eingriff, in das Gebiet der Philosophie und in das der Mahlerei, gethan zu haben und über beides soll er uns Rede stehn. —

Was zuvörderst die Frage betrifft: ob der Dichter in das Gebiet der Philosophie und noch dazu der kritischen, Streifzüge machen dürfe? so müssen wir ihm allerdings dies Recht zugestehn, da sich die Poesie mit ihren leichten Schwingen gern unter dem Himmel des Gedankens sonnt und ihr Gefieder, das in dem düstern Erdenschatten oft nur grau erscheint, spielt dann sogleich in buntfarbig goldener Pracht. Es giebt kein so tiefes Geheimniß der Wissenschaft, das nicht auch von der Poesie ausgesprochen werden könnte, obwohl das Unpassende der Form gleich einleuchtet, wenn wir ein System der Logik in Sonetten oder andren Reimweisen und Versen verlangen wollten. Unser Dichter aber mußte sich um so mehr aufgefordert fühlen, zuweilen sein poetisches Luftschiff mit dem Ballast des Gedankens zu beschweren, da Rafael, dessen Ausleger er wird, uns selbst in die Schule von Athen führt und die *scientia rerum divinarum* uns im Bilde zeigt. — Was nun die zweite Frage betrifft: ob nämlich der Dichter in das Gebiet der Mahlerei streifen könne, so ist dieses schon in alter Zeit von Horaz und in neuer Zeit von Lessing zur Sprache gebracht worden. Es scheint hierbei vornehmlich zweierlei in Betracht zu kommen. In jedem Kunstwerke ist ein poetisches Element vorhanden, ja wir möchten behaupten, daß ein jeder wahrhafte Künstler Poet ist, in sofern er mit schöpferischer Kraft und Begeisterung erfindet, das Erfundene in seinem Werke vor die Vorstellung bringt und aus sich herausstellt. — Wie nun die Philosophie, als die gemeinsame Mutter aller Wissenschaften, das Recht hat, zu jeder einzelnen hinzuzutreten und ihren Antheil für sich in Anspruch zu nehmen, so hat auch die Poesie das Recht von den bildenden Künsten dieses Besthaupt zurückzufordern, um zu zeigen, daß sie die selbstständige und souveraine Königin ist.

Der Dichter hat seinen Gedichten folgenden von Tieck geschriebenen Wahlspruch vorangestellt: „Was können wir den großen Kunstgeistern zum Dank anders widmen, als unser volles, entzücktes Herz, unsere andächtige Verehrung? für diese unbefangene, kindliche Rührung, für diese völlige Hingebung unsers eigenthümlichen Selbsts, für diesen vollen Glauben an ihre edle Trefflichkeit haben sie gearbeitet.“ Wenn dies das ganze Geheimniß der Aesthetik wäre, dann wäre es in der That leicht ein Kunstwerk würdig zu betrachten. Allein wahre Anerkennung fordert mehr, als ein volles, entzücktes Herz und als blos andächtige Verehrung. Hätte der Verfasser vorliegender Sammlung es nur „bei der unbefangenen kindlichen Rührung, bei der völligen Hingebung seines eigenthümlichen Selbsts“ bewenden lassen, so würden wir nicht vernehmen, wie er in sinnigen Liedern und mit gedankenmäßiger Auslegung der Kunstwerke befreundet, ihre Deutung in schöngefügten Weisen giebt. Aufgeben sollen wir allerdings vor dem Kunstwerke unser eigenthümliches Selbst, aber nur um es geläutert und verklärt wieder zu gewinnen, wo wir dann vor dem Kunstwerke an Juliens ewigen Ausspruch erinnert werden: „je mehr ich gebe, desto mehr empfange ich!“ —

Eine zweite Betrachtung, die bei dem Einschreiten der einen Kunst in das Gebiet der andern sich aufdringt, ist die, daß eine jede Kunst ihr bestimmtes Element und ihre bestimmte Sphäre hat; der Musik ist der Ton, der Mahlerei die Farbe, der Dichtkunst die Vorstellung als der Stoff angewiesen, in welchem sie arbeiten. Hier zeigt es sich nun bald, wo die Grenze einer jeden einzelnen von diesen Künsten liegt und wo dann die eine ergänzend zu der andern hinzutreten darf. In dem Bilde des Mahlers finden wir eine bestimmte Situation, einen einzelnen Moment festgehalten; wir verlangen zu wissen, was vorhergegangen, und was weiter zu erwarten steht; wo aber dies nicht in einer Reihe von Bildern gegeben worden ist, darf die Poesie uns die Vergangenheit und Zukunft des im Bilde dargestellten Augenblicks mittheilen und das innere, tiefere Geheimniß, was nicht im Bild, nur im Worte ausgesprochen werden kann, verkündigen. — Um eine bloße Wiederholung des Bildes, um ein Mahlen mit Worten ist es der Poesie nicht zu thun, sie weiß, daß sie den Glanz der Farbe, die Schönheit der Form, den Schein der unmittelbaren Gegenwart nicht wie die Mahlerei zu geben vermag; allein für den wesentlichen Inhalt und die wahrhafte Bedeutung des Bildes darf ihr das Wort nicht fehlen. — Dagegen gestattet aber auch der Dichter dem Mahler wiederum Zutritt zu seinem Werke und die Scenen zu Dante's göttlicher Comödie und zu Goethe's Faust von Cornelius sind eben so willkommen, wenn auch nicht zum Verständniß, doch zur belebteren Anschaulichkeit der von den Dichtern eingeführten Personen, als uns ein Lied Goethes von Zelter componirt und von einer seelenvollen Stimme gesungen erst dadurch den lebendigen Odem zu empfangen scheint. —

So ist nun auch unser Dichter zu den Werken Rafaels getreten und hat theils die innere Bedeutung derselben in der umfassenderen Sprache der Poesie ausgesprochen, theils was vor und hinter dem im Bilde dargestellten Momente liegt, durch die Dichtung ergänzt. — Der Faden aber, welcher diese Bilder und Gedichte verbindet, ist das Leben des Künstlers selbst, den der Dichter von dem Schooße der Mutter durch die Schule des Meisters von Perugino nach Florenz und Rom führt, uns dann ihn als den Liebling hoher und gebildeter Frauen, als den Günstling eines kunstsinnigen Pabstes kennen lehrt, ihn ferner in dem stillen Aufenthalte belauscht, wo er alle jene Gunst und jenen Glanz in den Armen der treuesten Liebe vergißt. — Freunde und Schüler sehen wir sich an ihn anschließen, aber in der Blüthe der Jahre wird diese Blüthe gebrochen und mit der höchsten Vollendung der Kunst hat sich ihm auch das Leben vollendet. — Zwischen die bedeutenden Lebens-Momente hat der Dichter die gerühmtesten Werke des Meisters hineingestellt, so daß sein Leben und Wirken sich im schönsten Verein wie in der Wirklichkeit, so auch in der Dichtung zu dem vollsten Blüthenkranze verschlingen. — So reich das Werk auch mit Kupfern bedacht ist, so wünschen wir doch bei einer zweiten Ausgabe dieselben noch vermehrt zu sehn. Es könnte dann für die Geschichte der Ausbildung Rafaels unterrichtend sein, auch aus der Zeit, wo er noch ganz der Schule Peruginos angehörte, ein Bild von seiner Hand zu sehen. Seinerseits würde dann auch der Dichter den Cyklus der Lieder noch erweitern können, und wie Rafael in seinen Bildern uns von der Schöpfung der Welt an durch das alte Testament, durch Griechenland und Rom hindurch zu der Erlösung in dem neuen Bunde führt, so würden sich auch diese Gesänge zu einem weltgeschichtlichen Epos ausbreiten lassen. —

Um zu zeigen, wie der Dichter die von uns oben erwähnte Berechtigung: zu dem Werke des Mahlers heranzutreten, ausgeübt hat und zugleich den Geist und poetischen Duft, der durch diese Gedichte weht, kennen zu lehren, werden wir in den nächsten Nummern drei Gedichte aus dieser Sammlung mittheilen. Wir haben das Vorwort: die Schule von Athen und die Madonna della Seggiola ausgewählt; das erstere zeigt uns in wie fern dem Dichter die tiefsten Gedanken der Spekulation zugänglich sind, das zweite wie er die Auslegung eines Bildes übernimmt, wo der Pinsel des Mahlers nicht ausreichte, und das dritte, wie der Dichter den einzelnen im Bilde dargestellten Moment zu einer Handlung in vollständiger Entwickelung ausbreiten darf. F. F.

Lied von Béranger.

In deutscher Nachbildung von Wilhelm Neumann.

So soll es seyn.

Prophet bin ich, ihr Freunde glaubt;
Denn meiner Kunst ward es erlaubt,
Zu schau'n die Zukunft hell und rein.
So soll es seyn!

Kein Dichter lobt fortan um Sold;
Kein Mächt'ger bleibt dem Schmeichler hold,
Kein Höfling kriechend mehr und klein.
So soll es seyn!

Wuch'rer und Spieler flieh'n nun weit;
Kein Wechsler macht als Graf sich breit,
Und die Beamten werden fein.
So soll es seyn!

Freundschaft, die Lebensglück uns schenkt,
Bleibt nicht auf lau Gespräch beschränkt;
Flieht nicht, wenn Unglück bricht herein.
So soll es seyn!

Die Jungfrau, zählt sie funfzehn Jahr,
Wird kaum, was Liebe sey, gewahr;
Zu achtzehn liebt sie treu und rein.
So soll es seyn!

Die Frau entsagt dem Prunke gern;
Der Mann, blieb' er acht Tage fern,
Läuft nicht Gefahr, schließt nie sie ein.
So soll es seyn!

In Dichterwerken herrscht hinfort
Begeist'rung, nicht Verstand und Wort;
Frei bleiben sie von Spielerei'n.
So soll es seyn!

Der Autor ist voll Würd' und Kraft,
Der Mime nicht mehr geckenhaft,
Kein Kritiker grob und gemein.
So soll es seyn!

Der Großen Schwäche wird belacht,
Ein Spottlied ihrem Knecht gebracht;
Die Polizey mischt sich nicht d'rein.
So soll es seyn!

Der Kunstgeschmack erhebt sich bald,
Das Recht regiert, nicht die Gewalt;
Auf Wahrheit folgt nicht Straf' und Pein.
So soll es seyn!

Nun danket Gott, der's so bestellt;
Er ordnet Alles in der Welt.
Dreitausend Jahr nur wartet fein;
Dann soll's so seyn.

Zufällige Gedanken.

Von C. r.

29. Welches Räthsel, daß das Ich sich selber eines ist! Besteht Gottes Allwissenheit nicht viel mehr im höchsten Selbererkennen, als in der Allkenntniß des Universums? Oder ist dieses eins mit jenem?

30. Unsere Phantasie glaubt Neues zu erschaffen, indeß sie nur Altes zusammen setzen kann, und es geht ihr darin, wie dem Kinde mit dem Baukasten: beim Auseinanderlegen der Steine vergißt es über der Form, daß der Stoff ihm schon gegeben war. Der Gedanke einer Welt ist größer, als ihre Erschaffung, und Gottes Allmacht besteht vielleicht mehr in jenem als in dieser.

(Redigirt von Dr. Fr. Förster und W. Häring (W. Alexis.)

Im Verlage der Schlesingerschen Buch- und Musikhandlung, in Berlin unter den Linden Nr. 34.

Berliner Conversations-Blatt für Poesie, Literatur und Kritik.

Montag, — Nro. 124. — den 25. Juni 1827.

Rafael.

(Von C. Förster.)

Ein breiter Strom treibt rastlos seine Wogen
durch ödes Land, durch bunte Blüthenpracht,
rauscht nieder jetzt in silberhellen Bogen,
rinnt jetzt unsichtbar durch der Tiefe Schacht;
doch ob er nun dem Auge sich entzogen,
bald drängt er sich ans Licht aus finstrer Nacht;
die alten Wasser rauschen auf und schwellen,
und Wunder taucht an Wunder aus den Wellen.

Und ahnend sieht der Mensch in seinen Fluthen
des Himmels Herrlichkeiten ausgestellt,
und von des Aethers mildergoßnen Gluthen
bis auf den Grund die blaue Tief' erhellt;
ein selig Träumen will ihm dann gemuthen
tief unter ihm die lichte Wunderwelt,
er streckt den Arm, des Fernen Herr zu werden;
doch unerreichbar liegt's dem Sohn der Erden.

Wie ruhten einst die Kinder goldner Zeiten
so glücklich an der Quelle Blumenrand!
Still lauschten sie der Woge sanftem Gleiten,
bewußtlos schöpfte lautres Gold die Hand:
nicht suchte fern das Aug' in Nebelweiten,
was näher ihm in vollster Klarheit stand,
und freudig stieg aus kindlichem Gemüthe
zum Licht empor des Glaubens freie Blüthe.

Da lag der Mensch, Natur, an deinen Brüsten
und sog an deinem Quell sich reich und groß;
nach eitlem Schimmer kann's ihm nicht gelüsten,
das Beste beut verschwendrisch ihm dein Schoos;
ob drunten sich der Tiefe Mächte rüsten,
vom Mutterherzen reißt ihn keine los;
alleins Natur und Gott und Stern und Pflanze,
verschlingt die Welt sich ihm zum reichsten Kranze.

Wie aus der Wolke lind ein warmer Regen
befruchtend sich auf Blatt und Blüthe senkt,
daß alle Fasern sich und Knospen regen,
und jeder Kelch zur Sonne froh sich lenkt,
so quillt ins Menschenherz des Himmels Segen,
und Wahrheit ist's, was er ergreift und denkt,
bis, von der ew'gen Mutter losgerissen,
zu wissen er beginnt von seinem Wissen.

Weh der unseligen, trugvollen Spaltung,
die Sohn und Mutter von einander reißt,
daß er, berauscht vom Scheine der Gestaltung,
der Täuschung Nebelbild als Wahrheit preist!
Wie stolz er jauchzt der freieren Entfaltung,
Kampf selbst dem Himmel beut mit irrem Geist;
Der inn're Gott ist ihm dahin geschwunden,
Noch hat er außen ihn nicht wiederfunden.

Wohl späht der flüchtige Gedank' ins Weite
und sucht auf Erden sich sein Gegenbild;
doch wie er fern und nah die Flügel breite,
ein aufgescheuchtes, hungermüdes Wild,
das Wesen floh, der Fried' erstarb im Streite,
und ewig bleibt die Sehnsucht ungestillt;
da trennet frevelnd, unterthan dem Scheine,
in tausend Schatten er das ewig Eine.

Und Stärk und Weisheit, Kunst und Liebe schweben
einsam, geschieden durch die weite Welt;
bald siehst du Blumen sie ins Daseyn weben,
bald Todesnetze feindlich ausgestellt.
Und andre Lust nun hat das neue Leben;
denn Reiz ist rings erwacht, und Reiz gefällt,
und mit des Sinnenglanzes goldnen Strahlen
läßt seinen Gott der Mensch sich gern bezahlen.

Und Marmorsäulen ragen, Tempel steigen,
und von Altären raucht der Opferbrand;
hinan die Stufen wallt der Festesreigen,
und Weihgeschenke trägt der Jungfrau Hand;
mit Kränzen, sieh! geschmückt und grünen Zweigen,
kommt Schaar um Schaar heran aus fernstem Land,
und unter Liedeslust und Saitenklängen,
wie Brüder, all' sich durch einander mengen.

Hinaus dann zieht's gedrängt zum heitern Spiele,
wo, weil im Kreis umher die Freude wallt,
dem Ringer hier, dem Läufer dort am Ziele
des Beifalls Jubel von den Sitzen schallt.
Als sey er der Unsterblichen Gespiele,
strahlt er in überirdischer Gestalt;
der rüst'gen Kraft, der jugendlichen Schöne
freu'n neidlos Hellas' Töchter sich und Söhne.

Und was sich frei in Spiel und Kampf entfaltet,
ruft gastlich mild die Kunst in ihren Kreis,
und leiht dem Stein lebend'ge Sprach' und waltet
in ihrem Reich mit Lust und Sinn und Fleiß.
Wenn sie der Erde Herrlichstes gestaltet,
ringt kühn mit der Natur sie um den Preis,
und all' des Himmels Götter und Göttinnen
umfaßt der Mensch berauscht mit seinen Sinnen.

Doch nicht im kalten Marmor wohnt das Rechte.
wenn's nicht zuvor im Menschengeiste ruht.
Was frommt es, daß im Dunkel heil'ger Nächte,
fern von des Volkes irdisch frommer Gluth,
die ernstre Weisheit künftigem Geschlechte
das Beß're wahrt, der Menschheit Erb' und Gut?
Und würd' es gleich der langen Haft entlassen,
die Welt vermöcht' es nimmer doch zu fassen.

Doch ewig nicht verzieht des Vaters Milde;
in nächtiger Verwirrung wildem Graus
ersteht ein Held und zähmt der Völker Wilde,
und baut dem ew'gen Gott ein festes Haus.
Sein Wort ist Heil; von seinem Demantschilde
geht strahlend Wärm' und Licht und Leben aus,
und neue Blüthen, neue Knospen schwellen,
wenn Lieb' und Glaub' und Hoffnung sich gesellen.

Hörst du des Heiles Botschaft rings erschallen?
Sie tönet fort und fort von Mund zu Mund!
Die Mähr verstummt, es schweigt der Kindheit Lallen
ein männlich Wort thut männlich kühn sich kund,
die alten Götzenbilder sind zerfallen,
des Einen Bild ersteigt auf festerm Grund,
zu dem all', die vom Fleisch geboren, treten,
im Geist und in der Wahrheit anzubeten.

Ein reicher Baum, von Strahlen hell umwoben,
streckt seine vollen Aeste weit hinaus,
bis in die Wolken ragend, schlank erhoben,
ein schirmend Dach, ein tönend Blätterhaus,
und Englein spielen in den Wipfeln droben
und streuen lächelnd ihre Gaben aus,
und was das Herz im schönsten Traum begehret,
wird liebend ihm und ungesucht bescheeret.

Denn glänzend aufgethan sind alle Schätze,
und freudig eilt der sel'ge Mensch heran,
daß er an ihrem Schimmer sich ergötze,
der Nacht entronnen und dem alten Wahn;
zerrissen sind der Thorheit eitle Netze,
und offen liegt und frei des Lebens Bahn;
Solch Heil zu künden Lebenden und Todten,
zieht froh hinaus die Schaar der Liebesboten.

Und daß an ihr das reine Herz erwarme,
nimmt durch die Welt die Botschaft ihren Lauf;
der Himmel schließt die Erd' in seine Arme,
die Erde thut dem Himmel gern sich auf;
der Mensch weiß, daß ein Vater sich erbarme;
der hebt den Reu'gen mild zu sich hinauf,
und wie die Tag' auch nieden finster weben,
einst aus dem Tod' erblüht ein schön'res Leben.

Den Seh'nden Heil! doch wehe wer, betrogen
um Erd' und Himmel, von dem Herrn sich kehrt! —
Ach, wo die Liebe segnend eingezogen,
ersteht der Haß und wetzt sein blutig Schwert,
der Argwohn lauscht, die Zwietracht spannt den Bogen,
und schleicht verräth'risch um Altar und Heerd;
zur Richtstatt zieh'n mit glaubensfreud'gem Muthe,
die Christ sich hat erkauft mit seinem Blute.

Schürt nur die Gluth, werft Scheit auf Scheit
zusammen!
Sprecht eure Flüche, schärft der Blitze Strahl!
der fromme Streiter auch hat seine Flammen,
und was er thut, ist nicht die eigne Wahl:
was himmlisch ist, kann nicht der Erd' entflammen;
das Wort des Herrn ist Feuer ihm und Stahl,
und freudig blickt, mit Sieg im Tod begnadet,
er auf zu ihm, der in sein Reich ihn ladet. —

Du lichte Zeit, ihr hellen Kindertage,
voll froher Dulderpein, voll Kranzeslohn,
voll Muth im Tod, voll Schmerzen sonder Klage,
voll treuer, heißer Lieb' im Haß und Hohn!
Die hehren Dulder wandeln durch die Sage,
die schöne Zeit ist alt und längst entflohn,
und bebend fragt der Mensch und blicket nieder:
kommt solche Lust, kommt solche Liebe wieder?

Und Lust und Liebe kehren froh zur Erde
und schmücken neu des Menschen ödes Haus,
ruft einst die Kunst mit freundlicher Gebehrde
den Liebessegen in die Welt hinaus;
durch alle Schöpfung tönt ein neues Werde,
und neue Freud' erblüht im alten Graus,
und, wie berührt von einem Zauberstabe,
entsteigt, was starb, im Jugendglanz dem Grabe.

Gegrüßt, ihr Meister mit den offnen Blicken,
dem frommen Herzen und der festen Hand,
die ihr der Andacht seliges Entzücken,
des Glaubens Muth, der Liebe süßen Brand
und alle Freuden, die das Leben schmücken,
in eurer Bilder heitern Raum gebannt!
Gegrüßt, mein Sanzio, in dem Chor der Geister!
Du aller Meister unerreichter Meister! —

Urtheil eines Engländers über Schillers Wallenstein.

Wenn wir — und wie selten kömmt der Deutsche dazu — mit Nationalstolz von der günstigen Aufnahme, welche den Meisterwerken unserer Literatur im Auslande zu Theil wird, hören, so ist es fast von noch größerem Interesse nun auch die Urtheile kennen zu lernen, die von ausländischen Kunstrichtern gesprochen werden, da wir darin — wenn auch nicht Belehrung darüber, was wir von unsern Dichtern zu halten haben, doch ein und den anderen Wink finden, welchen Einfluß die deutsche Literatur gegenwärtig als Gesetzgeberin in der Europäischen Literatur ausübt. Schillers Einfluß auf die Französischen Romantiker wurde schon mehrmals erwähnt; diesmal geben wir das Urtheil eines Engländers über ihn.

„Diderot bemerkt sehr gut, daß der Zusammenhang der Begebenheiten in der Natur häufig unserer Beobachtung entgeht, weil wir das ganze Zusammentreffen der Umstände nicht vollständig kennen. Bei wirklichen Thatsachen sehen wir nur den zufälligen Verlauf der Dinge, aber der Dichter wünscht in dem Plan seines Werks eine deutliche und augenscheinliche Verbindung zu zeigen, so daß er, obgleich in Wahrheit weniger treu, doch mehr den Anschein der Wahrheit hat als der Historiker. Diese Art von innerer Verknüpfung hat Schiller in seinem vortrefflichen Schauspiele „Wallenstein" fortwährend hervorzubringen gesucht. Wir werden in die Bekanntschaft der geheimen Triebfedern, von denen alle Charaktere sich leiten lassen, eingeführt, und jeder Glückswechsel tritt in seinen geheimen Ursachen klar und bestimmt hervor. Als ein Ganzes ist das Stück auf einem im Innern gegründeten Zusammenhang gebaut, der nichts zur vollständigen Lösung entbehrt und in allen seinen Beziehungen vollendet ist. Dieß Kunstwerk ist ein vollkommenes Studium für den jungen Dichter, der in seiner Composition als Künstler zu verfahren lernen will, wie für den Kritiker, der die Grundsätze der Kunst erkennen will, ehe er über den Werth ihrer Leistungen urtheilt.

Bei aller seiner Vortrefflichkeit hat dieses Schauspiel einen großen Fehler, welcher als ein Grundbestandtheil seiner Abfassung durch das Ganze hingeht; es hat einen zu philosophischen Anstrich. Seine Charaktere sind auf gar zu metaphysische Weise durch die Zeichnungen geschieden. Der Verfasser ist frisch von dem Studium des transcendalen Idealismus hergekommen. Er hat denselben auf die Kritik von Werken des Geschmacks angewandt; fühlte aber bald, daß die Gewohnheit zu kritisiren seiner poetischen Kraft Schaden that. Er sah sich selbst schaffen und bilden, und seine genau bewachte Phantasie konnte sich nicht mehr mit derselben Freiheit bewegen, wie damals, als sie bei ihren Verrichtungen ohne Zeugen war; er hat aber die Hoffnung, daß die Kunst ihm zuletzt zur zweiten Natur werden würde. Dieß wäre auch geschehen, hätte er nur lange genug gelebt.

Shakspeare und Milton waren in gewissem Sinn auch Metaphysiker, und vielleicht gab es nie einen großen Dichter, der nicht auch seiner Anlage nach ein großer Philosoph gewesen wäre. Damit aber ein Metaphysiker ein glücklicher Poet sei, muß er nothwendig früher Dichter als Philosoph gewesen sein. Keine formalen Regeln, keine erworbene Kraft kann die Frische der Frühlingszeit des Herzens geben. Diese Kraft muß genährt werden, und sich in früher Jugend überwiegend selbst entfalten, und mit wachsender Stärke mehrere Jahre hindurch glühen. — Dann beginnt der Dichter die Mittel und Werkzeuge, mit welchen er geschaffen hat, zu untersuchen, und dieß ist bekanntlich eine Aufgabe, welche das ganze Leben ausgezeichneter Schriftsteller in Anspruch genommen hat. Keiner ist an Kühnheit des Geistes und Spannkraft mit Schiller zu vergleichen. Seine Kunst blieb noch Kunst, und ohne die außerordentliche Lebenskräftigkeit seines Genies, würde dieselbe Alles verdunkelt haben, was von der Kraft und Freiheit seiner ursprünglichen Natur ihm noch übrig war.

Dieß findet auf Wallenstein die vollkommenste Anwendung, und man möchte dieses Gedicht lieber wie einen Roman, als wie ein Schauspiel betrachten. Wir dürfen freilich in dieser Art von Dramen keinen raschen Gang erwarten, und müssen manche lange Reden, Personen, deren Thaten und Leiden die interessantesten Erzählungen unseres früheren Lebens ausmachten, verzeihen; aber wir sind doch schwer dahin zu bringen, es in einem Schauspiele, von welcher Art es auch sei, zu dulden, daß ein kaum merklicher Fortschritt der Handlung und förmliche Vorlesungen über Geistes- und Moralphilosophie sich darin finden; dagegen auf der andern Seite dürfen solche Belehrungen und solche Gegenstände mit vollkommenem Recht im neuen Roman oder der Novelle vorkommen, wo der Begebenheiten und Personen nur wenige sind, aber wohl gewählte und auseinander gehaltene, und worin die philosophische Zergliederung der verschiedenen Gemüthszustände und eigenthümlichen Charaktere eben so viel Vergnügen macht, als die Verwickelungen der Thatsachen und Verhältnisse der verschiedenen Personen. Als Beispiel diene folgendes Gespräch, welches einer Frau in den Mund gegeben ist, deren Charakter, obgleich auf eine Weise entworfen, daß sie solche und ähnliche Untersuchungen anzustellen wohl im Stande und geneigt sei, dennoch von Natur jenes so abstracten und feinen Ausdrucks in so philosophischer und bestimmter Sprache nicht fähig sein kann. Man sieht leicht, daß dieser Abschnitt wesentlich undramatisch ist, und in einer Erzählung höchst wahrscheinlich als des Dichters eigene Reflexion über dieselbe und seines Helden Charakter wäre gegeben worden. Wallenstein hat mit seiner Schwester darüber gesprochen, ob er Recht hätte, vom Kaiser abzufallen, der ihn früher geliebt und geehrt. Sie erinnert ihn daran, wie schlecht seine Verdienste belohnt worden, daß der Kaiser ihn früher dem Haß aller Stände im Reiche, die durch seinen ausschließlichen Eifer für seines Herrn Größe mit Recht aufgebracht gewesen hingegeben hätte; daß obgleich er nachher ehrenvoll wieder eingesetzt worden, dieß doch nur geschehen sei, weil der Staat seiner Dienste bedurfte, und daß jetzt dasselbe Gesetz der Nothwendigkeit ihn rechtfertigte, wenn er sich gegen seine Herrn empörte.

Vertrauen, Neigung — man bedürfte deiner —
Die ungestüme Presserin, die Noth,
Der nicht mit hohlen Namen-Figuranten
Gedient ist, die die That will, nicht das Zeichen etc.
1ster Aufzug. 7ter. Auftritt. (Beschl. folgt.)

Der Portugiese und der Spanier.

Die Portugiesen halten sich für das erste Volk in der Welt und auf der anderen Seite sind die Spanier überzeugt, daß nichts leichter sei, als einen Portugiesen anzuführen. Zum Beweis hiervon erzählen die Letzteren folgendes: Ein Portugiese und ein Castilianer gingen zusammen auf die Jagd, da der erstere fürchtete, sein Gefährte könne ihn betrügen, machte er mit ihm aus, daß alles was geschossen würde, zu gleichen Theilen getheilt werden sollte. Die Jagd fiel nicht zum besten aus, und sie hatten den Abend nichts weiter in der Jagdtasche als eine Krähe und ein Rebhuhn: „Nun Freund", frug der Portugiese, „wie sollen wir unser Wildprett am besten theilen." „Ei nun", antwortete der Spanier, „jeder bekommt die Hälfte und ich überlasse dir die Wahl: entweder nehme ich das Rebhuhn und du die Krähe oder du nimmst die Krähe und ich das Rebhuhn." — „Sehr wohl" sagte der Portugiese und mußte sich mit dem Schwarzwild begnügen.

Berliner Chronik.

Königl. Oper. Freitag d. 22. Dem. Schechner als Fidelio. — Endlich hörten wir diese, durch keine andere Gunst, als ihre Kunst, zum Liebling nicht so wohl, als zur verehrten Prima Donna gewordene Sängerin in einem, ihrer Stimme angemessenen, Meisterwerke. Ihr Spiel schien durch den ihr unbequemen und ungünstigen Anzug etwas befangen; allein dies alles vergaß man über die Wirkung ihrer Töne. Hätten wir immer solche Sängerinnen, dann ließe sich an der Pracht der Decorationen viel sparen; denn wer früge wohl nach gemahlten Wasserfällen, wenn eine solche Stimme sich vernehmen läßt, die selbst den Niagarafall und das Toben des Rheins bei Schaffhausen zum Schweigen bringen würde!

(Redigirt von Dr. Fr. Förster und W. Häring (W. Alexis.)

Im Verlage der Schlesingerschen Buch- und Musikhandlung, in Berlin unter den Linden Nr. 34.

Berliner
Conversations-Blatt
für
Poesie, Literatur und Kritik.

Dienstag, — Nro. 125. — den 26. Juni 1827.

Die Schule von Athen.*)

(aus Rafael von E. Förster).

Hoch wölbt sein Dach ein stolzer Bau, errichtet
für jetz'ge und für kommende Geschlechter,
bis Lieb' einst mild der Satzung Zwiste schlichtet;
und Götter stehen drin als heil'ge Wächter
und halten fern, die unberufen kamen,
der Thoren Volk, des strengen Worts Verächter.
Im Innern tief keimt der Erkenntniß Saamen
und strebt empor und treibt ans Licht der Sonnen
Gezweige vielfach an Gestalt und Namen,
doch all' getränkt aus Eines Lebens Bronnen,
gemach emporgesäugt an Einem Lichte,
von Einer Liebe Strahlennetz umsponnen.
Denn jedem glänzt, daß keiner ganz verzichte,
in dunkeln Blättern seiner Blüthen Segen,
und sehnend harrt die Welt der reifen Früchte.
Die Gärtner stehn umher, mit treuem Pflegen
der Pflanze heilig Leben zu entfalten,
und Pilgerschaaren nahn auf allen Wegen.
Ihm wird — hofft jeder — sich die Frucht gestalten,
und wer ein Blüthenzweiglein sich gebrochen,
meint in der Hand des Lebens Preis zu halten.
Des Räthsels Wort, noch ist es nicht gesprochen;
doch Irdischem kann Irren Schimpf nicht bringen,
bis Wahrheit einst die leichte Schuld gerochen.
So laßt sie stolz ums Haupt den Kranz sich schlingen!
wie fern sein Ziel dem kecken Pfeile liege,
ist's göttlich doch, nach Göttlichem zu ringen.
Die Wissenschaft buhlt nicht um schnelle Siege,
und freut sich neidlos an der Schwester Glücke,
die einst als Kunst gewacht an ihrer Wiege.
Die aber baut aus Strahlen eine Brücke,
drauf sie im Fluge, treu des Herzens Mahnen,
zu sel'gem Schauen alle Welt entzücke,
und zürnet nicht, sieht unter fremden Fahnen
sie Andre kühn den Kampf ums Höchste wagen
mit andern Waffen und auf andern Bahnen. —
Es steht der Bau, des Tempels Säulen ragen,
der Weisheit Jünger ziehen durch die Pforte,
weil d'rin die Meister ihre Sphinx befragen.
Ein jeder sinnt dem dunkeln Räthselworte,
ein jeder meint, die Deutung zu erkunden,
und fußet stolz auf dem errungnen Horte;

*) Die Schule von Athen, in dem Zimmer della Segnatura. Die Weisen der verschiedensten Völker und Zeiten sind in einem mit den Standbildern Apollo's und Minervens geschmückten antiken Tempel versammelt. — Hauptfiguren, die, ohne Rücksicht auf Zeitfolge, im Gedichte genannt oder angedeutet sind: Diogenes Pythagoras, Empedokles, Terpander, Epiktet, Epikur, Sokrates, Alcibiades, Platon, Aristoteles, Archimedes mit der Gruppe seiner Schüler, Rafael selbst. — „Der seine Welt ꝛc." Dem Empedokles, einem Schüler des Pythagoras, sind Freundschaft und Feindschaft die bei der Entstehung der Welt wirksamen Urkräfte. — Terpander gab der Leier sieben Saiten und soll früher, als Pythagoras, die Tonzeichen erfunden haben. — Epiktet war Sklave des Epaphroditus. — „Begrüßt, du Andrer ꝛc," Sokrates. — „Der Jüngling hier ꝛc," Alcibiades. — „Sieh droben dort den Schwan ꝛc.," Platon, der oben im Hintergrunde neben Aristoteles steht und mit der Hand nach dem Himmel deutet. Dem Sokrates war er, nach der Sage, im Traum als ein junger Schwan erschienen, der, vom Altar des Eros auffliegend, in seinem Schooße sich niederließ und von da sich in die Luft emporhob. — „Der Stagirit," Aristoteles. — Archimedes erscheint im Bilde umgeben von seinen Schülern, die nach den verschiedenen Stufen des Lernens und Auffassens trefflich dargestellt sind. — „Du von Urbino ꝛc.", der Künstler selbst, der neben seinem Lehrer Perugino hinter der Gruppe des Archimedes rechts im Bilde zu sehen ist.

am Boden hier, der, Herz und Sinn gebunden,
umsonst nach Menschen seine Leuchte wandte,
weil er den Menschen nicht in sich gefunden;
dort, der sich einen Freund der Weisheit nannte,
und in der Zahl geheimnißvollem Walten
der Dinge Grund, des Lebens Sinn erkannte.
Die Schüler horchen still dem Wort des Alten;
„Er hat's gesagt! es kam von seinem Munde!" —
Und, froh bemüht, in Bildern festzuhalten
des Lebens Wort, lauscht der geheimern Kunde,
der seine Welt aus Lieb' und Feindschaft baute,
Empedokles, der Würdigste im Bunde.
Vom Meister fodert, was er früh erschaute,
zurück Terpander, dem in stillen Nächten
der Leier Klang Verborgenstes vertraute.
Ihm tönt die Lyra; Andre führt zum Rechten
des Herzens Stimm', und, selig in Entbehrung,
sitzt Epiktet, der Frei'ste unter Knechten.
An Epikur zu heiterer Belehrung
drängt Greis und Kind sich, um Genuß zu werben. —
O haltet fern des ird'schen Sinns Bethörung!
Zur Thorheit wird sein Wort unweisen Erben,
die frecher Hand des Goldes Reine trüben,
der Welt zur Schmach, sich selber zum Verderben.
Gegrüßt, du Andrer, der mit treuem Lieben
du für das Höchste froh den Tod erlitten,
im Sterben noch Unsterbliches zu üben!
Ein freier Bürger du im Reich der Sitten,
riefst du die Weisheit von des Himmels Schwellen
und führtest mild sie in der Menschen Hütten.
Und dankbar schöpfen aus des Segens Quellen,
die du geöffnet in des Lebens Oede,
die Treuen, die sich liebend dir gesellen.
Der Jüngling hier, der mit dem Sporn der Rede
sein Volk gelenkt und strauchelnd oft erwiesen,
wie Eitelkeit das beß're Selbst ertödte,
zog er den Pfad, den ihm der Freund gewiesen,
abirrend nicht zur Rechten noch zur Linken,
ihn hätte länger sein Athen gepriesen.
Des Nebels Täuschung muß vom Auge sinken,
zum Himmel fessellos dein Fittig streben,
willst du, o Mensch, vom Born der Wahrheit trinken.
Sieh' droben dort den Schwan die Flügel heben,
durch Nachtgewölk zum Tag' empor zu fliegen,
zu heitrem Schauen aus dem ird'schen Leben! —
Dein Platon ist's. Laß seinen Wink dir gnügen!
Die Strahlen flocht er, die vereinzelt glommen,
zum Kranz, ihn kühn sich um die Stirn' zu fügen.
Nach oben weist von wannen er gekommen,
die Hand, empor zum Quell des ewig Schönen,
und was er bringt, es wird der Erd' einst frommen.
Erst aber muß den blöden Menschensöhnen
das Ein' auf's neu' in Einzelnes sich trennen,
bis stark sie sich an voll'res Licht gewöhnen.
Das frohe Schau'n löst auf sich in Erkennen,
und herrschend lenkt, zur Erde nieder zeigend,
der Stagirit, die sich nach ihm benennen.
„Baut fest den Grund, bevor, in Wolken steigend,
zur Pyramid' ihr Stein' auf Steine schichtet!"
ruft ernst sein Blick, und Alle hörens schweigend.
Und Archimedes wägt und mißt und richtet
die Welt nach Zahl und Kreis. — Lauscht nur dem Meister!
Du, der, auf Eigenes du hast verzichtet,
erstaun' und merke! Du dort, prüfe dreister!
Und du, beweise, daß kein Pünktlein fehle!
Meßt Körper ihr! doch laßt die freien Geister! —
Daß freudig Erd' und Himmel sich vermähle,
mißt nur der Maler mit den scharfen Blicken
im Leibe wunderbarlich Geist und Seele.
Willkommen d'rum auch du, der Welt Entzücken,
du von Urbino, am geweihten Orte!
der Weisheit Tempel dachtest du zu schmücken,
und wölbst dir selber, sieh! des Ruhmes Pforte.
Denn würdig stehst du in der Hohen Kreise;
dem Bild gelingt, was sich versagt dem Worte,
und mit dem Künstler wandelt froh der Weise.

Urtheil eines Engländers über Schillers Wallenstein.

(Beschluß.)

Schillers Charaktere untersuchen auch nicht selten ihre Gefühle, anstatt sie auszudrücken, was in einer Erzählung oft sehr vortheilhaft, aber in einem Schauspiel störend und ohne Wirkung ist, da es sich mit der Heftigkeit der natürlichen Leidenschaft oder Rührung nicht wohl verträgt. Zuletzt ist Wallenstein selbst in fast jedem Gefühl, das er äußert, außerordentlich metaphysisch, was sich zum Character paßt, aber diesen selbst seinem Grundwesen nach undramatisch macht.

Einzelne Charaktere sind vortrefflich gezeichnet, besonders ist Schiller bei der Zeichnung von Butlers Charakter mit vielem Urtheil zu Werke gegangen. Dieser ist der Mörder des Wallenstein, und wir können den Grund seiner Rache, wodurch er getrieben wird, durchaus nicht billigen. Ein weniger ausgezeichneter Dichter würde diesen nun zu einem vollendeten Bösewicht gemacht haben. Für eine solche Person können wir aber unmöglich eine Theilnahme fühlen, und es vermischt sich mit unserm Abscheu vor seinem Verbrechen durchaus keine Art von angenehmer Bewegung; aber Buttler wird fortwährend unserer Theilnahme nahe gehalten; zuerst wegen der Kränkung, die ihm widerfährt, und dann durch seine Gemüthsart; bei ihm ist Rache Tugend, und für die Zurücksetzung, welche er meinte vom Kaiser erfahren zu haben, würde er gern mit Friedland gemeinschaftliche Sache gemacht haben. Er ist eben so ehrgeizig wie sein Feldherr und fast eben so stolz; er handelt nach der Meinuug, daß wir alle uns selbst unsern Werth aufdrücken, uud der Lohn, nach dem er strebt, wird nach einem hohen Maaße gemessen. Dieß gilt ihm mehr als das Leben irgend eines Menschen, und den Herzog zu tödten, ist ihm eine Ehrensache.

Wallenstein ist auf alle Weise zum Helden eines Trauerspiels geeignet; sein Charakter ist eben erhaben und ausgezeichnet genug, uns ein Gefühl der Größe und Würde zu geben, aber doch nicht so vollkommen, daß durch sein unglückliches Ende unser moralisches Gefühl beleidigt wird. Die Umstände seiner Ermordung und die finstern Ahnungen seiner Seele, deren Vorläufer, sind eben so rührend und ergreifend, als irgend etwas Anderes innerhalb unserer dramatischen Erfahrungen. Die Leidenschaften des Mitleids und der Furcht werden durch passeude Mittel und mit großer Wirkung erregt.

Sehr schön ist Thekla's Beschreibung des astrologischen Thurms, nebst den darauf folgenden Betrachtungen des jungen Piccolomini. Diese bilden wie der Uebersetzer (Coleridge) richtig bemerkt, für sich allein ein schönes Gedicht.

Max Piccolomini hat noch ein ganz besonderes Interesse, außer dem, welches ihm seine Liebe zu Thekla und sein Gefühl für Ehre und Recht geben. Der Verfasser hatte die Absicht, Wallensteins Jugend in ihm zu schildern. So haben wir das Bild des Helden ganz vollendet, dargestellt in dem Feuer der Jugend, gekleidet in die goldnen Wolken der Abendröthe, eben so wohl als in seinem traurigen Fall, da die Schatten der kommenden Nacht nach ihrem Untergang alles umschließen. Der Charakter des ältern Piccolomini ist mehr philosophisch als poetisch dargestellt; er ist eine Art von metaphysischer Abstraction, aber dennoch zeigt sich eine Individualität und so zu sagen eine körperliche Gegenwart in seiner Handlungsweise, die uns das Gefühl giebt, daß wir eine wirkliche Person und keinen Schatten vor uns haben. Seine Tugenden sind zweideutig, und das Beste an ihnen wird der Politik und dem Ehrgeiz, seinen Namen in den Fürstenstand zu erheben, geopfert. Durch diese Triebfeder bewogen, sucht er Wallenstein zu hintergehen, er nimmt ein ehrliches Ende, weil er dadurch seinem Kaiser einen Dienst leistet, und indem er Verrätherei und Aufruhr verhütet, nur seine Pflicht thut. Nur hätte er die Pflicht gegen seinen Herrn mit der gegen seinen Freund in Einklang bringen sollen. Wallensteins Schicksal lag in seiner Hand; er konnte einen großen Geist von einer augenblicklichen Verirrung abziehen; dennoch wollte er lieber denselben in seinem Irrthum bestärken, um sich selbst auf seinen Trümmern zu erheben. Er gleicht aber dem Jäger, der in seinen eigenen Netzen gefangen wird; die Mittel, womit er sein altes Haus zu heben beabsichtigte, zerstörten dasselbe auf traurige Weise. Seine Pläne gegen den Freund, der durch ihn gestürzt und gemordet wird, glückten; das Diplom mit Kaiserlicher Unterschrift und Siegel, welches ihm den Fürstentitel brachte, kommt an, da es ihm von keinem irdischen Nutzen mehr sein kann, da Max nicht mehr ist. Wie muß er Wallensteins Loos beneidet haben! Ihm war wohl, aber Octavio's konnte nur eine Zukunft voller Vorwürfe und unnützer Reue warten.

Wie soll man componiren?

Haydn war einer der ruhigsten Compositeurs; es bedurfte für seine Schöpfungskraft keines Champagners; dafür aber hatte er einen *spiritus familiaris* anderer Art; und dieser war ein Brillantring, den er von Friedrich dem Zweiten erhalten. Wollten ihm nun bei seinen Arbeiten, manchmal die Ideen nicht herbeiströmen, so lag die Schuld nur am Ringe; er hatte vergessen, ihn anzustecken. So wie der Ring am Finger war, und das Auge des Tondichters dem Brillantglanz begegnen konnte, entströmten der Seele alle ihre Wundergaben. Gluck, um seine Phantasie zu entzünden, mußte sich auf eine grüne Wiese flüchten. Dorthin ließ er sich sein Clavier bringen; an der Seite stand Champagner, und so von den Gluthen der Sonne und des Weins befeuert, schrieb er seine Opern. Sarti verfuhr ganz entgegengesetzt; er verriegelte sich in einem großen dunklen Zimmer, das von einer Ampel nur matt erhellt war und einem Grabgewölbe glich. Hier schrieb er die Nächte hindurch, von Todtenstille umgeben, Arien, die das frischeste, heiterste Leben athmen. Zingarelli griff noch tiefer, um sich zu begeistern; er las, bevor er seine Opern componirte, einen Kirchenvater. Salieri floh Stube und Bücher, und suchte seinen Genius im Menschengewühle auf. Er flog die Straßen auf und ab, kaute Confect und notirte inzwischen seine Gedanken in die Schreibtafel. Paer schrieb seinen „Sargino," seinen „Achilles" ꝛc. indem er mit Freunden scherzte, mit den Bedienten zankte, mit dem Hunde spielte, Frau und Kinder ausschalt; und Paisiello componirte seine „Nina" seine „schöne Müllerin," seinen „Barbier von Sevilla" — im Bette.

Beispiel türkischer Unwissenheit.

Der Engländer Dodwell kam auf seiner ersten (1801) sowohl als zweiten (1805) Reise durch Griechenland auch nach Athen und beschäftigte sich daselbst wie bei seinen Besuchen der klassischen Gegenden jenes Landes überhaupt, mit der Aufnahme der Alterthümer. „Eines Tages, erzählt er bei Gelegenheit seines zweiten Besuchs in Athen, war ich mit der Aufnahme des Parthenon (auf der Akropolis) vermittelst meiner Camera obscura beschäftiget, als der Disdar, der Gouverneur von Athen, der über diesen neuen Anblick verwundert war, mich mit einer Art von hastiger Unruh fragte: was für eine Zauberei ich mit dieser neuen Maschine zu verüben gedenke. Ich gab mir die Mühe, ihm die Sache dadurch deutlich zu machen, daß ich einen reinen Bogen weißes Papier unterlegte und ihn in die Maschine blicken ließ. So wie er nun den Tempel mit allen seinen Umrissen und Farben auf dem Papiere erblickt hatte, bildete er sich ein, daß ich vermittelst eines magischen Processes dieß alles bewirkt habe; seine Verwunderung darüber schien sich mit einiger Furcht zu paaren, und indem er seinen schwarzen Bart strich, rief er einmal über das andere Mal: „Allah, Masch, Allah!" (Das hat Gott gemacht!) Mit einer scheuen Miene blickte er abermals in di: Camera obscura, und da in demselben Augenblicke einige Soldaten vor dem Reflectivglase vorüberzogen, sah der erstaunte Disdor sie auch auf dem Papier hinziehen. Dies brachte ihn in Wuth; er ward beleidigend und, nachdem er mich ein Schwein, Teufel und Bonaparte (damals in der Türkey so viel als: Zauberer) gescholten, erklärte er mir: Steine, Tempel und Alles auf der Burg möchte ich immer wegzaubern, aber nie werde er zugeben, daß ich seine Soldaten in meinen Kasten banne. Als ich fand, daß es ganz vergeblich sei, seine Unwissenheit durch verständige Vorstellungen zu heben, veränderte ich meinen Ton und erklärte ihm bestimmt, daß ich auch ihn, falls er mich mit seinen Grobheiten nicht verschonen werde, ohne weiteres in meinen Kasten stecken wolle, woraus er schwerlich den Weg wieder finden solle. Nunmehr ward sein Schrecken sichtbar; er begab sich sogleich hinweg und blickte nachher immer mit einer Mischung von Furcht und Verwirrung auf mich."

K.

Gutmüthigkeit der Räuber in Italien.

Ein deutscher Gelehrte ward während seines Aufenthalts in Rom auf einer seiner Wanderungen in die Umgegend von drei gutbewaffneten Straßenräubern angefallen und seiner wenigen Baarschaft so wie seines Rauchtabacks beraubt, worin jene sich theilten. Nachdem sie ihm befohlen, eine ziemliche Strecke Stadt abwärts mitzuschlendern, bemerkten sie, daß er nicht mehr rauche. „Stopf Deine Pfeife, Freund" riefen sie ihm zu. — Auf die Erwiederung, daß sie ja allen Taback ihm genommen, boten sie ihm von dem geraubten Taback wieder an, was er auch annahm; ja, als sie sich von ihm trennten, schossen sie von dem ihm abgenommenen und schon vertheilten Gelde wieder einiges zusammen und reichten es ihm dar, weil es warm sei, er wahrscheinlich Durst habe und daher, bevor er Rom erreiche, in einer Osterie (so viel als unsere: Weinstube) einkehren müssen „*Siamo*, sagten sie, *poveretti e grassatori, ma galant' uomini! Addio!*"

K.

Zufällige Gedanken.

Von E. r.

31. Der Gedanke an ein Ewig leben ist uns eben so undenkbar als der an ein Vernichtet werden. Alles Unbegränzte liegt mehr im Gefühl, da dieses es auch ist, als in der Anschauung.

32. Je körperlicher man sich Gott denkt, desto fester wird der Glaube an ihn sein. Die Heiden die in der Materie ihn sehen, sind schwerlich Atheisten, so wenig als bei uns der gemeine Mann einer ist. Aber der Gebildete, der den großen Gedanken bis zur Uebergröße für sich ausdenken will, wird ihn am Ende, aus Unvermögen des Begreifen, gar von sich weisen. So sieht das Volk im Himmel den Himmel selber, während der Andere nur aufgeschichtete Luft darin findet. Doch thut es mehr der Verstand als das Gefühl, und wir sehen öfter zu ihm hinauf als in ihn hinein.

33. Wir sehen in Gott doch noch den Menschen, zwar nicht der körperlichen aber den geistigen, denn wir geben ihm Eigenschaften, unsere besten in höchster Vollkommenheit, aber doch unsere! Wir maßen uns an, seine Schöpfung zu loben!

(Redigirt von Dr. Fr. Förster und W. Häring (W. Alexis.)

Im Verlage der Schlesingerschen Buch- und Musikhandlung, in Berlin unter den Linden Nr. 34.

Berliner Conversations-Blatt

für

Poesie, Literatur und Kritik.

Donnerstag, — Nro. 126. — den 28. Juni 1827.

Madonna della Seggiola.

(aus Rafael von E. Förster.)

„Ihr, meiner Vigne Rebenlauben,
in Morgenglanz getaucht,
gegrüßt! Gegrüßt, ihr goldnen Trauben,
von Purpur überhaucht!
Auf lichter Höh',
wohin ich seh'
in Duft und Pracht
der Liebe Flammen angefacht!
Das Auge fliegt um alle Ranken
und trinkt und wird nicht satt,
und gaukelnd schwingen die Gedanken
von Blatte sich zu Blatt.
Um Moos und Stein
spielt heller Schein;
o süßes Licht,
drin Himmel zu der Erde spricht!" —
Der Meister ruft's und steht und schauet
nach einem Häuslein hin;
da sitzt, von Blättern überbauet,
die schönste Winzerin,
der Anmuth Bild,
und rosig mild
in Mutterlust
drückt sie ein Kindlein an die Brust.
Ein Himmel strahlt aus ihren Blicken,
und selig, liebewarm
schlägt sie mit brünstigem Entzücken
ums süße Kind den Arm,
das — im Gewand
die kleine Hand —
sich, still vergnügt,
an seiner Mutter Busen schmiegt.
„Heran, du krausgelockter Knabe!
Was zagst du, dich zu nahn?
Komm, tritt mit deinem Rebenstabe
ans holde Bild heran!
Johannes, komm,
und bete fromm!
So recht, mein Kind! —
O hätt' ich Pergamen geschwind!
Doch sieh! dort unterm Laubgeflechte,
bei altem Weingeräth,
fänd' sich ja wohl, wie ich es möchte,
ein festes, gutes Brett."
Er eilt, er kehrt
und schwingt verklärt,
den Gott gesandt,
der Tonne Boden in der Hand.
Und freudig wird ans Werk gegangen,
und sieh! schon ist's vollbracht!
Des Busens Wölbung, zarte Wangen,
des Kleides volle Pracht,
der süße Mund,
des Armes Rund,
und was er sah,
steht leicht im Umriß vor ihm da.
Und zu vollenden, was begonnen,
trägt er die Tafel heim.
Da, wie die Pflanz' im Strahl der Sonnen,
erwächst aus zartem Keim
in Farb' und Licht

das Bild und spricht
von goldner Zeit,
von Lieb' und Mutterseligkeit.
Sein Herz hat er ihm hingegeben,
die Seel' ihm anvertraut;
es liest des Meisters ganzes Leben,
wer in die Tafel schaut.
Drum wer dich sieht,
wohin er zieht,
du bleibst ihm nah,
Madonna della Sedia! *)

Meine Schicksale in Colombia, in den Jahren 1820 bis 1225.

(Im Auszuge mitgetheilt von A. Ewald B.)

(Fortsetzung.)

Inzwischen wurden alle möglichen Zurüstungen zur bevorstehenden Expedition gemacht, indem man jeden Augenblick Bolivar's Befehl über deren Bestimmung erwartete. — Die Truppen befanden sich, wie schon gesagt, in Pampatar, an der entgegengesetzten Seite der Insel, wohin Brion sich jetzt mit seiner Flottille begab, um solche ohne Zeitverlust einschiffen zu können. Ich bekam meine Passage an Bord eines kleinen bewaffneten Schoners, von einem Engländer Namens Camp befehligt, in Gesellschaft mehrerer irländischer Officiere, welche während der langweiligen Ueberfahrt sich häufig in Schmähungen über Devereux, den republikanischen Dienst und die dortigen Befehlshaber ausließen. Als aber mehrere von ihnen in der Hitze des Gesprächs von einer, unter ungebildeten Engländern beliebten Redensart Gebrauch machten, und das Schlimmste zu sagen glaubten, wenn sie von einem sagten, er sei *„a german blockhead,* oder *as stupid as a german,* durfte ich kein gleichgültiger Zuhörer bleiben. — Mit der Bemerkung, daß ich ein Deutscher sei, verbat ich mir dergleichen, und gab dem Capitain Camp meine Verwunderung zu erkennen, daß er, an Bord eines unter seinem Befehl stehenden Fahrzeuges der Republik, Schmähungen auf seine Vorgesetzten erlaube.

Camp hatte mir auf meine Bemerkungen nicht geantwortet, er suchte mir aber seine Empfindlichkeit durch mancherlei indirekte Kränkungen zu beweisen, indem er der Mannschaft untersagte, mir die, meinem Range gebührende, Achtung zu bezeigen. Da einer der Officiere mich hiervon in Kenntniß setzte, stellte ich Camp darüber zur Rede, als wir in Pampatar angelangt waren.

Er läugnete solche Befehle gegeben zu haben; ich nannte den Officier, der es mir unverholen in Gegenwart von mehreren andern erzählt habe; mit rohem Uebermuthe versetzte er: *You lie, and if you say so again, I'll knock you down.* (Sie lügen, und wenn Sie es noch einmal sagen, schlag ich Sie zu Boden.) Ich gab ihm eine so fühlbare Antwort, daß eine Herausforderung auf Pistolen die natürliche Folge war.

Heinsen war mein Sekundant; zehn Schritte Entfernung und gleichzeitiges Feuern auf ein, mit einem Tuche gegebenes, Zeichen wurden verabredet. Die Schüsse waren gefallen; — wir standen B:ide; — Heinsen näherte sich mir, um mir eine frisch geladene Pistole zu überreichen; so wie ich mich nach ihm umwandte, stürzte ich zu Boden. — Meines Gegners Kugel war mir durch die Lende gegangen, und hatte den Knochen eine Handbreit oberhalb des Kniees zerschmettert, ohne in dem Augenblicke der Verwundung von mir gefühlt zu werden. Da in Folge meiner nachlässigen Stellung das Gewicht des Körpers auf dem rechten Beine geruht hatte, war ich fast zwei Minuten stehn geblieben, nur bei veränderter Stellung sank ich zusammen. — Camp und sein Sekundant entfernten sich, und nur mit Mühe konnte ich Heinsen abhalten, das Duell statt meiner fortzusetzen, wozu er entschieden geneigt war.

Einige Soldaten, die aus der Entfernung zugesehen hatten, holten eine Thüre aus einem benachbarten Hause, worauf sie mich legten und nach Heinsens Wohnung trugen. Die Schmerzen der Verwundung begannen während dieses viertelstündigen Tragens recht fühlbar zu werden, indem bei jedem Schritte sich die Enden des zerbrochenen Knochens aneinander rieben. Sämmtliche Wundärzte der irländischen Legion versammelten sich bei mir, und ihre wiederholten Untersuchungen, ob und wie der Knochen gebrochen sei, gehörten für mich keinesweges zu den angenehmen Empfindungen. Endlich vereinigten sich die Meinungen dahin, daß das Bein abgenommen werden müsse.

Ob das Leben, nach Verlust eines solchen Gliedes, noch Werth für mich haben könne, dieses war

*) Nach einer Sage, auf deren Bedeutung für das Kunstleben nicht erst aufmerksam gemacht zu werden brauche, die darum auch aus diesem Cyklus nicht ausgeschlossen werden durfte, obschon sie bereits von einem uns befreundeten Dichter sehr schön, jedoch mit Zusätzen behandelt worden, die unserm Zwecke fremd waren. — Es ist bekannt, daß in dem Brett, das dem Meister bei diesem zu Florenz befindlichen Bilde gedient, die Spur des Spundlochs noch zu sehen seyn soll.

die jetzt in Betracht kommende Frage; hierüber wollte ich mit mir selber einig sein, bevor ich meine Zustimmung zur Operation gäbe, welche auf mein Ansuchen auf den kommenden Morgen verschoben ward. — In der Stille der Nacht mit diesem Gedanken beschäftigt, schwankte ich noch in meinem Entschlusse, als plötzlich Allarm geschlagen ward und Alles in Aufruhr gerieth.

Der langerwartete Befehl **Bolivar's** zur Einschiffung war angelangt und ward unverzüglich in Ausführung gebracht. Niemand dachte jetzt noch an die mit mir vorzunehmende Operation; **Heinsen's** freundschaftlichen Bemühungen verdankte ich es, daß einer der deutschen Reconvalescenten als Bedienter bei mir zurückbleiben durfte; und als um Mittag schon die Expedition unter Segel ging, blieb ich hülfsbedürftig in dem öde gewordenen Orte liegen. —

Berliner Chronik.

Kunstausstellung. — Madonna mit dem Kinde gemahlt von Wach. — Achilles und Penthesilea, colossale Gruppe in Marmor von Rudolph Schadow und E. Wolff.

Die Stadt Berlin beauftragte mehrere hiesige Künstler für die Prinzessin Friedrich der Niederlande Königl. Hoheit, zum Andenken an die geliebte Vaterstadt einige Bilder zu mahlen. Einige davon waren schon früher ausgestellt; gegenwärtig hat nun auch der **Prof. Wach** die ihm zu Theil gewordene Aufgabe vollendet und sein Bild steht in dem Pfeilersaale des Königlichen Schlosses ausgestellt. — Unter dem blauen Gewölbe des freien Himmels erhebt sich zwischen Orangenbäumen, Lorbeer und Cypressen, ein mit Säulen und Reliefs verzierter, mit bunten Blumengehängen reichgeschmückter Thron von weißgrauem Marmor, oder Alabaster. Auf ihm thront, in einer Blende oder Nische von schöner Architektur, die Jungfrau Maria durch die Krone, das rothe Gewand und den blauen Mantel, den sie um die Hüften geschlagen hat, als Himmelskönigin bezeichnet. Die Augenlieder sind so gesenkt, daß wir den Ausdruck ihrer Seele nicht in den Augen lesen können; doch läßt uns der Künstler durch einen, über das ganze Gesicht leise hingehauchten Anflug von Schwermuth, der durch die schönen Formen und durch das zarte und reine Colorit an Bedeutung zu gewinnen scheint, einen tiefen Blick in das Herz der von Gott begnadigten Jungfrau thun, welches bei aller Mutterseligkeit nicht frei ist von Sorge für die Zukunft. Auf dem Schooße hält sie den Knaben, der sich durch die Weltkugel mit dem Kreuz und mehr noch durch den Ausdruck des göttlichen Muthes im Auge und Munde, als der Weltheiland ankündiget; die kleine Rechte hat er zum Schwur erhoben, daß er die ihm gewordene Sendung erfüllen werde. (Bei andren Darstellungen dieser Art finden wir die Hand nur segnend erhoben. Bei der Ergebung in den Willen des Vaters bedarf es keiner Versicherung durch den Schwur; wir glauben es ihm auf sein Wort und dies war: ja und nein.) Zu beiden Seiten halten zwei Engelknaben die Säulen umfaßt; der eine von ihnen blickt mit entschlossenem, fast trotzigem Auge, in das Weite und wir müssen ihm zutrauen, daß aus ihm einst ein heiliger Michael werden könnte; der zweite richtet seinen Blick mit stiller Freude herab zu dem Christkinde und in ihm könnten wir etwa einen zukünftigen Erzengel Raphael erkennen. Daß der Künstler diesen beiden Knaben ein so charakteristisch entwickeltes Gesicht gegeben hat, scheint ein sehr glücklicher Gedanke zu sein; die gewöhnlichen Engelsköpfe gewinnen selten unsere Theilnahme, da ihnen das Charakteristische, das was einen von dem andern unterscheidet, fast immer fehlt. Nur dürfte zu erinnern sein, daß auch hierbei eine gewisse Grenze gehalten werden muß, damit das Characteristische noch nicht als **völlig ausgebildet**, sondern nur erst **als Anlage** erscheint, denn sonst würde der Kopf, die Formirung des Schädels, der Stirn, der Augen- und Backenknochen zu stark ausgedrückt werden, so daß solches in Widerspruch mit der Zeichnung der übrigen Partien des weichen, unentwickelten Knabenkörpers stehn würde. —

Wie die einfache Composition der Gruppe und der Ausdruck, den der Künstler der Mutter, dem Kinde und den Engeln zu verleihen wußte, in schönster und wirksamster Uebereinstimmung unsern **Geist** ansprechen, so spricht zu unserm **Auge** eben so wohlthuend die Harmonie des **Tons** und der **Farben**, die wir wohl zu unterscheiden haben, und die beide vereinigt sein müssen, wenn wir mit Beruhigung und Freude vor dem Bilde verweilen sollen. Nur darin scheint ein Widerspruch zu liegen, daß die Landschaft, der heitere Himmel, die unbewegten Bäume, in deren Zweigen wir nicht das gelindeste Säuseln spüren, auf große Stille in der Natur deuten, während Gewand und Haar der Maria und das Gelock der Knaben von einem Sturm gefaßt zu sein scheint. — Allein **gemahlt** ist das Bild mit Saft und Kraft. Insonderheit hat Hr. **Wach** sich durch eine Carnation ausgezeichnet, wie wir sie in früheren Bildern noch nicht von ihm gesehn haben; die violetten Töne, die seinen weiblichen Portraits sonst eine gewisse Kälte gaben, sind aus seinen Fleischtinten verschwunden. Er hat, den alten Meistern und namentlich Correggio nachstrebend, bei diesem Bilde, dessen ganze Conception seine eigne Schöpfung ist, auch das Colorit nicht in der Natur aufgesucht, sondern als wahrhafter Künstler seinen idealen Figuren auch ein ideales Colorit gegeben, worunter wir keinesweges einen verblasenen, schattenhaften Hauch, sondern allerdings auch Fleisch und Blut verstehen; die farbigen Schatten geben dem Bilde einen warmen Ton und den Körpern und Gliedern eine weiche Rundung. Wie das Colorit, so sind auch die schönen Formen, zumal in dem Gesicht der Maria, wo die Schönheit das Charakteristische zurücktreten läßt, nicht aus der Natur genommen; denn so große, schön geschnittene und gewölbte Augenlieder möchten sich schwerlich in der Natur nachweisen lassen; allein das ist eben die göttliche Freiheit des Künstlers, daß er aus eigner Macht seine Gebilde hinstellt. Hätte Phidias die Stirn seines olympischen Zeus in der Natur aufsuchen wollen, dann würde er schwerlich den Gott geschaffen haben, der, wenn er die Augenbrauen bewegt, Himmel und Erde zittern macht. — Bei den Körpern der Kinder, wo es noch nicht zur Ausbildung und Entwickelung gekommen ist, darf der Künstler sich eher an die Natur halten, denn hier soll auch er nur das Unentwickelte geben; dennoch wünschten wir den Leib des Christuskindes nicht so vortreten zu sehn, obwohl gewöhnlich Kinder einen etwas aufgetriebenen Unterleib haben.

Dieses Zeichen der Natürlichkeit kann etwas gemildert werden und bei den Körpern der Engel hat es Hr. Wach auch gethan; aber ein anderes wesentliches Zeichen der Natürlichkeit vermissen wir bei dem Christuskinde, was hier als ein offenbarer, obwohl absichtlicher, Fehler in der Zeichnung erscheint. Wollte der Mahler diese Natürlichkeit verbergen, so mußte er entweder das Kind anders setzen, oder ein Gewand darüber legen. Rafael hat sich (z. B. in dem Bilde der schönen Gärtnerin) nicht gescheut, dem Christuskinde dieses Zeichen des Geschlechts und der Natürlichkeit zu geben. Solches Weglassen verfehlt durchaus seine Wirkung, denn nun wird gerade so etwas besprochen, wie es denn auch leider! in diesem Aufsatze nicht unberührt bleiben durfte. Die Absichtlichkeit einer übelverstandenen Dezenz liegt so zu Tage, daß sie viel schlimmer wirkt, als die nackte Naivetät.

Als Meister in correkter strenger Zeichnung hat sich Hr. Wach in allen seinen früheren Bildern bewiesen und so auch in diesem; selten sieht man eine so richtig gezeichnete sitzende Figur, wie diese Madonna und ihr über die Stufe des Throns vorgestreckter Fuß tritt so aus dem Bilde heraus, daß man glaubt ihn fassen zu können. — Dennoch glauben wir würde die Wirkung noch größer sein, wenn die Contoure nicht so streng abgegrenzt wären; bei Rafael, Tizian und anderen alten großen Meistern sind die Contoure keine scharfgezogenen Linien, in der Nähe sehn sie faserig und schwammig aus; allein in der nöthigen Ferne bildet sich das Auge daraus selbst die weichsten Umrisse. — Gerard, in seinem berühmten Bilde der schönen Recamier, verstand sich ebenfalls auf diesen Vortheil. —

Achilles und Penthesilea.

In demselben Saale, in welchem das Gemählde von Wach nur für einige Zeit ausgestellt ist, hat eine colossale Gruppe, das letzte Werk des, der Kunst, dem Vaterlande, den Freunden durch zu frühen Tod entrissenen Rudolph Schadow, einen bleibenden Platz gefunden. Die Königin der Amazonen Penthesilea, die dem bedrängten Troja zu Hülfe eilte, ist von einem Schwertstoß Achill's gefallen; der jugendliche Held will die blutige Beute entführen, er hält die hingesunkene sterbende Königin in seinem linken Arme, von seinem linken Knie unterstützt, während er in der erhobenen Rechten das Schwert schwingt zur Abwehr derer, die ihm den theuren Leichnam nicht lassen wollen. Die berühmte antike Gruppe, in welcher Menelaus vorgestellt ist, wie er den gefallenen Patroklus aus dem Schlachtgewühl rettet, ist vornehmlich deshalb bewundert worden, weil es dabei dem Künstler gelungen ist, den Gegensatz der größten Anstrengung des Lebens und der gänzlichen Abspannung im Tode mit der größten Wahrheit darzustellen. Der neuere Künstler der sich denselben Gegensatz zur Aufgabe seiner Darstellung machte, ist in der Wahl und Erfindung seiner Gruppe insofern noch glücklicher, als er nicht nur den Gegensatz von Tod und Leben, sondern auch von einem männlichen und weiblichen Körper nebeneinander stellt. Beide Gegensätze sind dem Künstler auf das vollkommenste geglückt, ohne daß irgend die Grenzen der schönen Form überschritten worden sind. In dem Achill zeigt er uns die höchste Anspannung eines kräftigschönen, in den Kampfspielen durchgebildeten Jünglingskörpers; nicht eine Muskel, nicht eine Sehne, vom Wirbel bis zur Zehe ist hier nicht in vollster Anstrengung, die um so sichtbarer wird, da bei der colossalen Darstellung die Verhältnisse vergrößert werden durften. Wie die Wellen eines bewegten Meeres glauben wir die Muskeln des ganzen Körpers in stürmischem Aufruhr auf- und niederschlagen zu sehen. Der Ausdruck des Gesichtes deutet uns an, daß das Gemüth sich in gleichem Aufruhr befindet und obwohl der Künstler sich in den Hauptformen an die, aus dem Alterthum auf uns gekommene Büste des Achill's gehalten, so blieb ihm doch ein großer Spielraum übrig, hier seine eigenthümliche Erfindung zu zeigen; denn bekanntlich ist in jener Büste Achill mit etwas gesenktem Haupte und mit schwermüthig sinnendem Ausdruck dargestellt, als ob er seines frühen Todes, der ihm nicht verborgen war, gedächte; unser Künstler aber mußte ihn darstellen, wie er, für sich und seine Beute besorgt, gegen andringende Feinde kämpft. — Dagegen sehen wir in der dahingesunkenen Königin jede Anstrengung, jede Kraft des Lebens ausgelöscht, ohne daß die Starrheit des Todes schon eingetreten wäre; die Seele scheint eben aus der offnen Wunde zu entfliehen, der letzte Athemzug schwebt noch auf den geöffneten Lippen. Ein leichtes Gewand umschließt den Leib, ohne die schönen, obwohl kräftigen, Formen zu verbergen. Die eine Brust ist entblößt, die andere mit dem Gewand verhüllt, jedoch so, daß der Streit über den Namen der Amazonen — von denen bekanntlich die Sage ging, daß sie, um den Bogen bequemer spannen zu können, sich die linke Brust abgelößt hätten — vor dieser Statue nicht zur Sprache kommen kann; wozu denn auch bei einem Werke der schönen Kunst der Ort nicht wäre. — Das Model Schadows ist von dem Königl. Pensionair Hrn. Wolff in Rom in Marmor ausgeführt worden und macht dem Meisel des jungen Künstlers alle Ehre. —

F. F.

(Redigirt von Dr. Fr. Förster und W. Häring (W. Alexis.)

Im Verlage der Schlesingerschen Buch- und Musikhandlung, in Berlin unter den Linden Nr. 34.

Berliner
Conversations-Blatt
für
Poesie, Literatur und Kritik.

Freitag, — Nro. 127. — den 29. Juni 1827.

A. W. v. Schlegels Vorlesungen über Theorie und Geschichte der bildenden Künste.

Fünfte Vorlesung.

Wie das angeborne Talent, so soll auch die Kunst in ihrer Sphäre bleiben. Von großer Wichtigkeit ist es, die Grenzen der Bildnerei und Mahlerei genau zu bestimmen. In der Blüthenzeit der Griechischen Kunst war man darüber mehr im Klaren, als in den späteren christlichen Jahrhunderten, wo man theils mahlerisch mit der Bildnerei wirken wollte, theils — zumal nachdem man im 16ten und 17ten Jahrhundert die große Schönheit der Gebilde des Alterthums wieder erkannte, — die Mahlerei hinüber zu der Bildnerei zu leiten versuchte und mühselig steinerne Figuren mit dem Pinsel gleichsam auf die Leinwand meißelte. Die deutsche Schule hat sich später davon wieder losgemacht; in Frankreich finden wir noch heutiges Tages Spuren davon. — Suchen wir den Unterschied beider Künste näher zu bestimmen. Die Skulptur ist die Kunst, welche die individuellen Formen körperlich darstellt; die Mahlerei ergreift den optischen Schein und hält ihn auf der Fläche fest. Beide arbeiten für das Auge, allein bei der Skulptur findet eine Beziehung auf den Tastsinn statt. Das Auge erblickt nur Licht und Schatten und die dazwischen liegenden Farben; von den körperlichen Formen kann sie uns nicht unterrichten, wir sehen nur die Fläche. Um die Körper kennen zu lernen, nehmen wir das Gefühl zu Hülfe und wie weit uns dies unterrichten kann, haben Blindgeborne gezeigt, die gute Lehrer der Mathematik wurden. Dem Sehenden wird die Erfahrung, die er in der Kindheit schon durch den Tastsinn macht, so mechanisch, daß er es ganz vergißt, welche Belehrung das Auge der Hand verdankt. — Der Mahler soll uns indeß wenigstens den Schein körperlicher Formen darstellen; er thut dies durch Abstufung von Licht und Schatten, die er beide durch die Farbe vermittelt; hier zeigt sich die große Wirkung der Beleuchtung des Gegenstandes. — In welcher Beziehung beide Künste zu einander stehn, lernen wir an folgender Aufgabe kennen. Von einer bereits verstorbenen Person ist ein Portrait und eine Büste vorhanden; man gebe nun dem Mahler die Büste, um ein Portrait, und dem Bildhauer das Portrait, um eine Büste danach zu machen. Die Schwierigkeit, die der Mahler findet, ist, daß der Büste das Colorit, der lebendige Ton des Fleisches und der seelenvolle Blick des Auges fehlen; der Bildhauer, dem es nur um die reine Form zu thun ist, findet in dem Bilde viel Ueberflüssiges und wenn er keine Profilzeichnung hat, wird es ihm fast unmöglich die Verhältnisse genau wiederzugeben. *) — Das eigenthümliche der Bildnerei ist: daß sie auf die Farben Verzicht leistet; angestrichene Statuen sind für uns

*) Eine schwere Aufgabe in dieser Hinsicht hat kürzlich Hr. Prof. und Bildhauer L. Wichmann hier glücklich gelößt. S. Maj. der jetzt regierende König von Baiern hatte seit längerer Zeit eine Büste Theodor Körners, dem er ein besonderes Denkmal zu errichten gedenkt, zu besitzen gewünscht. Hr. Wichmann unternahm es nach einem Bildniß von der Hand der Schwester und einer Profilzeichnung, die ein Freund zeichnete, als Körner auf der Todtenbahre lag, eine Büste zu formen und es gelang ihm die Züge so treu, obwohl idealisirt, wiederzugeben, daß den Eltern, Verwandten und Freunde vollkommen Genüge geschah.

Werke des übelsten Geschmacks. Man hat es wollen der Untauglichkeit des Stoffes zuschreiben; allein wenn sich auch Holz und Stein nicht zum Anstreichen mit Farben eigneten, so hat man doch den Wachsfiguren die feinsten Tinten der Carnation zu geben verstanden, Augen von Glasfluß, natürliche Wimpern und Perüken sollten weiter nachhelfen; allein gerade dieser zu weit getriebene Schein wird widerlich. — Nicht unbekannt ist es, daß die Griechische Skulptur nicht ganz abstrakt im farblosen Marmor angefangen und auch auf dem höchsten Gipfel den Reiz der Farbe nicht verschmähte; die ältesten Götterbilder der Griechen waren theils mit bunten Gewändern bekleidet, theils auch angestrichen, ja selbst in der späteren Zeit der vollendeten Kunst wurden Elfenbein, Gold und Purpur zum Schmuck der Statuen verwendet und die Augen von durchsichtigen Steinen eingesetzt; dennoch müssen wir sagen, daß die schöne Skulptur Verzicht auf Farben leistet. Die Verschiedenheit der Farben an der Oberfläche trübt das freie Erscheinen der Form, die nur des Lichtes und Schattens bedarf.

Die nächste Frage ist: Was hat die Bildnerei darzustellen? Der ganze Reichthum der Schöpfung liegt vor dem Künstler ausgebreitet, allein der Bildner erhebt sich sogleich über die unorganische Natur, denn das Unlebendige und Starre, in eben so leblosen Stoffen zu bilden, würde eine interesselose Wiederholung sein; das Lebendige in todten Stoffen darzustellen, wird dagegen den größten Reiz haben. Auch das Pflanzenleben und die formlosen Gebilde der unteren Kreise des Thierlebens läßt die Bildnerei als unwürdige Gegenstände unter sich liegen; erst wo das animalische Leben auf eine höhere Stufe trit, wo an der Thierbildung die zweiseitige Symmetrie vollkommen ausgebildet erscheint, nähert sich die Bildnerei der Natur; ihr würdigster Gegenstand aber ist die menschliche Gestalt, dieser Gipfel und Triumph der Schöpfung. Die Kunst hat indeß auch von den Thieren einige als Mitgeschöpfe des Menschen geehrt, andere wegen ihrer zierlichen Formen, oder ihres edlen Ausdrucks für nicht unwerth der Darstellung geachtet; wobei die schwierige Aufgabe correkter Zeichnung zuvörderst bedacht sein will. Aus dem gefiederten Geschlecht wurde der Adler als königlicher Vogel dargestellt, andere wurden nur zu untergeordnetem Schmuck oder als Symbole verwendet. Dagegen wurden von den Vierfüßern mehrere in den Kreis der schönen Skulptur aufgenommen. Lysippus hat sich durch seine Pferde, so wie Myron durch seine Kuh einen unsterblichen Ruhm erworben. Die Griechen gingen in ihrem künstlerischen Uebermuth so weit, kühne Zusammenbildungen der thierischen und menschlichen Gestalt zu erfinden; so entstanden die Centauren, Tritonen, Satyrn. Selbst bei ihren Götterbildern kommen Anspielungen, die aus charakteristischen Thierformen entlehnt wurden, vor. So gleicht das ambrosische Gelock des olympischen Zeus der Mähne des Löwen; Herkules kleiner Kopf, der auf starkem Nacken ruht, erinnert an die ähnliche Bildung des Stiers, der leichte Schritt der Diana an den flüchtigen Hirsch. — Immer aber bleibt doch eine unendliche Kluft zwischen dem Thier und dem Menschen und wenn auch die Französischen Philosophen des vorigen Jahrhunderts (Rousseau) den Menschen nur einen civilisirten Affen nannten, der nur den Haarbeutel abzulegen brauche, um sich unerkannt unter die Paviane mischen zu können, so war doch schon in dem Paradies dem Menschen verheißen, daß er zum Bilde Gottes geschaffen sei. Sein Blick ist nicht an die Scholle gebunden, von der er die Nahrung empfängt, er erhebt ihn zu jenen höheren Sphären, wo seine Vergangenheit vielleicht, aber gewiß seine Zukunft ruht. —

Meine Schicksale in Colombia, in den Jahren 1820 bis 1825.

(Im Auszuge mitgetheilt von A. Ewald W.)

(Fortsetzung.)

Pampatar war früher der Haupthafen auf Margarita, und zur Zeit, wie die Perlenfischerei in dessen Nähe noch betrieben ward, ein wohlhabender kleiner Ort. Seit mehreren Jahren war aber diese schon vernachläßigt, und während des blutigen Kampfes, welcher auf dieser Insel mit den Spaniern begann, zogen sich die wenigen noch gebliebenen Bewohner nach andern Gegenden zurück. Die irländische Legion hatte den verlassenen Ort freilich durch ihre Gegenwart belebt, aber schonungslos zu dessen Verwüstung beigetragen, und bei ihrem jetzigen Abzuge waren einige zwanzig Kranke die einzigen menschlichen Wesen in dieser Gegend. Die thierische Bevölkerung hingegen bestand aus einem Schwarm von Geier-Krähen (*Vultur aura L.*) von den Eingebornen Zamuros genannt, welche in den spanischen Colonien als einzige Straßenpolizey betrachtet werden können; denn bei der dort herrschenden großen Unreinlichkeit, bleibt ihnen die alleinige Sorge sowohl allen Abfall aus den Häusern als auch todte Hunde, Katzen, Pferde und Esel wegzuräumen, wodurch sie sich ein anerkanntes Verdienst erwerben, und ungestört in der Umgebung menschlicher Wohnungen hausen. Sie holen wohl manchmal zur Veränderung ein junges Hühnchen ab, und betrachten auch wohl ein sterbendes Thier wie ein schon todtes, doch sind solche Fälle selten. —

In traurigen Betrachtungen lag ich am folgenden Morgen auf meinem Strohlager; mein Bedienter war nach einem entfernten Dorfe gegangen, um Lebensmittel zu kaufen; zuweilen nur ward die Stille um mich her von den Zamuros unterbrochen, welche zur offnen Thür herein blickten und mit Verlangen auf meinen Tod zu warten schienen; angenehm überraschten mich Antonelly und der Dr. Stahl, welche plötzlich in die Hütte traten. — Von meinem Unfalle und hülfsbedürftigem Zustande unterrichtet war ersterer herbei geeilt, und hatte auch Stahl zur Begleitung aufgefordert. Da meine Wunde tägliche Behandlung erforderte, Stahl aber hierzu zu entfernt wohnte, ließ ich mich in einer Hamaca (einer Art Hangematte) über die beträchtlich hohen Berge langsam nach Norte, dem Wohnorte Stähl's, tragen, wo ich eine kleine Wohnung neben der seinigen miethete.

Mit freundschaftlicher Theilnahme besuchte mich Antonelly noch verschiedene Male, er ging aber kurz darauf nach St. Thomas und kehrte während meines dortigen Aufenthaltes nicht zurück. — Stahl, welcher eigentlich nur ein zum Wundarzt gestempelter Bader war, verband meine Wunde eine Zeitlang; sobald es ihm aber gelungen war, mir den größten Theil meiner Baarschaft abzuschwatzen, kam er seltner, und als ich nothgezwungen mein Darlehn zurückforderte, blieb er ganz weg. — Auch mein Bedienter verließ mich bald darauf; es war ein Mensch von ziemlicher Bildung, sprach französisch und italiänisch, nannte sich: von Allstern, und behauptete Capitain in österreichischen Diensten gewesen zu sein. Als Unterofficier war er mit Uslar's Legion von Hamburg gekommen, und bei Cumana erkrankt nach Margarita zurückgekehrt. Meine nicht schlechte Equipage, und die Hoffnung bei meinem zu erwartenden Tode, Besitzer derselben zu werden, hatten ihn wahrscheinlich dazu vermocht sich zu einem solchen Dienste herzugeben. Da meine gute Natur diese Aussicht aber sehr zweifelhaft machte, kündigte er mir den Handel auf, und trat mit einigen italiänischen Krämern in Verbindung, für die er auf der Insel hausiren ging. Ich miethete mir deshalb eine Negersklavin zur Aufwartung, welche während mehrerer Monate das einzige menschliche Wesen war, das meinem einsamen Krankenlager nahe kam.

Sieben Monate lang hatte ich in diesem verlassenen Zustande zugebracht, als ich es zum ersten Mal wagen konnte mich, mit Hülfe von Krücken, aufzurichten; doch bedurfte ich mehrerer Tage um meinen Körper, von der sieben Monate lang ununterbrochenen horizontalen Lage, an die senkrechte zu gewöhnen: anfänglich ward ich bei jedem Versuche ohnmächtig. Seit längerer Zeit hatte ich nur durch den Verkauf einiger meiner Kleidungsstücke existirt; jetzt reservirte ich mir nur das durchaus Nothwendige aus meiner Garderobe, das Uebrige, nebst goldener Repetir Uhr, Kette, Pettschaft, Brustnadel, Ringe u. s. w. machte ich zu Gelde, und obgleich ich noch weit weniger wie den halben Werth bekam, erschwang ich mir doch über 150 Piaster, womit ich meine Ausgaben noch eine geraume Zeit bestreiten konnte. —

Aber diese Aussicht verlor ich leider durch meine gutmüthige Leichtgläubigkeit; weit entfernt durch den Fall mit Stahl vorsichtiger geworden zu sein, ließ ich mich neuerdings von meinem vorigen Bedienten überreden ihm zur vortheilhafteren Führung seines kleinen Handels mein mit Aufopferung zusammen gebrachtes Capital vorzuschießen. Nicht der mir dafür versprochene Vortheil bestimmte mich hierzu, sondern der aufrichtige Wunsch das Fortkommen eines Menschen zu befördern, welcher augenscheinlich bessere Tage gesehn hatte. — Mein Leichtsinn kam mir theuer zu stehn. — Nach Verlauf eines Monats lief der saubere Patron davon, indem er seine Schulden nicht mehr zu bezahlen vermochte. — Da lag ich nun in einem fernen Welttheile, ohne Freunde, ohne Geld, ja ohne Geldeswerth und mit einer unheilbar scheinenden Wunde. —

Ueber meine trostlose Lage nachdenkend, saß ich in meiner einsamen Hütte, als mich ein in Juan Griego ansässiger nordamerikanischer Kaufmann, Namens Henry Taggart besuchte, mir einige Charten von verschiedenen Provinzen Colombia's zeigte und sich erkundigte, ob ich die Copie derselben machen könne. Der sich damals auf der Insel aufhaltende Agent der Vereinigten Staaten, Obrist Charles S. Todd, war von seiner Regierung beauftragt, sich wo möglich einige Charten der nur unvollkommen gekannten festen Küste zu verschaffen; der Gouverneur der Insel hatte ihm die seinigen zu kopiren erlaubt und mich hatte man als den Einzigen genannt, welcher eine solche Arbeit verstände. Mit der Bedingung mir die nöthigen Instrumente und Materialien anzuschaffen, übernahm ich die Ausführung; Taggart besorgte mir alles, so gut es zu haben war, und obgleich mein kranker Zustand mir nur wenige Arbeitsstunden erlaubte, kopirte ich die erste in wenigen Tagen zu Todd's völliger Zufriedenheit. Er besuchte mich, unterhielt sich mit mir, und der spanischen Sprache nicht mächtig, ohne Sekretair wie er war, bot er mir an, bei ihm zu wohnen und späterhin in seiner Gesellschaft die Reise zu dem, in Cucuta versammelten Congresse zu machen. Natürlich bat ich mir keine lange Bedenkzeit aus, sondern folgte ihm ohne Verzug nach dem Dorfe San Juan, dem kühlsten auf der Insel, wo er damals wohnte.

(Fortsetzung folgt.)

Anekdoten.

Man sprach in einer Gesellschaft zu Paris viel über die Memoiren der Frau von Genlis und ihren Charakter; der Dichter Delavigne, der dabei war, äußerte sich über diesen Gegenstand: *Il n'y a rien de naturel dans cette femme, que ses enfans.*"

Ein Banquier von Hayti hatte eine Tratte (*une traite*) auf ein großes Pariser Handelshaus gestellt, und sie sollte dieser Tage eingezogen werden. „Ich gehe nichts ein, sagte der französische Banquier, denn die *traite des noirs* gehört in Frankreich zu den verbotenen Dingen."

Berliner Chronik.

Königl. Oper. Mittwoch d. 27sten. Scenische Darstellung aus der italienischen komischen Oper: *Il Fanatico per la Musica*, nebst einigen anderen Gesangstücken von verschiedenen Komponisten. —

Das wahrhafte Genie ist immer universell, und wie Goethe und Shakespeare als die großen Dichter nicht nur Trauerspiele, sondern auch Lustspiele und Lieder schrieben, so ist Mad. Catalani die große Sängerin auf der Bühne dadurch, daß sie nicht nur die Majestät einer Königin, sondern auch die Naivetät und Schalkheit eines losen Mädchens mit gleicher Wahrheit und Lebendigkeit darstellen kann. — Obwohl wir leider nur einige unzusammenhängende Scenen aus der genannten Oper sahen, in welcher Mad. Catalani als Aristea, Dichterin und schwärmerische Verehrerin Metastasios auftrat, so hat sie, wie sie in den früheren heroischen Opern uns ihre tragische Kraft zeigte, uns nun auch ein vollständiges Bild von dem gegeben, was sie in der komischen Oper leistet. Kaum sollte man glauben, daß in jenem Gesicht, in dem wir nur gewohnt sind, den Stolz einer Semiramis, die wildaufgeregte Leidenschaft einer Monima zu sehn, auch der Witz, die Schlauheit, die Grazie und der liebenswürdige Humor eines achtzehnjährigen Mädchens erscheinen könnte und doch sahen wir dies heut auf eine Weise geleistet, wie noch nie. Keinen Augenblick stand Aristea auf der Bühne, ohne durch ihr Spiel, selbst wenn sie nicht sang, alle Aufmerksamkeit auf sich zu fesseln, und die Heiterkeit, die über ihr ganzes Wesen ausgegossen war, theilte sich wie ein unsichtbarer Aether der ganzen Versammlung mit, so daß ihr ein weit stürmischer Beifall zu Theil ward, als in allen früheren Vorstellungen. Die vornehmste Ursache dieses freien und aufgeregten Spiels der Mad. Catalani lag wohl diesmal darin, daß sie die Hauptscenen mit einem Landsmann, Herrn Benincasa aus Dresden spielte, an dessen Spiel als Don Febeo das ihre einen Anhalt und Widerklang fand, dessen sie sonst entbehrte.

Hr. Benincasa ist ein Buffo von der feinsten Art; seine Stimme ist noch immer wohllautend und besonders in der Tiefe klangvoll, allein gegen sein Spiel tritt sie in den Hintergrund, obwohl sie in den Ensemble-Stücken von der besten Wirkung ist; in dem raschen Parlando, was eine Hauptforce der italienischen Buffos ist, dürfte es ihm so leicht kein anderer gleich thun. — Hr. Stümer und Dem. Hoffmann schlossen sich mit deutscher Biederkeit und Bescheidenheit an die italienische Frivolität an. —

Nach einem Zusammenhang der Handlung durfte man auch bei dem Arrangement dieser Oper nicht fragen. Am meisten fiel es auf, daß das Schlußterzett: „*O dolce concento*,„ wodurch die ganze Handlung geschlossen und der Zwist versöhnt wird, nicht frei als zu dem Stück gehörend, sondern mit den Notenblättern in der Hand, wie ein Uebungsstück gesungen wurde. — Die dabei anwesende Gesellschaft im Hintergrunde hätte der Hr. Regisseur nicht so in regelmäßig bunte Reihe setzen sollen; dann wäre vielleicht die Unterhaltung lebhafter gewesen. Der Uebersetzer hat geglaubt nicht treu genug sein zu können. Wenn Don Febeo sagt:

„*Miei rampolli feminili*"

übersetzt er:

„Ihr weiblichen Sprossen." —

Eine etwas ältliche Dame hinter mir hört ich ihren Nachbar fragen, ob es nicht ein Druckfehler sei und heißen müßte:

„Ihr weiblichen Sprosser!" —

Geschlossen wurde mit dem Triumphgesang der Mad. Catalani „*God save the King.*" „Auf Begehren" hieß es in der Zeitung; solch einstimmiges Begehren ist nicht das rechte und wär auch nicht nöthig, da das Publikum von selbst sein Begehren darnach laut genug ausgesprochen hat. Man denke sich in einer Englischen Zeitung angekündigt: auf Begehren: *God save the King!!* Und ist es nicht auch unser National-Lied? —

(Redigirt von Dr. Fr. Förster und W. Häring (W. Alexis.)

Im Verlage der Schlesingerschen Buch- und Musikhandlung, in Berlin unter den Linden Nr. 34.

Berliner

Conversations-Blatt

für

Poesie, Literatur und Kritik.

Sonnabend, — Nro. 128. — den 30. Juni 1827.

Polnische Literatur.

Polnische Miscellen, herausgegeben von August v. Drake. Warschau bei Joseph Węcki. 1826.

Von dieser Zeitschrift liegen uns die drei ersten Monatshefte, beginnend mit dem October des vergangenen Jahres, vor. Nach der Ankündigung des Herausgebers sind die Polnischen Miscellen bestimmt, Materialien zur Kenntnis der Cultur der Polnischen Nation in älterer und neuerer Zeit zu liefern und sollen demnach folgende Gegenstände enthalten: 1) Eine Auswahl der gehaltvollsten Aufsätze und Abhandlungen aus Polnischen periodischen Schriften in vollständiger Uebersetzung. 2) Auszüge aus größeren Polnischen Werken. 3) Uebersetzungen Polnischer Gedichte. 4) Historische, statistische, literarische Nachrichten Polen betreffend, Biographien ausgezeichneter Männer, Anzeigen der in Polnischer Sprache erscheinenden Schriften u. s. w. 5) Originalaufsätze und Gedichte in Polen lebender Deutschen.

Bei der geringen Kenntnis, welche wir von der Literatur unseres Nachbarlandes besitzen und bei der noch geringern Anzahl von Literaten, die der Polnischen Sprache mächtig sind, scheint dies ein Unternehmen, welches dankbare Aufmerksamkeit der Deutschen verdient. Nach dem zu billigenden Plane können wir hier mit Bequemlichkeit, die Entwickelung und Fortbildung der Literatur unseres sarmatischen Nachbarvolkes verfolgen und durch Kosten befriedigt, oder zum Weiterstudium aufgeregt werden. Daß der Herausgeber mit Geschmack auswählen wird, das trauen wir ihm zu. Dagegen fehlt, nach den bis jetzt gegebenen Proben, das Mittel, zu einer Umsicht zu gelangen. Der gebildete Pole und der Deutsche, welcher lange in dem Lande gelebt, bedarf deren nicht. Dem ausländischen Journal-Leser indessen, auf den doch vermuthlich zumeist gerechnet wurde, ist die Literaturgeschichte mehr oder weniger fremd und zu verhüten, daß er nicht blind hinein greife, hätte der Unternehmer wohlgethan, eine solche kurz im ersten Hefte vorauszuschicken, oder sie mehr ausführlich in den ersten Heften nacheinander folgen zu lassen. So trifft das Journal der Vorwurf, daß es mit der Thüre ins Haus hineinfällt, denn der kurze Plan, dessen wesentlichen Inhalt wir mitgetheilt, sagt uns noch wenig über die künftige Organisation einer Zeitschrift, die ihrer Ankündigung nach, etwas organisch Ganzes werden könnte.

Das erste Heft beginnt mit einem Aufsatz, betitelt: Von der Nothwendigkeit einer Uebersetzung des Babylonischen Talmuds zum Behuf einer Reform der Juden, vorzüglich in Polen, und von den Vortheilen, die dem geistlichen und weltlichen Studium daraus erwachsen können. Er ist Polnisch im Aprilheft 1826 der Warschauer Polnisch. Monatsschr. (*Dziennik Warszawski*) schon mitgetheilt worden, jedoch hier aus dem umgearbeiteten Manuscripte übersetzt. Wie wichtig auch der Gegenstand für Polens sittliche Bildung ist und mit wie anziehender Lebendigkeit er auch geschrieben sein mag, scheint er uns doch unpassend, ohne weiteres Vorwort ein Journal zu beginnen, welches bestimmt ist, Materialien zur Kenntnis der Cultur der polnischen Nation zu liefern. Er soll von dem Professor der Orientalischen Sprachen an der Warschauer Universität, Abbe Chiarini herrühren und hat bereits Anlaß gegeben zu einem noch lebhaft fortgeführten Streite zwischen den künftigen Uebersetzern des Talmud und der Rabbinischen Oppositionspartheí. Im dritten Hefte befindet sich bereits der Aufsatz eines Israeliten gegen den Chiarinischen, der, voller Heftigkeit geschrieben, Feuer und Flammen gegen das Unternehmen speiet, doch aber mehr Proben des Leichtsinns und der Unkenntnis, in der Ausführung, als erhebliche Einwendungen gegen das riesenmäßige Unternehmen hervorbringt, ein Unternehmen, was der Natur der Sache nach seine Fehler und sein Mangelhaftes in nicht geringer Anzahl mit sich führen muß. Wer Niemcewicz „Sara und Levi" gelesen, muß in den Wunsch einstimmen, daß Alles, was in das Polnische Judenthum Licht bringen könnte, den Beistand der Redlichen gewinne.

Bei den mitgetheilten Uebersetzungen Polnischer Poesieen, wird der Mangel einer literarhistorischen Uebersicht am meisten fühlbar. Proben von Dichtern aus der neuesten Zeit bis früh hinauf aus dem sechzehnten Jahrhundert wechseln bunt ab, und die hie und da mitgetheilten literärischen Notizen lassen nur nach Mehr verlangen. Im ersten Hefte lesen wir Proben nach Mickiewicz, Karpinski, Brodzinski und Kochanowski. Die meisten schmecken, wenigstens in der Uebersetzung, allzusehr nach der Französischen Lyrik, welche für den Französischen Gaumen nun einmal wenig Schmackhaftes hat.

Das zweite Heft enthält vorzugsweise eine Krakanische Idylle nach K. Brodzinski, Namens Wieslaw. Man darf darin eine treue Schilderung der ländlichen Sitten in Polen anerkennen und Goethes Herrmann und Dorothea möchte wohl den Polnischen Dichter zu dieser nationell eigenthümlichen Schöpfung begeistert haben. Gern theilten wir unsern Lesern das Gedicht mit, wenn wir uns den Raum nicht zu einer noch interessanteren Mittheilung aufsparen wollten.

Einen großen Theil des zweiten und dritten Heftes füllt eine Untersuchung über den Ursprung der Slavischen Völker von Lorenz Surowiecki, eine Rede, gehalten in öffentlicher Sitzung der Königlichen Gesellschaft der Freunde der Wissenschaften in Warschau (am 24. Januar 1824). Mit Klarheit und Kenntnissen geschrieben. Er kommt zu dem Resultate, daß die Slaven, deren plötzliche und unbegreifliche Erscheinung während der Völkerwanderung so manches Kopfbrechen, so manche kühne Annahme verursacht, sowohl ihrem Namen (Wenden) als der Abstammung und den Wohnsitzen nach dieselben Veneden waren, welche man kannte (als einen Hauptvolksstamm unter den Europäischen) und von denen schon seit Jahrhunderten die Rede gewesen war. So anmuthig sich dies liest und so wahrscheinlich es klingt, möchten wir doch nicht mit dem Verfasser sagen, daß dies nach seiner Durchführung „nun keinem Zweifel mehr unterliege." Höchst bedenklich scheint uns besonders die zweite Annahme, daß sämmtliche Slavische Völkerschaften mehrere Jahrhunderte lang ruhig in ihren alten Wohnsitzen an der Weichsel verharrt hätten, mitten unter den Stürmen so vieler Germanischer und Asiatischer Völkerschaften, bis der letzte Andrang sie zum Vorrücken bewogen. Ein solches zwischen Bergen und Morästen geschütztes, ungeheuer ausgebreitetes stabiles Ackervolk, wie sie der Redner schildert, wäre der Notiz der Scribenten unmöglich so lange entgangen. Damit wäre überdies noch wenig geholfen zur Lösung der Frage über das ursprüngliche Verhältniß der Germanischen zu den Slavischen Völkern. Weder die Alten, (wenn nicht etwa Plinius Geschichte der Deutschen Kriege aufgefunden wäre,) noch die Denkmale der heidnischen Vorzeit, so überreich an den Ostseeküsten, werden dieses Dunkel erhellen. Zu welchen Fragen über Deutsche und Slavische Vorfahren veranlaßt allein die Betrachtung des wunderbaren Eilands Rügen? Die Bastarnen, welche neuerdings in den Hypothesen Deutscher Historiker eine bedeutende Rolle gespielt haben, weist der Redner mit ihren Ansprüchen auf Slavisches Blut ab.

Am interessantesten bleiben für uns in den drei Heften die darin abgedruckten Briefe König Johanns III. (Sobieskis) an die Königin Maria Kasimira seine Gemahlin vor und nach der ewig denkwürdigen Befreiung Wiens im Jahre 1683 durch den glorwürdigen Sieg dieses ritterlichen Königs über die Ungläubigen unter den Thoren der Kaiserstadt. Sie sind schon im vorigen Jahre nach der französischen Uebersetzung deutsch erschienen, hier aber zum erstenmale nach dem Originale ins Deutsche übersetzt, und verdienen schon um deshalb eine Mittheilung, weil ihnen hier der Vorzug eines bei weitem treueren Colorits nicht abzusprechen sein wird. Ueberdies glauben wir unsern Lesern zu dieser Zeit keine Mittheilung von großartig erhebenderem Interesse machen zu können, als die Schilderung einer Schlacht, die Deutschland vor der letzten Türkennoth schirmte. Das geschah damals in einer eigentlich schlechten, begeisterungslosen Zeit. Ganz Europa trat zusammen, um Oestreichs Hauptstadt vor dem Erbfeinde zu bewahren. — — Heut — genug man liest die eigenthümlichen, herzlichen Briefe des Heldenfürsten gern zum zweitenmale, auch wenn es sich in diesem Augenblicke nicht unter den Mauern von Athen um Griechenlands Vernichtung handelte, denn sie geben nur neben der lebendigsten Schilderung seine ganze Persönlichkeit. Deshalb heben wir hier die zwei bedeutendsten heraus. Gern werden wir von dem Fortgange des Journals weiteren Bericht abstatten. *a.*

Johann Sobieski an die Königin, seine Gemahlin.

Auf dem Kahlenberge, worauf ein jetzt abgebranntes Camaldulenser-Kloster steht, im Angesichte des Türkischen Lagers, den 12ten September 1683, um 3 Uhr vor Tage.

Einzige Freude meines Herzens und meiner Seele, holdeste, geliebteste Marie! Obgleich du mir jetzt wohl glauben wirst, daß mir es an Zeit, zu schreiben, fehlt, und die Feldpost erst morgen abgeht, und wir nicht wissen, wie sie durchkommen wird, da die Tataren uns gewiß im Rücken schwärmen, so lasse ich doch, damit du, mein Herz, dich nicht beunruhigen mögest, Alles beiSeite liegen und benachrichtige dich, daß wir mit Gottes Hülfe bereits gestern gegen Abend vor dem Türkischen Lager angekommen sind. Heute Nachmittag wird, so Gott will, der Rest anrücken. Es ist nicht zu beschreiben, wie es uns hier ergeht; Jahrhunderte hindurch ist dergleichen nicht erlebt worden. Was das für ein mühsamer Uebergang über die Donau war, wo die Brücken einbrachen und die Wagen sich größtentheils Furthen suchen mußten, wie sich denn auch deren einige *sur tous les bras du Danube* vorfanden, mit Ausnahme des Hauptstroms, wo der eigentliche *cour des eaux* geht; denn solch einen reißenden Strom giebt es keinen zweiten auf der Welt! — Das war am Donnerstag, den 9. dieses, nach Ankunft des Kurfürsten von Baiern, dessen Portrait folgendes ist: Größe und *Taille de nôtre Mr. le Comte de Maligny*, das Haar nicht übel, *châtain brun*, der Bart etwas nach Oesterreichischer Manier, von Gesicht nicht häßlich, die Augen etwas kränklich aussehend, französisches Air; er ist fast bis zu uns mit Postpferden gekommen, kleidet sich besser als die andern, und hat schöne Englische Pferde, deren ihm der König von Frankreich zwölf Stück mit allem Sattelzeuge übersandt hat. Lakeien und Pagen sind bei ihm nicht zu sehen, Höflichkeit und Manieren besitzt er genug; dabei ist er noch überaus jung. Mit Fanfan *) geht er so gut und familièrement um, als wären sie seit Jahren mit einander bekannt, er nennt ihn öfters *mon cher frère*; aber dem Fanfan muß man auch lassen, *qu'il est tout autre*; der arme Junge hat viel auszuhalten, doch ist er, Gott sey Dank, munter und macht sich nicht viel daraus.

Anfangs benahmen sich beide Kurfürsten gegen uns etwas fremd, jetzt aber, da wir dem Feinde näher gekommen, nicht mehr. Sie nehmen täglich die Parole von mir persönlich in Empfang, und fragen oft zu zehn Malen an, ob ich nichts befehle. Der Sächsische ist ein grundehrlicher Mann, in dessen Herzen kein Falsch ist; vorgestern fiel der Arme vom Pferde und verletzte sich das Gesicht. — Sie geben mir stets einige Cavaliere zur Seite, um die Ordres zu empfangen; vorige Nacht schickten sie mir sogar ein Commando gepanzerter Reiter vor das Zelt, um daselbst zu Pferde Wache zu halten. Sey doch so gut, liebes Herz, dies dem H. Bischof von Luck zu erzählen, denn ich habe dazu nicht Zeit; der meinte nämlich, ich würde mit ihnen und ihrem Phlegma meine Noth haben. Sie haben mir an den rechten Flügel meines Polnischen Heeres vier starke Infanterie-Regimenter zugegeben; kurz, ein simpler Hauptman, könnte sich nicht folgsamer bezeigen, als sie, und deshalb dürfen wir auch, mit Gottes Hülfe, auf einen guten Ausgang hoffen, obgleich nicht ohne große Beschwerde: denn wir haben hier alles ganz anders angetroffen, als uns berichtet war, zumal was die Beschaffenheit des Terrains anbetrifft. Nach jenem Uebergang über die Donau, haben wir solche Berge passiren müssen, daß wir nicht marschirt, noch gestiegen sind, *mais nous avons grimpé*. Schon seit Freitag essen wir nichts und schlafen nicht, unsere Pferde eben so wenig. Freitags hatte ich mich von unsern Truppen entfernt, indem ich mit den Fürsten zur Berathschlagung vorausritt und befand mich 26 Stunden hindurch vom Heere entfernt. Die unsern waren wegen jenes verwünschten schweren Fortkommens hinter uns zurückgeblieben, so daß die Gemeinen schon anfingen, es nicht zum besten zu deuten, nur daß sie mich sahen und zufällig die Ungarische Infanterie bei mir, die ich ganz vorne marschiren lassen: denn die Deutschen hatten sich nach diesem Puncte zu sehr und ziemlich gefährlich vorgedrängt, aber Gott hat aus seiner unendlichen Gnade bisher verhütet, daß auch nicht die mindeste Unordnung statt gefunden hat und nicht ein Mann verloren gegangen ist, obgleich sich allenthalben und im Rücken Tataren zeigen; die Türken aber werden wie Hunde angeschleppt, und Vieh haben ihnen meine Dragoner und Kosaken nicht wenig genommen. —

Wunderbar ist's aber, daß hier schon seit 26 Stunden ein solcher Wind weht und vom Feind her uns gerade in die Augen, daß die Leute sich kaum auf den Pferden halten können; die *puissances aériennes* sind, wie es scheint, gegen uns losgelassen:

Gestern Mittags bin ich denn wieder mit meinem Heere zusammengetroffen und da haben wir hier abermals einen unseligen Berg hinaufklimmen müssen, der

*) Sobieski's ältester Sohn, Jacob.

mit dichtem Walde bewachsen, steil und unwegsam ist. Was doch das für eine Gnade Gottes ist, daß wir durch solche Gegenden ohne Verlust und Hinderung durchgekommen! Unsere Wagen haben wir drei Meilen von hier an der Donau in einer sehr guten und haltbaren Lage zurückgelassen, und nur zwei leichte Fuhrwerke hieher mitgenommen, das Uebrige aber auf Maulthiere packen müssen; aber auch diese haben wir in den letzten beiden Tagen nicht mehr zu sehen bekommen. Das ist aber Alles noch nichts; am meisten sind wir darin getäuscht worden, daß uns Alle, selbst die Generale, versichert hatten, sobald wir auf diesen Kahlenberg gelangen würden, werde es schon gut sein und nach Wien der Weg zwischen Weinbergen hinab führen; und wie wir nun hier ankommen, sehen wir erstlich das sehr große Türkische Lager wie auf flacher Hand vor uns, sodann die Stadt Wien und über 10 Meilen darüber hinweg, aber kein Gefilde vor uns, sondern noch Wälder, *des précipices et une grandissime montagne*, wovon uns keiner ein Wort gesagt hatte, *et cinq ou six ravines*. Daher wird es wohl nicht vor zwei Tagen zur Action kommen können: denn wir müssen nun sowohl die Schlachtordnung, als die Kriegsweise gänzlich ändern und mit ihnen *a la manière* jener großen Moritze, Spinola's und Anderer zu Werke gehen, die *a la sicura* vorrückten, *gagnant peu à peu le terrain*. Aber menschlicher Weise zu urtheilen und all unsere Hoffnung in Gott setzend, möchte dieser Feind wohl sehr in's Gedränge kommen, da er sich weder verschanzt hat, was ihm auch nicht möglich ist, noch sein Lager concentrirt, sondern so steht, als wenn wir an hundert Meilen von ihm wären. Der Wiener Commandant sieht uns, läßt Raketen steigen und unaufhörlich aus grobem Geschütze feuern. Die Türken aber haben bis jetzt nichts gethan; nur auf dem linken Flügel, wo der Herzog von Lothringen mit dem Kurfürsten von Sachsen steht, haben sie unter den Mauern des Camaldulenser-Klosters, welches die Unsrigen besetzt halten, eine Anzahl Fähnen mit einigen tausend Mann Janitscharen vorgeschoben, als wollten sie uns an der Donau den Durchgang versperren. — Ich reite sogleich hin und muß deshalb schließen und nachsehen, ob sie dorten die Nacht über keine Schanzen aufgeworfen haben, was für uns schlimm sein würde, denn ich denke sie von der Seite anzugreifen. Unsere Armee steht oben im Walde, eine starke halbe Meile weit ausgedehnt, wo kaum so viel Platz ist, um auf einem Fußsteige von einem Flügel zum andern zu gelangen; ich habe auf dem rechten Flügel bei der Infanterie übernachtet. Das ganze Türkische Lager ist hier zu überschauen, vor Kanonendonner kann man kein Auge schließen. — So leicht sind wir durch diesen letzten Freitag und Sonnabend geworden, daß ein jeder von uns Hirsche auf den Bergen einholen könnte. Am schlimmsten steht es um die Pferde, die nichts zu fressen haben als Laub; der versprochene Proviant ist für Menschen und Pferde ausgeblieben. Unsere Leute sind jedoch frischen Muthes. Die unserm Heere zugetheilten Infanterie-Regimenter verrichten ihren Dienst mit solcher Subordination, wie unsere eigenen nie. Die Unsrigen aber sehen mit lüsternen Blicken nach dem Türkischen Lager hinüber und zeigen eine große Ungeduld erst dort zu sein. Das aber wird einzig und allein Gottes Hand bewirken können. Die Tataren lassen sich bisher fast nicht sehen, wir wissen nicht, wo sie sich befinden mögen.

Deinen Brief vom 6. September, den du mir, mein Herz, durch den Diener des Herrn Wojewoden von Volhinien hast zukommen lassen, habe ich gestern an diesem unseligen Berge erhalten. Du darfst dich nicht damit rühmen, daß es der sechste ist, denn dieser meinige wird der achte sein; sehr angenehm hat mich dein Brief bis Tages Anbruch unterhalten.

Nun aber, mein einziges Herz, muß ich abbrechen, indem ich alle deine Reize millionenmal küsse.

Mes baise mains à ma soeur et à Mr. le Marquis. Die Kinder küß' ich und drücke sie an mein Herz. Liebes Herz, lies diesen Brief doch Hrn. Drzon vor, denn in ihm kann er vielen Stoff zum Discouriren finden.

Berliner Chronik.

Donnerstag den 28. Juni. Königstädtsches Theater. Die Lottonummern. —

Von einem Theaterfreunde, wie es schien einem mehr als leidenschaftlichen, hörten wir sagen: der Catalani möcht' ich eine colossale Statue in Erz errichten und sie neben Blücher aufstellen, aber von der Sontag wünscht' ich mir ein Miniaturgemählde mit Brillanten, um es auf dem Herzen zu tragen. Es liegt allerdings etwas Wahres darin; Mad Catalani als Semiramis macht einen plastischen Eindruck, man glaubt eine Gestalt aus dem Kreise der Götter Griechenlands auftreten zu sehn. Dem. Sontag dagegen als Anna in der weißen Dame, stimmt uns romantisch, und so tragen auch die Stimmen beider Sängerinnen diesen verschiedenen Charakter. — Wer aber ein Miniaturbild von dem Gesange der Dem. Sontag zu besitzen wünscht, den müssen wir auf die Lottonummern verweisen, und in diesen wiederum auf die bekannte Cavatine: „Nein, nein, nein, ich singe nicht mein Herr," wo diese spröde Sängerin, indem sie sich weigert zu singen, alle Künste und allen Zauber ihres Gesangs entwickelt. — Als ihr Hauswirth, Jakson, ihr zu bedenken giebt, daß es nicht wohlgethan sei, sein Vaterland, wo man auf den Händen getragen werde, zu verlassen und sein Glück im Auslande zu suchen, unterbrach stürmischer Applaus und der Ruf „Hierbleiben!" das Spiel. Die Sängerin konnte nur mit stummer Verbeugung für diese Aufmerksamkeit danken. — Dem. Nina Sontag, die jüngere Schwester, entwickelt im Lustspiel eine graziöse Gewandtheit; im Gesange ist sie noch schüchtern und befangen. —

(Redigirt von Dr. Fr. Förster und W. Häring (W. Alexis.)

Im Verlage der Schlesingerschen Buch- und Musikhandlung, in Berlin unter den Linden Nr. 34.

Lightning Source UK Ltd.
Milton Keynes UK
UKHW021843140219
337217UK00005B/365/P

9 780428 784812